DE ECHTGENOTE

CURTIS SITTENFELD BIJ DE BEZIGE BIJ

De man van mijn dromen
Prep

CURTIS SITTENFELD

De echtgenote

Vertaling Monique Eggermont en Kitty Pouwels

2009
DE BEZIGE BIJ
AMSTERDAM

Cargo is een imprint van uitgeverij De Bezige Bij, Amsterdam

Oorspronkelijke titel *American Wife*
Oorspronkelijke uitgever Random House, New York
Omslagontwerp Marry van Baar
Omslagillustratie Elisa Cicinelli/Brand X/Corbis
Foto auteur Jerry Bauer
Vormgeving binnenwerk Peter Verwey, Heemstede
Druk Wöhrmann, Zutphen
ISBN 978 90 234 3516 7
NUR 302

www.curtissittenfeld.com
www.uitgeverijcargo.nl

Voor Matt Carlson,
mijn echtgenoot

INHOUD

De echtgenote is een roman die voor een klein deel geïnspireerd is door het leven van een Amerikaanse first lady. Haar man, zijn ouders en een aantal prominente figuren uit zijn regering zijn herkenbaar. Alle andere personages in het boek zijn, evenals hun lotgevallen, ontsproten aan de fantasie van de auteur.

VOORWOORD

(JUNI 2007, HET WITTE HUIS)

Heb ik verschrikkelijke fouten gemaakt?

Naast me in bed slaapt mijn man, hij ademt diep en rustig. Als hij, toen we pas getrouwd waren, eigenlijk in de eerste paar weken, snurkte, zei ik hard zijn naam en als hij dan reageerde, vroeg ik verontschuldigend of hij op zijn zij wilde gaan liggen. Maar algauw maakte hij me duidelijk dat hij liever had dat ik hem gewoon een por gaf; daar hoefden geen woorden aan te pas te komen, en hij wilde niet wakker gemaakt worden. 'Rol me maar gewoon om,' zei hij, en hij grijnsde. 'Geef me maar een flinke, harde duw.' Het was even wennen, maar ik heb het leren doen.

Vannacht snurkt hij echter niet, dus ik kan mijn slapeloosheid niet aan hem wijten. Evenmin aan de temperatuur in de kamer ('s nachts negentien graden, overdag eenentwintig, terwijl we er dan nauwelijks zijn). Een witte-ruisgenerator staat zachtjes te zoemen op een plank, de jaloezieën en gordijnen zijn dicht, zodat we in het aardedonker liggen. In het leven dat we nu leiden zijn er altijd zorgen over onze veiligheid, maar die zijn routine geworden, en meer dan eens heb ik gedacht dat we waarschijnlijk veel minder gevaar lopen dan een doorsnee echtpaar in een buitenwijk; die hebben een inbrekersalarm, of misschien een jack russell, of een schijnwerper aan een hoek van het huis, en wij hebben sluipschutters en helikopters, bewapende gepantserde auto's, raketlanceerinrichtingen en scherpschutters op het dak. Voor ons zijn de risico's weliswaar groter, maar het niveau van bescherming is niet te vergelijken – bizar soms. Zoals met zoveel andere dingen, houd ik mezelf voor dat we gerespecteerd worden om de positie die we bekleden, en dat we simpelweg een symbool zijn; wie we zijn als persoon doet er nauwelijks toe. Het idee dat al die onkosten en inspanningen voor ons zijn, zou me anders in verlegenheid brengen. Als wij het niet deden, zeg ik steeds bij mezelf, waren er wel anderen die deze rol speelden.

Ik slaap nu al zeven nachten slecht. Niet dat ik problemen heb met slapengaan: ik maak alle normale stadia van vermoeidheid door, het gebrek aan concentratie dat na tienen elk halfuur erger wordt, en wanneer ik onder de dekens kruip, meestal kort na elven, en mijn man nog in de badkamer is of nog een laatste paar papieren doorneemt, terwijl hij aan de andere kant van de kamer nog iets tegen me zegt, doezel ik al weg. Als hij in bed komt slaat hij zijn armen om me heen, ik kom weer bovendrijven uit de zee van slaap, we zeggen dat we van elkaar houden, en in de wazigheid van dat moment geloof ik dat wij nog steeds echt zijn; dat onze lichamen in het donker oprecht zijn, en de meeste andere dingen – de publiciteit en de verplichtingen en de controverses – onecht en gekunsteld. Maar als ik rond twee uur wakker word, vrees ik het tegenovergestelde.

Ik weet niet precies of wakker worden om twee uur beter is dan wakker worden om vier uur. Aan de ene kant heb ik de luxe dat ik weet dat ik uiteindelijk wel weer in slaap val; aan de andere kant lijkt de nacht zo lang. Meestal heb ik gedroomd over vroeger: over mensen die ik ooit heb gekend en die er niet meer zijn, of over mensen met wie mijn relatie zo is veranderd dat ik ze niet meer ken. Ik heb zoveel meegemaakt wat ik nooit had kunnen bevroeden.

Heb ik het presidentschap van mijn man vandaag in gevaar gebracht? Heb ik iets gedaan wat ik jaren geleden had moeten doen? Of misschien allebei, en dat is het probleem – dat ik een leven leid dat in tegenspraak is met zichzelf.

DEEL I

Amity Lane 1272

In 1954, in de zomer voordat ik naar de derde klas ging, zag grootmoeder Andrew Imhof voor een meisje aan. Ik stond met haar bij de kruidenier – die ochtend was ze, toen ze een boek las waar palmharten in voorkwamen, overmand door het verlangen ze zelf ook te gaan halen en had ze me meegenomen op haar wandeling naar de stad – en op de afdeling conserven kwamen we Andrew tegen, die met zijn moeder mee was. Omdat ze niet van dezelfde generatie waren, waren Andrews moeder en mijn grootmoeder niet bevriend, maar ze kenden elkaar zoals mensen in Riley, Wisconsin, elkaar kenden. Andrews moeder was degene die ons aansprak, ze legde haar hand op haar borst en zei tegen mijn grootmoeder: 'Mevrouw Lindgren, ik ben Florence Imhof. Hoe gaat het met u?'

Andrew en ik waren al klasgenoten sinds we naar school gingen, maar we keken alleen maar naar elkaar zonder iets te zeggen. We waren allebei acht. Terwijl de volwassenen met elkaar kletsten, pakte hij een blikje erwten en klemde dat tussen zijn vlakke hand en zijn kin, en ik vroeg me af of hij zich aan het uitsloven was.

Op dat moment schoof mijn grootmoeder me een stukje naar voren. 'Alice, zeg mevrouw Imhof eens gedag.' Ik stak mijn hand uit, zoals ik had geleerd. 'En wat een schat van een dochter heb je,' vervolgde mijn grootmoeder, gebarend naar Andrew, 'maar ik geloof niet dat ik haar naam weet.'

Er viel een stilte, waarin mevrouw Imhof volgens mij overwoog hoe ze mijn grootmoeder moest corrigeren. Uiteindelijk pakte ze haar zoon even bij zijn schouder en zei: 'Dit is Andrew. Hij en Alice zitten bij elkaar in de klas.'

Mijn grootmoeder kneep haar ogen samen. 'Zei je "Andrew"?' Ze draaide zelfs even haar hoofd opzij, alsof ze hardhorend was, al wist ik dat ze dat niet was. Ze leek vastbesloten het excuus dat mevrouw Imhof haar op een presenteerblaadje aanreikte niet te maken, en ik wilde haar op haar arm tikken, haar hoofd omlaag trekken zodat haar gezicht vlak naast het mijne was en zeggen: Oma, het is een jongen! Het was nooit bij me opgekomen dat Andrew eruitzag als een meisje – er was in die tijd trouwens nog maar weinig over Andrew Imhof bij me opgekomen – maar zijn bruine ogen hadden inderdaad bijzonder lange wimpers, en hij had lichtbruin haar dat in de zomer een heel stuk gegroeid was. Maar zijn haar was alleen lang naar de norm van die tijd voor een jongen; het was nog steeds veel korter dan het mijne, en er was niets meisjesachtigs aan de katoenen broek en het rood-met-wit geblokte hemd die hij droeg.

'Andrew is de jongste van onze twee zonen,' zei mevrouw Imhof, en haar stem had ineens iets doortastends, het eerste teken van irritatie. 'Zijn oudere broer heet Pete.'

'O ja?' Mijn grootmoeder leek de situatie eindelijk door te hebben, maar dat betekende nog niet dat het haar speet. Ze boog zich naar voren en knikte Andrew toe – hij had nog steeds de erwten vast – en zei: 'Het is me een genoegen om kennis met je te maken. Zie jij er maar op toe dat mijn kleindochter zich op school gedraagt. Je mag me verslag uitbrengen als ze dat niet doet.'

Andrew had tot dusver nog niets gezegd – het was niet duidelijk of hij goed genoeg had geluisterd om te begrijpen dat zijn sekse in twijfel werd getrokken – maar nu begon hij te stralen: een enorme glimlach, weliswaar met zijn mond dicht, waarmee hij volgens mij ten onrechte suggereerde dat ik een enorme ondeugd was en dat hij wel een oogje op me zou houden. Mijn grootmoeder, die al haar leven lang bewondering had voor ondeugend gedrag, lachte hem samenzweerderig toe. Nadat zij en mevrouw Imhof afscheid hadden genomen (onze zoektocht naar palmharten bleek tot mijn grootmoeders teleurstelling, zij het niet tot haar verbazing, niets op te leveren) liepen wij de andere kant op. Ik pakte de hand van mijn grootmoeder en zei zachtjes, op een, naar ik hoopte, bestraffende toon: 'Oma...'

Op allesbehalve zachte toon zei mijn grootmoeder: 'Vind jij dan niet dat dat kind eruitziet als een meisje? Hij is gewoon beeldig!'

'Ssst!'

'Nou, hij kan er niets aan doen, maar ik kan niet geloven dat ik de eerste ben die deze vergissing begaat. Zijn wimpers zijn wel twee centimeter lang!'

Als om haar bewering te verifiëren, draaiden we ons allebei om. We bevonden ons op dat moment zo'n vijftien meter van de Imhofs, en mevrouw Imhof stond met haar rug naar ons toe naar een stelling gebogen.

Maar Andrew keek naar mijn grootmoeder en mij. Hij had nog steeds een flauwe glimlach op zijn gezicht, en toen onze blikken elkaar ontmoetten, trok hij tweemaal zijn wenkbrauwen op.

'Hij flirt met je!' riep mijn grootmoeder uit.

'Wat betekent flirten?'

Ze moest lachen. 'Dat is als iemand je leuk vindt en probeert je aandacht te trekken.'

Vond Andrew Imhof mij leuk? Vast wel, want als een volwassene het zei – en niet zomaar een volwassene, maar mijn slimme grootmoeder – moest het wel waar zijn. Dat Andrew mij leuk vond was niet opwindend of rampzalig; het kwam alleen zo onverwacht. Maar toen ik er even over had nagedacht, wees ik het idee van de hand. Mijn grootmoeder wist wel het een en ander, maar niet over het sociale leven van achtjarigen. Per slot van rekening had ze niet eens gezien dat Andrew een jongen was.

In het huis waar ik opgroeide waren we met ons vieren: mijn grootmoeder, mijn ouders en ik. Van vaders kant was ik het enige kind van de derde generatie, wat in die tijd zeer ongebruikelijk was. Hoewel ik beslist graag een broer of zusje had gehad, wist ik al op jonge leeftijd dat ik daar niets over mocht zeggen – mijn moeder had toen ik in de eerste klas zat twee keer een miskraam gehad, en dat waren nog maar de zwangerschappen waar ik iets van wist, de laatste keer was ze al vijf maanden zwanger. Hoewel de miskramen als een stil verdriet op mijn ouders drukten, leek ons gezin in balans. Bij het avondeten zat ieder van ons aan één kant van de rechthoekige tafel in de eetkamer; als we naar de kerk wandelden, konden we twee aan twee lopen; in de zomer zaten er in een doos precies genoeg ijsjes, en we konden *euchre* of bridge spelen, wat ze me allebei leerden toen ik tien was en dat we op heel wat vrijdag- of zaterdagavonden met plezier hebben gespeeld.

Hoewel mijn grootmoeder een ongevoelig trekje had, waren mijn ouders bijzonder attent en respectvol tegenover elkaar, en jarenlang geloofde ik dat deze manier van doen normaal was en beschouwde ik elk ander gedrag als afwijkend. Mijn beste vriendin van jongs af aan was Dena Janaszewski, die aan de overkant woonde, en ik werd constant gechoqueerd door wat ik beschouwde als Dena's grofheid en volume, en eigenlijk van al haar familieleden: ze gilden naar elkaar van boven naar beneden en uit ramen; ze pikten dingen van elkaars bord, en Dena en haar jongere zusjes trokken voortdurend aan elkaars vlechten en knepen in elkaars billen; ze kwamen de badkamer binnen wanneer een ander familielid daar bezig was; en nog schokkender dan het feit dat haar vader een keer 'goddomme' zei waar ik bij was – zijn exacte woorden, tot in de keuken te horen, waren: 'Wie heeft er goddomme mijn heggenschaar gepakt?' – was het feit dat noch Dena, noch haar moeder, noch een van haar zusjes er ook maar erg in leek te hebben.

Bij ons thuis was het altijd rustig. Mijn vader en moeder waren het wel eens niet met elkaar eens – een paar keer per jaar vertrok hij zijn mond tot een streep, of lag er in haar ogen een gekwetste, teleurgestelde blik – maar dat was niet vaak, en als het al gebeurde leek het niet nodig om er hardop lucht aan te geven. Alleen het gevoel van onenigheid, of het nu in de rol was van aanstichter of van ontvanger, was voor hen al pijnlijk genoeg.

Mijn vader had twee motto's, waarvan het eerste luidde: 'Het zijn alleen gekken en dwazen die op roem azen.' En het tweede: 'Wat je ook doet, doe het goed.' Ik heb nooit geweten waar die eerste spreuk vandaan kwam. Mijn vader werkte als afdelingsmanager bij een bank, maar zijn grote passie – zijn hobby, zou je misschien kunnen zeggen, iets wat niet veel mensen meer lijken te hebben, tenzij je over het internet surfen of in mobieltjes praten daartoe rekent – waren bruggen. Hij bewonderde vooral de grootsheid van de Golden Gate Bridge en vertelde me eens dat de aannemer er tijdens de bouw voor een heleboel geld een enorm vangnet onder had laten aanbrengen. 'Dat heet werkgeversverantwoordelijkheid,' zei mijn vader. 'Het ging hem niet alleen om de winst.' Mijn vader volgde op de voet de bouw van de Mackinac Bridge in Michigan – die hij de Mighty Mac noemde – en later ook van de Verrazano-Narrows Bridge die, na de voltooiing in 1964, Brooklyn zou verbinden met Staten Island en de grootste hangbrug ter wereld zou worden.

Mijn ouders waren beiden opgegroeid in Milwaukee en ontmoetten elkaar in 1943, toen mijn moeder achttien was en in een handschoenenfabriek werkte, en mijn vader twintig en werkzaam bij een filiaal van Wisconsin State Bank & Trust. Ze raakten in gesprek in een ijssalon, en tegen de tijd dat mijn vader in dienst ging, verloofden ze zich. Na de oorlog trouwden ze, en ze verhuisden zestig kilometer naar het westen, naar Riley, met mijn vaders moeder in hun kielzog, zodat hij daar een filiaal van de bank kon openen. Mijn moeder ging nooit meer uit werken.

Over het huishouden maakte ze niet te veel drukte – ze leek niet te zwaar belast of humeurig, ze wreef ons niet onder de neus wat ze allemaal wel niet deed – maar ze naaide wel veel kleren, voor haarzelf en voor mij, ze hield het huis smetteloos schoon en kookte altijd zelf. De maaltijden waren doorgaans niet zozeer smaakvol als wel eetbaar; het liefst maakte ze stoofvlees klaar, of een macaroni-ovenschotel, en ze bracht me haar recepten op een rustige, letterlijke manier over, zonder ooit uit te leggen waarom ik die moest kennen. Waarom zou ik ze níét moeten kennen? Ze had eindeloos veel geduld en ze was ijzersterk in kleine, lieve gebaren: zonder iets te zeggen legde ze vaak mooie haarlinten of pepermuntjes op mijn bed of, op mijn bureau, een enkele bloem in een klein vaasje.

Mijn moeder was de op een na jongste uit een gezin van acht kinderen, die ze geen van allen regelmatig zag. Ze had vijf broers en twee zussen, en slechts één van haar zussen, mijn tante Marie, die getrouwd was met een monteur en zes kinderen had, was ooit naar Riley gekomen. Toen de ouders van mijn moeder nog leefden, gingen we wel eens bij hen op bezoek in Milwaukee, maar zij stierven tien dagen na elkaar toen ik zes was, en daarna gingen er vaak jaren voorbij zonder dat we mijn tantes, ooms en hun kinderen zagen. Mijn indruk was dat hun huizen allemaal klein en druk waren, gevuld door ruziënde kinderen en de geur van zure melk, en dat de mannen gespannen en de vrouwen zorgelijk waren; zonder het onaardig te bedoelen leek geen van hen belangstelling voor ons te hebben. De bezoekjes deden zich naarmate ik ouder werd steeds minder vaak voor, en de moeder van mijn vader ging nooit mee, maar vroeg ons wel bij haar favoriete Duitse banketbakker een paar *schnecken*, koffiekoeken, voor haar mee te brengen. In mijn kinderjaren kwam er een gevoel van opluchting over me wanneer we wegreden bij het huis van een van mijn tantes en ooms, een gevoel dat ik probeerde te onderdrukken omdat ik toen zelfs al wist dat het onchristelijk was. Zonder dat een van mijn directe familieleden het ooit had gezegd, had ik begrepen dat mijn moeder het bewust zo had gewild: ze had ons leven samen verkozen boven een leven zoals haar broers en zussen leidden, en het feit dat ze daarvoor had kunnen kiezen maakte haar gelukkig.

Net als mijn moeder hield mijn grootmoeder op met werken na de verhuizing naar Riley, maar ze deed in feite ook niets aan het huishouden. Terugkijkend verbaast het me dat haar gebrek aan behulpzaamheid bij mijn moeder geen wrevel wekte, maar het lijkt er echt op dat dat niet zo was. Ik geloof dat mijn moeder haar schoonmoeder goed gezelschap vond, en van iemand die ons vermaakt en die we gezellig vinden, kunnen we veel hebben. Wanneer ik 's middags thuiskwam uit school, zaten ze meestal in de keuken, mijn moeder hield even pauze tussen een paar klusjes, met een schort aan en een stofdoek over haar schouders, en luisterde aandachtig terwijl mijn grootmoeder vertelde over een artikel uit een tijdschrift dat ze zojuist had gelezen, bijvoorbeeld over de raadselachtige moord op de vriendin van een maffiabaas in Chicago.

Mijn grootmoeder stofzuigde of veegde nooit, en alleen in zeldzame gevallen, als mijn ouders niet thuis waren of mijn moeder ziek was, kookte ze, gerechten die vooral opvielen door hun gebrek aan voedingswaarde: zo'n maaltijd kon bestaan uit gebakken kaas of halfgare pannenkoeken. Wat mijn grootmoeder wel deed was lezen; daar bracht ze haar meeste tijd mee door. Het was niet ongebruikelijk dat ze een boek per dag las – ze hield het meest van romans, vooral van de Russische meesters, maar ze las ook historische romans, biografieën en detectiveverhalen – en 's ochtends en 's middags zat ze uur na uur óf in de woonkamer óf op haar bed (het bed opgemaakt, en zij helemaal aangekleed) te lezen en Pall Malls te roken. Al heel vroeg begreep ik dat het beeld dat wij thuis van mijn grootmoeder hadden, dat wil zeggen het beeld dat mijn ouders hadden, niet simpelweg was dat ze zowel intelligent als lichtzinnig was, maar dat haar intelligentie en haar lichtzinnigheid onlosmakelijk met elkaar verbonden waren. Dat ze je alles kon vertellen over de vloek van de Hope Diamant of over het kannibalisme bij de Donner Party – het was niet echt zo dat ze zich zou moeten schamen dat ze dit soort feiten wist, maar er was ook zeker geen reden om daar trots op te zijn. De dingen die ze vertelde waren interessant, maar ze hadden weinig te maken met het echte leven: hypotheek aflossen, pannen boenen, warm blijven in de bijtende kou van de winters in Wisconsin.

In plaats van dit weinig vleiende beeld van zichzelf tegen te spreken, beaamde mijn grootmoeder het, daarvan ben ik vrijwel overtuigd. Ik stel me voor dat ze in een andere tijd een uitstekende boekenrecensent voor een krant zou zijn geweest, of zelfs hoogleraar Engels, maar ze had niet eens een vervolgopleiding gedaan, evenmin als mijn ouders. De man van mijn grootmoeder, de vader van mijn vader, was jong gestorven, en als jonge weduwe was mijn grootmoeder in een damesmodewinkel gaan werken, waar ze matrones uit Milwaukee hielp die, in haar woorden, wel geld maar geen smaak hadden. Ze had die baan volgehouden tot haar vijftigste – vijftig was toen natuurlijk ouder dan nu – toen ze met mijn pasgetrouwde ouders was meegegaan naar Riley.

Mijn grootmoeder leende de meeste boeken die ze las bij de bibliotheek, maar ze kocht ze soms ook en bewaarde ze in haar slaapkamer op een plank waar ze twee rijen dik stonden; het deed me denken aan een meisje uit mijn klas, Pauline Geisseler, die haar echte tanden al kreeg voordat haar melktanden uitgevallen waren en die soms in de pauze met een volslagen gebrek aan schaamte haar mond voor ons opensperde. Mijn grootmoeder las me bijna nooit voor, maar ze nam me regelmatig mee naar de bibliotheek – ik las en herlas de boeken van Laura Ingalls Wilder, en de reeks van Nancy Drew en de Hardy Boys – en mijn grootmoeder gaf vaak een samenvatting van de boeken voor volwassenen die ze had gelezen, op een manier die je deed smullen: *een welopgevoede getrouwde vrouw wordt verliefd op een man die niet haar echtgenoot is; wanneer haar man erachter komt dat ze hem heeft bedrogen, kan ze niets anders doen dan zichzelf voor de trein werpen...*

Dergelijke plots verleenden de slaapkamer van mijn grootmoeder een sfeer van intriges, die nog sterker werd door haar weinige, maar zorgvuldig uitgekozen eigendommen, waarvan een borstbeeld van Nefertiti dat op haar bureau stond mijn favoriet was. Het borstbeeld had ze gekregen van haar vriendin Gladys Wycomb, die in Chicago woonde, en het was een replica van het eeuwenoude Egyptische exemplaar van de beeldhouwer Thoetmosis. Nefertiti droeg een zwarte hoofdbedekking en een halskraag van juwelen, en ze tuurde heel sereen voor zich uit; haar naam, verklaarde mijn grootmoeder, betekende 'de mooie vrouw is gekomen'.

Behalve het borstbeeld hingen er ingelijste foto's: een van mijn grootmoeder als jong meisje in een witte jurk, staande naast haar ouders in 1900 (wat ontzettend lang geleden!); een van mijn ouders tijdens hun bruiloft, waarop mijn vader zijn legeruniform droeg en mijn moeder een nauwsluitende jurk met twee rijen knoopjes (hoewel het een zwartwitfoto was, wist ik dat die jurk lavendelblauw was, omdat ik dat aan mijn moeder had gevraagd); een foto van mijn grootmoeders overleden echtgenoot, mijn grootvader, die Harvey had geheten en die was gekiekt terwijl hij met samengeknepen ogen tegen de zon in keek; en ten slotte een van mij, mijn schoolfoto uit de tweede klas, waarop ik een beetje stom stond te grijnzen, met mijn haar in het midden gescheiden en twee staartjes.

Behalve haar boeken, haar foto's, haar borstbeeld van Nefertiti en haar parfumfles en cosmetica, was de slaapkamer van mijn grootmoeder eigenlijk nogal sober. Ze sliep, net als ik, in een eenpersoonsbed, het hare had een gele sprei waarop ze in de winter een stel plaids legde. Er hing weinig aan de muren, en op haar nachtkastje stond zelden meer dan een lamp, een boek, een wekker en een asbak. Toch was deze kamer, die naar sigaretten en Shalimar-parfum rook, in mijn ogen de weg naar het avontuur, de wachtkamer van de volwassenheid. In de kamer van mijn grootmoeder werd ik me bewust van de ervaringen en passies van alle mensen wier leven werd beschreven in de romans die zij las.

Ik weet niet of mijn grootmoeder bewust probeerde mij ook aan het lezen te krijgen, maar ze vond het in elk geval goed als ik boeken van haar wilde lezen, zelfs die ik hoogstwaarschijnlijk niet zou begrijpen (ik begon op mijn negende met *Portret van een dame*, en gaf het na twee bladzijden op) of boeken die mijn moeder, als ze ervan had geweten, verboden zou hebben (ik las niet alleen op mijn elfde jaar *Peyton Place* uit, maar ik las het meteen nog een keer). Mijn ouders hadden trouwens bijna geen boeken, op een reeks exemplaren van de *Encyclopaedia Britannica* met bruinrode rug na die in de woonkamer stond. Mijn vader was geabonneerd op de ochtend- en avondbladen van Riley: *The Riley Citizen* en *The Riley Courier*, en ook op *Esquire*, maar het leek erop dat mijn grootmoeder dit tijdschrift grondiger las dan hij. Mijn moeder las niet, en tot op de dag van vandaag weet ik niet zeker of haar afkeer van lezen voortkwam uit een gebrek aan tijd of aan belangstelling.

Omdat ik de dochter van een bankfiliaalhouder was, dacht ik dat we rijk waren; ik was al in de dertig toen ik besefte dat echt rijke Amerikanen daar heel anders over zouden denken. Riley lag precies in het midden van Benton County, en in Benton County stonden twee elkaar beconcurrerende kaasfabrieken: Fassbinder, langs de De Soto Way, en White River Dairy, dichter bij de stad Houghton, al woonden heel wat mensen die bij White River werkten evengoed nog in Riley omdat Riley, met bijna veertigduizend inwoners, veel meer attracties en gemakken te bieden had, waaronder een bioscoop. Veel ouders van klasgenoten werkten bij een van de fabrieken; andere kinderen kwamen van kleine boerderijen, een paar van grote – Freddy Zurbrugg, die in de derde klas had gehuild van het lachen toen onze leraar het woord 'pianist' zei, woonde op de drie na grootste zuivelboerderij van de staat – maar in mijn ogen was het toch veel chiquer om uit de stad te komen dan van het platteland. Riley had een rechtlijnig stratenpatroon, aan de westkant begrensd door de rivier de Riley, waarbij in het zuidelijk deel van de stad het industrieterrein lag en in het noorden, heuvelopwaarts, de woonwijk. Als kind kende ik de namen van alle gezinnen die in Amity Lane woonden: de Weckwerths, wier zoon David de eerste baby was die ik ooit vasthield; de Noffkes, wier kat Zeus me in mijn gezicht krabde toen ik vijf was, wat me een bloedende wang en een levenslange hekel aan katten opleverde; de Cernochs, die in het jachtseizoen de herten die ze hadden geschoten aan een boom in hun voortuin hingen. De calvarie-lutherse kerk, waar mijn ouders naartoe gingen, was in Adelphia Street; mijn basis- en middenschool, die op hetzelfde terrein stonden, bevonden zich op zes blokken van mijn huis; en de nieuwe high school – die in 1948 voltooid was maar nog steeds 'de nieuwe school' genoemd werd toen ik daar in 1959 naartoe ging – was het grootste gebouw van de stad, een kolossaal bakstenen gevaarte, aan de voorkant gestut door zes gigantische Korinthische zuilen en afgebeeld op ansichtkaarten die je bij Utzenstorf's Drugstore kon kopen. Alles wat in mijn ogen Riley was, nam niet meer dan tien vierkante kilometer in beslag, en vervolgens was er in elke richting om ons heen land: akkers en prairies en weilanden, glooiende heuvels, bossen met beuken en suikerahornen.

Door samen met kinderen naar school te gaan die thuis nog een buiten-wc hadden, of die niets aten wat niet afkomstig was van hun eigen land en vee, werd ik niet hooghartig. Integendeel, met in mijn achterhoofd wat ik beschouwde als mijn privileges deed ik mijn best om extra beleefd te zijn tegen mijn klasgenoten. Toen had ik het niet kunnen weten, maar in de verre toekomst, in een leven dat ik nooit voor mogelijk had gehouden, zou dit gedrag me nog goed van pas komen.

Een paar jaar dacht ik nauwelijks aan die dag bij de kruidenier met mijn grootmoeder, Andrew Imhof en zijn moeder. De twee mensen die er zich, volgens mij, opgelaten door hadden moeten voelen – mijn grootmoeder omdat ze Andrew voor een meisje aanzag, en Andrew omdat die vergissing hem betrof (als een van onze klasgenoten er lucht van had gekregen, zouden ze hem er genadeloos mee hebben gepest) – leken er geen last van te hebben. Ik ging nog steeds naar dezelfde school als Andrew, maar we praatten zelden met elkaar. Ooit werd hij in de vierde klas, voor de middagpauze, door onze leraar uitgekozen om voor de klas te gaan staan en de andere leerlingen een voor een naar voren te roepen om een rij te vormen; dit was een ritueel dat meerdere keren per dag plaatsvond. Eerst zei Andrew: 'Als je naam met een B begint,' waarmee hij bedoelde dat zijn vriend Bobby achter hem kon komen staan, en het volgende wat Andrew zei was: 'Als je een rood lint in je haar hebt.' Ik was die dag het enige meisje dat dat had. En ik zat met mijn gezicht naar Andrew toen hij dit riep, met een paardenstaart achter op mijn hoofd, dus hij moest dat lint al eerder hebben gezien. Hij had er niets over gezegd, hij had er niet aan getrokken zoals sommige andere jongens deden, maar hij had het wel gezien.

Op een keer in de zesde klas, toen mijn vriendin Dena en ik op een zaterdagmiddag vanuit het centrum naar ons huis liepen, zagen we Andrew van de andere kant aan komen fietsen in Commerce Street. Het was koud die dag, Andrew droeg een parka en een donkerblauwe muts, en zijn wangen waren rood. Hij vloog langs ons heen toen Dena uitriep: 'Andrew Imhof, balle, balle! *Great balls of fire!*'

Ik keek haar vol afschuw aan.

Tot mijn verbazing, en ik denk ook tot die van Dena, remde Andrew. Toen hij zich omdraaide had hij een geamuseerde uitdrukking op zijn gezicht. 'Wat zei je nou?' vroeg hij. Andrew was in die tijd nog pezig en kleiner dan Dena en ik.

'Ik bedoel zoals in dat liedje!' zei Dena op verdedigende toon. 'Je weet wel: '*Goodness, gracious...*' Haar eigen moeder was weliswaar een Elvisfan, maar Dena's favoriete zanger was Jerry Lee Lewis. Toen het volgend voorjaar bekend werd dat hij getrouwd was met zijn dertienjarige nichtje was dat een schok voor de meeste mensen, maar het wakkerde Dena's verliefdheid op hem alleen maar aan, omdat het haar hoop gaf: mocht het stuklopen tussen Jerry Lee en Myra Gale Brown, zei ze tegen me, dan zou zij in theorie in groep acht met hem kunnen gaan.

'Ben je helemaal op de fiets hierheen gekomen?' vroeg Dena aan Andrew. De Imhofs woonden op een boerderij waar ze peulvruchten kweekten, een paar kilometer buiten de stad.

'Bobby's cockerspaniël heeft vannacht jonkies gekregen,' zei Andrew. 'Ze zijn zo groot als jullie twee handen samen.' Hij stond met zijn fiets tussen zijn benen, en hij bracht zijn handen een stukje uit elkaar om te laten zien hoe klein dat was; hij droeg bruine wanten. Ik had de laatste tijd niet veel op Andrew gelet en hij leek me beslist ouder – voor zover ik me kon heugen was hij voor de eerste keer in staat een echt gesprek te voeren in plaats van alleen maar te glimlachen en af en toe een snelle blik te werpen. Ik was me zelfs ineens zo bewust van zijn aanwezigheid dat ík ditmaal degene was die niets te zeggen wist.

'Mogen we de pups zien?' vroeg Dena.

Andrew schudde zijn hoofd. 'Bobby's moeder zegt dat ze nog niet zo vaak opgepakt mogen worden. Hun voetjes en neusjes zijn echt roze.'

'Ik wil die roze neusjes zien!' riep Dena. Dat vond ik een beetje verdacht; de Janaszewski's hadden een boxer aan wie Dena nauwelijks aandacht besteedde.

'Ze doen bijna niets anders dan slapen en eten,' zei Andrew. 'Hun oogjes zijn nog niet eens open.'

Toen ik besefte dat ik tot dusver nog niets had bijgedragen aan het gesprek, hield ik Andrew een witte papieren zak onder zijn neus. 'Wil je een dropje?' Dena en ik hadden in het centrum snoep ingeslagen.

'Andrew,' zei Dena toen hij zijn wanten uittrok en een hand in de zak stak, 'ik hoorde dat je broer gisteravond een touchdown heeft gescoord.'

'Waren jullie niet bij de wedstrijd?'

Dena en ik schudden van nee.

'Het team is dit jaar echt goed. Een van de aanvallers, Earl Yager, weegt honderdvijfentwintig kilo.'

'Walgelijk,' zei Dena. Ze nam een dropveter uit mijn zakje, ook al had ze die zelf ook gekocht. 'Als ik op high school zit word ik cheerleader, en dan trek ik elke vrijdag mijn uniform naar school aan, hoe koud het ook is.'

'En jij, Alice?' Andrew pakte de handgrepen van zijn fiets en draaide het stuur zo dat hij met het voorwiel naar mij toe gedraaid stond. 'Word jij ook cheerleader?' We keken elkaar op dat moment aan, hij met zijn groen-bruine ogen en die belachelijk lange wimpers, en ik bedacht dat mijn grootmoeder misschien toch wel gelijk had gehad – ook al flirtte Andrew niet met je, zijn wimpers deden het wel.

'Alice blijft als ze op high school zit bij de padvinders,' zei Dena. Zij had onze groep die zomer verlaten, en hoewel ik daar ook toe neigde, was ik officieel lid gebleven.

'Ik ga bij de Future Teachers of America,' zei ik.

Dena snoof verachtelijk. 'Omdat je zo slim bent, zeker.' Dat was een bijzonder gemene opmerking; Dena wist dat ik al onderwijzeres wilde worden sinds we in de tweede zaten bij juffrouw Clougherty, die niet alleen aardig en knap was om te zien, maar ons ook *Caddie Woodlawn* had voorgelezen, dat toen mijn lievelingsboek werd. Jarenlang hadden Dena en ik gespeeld dat we onderwijzeressen waren die toevallig allebei juffrouw Clougherty heetten, en Marjorie en Peggy, Dena's zusjes, hadden we zover gekregen dat ze onze leerlingen waren. Net als de padvinderij was schooltje-spelen iets geworden waarvoor Dena eerder haar belangstelling had verloren dan ik.

Dena had zich weer naar Andrew gekeerd. 'Zeg tegen Bobby dat we met de puppy's willen spelen. We beloven dat we voorzichtig zijn.'

'Je mag het hem zelf zeggen.' Andrew trok zijn wanten aan en zette zijn voeten weer op de pedalen. 'Dag.'

Die maandag schreef Dena in een briefje aan Andrew: *Wat is je lievelingseten? Wat is je lievelingsseizoen? Waar kijk je het liefst naar, Ed Sullivan of Sid Caesar?* En alsof het haar daarna pas inviel: *Welk meisje in de klas vind je het leukst?*

Ze vertelde niets over het briefje voordat ze het had afgegeven, maar toen er een paar dagen volgden zonder reactie, werd ze zo onrustig dat ze het me wel moest vertellen. Toen ik hoorde wat ze had gedaan, werd ik ook onrustig, alsof we samen een wedloop deden en zij al was vertrokken voordat ik wist dat de wedstrijd was begonnen. Maar ik wist niet zeker of dat gevoel wel gerechtvaardigd was – waarom zou Dena Andrew géén briefje mogen schrijven? – en ik zei niets. Toen er drie, en vervolgens vier dagen verstreken zonder dat Andrew reageerde, sloeg mijn bezorgdheid bovendien om in mededogen. Ik was net zo opgelucht als Dena toen er eindelijk een velletje papier uit een blocnote, opgevouwen tot een hard klein vierkantje, op haar bureau verscheen.

Aardappelpuree, stond er in angstvallig nette letters.

Zomer.

Naar die programma's kijk ik niet, ik kijk liever naar Spin en Marty bij The Mickey Mouse Club.

Sylvia Eberbach, en Alice ook.

Sylvia Eberbach was het kleinste meisje van alle kinderen in groep zes, dochter van een fabrieksarbeider, met een bleke huid en blond haar die, nu ik erop terugkijk, waarschijnlijk dyslectisch was; als de juffrouw haar tijdens de Engelse les vroeg hardop voor te lezen, verbeterde de helft van de klas haar. Alice was ik natuurlijk. Tot op de dag van vandaag vormen Andrews antwoorden het meest oprechte, eerlijkste geschrift dat ik ooit heb gezien. Wat kan hem ertoe hebben gedreven de waarheid te zeggen? Misschien wist hij gewoon niet beter.

Dena en ik lazen zijn reacties in de gang na de middagpauze, voordat de zoemer ging. Toen ik dat regeltje las – *Sylvia Eberbach, en Alice ook* – was het net alsof ik een groot geschenk kreeg, de belofte van een nevelige, gelukzalige toekomst; alle onrust die me had verteerd nadat ik had gehoord dat Dena hem het briefje had gestuurd, verdween. Mij – hij vond mij leuk. Ik vond het niet eens erg dat ik zijn genegenheid moest delen met Sylvia. 'Zal ik het briefje houden?' zei ik. Dit was logisch, mijn overwinning op Dena was duidelijk genoeg. Maar ze wierp me een felle blik toe en griste het papiertje uit mijn hand. Aan het eind van de schooldag, nog geen twee uur later, hoorde ik niet van Dena zelf maar van Rhonda Ostermann, die vlak naast mij zat, dat Andrew en Dena verkering hadden. En inderdaad, toen ik de school uit liep om naar huis te gaan, zag ik hen bij de bushalte staan, hand in hand.

Toen ik dichterbij kwam – Andrew ging met de bus, maar Dena en ik liepen meestal samen van en naar school – zei Dena: 'De groeten, Alice.' Ze was duidelijk in haar nopjes met zichzelf. Andrew knikte naar me. Ik zocht naar een teken dat erop wees dat hij door Dena gegijzeld werd, vastgehouden tegen wil en dank, of in elk geval dat hij in gewetensconflict verkeerde. Maar hij stond er gemoedelijk en tevreden bij. En *Sylvia Eberbach, en Alice ook* dan?

Hoe onwaarschijnlijk ook, Dena en Andrew bleven vier jaar een stelletje. Een puberstelletje weliswaar, wat betekent dat er misschien behalve mij niemand was die hen serieus nam. Maar ze bleven in het openbaar elkaars hand vasthouden, en ze hadden toestemming van hun ouders om samen naar Tatty's te gaan voor een hamburger en een milkshake. In Dena's gezelschap was Andrew rustig, maar niet stil. Met z'n drieën gingen we soms naar de film in het Imperial, en toen we in het zevende jaar zaten, gebeurde het een keer dat hij tussen ons in zat – meestal zat Dena in het midden – en voordat het doek opging stond Dena op om popcorn te halen. In die paar minuten dat ze weg was, zeiden Andrew en ik geen woord tegen elkaar, en de hele tijd dacht ik: *Eigenlijk zitten wij tweeën hier samen. Niet Andrew en Dena. Andrew en ik. Ik weet het, en hij weet het, en iedereen die nú naar ons zou kijken, zou het ook weten.* Ik had het gevoel dat we betoverd waren, en toen Dena terugkwam was de betovering verbroken; hij richtte zijn aandacht weer op haar. Het was zeker niet zo dat hij ooit had laten blijken dat ik nog steeds een van zijn twee favoriete meisjes was. Ik zocht naar tekenen, ik wachtte, maar er gebeurde niets. In groep acht struikelde Dena toen ze over de stoep achter de school rende en hij likte het bloed van haar handen. Wekenlang had ik, wanneer ik daaraan dacht, het gevoel dat er een parachute in mijn maag openging waaraan mijn hart naar beneden zakte.

Op een middag aan het begin van ons tweede jaar op high school, maakte Andrew het zonder verdere plichtplegingen uit met Dena; hij zei dat de footballtraining hem zo uitputte dat hij er geen vriendin bij kon hebben. Hij was inmiddels één meter tachtig, reservekicker bij de Benton County Central High School Knights en zijn haar, dat ooit zo lang was geweest, was nu gemillimeterd. In die tijd praatte ik helemaal niet meer met hem. Dit was niet zozeer uit loyaliteit tegenover Dena – Andrew en ik glimlachten op de gang nog wel naar elkaar – als wel het gevolg van louter logistiek: het feit dat ik niet meer bij hem in de klas zat. Onze high school was groter dan onze basisschool of middenschool, en trok leerlingen die wel een uur moesten reizen.

In de jaren dat Dena en Andrew een stelletje waren geweest, had ik me vaak verbaasd over de snelle en ook willekeurige manier waarop het tussen hen was begonnen. Ogenschijnlijk had hij geen belangstelling gehad voor Dena, en een paar uur later was hij de hare geworden. Het leek erop dat ik daar iets van moest leren, maar ik wist niet precies wat – misschien een sterk argument voor een agressieve aanpak, om te zorgen dat je krijgt wat je hebben wilt? Of een bewijs van het feit dat de meeste mensen gemakkelijk over te halen zijn? Of slechts bevestiging van hun wezenlijke wispelturigheid? Had ik na het lezen van Andrews briefje meteen kordaat op hem af moeten stappen en hem moeten opeisen? Was mijn geloof in onze heerlijk vage toekomst naïef geweest, was ik te passief geweest, of een sufferd? Deze vragen bleven me verscheidene jaren eindeloos boeien; ik dacht er 's avonds aan nadat ik mijn gebeden had gezegd en voordat ik slaap viel. En daarna, toen ik eenmaal op high school zat, kreeg ik afleiding. Tegen de tijd dat Dena en Andrew niet langer een stel waren (zij leek eerder beledigd dan verdrietig, en het beledigde gevoel verdween snel) was ik ergens onderweg opgehouden stil te blijven staan bij die twee en wat er niet was gebeurd tussen Andrew en mij. Als ik er toch nog wel vluchtig aan dacht, leek het belachelijk; als er uit de gebeurtenissen die achter ons lagen al een les te leren viel, was het dat jonge mensen dwaas waren. De vermeende verkering tussen Dena en Andrew, mijn eigen verlangens en verwarring – dat alles werd in mijn ogen niets meer dan de achtergrond waartegen onze jeugd zich had afgespeeld.

Elk jaar ging mijn grootmoeder op de dag na kerst met de trein naar haar beste vriendin Gladys Wycomb in Chicago, en elke zomer ging ze in de laatste week van augustus opnieuw naar Chicago. In de winter van 1962, toen ik derdejaars was, kondigde mijn grootmoeder in november tijdens het avondeten aan dat ze me deze kerst mee wilde nemen – zij trakteerde. Het zou een soort cultureel tripje worden, naar het ballet en de musea, het uitzicht vanaf een wolkenkrabber. 'Alice is zestien en ze is nog nooit in een grote stad geweest,' zei mijn grootmoeder.

'Ik ben in Milwaukee geweest,' protesteerde ik.

'Dat bedoel ik,' antwoordde mijn grootmoeder.

'Wat een enig idee, Emilie,' zei mijn moeder, en op hetzelfde moment zei mijn vader: 'Ik weet niet of dat dit jaar lukt. Het is nogal kort dag, moeder.'

'Het enige wat we hoeven doen is nog een treinkaartje reserveren,' zei mijn grootmoeder. 'Zelfs een oude vrouw als ik kan dat.'

'Het is behoorlijk koud in Chicago in december,' zei mijn vader.

'Kouder dan hier?' Mijn grootmoeder keek twijfelachtig.

Niemand zei iets.

'Of is er een andere reden waarom je liever niet hebt dat ze gaat?' Mijn grootmoeder vroeg het op een prettige, open manier, maar daarin proefde ik iets van haar geraffineerdheid, zoals ze ook veel meer lef had dan mijn beide ouders.

Er viel weer een stilte, en ten slotte zei mijn vader: 'Ik zal erover nadenken.'

's Ochtends had iedereen bij ons thuis zo zijn eigen gewoonten: mijn vader was meestal al naar de bank tegen de tijd dat ik beneden kwam – ik trof katernen van *The Riley Citizen* uitgespreid op tafel, terwijl mijn moeder stond af te wassen – en mijn grootmoeder sliep meestal nog wanneer ik naar school ging. Maar die volgende ochtend repte ik me meteen na het afgaan van de wekker naar beneden, nog in mijn nachthemd, en zei tegen mijn vader: 'Ik zou mijn eigen treinkaartje kunnen kopen, dan hoeft oma het niet te betalen.' Mijn zakgeld bedroeg toen drie dollar per week, en in de afgelopen paar jaar had ik ruim vijftig dollar gespaard; het geld stond op een rekening bij de bank van mijn vader.

Mijn vader, die aan de tafel zat, keek even naar mijn moeder; ze stond bij het fornuis spek te bakken. Ze wisselden een blik en mijn vader zei: 'Ik wist niet dat je er zo op gebrand was om naar Chicago te gaan.'

'Ik dacht alleen, als het kaartje de reden is...'

'We hebben het er vanavond bij het eten wel over,' zei mijn vader.

Elke avond bad mijn vader voor het eten: 'Heer, zegen deze spijzen. Laten we dank zeggen aan Onze Heer.' Daarop zeiden wij 'Amen', en die avond zei mijn vader, zodra we ons gebogen hoofd weer hieven: 'Moeder, wat me ervan weerhoudt Alice met u mee te laten gaan naar Chicago, is de last die dat betekent voor Gladys, dus ik heb voor jullie beiden een kamer geboekt bij een hotel genaamd het Pelham. Jullie logeren daar een week op mijn kosten.'

Alsof ook zij dit aanbod voor het eerst hoorde, riep mijn moeder: 'Wat gul hè, van papa!' Op normale toon vervolgde ze: 'Alice, geef even de broccoli à la crème door aan je grootmoeder.'

'Mijn collega, de heer Eberle, heeft vroeger in Chicago gewoond,' zei mijn vader. 'Volgens hem is het Pelham een heel goed hotel, en ligt het in een veilige buurt.'

'Je weet toch dat Gladys een kolossaal appartement heeft, met meerdere logeerkamers?' Het was moeilijk te bepalen of mijn grootmoeder geïrriteerd of geamuseerd was.

'Oma, wij kennen mevrouw Wycomb nu eenmaal niet zo goed als u,' zei mijn moeder. 'We willen geen misbruik maken van haar gastvrijheid.'

'Dokter,' zei mijn grootmoeder. 'Dokter Wycomb. Niet mevrouw. En Phillip, jij kent haar zeker goed genoeg om te weten dat ze er ondanks alles op zal staan dat wij bij haar logeren.'

'Is Gladys Wycomb dokter?' vroeg ik.

Weer wisselden mijn ouders een blik. 'Ik denk niet dat het een probleem is als jullie een paar keer bij haar dineren,' zei mijn vader.

'Wat voor dokter is ze?' vroeg ik.

Tegelijkertijd keerden ze zich alle drie naar me toe. 'Vrouwenkwalen,' zei mijn moeder, en mijn vader zei: 'Dit is geen geschikte gespreksstof voor aan tafel.'

'Zij was de achtste vrouw in de staat Wisconsin die haar artsendiploma haalde,' zei mijn grootmoeder. 'Ik weet niet hoe jij erover denkt, maar als iemand die nauwelijks een thermometer kan aflezen, neem ik daar mijn petje voor af.'

Ik was van jongs af aan vertrouwd met de naam Gladys Wycomb – gezien de halfjaarlijkse reisjes van mijn grootmoeder was Gladys Wycomb naar mijn idee niet zozeer een persoon als wel een bestemming, ver weg maar niet geheel onbekend – maar pas op het moment dat ik zelf naar Chicago zou gaan besefte ik hoe weinig ik van haar wist. Een paar uur later kwam mijn moeder me welterusten zeggen terwijl ik in bed een boek van Agatha Christie lag te lezen, en ik vroeg: 'Waarom vindt pap dokter Wycomb niet aardig?'

'Ach, ik zou niet beweren dat hij haar niet aardig vindt.' Mijn moeder had over me heen gebogen gestaan en al een kus op mijn voorhoofd gedrukt, maar nu ging ze op de rand van het bed zitten en legde haar hand op de deken ter hoogte van mijn knieën. 'Dokter Wycomb kent papa al sinds hij een klein jongetje was, en ze kan een beetje bazig doen. Ze vindt dat iedereen haar mening moet delen. Ik denk dat je je haar bezoekjes niet herinnert, omdat zij hier voor het eerst kwam toen jij nog maar een baby was, en de keer daarna was je misschien een jaar of vijf, maar tijdens dat tweede bezoek is er iets voorgevallen, een discussie over negers – of ze rechten moesten hebben, dat soort dingen. Dokter Wycomb sprak heel fanatiek over dat onderwerp, alsof ze wilde dat wij het niet met haar eens waren, en wij dachten alleen, hemel, er zijn hier in Riley helemaal geen negers.' Het was inderdaad waar dat er niet één zwarte in onze hele stad woonde. Ik had wel zwarte mensen gezien – als kind had ik een keer geboeid zitten kijken toen we langs een restaurant reden waarvoor een moeder, vader en twee kleine meisjes van mijn leeftijd in roze jurkjes stonden – maar dat was in Milwaukee geweest.

'Heb *jíj* een hekel aan haar?' vroeg ik.

'Nee hoor. Ze is een ontzagwekkende vrouw, maar ik heb geen hekel aan haar, en ik denk papa ook niet. Het is alleen zo dat we allemaal vonden dat het eenvoudiger zou zijn als oma naar haar toe ging dan dat dokter Wycomb hierheen kwam.' Mijn moeder klopte op mijn knieën.

'Maar ik ben blij dat ze bevriend zijn, want ik weet dat dokter Wycomb een echte steun voor je oma is geweest toen je grootvader stierf.' Dat was gebeurd toen mijn vader twee was; zijn eigen vader, een apotheker, had op een middag een hartaanval op zijn werk gekregen en was op zijn drieendertigste dood neergevallen. Alleen al de gedachte aan mijn vader als tweejarig jongetje vond ik hartverscheurend, maar de gedachte aan hem als een tweejarig jongetje met een dode vader was me te erg.

Mijn moeder stond daarna op en gaf me voor de tweede keer een kus op mijn voorhoofd. 'Niet te laat gaan slapen,' zei ze.

Hoewel mijn culturele ontwikkeling ons uitstapje had moeten rechtvaardigen, was de trein nog maar net uit Riley vertrokken toen duidelijk werd dat mijn grootmoeder in de eerste plaats naar Chicago wilde om een sabelbontcape bij Marshall Field's aan te schaffen. Ze had er een advertentie van zien staan in *Vogue*, vertrouwde ze me toe, en ze had de winkel een brief geschreven met de vraag er een voor haar apart te houden, maat 34.

'Als ik slim was geweest, had ik hem een maand geleden besteld, dan had ik hem op kerstavond naar de kerk kunnen dragen,' zei ze.

'Weet papa dat u die gaat kopen?'

'Hij weet het wanneer hij me ermee ziet, toch? En die cape zal me zo schitterend staan, dat hij er vast en zeker opgetogen over zal zijn.' We zaten naast elkaar, en ze knipoogde naar me. 'Ik heb wat geld gespaard, Alice, en het is geen misdaad om iets leuks voor jezelf te kopen. En nu ga ik bij jou wat lipstick opdoen.'

Ik tuitte mijn lippen. Toen ze klaar was, pakte ze me bij mijn kin en keek me aan. 'Mooi,' zei ze. 'Je zult de belle van Chicago zijn.' Persoonlijk vond ik mezelf niet mooi, maar de laatste paar jaar had ik het vermoeden gekregen dat ik misschien wel leuk om te zien was. Ik was één meter vijfenzestig, ik had een slanke taille en genoeg boezem voor een cup B. Mijn ogen waren blauw en mijn haar was glanzend kastanjebruin; het kwam tot mijn kin en het krulde naar binnen, met een paar losse plukjes pony. Het was vooral een opluchting om te weten dat ik aantrekkelijk was – ik had het vermoeden dat het leven zwaarder was voor meisjes die er niet leuk uitzagen.

Na een rit van ruim twee uur kwamen we aan op Union Station in Chicago, waar we werden afgehaald door een vrouw die ik eerst niet herkende als dokter Gladys Wycomb; ik verwachtte absurd genoeg een vrouw met een stethoscoop om haar hals. Nadat ze elkaar hadden omhelsd, ging mijn grootmoeder naast dokter Wycomb staan en legde een arm op haar rug. 'Een levende legende,' zei mijn grootmoeder, en dokter Wycomb zei: 'Ik dacht het niet. Zullen we iets gaan drinken?'

Ze waren in mijn ogen een onwaarschijnlijk stel vriendinnen, althans wat hun uiterlijk betrof: dokter Wycomb was een beetje zwaar op een manier die de indruk wekte dat ze sterk was, en haar handdruk had me bijna pijn gedaan. Ze had kort grijs haar en droeg een witte vlinderbril en een grijs tweedpak; aan haar voeten had ze zwarte lakleren pumps met een lage hak en een obligate strik. Mijn grootmoeder echter, altijd prat gaand op haar goede smaak en haar slanke figuur (vooral haar smalle polsen en enkels waren haar trots) was speciaal uitgedost voor ons bezoek aan de stad. We hadden ons de dag ervoor laten manicuren, en ze was in het centrum van Riley naar Vera's gegaan om haar haar te laten verven en watergolven. Onder een bruingele kasjmieren jas droeg ze een chocoladebruin wollen pakje – de kraag was van fluweel, de rok viel tot net onder de knie – gecomplementeerd door bijpassende bruine krokodillenleren pumps en een bruine krokodillenleren handtas. Deze accessoires waren haar zo dierbaar dat ze die 'mijn kroks' noemde, en die benaming werd door alle andere familieleden begrepen: een paar weekends eerder, voordat we onze besneeuwde straat waren overgestoken om naar het kerstfeest bij de Janaszewski's te gaan, had ik mijn vader tot mijn plezier horen zeggen: 'Moeder, u moet buiten echt laarzen aan, dan kunt u na aankomst daar uw kroks aantrekken.' Voor de ontmoeting met dokter Wycomb had ik me ook opgedoft in een kilt, een groene maillot, zwartwitte veterschoenen en een groene wollen trui over een nette blouse; op de kraag had ik een ronde broche gespeld, ook al had Dena me pas nog gezegd dat ik daarmee te kennen gaf dat ik nog maagd was.

Voor het station heerste een chaos van mensen en auto's, de stoepen waren druk bevolkt, het verkeer op straat reed schoksgewijze en toeterend, en de gebouwen om ons heen waren de hoogste die ik ooit had gezien. Toen we bij een beige Cadillac kwamen zag ik tot mijn verbazing dat er een chauffeur met een zwarte pet uit opdook, onze koffers aannam en de portieren voor ons openhield; vrouwenarts zijn was kennelijk een lucratief beroep. Met z'n drieën gingen we achterin zitten, dokter Wycomb achter de chauffeur, mijn grootmoeder in het midden, ik rechts.

'We moeten nog even ergens langs, als je het niet erg vindt,' zei mijn grootmoeder tegen dokter Wycomb. 'Het Pelham, tussen Ohio Street en Wabash Street. Phillip heeft zich in zijn hoofd gehaald dat Alice en ik samen een last voor je zouden zijn – je ziet zeker wel dat Alice heel ongezeglijk en opstandig is – dus heeft hij een kamer voor ons gereserveerd, die we natuurlijk gaan annuleren.'

'Om te gillen,' zei dokter Wycomb. 'Denkt hij echt dat ik zo'n verderfelijke invloed heb?'

'We mogen hopen dat je die hebt!' Hierbij draaide mijn grootmoeder zich om en kuste dokter Wycomb op haar wang. Ik kende die kus, die lichte aanraking van haar lippen, de geur van Shalimar die voor haar uit zweefde als ze dichterbij kwam. Toen ze weer achterovergeleund zat, zei mijn grootmoeder: 'Ja toch?' en klopte op mijn hand. Omdat ik niets wist te zeggen, lachte ik maar.

Dokter Wycomb boog zich naar voren en zei: 'Toen je vader een klein jongetje was, trok hij altijd al zijn kleren uit voor zijn stoelgang.'

'Ach, daar wil ze niets over horen, Gladys.'

'Maar het is leerzaam. Er blijkt een zekere starheid uit, die Phillip naar mijn mening... altijd heeft gehad. Hij trok dan zijn kleren uit en als hij op de wc zat, kneep hij zijn ogen stijf dicht en drukte zijn handen tegen zijn oren. Dat was de enige manier waarop hij zich kon ontlasten.'

Mijn grootmoeder trok een grimas en wapperde in de lucht met haar hand, alsof alleen die woorden al de stank van een wc in de auto hadden gebracht.

'Vertel ik de waarheid of niet, Emilie?' vroeg dokter Wycomb.

'De waarheid,' zei mijn grootmoeder, 'wordt overschat.'

'Jouw grootmoeder was mijn huisbaas,' zei dokter Wycomb tegen me. 'Heeft ze je dat ooit verteld?'

'Het was lang niet zo formeel als jij het laat klinken,' zei mijn grootmoeder.

'Tijdens mijn studie geneeskunde was ik straatarm,' zei dokter Wycomb. 'Ik woonde op een verschrikkelijke zolder bij een verschrikkelijke familie...'

'De Lichorobiecs,' viel mijn grootmoeder haar in de rede. 'Dat klinkt toch ook als de naam van een verschrikkelijke familie? Mevrouw Lichorobiec vond dat de mensheid haar had benadeeld.'

'Ze wilde niet dat ik eten op de zolder bewaarde, omdat daar volgens haar beesten op afkwamen,' zei dokter Wycomb. 'En ik mocht ook geen eten in de voorraadkast leggen, omdat daar volgens haar geen ruimte voor was. Dat was onzin, maar wat moest ik? Gelukkig kreeg je grootmoeder, die ernaast woonde, medelijden met me en nodigde me uit mijn maaltijden bij hen thuis te gebruiken.'

'Ik dacht dat je anders zou omkomen van de honger,' zei mijn grootmoeder. 'Ik ben altijd slank geweest, maar Gladys was gewoon een skelet. Een gratenpakhuis, met grote kringen onder haar ogen.'

'Een gratenpakhuis,' herhaalde dokter Wycomb, en ze gniffelde. Ze boog zich weer naar voren en toen we elkaar aankeken, zei ze: 'Kun je je dat voorstellen?' Eerlijk gezegd had ik dat net zitten denken, maar ik glimlachte op een manier die naar ik hoopte neutraal was en niets verried. 'En toen stierf je arme grootvader,' vervolgde ze. 'In welk jaar was dat, Emilie? Was dat in 1924?'

'Nee, in 1925.'

'En je grootmoeder wilde al gaan verhuizen, maar ik zei: "Laten we hier eerst over nadenken. Als ik niets liever wil dan weggaan bij de Lichorobiecs en jij wilt het liefst in dit huis blijven wonen waarin je je helemaal hebt geïnstalleerd..." En zo kwam het dat ik op kamers ging bij je grootmoeder, en we hebben heerlijke tijden beleefd.'

'Toen de Depressie toesloeg, was ik blij dat ik Gladys had, dat snap je,' zei mijn grootmoeder. 'Als weduwe had ik het nooit gered met wat ik bij Clausnitzer's verdiende. Over onverantwoorde uitgaven gesproken' – ze pakte de advertentie uit *Vogue* uit haar tas en vouwde hem open – 'heb je ooit zulk fraai sabelbont gezien?'

Dokter Wycomb lachte. 'Alice, je grootmoeder is de enige in dit land die na de Depressie mínder zuinig is gaan leven.'

'Als het elk moment allemaal kan verdwijnen, kun je toch beter plezier maken? En zeg jij maar eens dat deze niet prachtig is. Die glans, gewoonweg – mmm.' Ze schudde waarderend haar hoofd.

'Ben jij ook zo dol op mooie kleren, Alice?' De toon waarop dokter Wycomb sprak was doortrokken van genegenheid voor mijn grootmoeder.

'O, zij is veel minder oppervlakkig dan ik,' zei mijn grootmoeder. 'Ze heeft elke keer negens op haar rapport – je snapt hoe teleurgesteld ik ben.' In werkelijkheid was het mijn grootmoeder die me voorhield dat ik daardoor betere kansen zou krijgen, terwijl mijn ouders het niet zo belangrijk leken te vinden of ik ging studeren.

'Is dat echt waar?' zei dokter Wycomb. 'Allemaal negens?'

'Ik heb een achtenhalf voor huishoudkunde,' gaf ik toe. De reden daarvoor was dat Dena, toen zij, Nancy Jenzer en ik voor het eindproject moesten samenwerken en Hawaïaanse gehaktballen maakten, de schaal met oosterse saus op de grond liet vallen.

'En heb je belangstelling voor de exacte vakken?' vroeg dokter Wycomb, maar voordat ik iets kon zeggen stopten we voor een roodbruin zonnescherm waarop in witte schrijfletters THE PELHAM stond.

'Gladys, blijf jij maar zitten, we zijn zo terug,' zei mijn grootmoeder. 'Alice, ga even mee.'

Hoewel we onze koffers in de auto lieten, begreep ik het pas helemaal toen we binnen waren: we gingen niet, zoals mijn grootmoeder tegenover dokter Wycomb had beweerd, annuleren. We checkten in, liepen daarna weer naar buiten en reden toen weg in de auto van dokter Wycomb. Mijn grootmoeder legde me het niet uit, maar toen de receptioniste zei: 'Uitzicht op het meer kost u maar zes dollar per dag extra,' zei mijn grootmoeder: 'De kamer die we nu hebben is prima.' Ze zei ook dat we geen kruier nodig hadden. Ik was niet iemand die openlijk de confrontatie aanging, en bovendien beschouwde ik mezelf als een bondgenoot van mijn grootmoeder. Dus toen we weer dezelfde weg terugliepen door de schemerige, spartaans ingerichte lobby van het Pelham en in de auto stapten, zei ik niets toen ze tegen dokter Wycomb zei: 'Alles is geregeld, en ze deden helemaal niet moeilijk.' Ik begreep de reden van ons dubbele bedrog niet – liegen tegen mijn vader over waar we logeerden, liegen tegen dokter Wycomb over het annuleren van de kamer – maar ik wist dat goede manieren betekenden dat je je aanpaste aan degene met wie je was. Mijn grootmoeder rekende op mijn loyaliteit, en dat is vast en zeker de reden waarom ze die kreeg.

Toen dokter Wycomb bij het station had voorgesteld iets te gaan drinken, was ik ervan uitgegaan dat ze een restaurant bedoelde, maar in plaats daarvan reden we naar haar appartement in Lake Shore Drive, waar we met de lift naar de zevende verdieping gingen; een liftbediende in een uniform dat veel leek op dat van de chauffeur knikte eenmaal terwijl hij 'dokter Wycomb' zei, en drukte daarna op de knop. Zonder dat er verder iets gezegd werd gingen we omhoog, en toen de lift stopte, stapten we een gang in met goudkleurige stof op de muren – geen glimmend goud, maar zacht glanzend brokaat met op gepaste afstanden een patroon van niet-glanzende Franse lelies.

De liftbediende droeg onze koffers naar binnen. In de kamer waar ik zou slapen stonden twee bedden, van elkaar gescheiden door een wit marmeren tafeltje, en op het tafeltje stond een lamp met een grote voet van framboosrood ribbelglas; er was zelfs een kofferstandaard waar de bediende mijn koffer op zette. Eerst had ik het aanbod van de man om onze koffers te dragen willen afslaan, maar toen mijn grootmoeder het goedvond, had ik er ook maar mee ingestemd. Vervolgens vroeg ik me af of ze hem geen fooi moest geven, wat ze niet deed. In haar kamer, die met de mijne verbonden was door een badkamer voor ons beiden, stond een hemelbed, waarvan de hemel zelf van zilverblauwe shantoeng was, in het midden gedrapeerd rond een spiegel zo groot als een Ritz-cracker.

De woonkamer toonde een combinatie van moderne en ouderwetse meubelen: twee lange witte rechthoekige banken, een antiek uitziende stoel van bladgoud, een draaiende notenhouten boekenkast en veel prenten en schilderijen, sommige abstract, vlak naast elkaar aan de muren. Dokter Wycomb vroeg aan een dienstertje in een zwart jurkje en een wit schort om een Manhattan; mijn grootmoeder stak haar wijs- en middelvinger op. 'Twee old-fashioned-cocktails.'

Dokter Wycomb keek even naar me van achter haar vlinderbrillenglazen. 'Heb je niet liever warme chocolademelk, Alice?'

'Ze krijgt een cocktail,' zei mijn grootmoeder. En tegen het meisje zei ze: 'Met brandewijn, niet met whisky.'

'O, dat weet Myra wel.' Dokter Wycomb lachte. 'Vergeet niet dat ik ook uit Wisconsin kom, Emilie.' Toen het meisje de kamer uit was, zei dokter Wycomb: 'Myra en ik liggen altijd met elkaar in de clinch. Zij is fan van de White Sox, terwijl ik voor de Cubs ben. Hou jij van honkbal, Alice?'

'Niet echt,' gaf ik toe.

'Daar brengen we nog wel verandering in. Het afgelopen seizoen had Myra meer reden om zich te verkneukelen, maar met Ron Santo maken de Cubs dit jaar misschien wel een kans.'

Toen Myra terugkwam met de drankjes, stak mijn grootmoeder haar glas in de lucht en zei: 'Gladys, ik wil graag een toost uitbrengen. Op jou, lieverd, omdat je een wereldgastvrouw en een ware vriendin bent.'

Dokter Wycomb hief haar eigen glas. 'En ik wil proosten op jullie allebei – op de dames Lindgren, Emilie en Alice.'

Ze keken me allebei verwachtingsvol aan. 'Op honkbal,' zei ik. 'Op 1963.'

'Bravo!' Dokter Wycomb knikte nadrukkelijk.

'Op een heerlijke tijd samen in Chicago,' zei mijn grootmoeder.

Met z'n drieën klonken we.

Dokter Wycomb, zo bleek, had voor ons een paar dagen vrij genomen. Het eerste punt op ons programma was zorgen dat mijn grootmoeder haar sabelbontcape kreeg, die dokter Wycomb, zoals ik tegen die tijd al aanvoelde, zonder enige discussie betaalde. De dagen daarna wandelden we gedrieën warm ingepakt door de stad, brachten een bezoek aan het Art Institute, het Shedd Aquarium (ik was verbijsterd en onthutst door een alligator van drie meter), en het Joffrey-ballet, waar we een matineevoorstelling zagen van *La Fille mal gardée* waarbij dokter Wycomb, zo zag ik, in een diepe slaap viel. In het Prudential Building maakte mijn maag een buiteling toen we met de lift veertig verdiepingen stegen – toen het gebouw in 1955 was geopend, waren de liften de snelste ter wereld geweest – en op het dakterras van de eenenveertigste verdieping dat voor iedereen toegankelijk was, bedacht ik hoezeer mijn vader van het uitzicht zou hebben genoten. Ook al droeg ik een hoed, sjaal en wanten, het was ondraaglijk koud in de wind, en ik hield het nog geen minuut uit voor ik weer naar binnen ging. Mijn grootmoeder en dokter Wycomb waagden zich helemaal niet naar buiten. 's Avonds aten we zware maaltijden, bereid en opgediend door Myra: gestoofde kalfskoteletten met gedroogde pruimen, of lamsvlees met koolraap.

Die zondag ging dokter Wycomb naar het ziekenhuis voor een ronde langs haar patiënten, en nog geen kwartier nadat ze was vertrokken, zaten mijn grootmoeder en ik in een taxi naar het Pelham. We beklommen de trappen naar de derde verdieping – het gebouw had maar vijf verdiepingen, en geen lift – en troffen in onze kamer een tweepersoonsbed en verder vrijwel niets. Zwaar hijgend van het trappenlopen sloeg mijn grootmoeder de sprei open, woelde door de lakens, vulde in de badkamer een glas water en zette dat op de vensterbank. Daarna ging ze bij het raam staan, dat uitkeek op de grijze achterkant van een ander gebouw. Het vroor die dag veertien graden, en het was zo bewolkt dat ik zin had om op het bed te gaan liggen en een tukje te doen. 'Ik doe wel een beetje mal, hè?' zei mijn grootmoeder.

Ik haalde mijn schouders op, nog niet in staat iets te vragen over ons dubbelhartige optreden.

'Niet dat je vader naar het hotel zal bellen om te vragen of onze kamer er gebruikt uitziet,' zei mijn grootmoeder. Dat klopte – vanwege de kosten vermeed mijn vader interlokale telefoontjes. In de zeldzame gevallen dat hij er niet onderuit kon, riep hij ongewoon hard, alsof een achterneef in Iowa hem daardoor beter zou kunnen verstaan.

'Is dokter Wycomb ooit getrouwd geweest?' vroeg ik.

'Gladys is een suffragette. Ze zegt altijd dat ze geen arts had kunnen zijn als ze was getrouwd en kinderen had gekregen, en ik ben ervan overtuigd dat ze gelijk heeft. Zullen we een kop thee gaan drinken om warm te worden?'

Een blok verderop vonden we een café, vrijwel leeg, waar ons een klein tafeltje gewezen werd. Mijn grootmoeder keek het menu door. 'Heb je wel eens een éclair geproefd?' Toen ik mijn hoofd schudde, zei ze: 'We delen er een. Ze zijn funest voor de lijn, maar wel heerlijk.'

'Is dokter Wycomb bevriend met negers?'

'Wie heeft je dat verteld?' Mijn grootmoeder keek me vorsend aan.

Het voelde niet goed om mijn moeder te noemen. 'Ik vroeg het me alleen af, omdat er zoveel in Chicago lijken te wonen,' zei ik. Ik wist in die tijd maar heel weinig van de protestdemonstraties en acties die in andere delen van het land plaatsvonden; de enige die iets over rassen zei was Dena, die van haar vader niet naar platen van zwarte musici mocht luisteren en daarom wilde dat ik Chubby Checker of de Marvelettes draaide als ze bij mij thuis kwam.

'Dokter Wycomb is voor het opheffen van rassenscheiding, net als ik, en dat zou jij ook moeten zijn,' zei mijn grootmoeder. 'Dat betekent gewoon dat zij op dezelfde plaatsen kunnen eten en wonen en naar school gaan als wij. Maar als je haar sociale leven bedoelt, dan brengt Gladys meer tijd door met Joden dan met negers. Joden worden vaak arts, weet je.' Mijn grootmoeder keek me nog steeds onderzoekend aan en vroeg, zonder dat me duidelijk was wat dat hiermee te maken had: 'Je hebt toch geen vriendje, of wel?'

'Nee,' zei ik, maar ik voelde dat mijn wangen gloeiden. Een maand daarvoor, vlak na Thanksgiving, hadden Dena en ik een zaterdagmiddag op Bony Ridge gesleed met twee ouderejaars, Larry Nagel en Robert Beike. Robert had Dena uitgenodigd, en zij had mij meegevraagd. In de binnenzak van zijn donsjack had Larry een flacon bourbon gestopt die we aan elkaar doorgaven. Meer dan eens had ik van mijn grootmoeders old-fashioneds genipt – ze had me wel eens het cocktailkersje gegeven – maar dit was de eerste keer dat ik buiten de huiselijke kring alcohol dronk. En hoewel ik me een tikje schuldig voelde, wist ik dat ik de whisky niet kon weigeren zonder dat ik bij de jongens en Dena over zou komen zoals ik was: een braverik. Dus had ik alle vier de keren dat de flacon langskwam een slok genomen, en hoewel het niet lekker smaakte, maakte het me wel warm en ontspannen. Voordat we Larry en Robert zouden ontmoeten was ik zenuwachtig geweest, maar ik werd nu rustig en begon me te amuseren. Op een gegeven moment waren Dena en ik onder aan de heuvel naar een stel bomen gehold waar we onze skibroek omlaag trokken en in de sneeuw plasten, giechelig en ongegeneerd. 'Schrijf je naam in het geel in de sneeuw,' riep Larry naar ons. Aan het einde van de avond, toen ze ons naar huis brachten, zag ik aan de overkant dat Dena en Robert innig stonden te zoenen op de veranda van haar huis. Larry bleef een paar minuten op een meter van me vandaan staan – op een bepaald moment zei hij zachtjes: 'Als ze niet uitkijken, bevriest hun tong nog' – maar toen Robert en Dena elkaar hadden losgelaten en Robert op fluistertoon riep: 'We moeten gaan, Nagel,' schoot Larry plotseling zonder enige waarschuwing op me af en drukte zijn mond op de mijne, zijn lippen waren koud maar zijn tong was warm. De hele kus duurde ongeveer acht seconden en er kwamen veel bewegingen van hoofd en nek aan te pas, alsof Larry meedeed aan een wedstrijd taart eten, alleen was mijn gezicht nu de taart. Toen verdween hij van ons stoepje en liep hij met Robert over Amity Lane, en zodra ze ver genoeg waren, holden Dena en ik naar elkaar toe, en midden op straat grepen we elkaar vast en probeerden we niet te gillen. 'Jullie hebben gezóénd,' zei ze tussen haar tanden door. Tot het moment dat Larry me had gekust, was ik me er niet echt van bewust geweest dat ik dat wilde, maar toen hij het had gedaan was ik er blij om. In de vier weken daarna gingen Robert en Dena regelmatig met elkaar uit, maar Larry en ik passeerden elkaar op school in de gang zonder echt te laten merken dat we elkaar kenden.

In het café zei mijn grootmoeder: 'Misschien zou je een vriendje moeten hebben. Toen ik de laatste keer bij dokter Ziemniak was liet hij me een foto zien van Roy, en het lijkt erop dat hij een knappe vent wordt.' Dokter Ziemniak was onze tandarts.

'Roy Ziemniak is klein,' zei ik.

'Ben je niet wat kieskeurig? Eugene Schwab dan.' De familie Schwab woonde twee huizen verderop.

'Eugene gaat met Rita Sanocki.'

'Toch niet de dochter van Irma en Morris?'

Ik knikte.

'Ik vind altijd dat ze zo'n varkenssnuit heeft.'

'Oma!'

'Jij noemde Roy Ziemniak klein, lieverd. En ik wil niet hard zijn over Rita, maar je weet vast wel wat ik bedoel. Haar ogen en haar neus.' Op dat moment kwam de serveerster onze bestelling opnemen, en toen ze weer weg was zei mijn grootmoeder: 'Toen ik zo oud was als jij, was ik al twee keer ten huwelijk gevraagd. Het wordt tijd dat je met jongens uitgaat.'

'We hebben een jongeman voor je gevonden,' kondigde dokter Wycomb de volgende avond tijdens het eten aan. We aten lamsrib, beboterde broodjes en artisjokken – ook iets wat ik nooit eerder had gegeten, en waarvan dokter Wycomb kennelijk één keer per jaar een kist in Californië bestelde. Mijn grootmoeder had me laten zien hoe ik de blaadjes eraf moest halen en in boter dopen, hoe ik het handigst het vruchtvlees met mijn voortanden eraf kon schrapen. 'Marvin Benheimer is de zoon van een collega van me, een maag- en darmspecialist,' zei dokter Wycomb. 'Hij is tweedejaars op Yale, en heel lang. Hij komt je morgenavond om zeven uur ophalen.'

'Wat leuk,' zei mijn grootmoeder.

'Komt hij me híér ophalen? Morgen?'

'Het is oudejaarsavond,' zei mijn grootmoeder. 'We dachten dat je dat wel fijn zou vinden na een hele week te hebben doorgebracht met twee oude dames.'

'Ik vind het leuk met jullie.'

'Je hoeft niet met hem te trouwen, Alice,' zei mijn grootmoeder. 'Beschouw het maar als praktijkervaring. Het is belangrijk dat je weet hoe je je moet gedragen bij allerlei sociale gelegenheden.'

Ik kon niet tegen mijn grootmoeder zeggen dat ze me onderschatte – ik had dan misschien nog geen echte afspraakjes gehad, maar Larry Nagel was niet eens de eerste jongen met wie ik had gezoend. Op het feestje dat Pauline Geisseler in het negende schooljaar gaf ter gelegenheid van haar veertiende verjaardag, toen we postkantoortje speelden, had Bobby Sobcak mij uitgekozen en toen ik aan de beurt was, koos ik Rudy Kuesto. Ze smaakten allebei naar pinda's, omdat dat een van de traktaties was geweest op Paulines feestje.

'Je hoeft je geen zorgen te maken,' zei dokter Wycomb. 'Martin is een heel keurige jongeman. Hij neemt je mee uit eten en daarna gaan jullie naar het Palmer House, waar je grootmoeder en ik iets drinken met zijn ouders, en dan luiden we allemaal samen het nieuwe jaar in. Dat klinkt toch niet zo heel verschrikkelijk?'

Voordat ik iets kon zeggen, legde mijn grootmoeder stralend haar vork neer. 'Dat klinkt geweldig,' zei ze.

Hij droeg een jas en een das, en ik het Schotse rokje en de blouse die ik in de trein uit Riley had gedragen, maar zonder de ronde broche en de groene wollen trui. 'Die is te mannelijk,' had mijn grootmoeder over de trui gezegd toen ik in de woonkamer verscheen om haar en dokter Wycomb mijn outfit te laten zien, en in reactie op mijn protest dat ik het koud zou krijgen, zei ze dat het maar een klein stukje lopen was naar het restaurant. Marvin kwam eerst thuis bij mijn grootmoeder en dokter Wycomb voordat we naar het restaurant vertrokken; toen Myra aan hem vroeg wat hij wilde drinken, zei hij: 'Een Miller graag, als je hebt,' en vervolgde op dezelfde toon van ongerechtvaardigd enthousiasme die in de reclamespots werd gebezigd: 'De champagne onder de bieren!' Op dat moment voelde ik dat mijn grootmoeder expres mijn blik ontweek, om vooral niet te hoeven toegeven wat ik al bijna meteen had aangevoeld – dat Marvin weinig aantrekkelijk was.

Toen we opstonden om te vertrekken zei dokter Wycomb: 'Hier is de sleutel, want je weet maar nooit, en ik heb mijn adres en telefoonnummer opgeschreven voor het geval er iets mis zou zijn.' Ze gaf me een papiertje.

'Gladys, ze zitten drie blokken verderop,' zei mijn grootmoeder. 'En Marvin heeft geen strafblad, althans, daar heeft hij niets over gezegd.'

'Dokter Wycomb weet dat ik zo onschuldig ben als een pasgeboren lammetje,' zei Marvin, en iedereen grinnikte. Maar ik had een onaangenaam gevoel in mijn buik; het was begonnen toen ik mijn haar kamde in de badkamer en het was niet overgegaan toen ik Marvin ontmoette, zelfs toen ik wist dat er geen enkele reden was om me door hem geïntimideerd te voelen. Toen mijn grootmoeder me in mijn jas hielp, fluisterde ze: 'Hij is wel een beetje een ezel, maar vergeet niet: ervaring opdoen.' In de lift naar beneden flapte ik eruit: 'Hoe lang ben je?' en Marvin zei: 'Eén meter vierennegentig,' op een manier die aangaf dat hem dat vaak werd gevraagd en dat hij het nooit beu was om er antwoord op te geven.

Het restaurant heette Buddy's, waardoor ik het idee had gekregen dat het niet echt klasse had, dat we misschien wel te netjes gekleed waren. Maar het had wél klasse, en we waren de jongste gasten. Iemand nam bij onze aankomst onze jassen aan en de eerste kelner ging ons voor naar de eetzaal, die schaars verlicht was, met zware gordijnen en grote oorfauteuils aan de tafels.

Toen we plaatsgenomen hadden, zei Marvin: 'Om eerlijk te zijn, toen mijn vader zei dat ik dit moest doen, dacht ik dat je spuuglelijk zou zijn, maar je bent een verrekte knap ding.'

Onzeker zei ik: 'Dank je.'

'Je hoeft niet beledigd te zijn – ik zou het niet zeggen als je wel spuuglelijk was.'

'O,' zei ik. 'Oké.'

'Je doet nog high school, toch?' Toen ik knikte, zei hij: 'Nou, ik raad je aan om niet naar Bryn Mawr te gaan. Van alle Seven Sisters zijn de meisjes daar het mafst.'

'Wie zijn de Seven Sisters?'

Hij keek me aan alsof hij wilde peilen of ik een grapje maakte. Daarna zei hij, niet onvriendelijk: 'Jij komt echt uit de provincie. Dat zijn de vrouwelijke tegenhangers van de Ivy-League-universiteiten. Radcliffe hoort bij Harvard, Barnard bij Columbia, enzovoort. In New Haven is Vassar onze meisjesschool, ook al staat die ruim anderhalf uur verderop.'

'Ik wil voor onderwijzeres gaan studeren aan Ersine College in Milwaukee,' zei ik. 'Daar zitten alleen meisjes, dus misschien is het wel een Sisterschool – dat weet ik niet.'

'Het is geen Seven-Sisterschool.'

'Nee, dat zal wel niet. Maar ik weet het niet.'

'Nee,' zei hij. 'Dat is het absoluut niet.'

Het akelige gevoel in mijn buik was nog steeds niet over. En ik kreeg het nu ook overal ontzettend warm, een hitte die naar mijn wangen en nek steeg.

'Als ik voor ons bestel, zullen ze je wel een drankje brengen,' zei hij.

'Water is prima.' Ik ging met mijn vingertoppen naar mijn gezicht, en zoals ik had verwacht gloeide mijn huid. 'Wil je me even excuseren.' De toiletten hadden ook klasse: een toiletjuffrouw, een zwart meisje dat me niet veel ouder leek dan ik, zat bij de wastafel, en elke wc had een houten deur die helemaal tot aan het plafond reikte; binnen hing een goudkleurige toiletrolhouder. Zoals mijn moeder me had geleerd legde ik een stukje papier aan beide kanten op de bril voor ik ging zitten, en toen ik klaar was, leunde ik met mijn ellebogen op mijn knieën naar voren en sloeg mijn handen voor mijn gezicht. Ik hoefde niet onmiddellijk over te geven, maar het zou kunnen gebeuren; de mogelijkheid bestond. Was ik echt zo'n lafaard in de omgang met anderen? Hoewel ik dacht dat het me niet kon schelen wat Marvin van me vond, wist mijn lichaam misschien meer dan mijn hoofd.

Ik dacht aan de toiletjuffrouw en dwong mezelf op te staan, door te trekken en mijn kleren te fatsoeneren. Ik waste mijn handen, en toen het meisje me een handdoek aanreikte, zei ik – ik had het schoteltje met muntjes zien staan – 'Sorry, ik heb mijn portemonnee binnen laten liggen.'

Toen ik terugkwam in de eetzaal, zei Marvin: 'Ik ben zo vrij geweest een hors d'oeuvre te bestellen. Lust je escargots?'

'Ja, goed.' Ik had ze natuurlijk nog nooit gegeten, maar ik wist wel wat het waren, en ik gruwde van het idee. Toen de ober ze bracht, een wit schaaltje met bruine bolle dingen in een plasje gesmolten boter, moest ik de andere kant op kijken. Als hoofdgerecht bestelde Marvin konijnfricassee – meesmuilend voegde hij eraan toe: 'Met verontschuldigingen aan meneer Bugs Bunny' – en ik een biefstuk; het leek me een keuze die me niet voor verrassingen kon plaatsen, gewoon een stuk vlees, ik zou er drie hapjes van kunnen nemen en vervolgens een beetje rondprikken op mijn bord.

Marvin boog zich vastberaden over de tafel naar voren. 'Ik heb een moreel dilemma voor je. Jij hebt een schuilkelder gebouwd in je achtertuin, en je buren niet. Als de Russen binnenvallen, duik je je kelder in, maar je buren komen bij je smeken om eten en water. Wat doe je dan?'

'Hè, wat?' zei ik.

'Alice, volg je het nieuws wel? En ik bedoel niet wat voor hoed Jackie Kennedy deze week draagt en wie haar jasje heeft ontworpen.'

'Soms lees ik de krant.' Een van mijn organen had zojuist een buiteling gemaakt in mijn maagstreek, wat me genoeg afleiding bezorgde om me niet gekwetst te voelen door Marvins laatdunkende toon.

'Je schiet ze dood,' zei hij. 'Dat doe je. Als je buren zich nergens op hebben voorbereid, is het niet jouw zorg of ze wel of niet overleven.'

Op dat moment kwam de ober met onze bestellingen, en mijn entrecote was een homp bruin vlees aan het bot, met daarbij gevaarlijk glinsterende doperwten en worteltjes, en een gepofte aardappel die uit zijn schil knapte. Ik wist dat ik geen hap door mijn keel kon krijgen; ik moest er niet aan denken.

'Waar mensen nooit aan denken bij Chroesjtsjov...' begon Marvin, en ik zei: 'Sorry, maar ik voel me niet lekker. Ik moet hier weg.'

'Nu?' Marvin keek ontsteld.

'Het spijt me.' Ik stond op. 'Blijf jij alsjeblieft. Ik kom zelf wel bij het huis van dokter Wycomb.'

'Weet je het zeker?'

'Ik zou het doodzonde vinden als er twee maaltijden blijven staan. Het spijt me vreselijk.' Ik haastte me weg uit het restaurant en haalde mijn jas bij de man van de garderobe, die iets zei terwijl hij me erin hielp, maar ik liep zonder wat terug te zeggen naar buiten. Ik was duizelig en ik gloeide, en het enige wat me bezighield was dat ik de kolkende inhoud van mijn maag die omhoogkwam niet en plein public zou lozen. Als ik maar eenmaal terug was in het lege appartement van dokter Wycomb, kon ik op de badkamervloer gaan zitten, naast het toilet, en kon het er allemaal op een fatsoenlijke manier uit komen; dat moment zou voorbijgaan, zonder dat er iemand keek.

Lopen, gewoon doorlopen, dacht ik bij mezelf en terwijl ik dat zinnetje steeds bij mezelf herhaalde, leek het in mijn wankelheid en wanhoop net een palindroom waar ik binnenin zat, een martelende misselijkheid. Het was ijzig koud buiten, wat na het restaurant eerst een opluchting was, maar algauw een nieuw probleem vormde. Toen stond ik op wonderbaarlijke wijze bij de flat van dokter Wycomb. De portier knikte toen ik naar binnen ging, en de liftbediende leek me ook te herkennen. 'Gelukkig nieuwjaar,' zei hij, en ik zei niets, terwijl ik wederom wist hoe bot mijn stilzwijgen was, maar ik durfde mijn mond niet open te doen.

Daarna langs het goudkleurige zijden behang, de gang, de deur naar de flat van dokter Wycomb, en met trillende handen draaide ik de sleutel die ze me had gegeven in het slot. Toen ik de woning binnen ging klonk er muziek – het was jazz en het stond hard – en dat was de reden waarom ik, ondanks mijn misselijkheid, niet meteen vanuit de vestibule de gang in liep waar de slaapkamers op uitkwamen. Omdat ik ervan uitging dat er niemand in de flat was, was ik verbaasd en nieuwsgierig (kon het zijn dat Myra die harde muziek draaide? Nee, die was aan het eind van de middag naar huis gegaan) en dus stapte ik de woonkamer in, en net voordat ik de drempel over was hoorde ik mijn grootmoeders lach, en meteen daarna zag ik haar bij dokter Wycomb op schoot zitten, waar ze dokter Wycomb op haar mond kuste.

Dokter Wycomb was gekleed in een bordeauxrode zijden badjas; mijn grootmoeder droeg een beige beha en een beige onderrok, afgezet met kant. Haar gezicht was naar dokter Wycomb gewend, hun monden waren een stukje geopend en hun ogen waren gesloten, en de kus duurde secondenlang en bleef doorgaan toen ik achteruitdeinsde, zo verbijsterd dat ik daardoor heel even mijn misselijkheid vergat. Ik moest weg uit die flat; er was geen andere mogelijkheid. En dus ging ik, en ik trok zo voorzichtig en zacht als ik kon de deur dicht. In de gang sloeg mijn misselijkheid weer in volle hevigheid toe, en voor ik wist wat ik deed had ik het al gedaan. Aan weerskanten van de lift stonden grote metallic vazen van bijna een meter hoog, met eromheen rode strikken en erin kersttakken die er op artistieke wijze uit staken. Ik liep op de dichtstbijzijnde vaas af, duwde de takken opzij en braakte – afschuwelijk, scherp, vol overgave – in de diepte.

Ik bleef een hele poos in elkaar gedoken op de vloerbedekking liggen, uitgeput. Ik wist dat ik iets moest doen, naar beneden gaan naar de lobby of aan de deur kloppen en wachten tot mijn grootmoeder of dokter Wycomb me weer binnen zou laten, maar geen van deze opties was aantrekkelijk. In plaats daarvan bleef ik, opgekruld in mijn Schotse rok en jas bij de lift zitten soezen. Ik denk dat er ongeveer een uur was verstreken, maar het kan ook veel korter of langer geweest zijn, toen de liftbediende me vond. Hij was degene die op de deur van de flat klopte, en toen dokter Wycomb opendeed, voelde ik me een spijbelaar. 'Ze heeft daar overgegeven,' zei de liftbediende. 'Ik weet niet wie dat gaat opruimen, maar ik moet vanavond bij de lift blijven.'

Dokter Wycombs blik was strak op mijn gezicht gevestigd.

'Misschien heb ik iets verkeerds gegeten,' mompelde ik.

'Dank je, Teddy,' zei dokter Wycomb tegen de man. 'Ik zorg ervoor dat het in orde komt.' Ze nam me mee naar binnen en riep: 'Emilie, Alice is al terug.'

'Was hij zo verschrikkelijk?' De stem van mijn grootmoeder klonk steeds harder naarmate ze dichterbij kwam. 'Alice, je had hem toch een kans...' Toen zag ze me en ze zei: 'Hemeltje, je ziet er vreselijk uit.' Ze was volledig aangekleed, zag ik, in haar bruine pak.

'Ze heeft overgegeven en ik neem aan dat ze ook koorts heeft en uitgedroogd is,' zei dokter Wycomb. Samen stopten ze me in bed en namen mijn temperatuur op – 38,9 – en dokter Wycomb zei: 'Het is belangrijk dat je vocht binnenkrijgt. Emilie, haal eens een fles gemberbier uit de kast.'

Toen mijn grootmoeder me het glas bracht, nam ik een paar slokken – het was zoet en mousserend – en ik viel onmiddellijk in slaap, deze keer veel dieper dan in de hal. Toen ik daarna wakker werd, was het volgens het ronde wekkertje op de marmeren tafel al bijna vier uur in de ochtend, en mijn grootmoeder lag in het andere bed te slapen. De derde keer dat ik wakker werd, was het buiten licht, ik was alleen in de kamer en ik rook koffie. Ik stond op om naar de wc te gaan, en toen ik terugkwam in mijn slaapkamer zat mijn grootmoeder daar op me te wachten, terwijl ze een sigaret rookte. 'Jij weet wel hoe je het nieuwe jaar in stijl moet beginnen,' zei ze.

'Sorry dat jullie gisteravond door mij niet meer naar dat hotel konden.'

'Als de ouders van Marvin ook maar een beetje op hun nageslacht lijken, heb je ons iets bespaard. Ik moet zeggen dat je de beste plek in heel Chicago hebt uitgekozen om ziek te worden. Je hebt een van de beste artsen van de stad bij de hand.'

Ik stapte weer in bed en de rest van die dag kwam ik er alleen uit als ik naar de wc moest; ik waste me zelfs niet. Onder de dekens lag ik afwisselend te rillen en te zweten, mijn lichaam deed pijn, en af en toe namen ze mijn temperatuur op. 'Dit heeft gewoon wat tijd nodig,' zei dokter Wycomb. 'Over een dag of twee ben je weer kiplekker.'

'O, ik durf te wedden dat ze zich morgen al beter voelt,' zei mijn grootmoeder. 'Denk je niet, Alice?' We zouden de volgende dag aan het eind van de ochtend de trein terug nemen naar Riley.

'Laten we nu nog niets beslissen,' zei dokter Wycomb.

Rond acht uur die avond, toen mijn grootmoeder me twee aspirines en een glas water bracht, zei ze: 'Ik weet zeker dat je ouders liever hebben dat je thuiskomt als je nog niet helemaal lekker bent dan dat je later komt. Als we hier nog een nacht blijven, moet er heel wat geregeld worden. Dan moeten de tickets worden ingewisseld en je vader zal er het heen en weer van krijgen.'

Er zou in elk geval het nodige uitgelegd moeten worden. Er zou heen en weer gependeld moeten worden tussen de flat van dokter Wycomb en het Pelham, we zouden moeten doen alsof we de kamer waar we nooit in hadden geslapen langer wilden reserveren. Deze opeenstapeling van leugens om mijn grootmoeder de kans te geven haar lippen op die van een andere vrouw te drukken, een oude vrouw, niet eens een aantrekkelijke vrouw – en toen kon ik er niet meer aan denken, aan die fractie van een ogenblik waarin ik die vreemde, verontrustende glimp had opgevangen.

Ik zei niets, en mijn grootmoeder zei: 'Rust nog wat uit. Onze trein gaat pas om elf uur, dus we hebben tijd genoeg om morgenochtend in te pakken.'

Nadat ik mijn ogen had gesloten, hoorde ik dat ze opstond en ik wist niet zeker of ik nu droomde of echt iets zei toen ik prevelde: 'Ik weet niet eens waarom u me meegenomen hebt.'

'Meegenomen, waarnaartoe?' zei mijn grootmoeder, en toen wist ik dat ik het hardop had gezegd. 'Naar Chicago?'

Ik draaide me om. 'Wat?'

Het gezicht van mijn grootmoeder had een scherpe, alerte uitdrukking. Ze keek me een paar seconden aan. 'Je praatte in je slaap,' zei ze ten slotte.

Mijn koorts was vlak voordat we naar het station vertrokken gezakt naar 37,8, maar de waarheid was dat ik me, tegen de tijd dat we Dodsonville passeerden, de laatste halte voor Riley, bijna helemaal in orde voelde. Mijn ouders begroetten ons opgetogen. 'Ben je helemaal boven op de wolkenkrabber geweest?' vroeg mijn moeder. 'Was het mooi?'

In de auto zei mijn vader tegen mijn grootmoeder: 'Het was heel lief van je om Alice mee te nemen,' en dat leek een soort verontschuldiging.

'Het was zo stil in huis zonder jullie twee,' zei mijn moeder. 'Ik ben zelfs een paar tijdschriften van oma gaan lezen.'

Mijn grootmoeder glimlachte naar me en ik lachte bijna terug, maar toen dacht ik er weer aan en ik wendde mijn gezicht af om uit het raam te kijken.

De volgende dag belde Dena. 'Je moet komen,' zei ze, en ze klonk huilerig. 'Het is een noodtoestand.'

'Wat is er gebeurd?'

'Kom nou maar.'

Ik stond in de keuken en toen ik had opgehangen trok ik mijn jas aan en haastte me naar buiten. Aan de overkant klopte ik op de voordeur van de Janaszewski's – hun bel was al sinds 1958 kapot – maar ik had het te koud en ik was te ongerust om te blijven wachten, dus draaide ik de knop om en liet mezelf binnen. 'Hallo?' riep ik.

In de woonkamer zaten Dena's zusjes Marjorie en Peggy te kibbelen over wie er aan de beurt was om een plaat op te zetten. Peggy keek even naar me, zei 'Dena is boven' en ging weer verder met ruziemaken.

Op de eerste verdieping stond de deur open van de kamer die Dena en Marjorie deelden, maar hij leek op het eerste gezicht leeg. Aarzelend zei ik: 'Dena?'

Er kwam een hand onder het lits-jumeaux vandaan die naar me zwaaide. Ik hurkte neer en ging naar voren zodat ik op mijn knieën zat, en tilde de ruche van de sprei op. 'Wat is er aan de hand?' vroeg ik. 'Moet ik daar ook onder kruipen?'

'Ik heb mijn leven verpest.' Ze klonk onvast en betraand.

Ik rolde me om, zodat ik ook op mijn rug lag, en schoof daarna onder het bed. Ik voelde onmiddellijk het stof in mijn keel. Er stonden ook een paar ondefinieerbare voorwerpen – schoenen, misschien, en oud speelgoed – die ik weg moest schuiven voordat ik naast haar lag. 'Wat is er gebeurd?' vroeg ik.

Ze slikte en zei toen bedroefd: 'Ik heb mijn bakkebaarden geschoren.'

'Maar je hebt geen bakkebaarden.'

'Ja, nú niet.'

Ik pakte een deel van de sprei en hield dat omhoog zodat het daglicht onder het bed kon komen. 'Ik zie niets,' zei ik. 'Je moet eronderuit komen.' Ik schoof eronderuit, en na een minuut volgde ze.

Toen ze rechtop op de grond zat, met haar schouders tegen het bed, was haar gezicht rood en vlekkerig, haar ogen waren nat, en haar haar, dat een tint lichter bruin was dan het mijne, maar op dezelfde manier was gekapt, stond rechtovereind op haar achterhoofd, zoals bij een klein meisje. Ze greep naar een spiegel die met de goede kant naar beneden op het kleed lag. Ik kende die spiegel goed, omdat ik er een groot deel van mijn leven in had getuurd, vaak samen met Dena. Hij was ongeveer even groot als een echt gezicht, met een matroze plastic achterkant en handvat. Met de spiegel voor haar gezicht draaide ze zich half om en richtte somber haar blik op de plek rond haar oor.

'Ik snap nog steeds niet waar je het over hebt,' zei ik.

'Nou, eerst heb ik ze geknipt, maar dat zag er zo raar uit, dus toen heb ik een scheerapparaat gebruikt.'

Ik kwam dichterbij en wreef met de top van mijn wijsvinger over het bewuste stukje. 'Je hebt het prima gedaan. Het is helemaal glad. Draai je hoofd eens naar de andere kant.' Toen ze dat deed, voelde ik ook daar. 'Het is mooi,' zei ik.

'Maar straks groeit het weer aan. Dan heb ik stoppels. Alice, dan heb ik een baard van een dag.'

'Dan scheer je het weer af.'

'Elke dag, de rest van mijn leven?'

'Niemand ziet er iets van,' zei ik. 'Dat garandeer ik je.'

'Robert vindt dat harige meisjes op apen lijken. Je weet hoe Mary Hafliger...'

'Dena, hou op,' zei ik. 'Daar kan ze niets aan doen.' Mary Hafliger, met wie ik in het Promoteam zat, had donkere, dikke haren op haar onderarmen, en ik had daar zowel de jongens als de meisjes in onze klas over horen praten.

'Zij kan daar ook iets aan doen,' zei Dena. 'Ze kan het in elk geval bleken.'

'Mary is aardig,' zei ik. 'Weet je nog die kerstmannetjes van pijpenragers die we voor kerst verkochten? Zij heeft op allemaal een baard geplakt, en dat kostte haar bijna een week.'

Dena grinnikte. 'Ja, dat zal best, dat zij die baarden heeft geplakt.' Dena had het plan uit haar puberteit om cheerleader te worden waargemaakt, en leden van het Promoteam stonden in onze schoolhiërarchie veel lager genoteerd dan cheerleaders. Meer dan eens had ze me aangemoedigd om het hogerop te zoeken – als ik cheerleader wilde worden, zou zij een goed woordje voor me doen – maar ik had er geen behoefte aan om voor publiek te staan gillen en springen.

Dena hield de spiegel nog steeds voor haar gezicht en kneep doelloos haar lippen op elkaar. Haar tranen leken te zijn verdwenen. Toen legde ze de spiegel terug op het kleed en fluisterde: 'Ik ben nog maar half maagd.'

'Waar heb je het over?'

'Doe de deur dicht.' Ze gebaarde ernaar, en toen ik het had gedaan zei Dena: 'Ik heb Robert een stukje naar binnen laten gaan.'

'Je hoeft niet te doen wat hij zegt, Dena. Hij moet je respecteren.'

'Waarom denk je dat hij dat niet doet?' Ze meesmuilde.

Ik wist dat Dena het al eerder goed had gevonden dat Robert met zijn hand onder haar rok of in haar broek ging, maar niet in haar ondergoed, of althans, dat had ze beweerd. Die verhalen uit de praktijk had ik even opwindend als gevaarlijk gevonden. Volgens onze lerares huishoudkunde, mevrouw Teetrow, konden mannen zich namelijk, als ze eenmaal opgewonden waren, niet beheersen. Je moest ook aan je goede naam denken en, het allerbelangrijkste, je liep kans om zwanger te worden. Sommige meisjes op Benton County Central High hadden naar verluidt seks gehad – over Cindy Pawlak werd niet alleen gezegd dat ze het had gedaan, maar dat ze het met meerdere mannen had gedaan, met de chauffeur van de schoolbus nog wel, een getrouwde man die in Houghton woonde – en er waren meisjes, meestal van het platteland, die zwanger raakten en van school gingen en daarna, als ze geluk hadden, trouwden. Ook was er een meisje in de klas boven ons, ene Barbara Grob, een cheerleader met blond haar die vorig jaar lente zogenaamd had besloten bij haar nichtjes in Eau Claire te gaan wonen, maar iedereen wist dat ze in een klooster een kind had gekregen en het ter adoptie had afgestaan; toen ze weer op school terugkwam zag ze er afgepeigerd en dik uit, en ze had niet geprobeerd om weer bij de cheerleaders te komen. En toch, ook al was seks niet iets waar je nooit van hoorde, ik had niet verwacht dat Dena het echt zou doen; ik had verwacht dat ze op het randje balanceerde, bluffend en plagend, zonder tot het echte werk over te gaan.

'Wil je niet wachten tot je getrouwd bent?' vroeg ik. Zo wilde ik het, en het leek me volkomen logisch, gezien het feit dat we waarschijnlijk binnen een paar jaar zouden trouwen. In Riley stapten meisjes die naar college gingen vaak al in het huwelijksbootje voordat ze afgestudeerd waren en als je op je vijfentwintigste nog niet getrouwd was, wachtte je een toekomst als oude vrijster. Ruth Hofstetter, die in de manufacturenwinkel werkte waar mijn moeder en ik stof voor onze kleren kochten, was achtentwintig en had geen vriend, en altijd als we de winkel verlieten hadden mijn moeder en ik het erover hoe triest dat was, vooral omdat Ruth vriendelijk was en leuk om te zien.

'Daar is het een beetje laat voor,' zei Dena. 'Er is nauwelijks verschil tussen een stukje en helemaal.'

'Denk je dat je met Robert gaat trouwen?'

'Misschien.'

'Dena, als je met een ander trouwt, komt hij erachter wanneer je tijdens de huwelijksnacht niet bloedt.'

Ze liet een spottend lachje horen. 'Niet iedereen bloedt.' Ze pakte de spiegel weer op en keek erin. 'Wat weet jij nou helemaal.'

Ik was mijn grootmoeder uit de weg gegaan, maar toen ik begin februari op een middag thuiskwam van school was mijn moeder naar de kruidenier en mijn grootmoeder zat in de woonkamer te roken en te lezen in een roman van Wilkie Collins. Ik hing mijn boekentas naast de deur en ging de keuken in om iets te eten te maken, en mijn grootmoeder kwam me achterna. Toen ik de honing uit de kast pakte – om een geroosterde boterham mee te smeren – zei ze: 'Je bent vreselijk humeurig sinds we terug zijn uit Chicago. Is er tijdens dat reisje iets voorgevallen waar je over wilt praten?'

'Nee,' zei ik.

'Geen vragen meer over dokter Wycomb?'

Ik schudde mijn hoofd.

Het was stil en toen zei mijn grootmoeder: 'Ik zal niet beweren dat ik in mijn leven nooit iets heb gedaan waar ik me voor schaamde, maar ik heb al een hele tijd niets gedaan. Als niet iedereen het eens is met de beslissingen die ik heb genomen, is dat best. Wat andere mensen vinden, heeft een situatie nooit goed of verkeerd gemaakt.'

Op dat moment verafschuwde ik mijn grootmoeder. Wat vond ik haar hypocriet – net doen alsof ze schaamteloos en open was terwijl ze de waarheid verdraaide en mij daarbij betrok. Met mijn rug naar het fornuis keek ik haar kwaad aan.

'Mensen zijn ingewikkeld,' vervolgde ze, 'en degenen die dat niet zijn, zijn saai.'

'Misschien ben ik dan wel saai.'

We keken elkaar aan, en ze klonk oprecht bedroefd toen ze zei: 'Misschien wel.'

Robert Beike en Dena vormden al een aantal maanden officieel een stel tegen de tijd dat in mei het eindbal werd gehouden, en Dena had in maart besloten dat Larry Nagel mij daarvoor moest vragen. Een paar weken voor het bal was dat gebeurd; toen ik aan het eind van een ochtend uit het scheikundelokaal kwam, stond hij in de gang, met zijn armen over elkaar. We keken elkaar aan en ik was er vrij zeker van dat ik wist waarom hij daar stond. Ik liep op dat moment naast mijn vriendin Betty Bridges en ik zei zachtjes tegen haar: 'Ga maar vast, ik kom zo bij je.'

Toen ze weg was zei Larry op een niet bijzonder hartelijke toon: 'Ga jij naar het bal?'

'Ik denk het wel,' zei ik.

'Zullen we samen gaan?'

'Ja, goed.'

'Oké,' zei hij nog even onbewogen. 'Ik zie je.' Daarna liep hij naar de hal, toevallig dezelfde kant op als ik, maar aangezien het niet bij hem leek te zijn opgekomen dat we samen konden lopen, of het gesprek konden vervolgen, hield ik mijn pas in tot hij uit het zicht verdwenen was. Als ik eerlijk was kon ik niet van hem verwachten dat hij geschokt of opgewonden was dat ik 'ja' had gezegd, nadat het hele script van tevoren door Dena was bedacht. Was ik soms geschokt of opgewonden geweest door zijn vraag? Maar ik hoopte dat ik meer te zien zou krijgen van die zo schattig impulsieve jongen die me op het stoepje had gekust, en op een bepaalde manier maakte zijn gebruikelijke afstandelijkheid hem nog liever. Op de avond van het bal zou daar vast nog wel iets van blijken.

Mijn moeder en ik naaiden mijn jurk volgens een patroon dat ik in *Mademoiselle* vond – hij was groen, met een hartvormige hals en een rok van tule – en ik wilde er witte lange handschoenen bij, tot vlak boven mijn elleboog, waardoor ik me, zowel in positieve als in negatieve zin, net de koningin van Engeland voelde. Een paar uur voor het feest vond ik een papieren zakje op mijn bureau met een groene haarband in bijna exact dezelfde kleur als de jurk. Ik rende de trap af met de haarband in mijn hand. In de keuken zette mijn moeder net een stoofschotel in de oven. 'Dank je wel,' zei ik. 'Hij past er precies bij.'

Ze glimlachte. 'Ik hoop dat je een heerlijke avond hebt.' Ze deed het deurtje van de oven dicht en in een impuls omhelsde ik haar – ik voelde me dichter bij haar nu ik mijn grootmoeder meed. Vanwege mijn lidmaatschap van het Promoteam moest ik die ochtend tweehonderd cakejes mee naar school nemen als versnapering op het feest. De avond ervoor waren mijn moeder en ik tot twaalf uur opgebleven om er geel glazuur op aan te brengen.

Even later, toen mijn ouders en grootmoeder net klaar waren met eten, kwam ik beneden, nog blootsvoets maar wel met de handschoenen en haarband, om de jurk te showen. Toen ik de eetkamer binnen kwam, applaudisseerden ze. 'Maak eens een reverence,' droeg mijn grootmoeder op, en omdat er vooral spanning tussen ons hing als we alleen waren – in het bijzijn van mijn ouders die van niets wisten, verdween die spanning – deed ik wat ze vroeg. Hoe had ik ook kunnen weigeren? Het was een lenteavond; naast ons was meneer Noffke het gras aan het maaien, en de geur van het gras zweefde bij ons door het raam naar binnen.

Daarna stond mijn vader tot mijn stomme verbazing op, stak zijn hand uit en zei: 'Mag ik deze dans?'

'Wacht, dan zet ik een muziekje op!' Mijn moeder haastte zich de woonkamer in om de radio aan te zetten, en een big band – het klonk als Glenn Miller – liet zich horen.

Mijn vader tilde onze armen in de lucht zodat ze een boog vormden boven mijn hoofd en liet me eronderdoor draaien. Boven de muziek uit zei mijn moeder: 'Alice, die jurk flatteert je figuur echt.'

Mijn vader hield me losjes vast, liet me draaien en zwieren, en zei: 'Rechtop staan. Zelfs kleine mannen zien het liefst meisjes met een goede houding, daaruit blijkt zelfvertrouwen.'

Ik rechtte mijn schouders en hief mijn kin.

'Laat haar over de vloer scheren!' riep mijn grootmoeder, en onmiddellijk zei mijn moeder: 'Denk aan je rug, Phillip.'

Terwijl de saxofoons op de radio aanzwollen, suisde ik omlaag, en ik hoorde mijn moeder en grootmoeder weer klappen. Het kwam misschien door het bloed dat naar mijn hoofd was gestegen toen ik vlak over de grond scheerde, of door de emotie die de muziek opriep, maar op dat moment hield ik van mijn familie, ook van mijn grootmoeder, zoveel dat ik wel kon huilen. Ze waren zo lief en goed voor me, ik had zoveel geluk, en zelfs toen voelde ik hoe broos dat is.

Toen ik weer overeind stond zei mijn vader, zo zacht dat mijn grootmoeder en moeder het niet konden horen: 'Je bent een heel knap meisje. Laat die jongen je vanavond respecteren.'

Robert en Larry en Dena en ik aten 's avonds bij Tatty's. Dat was een traditie in Riley, om helemaal opgedoft in je mooiste kleren een vette hamburger te gaan eten, en met in het achterhoofd verhalen over meisjes die al in tranen waren voordat ze op het bal verschenen, met zijden jurken vol vlekken van ketchup of mayonaise, zorgde ik ervoor dat ik mijn witte handschoenen opgevouwen in mijn tasje opborg en drie servetten over mijn schoot uitspreidde. Robert had gereden en toen ik op de achterbank naast Larry zat, begonnen mijn verwachtingen voor die avond te tanen toen Larry één halfslachtige poging deed om mijn corsage op mijn jurk te spelden en me vervolgens de bloem toestak en zei: 'Kun je dat even zelf doen?' Vanaf Tatty's reden we naar school, waar het in de gymzaal warm en vol en lawaaiig was, precies zoals ik vond dat het hoorde te zijn. De gele en blauwe serpentines hingen kriskras boven ons hoofd, de cakejes met geel en blauw glazuur vonden gretig aftrek – ik keek even hoe het met die van mij ging, maar omdat ze allemaal in rijen op tafels tegen de muur lagen, kon ik mijn eigen baksels niet van die van anderen onderscheiden – en een coverband uit Madison, de Little Brothers, vier mannen in smoking, stond op het podium 'Who Put the Bomp' te spelen.

'Hé, Alice,' zei Robert.

Ik keek hem aan.

Hij grinnikte wellustig. 'Larry is helemaal opgewonden van het idee dat hij met je gaat dansen.'

Dena en Larry lachten, en ik werd bevangen door de angst dat Dena, via Robert, Larry een belofte had gedaan over mijn fysieke beschikbaarheid voor deze avond. Dena en Robert hadden inmiddels zes keer gevreeën, één keer voor elke maand dat ze met elkaar gingen, zo legde ze uit, maar de helft van de keren was met terugwerkende kracht. Ze vertelde me dat ze het niet te vaak wilde doen omdat het dan niet meer zo bijzonder zou zijn. En ze zei ook te weten dat Robert, als hij in onzekerheid verkeerde, nog doller op haar zou worden; de vorige week had hij een witte knuffelpoedel voor haar gekocht met een miniatuurkluifje van nepgoud.

Toen Larry en ik gingen dansen, probeerde hij me tot mijn opluchting niet onmiddellijk te bepotelen. Hij kon zelfs goed dansen, beter dan ik, en we gingen ermee door toen het ene nummer eindigde en het volgende begon, en daarna nog een en nog een. Het waren allemaal snelle nummers, en midden in 'The Watusi' schreeuwde hij in mijn oor: 'Robert heeft...' Hij deed alsof hij uit een fles dronk. 'We zien elkaar op de parkeerplaats.'

'Maar er zijn overal leraren.'

'Niemand ziet ons in de auto van Robert.'

'Ik moet even bij mijn cakejes gaan kijken.'

Hij haalde zijn schouders op. 'Wat je wilt.'

Toen hij wegliep, zag ik dat Dena en Robert, die dicht bij ons hadden staan dansen, al bij de deuren van de gymzaal waren. Ik liep naar de tafel met hapjes, waar Betty Bridges punch inschonk, en ik was er nog een paar meter vandaan toen ik een hand op mijn arm voelde. Zodra ik me omdraaide, zag ik Andrew Imhof naast me staan. 'Wil je dansen?'

'Tuurlijk.' Toen ik de eerste tonen van 'Lonesome Town' van Ricky Nelson herkende, zei ik: 'O, maar dat is een langzaam nummer.'

Hij glimlachte. 'Is dat erg?'

'Nee, ik geloof het niet,' zei ik, maar ik vroeg me af of het niet van slechte manieren getuigde om met een ander te gaan slijpen.

Toen we samen terugliepen naar de dansvloer, werd ik me direct en onverwacht bewust van de manier waarop we overkwamen – het gevoel dat als mensen naar ons keken, ze zich een bepaalde indruk zouden vormen. Wat dat voor indruk was, was moeilijker te zeggen.

We vonden een plekje in het woud van dansparen en stonden tegenover elkaar. Na een korte aarzeling legde ik mijn linkerhand op zijn rechterschouder, hij legde zijn rechterhand op mijn onderrug en we pakten elkaars vrije hand, hoog. Ik droeg mijn handschoenen.

'Met wie ben je hier?' vroeg ik.

'Met Bess Coleman.' Hij wees met zijn kin en ik zag dat Bess onder een basketbalring aan het dansen was met Fred Zurbrugg, een van Andrews beste vrienden.

'Zijn jij en Bess...?' Later dacht ik dat ik daar niet zo direct naar zou hebben gevraagd als ik me ervan bewust was geweest dat ik belangstelling had voor Andrew.

Hij schudde zijn hoofd. 'Jij bent hier met Larry, hè?'

'Dena heeft ons afspraakje geregeld, maar ik begin aan haar capaciteiten als koppelaarster te twijfelen.'

Andrew lachte. 'Ja, je bent beslist veel te goed voor Nagel.'

We zwegen allebei even, toen zei Andrew: 'Weet je nog die keer dat je grootmoeder dacht dat ik een meisje was?'

'Ik had er geen idee van dat je dat doorhad!'

'Dat was niet moeilijk, ze zei: "Wat een knappe dochter hebt u" tegen mijn moeder.'

'Dat heeft ze nooit gezegd,' protesteerde ik.

'Zoiets dan toch.'

'Het kwam gewoon doordat...'

'Ik weet het.' Hij legde zijn rechterhand over allebei zijn ogen – met allebei die wimpers – en schudde zijn hoofd. 'Ik zou ze mijn ergste vijand niet toewensen. Mijn broer zegt dat Max Factor me als model in dienst moet nemen, en dat bedoelt hij niet als compliment.'

'Hij is natuurlijk gewoon jaloers,' zei ik.

Op het podium zong een lid van de band solo: '*Goin' down to lonesome town/ Where the broken hearts stay...*'

'Om terug te komen op wat ik net zei, ik bedoel niet dat Larry een foute jongen is.' Andrew klonk nu ernstiger. 'Ik vind hem alleen niet bij jou passen.'

Ik vermoedde wat Dena in deze situatie zou zeggen, en wat waarschijnlijk veel meisjes zouden zeggen: Wie vind je dan wél bij me passen? Maar het was veel te fijn om dit moment te koesteren zonder erover door te gaan, om de mogelijkheden van dit moment te voelen in plaats van de beperkingen ervan. Later herinnerde ik me dat ik toen dacht dat ik wist dat Andrew mijn vriendje zou worden, maar dat ik dat niet voor de eerste keer besefte. Had ik het niet altijd al geweten, mijn hele leven al? Waarom zou ik dan haast maken? Ervaringen opdoen met anderen was bijna iets wat we móésten doen voordat we bij elkaar kwamen.

'Heb je al een cakeje gegeten?' vroeg ik.

'Ja, die zijn best lekker. Er staan daar ook chips.'

'Ik heb een aantal van die cakejes gebakken,' zei ik. 'Niet de blauwe, maar die met het gele glazuur.'

'Ik dácht al dat die smaakte alsof hij uit de keuken van Alice Lindgren kwam!' zei hij, en ik gaf hem speels een klap op zijn arm. 'Nee, echt, hij was heerlijk,' zei hij. 'Ik meen het.'

We lachten allebei en even later zei hij: 'Als je wilt, kun je je hoofd wel tegen mijn schouder leggen.'

Ik aarzelde. 'Ben ik lang genoeg?' Natuurlijk was dat niet mijn enige aarzeling.

'Het hoeft niet,' zei hij. 'Alleen als je het wilt.'

Toen ik het deed, stonden we zo dicht tegen elkaar aan als we nooit eerder waren geweest. Ik voelde zijn warmte, dat compacte, en er kwam een rust over me heen; daarbij vergeleken was het gesprek dat we hadden gehad niets, de woorden waren niets, het waren regendruppels of confetti, en elkaar vasthouden was echt.

Toen het nummer afgelopen was, lieten we elkaar los en toen kwam Bobby Sobczak op Andrew af en ik liep naar Betty Bridges bij de versnaperingen. Tien minuten waren verstreken toen Dena opdook, met rode wangen en een adem die naar sterkedrank rook. 'Heb jij met Andrew gedanst?' vroeg ze, niet echt op een beschuldigende toon, maar wel bijna – ze was krachtig en enorm nieuwsgierig.

Ik had de indruk dat ze al die tijd buiten was geweest, wat inhield dat iemand anders het haar verteld moest hebben. 'Toen jullie allemaal naar buiten gingen, zag hij me zeker in mijn eentje staan,' zei ik. 'Misschien vond hij het rot voor me.'

Maar ik wist dat dat niet waar was. Op een bepaald moment, vlak voor het eind van het nummer, had Andrew diep ingeademd, en ik was er vrijwel zeker van dat hij toen de geur van mijn haar opsnoof.

In de maand augustus die daarop volgde ging mijn grootmoeder weer naar Chicago voor een bezoek aan Gladys Wycomb, en mijn vader, moeder en ik kropen met onze koffers in onze sedan – een turquoise Chevy Bel Air uit 1956 met een zilveren ornament op de motorkap in de vorm van een papieren vliegtuigje – en reden noordwaarts door Wisconsin naar het noordelijkste schiereiland van Michigan voor een bezoek aan de Mackinac Bridge, ook wel de Mighty Mac genoemd. Toen we aan de kant van St. Ignace kwamen stopte mijn vader, die tot dusver het hele stuk had gereden, de auto en ruilde van plek met mijn moeder zodat hij kon rondkijken als we de brug over reden. Het was een oneindig lange brug over onstuimig blauw water, en aan de overkant keerde mijn moeder om en reden we terug in noordelijke richting. Het was een tolbrug die vijftig cent kostte, wat niet veel was, maar toch was het voor mijn vader heel wat om daar geld aan uit te geven. We parkeerden aan de kust van St. Ignace, mijn moeder en ik hadden een jasje aan ook al was het zomer, en mijn vader schudde gelukzalig zijn hoofd. 'Ga eens na, al dat beton, staal en kabels over acht kilometer water,' zei hij. 'Het is een opmerkelijk staaltje techniek.'

Aan de hemel aan de overkant van de brug prijkten vederwolken, en er hing al iets van herfst in de lucht. Thuis in Riley was het nog warm.

'Zullen we een stukje wandelen?' vroeg mijn vader.

We liepen over een boulevard. Op regelmatige afstanden van elkaar stonden verrekijkerautomaten op palen, en mijn vader bleef bij een aantal ervan staan, hoewel ik niet echt kon zien wat er op zo'n kleine afstand aan het uitzicht zou veranderen. 'Voordat ze de brug bouwden, duurde het met de veerboot een uur voordat je aan de overkant was,' zei hij. 'Maar soms stond er zo'n rij dat je tien tot twaalf uur moest wachten voordat je auto op de boot kon.'

Ik knikte, terwijl ik intussen overwoog hoe ik het zou zeggen. *Oma heeft een verhouding met dokter Wycomb.* Even had ik gedacht dat ze niet meer naar Chicago zou gaan nu ik van haar geheim op de hoogte was. Of misschien besefte ze niet dat ik het wist. Maar dat moest toch wel, anders zou ze er wel op aangedrongen hebben dat ik een verklaring gaf voor mijn norse gedrag.

'Kun je je voorstellen dat je het geduld moet opbrengen om twaalf uur te wachten?' zei mijn moeder.

Had ik het kunnen weten van mijn grootmoeder? Ik had op mijn veertiende *The Well of Loneliness* gelezen, dat ik bij haar van de plank had gehaald en teruggezet in lichte verwarring bij het idee dat twee vrouwen verliefd op elkaar konden worden, maar niet genoeg om haar ernaar te vragen. Maar goed, dat verhaal speelde tientallen jaren geleden, en in Engeland. Dat mijn eigen grootmoeder, die bij ons in huis woonde, die hetzelfde stuk zeep in de badkamer gebruikte als ik, van wie ik als klein meisje haar sieraden en hoge hakken mocht aantrekken – dat zij een homoseksuele relatie zou hebben, was niet te rijmen. Ze was getrouwd geweest, ze had een kind gekregen! En ook al was het zo, waarom had ze er dan niet beter op gelet dat ik haar geheim niet te weten kwam? Door haar toedoen moest ik kiezen tussen haar en mijn ouders, en dat kon ik toch helemaal niet? Op een bepaalde manier had ik altijd inniger, meer van haar gehouden, maar ik had gedacht dat zij en ik een verbond hadden gesloten om dit pijnlijke feit verborgen te houden.

We liepen langs een volgende verrekijker en mijn vader bukte en tuurde erin. Toen hij zich weer bij ons voegde, pakte hij mijn moeders hand en ik voelde hoe opgetogen hij was.

De volgende drie nachten logeerden we in een motel op St. Ignace, met z'n allen op één kamer. Het motel heette Three Breezes en er was een zwembad waar mijn vader baantjes in trok, maar mijn moeder en ik vonden het te koud. Overdag liepen we door de duinen van Lake Michigan, en ik dacht: ik ga het ze over een kwartier vertellen. Over een kwartier. Als we weer in de auto zitten. De dag daarna namen we de veerboot naar Mackinac Island, waar we in een door paarden getrokken rijtuig reden, karamels aten en lunchten in een restaurant in het Grand Hotel. 'Misschien kom je hier nog wel eens terug als je op huwelijksreis bent,' zei mijn moeder, en ze kneep onder de tafel even in mijn knie. Ze hebben een relatie, dacht ik, en dokter Wycomb geeft haar dure cadeaus, en misschien geeft ze haar zelfs wel geld.

Bij onze laatste maaltijd op St. Ignace dronken mijn ouders samen twee flessen wijn, en later haalde mijn vader mijn moeder over om samen met hem een duik te nemen in het zwembad, de hemel was donker maar het bad was verlicht. Op onze kamer kon ik hen horen giechelen. Ik ging slapen en toen ik de volgende ochtend mijn ogen opendeed dacht ik: ze weten het al. Ik luisterde naar hen terwijl ze in het bed tegenover het mijne sliepen, mijn moeders diepe ademhaling en mijn vaders zachte gesnurk, alsof hij zelfs in zijn slaap beleefd probeerde te zijn. Ze weten het al, dacht ik, en als ze het niet weten, dan is dat omdat ze daarvoor hebben gekozen. Dat verklaarde natuurlijk mijn vaders aanvankelijke weerzin om me afgelopen winter met mijn grootmoeder mee te laten gaan. Ik zou niets zeggen, wist ik toen, omdat het niet nodig was, omdat het mijn taak niet was. Op dat moment was ik blij dat ik er nog niet de woorden voor had kunnen vinden.

En wat me in feite van die vakantie net zo sterk is bijgebleven als mijn eigen wantrouwige, kleingeestige worsteling, is mijn vader op de boulevard, vlak na onze aankomst. De wind blies door zijn haar, en nerveus van blijdschap probeerde hij mijn moeder en mij precies uit te leggen hoe en waarom de Mighty Mac zo indrukwekkend was. Ik vroeg me toen – en nog steeds – af of mijn vader ooit zo gelukkig was geweest.

We reden terug via de zuidelijke route, al duurde dat langer: nog een keer over de Mighty Mac (dit keer mocht ik achter het stuur zitten) en daarna door het zuidelijke deel van Michigan, de bocht om van het zuidwesten van Indiana naar het noordoosten van Illinois waar we, bij een station in Bolingbrook, vijftig kilometer buiten Chicago, mijn grootmoeder oppikten. Zij en ik zaten samen achterin, maar ze deed al maanden geen moeite meer om contact met me te zoeken en las *Anna Karenina*. 'Voor de tweede keer, toch?' vroeg mijn moeder, en mijn grootmoeder zei een beetje sarcastisch: 'De vierde.'

Toen waren we weer in Wisconsin, waar het aan het eind van de zomer schitterend is. Toen ik jong was, werd deze mening gedeeld door iedereen die ik kende; als volwassene bleef het me verbazen hoe weinig mensen met wie ik omging ook maar iets weten van de staten die tussen Pennsylvania en Colorado liggen. Sommige van deze mensen hebben zelfs weken of maanden voor hun werk in dergelijke staten doorgebracht, maar tenzij ze ook uit het Midden-Westen afkomstig zijn, zegt dit gebied hun niet meer dan stemmenaantallen tijdens peilingen en partijbijeenkomsten, stadjes of steden waar ze in hotels logeren waarin de sprei aan de buitenkant glanzend roodbruin is en aan de binnenkant pluizig, waar het ontbijt bestaat uit voorverpakte donuts en cornflakes uit een dispenser, waar de fitnessruimte niet meer voorstelt dan één trimfiets en een kapotte loopband. Deze mensen dineren bij Perkins en daarna klagen ze over de kwaliteit van de restaurants.

Toegegeven, deze regio heeft iets sjofels dat ik persoonlijk altijd troostrijk heb gevonden, maar door de schoonheid van Wisconsin in het bijzonder, of van het Midden-Westen in z'n geheel te negeren, ga je voorbij aan de bijzondere kracht van het land. De weelderigheid van het gras en de bomen in augustus, de glooiende heuvels (het Midden-Westen is veel minder vlak dan mensen die er niet wonen denken), die rijke geur van de bodem, het avondlicht op een korenveld, of de krekels die in de avondschemer in een woonstraat tjirpen: dat alles heeft me altijd een gevoel van vredigheid gegeven. Er is ruimte om te ademen, iets waarachtigs. De seizoenen zijn extreem, maar verstrijken en komen terug, verstrijken en komen terug, en de wereld lijkt veel bestendiger dan bezien vanuit een stad aan de kust.

Natuurlijk zijn er ook schilderachtige stadjes te vinden in New England of Californië of aan de noordwestkust van de Stille Oceaan, maar ik kan het gevoel niet van me afschudden dat ze te schilderachtig zijn. Vooral aan de oostkust vind ik die plaatsen – Princeton bijvoorbeeld, of Farmington in Connecticut – al te curieus, onbetamelijk zelfvoldaan en zelfs xenofobisch, regelrecht paranoïde in hun argwaan tegenover mensen die op een of andere manier inbreuk zouden kunnen plegen op de lokale charme; ik vermoed dat deze argwaan te maken heeft met de hoge kosten van de huizen, de angst dat er misschien niet genoeg ruimte of geld zou zijn, dat wat er van beide wel voorhanden is moet worden behouden en verdedigd. De westkust heeft volgens mij een soortgelijk overdreven gevoel van eigenwaarde – al dat gepraat over hun ligging aan de oceaan én de bergen – en een schoonheid die ik alleen maar als opzichtig kan beschouwen. Maar dan het Midden-Westen: het is op een bedaarde manier mooi, zonder dat er zo nodig hoog opgegeven hoeft te worden over de aantrekkelijke kenmerken; het is de plek waar ik het kalmst ben en het meest mezelf.

In het weekend voor mijn laatste jaar op high school begon kwam ik op een zaterdagmiddag laat uit Jurec Brothers' slagerij met een pond gehakt dat mijn moeder me had gevraagd op te halen, toen ik vlakbij een auto hoorde claxonneren. Ik keek om en zag een mintgroene Ford Thunderbird met een wit dak; uit het raampje aan de passagierskant leunde, gebruind en lachend, Andrew Imhof. Ik zwaaide terwijl ik van de stoep af liep, tussen twee geparkeerde auto's door. Toen ik dichterbij kwam zag ik dat naast Andrew zijn broer Pete aan het stuur zat; de auto was een twoseater.

'Welkom terug,' zei Andrew.

'Hoe wist jij dat ik weg was?'

'Toen je laatst niet bij Pine Lake verscheen, dacht ik dat je misschien ziek was, maar Dena zei – niet dat Dena en ik... ik kwam haar daar toevallig tegen...'

'Niet dat hij weer in haar weitje graast,' zei Pete. 'Dat wil hij je wel even helemaal duidelijk maken.' Pete boog zich over het stuur heen en grijnsde spottend. Hij was vier jaar ouder; na high school was hij in Madison naar college gegaan en waarschijnlijk was hij afgelopen juni afgestudeerd. Hij en Andrew leken niet erg op elkaar: ze hadden dezelfde reebruine ogen, maar Pete had niet van die onmogelijk lange wimpers als Andrew, en hij was fors en donker, terwijl Andrew gespierd en blond was. Pete zag eruit als een volwassen man, en niet een heel aantrekkelijke.

Andrew keek quasi-geërgerd naar zijn broer en zei tegen mij: 'Let maar niet op hem. Je was in Michigan, hè?'

'Mijn vader wilde de Mackinac Bridge zien, en daarna zijn we naar Mackinac Island gegaan. Er rijden daar geen auto's, alleen rijtuigen.'

'Waar paarden zijn, is stront,' zei Pete. 'Heb ik gelijk?'

'Let maar niet op hem,' zei Andrew.

'Ik krijg het idee dat er heel wat mensen bij Pine Lake waren,' zei ik. 'Dena zei dat ze het de leukste avond van de hele zomer vond.'

'O ja?' Andrew keek geamuseerd. 'Dat kwam vooral door Bobby die iedereen uitdaagde voor een kippengevecht. Het echte feest is volgend weekend bij Fred thuis, heb je daar al iets over gehoord? Als de temperatuur onder de 24 graden komt, maken we een kampvuur.'

Pete boog zich weer naar voren. 'En Andrew belooft dat hij een lekkere grote worst voor je zal roosteren. Het was een boeiend gesprek, maar ik heb nog meer te doen, broertje. Gaan jij en Alice er een eind aan breien?'

Andrew schudde weer zijn hoofd, en Pete liet de motor gieren. 'Sorry,' zei Andrew tegen me. 'Ik zie je dinsdag op school. Tof hè, dat we nu eindelijk laatstejaars worden.'

Ik glimlachte. 'De geweldige klas van '64.'

De mintgroene Thunderbird spoot weg, en terwijl ik naar huis liep met het gehakt voor mijn moeder, werd ik gegrepen door een onverwachte energie, overspoeld door een golf van nieuwe gedachten: dat Andrew er goed uitzag, gebruind door de zomerzon; hoe vreemd het was dat Pete Imhof mijn naam kende; hoe opgewonden ik was voor de start van het schooljaar, voor de nieuwe lessen en de voorrechten die we als laatstejaars hadden; en hoezeer ik hoopte dat de temperatuur zaterdag lager dan 24 graden zou zijn, zodat ze een vuur zouden maken op Freds feestje en ik daar vlakbij kon staan, omringd door die muur van warmte tegen mijn lichaam, terwijl ik keek hoe de vlammen oplaaiden die me er, zoals altijd als ik een vuur zag branden, aan herinnerden dat ze leefden, net zoals ik.

Wanneer ik Andrew die eerstvolgende dagen zag, een paar rijen voor me op de tribune op de eerste ochtend van het nieuwe schooljaar, of terwijl hij boeken uit zijn kluisje haalde in een drukke hal tussen de lessen door, was er weinig kans dat we iets tegen elkaar zeiden, of zelfs oogcontact maakten, en ik probeerde het niet. Ik was altijd met Dena of een andere vriendin, of hij was met jongens van football, en ik had het gevoel dat ik wat ik hem te zeggen had, alleen kon zeggen wanneer we alleen waren. Het was niet eens zo dat ik wíst wat ik wilde zeggen, maar als we samen waren, zonder anderen in de buurt, zou ik vast wel ergens op komen.

Die hele week had ik het gevoel dat we naar elkaar op weg waren – zelfs wanneer we elkaar passeerden voor het natuurkundelokaal en allebei een andere kant op gingen had ik dat gevoel – en het verbaasde me niet toen ik op donderdagmiddag een halfuur na de laatste bel van die dag de bibliotheek uit kwam en hem uit de gymzaal zag komen, gekleed voor foot-balltraining in een trui en zo'n korte broek, met zijn helm in zijn rechterhand. Terugkijkend vind ik het moeilijk om op mijn herinnering aan die tijd te vertrouwen, moeilijk om te geloven dat ik er niet een betekenis aan toeken die hij toen niet had. Het was een zonnige middag (later bleek de temperatuur die zaterdag niet onder de 24 graden te komen, en ook de eerstvolgende paar weken niet) en de cicaden tsjirpten en de bomen en het gras waren groen, en we liepen naar elkaar toe, hij kneep zijn ogen samen tegen de zon, we glimlachten allebei, en ik hield van hem, ik hield volledig van hem, en ik wist dat hij ook van mij hield. Ik kon het voelen. Dat moment – daarbinnen kon ik vooruitlopen op wat ik het liefst wilde en ik kon nog verder reiken, het was al gebeurd, en ik koesterde me in de luxe zekerheid te weten dat het al vaststond.

Of misschien denk ik dat nu alleen. Maar meer hadden we nooit gehad! Op elkaar toe lopen, hij uit de gymzaal, ik uit de bibliotheek – dat gebeurde er toen ik de gang door liep en hij stond te wachten, dit gebeurde er toen we vreeën, het was de verjaardag van ons samenzijn, elke hereniging op een vliegveld of station, elke verzoening na een ruzie. Dit was ons hele leven samen.

Toen we daar tegenover elkaar stonden leek het heel natuurlijk om elkaar te omhelzen, maar dat deden we niet. Dat is iets wat ik zeer betreur, maar zeker niet het ergst. Daar stonden we, terwijl de energie van het elkaar niet-omhelzen tussen ons kolkte, en hij zei: 'Sorry van mijn broer laatst,' en hij gebaarde over zijn schouder alsof Pete daar vlakbij stond. 'Ik hoop dat hij je niet heeft beledigd.'

'Nee, hij is grappig, maar jullie zijn wel erg verschillend.'

'Wacht even, ben ik dan níét grappig?'

'Nee, jij bent ook grappig,' zei ik. 'Jullie zijn allebei grappig.'

'Heel diplomatiek – dat stel ik op prijs. Kom je morgen naar de wedstrijd kijken?'

'Ik ga er popcorn verkopen.' Als lid van het Promoteam was dat mijn taak. 'Ik heb gehoord dat je dit jaar begint,' zei ik.

'Nou, ik heb lang genoeg gewacht.' Hij lachte even op een manier die eerder bescheiden was dan bitter. 'Niemand zal me nog verwarren met Pete, dat weet ik wel.'

Dat was waar – voordat we op high school kwamen, had Andrews broer furore gemaakt als achterhoedespeler bij de Knights – maar ik zei: 'Nee hoor, je ziet er heel stoer uit in je footballoutfit.' Toen ik het mezelf hoorde zeggen, begon ik meteen te blozen.

'O ja?' Andrew nam me op. 'Zie ik eruit alsof ik je zou kunnen beschermen?'

We glimlachten allebei, elke verwijzing die we maakten werd door de ander begrepen, elke opmerking was een grapje of een compliment en ik dacht ineens: we zijn aan het flirten.

Toen zei ik ineens – ik kon er niets aan doen: 'Waarom heb je verkering gehad met Dena?'

'Omdat ik elf jaar was.' Hij glimlachte nog steeds. 'Ik wist niet beter.'

'Maar je bléééf met haar gaan. Vier jaar lang!'

'Was je jaloers?'

'Ik vond het' – ik zweeg even – 'vreemd.'

'Toen Dena mijn vriendinnetje was,' zei hij, 'betekende dat dat ik vaak bij jou in de buurt kon zijn.'

Plaagde hij me? 'Als dat waar is, is dat niet erg aardig tegenover Dena,' zei ik.

'Alice!' Hij leek zowel geamuseerd als oprecht bezorgd dat hij me boos had gemaakt.

Ik keek naar de grond. Wat wilde ik eigenlijk zeggen? De belangrijke dingen die ik de hele week had willen zeggen wanneer Andrew en ik alleen waren, was ik vergeten.

'En als ik van nu af aan probeer aardiger te zijn?'

Ik keek op en zei: 'Dan probeer ik ook aardiger te zijn.'

Hij lachte. 'Jij bent altijd al aardig.' Er was even een stilte, toen vroeg hij: 'Is dat een hartje?' Hij stak zijn hand uit en pakte de zilveren hanger aan het kettinkje om mijn hals en hield hem losjes vast, terwijl zijn vingertoppen zacht langs de holte van mijn sleutelbeen streken.

'Dat heb ik van mijn grootmoeder voor mijn zestiende verjaardag gekregen,' zei ik.

'Het is mooi.' Hij liet het hangertje weer tegen mijn hals rusten. 'Ik moest misschien maar gaan trainen, zodat ik niet uitgejouwd word. Als ik je morgen na de wedstrijd niet zie, dan ben je zaterdag bij Fred, toch?'

Ik knikte. 'Wat denk je, is het zo'n feestje waarop mensen op tijd komen, of later?'

'Ik vertrek om een uur of halfacht van huis. Kom jij dan ook.' Andrew was ongewoon direct, zeker voor een schooljongen; ik denk dat dat het gevolg was van een bepaald soort zelfvertrouwen. Toen ik naar college ging, leek het erop dat de jongens en meisjes van die spelletjes speelden, waarbij het meisje een aantal dagen wachtte voordat ze een jongen terugbelde, of de jongen belde alleen als het meisje op een feestje niets tegen hem zei of als hij haar met een ander weg zag gaan. Maar misschien vond Andrew, anders dan die jongens en meisjes op college, me echt leuk. Maar dan weer denk ik: nee, misschien toch niet. Misschien heb ik, door wat er later gebeurde, een grote liefde tussen ons verzonnen; ik heb het verschrikkelijke voorrecht gehad te kunnen beslissen wat er zou zijn gebeurd zonder dat er nog iemand was die me kon tegenspreken. En misschien heb ik het wel helemaal mis.

Nadat we elkaar gedag hadden gezegd draaide ik me om en keek hem even na toen hij naar de tribune liep waarachter zich de renbaan en het sportveld bevonden: zijn lichtbruine haar, zijn tamelijk brede schouders nog breder door de schoudervullingen, zijn gebronsde kuiten met goudkleurige haartjes onder die broek die al ver boven zijn enkels ophield. Voor een highschoolmeisje bestaat er niets wonderlijkers dan een highschooljongen.

En ondanks mijn angst dat ik het verleden kleur denk ik elke keer wanneer ik eraan twijfel dat Andrew iets voor me voelde en dat die gevoelens mettertijd sterker zouden zijn geworden, dat we eindelijk een leeftijd hadden bereikt waarop er iets tussen ons kon opbloeien, terug aan die keer dat hij mijn kettinkje bekeek, het hangertje in zijn hand hield en vroeg wat het was. Dat was overduidelijk alleen maar een excuus om me aan te raken. Per slot van rekening weet iedereen wat een hart is.

Die avond stond ik samen met mijn moeder na het eten af te wassen toen er op de voordeur werd geklopt. Mijn vader en grootmoeder zaten in de woonkamer te scrabbelen en ik hoorde mijn vader de deur opendoen en zeggen: 'Hé hallo, Dena.'

'Vraag of ze een stukje perziktaart wil,' zei mijn moeder en Dena, die de keuken binnen liep, zei: 'Nee, dank u, mevrouw Lindgren. Wij hebben ook net gegeten.' Tegen mij mimede Dena: *Ik moet met je praten.*

'Mam, mag ik even?' vroeg ik.

Zodra we boven op mijn kamer waren, sloeg Dena haar armen over elkaar en zei: 'Als jij het probeert aan te leggen met Andrew, zal ik je dat nooit vergeven.'

Ik deed de deur dicht en ging in de schommelstoel zitten die in de hoek stond. Daardoor kreeg ik het gevoel dat ik te gast was in mijn eigen kamer; mijn ouders hadden me de stoel gegeven toen ik naar high school ging, in de veronderstelling dat ik daarin zou willen lezen, maar als ik las deed ik dat altijd in bed. Dena stond tegen het bureau aan geleund.

'Ik heb niets met Andrew,' zei ik.

'Maar je wilt het wel. Nancy zag je vandaag na school met hem flirten voor de bibliotheek.'

Hoe kon ik het ontkennen? Zelfs toen het gebeurde had ik geweten waar ik mee bezig was.

'En ik weet al dat jullie met elkaar hebben gedanst op het eindejaarsbal.'

'Ik wist niet dat je hem nog steeds leuk vond,' zei ik.

'Daar gaat het niet om. Als je echt mijn vriendin bent, pik je niet de jongen in die van mij was.'

'Dena, Andrew is niet een paar schoenen.'

'Dus het is waar dat je achter hem aan zit?'

Ik wendde mijn blik af.

'Ik kan hem zo terugkrijgen als ik wil,' zei ze. 'Hij heeft nog steeds een zwak voor me.'

Gezien mijn gesprek met Andrew eerder die dag leek dit me onwaarschijnlijk, maar ik onderschatte Dena niet – ze had me al eerder verrast doordat ze hem het hoofd op hol had weten te brengen.

Voorzichtig zei ik: 'Je bent al twee jaar niet meer met hem, en nu heb je Robert. Je hebt het zelfs nooit meer over Andrew.'

'Je bedoelt dat ik elke dag zou moeten zeggen: "Ik vraag me af wat hij uitspookt! Hm, ik hoop dat Andrew nu gelukkig is!" – verwacht je dat soms van me?' Haar wangen waren rood geworden, een blos van verontwaardiging, en het was haar oprechte verontwaardiging die me kwaad maakte.

'Dena, jij hebt hem van míj afgepakt! En dat weet je best. In de zesde klas schreef jij dat stomme briefje en ook al zei hij dat hij mij leuk vond, jij hebt ervoor gezorgd dat hij jouw vriendje werd. Hoe denk je dat ik me al die tijd heb gevoeld? Maar ik ben je vriendin gebleven, en nu is het mijn beurt.'

Dena keek me woedend aan. 'Gij zult het huis van uw naaste niet begeren,' zei ze kwaad. 'Gij zult de vrouw van uw naaste niet begeren, noch zijn slaaf of slavin, of os, of ezel, of iets anders wat van uw naaste is.'

Ik had nooit echt geloofd dat Dena godsdienstig was – de Janaszewski's waren katholiek, maar ik wist dat ze slechts af en toe naar de kerk gingen. 'Ik heb me niet schuldiger gemaakt aan dat soort begeerte dan jij.'

Dena deed een stap naar de deur, maar voordat ze wegging wierp ze me nog één laatste, giftige blik toe. 'Jij en Andrew zijn precies hetzelfde,' zei ze. 'Allebei zwijgzaam, maar egoïstisch.'

De De Soto Way loopt vanaf Riley in noordelijke richting en kruist Farm Road 177 ongeveer acht kilometer buiten de stad. Op zaterdagavond 7 september was het onbewolkt. Ik droeg een lichtblauwe vilten rok en een witte blouse met een Peter Pan-kraag, en ik had een lichtroze mohair vest bij me. Ik droeg ook lichtroze lipstick, lelietjes-van-dalenparfum (dat ik bij Marshall Field's had gekocht toen mijn grootmoeder haar sabelbont kocht, mijn belangrijkste souvenir van het reisje naar Chicago) en mijn ketting met het hangertje. Onder normale omstandigheden zou ik met Dena en Nancy Jenzer naar het huis van Fred Zurbrugg meegereden zijn – Nancy was de enige van ons drieën die een eigen auto had, een witte Studebaker Lark – maar gezien de laatste ontwikkelingen had ik de auto van mijn ouders te leen gevraagd.

Ik was er vrijwel zeker van dat ik er op mijn best uitzag. Ik droeg de nog niet eerder vertoonde combinatie van mijn lievelingsrok, lievelingsblouse en mijn lievelingssieraad. Na het eten met mijn ouders en grootmoeder had ik mijn wenkbrauwen geëpileerd, mijn benen geschoren en mijn nagels gelakt. Tijdens het aankleden had ik een plaat van de Shirelles opgezet – soms had ik bijna een fysiek verlangen naar het nummer

'Soldier Boy' – en toen ik in de spiegel boven mijn bureau keek had ik een gevoel alsof de muziek zich in me verankerde; ik sloeg hem op en later op de avond zou ik hem gebruiken. Op een vreemde manier gaf mijn ruzie met Dena de avond iets extra's in plaats van dat hij er iets aan afdeed, waardoor het verwachtingsvolle gevoel dat ik had alleen maar groter werd.

Toen ik de woonkamer in kwam, zei mijn moeder: 'Wat zie jij er leuk uit!' en ze draaiden zich allemaal om. Mijn moeder, vader en grootmoeder zaten te bridgen met onze buurvrouw, mevrouw Falke, die net als mijn grootmoeder weduwe was, maar een paar jaar jonger.

'Wie is de gelukkige?' vroeg mijn grootmoeder.

'Het is gewoon een terug-naar-schoolfeestje,' zei ik. 'Met een kampvuur.'

'Juist.' Ik kon zien dat mijn grootmoeder me niet geloofde, maar waar ooit de verstandhouding tussen ons op dit moment hartelijk geweest zou zijn, had die nu iets vijandigs. Desondanks gaf ik ze allemaal een kus, een voor een, zelfs mevrouw Falke, omdat het me niet aardig leek om haar over te slaan.

'Je weet hoe laat je thuis moet zijn,' zei mijn vader, en ik antwoordde: 'Elf uur.'

'Veel plezier,' riep mijn moeder toen ik de voordeur uit liep.

In de auto verruilde ik de voorkeurzender van mijn vader die bigbandmuziek uitzond voor mijn favoriete zender, waarop Roy Orbison 'Dream Baby' zong. Ik reed achteruit de oprit af en legde eerst mijn arm over de leuning van de stoel naast me, zoals mijn vader me had geleerd, wat me altijd het idee gaf dat ik een geest probeerde te omhelzen. Het schemerde, maar het was nog niet helemaal donker.

Ik vroeg me af of Andrew en ik elkaar die avond zouden kussen, of we konden wegglippen van de anderen, misschien voor een wandeling door de appelboomgaard vlak bij de boerenhoeve van Freds ouders. Ik vermoedde dat er alcohol geschonken zou worden, maar als het me werd aangeboden, zou ik het niet aannemen – ik wilde niet bij Andrew overkomen als een lellebel. Tegelijkertijd was ik blij dat ik met die andere jongens had gekust, Bobby en Rudy in groep negen, Larry de afgelopen winter en daarna nog eens toen hij me naar huis had gebracht na het schoolfeest, terwijl we allebei ergens wel wisten dat we elkaar nooit meer zouden spreken, maar we zoenden toch, misschien juist daarom. Nu het erop aankwam was ik tenminste niet helemaal onvoorbereid.

Ik kon me niet voorstellen dat Andrew me zou willen gebruiken, of achteraf met andere jongens over me zou praten; ik vertrouwde hem. En zou hij degene zijn aan wie ik uiteindelijk mijn maagdelijkheid verloor, niet op korte termijn maar als we zouden trouwen, of misschien zelfs al als we verloofd waren, want was dat niet bijna hetzelfde? Hierdoor moest ik ineens aan Dena denken, en of ik haar wel of niet zou begroeten op het feest. Ik zou me beleefd gedragen, besloot ik. Ik zou proberen haar blik te vangen, en als ze ervoor open leek te staan, zou ik haar gedag zeggen. Maar als ze nors de andere kant op keek, zou ik niets zeggen en een weekje wachten voordat ik haar zou bellen. Ik wilde in elk geval geen ruziemaken waar iedereen bij was – als we dat deden, zouden onze klasgenoten daar ongetwijfeld van smullen en het zou waarschijnlijk dé gebeurtenis van de avond worden, maar ik moest er niet aan denken.

En dat was waar ik over piekerde, dit was het onderwerp waar mijn voortsnellende, grillige gedachten zich mee bezighielden toen ik over de kruising van de De Soto Way en Farm Road 177 sjeesde en met een klap tegen een waas van lichtkleurig metaal botste. Het was heel snel gebeurd. Ik lag op mijn rug op de grindweg; mijn portier was opengevlogen, ik was zo'n tweeënhalve meter uit de auto vandaan geslingerd, en overal om me heen lagen glasscherven. Het was inmiddels donker, de zon was misschien een halfuur daarvoor ondergegaan, en daar lag ik, eerst verward en daarna zo geschokt dat ik nauwelijks adem kon halen. De botsing (hoe was het gebeurd, waar was die andere auto vandaan gekomen?) was een schelle klap geweest, begeleid door het versplinterende glas van voorruiten, en als gevolg van de botsing maakten mijn auto en die andere nu knarsende, grommende geluiden. Vreemd genoeg deed mijn radio het nog – hij speelde het nummer 'Venus in Blue Jeans'. De andere auto moest rechts de bocht om zijn gegaan vanaf Farm Road 177 naar de De Soto Way, dacht ik, want toen ik opkeek, zag ik dat de motorkap van de Chevy Bel Air van mijn ouders verkreukeld was tegen het portier aan de bestuurderskant van de andere auto. Ik bevond me midden op de weg, besefte ik; ik moest daar weg. Ik probeerde me op mijn ellebogen omhoog te werken, en een brandende pijn schoot door mijn linkerarm. Ik steunde op mijn rechterarm en sleepte mezelf langs de achterkant van de auto, waarbij ik probeerde glas te vermijden; er was geen berm langs de weg en er liep een ondiepe greppel langs, dus ik kon eigenlijk nergens naartoe. Er druppelde iets vanaf mijn linkerslaap, en toen ik het afveegde waren mijn vingers bedekt met bloed.

Pas toen ik de boer en zijn vrouw aan zag komen ging ik rechtop zitten, al was ik te zwak om hen te roepen. De boer was een gezette man met wit haar in een overall, hij rende niet hard maar op een sukkeldrafje, met zijn vrouw in een gebloemd jasschort in zijn kielzog. Ze hadden de klap gehoord en ze hadden een ambulance gebeld, zei de boer. Toen hij vroeg wat er was gebeurd, draaiden we ons allemaal om naar de auto's, de ravage van metaal en glasscherven, en op dat moment drongen er twee dingen tot me door: dat de andere auto een mintgroene Ford Thunderbird was en dat er een ingezakte, bewegingloze figuur op de plaats van de bestuurder lag.

Ik hoorde de paniek in me opwellen, een soort hijgen – was hij het of niet? – en de boer zei iets tegen zijn vrouw, en daarna hurkte zijn vrouw neer, ze sloeg haar armen om me heen en zei: 'Liefje, als de ziekenwagen komt, zullen zij wel voor die man zorgen.' Ik geloof dat ze dachten dat ik onzin uitkraamde, maar de vrouw begreep het het eerst. Ze keek op en zei zachtjes tegen haar man: 'Ze denkt dat ze hem misschien kent. Ze zegt dat ze bij elkaar in de klas zitten.'

Er kwamen twee ziekenwagens, in die tijd waren dat gewoon stationcars van de politie die zo omgebouwd waren dat achterin een brancard geplaatst kon worden, en met een enkel rood zwaailicht bovenop. Toen ik op de brancard omhoog werd getild kon ik er niet onderuit, ik zag tot mijn grote ontsteltenis dat hij het echt was – zijn hoofd hing in een vreemde hoek, maar hij was het. In de ziekenauto nam een broeder, terwijl ik onbeheersbaar huilde, mijn polsslag op en onderzocht me terwijl een andere broeder en twee politieagenten zich over de Thunderbird ontfermden. De boerin dook op aan de achterkant van de ziekenauto waarin ik lag en zei dat ze mijn ouders zou bellen als ik haar hun naam en telefoonnummer gaf. Toen slaakte ze een zucht en zei: 'Lieve kind, ze hebben dat verkeerslicht op een plaats gezet waar het zo moeilijk te zien is dat je erop kon wachten tot dit gebeurde.' De ziekenauto's stonden ten zuiden van de plek van het ongeluk, en toen ik me oprichtte en door het raam keek, zag ik voor het eerst het verkeerslicht waar ze het over had. Het stond op een veld aan de rechterkant van de weg – het was mijn stopsignaal geweest.

Mijn ziekenauto vertrok als eerste, en hoewel ik het allemaal nog niet begreep, wist ik dat het heel erg mis was, dat het veel erger was dan ik had beseft, zelfs in de seconden vlak na de botsing: die andere bestuurder was Andrew, en het ongeluk was mijn schuld. Hoewel niemand me het vertelde tot we in het ziekenhuis waren en mijn ouders zich bij ons hadden gevoegd, voelde ik dat hij dood was. Het bleek waar te zijn. Een gebroken nek was de doodsoorzaak.

Ik denk aan deze periode als een oester in een schelp. Niet opengewrikt en naakt tentoongesteld – dat afschuwelijke bleke vlees met zwart langs de randen en paarsig langs de ingewanden, slijm en drab en kleurloos bloed – maar ook niet heel stijf dicht. Hij staat een paar centimeter open. Je kunt er eventueel in kijken; het zou niet moeilijk zijn hem verder open te maken. Maar de oester is ranzig, het hoeft niet. Iedereen weet wat erin zit.

Op elke vraag spreekt het antwoord voor zich. Hoe zou jíj je voelen als je iemand had gedood? En als je ook nog een zeventienjarig meisje was en degene die je had gedood was de jongen op wie je dacht verliefd te zijn? Natuurlijk had ik het in zijn plaats geweest willen zijn. Natuurlijk dacht ik eraan er zelf een eind aan te maken. Natuurlijk dacht ik dat ik nooit meer rust of geluk zou kennen, dat het me nooit vergeven zou worden, ik hóórde nooit vergeven te worden. Natuurlijk.

Het doet afschuwelijk veel pijn om de oesterschelp open te maken. Ik word achtervolgd door wat ik heb gedaan en toch kan ik nauwelijks aan de details denken. Er waren zoveel verschrikkelijke ogenblikken, een heel leven vol verschrikkelijke ogenblikken zelfs, wat niet hetzelfde is als een verschrikkelijk leven. Maar de momenten vlak nadat het gebeurde waren absoluut het allerergst.

Als ik zou zeggen dat er geen dag voorbijgaat waarop ik niet denk aan het ongeluk, aan Andrew, zou dat wel en niet de waarheid zijn. Af en toe gaan er dagen voorbij waarop zijn naam nergens op mijn lippen of in mijn gedachten is, waarop ik hem niet bij me weg zie lopen naar de footballtraining, in zijn trui, met zijn helm onder zijn arm. En toch is het ongeluk altijd bij me. Het stroomt door mijn aderen, het slaat mee met mijn hart, het is mijn huid en haar, mijn longen en lever. Andrew stierf, ik was de oorzaak van zijn dood en daarna heb ik hem, als een geliefde, in me genomen.

Mijn ouders begrepen die nacht in het ziekenhuis aanvankelijk niet dat het mijn schuld was; ze dachten dat we allebei schuld hadden. Ze arriveerden toen de dokter een stopverfkleurig verband om mijn pols wikkelde, wat in zijn onbeduidendheid iets beschamends had, niet zozeer een echte verwonding als wel een pleidooi om clementie van anderen. Ik kreeg ook vijfentwintig milligram librium en een pleister op mijn linkerslaap, en een verpleegster bracht doorzichtige gele zalf aan op de wonden op mijn armen en benen.

Ik was degene die mijn ouders vertelde dat er een stoplicht had gestaan, dat Andrew voorrang had gehad. Mijn vader en moeder hadden de kleren aan die ze droegen toen ik het huis amper een uur daarvoor had verlaten, mijn vader een keper hemd dat hij in zijn broek had gestopt, mijn moeder een overhemdjurk met een ceintuur om haar middel, en ik bedacht dat ik hen tijdens hun kaartspel had laten schrikken, en hoe kort geleden ik nog bij hen was geweest. De plotselinge wending had iets bizars en verbijsterends; het was allemaal veel te snel gegaan.

Toen een politieagent ons in de lege wachtkamer kwam meedelen dat Andrew inderdaad was overleden, slaakte mijn moeder een kreet, mijn vader pakte mijn hand, en geen van ons zei iets. De agent stelde me een paar vragen over het ongeluk, onder meer hoe hard ik had gereden (niet harder dan toegestaan) en toen sprak hij alleen met mijn vader. Ze waren nog aan het praten toen meneer en mevrouw Imhof arriveerden en weggeleid werden; de snikken van zijn moeder waren door de hele gang te horen. Mijn vader beëindigde zijn gesprek met de agent en zei: 'Dorothy, we nemen haar mee naar huis.'

'Moet ze niet met zijn ouders praten?' vroeg mijn moeder.

'Laat ze op dit moment nog maar even met rust,' zei mijn vader.

Op de parkeerplaats zag ik dat mijn ouders de auto van de familie Janaszewski hadden geleend. We reden in stilte naar huis (wat moet er tijdens die rit door hen heen zijn gegaan?) en in Amity Lane zette mijn vader mijn moeder en mij voor de deur af en reed naar de overkant van de straat om de sleutels terug te geven. Mijn grootmoeder stond al buiten op het stoepje – dat was ongewoon, ze stond zelfs zelden op wanneer je thuiskwam en haar lezend aantrof op de bank in de woonkamer – en ze zei: 'Godzijdank is er niets met je aan de hand.'

Mijn moeder zei op een korzeliger toon dan ik van haar gewend was: 'Emilie, we moeten naar binnen.'

Mijn grootmoeder volgde ons naar binnen. 'De auto is zeker total loss?' Vanuit de periferie van mijn gezichtsveld zag ik mijn moeder haar hoofd schudden: *Geen vragen stellen.* Toen zag ik dat mevrouw Falke nog steeds aan de kaarttafel zat te roken en ze zei: 'Alice, je hebt ons de stuipen op het lijf gejaagd. Wat is er met je arm?' en mijn moeder zei: 'Ga naar boven, Alice.'

Ik keek niet naar mijn grootmoeder of naar mevrouw Falke toen ik de kamer verliet. Ik was opgehouden met huilen nadat de zuster me de librium had gegeven, maar mijn keel deed nog pijn, mijn ogen voelden schraal en mijn wangen gezwollen. Tientallen jaren later had ik een vriendin, Jessica, die veel jonger was dan ik, en ik vertelde haar op een keer over de avond waarop ik tegen de auto van Andrew Imhof was geknald. Ik had het er vrijwel nooit met iemand over, maar Jessica en ik waren goed bevriend en het was hetzelfde seizoen als waarin het ongeluk was gebeurd, altijd een moeilijke periode. Jessica kon niet geloven dat ik na thuiskomst uit het ziekenhuis naar mijn slaapkamer was gegaan, dat mijn ouders en grootmoeder me alleen hadden gelaten. Maar het was toen zo'n andere tijd, er werd veel minder over gevoelens gesproken, en natuurlijk waren we er totaal niet op voorbereid; het was niet het soort tragedie waarvoor een bepaald script bestond.

Ik ging zonder het licht aan te doen mijn kamer binnen, trok mijn schoenen uit en stapte onder de dekens, met mijn rok en blouse nog aan (het wollen vestje heb ik nooit meer gezien – ik moet het in de auto hebben laten liggen). Het was onmogelijk: had ik de dood van een ander veroorzaakt? En degene wiens dood ik had veroorzaakt was Andrew, was Andrew Imhof dood door mijn schuld? Er waren dingen waar ik me zorgen over maakte, proefwerken, en de spanning tussen mijn grootmoeder en mij, en soms, als het bij me opkwam, dat Chroesjtsjov de Verenigde Staten zou bombarderen. Maar dit? Het was in alle opzichten onmogelijk.

En ik dacht: *Andrew.* Zijn glimlach en wimpers, zijn reebruine ogen, zijn zongebruinde kuiten, mijn hoofd tegen zijn schouder tijdens het laatste bal. Hij had me altijd graag gemogen, dat had hij nooit onder stoelen of banken gestoken – die jaren met Dena, dacht ik, telden niet echt, en waarom had ik gedaan alsof dat wel zo was? – en ik had gevoeld dat hij zag wie ik was. Mensen zagen wie je was of niet, en het had er niets mee te maken of ze je kenden. Dat ze je kenden kon betekenen dat ze alleen je naam wisten of de straat waar je woonde, of wat je vader voor werk deed. Je echt zien was begrijpen dat je bepaalde gedachten had, dat je dezelfde dingen grappig of afschuwelijk vond, je herinneren wat je maanden of zelfs jaren geleden had gezegd. Andrew was altijd aardig tegen me geweest, hij had gezien wie ik was. Van wie anders dan mijn naaste familieleden kon ik dat zeggen?

Als Andrew zijn aandacht en genegenheid al vanaf zijn kinderjaren had aangeboden, lang voordat Dena aanspraak op hem had gemaakt, waarom had ik dan zo lang gewacht, hem op afstand gehouden? En dat ik hem op afstand hád gehouden wist ik nu, en ik had het geweten toen ik dat deed. Ik was passief en ambivalent geweest, ik had gedacht dat we genoeg tijd hadden. En toen dacht ik dat we, als hij eerder mijn vriendje was geworden, samen naar het feest zouden zijn gegaan; dan zou ik niet alleen hebben gereden.

Het verwarrende aspect, het misselijkmakende aspect, was dat het een dubbele ramp was. Als Andrew bij een auto-ongeluk waar ik niet bij betrokken was om het leven was gekomen, zou het evengoed een verschrikkelijk verlies voor me zijn geweest. Of als ik tegen iemand aan was gereden die ik niet kende en die persoon was overleden, ook dan zou ik er kapot van zijn geweest. Maar allebei – dit allebei tegelijk was onverdraaglijk. Hij was weg uit mijn leven en dat was ook nog eens míjn schuld. In mijn huidige leven kom ik elk jaar wel een keer in een krant of tijdschrift een artikel tegen over soortgelijke noodlottige ongelukken – twee broers die op dezelfde avond op dezelfde weg omkomen bij verschillende motorongelukken, of een man en zijn vrouw die, ieder in hun eigen auto, frontaal op elkaar botsen. 'Wat bizar' is de toon van dergelijke artikelen, wat interessant en onwaarschijnlijk. Hoe klein is de kans! Voor mij zijn deze verhalen niet interessant, en niet onwaarschijnlijk.

Ik ging niet naar de begrafenis, evenmin als mijn ouders. Ik bleef een week weg van school, en toen ik er weer naartoe ging zeiden heel weinig mensen iets tegen me dat aardig of niet aardig was. Er had een artikel over Andrews dood op de voorpagina van *The Riley Citizen* gestaan, maar dat wist ik toen niet – mijn ouders verstopten het voor me, en er gingen veel jaren voorbij voordat ik er door externe factoren toe werd gebracht ernaar op zoek te gaan. Op school werd er niet openlijk iets over gezegd, zelfs niet in mijn afwezigheid, en pas toen ik het volgend voorjaar van school ging hoorde ik dat het jaarboek was opgedragen aan Andrew. Maar zelfs dit bleef beperkt tot een pagina waarop IN MEMORIAM stond, met een foto, zijn naam en de data: ANDREW CHRISTOPHER IMHOF, 1946-1963. Mevrouw Schaub, mijn lerares Engels uit groep tien, schoof me een kaartje toe met een kopie van een sonnet van Shakespeare dat begint met: 'Zie mij: dat jaargetij ben ik voor jou/ Dat geen of vrijwel geen geel blad meer hangt,' en ik wist niet precies wat ik daarmee aan moest. Ik kon het kaartje slechts vluchtig doorkijken, en ik zag staan: 'zeer moeilijke tijd voor jou' in de blauwe hellende letters met lange lussen van mevrouw Schaub, hetzelfde handschrift waarin ze mijn essay over *Beowulf* en *Canterbury Tales* had geprezen. Dat wilde ik nog steeds, behandeld worden als een gewone leerling, gewoon zíjn – niet die opgelegde goedwillendheid, of de heimelijk nieuwsgierige blikken van mijn klasgenoten, of de regelrechte vijandigheid, al zag ik die zelden. Op de tweede dag dat ik weer op school was passeerde ik in de gang Karl Ciesla, die samen met Andrew in het footballteam had gezeten, en hij mompelde: 'Meisjes zouden niet achter het stuur mogen zitten.'

Maar in het algemeen hing er een bepaald aura om me heen, en dat wist ik: een waas van verbijstering en schaamte waardoor ik zowel medelijden wekte als onbenaderbaar was. Ik denk dat daardoor bijna niemand behalve Karl zijn woede uitsprak, al waren er zeker mensen kwaad op me. Bovendien had ik profijt van de jaren waarin ik als braaf meisje te boek stond, een verleden waarin ik sympathie had gewonnen waarop ik nog kon teren. In de week dat ik was thuisgebleven, had ik een keer aan de keukentafel gezeten en geprobeerd een broodje tonijn naar binnen te werken dat mijn moeder voor me had klaargemaakt en was ik, verstijfd op mijn stoel, door paniek bevangen door een gruwelijke gedachte: stel dat mensen denken dat ik het met opzet heb gedaan? Dat ik hem, op een of andere idiote manier, voor mezelf had willen houden, of dat hij me had afgewezen en dat ik wraak wilde nemen? Maar niemand leek dat te denken, of althans, niemand beschuldigde me ervan – er was per slot van rekening geen duidelijke band tussen Andrew en mij, behalve dan dat we klasgenoten waren.

Bijna niemand zei iets, niemand stelde voor dat ik naar een therapeut zou gaan, zelfs niet mijn grootmoeder, die Freud en Jung las. Op de zondagochtend na het ongeluk had mijn moeder op mijn deur geklopt en gezegd: 'Papa vindt het goed dat je niet naar de kerk gaat, maar we bidden samen voor Andrew, alleen jij en ik.' Ik liet haar voorgaan in het gebed (de korst op mijn linkerelleboog deed pijn als ik mijn arm boog), maar het gebrek aan troost dat ik eruit kon putten was voor mij het eerste teken dat ik mijn geloof begon kwijt te raken. De volgende avond, maandag, kwam mijn vader mijn kamer in en zei: 'Ik ben bij meneer Imhof geweest, en er wordt geen aanklacht ingediend, niet door hen en niet door het district. Meneer Imhof is een respectabel man, en we mogen van geluk spreken.' Ik zat aan mijn bureau en hij klopte me rustig op mijn schouder. Maar ik was niet zozeer blij met dit nieuws als wel geschokt door het feit dat er een aanklacht tegen me ingediend had kunnen worden; ik was door al het andere zo verbijsterd dat ik er niet over had nagedacht.

Dit was zo'n beetje het enige wat mijn beide ouders ooit over het ongeluk hebben gezegd. Iedereen in Riley, ook mijn eigen familie, leek samen besloten te hebben dat het het beste was het er gewoon niet over te hebben.

Er was één persoon die wel direct tegen me was. Aan het einde van die eerste dag terug op school, toen ik boeken in mijn kluisje legde voordat ik naar huis ging, stond Dena me op te wachten. Omdat ik niet goed wist wat me te wachten stond, bleef ik een meter voor haar stilstaan.

'Het spijt me zo dat ik je in je eentje naar het feest heb laten rijden,' zei ze, en ze barstte in snikken uit.

'Dena...' We vielen in elkaars armen, we klampten ons aan elkaar vast, en haar tranen drupten in mijn nek en blouse.

'Ik weet dat hij jou leuker vond,' jammerde ze, 'hij vond jou altijd al leuker, en als je met Nancy en mij was meegereden, zou het nooit gebeurd zijn.'

Ik deed een stap naar achteren zodat ik haar kon aankijken; haar gezicht was rood en vlekkerig. 'Het was niet jouw schuld,' zei ik. Voor mezelf had ik al afgewogen of ze schuld had, en ik had besloten van niet. Wat er ook voorafgegaan was aan dat moment in de auto, ik was degene die door rood was gereden.

'Ik kan me hem gewoon niet voorstellen, weet je...' ze zweeg even en fluisterde toen: '... dood.'

Meteen kwam het beeld bij me op van die vreemde hoek waarin zijn hoofd hing, waardoor zijn gezicht niet te zien was. Waarom was ik niet naar hem toe gegaan, waarom was ik niet door het raampje aan de passagierskant geklommen, over de stoel, en had ik niet mijn armen om hem heen geslagen terwijl hij daar moederziel alleen zat tussen de glasscherven en het verwrongen metaal? In de maanden en jaren daarna heb ik mezelf op heel wat manieren gekweld, en een ervan was dat ik me afvroeg of hij toen nog in leven was geweest, en zo ja, of menselijk ingrijpen, mijn ingrijpen, hem had kunnen redden. Maar zo denk ik niet langer. Als ik in de auto was geklommen en hij toch was overleden, zou ik ervan overtuigd zijn geweest dat ook dat verkeerd was geweest.

Tegen Dena zei ik: 'Zijn er mensen kwaad op me?'

'Robert vindt dat jullie moeten verhuizen, maar hij is gek. Ik heb hem gezegd dat hij zelf maar moet verhuizen.'

Robert vond dat wij moesten verhuizen? Hij was afgelopen voorjaar van school gekomen en werkte bij White River Dairy.

'Wat zeggen de mensen nog meer?' vroeg ik.

Dena snufte. 'Heb je toevallig een zakdoek?'

Die had ik; ik haalde hem uit mijn tas en gaf hem haar.

Nadat ze haar neus had gesnoten, zei ze: 'Toen ik het hoorde, dacht ik dat de politie me zou komen arresteren. Ik was zo bang dat ik Marjorie bij me in bed heb laten slapen.'

'Ik heb niemand ooit over onze ruzie verteld,' zei ik. 'Dena, echt, dat was niet de oorzaak.'

Ze beet op haar lip in een duidelijke poging nog meer tranen te onderdrukken. 'Ik had er niets van moeten zeggen dat hij jouw vriendje zou worden,' zei ze. 'Maar ik dacht niet dat ik het echt kon voorkomen, en dat is de enige reden waarom ik het probeerde.'

Ik ging niet meer met mijn ouders en grootmoeder mee naar de kerk. Die zondag na het ongeluk was ik in bed gebleven, en de volgende zondag ook, en daarna leken ze er niet meer van uit te gaan dat ik nog meeging. In feite, en het was pijnlijk om dat te bedenken, had mijn afwezigheid het kerkbezoek voor hen misschien gemakkelijker gemaakt; de andere parochianen zouden hen niet aanstaren, en als ze dat wel deden, zouden ze het veel minder intens doen. Op de laatste zondag van september wachtte ik tot mijn ouders en grootmoeder waren vertrokken, haalde daarna de envelop die ik had verzegeld uit mijn bureaula en liep de voordeur uit. Ik had sinds het ongeluk niet gereden, en in deze auto al helemaal nooit – het was een nieuwer model Chevy Bel Air, en een andere kleur. De dag waarop mijn vader ermee was thuisgekomen, in de week na het ongeluk, had ik mijn moeder op ongeruste toon horen zeggen: 'Een zwarte, Phillip?' en hij klonk heel moe toen hij antwoordde: 'Dorothy, dit was de enige die ze hadden.'

Het was een kille, grijze herfstochtend, en ik reed de stad uit met een gangetje van nog geen dertig kilometer, terwijl mijn hart in mijn keel bonkte en mijn handen trilden. Ik mocht nooit meer een ongeluk krijgen, besefte ik; ik zou altijd extreem voorzichtig zijn. De straten waren stil en leeg omdat iedereen in de kerk zat – ook, veronderstelde ik, Andrews ouders, die katholiek waren. De leegte was kalmerend. Tegen de tijd dat ik op de De Soto Way kwam, voelde ik me zeker genoeg om het gaspedaal wat dieper in te trappen. Ik reed niet de maximumsnelheid – hoewel ik voor het ongeluk niet te hard had gereden, zou ik dat mijn verdere leven ook nooit doen – maar ik was er zo dichtbij dat een auto achter me niet zou hebben getoeterd. Gelukkig reed er geen auto achter me, en ik was alleen zoals ik sinds het ongeluk niet meer was geweest, alleen zoals ik het thuis nooit meer kon zijn. Zelfs als ik alleen op mijn kamer was, met de deur dicht, was er iemand aan de andere kant van die deur – mijn moeder of vader of grootmoeder, een van hen of een combinatie – en die persoon of personen wisten het. Ze leefden misschien wel mee, maar toch wisten ze dat ik daarbinnen zat en dat ik iets gruwelijks had gedaan, ook al was het zonder opzet geweest. In andere delen van het huis liepen en ademden en zuchtten en verschoven ze, en hun aanwezigheid was altijd een vraag, zelfs als ze niets zeiden, zelfs als ze zich bewust inhielden om me dingen te vragen als: *Kom je je kamer uit? Zit je nu te huilen, of huil je niet? Wanneer zal het lang genoeg hebben geduurd voordat deze rampspoed zich niet langer in elk hoekje schuilhoudt en onder elk gesprek ligt te wachten, ook onder de gesprekken die op het eerste gezicht over iets anders lijken te gaan?* Natuurlijk stelden ze in werkelijkheid deze vragen niet, zodat ik ze ook niet hoefde te beantwoorden. En ik was bereid om net te doen alsof, te doen alsof alles met mij al in orde was, alsof het leven bijna normaal was. Ik wilde niet dat zij mijn last droegen, maar ik had liever dat hij gecondenseerd werd en alleen van mij was, een rugzak vol ellende. Maar buiten op de weg, naast de knoestige eiken en zilveresdoorns, de notenbomen en olmen, was ik dankbaar voor mijn eigen onbeduidendheid. Ik was niets anders dan een naamloos, dwaas meisje. Het landschap van Wisconsin, uitgehold en heringedeeld door gletsjers, geteisterd door tornado's, ondergelopen en uitgedroogd en opnieuw ondergelopen – dat landschap kon het niets schelen wat ik had gedaan.

Ik wist dat ik me op het rijden moest blijven concentreren toen ik Farm Road 177 naderde, en ik herhaalde bij mezelf: *rechts afslaan, rechts afslaan, rechts afslaan*, de wereld gereduceerd tot twee woorden, en toen sloeg ik daadwerkelijk af en was de plek van het ongeluk achter me. Ik was er voorbijgereden zonder te huilen of te hyperventileren, zonder zelfs gas terug te nemen. Vanaf dat punt moest ik me concentreren om het erf van de Imhofs te kunnen vinden – ik was er jaren geleden een keer geweest, voor Andrews verjaardagspartijtje in groep twee of drie – en na ruim een kilometer zag ik het, een zwarte brievenbus met een rode metalen vlag, en pas geoogste maisvelden aan weerszijden van de smalle oprijlaan.

Het huis was wit, met groene luiken; het leek me een huis waarin je een onopvallend gelukkige jeugd zou kunnen hebben. Een schommel hing roerloos op de veranda aan de voorkant, en een rode schuur stond er enkele tientallen meters achter, waar kippen voor de open deuren stonden te pikken. Er waren geen auto's te zien, alleen een sjofele rode bestelwagen van het soort dat mensen alleen nog gebruiken op hun eigen terrein, maar niet meer op de weg. Met de envelop in mijn hand liep ik de drie treden op naar de veranda. Ik klemde de envelop tussen de hor en de houten deur en hoopte dat meneer of mevrouw Imhof er niet op zou trappen als ze naar binnen gingen. *Ik zal u nooit kunnen zeggen hoe het me spijt*, had ik op de kaart geschreven. *Ik weet dat ik u heel veel verdriet heb gedaan. Als er iets op de wereld bestond waarmee ik het gebeurde ongedaan kon maken, zou ik dat doen.* Ik had vijf verschillende kladversies geschreven; in een ervan had de zin gestaan: *Ik zal de rest van mijn leven proberen mijn daad goed te maken*, maar die zin had ik weggelaten omdat ik bang was dat die er de aandacht op vestigde dat ik nog steeds een leven hád. *Van deze hanger heeft Andrew ooit gezegd dat hij hem mooi vond, dus ik dacht dat hij u misschien tot troost zou kunnen zijn*, had ik vervolgens geschreven, en dit was de reden waarom ik het briefje liever zelf bezorgde dan het per post te sturen; ik had het zilveren hartje van de ketting gehaald voordat ik het in de envelop stopte.

Ik was bijna weer bij de auto toen ik iets achter me hoorde, het openmaken van een deurslot, en ik draaide me met een ruk om, voornamelijk ontzet en ook een klein beetje hoopvol; onder mijn verbazing en schrik ging de irrationele gedachte schuil dat het misschien Andrew zelf was. Zelfs terwijl ik weer naar het huis keek, duurde deze schemerende onmogelijke optie voort, doordat het zo moeilijk was de trekken van degene die achter de hor stond te onderscheiden. En toen besefte ik dat het Pete Imhof was. Natuurlijk was het Andrew niet.

Hij deed de hor niet meteen open, maar bleef daar enkele seconden staan, om naar me te kijken, veronderstel ik. Ik was er vrijwel van overtuigd dat hij geen hemd aanhad. Eindelijk riep ik, al wijzend: 'Ik heb een briefje achtergelaten.' En daarna, absurd genoeg, met mijn hand tegen mijn borst: 'Ik ben Alice Lindgren.'

Hij duwde de hordeur open, en omdat ik het idee had dat ik dat moest doen, liep ik naar hem toe, weer het trapje op, tot ik voor hem stond op de veranda. Hij droeg inderdaad geen hemd – alleen een lichtbruine corduroy broek, geen sokken en geen schoenen – en hoewel ik probeerde mijn blik af te wenden, zag ik het donkere haar dat zijn borst bedekte. De beharing was dichter rond zijn tepels, die breed en rood waren, en liep in een dikkere streep omlaag tot zijn navel, en daarna nog verder, waar zijn buik in een rolletje over zijn broekriem hing. Ook zijn armen waren bedekt met donker haar, behalve aan de bovenkant, waar hij zichtbaar gespierd was. Mijn vader, die de enige man was die ik regelmatig zonder hemd had gezien, zoals de afgelopen zomer in het zwembad van het motel in St. Ignace, was ook gespierd – met zijn één meter vijfenzeventig was hij robuust gespierd – maar zijn borstkas was wit en vrijwel onbehaard.

'Mijn ouders zijn niet thuis,' zei Pete. 'Ze zijn naar de kerk.' Zijn gezicht had stoppels en was opgezet. Ik had de laatste paar weken vaak aan meneer en mevrouw Imhof gedacht, maar de waarheid was dat ik nauwelijks had stilgestaan bij Pete. Ik had niet eens zeker geweten of hij nog in Riley woonde, maar op dit moment besefte ik dat de auto waar ik op was geknald zeer waarschijnlijk van hem was geweest.

'Tja, ik dacht...' Ik aarzelde. 'Het leek me beter om te komen op een moment dat ze niet thuis waren. Het spijt me als ik je wakker heb gemaakt.' En toen, voorspelbaar, klonk de stilzwijgende echo van het belangrijkere excuus dat ik hem verschuldigd was: *Het spijt me dat ik je broer heb gedood.*

'Je hebt me niet wakker gemaakt,' zei Pete.

Ik keek omlaag (hij had zelfs donker haar op zijn blote tenen) en daarna weer in zijn ogen, reebruin zoals die van Andrew. 'Het spijt me,' zei ik, en we bleven elkaar aankijken, en toen zei ik: 'wat ik heb gedaan,' en om te voorkomen dat ik ging huilen, keek ik omlaag en drukte mijn duim en wijsvinger van beide handen tegen elkaar. Ik kon niet ten overstaan van iemand van de familie Imhof gaan staan huilen.

'Dat weet iedereen,' zei Pete.

Ik keek op.

'Iedereen weet dat het je spijt.' Zijn stem klonk hard noch begaan; hij klonk zakelijk. En hoewel ik niet denk dat hij twijfelde aan mijn oprechtheid, wilde ik hem ervan overtuigen, een wens die op zichzelf onoprecht leek. 'Je hoeft mijn ouders geen brief te schrijven,' zei hij. 'Ze weten het wel. Mijn moeder vindt het rot voor je.'

'Moet ik hem weer meenemen?'

Hij haalde zijn schouders op. We bleven allebei bijna een minuut lang zwijgen. Uiteindelijk zei hij: 'Wacht je tot ik je binnen vraag?' Ik wilde nee zeggen toen hij eraan toevoegde: 'Je kunt doen wat je wilt,' en hij draaide zich om en liep het huis weer in. Ik volgde hem. Het voelde niet veel maar wel iets minder raar dan gewoon weggaan.

Binnen waren geen lampen aan, en terwijl we door een schaars verlichte kamer liepen zag ik een stenen haard, een bank die bekleed was met donkerblauw fluweel, en een piano die er oud uitzag. In de hal was een houten trap met een glanzende leuning, maar wij namen een andere trap, een smalle, gestoffeerde trap, vanuit de keuken. Boven aan de trap waren twee deuren, de een dicht en de ander open, en in de kamer met de open deur brandde de eerste lamp die ik in het hele huis gezien had. Het was een kleine kamer met een grote ladekast, een klein bureau, een eenpersoonsbed (onopgemaakt, de witte lakens en bruine sprei lagen verfrommeld aan het voeteneind, een paperback lag omgekeerd geopend op de matras) en een nachtkastje waarop de lamp en een asbak stonden.

Toen hij op het bed ging zitten, bleef ik in de deuropening staan en wees. 'Dat heb ik gelezen.' Het boek was *Atlas Shrugged.*

'Het is boeiend, maar te lang,' zei hij.

'Ja, mijn lievelingsboek was het ook niet.'

Hij keek me aan zonder iets te zeggen. Hij klopte naast zich op het bed en zei: 'Waarom kom je niet hier zitten?'

Ik slikte en stapte naar voren. Het is belangrijk voor me om te zeggen dat ik medeplichtig was – ik was hem achternagegaan het huis in en de trap op. Niets hiervan was van tevoren bedacht, maar ik was medeplichtig. Toen we naast elkaar zaten, duurde het volgens mij niet langer dan een seconde of twee voordat hij zijn mond op de mijne drukte, zijn hongerige, opdringerige, natte, zure mond, die zich bewoog op een manier die te wanhopig was om voor kussen te kunnen doorgaan, en waren nog maar een paar seconden meer verstreken voordat hij zijn vingers stevig rond mijn rechterborst legde en kneedde en losliet en weer kneedde. Hoewel zijn begeerte sterker was dan de mijne, en zijn kracht groter – was ik niet bang. Wat ik voelde was een enorme opluchting. Ik had de afgelopen paar weken zo mijn best gedaan om mezelf overeind te houden, om te doen wat er van me werd verwacht en te proberen de eerste kleine stapjes te zetten in een poging mijn verschrikkelijke fout goed te maken, en nu onderwierp ik me alleen. Er werd niet naar me gekeken of over me gepraat of voorzichtig naar me geïnformeerd, ik werd niet veroordeeld of ontzien. Er werd iets van me gevraagd, iets verkeerds, iets wat een ander wilde en ik kon het hem geven.

Tegen die tijd was hij onder mijn blouse en mijn beha aanbeland, en omdat het ernaar uitzag dat de knoopjes van mijn blouse het zouden gaan begeven, maakte ik ze open. Toen ik van boven niets meer aanhad, duwde hij me achterover op de matras, ging schrijlings op me zitten en boog naar voren om zijn gezicht tussen mijn borsten heen en weer te rollen, ze tegen zijn wangen aan te drukken en mijn tepels te likken, waarbij zijn stoppels niet onplezierig langs mijn huid wreven, en hoe langer hij graaide en greep, hoe meer het graaien en grijpen hem leken op te winden in plaats van zijn begeerte te bevredigen. Hij trok mijn broek en onderbroek in één beweging uit – ik droeg een spijkerbroek, en die moest hij eerst losknopen en ritsen – en toen was ik naakt op mijn sokken na, die wit waren, met een kanten randje erlangs. Hij trok me omhoog en draaide me om, en toen hij zei: 'Nee, je moet op je knieën,' was dat het eerste wat een van ons na al die minuten zei.

Ik heb dit nooit aan iemand beschreven, en ik zou dat ook nooit doen. En in de wereld van vandaag, waarin negentienjarige meisjes in realityprogramma's elkaar kussen om mannelijke toeschouwers te behagen, waarin vrouwen op tv in stringbikini in een jacuzzi stappen, met pronte nepborsten die vrolijk op en neer deinen – in deze wereld zou het misschien niet zo choquerend zijn. Maar het was 1963, ik zat in het laatste jaar van high school, en ik wist niet dat dit standje bestond, ik had nog nooit van de passend grove benaming 'op z'n hondjes' gehoord. Ik wist niet zeker wat Pete en ik deden, of het echt wel seks wás, en nadat hij een paar minuten had zitten pompen voelde ik zijn warme vloed in me, en ik wist dat dat het moest zijn geweest. Hij drukte zijn hand tegen de zijkant van mijn dij om duidelijk te maken dat ik op mijn buik moest gaan liggen. Toen ik dat deed, kwam hij boven op me liggen. Ik voelde zijn plakkerige erectie slinken.

Zo bleven we liggen, allebei met ons gezicht naar de matras: zijn hoofd over mijn linkerschouder naast het mijne; zijn borst op mijn rug; zijn slappe penis in mijn bilnaad; zijn benen tegen mijn benen. Zijn lichaam was zwaar en warm, en mijn hoofd was leeg en er was alleen zijn welkome gewicht, als een schild dat me helemaal bedekte.

Het was niet verbazingwekkend dat het een beetje pijn had gedaan, en het was haastig gegaan, en voor mij was er geen fysieke ontlading geweest zoals voor hem; ik was zo naïef dat ik niet eens wist dat dat had gekund. En natuurlijk was het ook onverstandig geweest. Dat deed er allemaal niet toe. Terwijl ik op mijn buik op de matras lag, kon ik zijn gezicht naast het mijne niet zien, maar wel zijn vingertoppen die over mijn schouder streken, en ik ving de geur van zijn huid op, die naar gebakken uien en zeep rook. Dus zo was het om zonder kleren in de armen van een jongen te liggen.

Na nog een minuut rolde Pete ineens van me af. Toen hij opstond was mijn hele achterkant in zijn slaapkamer blootgesteld, naast de lamp, op een zondagmiddag om twaalf uur, en ik draaide me instinctief om en trok het laken over me heen. Hij stond naakt voor me, met zijn donkere lichaamshaar en zijn onbewogen gezicht. 'Mijn ouders komen zo thuis,' zei hij. 'Je moet gaan.'

Zelfs toen ik weer op de De Soto Way reed, was het nog schokkend en onverklaarbaar. Had ik séks gehad met Andrews broer? Veertig minuten daarvoor was ik een maagd geweest met een condoleancebriefje, en toen had Pete Imhof zijn penis van achteren in me gestoken en ik had me totaal niet verzet? Ik had er praktisch om gevraagd! Toen ik de stad in reed, zou ik bijna hebben gedacht dat ik me het hele gebeuren had ingebeeld als ik niet de onweerlegbare nattigheid tussen mijn benen had gevoeld.

En toch voelde ik me veel lichter dan toen ik weg was gegaan. Waarschijnlijk had ik mensen verraden – mijn ouders en grootmoeder, misschien Andrew – maar zo voelde ik het niet. Het was meer alsof er iets niet in orde was geweest, een hoorn van de haak, een gootsteen vol vuile vaat, en daar had ik iets aan gedaan, ik had het in orde gebracht.

Thuis parkeerde ik de auto en liep het huis binnen, en toen ik in de eetkamer verscheen, riep mijn moeder uit: 'Daar ben je!' Ze stond al overeind en liep op me toe, en ze legde haar handen op mijn schouders. Ze waren bezig met de zondagse lunch, lamsvlees met sperziebonen en beschuitbollen.

'We waren ongerust,' zei mijn vader. 'We wisten niet waar je naartoe was.'

'Ik moest even iets doen.'

'Laat volgende keer een briefje achter,' zei mijn vader. 'Dorothy, laat haar zitten, dan kan ze eten.'

Ik wilde het liefst naar boven en in bad, maar dat zou verdacht lijken; ik had die ochtend al gedoucht. Toen ik aan tafel ging zitten, vroeg ik me af of Petes vocht door mijn ondergoed heen was gelekt en een vlek had gemaakt op de achterkant van mijn spijkerbroek.

'Wat moest je dan doen?' vroeg mijn grootmoeder.

Er viel een lange stilte. 'Iets voor school,' zei ik. Weer daalde er een stilte neer – ze leken nu vaker voor te komen, of misschien viel het me nu meer op – en toen zei mijn moeder: 'Alice, de meisjes van Frick zongen vandaag "A Mighty Fortress Is Our God". Wat een prachtige stemmen.' Niemand reageerde, en mijn moeder vervolgde: 'Weet je, Cecile heeft me verteld dat de meisjes hopen dat ze volgende zomer op de jaarmarkt mogen optreden.'

'Het zijn alleen gekken en dwazen die op roem azen,' zei mijn vader. Hoewel hij deze uitdrukking vaak bezigde – de laatste keer was geweest toen meneer Janaszewski drie keer achter elkaar bingo had gehaald in St. Ann's en zijn foto de volgende dag op de voorpagina van *The Riley Citizen* stond – leek een optreden op de jaarmarkt me nu ook weer niet zo onbetamelijk.

'Ach, ik denk niet dat het vaststaat,' zei mijn moeder.

Ik wist dat ik iets moest zeggen – mijn moeder deed zo haar best – maar ik was in de greep van een verlammend bewustzijn van een geur die ik afscheidde, een zuurzilte geur die ik nooit eerder had geroken maar onmiddellijk herkende.

'Ik zat op school met een meisje dat prachtig kon zingen,' zei mijn grootmoeder. 'Leona Stromberg.'

Mijn grootmoeder legde haar mes en vork aan weerskanten van haar bord, hoewel ze nog niet de helft van haar eten op had. Ze stak een Pall Mall op terwijl ze praatte. 'Als zij zong was het zo mooi dat je er kippenvel van kreeg. Tijdens een zomer, dat moet die van 1909 of 1910 zijn geweest, kwam het circus naar de stad. Ze haalt iemand over om haar een auditie te laten doen, en ik heb altijd gehoord dat ze niet zozeer om haar stem als wel om haar uiterlijk is aangenomen, een schande was het. Niet dat ze niet ook knap was, maar ze had echt talent, en ik geloof dat ze haar voornamelijk hebben ingezet als assistente van een goochelaar. Maar goed, ze gaat met het circus weg uit Milwaukee – ze is dan achttien – en ze reist kriskras door het land. Op een avond is het circus in Baltimore, en dan, midden tijdens de voorstelling, bijt een tijger haar neus eraf.'

'O, nee toch,' zei mijn moeder.

'Is dit wel geschikt voor aan tafel?' vroeg mijn vader.

'We zijn allemaal volwassen mensen.' Mijn grootmoeder knipoogde naar me, iets wat ze al heel lang niet had gedaan. 'Nou, tegen die tijd, dat ben ik vergeten te zeggen, had ze haar naam veranderd. Ze heette niet meer Leona Stromberg, maar Mimi Étoile – *étoile* betekent ster in het Frans. *Parlez-vous français?* Ze keek mij aan. Ik schudde mijn hoofd. Pete Imhof flakkerde op in mijn gedachten en ik deed mijn best om er geen acht op te slaan. 'Ik ook niet,' zei mijn grootmoeder. 'Maar terug naar onze heldin. Mimi, geboren Leona, heeft geen neus, wat betekent dat ze niet meer kan optreden. Je wilt het publiek per slot van rekening niet confronteren met de donkere kant van het circus. Nu zou je denken dat het gedaan was met haar geluk. Ze heeft geen spaargeld, ze is niet getrouwd, ze is ver van huis. Maar als de circuseigenaar haar wil ontslaan, wat denk je, worden ze verliefd. Haar gezicht zit in het verband, maar daardoor moet hij juist extra goed naar haar schitterende stem luisteren. Hij is jaren ouder dan zij, in de vijftig, maar hij maakt haar het hof en zij wordt zijn neusloze bruid. En voor zover ik weet leefden ze nog lang en gelukkig.'

'Wat een eigenaardig verhaal,' zei mijn vader.

'Bleef ze met het circus mee reizen?' vroeg mijn moeder.

'Een poosje, maar algauw kocht hij een huis voor haar in Denver, en daar woonde hij ook wanneer het circus hem niet nodig had. Uiteindelijk heeft hij – vergeet niet dat hij ook niet meer de jongste was – het circus verkocht en bleef hij het hele jaar door bij Mimi. Naar men zegt is het klimaat in Denver heel gematigd, ook al ligt het vlak bij de bergen.'

Ik slikte mijn laatste hap boontjes door. 'Mag ik van tafel?'

'Lieverd, er is nog karamelpudding toe,' zei mijn moeder.

'Ik heb morgen een geschiedenisproefwerk.' Ik stond op en terwijl ik achterwaarts de kamer uit liep bleef ik tegen hen praten, zodat het was alsof ik hen daarom wilde blijven aankijken. 'Ik moet studeren.'

In mijn slaapkamer trok ik een schone onderbroek aan. Ik wist niet wat ik met de vuile moest doen – ik wilde niet dat mijn moeder hem zou vinden als ik hem in de wasmand gooide die in de hoek van mijn kamer stond – dus maakte ik er een prop van en stopte die achter in mijn sokkenlade. In de badkamer veegde ik voor ik ging plassen met een stuk toiletpapier tussen mijn benen, en er zat een helder, dun laagje slijm op. De tweede keer dat ik mezelf afveegde, maakte ik het papier eerst nat. Daarna spoelde ik beide stukken papier door, alsof ik door het bewijs te vernietigen de daad ongedaan kon maken.

De volgende dag, laat in de middag, toen mijn vader nog op zijn werk was, mijn grootmoeder in de zitkamer al rokend de *Vogue* zat te lezen en mijn moeder en ik het eten klaarmaakten, liep ik even de woonkamer in. 'Mama wil weten of u de kaassaus over de broccoli wilt of apart.'

Mijn grootmoeder keek op. 'Apart graag.'

Ik bleef even dralen. 'Was dat verhaal over Mimi Étoile waargebeurd?'

Mijn grootmoeder nam me op. 'Als dat zo was,' zei ze uiteindelijk, 'vind je het dan niet reuze interessant?'

Die woensdagochtend, toen ik in de keuken havermout zat te eten zei mijn moeder: 'Het Promoteam komt toch vanmiddag bij elkaar, liefje?' En hoewel ik er sinds het ongeluk niet meer naartoe was geweest, ging ik erheen vanwege de gemaakt vrolijke toon waarop ze sprak, het idee dat ze had – het was eigenlijk ontroerend – dat als we opgewekt praatten, dat misschien betekende dat ik Andrew niet had gedood.

Het was een gewone bijeenkomst, met een discussie van drie kwartier over de vraag of het spandoek met HUP, BENTON KNIGHTS voor de footballwedstrijd van vrijdag tegen Houghton North High tijdens de ochtendbijeenkomst uitgevouwen moest worden of pas als de wedstrijd feitelijk begon; ik zei helemaal niets, behalve om te stemmen voor het openvouwen van het doek tijdens de bijeenkomst. Het Promoteam bestond uit zestien meisjes en één jongen, een slanke, licht ontvlambare tweedejaars genaamd Peter Smyth die geobsedeerd was door Elizabeth Taylor en te pas en te onpas een imitatie van haar ten beste gaf in haar rol van callgirl in *Butterfield 8*.

De volgende dag ging ik na de lunch weg uit de kantine toen Mary Hafliger, de voorzitster van het Promoteam, op me af kwam. 'Kan ik je even onder vier ogen spreken?' vroeg ze.

Ik knikte, en we liepen uit de lawaaierige kantine naar buiten, naar de parkeerplaats van de faculteit. Het was een zonnige dag, en de bladeren van de bomen aan de rand van de parkeerplaats kleurden rood en geel.

'Het valt niet mee om dit te zeggen,' zei ze, 'maar we vinden dat je niet meer in het Promoteam kunt blijven.'

Ik was verbijsterd, en toch verbaasde het me niet. Ik verwachtte in het algemeen afwijzing, maar ik was er op het moment zelf totaal niet op voorbereid.

Ik slikte. 'Goed.'

'Ik wist wel dat je het zou begrijpen,' zei ze. 'Het is gewoon dat je iedereen bedroefd maakt.'

Ik dacht eraan dat ik Mary's behaarde onderarmen het afgelopen voorjaar tegenover Dena had verdedigd, en toen vroeg ik me af, had ik mensen tijdens de bijeenkomst van de vorige dag droevig gemaakt? Het was niet meer geweest dan wat gekibbel en Peter Smyth die van tijd tot tijd citeerde: '"Mama, zie het onder ogen, een grotere slet dan ik was er niet!"'

Maar kon ik het Mary wel kwalijk nemen? Ik was Mimi Étoile, besefte ik ineens, ik was het meisje wier neus eraf was gebeten door een tijger, en nu herinnerde ik vrolijke mensen aan verdriet in het leven. Of misschien was ik Mimi toch niet, want voor haar was het goed afgelopen. Bovendien was het niet meer dan haar neus geweest.

De volgende keer was die vrijdag na school. Hij zat in de roestige rode bestelwagen die ik bij de boerderij van de Imhofs had zien staan, hij had de auto vlak bij de campus geparkeerd en zat achter het stuur. Toen ik vlak naast de auto stond zei hij zachtjes 'Alice'. Ik draaide me om, herkende hem, zei niets en stapte in. We zeiden niets totdat we het erf van zijn ouders op reden. Ik was verbaasd; zonder me ervan bewust te zijn had ik al vooruit gedacht, ik had aangenomen dat we ergens naartoe gingen waar we alleen zouden zijn, dat we het misschien zelfs achter in de vrachtwagen zouden doen.

'Maar waar zijn je...' begon ik, en hij zei: 'Die zijn het weekend bij mijn oom en tante in Racine.'

In het huis liep ik achter Pete de trap op; ik voelde me vastberaden en niet nerveus. De eerste keer was net als de vorige, wij allebei op handen en knieën, hij achter mij. Maar toen we op de matras waren neergevallen, draaiden we ons uiteindelijk om zodat we op onze rug naast elkaar lagen, daarna rolde hij op zijn zij naar me toe; omdat hij langer was, was zijn mond ter hoogte van mijn kruin. Het veranderen van positie nam veel tijd in beslag, en we zeiden heel weinig. We lagen nog steeds zo toen hij zijn vingers heen en weer liet gaan over de holte tussen mijn heupen, waarbij zijn hand elke keer steeds iets lager zakte. Toen hij was waar hij zijn wilde, huiverde ik even, wat niet hetzelfde was als niet aangeraakt willen worden. Hij hield zijn hand stil, maar haalde hem niet van mijn lichaam en hij zei niets. Misschien wachtte hij tot ik protesteerde. Toen ik dat niet deed, ging hij door. Ik deed mijn ogen open. Eerst was mijn ademhaling oppervlakkig en geluidloos, maar hij werd dieper en luider, en dat zou afschuwelijk geweest kunnen zijn als ik nog steeds ik was, als de wereld nog bestond, maar ik was niet ik en de wereld bestond niet meer. Als ik mijn ogen opendeed zag ik een gebroken wit plafond, de bovenkant van bruin-met-geel geruite gordijnen, deed ik ze weer dicht, dan keerde ik terug in de kolkende duisternis van de ruimte, kometen en asteroïden, en dan deed ik mijn ogen weer open – plafond, gordijnen – en het verschil was even groot alsof ik het ene moment thuis achter mijn bureau zat en me daarna omdraaide en de Grote Muur van China voor me zag liggen. Het was niet duidelijk of hij op me was gerold of dat ik hem op me had getrokken, maar op een gegeven moment was hij weer in me, we keken elkaar aan, pompend en botsend, en ik greep zijn billen, en het kwam voor ons beiden tegelijk, ik hief mijn benen en sloeg ze om hem heen om hem zo dicht mogelijk tegen me aan te drukken, hem zo diep mogelijk in me te voelen. Achteraf is deze hele periode met Pete zo vertroebeld door verdriet en berouw dat ik er niet aan probeer te denken; soms huiver ik er nog van. En toch moet ik met enige geamuseerdheid bekennen dat wat ons die dag in zijn slaapkamer gelijktijdig overkwam, die synchrone timing, me in dertig jaar huwelijk met een man van wie ik innig hou niet één keer is overkomen.

Toen ik daar met Pete Imhof lag, zijn gewicht op me terwijl onze ademhaling en hartslag langzaam tot rust kwamen, dacht ik dat er verder niets was, niets waar iemand ook maar iets over kon zeggen. Dit was het enige dat sterker was dan verdriet.

Dena was tot het inzicht gekomen dat Andrews dood een daad van God was. Dit vertelde ze me terwijl ik bij haar op bed toekeek hoe ze zich opmaakte voordat ze op zaterdagavond met een groep mensen naar Tatty ging. Ze had me al een aantal keer gevraagd om mee te gaan, maar ik had het afgeslagen, en zij had gezegd: 'Je moet niet meer aan hem denken. Andrew was een engel die ons te vroeg is ontnomen, maar het is niet aan ons om te vragen waarom.'

Omdat ze problemen had gehad met slapen, vertelde ze me, had haar moeder voor haar een afspraak gemaakt met hun kapelaan, en kapelaan Krauss had haar doen inzien dat het allemaal deel uitmaakte van Gods plan. 'Je zou met jullie pastor moeten gaan praten,' zei ze.

Toen ik niet reageerde zei ze: 'Je zit naar mijn bakkebaardstoppels te kijken, hè?'

'Ik keek nergens naar.'

'Nancy zei dat ik ze lang moet laten groeien, maar hoeveel maanden duurt dat? Drie?'

Ik had Dena niets verteld over Andrews broer, en ik kon het ook niet. Het was geen sappige roddel, niet eens een moreel dilemma om samen te bespreken; er viel niets over te zeggen.

'Je bakkebaarden zien er prima uit,' zei ik.

Toen mijn familie die zondag naar de calvarie-lutherse kerk ging, reed ik weer naar de hoeve van de Imhofs. Ik klopte aan, en het duurde zo lang voordat Pete opendeed dat ik concludeerde dat hij niet thuis was, maar ik klopte voor alle zekerheid toch nog een keer. Die nacht was de temperatuur gedaald tot vier graden Celsius, en ik had een jas aan.

Toen hij opendeed, zei hij: 'Dat was een stomme zet van je, om hierheen te komen. Stel dat mijn ouders thuis waren geweest?'

'Je zei dat ze naar Racine waren.'

'Ik heb niet gezegd wanneer ze terug zouden komen.'

'Moet ik weer gaan?'

Hij keek me nors aan. 'Nu je er toch bent, kun je net zo goed binnenkomen.' Hij draaide zich om en liep naar de keuken, en net als beide andere keren volgde ik hem.

Behalve vijf à zes eieren bakte hij worst en roosterde hij twee boterhammen, en terwijl ik toekeek schonk hij zich een glas sinaasappelsap in. Toen hij al het eten op een bord had geschept, nam hij plaats aan de keukentafel, dus deed ik dat ook. Ik trok mijn jas uit, vouwde hem op en legde hem op de stoel naast me. Geen van ons zei iets totdat Pete zijn eten op had. Hij leunde naar achteren, sloeg zijn armen over elkaar en keek me aan.

'Zullen we naar boven gaan?' vroeg ik. Hoewel het een onbeschaamde vraag was, leek het zo vanzelfsprekend dat dit de volgende stap was, dat het huichelachtig was geweest als ik iets anders gezegd zou hebben. Bovendien wist ik dat zijn botte vijandige stemming als we eenmaal uitgekleed en verstrengeld in zijn bed lagen, zou afnemen.

Maar hij reageerde niet op mijn voorstel en zei: 'Wat zijn je verlangens en je dromen, Alice? Denk je dat je altijd in Riley blijft wonen?'

'Ik weet het niet.'

'Ik blijf hier niet,' zei hij. 'Ik ga naar Milwaukee of Chicago om vooruit te komen.'

Ik was natuurlijk te jong om te weten dat uit niets duidelijker blijkt dat een man geen stap vooruit zal komen dan uit zijn herhaalde voornemens dat hij dat van plan is, en ik was ook verbijsterd door de vraag waarom we dit gesprek voerden. De wens om naar boven te gaan was als een staaf goud die verticaal in mijn borst hing. 'Ik ben in Chicago geweest met mijn grootmoeder,' zei ik.

'O ja? Gefeliciteerd.' Hoewel zijn commentaar het gewenste effect had – ik voelde me stom – kon ik niet zeggen of het betekende dat Pete er zelf wel was geweest. 'Ik zou de boerderij kunnen overnemen, maar het boerenleven is voor sukkels,' vervolgde hij. 'Ik moest vanochtend om zes uur op om de kippen te voeren. Je slijt je rug op de akkers, je bent overgeleverd aan de nukken van het weer, en waarvoor? Ik wil een kantoorbaan, in het bedrijfsleven of het bankwezen. Andy vond het hier fijn, maar ik heb nooit begrepen waarom.'

We waren allebei stil. Ik denk niet dat hij opzettelijk zijn broer had genoemd, ik denk dat hij even was vergeten wat mijn band met Andrew was, of misschien was hij zelfs Andrews dood vergeten.

Al die tijd was er geen licht aan in de keuken, en we zaten daar in de schemerige stilte. Op een onvriendelijke toon zei hij: 'Kom hier.' Ik stond op en liep rond de tafel. Hij droeg dezelfde bruine corduroy broek die hij eerder aan had gehad, en een trui met brede zwarte en rode strepen. 'Ga op je knieën,' zei hij.

Toen ik voor hem knielde, zei ik: 'Zo?'

Sarcastisch zei hij: 'Doe maar alsof je in de kerk bent.'

Hij hield mijn blik vast toen hij zijn broek losknoopte, open ritste en tot op zijn enkels liet zakken, samen met zijn witte katoenen onderbroek. Zijn penis zag er schokkend klein uit, maar hij pakte mijn hand, bracht hem ernaartoe en zei: 'Heen en weer bewegen en wrijven,' en algauw kreeg hij een erectie. 'Kom dichterbij,' zei hij. 'Doe hem in je mond.' Nog terwijl hij sprak omvatte hij mijn hoofd met één hand en trok hij me naar zich toe.

Jaren daarvoor, in groep zes, had mijn klasgenoot Roy Ziemniak, de zoon van onze tandarts, deze handeling aan Dena en mij beschreven, en ik had niet geweten of ik hem moest geloven. Hij had blijkbaar de waarheid verteld.

Tijdens de eerste minuut kokhalsde ik twee keer, en toen probeerde ik een ritme aan te houden, op en neer, en ik dacht, *ik tel tot vijfentwintig*, en ik zorgde ervoor dat ik bij mezelf steeds vijf lettergrepen zei zodat er echt hele seconden verstreken: *Een Mississippi, twee Mississippi...* Boven me kon ik Pete steeds dieper horen zuchten. Na vierendertig seconden keek ik op. Zijn ogen waren gesloten, maar hij deed ze snel open en zijn stem klonk halfslaperig en halfwanhopig – niet gemeen – toen hij zei: 'Nee, je moet het afmaken.'

Toen ik weer begon, moest ik huilen. Ik wilde niet dat hij het merkte en ik geloof niet dat dat het geval was, aangezien hij door iets anders in beslag genomen werd. Bovendien was het al een natte boel omdat ik kwijlde doordat ik niet slikte. Toen hij ten slotte in mijn mond spoot, trok ik snel mijn hoofd naar achteren, en het meeste droop op zijn bleke, harige dijen. Er zat maar een kleine beetje op mijn lippen dat ik wegveegde, een piepklein beetje dat misschien door mijn keel was gegaan. Hij boog naar voren om zijn onderbroek en broek omhoog te hijsen en ik boog mijn hoofd, terwijl mijn tranen snel en warm en onbelemmerd stroomden. Er waren misschien dertig seconden verstreken toen hij zei: 'Zit je te húílen?'

Ik had op mijn knieën gezeten, met mijn billen op mijn hielen, en ik verschoof van positie zodat mijn billen op de grond kwamen en mijn knieën opgetrokken waren. Ik sloeg mijn armen om mijn knieën, legde mijn gezicht op mijn armen en huilde zo hard dat mijn schouders schokten.

'Wat heb je?' hoorde ik Pete zeggen.

Toen ik opkeek, torende hij boven me uit. Een minuut daarvoor had hij gezeten en ik had geknield, maar hij was hoger geworden terwijl ik lager ging zitten. We keken elkaar aan en ik voelde mijn gezicht samentrekken (het zou met Andrew zo heel anders zijn geweest, ik zou hem graag een fijn gevoel hebben bezorgd, en daarna zou hij me hebben vastgehouden en gekust). Ik zei: 'Ik weet dat ik het op geen enkele manier kan goedmaken tegenover jou of je ouders, maar ik mis hem ook.'

'Je denkt toch niet dat jullie verliefd waren?' De woede in Petes stem maakte me duidelijk dat ik niet moest reageren. 'Dat hij je vriendje was?'

Ik antwoordde niet, maar ik huilde niet meer en ik was fysiek op mijn hoede. Ik wist ineens dat ik dit huis heel gauw zou verlaten, en de kans dat ik er ooit terugkwam was klein.

'Mijn broer was jouw vriendje niet,' zei Pete.

Ik bette mijn ogen en stopte mijn haar achter mijn oren. Toen ik opstond, hield ik me vast aan een stoel.

'Hoor je me?' zei Pete. 'Hij was je vriendje niet.' Terwijl ik mijn jas aantrok, kwam het bij me op dat hij misschien zou proberen me de weg te versperren.

'Wat jij zojuist hebt gedaan,' zei hij, 'dat doen alleen hoeren, en mijn broer zou nooit iets met een hoer hebben gehad.'

Ik liep de keuken uit, door de gang langs de woonkamer en de trap van het voorhuis. Pete volgde me, maar toen ik bij de deur kwam, bleef hij op meer dan drie meter staan. Ik greep de deurknop, draaide hem om, en hij zei: 'Zie je wel, je kunt je niet eens verdedigen. Zo'n hoer ben je.'

Dat dit lelijke zo snel tussen ons was gekomen – dat kon alleen maar betekenen dat het er allang was. Ik keek naar hem om en zei het enige waarvan ik wist dat het waar was. Ik zei: 'Het spijt me dat ik het niet was in plaats van hij.'

Op dat moment in mijn leven betrad ik een schemergebied waarin ik alleen maar mijn best deed om vooruit te komen. Ik zag in dat ik met Pete had geprobeerd de situatie te herstellen – op een perverse manier, maar hoe dan ook, ik had het geprobeerd – en nu begreep ik dat die niet te herstellen was. Dat ik het in feite erger had gemaakt. En ik putte ook geen troost uit het idee dat ik mezelf zo had gekweld; ik had vooral genoten als Pete mijn lichaam aanraakte, ik genoot van het fysieke aspect (hij was een naakte behaarde man geweest, vijf jaar ouder dan ik, die me streelde op manieren die hij niet had mogen proberen en die ik niet had moeten toelaten – natuurlijk was dat opwindend geweest) en ook van het verloop had ik genoten, me afvragend wat er vervolgens zou gebeuren, denkend aan iets dat veel van Andrew had zonder aan zijn dood te hoeven denken. Maar het eindresultaat bleek rancune te zijn, rancune boven op tragedie, en ook nieuwe en bezwarende geheimen, misdragingen die de mensen die me kenden nog meer zouden kwetsen als ze ervan hoorden. De oplossing was me terugtrekken, me afsluiten, en dat was geen opgave. Het was eerder het tegendeel van een opgave – overgave.

Ik ging naar school en bleef al mijn opdrachten maken, het meeste deed ik tijdens de studie-uren; na het tweede jaar waren die uren facultatief, en in het verleden had ik ze doorgebracht in de gymzaal met Dena, waar we op de tribune zaten terwijl jongens in instappers de bal in de basket probeerden te werpen, waarbij we wegdoken wanneer de bal gevaarlijk dichtbij kwam. 's Avonds keek ik tv of ik deed een kaartspelletje met mijn familie, net vaak genoeg om ze niet het idee te geven dat ik geen tv meer keek en niet meer wilde kaarten, en tijdens de maaltijd probeerde ik genoeg te praten zodat ze niet bang zouden worden dat ik op het punt stond iets ondoordachts en destructiefs te doen, wat niet het geval was. Ik had er de energie niet voor.

Ik probeerde romans te lezen, ooit mijn beste toevlucht, maar zelfs als ik verdiept was in het zestiende-eeuwse Schotland of het eigentijdse Manhattan, voelde ik altijd een dreiging in mijn leven in de marge van de bladzijde, als opkomende vloed. Soms werd ik domweg overspoeld door dat gevoel en kon ik niets doen om het te voorkomen. 's Ochtends was het het ergst, meteen na het wakker worden. Dan voelde ik me ziek, letterlijk misselijk, en soms, als ik heel stil bleef liggen, ging het over. Maar vaker moest ik snel naar de badkamer, waar ik in de wc-pot overgaf en daarna probeerde niet te huilen. Het was kwart over vijf, twintig over vijf, en het leek onmogelijk dat de dag dan al fout liep.

’s Avonds lag ik op mijn bed, met de lichten aan en mijn ogen dicht luisterde ik naar ‘Lonesome Town’, en ik had het gevoel dat het nummer me rustig maakte, me wiegde, zoals je wanneer iemand je in het water vasthoudt bijna gewichtloos bent. *You can buy a dream or two/ To last you all through the years*, zong Ricky Nelson. *And the only price you pay/ Is a heart full of tears.* Ik speelde dan met de zilveren ketting die ik die middag voor de bibliotheek had gedragen; hoewel ik ergens wilde dat ik het hartje niet aan Andrews ouders had gegeven, leek het feit dat het gemis me dwarszat een teken dat ik de juiste beslissing had genomen.

Op een ochtend, begin november, kwam ik nadat ik had overgegeven uit de badkamer – het was nog geen zes uur – en trof mijn grootmoeder die in de onverlichte gang stond als een spook in haar roze satijnen ochtendjas en witte pantoffels. ‘Heb je overgegeven?’

‘Niks aan de hand,’ zei ik zachtjes. ‘Ik had last van mijn maag, maar nu voel ik me beter.’

Ze nam me op. ‘Dat is geen manier om slank te blijven, weet je. Het is een oude truc die veel meisjes proberen, maar het is slecht voor je gebit en je wangen worden er pafferig van. Voor je het weet zie je eruit als een hamster.’

‘Oma, ik heb niet mijn vinger in mijn keel gestoken.’

‘Als je bang bent dat je aankomt, is roken een veel elegantere oplossing. Sigaretten onderdrukken je eetlust en tegelijk verbranden ze calorieën.’

Ik wist dat roken slecht was – meneer Frisch had ons dat bij biologie verteld – maar ik wilde haar niet tegenspreken.

Mijn grootmoeder stak haar hand uit en pakte mijn kin tussen haar duim en wijsvinger, zodat ik haar wel aan moest kijken. Sinds het achtste schooljaar was ik langer dan zij, maar ze droeg meestal hakken die het verschil in lengte tussen ons compenseerden. Nu keek ik op haar neer. ‘Straf jezelf niet,’ zei ze. ‘Daar bereik je niets mee.’

Zodra ik op school was, te midden van het lawaai en al die mensen die zich naar verplichtingen repten die er niet echt toe deden, vroeg ik me vaak af of het niet beter was geweest als ik thuis was gebleven, of ik niet helemaal van school moest gaan. Maar thuis was het niet beter, alleen maar op een andere manier naar. Ik begon langzamerhand in te zien dat ik weg moest uit Riley, naar *college*, en niet terugkomen. En ik kon dan niet naar de lerarenopleiding in Milwaukee, waar in totaal nog geen twaalfhonderd jonge vrouwen zaten. In zo'n kleine gemeenschap was de kans te groot dat mijn verhaal zou uitlekken, iemand daar zou het horen van iemand uit Riley, of een van mijn klasgenoten zou daar ook naartoe kunnen gaan. Ik denk dat het mijn provinciale opvattingen uit die tijd tekent dat ik de universiteit van Wisconsin in Madison een radicale keuze vond. Daar zaten in totaal meer dan twintigduizend studenten en academici; genoeg, dacht ik, om in op te gaan.

De tweede keer dat mijn grootmoeder me erop betrapte dat ik had overgegeven, wachtte ze me niet op in de gang; ze zat op mijn bed, waar ze *The Rise of Silas Lapham* doorbladerde, dat ze op mijn tafeltje had gevonden. Haar stem klonk nog schor van de slaap toen ze zei: 'Doe de deur eens dicht.' Toen ik dat had gedaan, zei ze: 'Dat was dom van me, hè, wat ik laatst dacht? Dat je probeerde af te vallen.'

Ik bleef bij de ladekast staan en zei niets.

'We gaan naar Chicago, en daar laten we het weghalen. Volgende week waarschijnlijk. Ik moet een paar telefoontjes plegen. Je moet doen wat je het beste vindt, maar ik raad je aan er niets over tegen je ouders te zeggen. Ik zie niet in waar dat goed voor zou zijn.'

Ik had eerst de opwelling om onbegrip te veinzen, maar ik begreep haar maar al te goed. 's Avonds, toen ik naar 'Lonesome Town' luisterde, wist ik het. Ze had gelijk.

'Is dat...' Ik aarzelde. 'Is dat niet illegaal?'

'Zeker, en het gebeurt constant. Je kunt de aard van de mens niet vastleggen in een wet.'

'Vind je niet dat ik het moet laten komen?'

Rustig zei ze: 'Ik denk dat je dat niet overleeft. Als de omstandigheden anders waren, zou ik zeggen: "Ga naar een tehuis voor zwangere meisjes in Minnesota, ga naar Californië." Maar daar heb je de kracht niet voor. Je wordt wel weer sterk, maar nu ben je dat niet.'

Terwijl ze dat zei, voelde ik mijn lippen trillen en tranen in mijn ogen opwellen. Ik fluisterde: 'Sorry dat ik je heb teleurgesteld.'

'Kom 's hier zitten,' zei ze, en toen ik zat, wreef ze mijn rug, de palm van haar hand schoof heen en weer over het witte katoen van mijn nachthemd. Na een ogenblik zei ze: 'Mensen moeten fouten maken. Op die manier leren we mededogen met anderen te hebben.' Ze zweeg even. 'Je hoeft niet te vertellen van wie het is. Dat doet er niet toe.'

We namen de bus in plaats van de trein. Volgens instructie van mijn grootmoeder was ik naar school gegaan, alsof het een gewone dag was, maar voor het einde van het eerste uur werd ik in de kamer van het hoofd geroepen, waar mijn grootmoeder op me wachtte. We liepen snel naar het busstation en namen de bus naar Chicago – 'Er is vast ook wel iemand in Riley die dit doet,' zei mijn grootmoeder, 'maar dan zou ik rond moeten vragen, en ik wil niet dat mensen gaan praten' – en vanaf het busstation in Broad Street namen we een taxi naar het ziekenhuis. Op voorschrift van mijn grootmoeder had ik sinds de vorige avond niets gegeten of gedronken, en in de taxi kneep mijn maag samen, hij was gevuld met louter angst. 'Ik heb je opgegeven als Alice Warren,' zei mijn grootmoeder. 'Alleen als voorzorgmaatregel.' Warren was haar eigen meisjesnaam.

'Je denkt toch niet dat ik word aangehouden?'

'Je wordt niet aangehouden,' zei mijn grootmoeder.

'En de dokter zal toch geen ongesteriliseerde instrumenten gebruiken?'

Mijn grootmoeder keek me bevreemd aan. 'Ik dacht dat je had begrepen dat Gladys de ingreep doet. Daarom zijn we hiernaartoe gegaan.'

Mijn grootmoeder mocht niet mee de operatiekamer in. Ik kreeg een blauw operatiehemd aan en toen ik op de operatietafel ging liggen, moest ik mijn voeten in metalen beugels leggen. 'De dokter wil even met je praten voordat we je onder narcose brengen,' zei de verpleegster, en het duurde een minuut of tien voordat dokter Wycomb verscheen in een witte jas. Ze kneep even in mijn hand, en de warmte van haar greep deed me beseffen hoe koud ik het had.

'Ik weet dat het moeilijk is, Alice,' zei ze. 'Maar het is voorbij voordat je het weet, en je bent snel weer de oude. Ik volg een methode waarbij de ingang van je uterus wordt opgerekt en ik gebruik een heel dun instrumentje om je te curetteren. Je krijgt misschien een paar dagen last van kramp en bloedverlies – daarvoor kun je maandverband gebruiken – maar je kunt hier gewoon weer wegwandelen.'

Ik knikte en voelde me licht in mijn hoofd. Ik wist niet eens wat 'curetteren' betekende, maar toen ik terug was in Riley zocht ik het op; in het woordenboek stond: 'schoonmaken door afschrapen'.

'Mochten er zich de eerstvolgende dagen of weken problemen voordoen, dan moet je me bellen,' zei dokter Wycomb. 'Je grootmoeder heeft mijn nummer.' Ze was niet afstandelijk – ze hield nog steeds mijn hand vast – maar ze gedroeg zich kordaat en professioneel op een manier die me het idee gaf dat ze haar vak waarschijnlijk heel goed verstond.

'Nog één ding: ik geef deze dingen mee aan Emilie, en thuis zul je die van haar krijgen. Je hoeft er niet met haar over te praten.' Dokter Wycomb pakte een bruin zakje dat ik niet had opgemerkt en haalde er een voorwerp uit waarvan ik niet wist wat het was, ze gaf me een witrubberen ring en een tube met een dop, ook wit. 'Vul het pessarium met zaaddodende pasta voordat je het inbrengt,' zei ze. 'Duw daarna het pessarium diep in je vagina zodat hij je baarmoederhals omsluit. Zorg dat je een paar keer oefent voordat je in een situatie terechtkomt waarin je het nodig hebt en vergeet niet dat zaaddodende pasta alleen niet werkt – als je vriendje iets anders zegt, heeft hij het domweg mis.'

Ooit zou het ondenkbaar, onverdraaglijk, zijn geweest om de vriendin van mijn grootmoeder de woorden *zaaddodende pasta* en *vagina* te horen zeggen. Maar op dat moment was er zoveel gebeurd dat ondenkbaar en onverdraaglijk was, en bovendien werden de woorden zelf overschaduwd door wat haar opmerkingen verder impliceerden.

'Het zal niet meer gebeuren,' zei ik. 'Ik ben niet...' Ik wilde zeggen, *ik ben echt nog dezelfde als ik vorig jaar leek*, maar als je zoiets moest doen, zei dat eigenlijk al genoeg.

'Dit gaat over gezondheid, niet over normen,' zei dokter Wycomb. 'Als je eenmaal aan seksuele omgang bent begonnen, is de kans groot dat je seksueel actief blijft.' Ze klopte op mijn onderarm. 'Ik vind het heel erg voor je, van dat auto-ongeluk,' zei ze, en daarna riep ze de verpleegster.

Toen ik uit de roes van de narcose kwam, lag ik in een andere kamer – ik deed mijn ogen open, sloot ze, en deed ze nogmaals open – en mijn grootmoeder zat naast me te lezen. Ik knipperde een paar keer met mijn ogen, mijn hoofd voelde wazig. 'Moet ik dokter Wycomb een bedankbriefje schrijven?' vroeg ik.

'Ik denk niet dat dat nodig is.' Mijn grootmoeder legde een boekenlegger tussen twee bladzijden en klapte het boek dicht. 'Maar ze komt straks even bij je kijken, dan kun je haar als je wilt persoonlijk bedanken. Hoe voel je je?'

'Hoe laat is het?'

'Het is na tweeën. Je hebt bijna een uur geslapen.'

'Is mijn moeder... verwacht ze me niet thuis?'

'Ik heb tegen haar gezegd dat ik je van school zou halen om te gaan winkelen. Alice, als je het hun wilt vertellen, is dat jouw besluit.'

'Ik zal het ze nooit vertellen,' zei ik, wat ook waar bleek te zijn.

Toen dokter Wycomb de verkoeverkamer binnen kwam, was ik nog niet helemaal helder. Ik zei: 'Ik hoop dat u vanwege mij niet in de gevangenis komt.'

Dokter Wycomb en mijn grootmoeder wisselden een blik, en dokter Wycomb zei: 'Deze ingreep komt heel vaak voor, Alice. Jij was deze week de derde.'

Terug in Riley kon ik mijn ouders nauwelijks recht in de ogen kijken. *Wat je ook doet, doe het goed*, had ik mijn vader vaak horen zeggen en o, wat was ik tekortgeschoten tegenover hem, tegenover iedereen. In de weekends, als mevrouw Falke kwam bridgen met mijn ouders en mijn grootmoeder, stond ik boven op de gang te luisteren hoe ze speelden, en ze leken me net kinderen.

Ik bloedde een paar dagen en toen hield het op. Ik had niet eens pijn, niet echt. Als er een beeld van of gevoel over Andrew of Pete bij me opkwam – op verschillende momenten, om verschillende redenen – probeerde ik die te onderdrukken. Ik wachtte tot de tijd verstreek.

Op 22 november, een vrijdag, liep ik na de lunch de kantine uit, vlak achter een paar andere leerlingen, toen een tweedejaars, Joan Skryba, en een eerstejaars, Millie Devereaux, onder veel geroep op ons af renden. Ook al schreeuwden ze, er viel niets uit op te maken. Eerst verstond ik het niet, en toen me dat uiteindelijk lukte wist ik niet zeker of het klopte, omdat het zo onwaarschijnlijk leek – de president van de Verenigde Staten? President Kennedy? Daarna dook er een ander, een jongen, op uit de kantine achter ons en hij zei hetzelfde, en iedereen praatte door elkaar heen en een meisje naast me met wie ik helemaal niet bevriend was, Helen Pajak, pakte mijn hand en greep hem stevig vast. Pas toen ik mevrouw Moore, mijn wiskundelerares, openlijk zag huilen, wist ik dat het waar was: ruim een uur daarvoor was president Kennedy neergeschoten in Dallas.

Het was alsof alles ophield; in de resterende lessen van die middag praatten we nergens anders over, maar we waren niet langer opgewonden. We waren gewoonweg allemaal verbijsterd. En daarna, ongeveer een uur later, hoorden we dat hij was overleden, en als president Kennedy zojuist was vermoord, wat zou er daarna dan gebeuren? Welke zin of logica gold er nog, welke regels bestonden er nog in de wereld? Normaal gesproken was er in de hal waar onze kluisjes zich bevonden aan het eind van de dag en vooral op vrijdag volop gegil en gelach en geluid van dichtklappend metaal te horen, maar die middag was het er stil.

Ik huilde niet om hem, toen niet en later niet, hoewel ik net als iedereen als gehypnotiseerd naar de televisiebeelden keek. Die avond was de enige keer dat ik me kan herinneren dat we thuis tijdens het eten naar de tv keken; we namen ons bord mee naar de woonkamer. Alles werd afgelast, in Riley en overal elders, sportevenementen en wedstrijden, en restaurants en winkels en bioscopen bleven dicht, en je zag nauwelijks een auto op straat. Je kon echt alleen maar stil blijven staan bij wat er was gebeurd. Toen we de volgende dagen de foto in de krant zagen waarop Lyndon Johnson door Sarah Hughes de eed werd afgenomen in een Air Force One, toen we keken naar de onwerkelijke beelden van Lee Harvey Oswald die door Jack Ruby werd neergeschoten voor het hoofdbureau van politie, en toen we luisterden naar Johnsons toespraak op Thanksgiving – 'Vanuit dit tragische duister gaan we op weg naar een nieuwe Amerikaanse grootheid,' vertelde hij ons – waren mijn ouders en mijn grootmoeder even verbijsterd als ik.

Maar dit is de waarheid: ik had Kennedy bewonderd, ik had hem slim en knap gevonden, en krachtig. En toch ervoer ik bij zijn dood een macaber soort opluchting; niet dat ik blíj was; dat zeker niet. Maar er was iets gebeurd dat zo verschrikkelijk was dat het verschrikkelijke dat ik had gedaan daarbij in het niet viel. Niet in mijn ogen, dat niet, maar in die van alle anderen; daarbij vergeleken stelde wat ik had gedaan niet zoveel voor. En ik wist het onmiddellijk, die middag op school. Dit sterfgeval was veel belangrijker en veel erger dan dat van Andrew, en het had niets te maken met mij; ik had er in geen enkel opzicht schuld aan. Vergiffenis was het niet, maar wel iets wat er heel dichtbij kwam.

Tot op de dag van vandaag schaam ik me nog diep voor mijn reactie. In mijn hele leven heb ik wat ik die middag voelde slechts tegenover één persoon toegegeven.

DEEL II

Sproule Street 3859

Toen ik zevenentwintig werd, de maand nadat Simon Törnkvist en ik het hadden uitgemaakt, besloot ik om als ik voor mijn dertigste niet getrouwd was, in mijn eentje een huis te kopen. Hoewel ik het aan niemand vertelde gaf die gedachte in mijn achterhoofd me een gevoel van zekerheid; mijn leven leek daardoor minder iets waarop ik zat te wachten en meer iets wat ik zelf in de hand had. Als ik door Madison reed dacht ik soms: zo'n soort huis. Maximaal drie slaapkamers, een tuin maar niet te groot, in een straat met hoge bomen. Ook geen hoekhuis, want die zagen er te onbeschut uit. Als bibliothecaresse aan basisschool Theodora Liess verdiende ik netto achthonderddrieëndertig dollar per maand en zodra ik mijn besluit had genomen, zette ik elke maand tweehonderd dollar op een spaarrekening; elke laatste zaterdag van de maand stortte ik 's ochtends het geld bij het filiaal van de Wisconsin State Bank & Trust bij mij in de buurt.

Ik weet niet precies wanneer ik een makelaar zou hebben gebeld – op de dag dat ik dertig werd? De dag erna? Zo specifiek was mijn plan nooit geworden – maar het klopte uiteindelijk bij lange na niet, want twee maanden voor mijn verjaardag, in februari 1976, stierf mijn vader. Net als zijn eigen vader kreeg hij een hartaanval, en ofschoon mijn vader in de vijftig werd – twintig jaar ouder dan mijn grootvader was geworden – leek me dat ook toen al een twijfelachtig respijt. Nu lijkt het me natuurlijk helemaal geen respijt meer.

Op de dag van mijn vaders begrafenis sneeuwde het, en mijn moeder, grootmoeder en ik probeerden alle drie, omwille van elkaar en omdat we immers uit het Midden-Westen kwamen, stoïcijns te blijven; mijn moeder maakte zich ongerust, of deed alsof, over de vraag of de jurk van zwarte crêpe die ik bij Prange had gekocht warm genoeg was. Toen we weer thuis waren, ontvingen we stijfjes mijn moeders broers en zussen en hun wederhelften, die ik allemaal in geen jaren gezien had. Andere leden van de calvarie-lutherse kerk kwamen langs, en mijn vaders collega's van de bank; iedereen bracht bloemen of gerechten mee (vooral stoofschotels, al kwam de assistent-manager met een hele ham). En toen ze weg waren daalde er een stilte neer, nog versterkt door de sneeuw die was gevallen.

Ik moest die zondagavond terug naar Madison – de voorgaande week had ik voor drie dagen vervanging geregeld, maar de ochtend erna werd ik weer op school verwacht – en mijn moeder liep met me mee naar mijn auto, haar armen om zich heen geslagen tegen de kou, en toen ik me achter het stuur had geïnstalleerd, gebaarde ze dat ik het raampje omlaag moest draaien en zei: 'Doe je gordel om,' en ik zei: 'Ik heb hem al om.' Terwijl ik van haar wegreed, weg van het huis waar ik was opgegroeid, was ik eindelijk alleen en barstte in tranen uit. Tegen de tijd dat ik bij de snelweg was, was het opnieuw gaan sneeuwen, en hoewel het nergens op sloeg moest ik denken aan mijn vaders tips voor rijden in de sneeuw: *Langzaam rijden. Afstand houden van de auto voor je. Als je slipt, draai dan mee in de slip.* Toen ik de deur van mijn appartement in Madison openmaakte – ik woonde toen op de eerste verdieping van een huis in Sproule Street – hoorde ik de telefoon gaan, en toen ik opnam was het, zoals ik al wist, mijn moeder, die het afgelopen uur ongetwijfeld om de tien minuten had gebeld om te controleren of ik al was aangekomen. Mijn bovenrug, tussen mijn schouders, deed pijn van de spanning van het rijden en al het andere.

In de anderhalf jaar sinds mijn vaders overlijden was ik de meeste weekends naar Riley teruggegaan om te kijken of alles goed was met mijn moeder en grootmoeder. Gewoonlijk kwam ik elke zaterdag kort voor het middageten de oprijlaan op gereden, en een keer had ik een pizza voor hen meegebracht, maar in plaats van mijn moeder te bevrijden van de last van het koken, zoals mijn bedoeling was, leek dat haar zenuwachtig te maken. Dus tegenwoordig bracht ik alleen mezelf mee en soms wat wasgoed, en dan zaten we met ons drieën in de eetkamer een maaltijd te eten die me al ouderwets begon voor te komen: gehaktbrood met aardappelpuree, shepherd's pie. Ik nam me altijd voor om zondags na de kerkdienst te vertrekken (zonder enige discussie was ik na mijn vaders begrafenis weer begonnen naar de kerk te gaan, al deed ik dat voor mijn moeder en ging ik nooit in de weekends dat ik in Madison bleef), maar het idee om afscheid te nemen, terwijl ik voor me zag hoe ze die avond in de huiskamer zouden zitten, mijn moeder met een borduurwerkje bij de televisie, waar *60 Minutes* op te zien was, en mijn grootmoeder met een boek, maakte me altijd veel te bedroefd en uiteindelijk bleef ik dan nog een tweede nachtje slapen in mijn oude bed. De ochtend erop moest ik, als het tijdens het schooljaar was, rond zes uur opstaan om terug naar Madison te gaan en me om te kleden voor het werk. De Interstate 94 lag er dan donker en grotendeels verlaten bij, een stel vrachtwagens en ik.

Ik neem aan dat het door dat alles kwam dat ik pas in de zomer van 1977 naar een koophuis begon uit te kijken. Mijn makelaar bleek een vrouw te zijn, Nadine Patora, levendig en volslank en ruim tien jaar ouder dan ik. Gezien het feit dat ik maar een klein huisje kon kopen – meer dan veertigduizend dollar kon ik echt niet betalen – had ze meer geduld met me dan ik reëel gesproken mocht verwachten. Begin juli hadden we al meer dan dertig woningen bezocht en er was er maar een bij waar ik serieus over had nagedacht, een klein, bakstenen bungalowtje in de wijk Nakoma, maar na een paar dagen wikken en wegen had ik geen bod uitgebracht. Ik wilde liever een huis waar ik echt van hield, waar ik met liefde voorgoed wilde blijven en waar ik eindeloos veel energie in wilde stoppen, dan een dat alleen maar aan de eisen voldeed. Anders kon ik net zo goed blijven huren. 'Ik wed dat je met mannen net zo kieskeurig bent,' zei Nadine met een schalks glimlachje terwijl we op een zondagmiddag naar een huis reden dat open dag hield.

Ik lachte. 'Dat verklaart dan zeker waarom ik nog vrijgezel ben.'

'Nee, het is juist goed.' Nadine boog zich naar me toe en klopte op mijn knie. Ze was gescheiden en had twee tienerdochters. 'Neem dat maar aan van iemand die genoegen nam met de eerste de beste.'

De meeste huizen die we gingen bekijken leken in de folders die Nadine me liet zien best aantrekkelijk, maar ik wist al op het moment dat ik er binnen stapte, en soms al van buitenaf, dat het niets was: de ramen waren te klein of ze hadden een deprimerend keukentje, of er hing een zure lucht in de kamers en ik wilde niet het risico lopen dat die niet tegelijk met de huidige bewoner verdween. Dus toen Nadine me de donderdag na Onafhankelijkheidsdag belde en zei: 'Ik heb jouw nieuwe thuis gevonden,' geloofde ik haar eerlijk gezegd niet.

Het was een klein vrijstaand huis met twee slaapkamers in een straat die McKinley heette, niet zo mooi als waar ik op dat moment woonde, maar ik zou me een soortgelijk huis in mijn huidige buurt waarschijnlijk niet kunnen veroorloven. En er hing een aangename sfeer in McKinley Street, dacht ik meteen toen Nadine en ik de hoek om kwamen en een man passeerden die zijn hond uitliet, en twee kinderen in zwemkleding die onder een tuinsproeier door stoven. Het huis waarvoor we parkeerden had witte dakspanen, een smalle veranda en, zoals ik zag toen we naar binnen gingen, een woonkamer met vensternissen waar je in kon zitten en een keuken die klein en ouderwets, maar heel licht was. Nog voor ik bewust dacht dat ik daar wel zou willen wonen, merkte ik dat ik me voorstelde waar ik bepaalde meubels zou neerzetten en me afvroeg of mijn ronde ontbijttafel wel in de keuken zou passen, en tegen welke muur ik mijn hoofdeinde zou zetten in de grote slaapkamer boven. Het huis stond leeg – ik luisterde maar half naar het ingewikkelde verhaal dat Nadine vertelde over de eigenaar, dat hij zes maanden geleden naar Tennessee was verhuisd maar het huis pas deze week in de verkoop had gedaan. Ik gluurde achter het douchegordijn en maakte alle kastjes open; ik liep de trap af naar de kelder. De doorslag gaf een klein eikenhouten kastje op de overloop, schouderhoog, met een klink die je kon dichtdraaien. Het had ongeveer de grootte van een medicijnkastje dat je achter een badkamerspiegel aantreft, maar dan iets dieper – te klein om linnengoed, schoonmaakmiddelen of iets echt praktisch in op te bergen. Het leek een plekje om liefdesbrieven, geheime amuletten of snuisterijen te bewaren.

Eenmaal weer in Nadines auto zei ik: 'Ik wil het.'

'Tjonge, wat zijn we ineens resoluut.'

'Je had gelijk,' zei ik. 'Het is perfect.'

'Oké dan.' Nadine leek er schik in te hebben. 'Als je zeker weet dat je er niet eerst een nachtje over wilt slapen, hoeveel bied je?'

De vraagprijs was achtendertigduizend vierhonderd. 'Zevenendertig?' zei ik aarzelend.

Ze schudde haar hoofd. 'Tweeëndertig. Jij gaat omhoog, hij gaat omlaag en jullie komen uit in het midden.' Ze wierp een blik op haar horloge – het was donderdagmiddag, iets voor vijven. 'Geef je hem vierentwintig uur?'

'Mogen we hem wel dwingen zo snel te beslissen?'

'We kunnen er ook achtenveertig van maken, als je dat liever hebt.'

'Nee, vierentwintig zou fantastisch zijn. Ik wil hem alleen niet opjagen.' In feite was vierentwintig uur beter; ik zou zaterdag naar Riley gaan en ik wilde beslist niet met Nadine telefoneren waar mijn moeder en oma bij waren. Ik had hun niet verteld dat ik een huis wilde kopen, omdat ik bang was dat mijn moeder zou proberen me geld toe te stoppen en ik betwijfelde of ze dat na mijn vaders dood wel kon missen. Ik was van plan het hun te vertellen zodra het allemaal rond was, als ik hun niets hoefde voor te spiegelen maar hen in plaats daarvan in Madison kon uitnodigen, hun het huis kon laten zien en kon zeggen dat het van mij was. We zouden met z'n drieën citroenlimonade drinken op de veranda voor het huis, dacht ik – nou ja, ervan uitgaand dat ik eerst een paar terrasstoelen kocht.

'Opjagen, ammehoela!' zei Nadine. 'Je biedt de man geld. De onderhandelingen zullen heus nog wel het hele weekend duren, maar ik zal kijken wat ik kan doen.' Ze sloeg met haar vuist zachtjes tegen mijn schouder. 'Best spannend, hè? Duimen maar, mop.'

Die avond, zo'n twintig minuten nadat ik het licht had uitgedaan om naar bed te gaan, ging de telefoon, en ik dacht meteen dat het Nadine was die nu al antwoord had gekregen, maar toen ik de hoorn opnam zei een veel vertrouwdere stem: 'En je waagt het niet om niet naar de barbecue van de Hickens te gaan.'

'Dena, ik dacht dat je vanavond een afspraakje had, anders had ik je wel gebeld om je te vertellen dat ik een bod heb gedaan op een huis.'

'Heb je eindelijk iets gevonden dat aan je strenge eisen voldoet? Kanonnen – laten we het gaan bekijken!'

'Niet nu,' zei ik snel. 'Dan worden we nog gearresteerd voor huisvredebreuk.' Inmiddels zat ik aan de keukentafel – in de keuken stond mijn telefoon – in mijn witte, mouwloze nachthemd. Ik sliep al zo'n beetje sinds in juni de vakantie was begonnen in de huiskamer. Het was nog geen halfelf, zag ik op de wandklok, dus ik kon Dena niet echt op haar donder geven omdat ze zo laat belde. Ze dreef toch al de spot met me omdat ik zo vroeg naar bed ging, en mijn gebruikelijke argument – dat ik 's ochtends op tijd naar school moest – voldeed niet omdat het vakantie was. 'Het is in McKinley Street,' zei ik. 'Misschien kunnen we er morgen langsgaan, al hoop ik niet dat dat ongeluk brengt, want ik heb nog geen reactie gekregen.'

Dena slaakte een overdreven zucht. 'Jij weet gewoon niet wat plezier maken is. En nu we het daar toch over hebben, ik kwam Kathleen Hicken tegen bij de supermarkt en ze zei dat jij tegen haar had gezegd dat je dit weekend naar huis ging. Alice, je kunt me niet in m'n eentje laten zitten met die mensen. Rose Trommler heeft de pest aan me.'

'Doe niet zo gek.'

'Al die vrouwen zijn vet, en hun mannen zijn saai.'

'Ten eerste is dat niet waar, maar als je er echt zo over denkt, waarom wil je er dan zo graag naartoe?'

'Ik moet wel,' zei Dena. 'Charlie Blackwell komt ook, en ik ben van plan hem te versieren.'

Ik lachte. 'Ik weet zeker dat je dat wel zonder mij afkunt.'

'Charlie *Blackwell*,' zei ze. 'Van dé Blackwells.'

'O, Dena, wil je je echt inlaten met die familie?' De Blackwells hadden, zoals iedereen in Wisconsin wist, fortuin gemaakt met vleesproducten. (Er stonden verschillende fabrieken in de buurt van Milwaukee, en naar verluidde kon je nu in het hele land bij iedere kruidenierszaak terecht voor Blackwell-worstjes – niet dat je die per se zou willen, dacht ik erachteraan. Ik was ermee opgegroeid, maar als volwassene vond ik ze nogal vet.) Harold Blackwell, de pater familias van deze generatie, was van '59 tot '67 gouverneur van Wisconsin geweest en had vervolgens in '68 een vergeefse gooi naar het presidentschap gedaan. Een week na een verkiezingsbijeenkomst op de Universiteit van Wisconsin waarbij een jonge vrouw met de naam Donna Ann Keske, een tweedejaars uit Racine, vanaf haar middel verlamd raakte toen de politie met geweld een einde maakte aan de protestdemonstratie, verscheen gouverneur Blackwell in het programma *Face the Nation* en noemde Vietnambetogers 'ongewassen en ongemanierd', waarmee hij een olifantshuid aan de dag legde die in normale omstandigheden al onhandig zou zijn geweest, maar in die roerige tijden ronduit harteloos was. Ofschoon Blackwell een republikein was en uit Wisconsin kwam, zou zelfs mijn vader hem niet hebben gesteund als hij niet vlak na de voorverkiezingen in New Hampshire uit de race om het presidentschap was gestapt: hij straalde iets minachtends uit, alsof hij de gemiddelde persoon niet slim genoeg achtte om op hem te stemmen. Nu had hij de politiek verlaten – ik had vaag het idee dat hij aan het hoofd stond van de een of andere universiteit, al had ik niet kunnen zeggen welke – maar een van zijn vier zonen was het jaar ervoor in het Congres gekomen voor Milwaukee. 'Weet je,' zei ik, 'als Charlie diegene van de gebroeders Blackwell is die ik denk, dan hebben Jeanette en Frank een paar jaar geleden geprobeerd een afspraakje tussen hem en mij te regelen. Maar misschien was dat een andere broer.'

'Ze probeerden een afspraakje met hem voor je te regelen en jij zei nee?' Dena klonk ongelovig.

'Ik was toen met Simon.' De waarheid was dat ik het waarschijnlijk sowieso zou hebben afgewimpeld; geld en republikeinen en worstjes leken mij nou niet echt een aanlokkelijke combinatie.

'Ed is degene die in het Congres zit, maar Charlie gaat zich ook kandidaat stellen,' zei Dena. 'Meer in het noorden, ik geloof in het district van Houghton. Het is nog geheim, maar Kathleen vertelde me dat hij zijn kandidatuur in de lente gaat bekendmaken. Vind je niet dat ik het recht heb om met een machtige man te trouwen?'

'Absoluut.'

Maar toen ze weer iets zei, klonk Dena minder zelfverzekerd. 'Alice, de Hickens en al die lui hebben hun oordeel over me al klaar. De enige reden dat Kathleen me heeft uitgenodigd is dat ik met jou bevriend ben. Ik heb je morele steun daar echt nodig.'

Dena was getrouwd geweest – haar ex was een oudere man, een reclamemaker die al twee huwelijken achter de rug had toen ze hem tijdens haar werk als stewardess voor TWA ontmoette. Ze hadden eind jaren zestig, begin jaren zeventig in Kansas City gewoond, en in 1975 – het huwelijk was kinderloos gebleven – waren ook zij gescheiden. Dena was toen naar Madison verhuisd en had het geld van de echtscheidingsregeling gebruikt om een winkel aan State Street te beginnen met kleding en accessoires voor modebewuste studentes: broeken met wijd uitlopende pijpen, broekpakken en minirokjes, doorschijnende sjaals en fluwelige handtassen, gehaakte stola's, prullaria met een etnisch tintje. Als ik de winkel binnen ging – 'D's' heette hij – voelde ik me altijd heel oud, en hoewel de spullen niet echt mijn smaak waren, kocht ik meestal iets.

Op mijn onbruikbare kledingaankopen na was het een groot plezier om Dena in de stad te hebben, met name omdat bijna iedereen van de universiteit met wie ik ooit bevriend was geweest, getrouwd was. Niet dat je geen vriendinnen kon zijn met een getrouwde vrouw, maar dat was niet hetzelfde, zij had niet zoveel vrijheid om af te spreken, zeker niet als ze kinderen had, en zelfs voor die tijd: zij had jou niet nodig, jij had behoefte aan vriendschap en voor haar was vriendschap iets bijkomstigs, een extraatje.

Maar Dena en ik belden elkaar vier keer per dag, soms zelfs een minuut nadat we hadden opgehangen als een van ons iets te binnen schoot wat we vergeten waren te vragen: 'Hoe heet die jongen in Salon Styles die jouw haar laatst geknipt heeft?' Of: 'Als je vanavond komt, neem je dan die elpee van de Carpenters mee?' Ze wipte even aan om haar outfit te showen voor ze naar haar afspraakje ging, of ze belde en zei: 'Ik heb zin om naar de bios te gaan,' en tien minuten later troffen we elkaar dan bij de Majestic. We maakten lange wandelingen op de zondagochtend – Dena ging ook niet meer naar de kerk, en we noemden die tochten onze 'gezondheidswandelingen', waardoor ze nét even meer klonken als een respectabele vervanging voor het gebed – en we aten regelmatig bij elkaar, waarna zij altijd een afzakkertje voorstelde en zeer misprijzend deed over mijn behoefte om naar huis en naar bed te gaan. Zij had veel vaker vriendjes dan ik; een keer vertelde ze me dat ze aan de pil was gegaan tijdens haar eerste week bij de TWA, de zomer waarin we van high school af kwamen, en er sindsdien niet meer mee was gestopt. Wat mijn eigen romantische afspraakjes betreft: kennissen probeerden me vaak te koppelen, en soms accepteerde ik zo'n afspraakje om niet onaardig te zijn, maar eigenlijk ging ik op zaterdagavond net zo lief met een vriendin naar een toneelstuk – Dena plaagde me ook met mijn vriendschap met Rita Alwin, een lerares Frans aan Liess die zwart was en ouder dan onze moeders – of bleef ik zelfs thuis met een boek. Mensen zoals de Hickens, die ik zo om de twee maanden zag, vormden een soort sociale kring; met veel van de vrouwen van die echtparen had ik op de meisjessociëteit gezeten aan de Universiteit van Wisconsin, met enkele van de mannen was ik naar corpsfeesten geweest (op een sterrenrijke avond aan Lake Mendota, in de lente van ons derde jaar, had Wade Trommler dronken en wel verkondigd dat hij mij als het ideale meisje zag), en na ons afstuderen hadden we contact gehouden, terwijl zij allemaal paren vormden en kinderen kregen. Toegegeven, mijn enthousiasme om met hen af te spreken fluctueerde al naar gelang ik hun speldenprikken vanwege mijn vrijgezellenstatus meer of minder goed kon hebben. Het verbaasde me altijd dat getrouwde mensen dachten dat ze over dat onderwerp iets nieuws tegen je te zeggen hadden, alsof je je, tot zij je erop wezen, nauwelijks bewust was geweest van het feit dat je ongetrouwd was.

'Sorry, Dena,' zei ik, 'maar ik heb Kathleen Hicken al verteld dat ik niet kan komen. Mijn moeder en grootmoeder verwachten me thuis.'

'Ga zondag,' zei Dena. 'Wat maakt dat nou uit, het is toch zomer.'

'Je hebt mij niet nodig op dat feest,' zei ik. 'Trek je halterjurkje aan en

Charlie Blackwell zal zijn ogen niet van je af kunnen houden.'

'Hoor eens,' zei Dena. 'Dit is niet voor onderhandeling vatbaar. Zaterdag om halfzes kom ik je ophalen.'

'Ik dacht dat de barbecue om vijf uur begon.'

'We komen modieus te laat. We gaan vieren dat je toetreedt tot de bezittende klasse.'

Tot zover was die zomer heel plezierig geweest. Het verdriet over mijn vaders dood was na anderhalf jaar milder geworden en had niet meer de rauwheid van de overrompeling. Bovendien had ik een doel voor ogen, en niet alleen wat betreft het zoeken van een huis; er was ook nog mijn bibliotheekproject.

Ik was in 1968 afgestudeerd aan de Universiteit van Wisconsin, had twee jaar lesgegeven – ik had groep drie, een uitgesproken onstuimige leeftijdscategorie – en was toen teruggekeerd naar de universiteit om bibliotheekwetenschappen te studeren. Wat ik had gemerkt in de tijd dat ik lesgaf, was dat mijn favoriete gedeelte van de schooldag het voorleesuur was: *Charlotte's web*, *Harold and the Purple Crayon*, *Blueberries for Sal*, de kinderen in kleermakerszit op de vloer, voorovergeleund met grote ogen vol spanning. Als ik bibliothecaresse zou kunnen worden, besloot ik, zou het één groot voorleesuur zijn. Nadat ik in 1972 mijn graad had gehaald ging ik aan het werk op basisschool Liess, en vijf jaar later, op mijn eenendertigste, was ik daar nog steeds.

Mijn project van die zomer was als volgt: ik maakte tien grote figuren van papier-maché van personages uit kinderboeken, waaronder Eloïse, het moeder- en babykonijntje uit *The Runaway Bunny* en Meneertje Nies uit de *Mr. Men*-reeks (voor de puntige uitsteeksels aan Meneertje Nies' bovenmaatse hoofd had ik kippengaas gebruikt). Ik had het idee vorig jaar in de herfst gekregen toen ik met Halloween een meisje uit mijn straat verkleed als Pippi Langkous zag lopen. In de lente had ik uitgeverijen aangeschreven om hun toestemming te vragen – zonder had het ook wel gekund, neem ik aan, maar ik gruwde van het idee dat ik als bibliothecaresse inbreuk zou maken op het auteursrecht – en begin juni had ik het materiaal ingeslagen. Mijn plan was om alle figuren tentoon te stellen in de boekenkasten van de bibliotheek of, in het geval van de indiaan uit *Paddle-to-the-Sea*, hangend boven de ingang in zijn kano.

De omvang van het project had me verrast – ik had verwacht dat het maar een paar weken in beslag zou nemen – maar hoe langer het duurde, hoe meer ik erin opging. Aanvankelijk werkte ik er in mijn woonkamer aan, maar de figuren begonnen zoveel ruimte in beslag te nemen, en ik wilde niet dat eventuele bezoekers (dat betekende vooral Dena) ze zouden zien voor ik ermee klaar was, dus had ik de vloer van mijn slaapkamer en zelfs mijn bed afgedekt met vetvrij papier en sliep ik op de bank in de woonkamer. Als ik aan het werk was droeg ik een denim rok en oude overhemden van mijn vader, omdat er vaak klodders van het meel-en-watermengsel op mijzelf terechtkwamen, en ik flink zweette omdat ik geen airconditioner had.

Elke ochtend voor het warm werd stak ik de campus over en liep ik langs Lake Mendota, waar de zon op het water fonkelde en de golven zachtjes tegen de oever klotsten (wandelingen in mijn eentje waren geen gezondheidstochten, dat waren gewoon wandelingen), en dan kwam ik thuis en werkte tot de lunch, of nog langer als Nadine geen huizen had die ze me wilde laten zien. Tijdens mijn wandelingen, en soms midden in de nacht, kreeg ik ineens een idee, bijvoorbeeld over hoe ik de wenkbrauwen van de onverschillige Pierre uit Maurice Sendaks boek realistischer kon maken (door een zwarte pruik aan stukken te knippen, want toen ik ze erop schilderde zagen ze er zo doods uit). Vroeg op de avond stopte ik dan met mijn werk en bereidde ik een tomatensalade met mais of ik grilde een kotelet, en na het eten ging ik met een biertje op de vensterbank van de slaapkamer zitten om mijn vorderingen te bewonderen. Ik had het met niemand over het project gehad, en soms vroeg ik me bezorgd af of andere docenten het niet vreemd of overdreven zouden vinden, maar als ik eraan dacht hoe de kinderen op de eerste schooldag de bibliotheek binnen zouden komen, was ik opgetogen.

Nadine belde vrijdag vroeg in de middag. 'De verkoper heeft een tegenbod gedaan; ben je bereid omhoog te gaan naar vijfendertighalf?'

Als ik een aanbetaling van twintig procent deed – en ik had de hypotheekadviseur gezegd dat ik dat waarschijnlijk zou kunnen opbrengen – dan zou dat eenenzeventighonderd dollar betekenen. 'Oké,' zei ik.

'Jeminee, jij bent veel te makkelijk. Wil je niet ook maar een ietsiepietsie afdingen?'

Ik lachte. 'Ik wil het huis.'

'Oké. Wacht even af.'

Twintig minuten later belde ze terug en zei: 'Mag ik je als eerste feliciteren met je eigen huis?'

Ik slaakte een kreetje.

'Kom anders even langs om de papieren te tekenen, en ik raad je aan voor het eind van de middag de inspecteur te bellen. Mag ik nog één suggestie doen?'

'Natuurlijk,' zei ik.

'Haal een fles champagne. Je hebt heel wat om naar uit te kijken.'

De volgende middag kwam Dena me ophalen voor de barbecue bij de Hickens, maar eerst reden we naar McKinley Street. In de auto zong Dena: '*Thuis, in m'n eigen huis op het land, waar des avonds het mereltje zingt...*' Toen ik haar wees waar ze moest parkeren, zag het huis er tegelijkertijd anders en hetzelfde uit als in mijn herinnering – het leefde meer, het was echter. Er stond een spar in de tuin en het gras was diepgroen; het huis was een wit blok, de houten vloer van de veranda aan de voorkant afbladderend kastanjebruin. Er was geen garage, alleen een oprit die bestond uit twee betonnen strips met gras ertussen. De wetenschap dat dit allemaal van mij zou zijn was overweldigend en opwindend. Ik had nog geen sleutels, maar Dena kon het niet laten om door de ramen naar binnen te gluren en de achtertuin in te lopen, die een beetje glooide.

'Leuk, hè?' zei ik.

Dena knikte heftig en zong: '*Waar het zonnetje vriendelijk naar je lacht, en maar zelden een lelijk woord klinkt.*'

Wij waren al laat op de barbecue, maar Charlie Blackwell was nog later, en Dena en ik zaten al in de achtertuin, naast elkaar op een picknickbank in het gras, toen hij uit de keuken achter uit het huis kwam en op het terras verscheen met in beide handen een sixpack bier. Hij droeg bootschoenen zonder sokken, een versleten kakikleurige korte broek, een riem met een rechthoekige zilveren gesp en een bleekroze overhemd dat – ik zag het van meters afstand – ooit van goede kwaliteit was geweest. Hij hield de sixpacks op oorhoogte, schudde ermee – niet zo slim met bier, dacht ik – en riep naar de aanwezigen in de achtertuin in het algemeen: 'Halló, jongens en meisjes!'

We waren met zo'n vijftien personen, en verschillende mannen liepen meteen naar hem toe; Cliff Hicken gaf hem een kameraadschappelijke klap op zijn schouder. Charlie opende een van de blikjes bier die hij bij zich had, en nadat hij het lipje met een knal had opengetrokken bruiste er wat bier omhoog en drukte hij zijn mond op het blikje en slurpte het schuim op. Daarna zei hij iets, en toen hij en de andere mannen in lachen uitbarstten, klonk zijn lach het hardste. Ik fluisterde tegen Dena: 'Hij is geknipt voor jou.'

'Ik heb toch geen lipstick op mijn tanden, hè?' Ze draaide zich naar me toe en ontblootte haar boventanden.

'Je ziet er fantastisch uit,' zei ik. Ze wachtte tien minuten om het er niet te dik bovenop te leggen, en ik keek toe hoe ze de tuin door liep en zichzelf als een geschenk aanbood aan Charlie Blackwell. De dag daarvoor was ik in de openbare bibliotheek geweest en had ik naar vermeldingen van Charlie in krantenartikelen gezocht – lang voor de komst van internet ging ik prat op mijn vermogen om informatie te vinden, mijn handigheid met naslagwerken en microfiches – en ofschoon ik weinig over Charlie zelf had opgeduikeld buiten zijn status als zoon van een voormalig gouverneur, was ik erachter gekomen dat hij, als Dena gelijk had en hij zich kandidaat wilde stellen in het district waarin Houghton lag, het moest opnemen tegen een gouverneur die er al veertig jaar zat.

Toen Dena weg was zei Rose Trommler, die naast Jeanette Werden tegenover me aan de picknickbank zat: 'Dena Cimino, dat is me een tante.' Cimino was nu Dena's achternaam, ze heette niet langer Janaszewski.

Alsof ik Rose verkeerd begrepen had, knikte ik en zei: 'Dena is de gezelligste persoon die ik ken. Ze is nog precies zoals toen we op de kleuterschool zaten.'

Rose en ik dronken allebei witte wijn; Jeanette was zes maanden zwanger en dronk geen alcohol. Rose boog zich naar voren. 'Ik mag het eigenlijk niet zeggen, maar word je soms niet knettergek van haar?' Rose en haar man woonden naast de Hickens. We hadden op de universiteit allebei in Kappa Alpha Theta gezeten en het was geen kwaad mens, maar roddelen kon ze.

'Niet meer dan zij waarschijnlijk van mij,' zei ik luchtig.

'Ze stort zich zo'n beetje boven op Charlie Blackwell,' zei Jeanette. 'Ik vraag me af of we hem niet moeten waarschuwen.'

Ik keek haar recht aan. 'Waarvoor?' vroeg ik met neutrale stem, en zij noch Rose zei nog iets. 'Ik wed dat hij best zijn eigen boontjes kan doppen,' voegde ik eraan toe.

'En jij, Alice?' Rose doopte een chipje in een kommetje uiendipsaus. 'Je hebt vast iemand op het oog.'

'Niet echt.' Ik glimlachte om te laten zien dat het me niet kon schelen. De grap was dat het me echt niet kon schelen, althans niet zoals zij dachten. Op mijn minst tolerante momenten dacht ik over deze vrouwen: *het is niet zo dat ik niet met jullie echtgenoten had kúnnen trouwen; het is dat ik niet wílde.* Maar getrouwde vrouwen die het idee konden bevatten dat een ongetrouwde vrouw zelf enige inbreng had gehad in haar vrijgezellenstaat, waren zeldzaam. Ik verschoof op de bank. 'Jeanette, klopt het dat jij en Frank de vierde juli in Sheboygan hebben gevierd? Dat moet geweldig zijn geweest.'

'Nou, je had het gevit van Franks moeder op Katie en Danny moeten horen, je zou denken dat ze nog nooit kinderen om zich heen heeft gehad.' Jeanette schudde haar hoofd. 'Het leek wel een plaat die bleef hangen: "Afblijven, niet zo rondrennen", maar waarvoor waren we anders gekomen dan om hen te laten rondrennen? En dan waren ze bij Frank thuis met zes opgroeiende kinderen, maar volgens hem was ze vroeger heel relaxed.'

'Wat lastig,' zei ik.

'O, Jeanette, maar jij hebt nog het geluk dat je andere volwassenen om je heen hebt,' zei Rose. 'Toen Wade en ik de kinderen meenamen naar La Crosse, was hij zo vaak uit vissen dat ik me net een weduwe voelde. Ik zei tegen hem: "Wade, als je niet oppast vergeet je zoon hoe zijn vader eruitziet."'

Jeanette grinnikte, en ik ook, om aardig te zijn, hoewel de opmerking me aan mijn moeder en grootmoeder deed denken – echte weduwen – en aan hoeveel liever ik met hen tweeën in het huis in Riley zou zitten in plaats van hier met deze twee vrouwen. Of ik had liever aan mijn figuren van papier-maché willen werken – ik was halverwege met Babar (de moeilijkheid zat 'm natuurlijk in zijn slurf) en was nog niet eens begonnen aan Yertle de schildpad – of in mijn eentje met pen en papier plannen zitten maken voor mijn huis.

'Alice, klopt het dat je niets serieus meer met iemand hebt gehad sinds die lange jongen?' zei Rose Trommler. 'Wat was zijn...'

'Simon.' Weer probeerde ik vriendelijk te glimlachen, en toen deed ik het, ik gaf haar wat ik wist dat ze wilde, een soort erkenning van mijn falen, in de hoop dat ze het onderwerp dan zou laten rusten. 'Tja, ik sta al een tijdje droog,' zei ik.

'Frank heeft een heel knappe collega op het kantoor van justitie,' zei Jeanette.

'Jeanette, da's niet aardig van je, Alice met een crimineel opschepen,' zei Rose.

Jeanette gaf haar een tikje. 'Je weet best dat ik dat niet bedoel. Hij is ook advocaat en hij heeft een supermooi huis in Orchard Ridge. Jij schrikt niet terug voor een leguaan, of wel, Alice?'

'Ik weet niet of ik wel het reptielentype ben.' Ik stond op. 'Ik ga even een wijntje inschenken. Wil een van jullie nog iets?'

'Als je terugkomt, herinner me eraan dat ik je over het nieuwe hoofd van Katies school moet vertellen,' zei Jeanette. 'Het is een lange, stevige vent en hij heeft een piepklein Chinees vrouwtje.'

Ik knikte herhaaldelijk en hield mijn lege glas omhoog als om te bewijzen dat ik niet wegliep omdat ik hen niet te pruimen vond.

Op het terras kwam ik langs Dena en Charlie Blackwell net toen Dena haar vingertoppen op zijn onderarm legde. Goed zo, dacht ik. Eenmaal in het huis ging ik naar het toilet op de begane grond, en op weg naar buiten botste ik bijna tegen Tanya op, de oudste van de twee dochters van de Hickens.

Ze hield een boek met een harde kaft omhoog. 'Wil je me dit voorlezen?' Het was *Madeline's Rescue*, waarin Madeline in de Seine valt en door een hond wordt gered.

Ik keek om me heen. Er stonden een paar volwassenen in de keuken, onder wie Kathleen Hicken, Tanya's moeder, maar we waren buiten hun gezichtsveld en ik betwijfelde of iemand mijn afwezigheid zou opmerken. 'Tuurlijk,' zei ik.

We gingen zitten op de bank in de woonkamer, Tanya naast me. Ze was een klein meisje met een blond pagekopje en grote bruine ogen. 'Weet je hoe ik heet?' vroeg ik. 'Ik ben Miss Alice. En jij bent Tanya, hè?'

Ze knikte.

'En hoe oud ben je?' vroeg ik.

'Vijf en een kwart.'

'Vijf en een kwart! Is je verjaardag dan soms in april?'

'Op 23 april,' zei ze. 'Lisa is op 4 januari jarig, maar zij is pas twee.' Lisa was de andere dochter van de Hickens.

'Mijn verjaardag is ook in april,' zei ik. 'Op de zesde, zeventien dagen voor de jouwe.' Ik sloeg het boek open en begon te lezen: 'In een oud huis in Parijs met een groot bordes...' Ik liet een pauze vallen. Tanya was dichter tegen me aan gekropen, alsof ze hoopte zo in het boek te kunnen klimmen. Het was een impuls die ik goed begreep. 'Ik wed dat jij weet wat er nu komt,' zei ik, en ik herhaalde: 'In een oud huis in Parijs met een groot bordes...'

'... woonden twaalf kleine meisjes in twee rijen van zes,' zei Tanya.

'Ze gingen het huis uit om kwart over negen/ In twee rechte rijen, bij zon en bij regen/ De kleinste van allemaal was...'

'... Madeline,' riep Tanya.

Ik sloeg de pagina om, er stond een illustratie op van Madeline die van de brug viel. 'O-o,' zei ik.

'Ze verdrinkt niet,' zei Tanya geruststellend.

We lazen door en toen we bij de volgende bladzijde kwamen zei Tanya: 'Ze noemen de hond Geneviève.'

Ze bleef dat soort commentaar geven, ofwel haar mening ofwel een toelichting – 'de dikke dame is gemeen', 'Geneviève krijgt puppy's' – en toen we bij het eind waren zei ze: 'Lees je het nog eens voor?'

Ik keek op mijn horloge. 'Oké, maar daarna moet ik weer naar buiten, met de grote mensen praten. Jouw vader grilt het vlees op de barbecue, toch?'

'Ik krijg vissticks met tartaarsaus.'

'Dat klinkt heel chic,' zei ik.

Alsof ze me op mijn gemak wilde stellen, ervoor wilde zorgen dat ik me niet geïntimideerd voelde, zei Tanya: 'Nee hoor, tartaarsaus is net zoiets als mayonaise,' en ik besloot dat ik haar daardoor nóg leuker vond.

We waren bijna voor de tweede keer door *Madeline's Rescue* heen toen Charlie Blackwell in de deuropening verscheen. Ik keek op, maakte oogcontact, glimlachte en las verder. Uitleg leek me overbodig bij wat Tanya en ik aan het doen waren, en daarbij was ik van mening dat het geheim van omgaan met kinderen – tenminste, afgaand op het gedrag van sommige ouders leek het een geheim – erin lag dat je normaal met ze praatte. Dat je je niet door een ander liet afleiden, niet over hun hoofd heen een act opvoerde waarbij zij als rekwisiet fungeerden, en ze ook niet verwende en steeds maar hun zin gaf. Dat je hun aandacht gaf, maar niet buitensporig veel.

Charlie ging echter niet weg. Ik voelde hoe hij daar naar ons stond te kijken, en toen we bij de laatste bladzijde kwamen zette hij zijn blikje neer en applaudisseerde. Dit applaus overstemde het geluid van het windje dat Tanya liet, en daar was ik blij om, want ze leek me ondanks haar leeftijd wel zo zelfbewust dat een wind laten in aanwezigheid van een grote, onbekende man haar misschien in verlegenheid zou hebben gebracht. 'Ik moet naar de wc,' mompelde ze en ze gleed van de bank af en stoof langs Charlie Blackwell de deur uit.

'Jaag ik haar weg?' Hij had een wat lijzig accent, niet het vlakke accent van Wisconsin, maar iets wat tegelijkertijd nasaler en beschaafder klonk.

'Volgens mij moest ze ergens naartoe,' zei ik.

'Dan ben ik bang dat je geen excuus meer hebt om je te verstoppen.' Hij nam een slok bier en glimlachte breed.

'Ik verstop me niet. We waren een verhaal aan het lezen.'

'Ah, zo.' Hij was onmiskenbaar knap om te zien, maar zijn houding was vrijpostig op een manier die me niet aanstond: hij was ruim één meter tachtig, met een atletisch voorkomen en een beetje zonverbrand, hij had dik, droog, golvend lichtbruin haar van het soort dat zou blijven zitten als hij met zijn hoofd schudde; het was aan de zijkanten korter geknipt en had meer volume bovenop. Ook had hij guitige wenkbrauwen en een haviksneus met brede neusvleugels, alsof hij ze de hele tijd opensperde. Daardoor had hij iets ongeduldigs, waarvan ik me kon voorstellen dat het zijn status in de ogen van sommige mensen vergrootte door de suggestie dat hij andere, interessantere bestemmingen had om naartoe te gaan, dat zijn aandacht voor jou beperkt zou zijn.

'Soms vind ik het gezelschap van kinderen te verkiezen boven dat van volwassenen,' zei ik droog.

'Touché.' Hij leek helemaal niet beledigd – hij grijnsde nog steeds – maar ik had meteen spijt omdat ik wist dat ik onbeleefd was geweest. 'Misschien heb ik in het gezelschap van volwassenen niet altijd zoveel te melden,' zei ik.

'Dat ze niets te melden hebben zal de meeste mensen niet tegenhouden.' Hij keek kwajongensachtig. 'Mij niet, althans.'

Zijn zelfspot verraste me en ik glimlachte. Terwijl ik opstond om terug naar de tuin te gaan, zei ik: 'Ik heb me nog niet voorgesteld. Alice Lindgren.'

'O, ik weet wie je bent. Dacht je dat ik de naam vergat van een meisje dat geen afspraakje met me wilde?'

'Ik heb geen...' Ik viel stil, verward. 'Dat was jaren geleden. Ik was toen met iemand. Het was niets persoonlijks.'

'Ik dacht dat je misschien een vreselijke roddel over me had gehoord. Of beter, een vreselijke waarheid.' Hij grijnsde; hij was duidelijk gewend om charmant te worden gevonden.

'Als er over jou vreselijke waarheden de ronde doen, kun je daar maar beter iets aan doen voor je je kandidaat stelt.' Ik kon wel doen alsof mijn neus bloedde en ik niet wist wie hij was, maar daar zag ik het nut niet van in. Iedereen op die barbecue wist wie hij was, of we hem nu wel of niet eerder hadden ontmoet. En hij wist dat wij dat wisten; anders had hij zich wel voorgesteld toen ik dat deed.

'Voor ik me kandidaat stel, hè?' zei hij. 'Het nieuws verspreidt zich snel.'

'Madison is een kleine stad.'

'Toch hebben wij elkaar niet eerder ontmoet. Hoe verklaar je dat dan?'

Ik haalde mijn schouders op. 'Woon je hier dan al zo lang? Ik had de indruk... komt jouw familie niet uit de buurt van Milwaukee?'

'Au contraire, mademoiselle. Ik ben een geboren en getogen Madisonner. Ik heb op Duncan Country Day de kleuterschool en groep een van de lagere school gevolgd en ben hier teruggekomen voor een deel van groep acht.'

'O, ik geef les aan Liess,' zei ik. 'Ik ben daar de bibliothecaresse.'

'Aha! Ik vond al dat je gezag uitstraalde bij het voorlezen. Die kleine van Cliff en Kathleen wist precies wie ze moest hebben, hè?'

'Geloof je nu dat ik me niet verstopte?'

'Een jongen uit mijn straat zat op Liess,' zei Charlie. 'Norm Barker, maar we noemden hem Ratje. Goeie jongen. Spierwit gezicht en een bibberig, roze neusje, maar een goeie jongen. Ik geloof niet dat ik 'm nog ben tegengekomen sinds 1952.'

'Ik vermoed dat de school sinds Ratjes tijd wel is veranderd.'

Charlie grijnsde. 'Niet meer zo lelieblank, bedoel je?'

'Niet echt.' Er viel een stilte en ik neem aan dat het was om die te vullen – om te voorkomen dat Charlie zou denken dat er iets mis was met het feit dat Liess niet lelieblank was (ik wist niet of hij dat zou denken, maar ik wilde het niet riskeren) – dat ik zei: 'Ik heb gisteren een huis gekocht.'

Hij trok zijn wenkbrauwen op. 'Serieus? Jij alleen, niet...?' Niet bepaald discreet wierp hij een blik op de ringvinger van mijn linkerhand.

Ik negeerde de vraag. 'In McKinley Street. Ken je die ijzerwinkel, Roney's? Een paar straten daarachter.'

'Gefeliciteerd! Ook voor jou een stukje van de Amerikaanse droom!' Hij stak zijn linkerhand omhoog om me een high five te geven; om het gebaar te beantwoorden moest ik naar hem toe lopen, wat ik met enige gêne deed. Onze handen sloegen stevig tegen elkaar aan, een lekkere klap, en hij zei: 'Verkeert het in goede staat? Leidingen, dak en de hele mikmak?'

'Het lijkt in orde, al is de inspecteur nog niet langs geweest.' Ik tikte met mijn knokkels tegen het deurkozijn. 'Even afkloppen.'

'Als je op problemen stuit, wil ik er best naar kijken.' Hij zweeg even. 'Niet dat ik iets van onderhoud afweet, maar ik probeer indruk op je te maken. Lukt dat een beetje?'

Hoewel ik moest lachen, kreeg ik een beklemmend gevoel in mijn maag. Nee. We waren op deze barbecue omdat Dena geïnteresseerd was in Charlie Blackwell, niet ik.

En toen zei hij: 'Mag ik je uitnodigen voor een etentje komende week om te toosten op het leven, de vrijheid en het streven naar tien procent hypotheekrente – kun je dinsdag?'

'O, zo erg is het niet meer met de rente,' zei ik. 'Hij ligt dichter bij de zeven procent.'

'Wat, is die andere vent nog in beeld?' Zijn stem bleef enthousiast, maar ik kon merken dat hij van slag was omdat ik zijn uitnodiging niet meteen aannam – ik merkte het aan de manier waarop zijn mondhoeken een beetje zakten. 'Moet ik hem voor een duel uitdagen, bedoel je dat?'

Ik wilde Charlie Blackwell helemaal niet kwetsen. Ik probeerde zo oprecht mogelijk te klinken toen ik zei: 'Helaas heb ik het de komende weken erg druk – een heleboel lesplannen te maken.'

'Kun je niet wat overtuigenders bedenken? Lesplannen in juli, jezus, zeg dan meteen dat je je haar nog moet wassen.'

'Het is niet vanwege jou,' zei ik. 'Echt niet.' We stonden maar een paar meter van elkaar af, en ik had op dat moment zin om mijn hand tegen zijn wang te leggen. Hij was kwetsbaarder, minder zelfingenomen dan ik aanvankelijk had gedacht. Toen overbrugde ik daadwerkelijk de ruimte tussen ons in, maar het enige wat ik aanraakte was zijn elleboog, door zijn roze oxford-overhemd heen. Zo vlak bij hem ademde ik zijn schone, zeepachtige warmte in, die geur van bier en zomer die om hem heen hing. Ik hield mijn hoofd schuin. 'Zullen we teruggaan naar de anderen?'

Ik had gedacht dat ik kort na het eten zou weggaan, maar we begonnen aan een spelletje charade dat langdurig en erg leuk was, en toen, net voor de laatste beurt van mijn team, kwam Dena dicht tegen me aan staan, met haar mond aan mijn oor, en zei: 'Ik moet overgeven.' Ik trok haar arm rond mijn nek en sloeg mijn eigen arm rond haar middel en voerde haar snel mee het huis in; bij de twee treetjes omhoog naar het terras struikelde ze een beetje, en ik hoopte maar dat de andere gasten opgingen in het spel. Het was negen uur geweest, de temperatuur lag nog steeds boven de vijfentwintig graden en het begon nu pas donker te worden. Er waren muggen, maar Kathleen Hicken had een paar citronellakaarsen aangestoken die ze min of meer op afstand hielden.

In de badkamer op de begane grond deed ik de wc-bril omhoog en zei: 'Ga erboven hangen.' Dena was echter al ruggelings op de grond gaan liggen met haar hoofd zo ver mogelijk van de wc vandaan. 'Kom op, Dena,' zei ik. 'Je moet wel meewerken.'

'Hoe komt het toch dat we eenendertig zijn en allebei geen man of kinderen hebben?' lalde ze. 'Ik had intussen dríé kinderen moeten hebben. Mindy en Alexander en... hoe wilde ik die derde ook weer noemen?'

'Ik weet het niet meer,' zei ik.

'Zég dat toch niet!' Ze was net zo nukkig als mijn leerlingen uit groep een en twee als ze te lang niets hadden gegeten. 'Je weet het heus wel!'

'Tracy?' zei ik.

'Tracy is geen bijzondere naam.'

'Dena, als je moet overgeven, moet je boven het toilet hangen. Kun je mijn hand vasthouden, dat ik je omhoogtrek?' Dena had al een paar beurten overgeslagen bij het charadespel, maar desalniettemin was ik verbaasd dat ik buiten niet had gemerkt hoe dronken ze was. In een zeldzaam moment van gehoorzaamheid stak ze beide armen op en ik trok haar overeind. 'Schuif op je achterste naar voren,' zei ik.

'Jij bent nog niet één keer getrouwd,' zei ze.

'Weet je, Dena, daar voel ik me prima bij.'

Ze keek me glazig aan. 'Maar je bent wel zwanger geweest. Wou je wel eens dat je de baby had gehouden?' Pas een paar jaar eerder had ik Dena uiteindelijk verteld over mijn abortus van zo lang geleden; zij was de eerste aan wie ik het ooit heb verteld, en ze leek er veel minder betekenis aan te hechten dan ik. Ze zei: 'Bij TWA kende ik een meisje dat er drie had gehad.'

In de badkamer van de Hickens zei ik: 'Dena, wil je dat ik je help of hoe zit het?'

'Heb ik je ooit verteld dat toen je met Simon was, ik hem altijd voor me zag met een heel lange, dunne penis? Omdat hij zo'n lange bonenstaak was, weet je wel.'

Dit was in feite niet geheel bezijden de waarheid, maar dat ging ik haar echt niet aan haar neus hangen.

Ze vervolgde: 'Is jou ooit opgevallen dat Rose Trommler elke keer dat we haar zien óf tien kilo is aangekomen, óf afgevallen?'

'Ze ziet er inderdaad nogal zwaar uit vanavond,' gaf ik toe.

'Net Superman die de telefooncel in gaat. Ze loopt de kamer uit met maatje vierendertig, en ze komt terug met maat veertig.' Dena boerde, en ik zat zo dicht bij haar gehurkt dat haar warme, zure adem in mijn gezicht blies.

'Hallo zeg. Kun je een beetje uitkijken? Moet ik buiten wachten?'

'Hier komt-ie,' zei ze en eindelijk leunde ze goed over de rand van de wc. We zwegen allebei.

Misschien was er een minuut voorbijgegaan toen ik zei: 'Theresa. Dat is de naam voor je andere dochter. Het schoot me zojuist te binnen.'

Dena leek op het punt te staan om antwoord te geven, maar in plaats daarvan boerde ze opnieuw, een kleiner boertje dat onevenredig klein leek als voorbode van de monsterlijke golf met brokjes die uit haar maag kwam. Ik hield haar haar naar achteren en wendde mijn blik af tot het braken een einde nam. Mijn werk met kinderen had me minder teergevoelig gemaakt – ze staken de hele tijd hun groezelige handjes naar je uit en hadden aan de lopende band ongelukjes – maar sommige dingen bleven gewoon walgelijk. Vooral bij een volwassen vrouw.

Ik trok door, en nadat het water tot stilstand was gekomen, spuugde Dena er een paar keer in. Haar stem was neutraal, al wat nuchterder, toen ze zei: 'Charlie Blackwell moet me niet.' Ze stond op, draaide de kraan open, hield een hand als een kommetje onder de waterstroom en bracht hem naar haar mond. Toen ze had geslikt, zei ze: 'Hij lijkt eerder een vent die je aan de oostkust zou kunnen tegenkomen dan iemand van hier. Erg met zichzelf ingenomen.'

'Ik heb hem net even gesproken,' zei ik.

'Weer een zaterdagavond door de plee gespoeld, hm?' Ze glimlachte bijna, maar niet helemaal.

'Dit is niet het moment om je leven te analyseren,' zei ik. 'Laat me de Hickens even gaan bedanken en dan gaan we naar huis.'

'Ik moet even liggen.' Ze maakte de badkamerdeur open en ik volgde haar naar de woonkamer. Het Madeline-boek lag nog op de bank, en ik legde het op een voetenbankje. Ik was liever samen weggegaan dan af te wachten tot Dena onder zeil was, waardoor we er naar mijn gevoel allebei niet zo fraai op kwamen te staan.

Maar Kathleen Hicken leek bijna gevleid toen ik haar in de keuken vertelde dat Dena zich niet goed voelde en op de bank lag. 'Dat moet wel een teken zijn dat het een geslaagd feestje was,' zei Kathleen.

'Ik geef haar een halfuur,' zei ik.

'O joh, laat haar hier tot morgenochtend.' Kathleen zwaaide met een hand door de lucht. 'Je wilt haar toch niet in je eentje in bed zien te werken?'

'Echt?' Ik beet op mijn lip. 'Als je het echt niet erg vindt, kan ik lopend naar huis gaan en jou haar autosleuteltjes geven zodat ze die morgenochtend heeft.'

'Een wekker zal ze in elk geval niet nodig hebben.' Kathleen veegde de bar af met een doekje. 'De meiden zorgen wel dat ze wakker is voor de haan kraait.'

In de tuin leek het feestje tot een eind te komen. De meeste mensen stonden, sommigen waren al vertrokken, en ik voegde me bij de andere vrouwen die de met botten overladen plastic borden, kommen chips, lege wijnglazen en bierblikjes naar binnen brachten. Een paar minuten later, toen ik Kathleen Hicken ging bedanken voordat ik vertrok, zei ik: 'Weet je het zeker van Dena?' en ze zei: 'Maak je geen zorgen, Alice.'

Daarna bedankte ik ook Cliff, pakte mijn tas, keek even bij Dena – ze lag op haar zij te snurken – en liep de voordeur uit. Ik woonde een dikke kilometer ten westen van de Hickens. Ik was nog niet bij de volgende zijstraat toen ik snelle voetstappen achter me hoorde. Ik keek om en zag Charlie Blackwell. 'Je houdt het voor gezien?' vroeg hij.

'Volgens mij was het zo goed als afgelopen,' zei ik.

'Zit wat in. Wil je een lift?'

Er waren wel veel insecten buiten. Ik probeerde zijn gezicht te peilen, dat in het licht van de straatlantaarn een paar meter verderop tegelijk verhit en vaal was.

'Hoeveel heb je gedronken?' vroeg ik.

'Je bent wel direct.'

Sinds high school had ik nooit in een auto gezeten met iemand achter het stuur die ook maar aangeschoten was. 'Weet je,' zei ik, 'ik loop wel. Maar het was leuk je te ontmoeten.' Toen ik me weer omdraaide liep Charlie nog steeds naast me.

'Je moet me op zijn minst met je mee laten lopen. Er zijn grenzen aan het aantal afwijzingen dat een man op één avond aankan, Alice.'

We liepen verder en hij zei: 'Jij bent zo te zien niet bang in het donker?'

Ik wierp hem een zijdelingse blik toe. 'Maak je een grapje?'

'Ik zal je een geheim vertellen, maar je moet me beloven dat je het niet doorvertelt. Beloof je dat?' Zonder op antwoord te wachten zei hij: 'Ik ben als de dood in het donker. Ik besterf het. Mijn ouders hebben een buitenhuis in Door County en ik eet liever mijn schoen op dan dat ik daar alleen de nacht doorbreng.'

'Waar ben je zo bang voor?'

'Dat is het 'm juist – je hebt geen idee wat zich buiten schuilhoudt! Maar hé, weet je? Nu ben ik niet bang, en dat komt doordat jij naast me loopt. Zo tenger als je bent, lijk je me toch een bijzonder doortastende vrouw. Als er iets vreselijks op ons pad zou komen, weet ik zeker dat je er korte metten mee zou maken.'

'Ben je altijd zo kwistig met complimentjes aan het adres van vrouwen die je nauwelijks kent?'

'Nauwelijks kent? Goeie hemel, ik dacht dat we intussen oude vrienden waren.' Hij bracht zijn hand naar zijn hart alsof hij gewond was, en herstelde zich daarop vliegensvlug. 'Kijk eens wat ik weet: nummer een, je hebt zojuist een huis gekocht in je eentje, wat betekent dat je onafhankelijk en financieel draagkrachtig bent. Nummer twee, je bent je papierwerk voor school al in orde aan het maken terwijl het pas juli is, wat betekent dat je verantwoordelijkheidsgevoel hebt. Of liegt, maar ik geef je het voordeel van de twijfel.' Voor elk punt stak hij een vinger op. 'Nummer drie, je bent een kei in charade.' Dat was niet waar; met name mijn vertolking van *The Sound of Music* was tenenkrommend. 'Nummer vier, óf je hebt een vriend maar doet alsof dat niet zo is vanwege mijn waanzinnige aantrekkingskracht, óf je hebt geen vriend en probeert mijn gevoelens te sparen. Welke van de twee het ook is, dit zijn uitdagingen die ik graag aanga. Conclusie: ik weet alles van jou.' Terwijl we liepen voelde ik dat Charlie met een brede glimlach naar me keek. 'Ik begrijp je, ik voel aan dat er een lange, gelukkige toekomst voor ons twee ligt, en ik weet zeker dat jij het ook voelt. O, maar je moet wel van honkbal houden – hou je van honkbal?'

'Ik ben niet echt een verstokte fan.'

'Dat word je wel.' Charlie zwaaide een denkbeeldige honkbalknuppel door de lucht. 'De Brewers beginnen eindelijk iets voor elkaar te krijgen. Een boel jong talent in het team; let op mijn woorden, dit zou wel eens een topseizoen kunnen worden.'

'Eerlijk gezegd,' zei ik, 'was de enige reden waarom ik vanavond naar het feestje van de Hickens ben gegaan, Dena te helpen jouw aandacht te trekken.'

'Dena?' Hij klonk perplex. 'Je bedoelt die gescheiden dame?'

'Wie heeft je dat verteld? Nee, laat maar – je bent al even erg als Rose en Jeanette. Dena is een fantastisch mens. Ze heeft meer dan vijf jaar als stewardess gewerkt en heeft het hele land over gereisd.'

'Toch kan ze nog steeds niet tegen een drankje.'

'Ze had niet veel gegeten,' zei ik. 'Daar kwam het door.'

'Ik kan je wel vertellen,' zei hij, 'als je in haar gezicht kijkt, zie je dat ze er flink op los heeft geleefd, maar wie ben ik om daar iets op aan te merken? Ze leek me heel aardig. Maar ze komt niet over als een geschikte huwelijkskandidate voor een rijzende ster van de Republikeinse Partij, als je begrijpt wat ik bedoel.'

Zijn arrogantie had echt iets eigenaardigs; die was amusant en tegelijkertijd irritant. 'Ik ben lid van de Democratische Partij,' zei ik. 'Dat is wellicht iets wat je in je dossier over mij wilt opnemen. En ik moet zeggen dat je opmerkelijk veel zelfvertrouwen hebt voor iemand die het gaat opnemen tegen een man die het ambt al veertig jaar bekleedt.'

In plaats van beledigd leek Charlie verrukt. 'Het is altijd prettig als iemand haar huiswerk heeft gedaan. Weet je wie me wel een ideale huwelijkskandidate lijkt?' Hij wees naar mij.

'Je bent niet wijs,' zei ik.

'Hoe is het mogelijk dat een vrouw zo... zo scháttig als jij nog niet is weggekaapt?'

‘Misschien wil ik niet worden weggekaapt,’ zei ik. ‘Is dat wel eens bij je opgekomen?’ Het behoeft geen betoog dat ik het maar al te graag wilde: ik wilde trouwen en ’s nachts met een man in bed slapen, ik wilde hand in hand door de stad lopen, de gerechten voor hem bereiden die voor één persoon te veel gedoe waren – braadstuk, lasagne, ik wilde kinderen, en ik wist dat ik een goede moeder zou zijn, niet perfect maar goed, en ik had al besloten dat mijn dochters hun haar niet langer dan tot de kin mochten laten groeien omdat ik bij mijn leerlingen had gezien hoe ijdel ze daarvan werden, het onderhoud van iemands lokken als project voor het hele gezin. Toch, ondanks dit alles, schonk het me voldoening tegen Charlie Blackwell te liegen.

‘Ga me niet vertellen dat je zo’n feministe bent,’ zei hij. ‘Dat kan niet, daar ben je veel te knap voor.’

Ik staarde hem aan. ‘Daar ga ik niet eens op reageren, en eerlijk gezegd zie ik niet in wat mijn liefdesleven jou aangaat.’

‘O, dat gaat mij absoluut aan. Het gaat mij aan omdat ik door jou behekst ben.’

Voor een deel was hij zo frustrerend omdat zijn opmerkingen zo dicht benaderden wat ik van een man wilde horen, maar dan gemeend. Ik hunkerde naar echte gevoelens, niet dit gescherts en geplaag.

Toen we aankwamen bij het huis waar ik woonde zei Charlie: ‘Ik vind dat je me hoort uit te nodigen voor een kop koffie. Het gerucht gaat dat ik dronken ben.’

Ik schudde geërgerd mijn hoofd en liet hem achter me aan het halletje in en de gestoffeerde trap op naar de eerste verdieping. Hij stond achter me terwijl ik de deur van mijn appartement openmaakte. In de keuken liep ik naar het koffiezetapparaat toen hij zei: ‘Heb je misschien bier? Als het jou niet uitmaakt, heb ik dat liever.’

Ik haalde twee blikjes Pabst uit de koelkast en gaf hem er een. Toen we ze hadden geopend, hield hij zijn blikje omhoog naar het mijne. ‘Op Alice,’ zei hij. ‘Een vrouw vol deugd en schoonheid met een uitstekende smaak voor alcoholische versnaperingen.’

‘Heeft iemand wel eens tegen je gezegd dat je niet van ophouden weet?’ vroeg ik, en vol afgrijzen keek ik toe hoe hij de keuken uit liep, de gang door, naar de slaapkamer waar ik aan mijn boekfiguren werkte.

‘Daar niet naar binnen...’ begon ik, maar hij liep een heel stuk voor me en luisterde klaarblijkelijk niet. Trouwens, de deur stond open. Toen ik hem inhaalde stond hij midden in de kamer en draaide zich rond om de figuren van papier-maché een voor een te bekijken.

'Ze zijn voor de bibliotheek waar ik werk,' zei ik, en mijn stem klonk luid in de stilte. Ik had geen idee hoe hij op de figuren zou reageren, zelfs niet hoe ik wilde dat hij zou reageren. Ik hield mezelf voor dat hij niet tot de doelgroep behoorde. Een volle minuut bleef hij zwijgen, en toen zei hij op volkomen serieuze toon: 'Ze zijn schitterend.'

Ik slikte.

'Ik herken Ferdinand.' Hij wees naar de stier met een bloemenkrans rond zijn hoorns. 'En dat is Mike Mulligan met zijn graafmachine Mary Anne.'

'De schaal klopt niet helemaal,' zei ik.

'Ik was smoorverliefd op Mary Anne.' Hij grinnikte. 'Ik wist gewoon dat ze die kelder in één dag af zouden krijgen. O, en Eloïse – haar vond ik altijd een trut.'

'Meisjes vinden haar aardiger dan jongens.'

'Wie is dat?' Hij gebaarde met zijn kin naar een van de hoeken, waar lichtgroene bladeren – ik had ze uit een rol felgekleurde zijdeachtige stof geknipt – boven een bruine stam hingen.

'De Gulle Boom,' zei ik. 'Dat is een boek dat uitkwam toen wij op high school zaten, aangenomen dat... hoe oud ben je eigenlijk?'

'Eenendertig,' zei hij. 'Uit de klas van 1964.'

'Ik ook. Dat is het jaar waarin *De gulle boom* uitkwam. Het is mijn lievelingsboek. Ik heb het zeker zeventig keer gelezen, en aan het eind moet ik nog altijd huilen.' Alleen al bij het beschrijven van het boek hoorde ik dat mijn stem dik werd van ontroering, en ik schaamde me ervoor.

'Waarom zou je zeventig keer willen huilen?' zei Charlie, maar op een lieve toon, niet spottend. Hij gebaarde naar rechts. 'Wie is die Chinees?'

'Dat is Tikki Tikki Tembo. Hij is een jongetje dat in een put valt, en iedereen die hulp voor hem probeert te halen moet zijn naam herhalen, die heel lang is. Tikki Tikki Tembo is in feite de verkorte versie. Zijn hele naam is... geloof me, hij is echt lang.'

'Nu moet je hem ook zeggen.'

'Echt?'

Hij knikte.

Ik haalde diep adem. Ik praatte zelden over mijn werk als ik een afspraakje had – al was dit natuurlijk geen afspraakje. 'Tikki Tikki Tembono sa rembo-chari bari ruchi-pip peri pembo,' zei ik, en toen ik klaar was, lachten we naar elkaar.

'Nog eens,' zei hij. Dat deed ik, en hij zei: 'Bijzonder indrukwekkend.'

Ik maakte een buiging.

'Die kinderen aan wie je lesgeeft zijn vast stapel op je,' zei hij.

'Ach, ik heb het goed bekeken. In junior high beginnen kinderen tegen hun leraren te rebelleren, maar op de lagere school vechten ze om bij je op schoot te mogen zitten.'

Hij nam me op – hij stond nog steeds midden in de kamer, ik net voorbij de deuropening – en de enige omschrijving die ik kan bedenken voor de uitdrukking op zijn gezicht is 'betovering'; ik had geen idee waarom, maar Charlie Blackwell vond me betoverend. En met een plotselinge steek van zowel verdriet en wroeging als een eerste aanzet van hoop, besefte ik dat niemand zo naar me had gekeken sinds Andrew Imhof. De laatste veertien jaar was ik met allerlei mannen uit geweest, ik had relaties gehad en zelfs een huwelijksaanzoek, maar er was niemand die ik betoverd had.

'Alice, wat zou je doen als ik je nu kuste?' zei Charlie.

We keken elkaar aan en de kamer was gevuld met verlegenheid en belofte. Na enige tijd zei ik: 'Als je daarachter wilt komen, zul je het moeten proberen.'

Ik had Simon Törnkvist in een schoenenwinkel ontmoet toen ik zesentwintig was; hij kocht klompen en ik Dr. Scholl-sandalen. Hij was één meter vijfennegentig en slank, droeg een goudomrand John Lennonbrilletje met ronde glazen en had sluik blond haar, een vlassige blonde baard, een neerhangend linkeroog met vlak ernaast een litteken dat van het uiteinde van zijn jukbeen tot vlak onder zijn oor liep en een geamputeerde linkerhand. Zijn verwondingen had hij opgelopen in Vietnam, wat ik al vermoedde voor hij het me vertelde. Aangezien hij linkshandig was geweest, zag zijn handschrift er kinderlijk uit; daar kwam ik later achter.

Terwijl we in de winkel zaten te wachten tot de verkoper met de schoenen terugkwam, maakte ik een opmerking over het voor maart ongewoon warme weer. Nadat we onze aankopen hadden gedaan, stonden we op het trottoir voor de winkel verder te praten. Er gingen misschien tien minuten voorbij, en toen hield hij zijn linkerarm omhoog. Hij droeg een roestkleurig velours overhemd met lange mouwen, en de mouw was onder zijn elleboog dubbelgevouwen en op de schouder vastgespeld. Hij zei: 'Stoort dit je?'

'Nee,' zei ik.

'Heb je dan zin om een keer naar de film te gaan?'

We gingen naar *The Godfather*, en ik zorgde ervoor dat ik rechts van hem zat, voor het geval hij mijn hand wilde pakken, maar dat deed hij niet. Naderhand aten we in een café in Doty Street, en hij zei dat hij de film overgewaardeerd vond, al legde hij niet uit in welk opzicht. Hij was een jaar jonger dan ik – dat verbaasde me, want als ik mensen ontmoette had ik de dwaze neiging aan te nemen dat degenen die korter waren dan ik jonger waren, en degenen die langer waren ouder – en hij werkte als vervoerscoördinator bij een loodgietersbedrijf terwijl hij college liep aan de universiteit. Hij had nog niet beslist welk hoofdvak hij zou kiezen, maar zat te denken aan filosofie of politieke wetenschappen. Hij was opgegroeid in een peulvruchtenkwekerij bij Oshkosh.

Ik vond onze conversatie niet erg interessant, maar voelde de hele tijd een soort innerlijke huivering, alsof mijn ribben op het punt stonden ineen te klappen en ik me hevig moest concentreren om ze recht te houden. Ik herkende dit gevoel: fysieke aantrekkingskracht. Simon bracht me naar huis (ik had me afgevraagd of hij op zijn stuur zo'n handvat had dat we als kind 'vrijhendel' noemden; Dena's opa, die zijn rechterhand had verloren bij een tractorongeluk, had er zo een – maar Simon niet, en hij kon perfect sturen met één hand), en voor mijn deur schoof ik naar hem toe en gaf hem een kus op zijn wang. Ik had nog nooit eerder de eerste stap gezet, maar het feit dat Simon een beetje jonger was gaf me moed.

Hij leek verrast maar ontvankelijk, en we kropen tegen elkaar aan, hij sloeg zijn rechterarm om me heen en ik hoopte dat hij ook zijn linkerarm op me zou leggen, de stomp, maar dat deed hij niet. Ik weet nu – toen wist ik dat niet, maar jaren later las ik er een artikel over – dat er amputatiefetisjisten bestaan, en hoewel het ontkennen van een dergelijke neiging in mezelf nogal defensief aanvoelt, geloof ik oprecht niet dat het dat was. Als ik terugkijk, besef ik dat ik me niet tot hem aangetrokken zou hebben gevoeld als hij die verwondingen niet had gehad. Maar het waren niet de verwondingen op zich. Het was dat als hij zijn handloze arm op mijn rug zou leggen, dat een gebaar van vertrouwen zou zijn, hij zou zich kwetsbaar opstellen om dichter bij me te kunnen komen, en dat zou mij de kans geven te bewijzen dat ik het door hem genomen risico waard was. Onbevooroordeeld zou ik voor hem zorgen.

In weerwil van de vraag die hij voor de schoenenwinkel had gesteld, leek Simon zelf helemaal niet zo met zijn verwondingen te zitten. Hij had ook littekens, zoals ik in de loop van onze volgende paar afspraakjes zou ontdekken, links op zijn borst. In het begin van de winter van 1970 was zijn compagnie in de provincie Phuoc Long onder vijandelijk vuur komen te liggen, en hij was geraakt door een raketgranaat. Hij deed hier heel nuchter over, zoals over vrijwel alles; meer dan eens noemde hij de Vietnamoorlog 'volksverlakkerij', maar hij gaf maar zelden, en altijd heel bondig, lucht aan zijn politieke opvattingen. Hij was zeker niet de eerste persoon van wie ik wist dat hij in Vietnam had gevochten. Meer dan tien jongens uit mijn klas in Benton County Central High School waren er geweest, en Bradley Skilba was in september 1968 omgekomen in Tay Ninh, drie maanden nadat we van school kwamen; in 1969 was Yves Haakenstad teruggekomen in een rolstoel, vanaf zijn middel verlamd; Randall Larson was in 1970 ten noordoosten van Katum omgekomen. Soms dacht ik erover hoe anders alles zou zijn geweest als Andrew Imhof er ook naartoe was gegaan – niet uitgesloten – en als hij in Vietnam was omgekomen in plaats van bij het kruispunt van de De Soto Way en Farm Road 177. Waarschijnlijk zou dat gemakkelijker zijn geweest voor zijn familie, stelde ik me voor; het zou als een eervolle tragedie hebben aangevoeld en niet als een zinloos verlies. Het zou zeker gemakkelijker zijn geweest voor mij, zonder dat verstikkende schuldgevoel. Maar ik zou hem toch missen, hij zou toch weg zijn, en in zekere zin zou het erger zijn te weten dat het in een ander land was gebeurd, zo ver van huis; uiteindelijk leek het me niet echt een beter verdriet.

De eerste vrijpartijen met Simon waren verhit en langdurig en nieuw en opwindend. Na Pete Imhof had ik het alleen met Wade Trommler gedaan, met wie ik tijdens college twee jaar iets had gehad; hoewel we het hadden uitgemaakt toen ik zijn huwelijksaanzoek afsloeg, de zomer voor ons laatste studiejaar, zou ik Wade altijd dankbaar blijven voor zijn vriendelijkheid en tederheid, voor het feit dat hij zo anders was dan Pete. In de periode sinds Wade had ik af en toe wat losse afspraakjes gehad, en vaak had ik het gevoel gehad dat bepaalde mannen me zouden hebben uitgevraagd als ik ze had aangemoedigd. Maar die mannen kwamen op mij in het algemeen onschuldig, jongensachtig over, net als Wade.

In mijn laatste jaar op high school was ik opgehouden het huwelijk te zien als iets waar ik van nature recht op had. Ik zag mezelf niet zonder meer als iemand die het verdiende, en ik geloofde niet langer dat het universum voor me zorgde. Daarbij was het zo dat ik niet met een man wilde trouwen tenzij ik hem mijn ware gezicht kon tonen – ik had geen zin om iemand te misleiden – maar kon ik me dat bij de meeste mannen niet voorstellen, omdat dan duidelijk zou worden dat ik ingewikkelder in elkaar zat dan ik leek. Hoewel de gedachte aan de moeite en uitleg die daarbij zouden komen kijken me ontmoedigde, werd ik er ook rustig van. Ik wrong me niet in allerlei bochten zoals andere vrouwen die ik kende, paniekerig op zoek naar de ware Jakob. Ik accepteerde dat de komende jaren zich op hun eigen manier zouden ontwikkelen, dat ik maar een paar aspecten ervan onder controle had. Alleen blijven leek me geen verschrikkelijk lot, zeker niet erger dan een relatie hebben met de verkeerde persoon.

Toen ontmoette ik Simon, een variant waarop ik niet was voorbereid. Hij vertegenwoordigde noch eenzaamheid noch nepgeluk, maar een derde mogelijkheid, een verlossende verbintenis. Dit leek me na volkomen geaccepteerd worden en iemand anders volkomen accepteren het op een na beste. Ik sta nog steeds half achter dat idee, al zie ik bijna alles wat ik verder dacht over Simon, over mijn vermogen om voor hem te zorgen, nu als fout en ijdel.

Onze relatie duurde elf maanden; in die tijd woonden we tweeënhalve kilometer van elkaar en zagen we elkaar tweemaal per week. Ik had het druk met lesgeven, hij liep college en werkte bij het loodgietersbedrijf, maar dat was eigenlijk al een teken aan de wand: het was niet zozeer dat ik bewust geen zin had om voor hem mijn dagplanning op zijn kop te zetten, maar eerder dat de gedachte niet eens bij me opkwam. Hoewel hij een getrouwde jongere zus en een geestelijk gehandicapte jongere broer had en bij zijn ouders op de boerderij woonde, heb ik met geen van zijn familieleden ooit kennisgemaakt. Na drie maanden nam ik hem echter wel op een zondag mee naar Riley voor de lunch. Hoewel het onderwerp Vietnam niet ter sprake was gekomen, schudde mijn vader aan het einde van ons bezoek zijn hoofd en zei: 'Van jongemannen zoals jij moet dit land het hebben.' In de auto terug naar Madison zei Simon: 'Je vader is pijnlijk naïef.'

Was ik een soort robot? Dat vraag ik me nu af, niet alleen met betrekking tot dat moment, waarop ik niet reageerde, maar ten aanzien van mijn hele periode met Simon. Maar het leek op een relatie, het had alle contouren en rituelen daarvan, dus wie was ik om te zeggen dat het dat niet was? Woensdags kookte ik voor hem, zaterdagsavonds gingen we altijd naar de film in de Majestic (hij was naast Rita Alwin, de lerares Frans, de enige die ik nooit hoefde over te halen om naar een buitenlandse film te gaan), en na de film gingen we naar mijn huis en vreeën we voor hij rond middernacht naar huis ging. Na die eerste paar keer kwam ik niet klaar bij Simon, maar dat euvel schreef ik eerder toe aan overmatige opwinding in een vroeg stadium mijnerzijds dan aan een daaropvolgend falen van zijn kant. Al snel wenden we aan elkaar en hij was wel humeurig, maar die humeurigheid was een sturende kracht; het hem naar de zin maken was een mooie taak. En dat dacht ik niet vanwege algemene man-vrouwopvattingen, niet echt. Ik dacht het omdat ik ik was, en hij hij.

Mijn ouders leken verheugd. Mijn moeder ging niet zover dat ze rechtstreeks vroeg wanneer we ons gingen verloven, maar ze zei dingen als: 'Wat denk je, als papa Simon aan een baantje bij de bank zou kunnen helpen, zou hij daarin geïnteresseerd zijn?' Of: 'Ginny Metzger vertelde me dat Arlette een bruidsjurk met echte kant had gevonden voor zeventig dollar, in een bruidsboetiek in Milwaukee.' Mijn grootmoeder daarentegen zei niet meer dan: 'Hij heeft wat van Mr. Lloyd, vind je niet?' Dat was een verwijzing naar de losbandige tekenleraar met één arm uit *The Prime of Miss Jean Brodie*, en ik wist dat dat betekende dat Simon een ongunstige indruk op mijn grootmoeder had gemaakt. Hoe ongunstig had ik een paar maanden niet in de gaten.

Met Kerstmis dat jaar – het was 1973 – stond ik in de kamer van mijn grootmoeder een blouse te strijken terwijl zij op bed zat te lezen toen ze zei: 'Je kunt echt niet trouwen met die vriend van je.' Ze keek me niet eens aan terwijl ze sprak.

Ik draaide me om. 'Bedoel je Simon?'

'Hij is een spelbreker.'

Ik stond perplex. 'Oma, hij heeft veel meegemaakt.'

Ze schudde haar hoofd. 'Ik zeg niet dat hij geen narigheid heeft meegemaakt, maar ik heb zo het vermoeden dat hij als kind al een spelbreker was.'

'Wil je zeggen dat ik het uit moet maken?'

Mijn grootmoeder dacht over die vraag na en zei toen: 'Ik geloof het wel.'

Ik zweeg.

'Nu Dena in Kansas City zit, moet er toch iemand zijn die je ongezouten haar mening geeft,' zei mijn grootmoeder. 'Wees niet beledigd. Ik heb het beste met je voor.'

'Misschien wil je gewoon niet dat ik trouw,' zei ik, en wat ik er níét achteraan zei was 'met een man'. Mijn grootmoeder en ik spraken nooit over Gladys Wycomb, zelfs niet voor of na mijn grootmoeders bezoekjes aan Chicago. Na alles wat in de herfst van 1963 was gebeurd hadden mijn grootmoeder en ik stilzwijgend vrede gesloten – ik had veel aan haar te danken – en in de loop der tijd was onze omgang genormaliseerd. Maar het was een normaliteit die af en toe wat aandacht en behoedzaamheid nodig had. Ik probeerde minder te oordelen en wat respectvoller en omzichtiger te zijn dan ik als tiener was geweest, en het feit alleen al dat ik dat probeerde maakte duidelijk dat het tussen ons nooit meer als vanzelf zou gaan.

'Waarom zou ik niet willen dat je trouwt?' zei mijn grootmoeder schamper. 'Dat is belachelijk. Het huwelijk is geen picknick, maar het is beter dan het alternatief. Ik zal je eens vertellen wat er mis is met je vrijer. Twee dingen.'

Ik verkeerde in tweestrijd: ik was geneigd haar tegen te houden voor ze verder kon gaan, maar ik was ook heel nieuwsgierig naar haar mening.

'Ten eerste,' zei ze, 'is hij saai. Er zit geen pit in. Nu trouwen er massa's vrouwen met een saaie man, maar jouw Simon is ook niet aardig, en dat is een vreselijke combinatie. Trouwen met een man die saai en aardig is, is prima, of met een man die wreed maar fascinerend is – sommige mensen houden daar wel van. Maar trouwen met een man die oersaai én onaardig is, dat is een recept voor ongeluk.'

Terwijl ik haar aanhoorde voelde ik dat mijn gezicht begon te gloeien, en dat kwam niet door het strijkijzer. 'Je kent hem nauwelijks,' zei ik.

'Ik heb een scherp oog voor menselijk gedrag. Jij aanbidt die jongeman, en hij is een kouwe kikker. Luister, als jij ervoor kiest om met hem te trouwen zal ik met een glimlach in de kerk zitten, omdat ik weet dat het een beslissing is die je met wijd open ogen hebt genomen. Maar als ik er nooit iets van had gezegd, zou ik me zitten afvragen of ik niet een heleboel hartzeer had kunnen voorkomen.'

'Nou, daar kun je nu niet meer van worden beticht.' Ik zei het op luchtige toon, ik wilde haar laten zien dat ik bereid was haar grove opmerkingen te vergeven, maar kennelijk wilde ze nog niet worden vergeven.

'Het is overduidelijk dat dit met die jongen van Imhof te maken heeft,' zei ze. 'Je wilt een dode jongen uitwisselen tegen een gewonde man, en als ik dacht dat dat zou lukken, zou ik het je laten proberen. Het is niet immoreel, maar wel onrealistisch. Ongelukken heffen elkaar niet op.'

Natuurlijk dacht ik dat ze het mis had wat Simon betrof. Ik was er eerst vrijwel zeker van, en toen wat minder naarmate de dagen verstreken en haar woorden in mijn hoofd bleven nagalmen; ik herinnerde ze me op een avond na een etentje in een Italiaans restaurant, toen ik op mijn tenen ging staan om Simon een kus te geven voor we in de auto stapten, en hij zijn gezicht wegdraaide en zei: 'Je stinkt naar knoflook.'

Toch bleven we elkaar tweemaal per week zien, en op een woensdagavond in mijn appartement, een maand voordat we een jaar samen zouden zijn, zei ik, terwijl ik kip in roomsaus stond op te scheppen: 'Zie jij ons trouwen?'

De damp sloeg van de kip af; Simon had zijn bril afgezet en wreef met een servet de glazen schoon. Hij keek op en zei: 'Niet echt.'

Ik wist op slag dat zowel het gesprek als onze relatie voorbij was, maar de situatie leek te vereisen dat ik doorvroeg.

'Ook al zijn we al bijna een jaar samen?'

'Ik weet niet of ik in het huwelijk geloof.' Hij zette zijn bril weer op. 'Het lijkt me een ten dode opgeschreven instituut. Maar ik weet wel dat ik beslist geen kinderen wil.'

Ik weet niet hoe ik op dat moment keek (hoe teleurgesteld en verbluft ik ook was, ik voelde me ook ronduit stom – had ik hier niet al maanden eerder achter moeten komen, had ik dit niet moeten nagaan?), maar Simon zei: 'Ik neem aan dat jij wel kinderen wilt.'

'Simon, ik sta voor de klas. Ik zou niet met kinderen werken als ik niet graag met ze omging.'

Hij legde zijn hand op de mijne. 'Laten we het hier een andere keer over hebben.'

Twee weken later zei hij aan de telefoon: 'Ik weet niet of we op lange termijn bij elkaar passen,' en ik zei: 'Ik denk dat je daar wel eens gelijk in zou kunnen hebben.' Op die manier voltrokken we misschien wel de meest bloedeloze relatiebreuk aller tijden. Toen ik de keer daarop thuiskwam zei mijn grootmoeder: 'Ik voel aan mijn water dat je de juiste beslissing hebt genomen.' Omdat ik niet wilde dat ze met me te doen had, knikte ik alleen maar en heb ik haar nooit verteld dat de beslissing nauwelijks van mijn kant was gekomen.

Omdat Charlie de avond ervoor tot laat in mijn appartement was gebleven, had ik zo weinig geslapen dat ik toen ik zondagsmiddags vroeg in Riley aankwam, duizelig, schuldbewust en uitgeput was; er was een klemmende hoofdpijn boven mijn ogen opgekomen.

Het viel me op dat de auto van mijn moeder, een crèmekleurige Ford Galaxie, niet op de oprit stond. Toen ik mezelf binnenliet, zat mijn grootmoeder op de bank in de woonkamer – mijn magere, leeftijdloze grootmoeder, op de been gehouden door een dieet van nicotine en literatuur – en ze stak me haar wang toe voor een kus. 'Ik denk dat je moeder een geheimpje heeft,' zei ze.

'Goed of slecht?'

Op mijn grootmoeders gezicht verscheen een uitdrukking van zowel concentratie als verwarring, het soort gezicht dat je trekt als je een specerij proeft waarvan je je de naam niet kunt herinneren. 'Ik geloof dat ze misschien een romance heeft met Lars Enderstraisse.'

'Meneer Enderstraisse de postbode?'

'Hij ziet er fatsoenlijk uit. Een beetje gezet, maar hij eet waarschijnlijk niet goed, omdat hij op zichzelf woont.'

'Denk je dat mam iets hééft met meneer Enderstraisse? Sinds wanneer?' Meneer Enderstraisse werkte al toen ik klein was op het postkantoor aan Commerce Street; hij was een aardig uitziende man met een walrussensnor en een kogelronde buik.

'Je hoeft je niet zo op te winden,' zei mijn grootmoeder. 'Je moeder is een volwassen vrouw en ze heeft ook recht op een pleziertje.'

'Maar hoe zeker ben je ervan?'

'Ze voert de laatste tijd lange telefoongesprekken, boven, ik neem aan om mijn pogingen tot afluisteren te dwarsbomen. En ze maakt mysterieuze uitstapjes. Als ik dan vraag waar ze is geweest, doet ze behoorlijk vaag.'

'Hoe past meneer Enderstraisse hierin?'

'Ze is nu naar hem toe. Hij heeft gordelroos, althans, dat beweert Dorothy, en ze is hem wat koude soep gaan brengen.'

'Maar als je weet waar ze is, is dat toch geen mysterieus uitstapje?'

Mijn grootmoeder fronste. 'Sla niet zo'n toon tegen me aan.'

'Ik bedoelde alleen...' Ik zweeg. 'Oma, ik heb misschien ook een romance.'

Ze veerde onmiddellijk op.

'Maar Dena had als eerste haar oog op hem laten vallen, dus ik weet niet wat ik moet doen. Ik vind hem echt heel leuk, al heb ik hem gisteravond pas leren kennen.'

'O, hemeltjelief.' Mijn grootmoeder sloeg haar benen over elkaar. 'Geef me een glaasje ijsthee als je wilt, en vertel me dan het hele verhaal.'

Ik schonk voor ons allebei ijsthee in uit de kan in de koelkast, bracht de glazen naar de woonkamer en vatte de gebeurtenissen van de vorige avond samen, waarbij ik Dena's dronkenschap en Charlies langdurige bezoek in mijn appartement slechts vluchtig aanstipte; zonder het met zoveel woorden te zeggen probeerde ik de suggestie te wekken dat we afscheid hadden genomen nadat hij me had thuisgebracht. Ik was echt niet zeker van mijn grootmoeders reactie, gezien haar genegenheid voor Dena. Hoewel ze nooit een bijzondere Dena-fan was geweest toen we nog kinderen waren, had mijn grootmoeder een zwak voor haar ontwikkeld in de zomer dat ik van de universiteit kwam. Dat was in 1968, en mijn grootmoeder had op een middag tegen me gezegd dat ze marihuana wilde uitproberen; ze hoorde er zoveel over. Ik had zelf nooit eerder weed gebruikt, en zonder al te groot enthousiasme benaderde ik Dena toen die de keer daarop in de stad was – als stewardess kon ze gratis naar Milwaukee vliegen en me dan in Madison komen opzoeken of naar haar ouderlijk huis in Riley gaan – en de keer daarop, toen mijn ouders naar een visbarbecue waren, zaten we gedrieën een joint te roken in mijn grootmoeders slaapkamer. 'Meisjes, al zie ik niet helemaal waar al die heisa goed voor is,' had mijn grootmoeder gezegd, 'ik dank jullie hartelijk voor het bevredigen van mijn nieuwsgierigheid.' Toen de joint op was stak ze een gewone sigaret op.

Nadat ik mijn beschrijving van mijn kennismaking met Charlie had voltooid, nam mijn grootmoeder een slok van haar ijsthee. 'Dat is inderdaad lastig voor Dena en jou.'

'Vind je dat ik niet meer met hem moet afspreken?'

Ze zette het glas op een kurken onderzetter op het bijzettafeltje. 'Ik zou niets overhaast doen. Kijk het even aan.'

'Ik weet niet eens of hij me gaat bellen, maar onze ontmoeting gaf me een hoopvol gevoel – ik kan het niet echt omschrijven.'

'Hij was goed gezelschap,' zei mijn grootmoeder.

Was het zo simpel? En zo ja, waarom voelde het dan zo apart? Buiten hoorde ik mijn moeders auto aankomen.

'Geen woord over Lars Enderstraisse.' Mijn grootmoeder kneep haar duim en wijsvinger tegen elkaar en ging ermee langs haar lippen. 'Mondje dicht.'

Die avond was mijn grootmoeder tegen acht uur naar boven gegaan en mijn moeder en ik zaten voor *De man van zes miljoen*, al keken we geen van beiden echt: zij zat een brillenkoker te borduren en ik bladerde door het laatste nummer van de *Vogue* van mijn grootmoeder. Tijdens een reclameblok draaide ik me naar haar toe. 'Mam, als je ooit weer een relatie wilt beginnen...'

Voor ik verder kon gaan, zei ze: 'Hoe kom je daar in 's hemelsnaam bij?'

'Ik zeg niet dat je het wel of niet moet doen, maar als je het zou doen... als je voelt dat je er klaar voor bent, zal niemand dat verkeerd vinden.'

'Alice, hoe zou je vader zich wel niet voelen als hij je zo hoorde praten?' Ze legde haar borduurwerkje neer en liep de kamer uit, en net toen ik me zat af te vragen hoe diep ik haar had beledigd, kwam ze terug met haar linkerhand tot een vuist geklemd. Nadat ze weer naast me op de bank was komen zitten, opende ze haar hand en liet een gouden broche zien. 'Kun jij deze voor me verkopen?'

De broche had de vorm van een boomtak, de blaadjes waren ingelegd met diamantjes en een kleine granaat, bedoeld als appeltje, of misschien als bes, hing eraan. Ik had het nog nooit gezien.

'Hij was van mijn moeder, maar ik kan er niets mee,' zei ze.

'Het is misschien toch wel fijn om als aandenken te houden.' Mijn moeder leek zo weinig tastbare herinneringen aan haar familie te hebben dat het moeilijk te begrijpen viel waarom ze er een weg zou doen. Ze gaf me de broche en ik raakte de granaat aan met mijn vingertop; hij was koel en glad. 'Je zou hem met Kerstmis naar de kerk kunnen dragen,' zei ik, en onverwachts barstte mijn moeder in tranen uit. 'Wat is er, mam?' Ik legde mijn hand op haar rug. Ik had mijn moeder niet meer zien huilen sinds mijn vaders dood.

'Ik heb er zo'n bende van gemaakt,' zei ze.
'Waar heb je het over?'
'Ik heb het vanaf het begin verkeerd ingeschat. Maar je wilt zo'n jongeman het voordeel van de twijfel geven, en ik dacht dat het misschien een kans was om een appeltje voor de dorst te creëren, niet alleen voor oma en mij maar ook voor jou, omdat je zo hard werkt op school. En hij zei dat het jaarlijks rendement opliep tot driehonderd procent.'
'Wie is hij? Begin bij het begin.' Hoewel mijn huid was gaan tintelen van ongerustheid, had ik het gevoel dat het belangrijk was dat een van ons kalm bleef. 'Ik wil je graag helpen, mam, maar ik moet eerst weten wat er gebeurd is.'
'Het was een jongen van ongeveer jouw leeftijd. Hij kwam langs en hij was heel aardig, heel intelligent.'
'En je hebt hem wat geld gegeven?' Ik deed mijn best om de emotie uit mijn stem te weren.
'Ik heb een verschrikkelijke fout begaan.' Ze werd weer overmand door tranen en ik zei: 'Het komt goed, mam. We komen er wel uit. Ik moet alleen weten, hoeveel heb je hem gegeven?'
'Van je vader – van zijn verzekering...' Haar stem klonk onvast.
De tinteling was veranderd in kippenvel over mijn hele lichaam. 'Geld van papa's verzekering?' vroeg ik, en ze knikte. 'Heb je hem alles gegeven?'
'O, lieverd, dat zou ik toch nooit doen.'
'Hoeveel dan?' Het verbaasde mezelf dat ik zo neutraal klonk.
'Hij vroeg eigenlijk tienduizend dollar, maar ik heb hem gezegd dat ik geen andere investeerders wilde aantrekken. Ik zei: "Ik weet niets over financiën en ik ga niet doen alsof dat wel zo is." Hij zei dat als ik een dubbele investering deed, hij een uitzondering voor me zou maken, omdat de meeste mensen anderen moeten aantrekken.'
'Dus je hebt hem tweemaal zoveel gegeven?'
Haar ogen stonden weer vol tranen, en ze zei: 'Alice, ik schaam me zo. Ik weet niet wat ik me in mijn hoofd heb gehaald... Ik wilde alleen...'
'Rustig maar, mam. Wat ik me afvraag, heb je iets gekocht? Waren het aandelen, onroerend goed, of een of ander product?'
'Het was een investeringsfonds.'
'Het is niet te hopen,' zei ik langzaam, 'maar was het misschien een piramidefonds?'

'O, zeker niet.' Voor het eerst in een paar minuten sprak mijn moeder met vaste stem. 'Nee, nee. Het was een investeringsfonds, en het geld zou terugkomen als er nieuwe deelnemers bij kwamen.'

'Dus misschien kómt er nog geld uit...'

Ze schudde haar hoofd. 'Hij kon niet genoeg mensen vinden om mee te doen, maar hij moest wel de administratiekosten betalen.'

'Wie is die vent? Dit klinkt bijzonder onfris.'

'Ik weet het, meisje. Ik wou maar dat ik die dubbele investering niet gedaan had, maar als ik mijn vrienden erin had betrokken, o, dan zou ik me nu nog veel beroerder voelen.'

'En behalve wat er van papa's verzekering over is, heb je nog ander spaargeld?'

'Hemeltje, Alice, oma en ik komen heus niet op straat te staan, daar hoef je niet bang voor te zijn. In het ergste geval kunnen we een tweede hypotheek op het huis nemen. Je weet dat papa's bank ons het gunstigste rentetarief zal geven, al zou ik ergens geneigd zijn om naar een ander te stappen om hem geen slechte naam te bezorgen. O, hij zou ontsteld zijn over wat ik heb gedaan.'

Een tweede hypotheek? Ik was er nog steeds niet achter wat ze over had aan spaargeld, en ik wist ook niet hoe hoog hun maandelijkse lasten waren, maar ik was bang dat als ik mijn moeder dwong om de bedragen te noemen, ze zou instorten.

'Je moet jezelf niet zo hard vallen, mam,' zei ik. 'Je probeerde alleen maar voor oma en jezelf te zorgen, en dat is precies wat papa zou willen dat je deed.'

'Hij was zo'n verantwoordelijke man. Weet je dat ik elke maand zijn halve pensioen krijg, en als ik tweeënzestig ben ook nog zijn ouderdomsuitkering?' Dat zou in 1987 zijn, wat zo ver weg leek dat ik er niet veel geruster op werd. 'Je moet er niets over tegen je oma zeggen,' zei mijn moeder. 'Op haar leeftijd mag ze geen zorgen hebben.'

'Goed, maar die investeringsvent zou zo te horen de gevangenis in moeten. Ik weet dat je je schaamt, maar ik vind dat je hem moet aangeven.'

Op dat moment gleed er een uitdrukking over mijn moeders gezicht waar iets in lag van geveinsde onschuld, iets wat ik nog nooit bij haar had gezien.

'Het is...' Ik aarzelde. 'Het is toch zeker niet iemand die we kennen?'

'Ach meisje, dat maakt toch niets uit.'

'Mam, je moet me zeggen wie het is.'

'Riley is zo'n klein stadje, je weet hoe de mensen praten,' zei ze, en ik bedacht dat ik een soortgelijke opmerking tegen Charlie Blackwell had gemaakt over Madison. Maar het gold veel en veel sterker voor Riley. 'Als we de broche hebben verkocht, zien we wel hoe we ervoor staan,' zei mijn moeder. 'Het is een victoriaanse, moet je weten, dus hij is veel waard. Als ik maar een beetje kan aanvullen wat ik heb verloren, doen we alsof het niet gebeurd is.'

'Mam, bij wie heb je dat geld geïnvesteerd?'

Ze leek helemaal niet boos, wat ik van mezelf niet kon zeggen; ze leek alleen verdrietig en moe. 'Ik wil niemand in de problemen brengen, begrijp je? Je mag het tegen niemand zeggen. Ik weet zeker dat hij het niet kwaad heeft bedoeld, hij was gewoon onervaren en heeft zichzelf overschat.' Ze leek nog een paar rationaliseringen te overdenken, maar ten slotte zei ze simpelweg: 'Het was Pete Imhof.'

Na een woelige nacht in het bed van mijn kindertijd at ik de eieren met spek die mijn moeder voor het ontbijt had gemaakt, en we deden alsof ons gesprek van de avond tevoren niet had plaatsgevonden; mijn grootmoeder lag nog boven te slapen. Toen ik mijn ontbijt op had las ik *The Riley Citizen*, en zodra mijn moeder de keuken uit was sprong ik op en schoof de la open waarin de telefoongids lag. Hij stond erin, met zijn telefoonnummer en een adres in Parade Street. Een paar minuten later ging ik te voet van huis; ik vertelde mijn moeder dat ik de middag ervoor toen ik Riley binnen reed in een van de etalages in het centrum een leuke blouse had gezien.

Aangezien het maandag was leek het weinig zin te hebben er voor vijf uur 's middags heen te gaan, maar ik was zo over mijn toeren dat ik liever niet bij mijn moeder of grootmoeder in de buurt wilde zijn. Ik zou eerst eens langs zijn huis lopen, dacht ik, kijken waar het precies was, en dan 's middags terugkomen om te zien of ik hem te pakken kon krijgen voor ik weer weg moest. Als ik hem niet kon spreken moest ik nog een nachtje blijven, waar ik weinig zin in had; naast andere redenen vroeg ik me onwillekeurig ook af of Charlie Blackwell zou bellen; als dat het geval was wilde ik in Madison zijn. (Het begin van een verliefdheid vóór het antwoordapparaat, voicemail en e-mail – wat curieus doet dat nu aan.)

Als er gedachten in me opkwamen aan Charlie, zoals in de afgelopen vierentwintig uur herhaaldelijk was voorgevallen, kreeg ik het gevoel van een klontje boter dat lag te smelten in een hete pan. Onze eerste kus had enkele minuten geduurd en uiteindelijk waren we zittend op de bank terechtgekomen en toen liggend, ik op mijn rug met mijn hoofd op de armleuning, en hij boven op me. We hadden gepraat en gepraat en gekust en gekust, zijn mond warm en nat en vertrouwd en nieuw, en soms hadden we elkaar gewoon aangekeken, onze gezichten belachelijk dicht bij elkaar, en geglimlacht. We waren allebei oud genoeg om te weten hoe onwaarschijnlijk het was dat dit lang zou duren of dat er iets uit zou voortkomen, maar waarschijnlijk genoten we er daarom des te meer van, het besef dat het misschien alleen maar voor deze paar uur zou zijn. Terwijl ik onder hem lag, voelde ik me enorm gelukkig.

Vlak na middernacht zei hij: 'Ik denk dat ik binnen nu en vijf minuten maar beter kan maken dat ik wegkom, voor ik mijn gentleman-act overboord gooi en je probeer te verleiden.'

Hoewel we allebei al onze kleren aanhadden, was mijn beha gaandeweg losgeraakt, en terwijl hij dat zei had hij een erectie. En natuurlijk konden we wel bij elkaar slapen, dat gebeurde in die tijd, het was 1977. In een toilettas in het kastje onder de wastafel van de badkamer lag een pessarium (niet afkomstig van Gladys Wycomb, maar een nieuwere versie), buiten gebruik sinds Simon. Maar dit was de eerste keer van mijn leven dat ik geneigd was met een man naar bed te gaan op de avond van onze kennismaking, en dan nog maar half – het zou een enorme sprong zijn over de normale eerste stadia van een verkering. Bovendien zou Dena nooit meer met me willen praten.

Een beetje opgelaten zei ik: 'Misschien moest je me maar een afscheidszoen geven en vragen of ik later deze week tijd heb.'

'Ho, wacht eens even.' Hij deed alsof hij geschokt was. 'Wil je me vertellen dat je toch een afspraakje tussen al die bibliotheekvoorbereidingen in kunt proppen?'

'Dat is niet aardig.' Ik draaide mijn hoofd opzij en beantwoordde zijn blik vanonder mijn wimpers. 'Ik wilde ja zeggen toen je het me daarstraks vroeg,' zei ik. 'Ik vond het alleen geen goed idee vanwege Dena.'

'Ik ben blij dat je daarop terugkomt.' Toen ik mijn hoofd weer omdraaide glimlachte hij breed, en de kracht van die glimlach was bijna genoeg om het idee van Dena's woede uit te wissen.

Maar hij vroeg me niet opnieuw voor hij wegging, we maakten geen vaste afspraak, en zodra hij weg was wilde ik dat we dat wel hadden gedaan. Ik dacht niet expliciet dat ik Charlie Blackwell graag mocht, maar het was hetzelfde als toen ik me afvroeg waar ik mijn meubels zou zetten in het huis in McKinley Street nog voor ik besefte dat ik dat huis wilde. Alleen, bedacht ik nu, hoe kon ik een huis kopen als mijn moeders financiële situatie zo precair was geworden? Zou ik mijn geld niet beter op de spaarrekening kunnen laten staan voor het geval de toestand nog erger was dan ik dacht?

En hoe moest het met Dena? Terwijl ik in oostelijke richting over Commerce Street liep, weg van de rivier de Riley, leek mijn bedrog veel groter nu Charlie er niet was om me af te leiden. Ik moest met haar gaan praten. Eerst moest ik bedenken wat ik zou zeggen, en dan moest ik met haar gaan praten. Nee, eerst moest ik erachter zien te komen wat het was met Charlie, of hij alleen maar een flirt was of dat we elkaar echt weer zouden zien; daarna moest ik bedenken wat ik tegen Dena zou zeggen, en dáárna moest ik met haar gaan praten.

Terwijl ik door Commerce Street liep, kwam ik langs de slagerij van de gebroeders Jurec, Grady's Tavern en bakkerij Stromond, waar je als je onder de twaalf was een koekje kreeg in de vorm van een hondenbot. In het pand waar ooit de stoffenwinkel had gezeten was nu een Chinees restaurant – een Chinees in Riley! – en ik had gehoord dat Ruth Hofstetter, het knappe winkelmeisje van de stoffenwinkel wier vrijgezelle status als aankomende dertiger onbegrip en medeleven had gewekt bij mijn moeder en mij, later eigenares van de winkel was geworden, voor ze die in zijn geheel had verkocht toen ze ging trouwen met een boer in Houghton, die weduwnaar was. Ruth was nu waarschijnlijk voor in de veertig, dacht ik, en het leeftijdsverschil tussen ons kwam me een stuk kleiner voor dan toen ik op high school zat en zij zeven- of achtentwintig was. Recentelijk was het bij me opgekomen dat ikzelf een man van in de veertig of zelfs in de vijftig zou kunnen trouwen, zoals ik bijna zeker wist dat Ruth gedaan had, vooral als ik niet binnen afzienbare tijd in het huwelijk zou treden. Maar het leek me niet zozeer laakbaar als wel bijzonder moeilijk voor te stellen. Hoe kon je, als het je eerste huwelijk was, met een oude man trouwen? Hoe kon je het meisje van je kindertijd nog in je meedragen, je fantasieën over satijnen jurken en witte lelies, maar je binden aan een bruidegom met vlezige handen, ouderdomsvlekken, dunner wordend grijs haar? Dick Cimino was achtenveertig toen Dena met hem trouwde, al was dat in haar geval ook zo'n beetje de opzet geweest, de ouwe bok en het groene blaadje, een suikeroompje om haar te overladen met geschenken en aandacht.

Het antwoord op de vraag hoe Ruth het had kunnen doen, was, neem ik aan, dat zij ook ouder was; als je met een oudere man trouwde, was jíj ouder en zag je er ouder uit. Je was niet zo anders dan hij. Of het was omgekeerd, hij had ook een jongere ik in zich, zijn kwabben en rimpels voelden aan als een pak.

Bij het kruispunt tussen Commerce Street en Colway Avenue merkte ik dat ik in een ander soort buurt kwam. Niet dat het er vervallen was, dat was het nergens echt in Riley, maar er waren meer huizen met afbladderende verf of sjofel meubilair op de veranda aan de voorkant. De zon had zich achter een wolk verscholen, maar het was nog steeds erg warm.

Ik liep Parade Street in en keek naar de huisnummers. Hij woonde in een gebouw van twee verdiepingen met gevelplaten van grijze kunststof; het was duidelijk als appartementencomplex gebouwd en nooit een huis geweest. Mijn hart klopte snel terwijl ik aan de voordeur voelde, die niet afgesloten was, en in een portaaltje kwam met grijze muren, een blauwe linoleumvloer en een houten trap met een doorzichtige plastic loper erop. De hal stonk naar verschaalde sigarettenrook. Zijn deur was verderop links op de begane grond, en net voor ik aanbelde bedacht ik dat hij waarschijnlijk toch thuis was, want als je zo sjofel woonde had je waarschijnlijk geen baan, en net toen ik dacht dat dat een snobistische gedachte van me was en ongetwijfeld ongegrond, deed hij open.

Hij leek verbaasd, maar op een ietwat geamuseerde manier, om me daar te zien staan. 'Alice Lindgren,' zei hij. 'Dat is lang geleden.'

Ik was wel nerveus maar ook boos, en mijn boosheid nam de overhand. 'Hoe kon je?' viel ik uit.

Hij glimlachte nota bene, wat me nog laaiender maakte. Hij droeg een wit onderhemd, afgeknipte jeans en slippers, en hij had een volle, donkere baard laten staan. Hij was misschien twintig kilo aangekomen sinds ik hem voor het laatst gezien had. (Een keer toen ik tijdens een vakantie van de universiteit met Betty Bridges een milkshake was gaan kopen bij Tatty's, had ik hem aan de andere kant van het restaurant aan de toonbank zien zitten met zijn rug naar ons toe, en ik had nauwelijks bewogen of gesproken tot hij een halfuur later was weggegaan. Behalve toen had ik hem in bijna veertien jaar niet gezien.)

Hij kuierde naar de bank waar hij kennelijk op had gezeten – de televisie naast me stond aan, er was een spelprogramma op, *The Price Is Right* (keek Pete Imhof naar *The Price Is Right*?) en op de salontafel voor de bank lag een gedeeltelijk ingevulde kruiswoordpuzzel uit *The Riley Citizen* met erbovenop een dwarsliggende vulpen zonder dop en een asbak met een zojuist uitgedrukte sigaret waar de rook nog vanaf kwam. Pas nadat hij een nieuwe had opgestoken, had geïnhaleerd en de rook door zijn neusgaten had uitgeblazen, zei hij: 'Zakelijke transacties gaan wel vaker mis.'

'Pete, het was duidelijk zwendel!'

'Sinds wanneer ben jij een expert op het gebied van vermogensbeheer?' Hij keek verontwaardigd, en voor het eerst kwam het bij me op dat het misschien geen opzet was geweest. Hij was waarschijnlijk naar mijn moeder gegaan omdat hij had gehoord dat mijn vader was overleden, hij had vermoed dat ze een erfenis had ontvangen en was net bezig fondsen te werven voor zijn plan. Misschien had hij echt gedacht dat het winstgevend zou blijken. Misschien had hij het niet gedaan om mij een hak te zetten.

'Wat het ook was,' zei ik, 'je betrekt kwetsbare mensen niet in een riskante onderneming. Mijn moeder heeft dat geld nodig om van te leven en mijn tweeëntachtigjarige grootmoeder te onderhouden.'

'Alice, ik heb ook geld verloren. Vijfendertig mille om precies te zijn, heel wat meer dan wie dan ook.'

'Je moet het mijn moeder terugbetalen.' Ik probeerde stellig en overtuigend te klinken.

Hij snoof. 'Van een kale kip kun je niet plukken.'

'Dan vind je maar een andere manier om de zaak op te lossen.'

'Als ik in de toekomst iets hoor over een deal die voor haar interessant zou kunnen zijn...'

'Waag het niet om ooit nog contact met haar op te nemen.'

'Je schijnt niet echt te weten wat je wilt.' Ik keek hem vernietigend aan en hij voegde eraan toe: 'Relax, joh.' Hij hield me het pakje sigaretten voor – het waren Camels – en ik schudde mijn hoofd. 'Als je liever een biertje wilt, ik heb plenty,' zei hij. 'Het is nog vroeg op de dag, maar van mij mag je.'

Ik sloeg mijn armen over elkaar.

'Hé, ik zie dat je geen trouwring om hebt,' zei hij. 'Ben je nog steeds vrijgezel?'

Ik staarde hem aan en mijn woede laaide op als een storm, een orkaan van razernij. Ik dacht eraan dat hij me die dag in zijn ouderlijk huis een hoer had genoemd; het was een herinnering die ik nooit was kwijtgeraakt, maar die ik in het verste hoekje van mijn hoofd probeerde weg te stoppen.

'Ik weet wel iets wat de spanning eraf kan halen.' Hij grijnsde spottend. 'Zou leuk kunnen zijn voor ons allebei.'

'Je bent walgelijk,' zei ik.

'Vroeger dacht je daar anders over.' Hij glimlachte, en toen ik die glimlach niet beantwoordde werd zijn gezichtsuitdrukking zuur. 'Dat geld kun je vergeten, Alice. Je moeder is een volwassen vrouw, jezus, ze is haar leven lang met een bankier getrouwd geweest. Die deal had een flink potentieel, maar er stapten niet genoeg mensen in en we moesten het zinkende schip verlaten.'

'Zo kom je er niet van af,' zei ik.

We keken elkaar op een onplezierige manier aan en hij schudde zijn hoofd. 'Jij hebt wel lef, zeg. Waar beschuldig je mij nou eigenlijk van, dat ik je familie verneuk? Je zou toch denken dat jij moest begrijpen dat fouten maken menselijk is.'

Dat was zijn troefkaart. En had ik er op mijn manier niet om gevraagd? Zo kon de situatie in de grond van de zaak mijn fout zijn in plaats van de zijne, en kon ik me schuldig voelen in plaats van boos. En was schuldgevoel niet veel damesachtiger, paste dat niet veel beter bij me? Ja, het maakte niet uit wat Pete Imhof zei, het maakte niet uit hoe manipulatief of grof hij was, ik zou altijd iets ergers hebben gedaan. Die wetenschap weerhield me ervan zijn salontafel omver te gooien, zijn asbak door de kamer te keilen of met mijn nagels naar zijn gezicht te klauwen. Terwijl ik zijn appartement uit liep zei ik alleen maar: 'Kom nooit meer bij een van ons in de buurt.'

Ik redde het tot een paar zijstraten verder voor ik in huilen uitbarstte, en ik was zo bang om door een bekende te worden gezien dat ik direct in het nauwe steegje tussen twee huizen in dook; waarschijnlijk was ik in overtreding. Ik stond daar met schokkende schouders tegen de witte aluminium gevelplaat geleund, en ik was dankbaar voor het dreunende lawaai van een airconditioner boven mijn hoofd. Het was niet eens zo dat ik vond dat ik geen straf verdiend had; natuurlijk verdiende ik die. Bijna veertien jaar was voorbijgegaan sinds ik mijn auto tegen die van Andrew Imhof had geramd – de ontzetting die altijd in de tweede helft van augustus, bij het naderen van september, aanzwol in mijn binnenste, zou over een paar weken opkomen, even stipt in zijn jaarlijkse komst als de kornoeljebloesem of vuurvliegjes – en Andrew zou nog steeds dood zijn en ik zou nog steeds geschokt zijn over de enormiteit van mijn fout. Andrew zou altijd dood blijven, en ik zou altijd geschokt blijven. Het ging nooit weg.

En de problemen die in de afgelopen twee dagen voor me waren opgedoemd, mijn moeder die twintigduizend dollar had verloren terwijl ikzelf me onverwachts aangetrokken voelde tot een man in wie Dena geïnteresseerd was – welk recht had ik om me over die beide situaties te beklagen? Over het geheel genomen had ik veel meer geluk dan pech. Toch vroeg ik me onwillekeurig af hoe ik het anders had kunnen aanpakken, hoe ik deze opeenvolging van gebeurtenissen had kunnen voorkomen. Ik deed mijn uiterste best om voorzichtig en verantwoordelijk te zijn; het was niet zo dat het me niet kon schelen wat andere mensen dachten of hoe ze zich voelden.

Niet doen, zei ik tegen mezelf. *Geen zelfmedelijden. Het gaat prima.* De tranen waren al bijna opgedroogd – hoe ouder ik werd, hoe minder ik in feite huilde, zowel qua frequentie als qua duur. *Wees praktisch. Denk na welke stappen je moet nemen, pak elk probleem apart aan en gooi ze niet op één hoop. Je hebt geen nieuw onrecht jegens Andrew begaan; het is gewoon hetzelfde onrecht dat weer bovenkomt. Je kunt niets ongedaan maken; je moet doorgaan met leven en proberen niet meer ongeluk te veroorzaken.* Onmiddellijk was het me duidelijk dat ik de koop van het huis aan McKinley moest laten varen en niet meer met Charlie kon afspreken, zelfs al zou hij bellen. Daar lagen mijn oplossingen, en ze waren bepaald niet moeilijk te bedenken geweest.

Ik slikte, veegde mijn ogen af met een tissue uit mijn tasje en kwam tussen de huizen uit. Lang geleden was ik mijn eigen vertrouwelinge geworden.

Ik had het niet van tevoren besloten – ik had het vage idee om naar een winkel te gaan waar tweedehands kwaliteitssieraden werden verkocht –

maar nadat ik op de autoweg naar het centrum van Madison langs drie reclameborden voor hetzelfde pandjeshuis was gekomen, ging ik daarnaartoe. Het verbaasde me dat de eigenares een vrouw was, of dat er in elk geval die middag een vrouw achter de toonbank stond. Aan weerszijden van de nauwe gangpaden stond het volgepakt met televisies en stereotorens, motoren en leren jacks en, achter glas op een schap, een groot jaden boeddhabeeld.

Mijn moeder had me de broche los meegegeven, niet eens met een papiertje erom, en op het moment dat ik hem aan de vrouw overhandigde wilde ik dat ik er even mee had gewacht en hem eerst in een van de drie, vier fluwelen juwelendoosjes had gelegd die ik in de loop der jaren had gekregen (ze zagen er altijd te mooi uit om weg te gooien). Dat zou de broche zeker een chiquere uitstraling hebben gegeven.

'Ik wil deze graag verkopen,' zei ik. Het leek me het beste om zo weinig mogelijk te zeggen, anders verried ik maar dat ik niet bekend was met pandjesterminologie. Ik was de enige klant in de zaak, dus ik had in elk geval geen toehoorders.

De vrouw was ongeveer van mijn moeders leeftijd, ze droeg meerdere armbanden en ringen (haar nagels waren lang en donkerrood) en om haar hals een groot zilveren kruis aan een zilveren ketting. Haar haar had een koperachtige kleur, het was kort maar vol, en haar stem was laag en vriendelijk. 'Snikheet buiten, hè?' zei ze terwijl ze de broche inspecteerde.

'Juli in Wisconsin,' zei ik vriendelijk. *Alsjeblieft*, dacht ik. *Alsjeblieft, alsjeblieft, alsjeblieft.*

Ze tuurde door een vergrootglas naar de broche. 'Ik ga vanavond met mijn kleindochter naar het strand, het zal er wel vol zitten. Ik geef je er negentig dollar voor.'

Ik knipperde. Ze keek op, en ik probeerde mijn gezicht in de plooi te houden. 'Denkt u echt niet...' Ik zweeg. 'Ik weet bijna zeker dat hij victoriaans is.' Zoals ik daar naast een overmaatse televisie stond, klonk wat ik zei zelfs in mijn eigen oren belachelijk.

'Negentig dollar,' herhaalde de vrouw, en ze leek een fractie minder vriendelijk. Ze had natuurlijk talloze verhalen over financiële narigheid gehoord; standvastigheid was een eigenschap die haar goed van pas kwam.

Ik pakte de broche terug. 'Ik wil er graag over nadenken.'

'Het aanbod geldt tot acht uur vanavond. Daarna kun je ermee terugkomen, dan wordt hij opnieuw getaxeerd.'

'Bedankt voor de moeite.' En toen, omdat ik niet wanhopig of wrokkig wilde overkomen, omdat ik niet wanhopig of wrokkig wilde zíjn, zei ik voor ik weer naar buiten ging nog: 'Veel plezier op het strand.'

Ik belde Nadine met de keukentelefoon, en toen ik mijn naam had gezegd vroeg ze: 'Hoe gaat-ie?'

'Ik vind het vreselijk om dit te doen,' begon ik. 'Het spijt me enorm, zeker na al je inspanningen om me het juiste huis te helpen vinden, maar kunnen we het bod intrekken? Dat kan toch? Dat is toch legaal? En de verkoper houdt dan toch alleen het handgeld?' Ik had er vijfhonderd dollar voor neergeteld – niet niks, maar heel wat minder dan een aanbetaling en een maandelijkse hypotheek zouden zijn.

'Neem je me nou in de maling?' vroeg Nadine.

Waar ik me op dat moment het meeste van bewust was, veel meer dan van het verlies van het huis, was de onplezierige situatie die ontstond doordat ik mijn woord moest breken tegenover iemand die aardig voor me was geweest. Maar niet minder sterk was mijn angst dat ik mijn woord niet meer zou kunnen breken, dat het al te laat was.

'Alice, iedereen krijgt twijfels.' Nadine klonk joviaal. 'Weet je wat je doet? Maak een lijstje van de dingen waarover je bezorgd bent, dan nemen we die samen door en kijken we of we er iets aan kunnen doen. Een huis kopen is een grote stap, maar ik weet gewoon dat je er zo tevreden zult zijn als een spinnende poes.'

'Ik kan het huis niet kopen,' zei ik. 'Er is iets tussen gekomen.'

'Maak je je zorgen over de inspectie?' vroeg Nadine.

'Het gaat niet om dit huis. Ik kan geen enkel huis kopen.'

Een martelend moment lang bleef Nadine stil. Toen zei ze: 'Weet je, ik heb af en toe behoorlijk gestoorde klanten, maar ik had nooit gedacht dat jij daar een van was.'

'Ik ben je oprecht dankbaar voor je hulp,' zei ik. Ik peinsde er niet over haar de ware reden te vertellen – dat zou mijn moeders privacy schenden – maar ik besloot dat ik haar later die week een briefje zou sturen; dat zou de situatie op zijn minst een beetje beter maken. 'Ik vraag me af of er een boete voor staat, behalve het handgeld. Moet ik jou een soort vergoeding betalen?'

'Nee.' Haar stem was koud op een manier die ik nog nooit had gehoord. 'Je bent vrij om ervan af te zien. Het enige wat je hebt gegeven is je woord.'

Ik was in mijn appartement aan Babar aan het werken – hij droeg een groen pak met een rode vlinderdas van papier-maché en een dito gele kroon – en ik was verrukt over hoe hij was geworden, met uitzondering van het niet geringe probleem dat door het gewicht van zijn slurf zijn hele kop naar voren viel, alsof hij sliep. Dit loste ik op door een gewicht aan een touwtje rond zijn nek te hangen; het gewicht, in deze proeffase een blikje kippensoep met vermicelli uit mijn voorraadkastje, zou uit het zicht op zijn rug hangen, maar helaas kon je het touwtje wel zien – het leek op een piepklein stropje. Ik bedacht dat een soort lus van ijzerdraad achter aan zijn kop een betere oplossing zou zijn (ik kon hem tegen een muur zetten zodat de kinderen het niet konden zien) met een haakje van de muur naar de lus. Terwijl ik dit alles zat te overpeinzen, ontvouwde zich tegelijkertijd een mijmering over Charlie Blackwell, dat die nog niet had gebeld en hoe beledigend het zou zijn als hij helemaal niet belde – daar zou uit blijken dat hij niet werkelijk in me geïnteresseerd was geweest, maar slechts had gehoopt met me naar bed te kunnen –, maar het zou alles ook een stuk makkelijker maken; ik zou hem niet hoeven uit te leggen waarom we niet meer konden afspreken. Hoe dan ook, ik had besloten niets over hem tegen Dena te zeggen. Het verhaal opbiechten zou te gemakkelijk zijn, eerder een poging om mezelf vrij te pleiten dan om haar in te lichten. Terwijl mijn gedachten heen en weer sprongen tussen Babar, Charlie en Dena, ging de telefoon en mijn hart stokte even (*Charlie?*), maar toen ik opnam was het Dena, die zei: 'Kom vanavond eten, dan maak ik ratatouille. Ik heb een aubergine die in opstand dreigt te komen.'

'Wat kan ik meebrengen?' vroeg ik.

'Tegen een fles wijn zeg ik nooit nee. Shit, een klant. Ik bel je zo terug.'

Een paar minuten later ging de telefoon opnieuw. 'Rode smaakt beter bij ratatouille, toch?' zei ik.

Het was even stil en toen zei Charlie: 'Alice?'

Ik voelde tegelijkertijd een opwelling van plezier en benauwdheid. 'Sorry, ik verwachtte iemand anders.'

'Zal ik later terugbellen?'

'Nee, nee, ik bedoel...' Ik zweeg even. 'Ik kan nu wel met je praten, als jij kunt.'

'Nou, ik bel je toch.' Hij klonk geamuseerd.

Er viel een stilte en op hetzelfde moment zei hij toen: 'Hoe zit het?' en ik: 'Ik ben bezig met Ba...' We vielen allebei stil om de ander eerst te laten uitspreken.

Ten slotte zei hij: 'Ik had een idee voor onze plannen voor vanavond.'

Hadden we plannen voor vanavond? Het was inderdaad dinsdag, de avond die hij aanvankelijk had voorgesteld, maar had ik die uitnodiging niet afgeslagen, en had hij niet verzuimd om met een nieuwe te komen?

'Ik dacht aan de Gilded Rose,' vervolgde hij. 'Ik moet een praatje houden in Waupun, dus als je het goedvindt een beetje aan de late kant. Is halfnegen oké wat jou betreft?'

De Gilded Rose was het chicste restaurant in Madison, praktisch het enige chique restaurant, en ik was er nog nooit geweest; mijn vriendin Rita, die er op uitnodiging van haar neef en zijn vrouw was geweest, had me verteld dat ze een garnalencocktail serveerden voor vijf dollar. 'Charlie, ik kan niet met je afspreken,' zei ik.

'Hebben we het hier niet al over gehad?'

'Ik heb erover nagedacht, en het is niet dat je niet aantrekkelijk bent of dat ik niet...' Ik zweeg, maar er was weinig reden om niet eerlijk tegen hem te zijn, vooral niet als daardoor zijn gevoelens werden ontzien. 'Het is niet dat ik me niet tot je aangetrokken voel. Maar Dena is mijn beste vriendin en dit zou niet eerlijk zijn tegenover haar.'

'Dat is het belachelijkste wat ik ooit heb gehoord.'

Ik had verwacht dat hij het met me eens zou zijn, of deze discussie op zijn minst niet de moeite waard zou vinden. Ik maakte een neurotische indruk, en waarom zou hij aandringen bij iemand die haar neuroses zo snel toonde? Maar zijn stellige verwerping van mijn bezwaren was niet beledigend; integendeel, het gaf me een opwelling van geluk, de hoop dat hij misschien gelijk had. Die hoop wedijverde met mijn zekerheid dat dat niet zo was.

'Ik heb kennisgemaakt met je vriendin tien minuten voor ik jou tegenkwam,' zei hij. 'Als zij denkt dat ze aanspraak op me kan maken is ze gek, en als jij haar gelooft ben je nog gekker dan zij.'

'De geestelijke gezondheid van een vrouw in twijfel trekken is waarschijnlijk niet de meest effectieve manier om haar het hof te maken,' zei ik. Hij lachte, een gegeneerde lach. 'Maar ik wed dat onze paden elkaar wel weer kruisen,' zei ik, 'dus zullen we maar als goede vrienden uit elkaar gaan?'

'Weet je wanneer ik voor het laatst een vrouw heb meegevraagd naar de Gilded Rose?' Hij klonk nog steeds niet geïrriteerd; hij klonk vastberaden. 'Nooit. Ik ben een vrek, maar zo graag wil ik jou dus voor me innemen.'

'Ik voel me gevleid, Charlie, echt...'

'Oké, wat vind je dan hiervan,' onderbrak hij me. 'Vergeet het diner. Kom naar mijn toespraak. Dan is het geen afspraakje maar een educatief uitje.'

'Je toespraak van vanavond?'

'Zo'n Lions Club-aangelegenheid. Zei je niet dat je het leuk vond naar mensen te luisteren die niets te melden hebben?'

'Is het in verband met je komende kandidaatstelling voor het Congres?'

'Wie zegt dat ik me kandidaat ga stellen voor het Congres? Zo komen de geruchten in de wereld, lieve schat.' Hij was een en al vrolijkheid en grappenmakerij; terwijl ik met hem praatte leek de wereld niet zo'n ingewikkeld oord. 'Ik beloof je dat het geen afspraakje wordt,' zei hij. 'We zullen gechaperonneerd worden door een heel verenigingsgebouw vol boeren van over de zeventig.'

'Mogen er eigenlijk wel vrouwen komen op die bijeenkomsten?'

'Maak je een grapje? De Leeuwen zijn dol op hun Leeuwinnetjes! Ik moet er vroeg naartoe om met een paar mensen te praten, dus als je het goedvindt spreken we daar af; het adres is Oak Street 2726, een zijstraat van de hoofdweg van Waupun. De speech begint om zeven uur.' Ik kon hem horen grijnzen. 'Oordopjes toegestaan.'

Die middag ging ik langs bij een zaak in de buurt van het parlementsgebouw waar niet alleen chique tweedehands sieraden maar ook antiquiteiten verkocht werden. Ik voelde me daar beter op mijn gemak dan in het pandjeshuis, maar de man achter de toonbank – hij was rond de zestig, een dunne man met een dun snorretje en een geaffecteerde manier van spreken waardoor ik vrijwel zeker wist dat hij homo was – bood me vijfenzeventig dollar voor mijn moeders broche.

'Maar hij is toch echt, of niet?' zei ik. Hier was ik niet zo bang om blijk te geven van mijn onwetendheid over de wederverkoop van sieraden.

'Hij is veertienkaraats,' zei hij. 'Er zit meer basismetaal dan echt goud in. Victoriaans, zou ik zo zeggen.'

In het pandjeshuis hadden mijn onrealistische hoop, mijn voorgevoel dat de broche mijn moeders financiële problemen waarschijnlijk niet kon oplossen maar mijn gebrek aan zekerheid daarover me kwetsbaar gemaakt, zodat ik me al schrap zette voor een teleurstelling. Ditmaal verwachtte ik er niet veel van. Ik zou deze man nergens van proberen te overtuigen.

Zodra ik had opgehangen na mijn gesprek met Charlie, had ik Dena gebeld en gevraagd of we de ratatouille tot de volgende avond konden uitstellen – ik zei dat ik was vergeten dat ik al had afgesproken met Rita Alwin – en Dena zei: 'Oké, maar die aubergine heeft zijn beste tijd gehad, dus je bent gewaarschuwd.' Ik probeerde mijn leugentje te rechtvaardigen door mezelf voor te houden dat ze me tijdens ons eerdere telefoongesprek nauwelijks de kans had gegeven om te kijken of ik kon. Maar dat voelde als een slap excuus, en het zat me niet helemaal lekker terwijl ik me douchte en mascara en lipstick op deed. Eenmaal in de auto werd mijn stemming echter beter: Jimmy Buffet was op de radio en het was echt een fijn tijdstip voor een autoritje, met de avondzon als een pluizig gouden medaillon boven de velden.

De Lions Club van Waupun was een laag, bakstenen gebouw dat zijn parkeerplaats deelde met een tegelfabriek. Toen ik vlak voor zevenen naar binnen stapte, zaten er ongeveer veertig mensen in een zaal met zestig zitplaatsen, en het grootste deel van het publiek zat op de rijen verder achterin. (Iets wat ik al snel zou leren is dat je een succesvolle opkomst altijd aan de verhoudingen kunt afmeten. Vijfentwintig mensen en twintig zitplaatsen is beter dan honderdvijftig mensen en zeshonderd zitplaatsen. Al moet ik bekennen dat de gedachte aan een publiek van hetzij vijfentwintig, hetzij honderdvijftig mensen me behoorlijk nostalgisch maakt.) Ik ging achter in de zaal zitten op een stoel aan het gangpad, en toen Charlie me zag – hij stond vooraan bij het podium en droeg een blauw-wit seersucker jasje, een kaki broek, een wit hemd met een grote kraag en een brede rood met bruin gestreepte das – gebaarde hij dat ik dichterbij moest komen. Zo onopvallend mogelijk schudde ik mijn hoofd. Hij hield zijn hoofd schuin – *Waarom niet?* – en het drong met een flits tot me door hoe weinig we nog van elkaar wisten. Als hij dacht dat ik iemand was die op de voorste rij wilde zitten of, God verhoede het, op enigerlei wijze eruit gepikt wilde worden tijdens een toespraak, dan had hij werkelijk geen flauw benul wie ik was.

Hij werd geïntroduceerd door een heer die zich voorstelde als de voorzitter van de club, en bij het horen van Charlies cv werd ik eraan herinnerd hoe weinig ik nog van hém wist; terwijl de opsomming van zijn diploma's en prestaties op dreef kwam, drong tot me door dat ik geen flauw idee had wat voor werk hij deed, of dat het starten van een campagne voor het gouverneurschap zijn werk was. Hij was in 1968 afgestudeerd aan Princeton University, hoorde ik, en had daarna van '68 tot '73 in het westen des lands in het hotelwezen gewerkt. Daarna was hij naar de Wharton School van de universiteit van Pennsylvania gegaan, waar hij in 1975 was afgestudeerd. (*Bedrijfskunde?* dacht ik.) De afgelopen twee jaar was hij vicevoorzitter geweest bij Blackwell Meats, waar hij het productmanagement en de verkoop superviseerde (dus hij had wel een baan) en momenteel was hij bezig zich in Houghton te vestigen. Maar wacht even – Houghton?

Charlie stond voor het spreekgestoelte en zette de microfoon goed. 'Onze mensen in Wisconsins Zesde District zijn sterke burgers,' zei hij. 'Wij zijn onafhankelijke mensen, het zout der aarde, trots maar niet arrogant, met onze blik op de toekomst maar met respect voor het verleden.'

Ik draaide mijn hoofd naar links en liet mijn blik over de anderen in mijn rij gaan. Hoe kon iemand niet doorhebben dat dit gewoon een verkiezingstoespraak was? Niet dat hij slecht was als zodanig. Charlie zette de zaal niet in vuur en vlam, maar hij maakte een zelfverzekerde en intelligente indruk en – nu kon ik het toegeven – hij zag er opvallend goed uit. 'Het is geen geheim dat we voor een aantal problemen staan,' zei hij nu. 'Onze staat heeft behoefte aan meer banen, een bredere gezondheidszorg, lagere kosten voor werkende mensen met een gezin. Dit zijn al heel lang prioriteiten voor alle Blackwells, en het zijn ook belangrijke prioriteiten voor mij.'

Toen hij was uitgesproken, werden er door een paar mannen (op twee oma-achtige vrouwen na bestond het publiek uitsluitend uit mannen) vragen gesteld, maar het was een typisch Midden-Westen-publiek, beleefd en eerbiedig. Zelfs de vraag met het meest potentieel confronterende karakter – 'Waarom regelt u niet meer banen door een Blackwell-fabriek te openen hier in Waupun?' – leek als een grap bedoeld te zijn, of werd in elk geval met gelach ontvangen. Ik bleef zitten tot de zaal leeg was en alleen Charlie, de voorzitter die hem had geïntroduceerd, een andere man die de stoelen begon in te klappen en een jongere man naast Charlie over waren. Uit mijn tas haalde ik het boek tevoorschijn dat ik aan het lezen was – *Rabbit Redux*, waar ik de vorige avond in was begonnen – en na een paar minuten kwam de jongeman naar me toe. Toen hij op nog een paar meter afstand was, stak hij zijn hand al uit. 'Hank Ucker. Jij bent zeker "Marian the Librarian".'

'Alice Lindgren,' zei ik en ik stond op om hem een hand te geven. Ik negeerde zijn kwinkslag – die kreeg ik zo vaak te horen, gewoonlijk uit de mond van mannen, en met name mannen die ik nog niet eerder had ontmoet. Hun verwijzingen naar de bibliothecaresse Marian uit de beroemde musical gingen uiteraard vaak vergezeld van toespelingen op knotjes, brillen en een frigiditeit waarachter seksuele bandeloosheid school.

Hank Ucker maakte een gebaar naar mijn roman van Updike. 'Ik weet een goed dierenverhaal altijd wel te waarderen.'

In feite ging *Rabbit Redux* over een man in Pennsylvania wiens huwelijk naar de knoppen was, maar ik verbeterde hem niet. Hank Ucker was kleiner dan Charlie, maar een paar centimeter langer dan ik, en hij had een wijkende haarlijn, intelligente en ietwat loensende ogen achter een hoornen bril, een grote wipneus en een beginnende onderkin. Hoewel ik hem ook rond de dertig schatte, was hij een van die mannen die eruitzien alsof ze bij hun geboorte al van middelbare leeftijd zijn; inderdaad zou zijn uiterlijk in de tientallen jaren die volgden niet veel veranderen, en als vijftiger had hij bijna een babyface. 'Een fraaie toespraak van onze vriend Blackwell,' zei hij. 'Vind je ook niet?'

'Werkt u ook mee aan zijn campagne?' vroeg ik.

Quasi-onwetend zei Hank Ucker: 'Wat voor campagne?'

Ik aarzelde.

'Grapje,' zei hij, 'alhoewel we het voorlopig nog niet aan de grote klok hangen, om een des te grotere klapper te kunnen maken als het officieel wordt. Je bent nog niet getrouwd geweest, of wel?'

Ik keek hem verbluft aan.

'Ik vraag het omdat je zo mooi bent,' voegde hij eraan toe, en het ontbreken van elk flirterig toontje in die opmerking was opvallend. 'Ik zou zo denken dat een vrouw als jij veel aandacht van mannen trekt.'

'Bent ú getrouwd, meneer Ucker?'

'Zeg maar Hank, hoor, en ja, ik ben getrouwd.' Hij stak zijn linkerhand omhoog met de rug naar me toe en wiebelde met zijn vingers om zijn gouden trouwring te laten zien. 'Mijn eega en ik hebben onlangs ons vijfjarig huwelijk gevierd.'

'Gefeliciteerd.'

'Ik kan de huwelijkse staat warm aanbevelen, of heb je al uit de eerste hand kennisgemaakt met de ontelbare genoegens ervan?' Hij zei dit heel joviaal – hij was ook joviaal, hij leek wel een cherubijntje – maar hij maakte tegelijk een door en door berekenende indruk. Op even vrolijke toon antwoordde ik: 'Ik weet bíjna zeker dat ik niet getrouwd ben geweest,' en op dat moment kwam Charlie achter Hank staan en legde zijn handen op diens schouders voor een massage van drie seconden.

'Luister niet naar deze man,' zei Charlie, en toen merkte ik dat hij twijfelde of hij me op mijn wang zou kussen, dat hij probeerde te peilen of dat te vrijpostig of te openlijk zou zijn. In plaats daarvan pakte hij mijn hand en drukte die. Langzaam, niet opzichtig trok ik mijn hand uit de zijne.

Terwijl we gedrieën naar de uitgang van het zaaltje liepen, zei ik: 'Ik heb genoten van je toespraak.'

Charlie haalde zijn schouders op. 'Het ging zo-zo. Het had misschien gescheeld als het publiek niet half in coma had gelegen.' We waren nog steeds in het gebouw, en aan de andere kant van het zaaltje stond de voorzitter de microfoon uit te pluggen. Ik vroeg me af, wat Charlie niet leek te doen, of hij ons kon horen.

'Dit is allemaal warming-up, Alice,' zei Hank en hij duwde de deur open. 'Stel je vanavond voor, maar dan duizend keer zo groot, dan kom je in de buurt.'

Charlie porde me zachtjes met zijn elleboog. 'Bespaar je de moeite, Ucks. Ze is niet gauw onder de indruk.'

Op de parkeerplaats zei Hank: 'Het was een eer je te ontmoeten, Alice.' Hij nam mijn rechterhand en gaf me een handkus. Dit was tegelijkertijd agressief en parodistisch, al wist ik niet echt waar het een parodie op was.

Charlie gooide Hank een sleutelbos toe. 'Spreek ik je morgen, grote jongen?'

'Je weet me te vinden,' zei Hank. Hij deed een paar stappen en draaide zich toen om. 'Maak je geen zorgen, Alice, aan het eind komen Harry en Janice weer bij elkaar.'

Ik moet hem met een blanco gezicht hebben aangekeken, want hij wees naar het boek dat ik nog steeds in mijn hand had en zei: '*Redux* is een rijper werk dan *Rabbit, Run*, maar eerlijk gezegd vond ik beide boeken nogal zelfingenomen.'

'En daar weet jij wel iets vanaf, hè, Ucks?' zei Charlie terwijl Hank naar zijn auto liep. Toen, alsof het net bij hem opkwam, zei hij tegen mij: 'Hé, het ziet ernaar uit dat ik een lift kan gebruiken.'

Ik keek quasi-geërgerd naar boven. 'Eh, ik heb zojuist vernomen dat je niet echt in Madison woont, dus ik weet niet precies waar ik je naartoe moet brengen.'

'O, dat.' Charlie zwaaide met zijn arm. 'Uiteraard moet je wonen in het district waar je je verkiesbaar stelt, dus Hank heeft een huurhuis voor me opgesnord in Houghton. Mijn woning in Madison staat op naam van mijn broer.'

'Sluw, hoor.'

'Neuh, behoorlijk standaard, in feite. Nou is er een fantastische hamburgertent halverwege hier en Beaver Dam – ben jij een vrouw die van een cheeseburger met spek houdt?'

'Dit klinkt behoorlijk als een afspraakje, Charlie.'

Hij grinnikte. 'Welnee. Gewoon twee volwassenen van verschillende kunne die op een zomeravond op stap zijn en een praatje maken.'

Terwijl Charlie dat zei, draaide Hank de parkeerplaats af en toeterde eenmaal. 'Jouw campagneleider, of wat hij ook moge zijn, heeft me zojuist de afloop van mijn boek prijsgegeven,' zei ik. 'Besef je dat wel?'

Charlie trok een zogenaamd dreigend gezicht. 'O jongen, die Hank heeft echt een probleem. Ik zál hem morgen.'

'Nee, serieus,' zei ik. 'Dat was nergens voor nodig.'

'Hij dolde maar wat met je. Waarschijnlijk wil hij met je over boeken praten – hij is ongelooflijk belezen – maar is hij te klunzig om dat te zeggen. En wat de minder intellectueel begaafden onder ons betreft...' Charlie pakte opnieuw mijn hand en ditmaal liet ik het toe. 'Zin in een hamburger?'

Het restaurant heette Red's, en de grenenhouten wanden waren bedekt met een goedkoop glimmend vernis, de zitjes in ons afgeschermde hoekje waren van zwart skai, de tafel was bekrast met initialen en liefdes- of oorlogsverklaringen. 'De uienringen hier zijn voortreffelijk,' zei Charlie. 'Als ik een portie bestel, eet je dan mee?'

Gewoonlijk meed ik zowel uienringen als frites – ik lette op mijn gewicht – maar ik knikte, al wist ik dat als ze er stonden ik te gespannen zou zijn om meer dan een paar te eten.

Onze serveerster was over de vijftig en droeg een naambordje waar EVELYN op stond. 'Dank je, lieverd,' zei Charlie toen ze twee plastic glazen vol ijswater neerzette. Nadat we hadden besteld zei hij: 'Bak je die hamburger medium, zoals ik hem lekker vind? Vol smaak?'

De serveerster glimlachte goedig. 'Ik geef het door aan de kok.'

Toen ze weg was zei ik: 'Ken je haar?'

'In deze contreien ken ik iedereen, Alice.' Hij grijnsde op zijn Charlies. 'Oké, ik heb haar nog nooit van m'n leven gezien. Maar ik durf er wat om te verwedden dat als ik haar zou vertellen dat ik me kandidaat stelde, ik haar stem zou kunnen winnen voor we klaar waren met eten.'

'Dan is het misschien jammer dat je er zo geheimzinnig over doet. Heb jij Hank ertoe aangezet om me te vragen of ik getrouwd ben geweest?'

Charlie floot. 'Tjonge, die windt er geen doekjes om. Ik heb hem absoluut niet tot iets dergelijks aangezet.' Ik geloofde Charlie nog ook. Hij leek iemand die zijn eigen gebreken aandoenlijk vond en dan ook niets verborg. 'Ik denk dat hij je wilde doorlichten om te zien of je een aanvaardbare vriendin bent voor een Congreskandidaat. Hij begrijpt niet dat de vraag is of ik goed genoeg ben voor jóú. Misschien had ik je voor hem moeten waarschuwen. Hij is geen toonbeeld van subtiliteit, maar geloof me, die jongen is absoluut briljant. Zevenentwintig, als beste van zijn klas afgestudeerd aan de rechtenfaculteit van de UW, en hij heeft de Republikeinse Partij van Wisconsin met de paplepel ingegoten gekregen. Een toegewijder mens bestaat er niet. Hij begon als stagiair toen hij een jaar of zeventien was, en na zijn afstuderen als Phi Beta Kappa werd hij assistent van mijn vader.'

'Zijn jullie vrienden?'

'Nou, hij is niet degene die ik bel als ik ergens een biertje wil gaan drinken, en niet alleen omdat hij geheelonthouder is. Maar we maken tegenwoordig lange uren met elkaar, en hij houdt het vol. Het is een goeie vent, en ontzettend scherpzinnig. Als de verkiezingsstrijd losbarst kom ik met het grove geschut, maar ik vraag me af of er een getalenteerder strateeg bestaat dan Ucks. Hij is fantastisch in het doordenken van het hele plaatje, het van tevoren inspelen op aanvallen van de andere kant – ik krijg straks gegarandeerd een hele lading nepotisme-bullshit over me heen, en zijn aanpak is: stel het aan de orde en ga verder. Wij bepalen de agenda.'

De serveerster bracht onze biertjes – Charlie had een Miller besteld, dus ik ook – en Charlie tikte zijn flesje tegen het mijne. 'Proost.'

'Wat zijn er verder nog voor kwesties die bepalen of ik al dan niet geschikt ben om de vriendin van een Congreskandidaat te zijn?' vroeg ik. 'Hypothetisch gesproken, natuurlijk.'

Hij nam een flinke teug bier. 'Er is het probleem van je partijkeuze.' Nog steeds deed hij plagerig, niet echt serieus. 'Waarom ben je eigenlijk democraat? Ik bedoel, Jimmy Carter... wat moet je nou met zo'n mislukte pindaboer?'

'Hij lijkt me een stuk beter dan Nixon.'

Charlie schudde zijn hoofd. 'Nixon is allang van het toneel verdwenen. Nieuwe dag, nieuwe orde.'

'Ik denk dat docenten aan openbare scholen gewoonlijk in meerderheid democraat zijn,' zei ik. 'Je zou ervan opkijken hoeveel van mijn leerlingen afhankelijk zijn van gratis lunches.'

'Dat zijn zeker de kinderen van de zwarte bijstandsmoeders die uit Chicago hierheen komen?'

'Dat klinkt niet echt aardig als je het zo zegt.'

'Jij bent gewoon te teerhartig,' zei Charlie. 'Daarom denk je dat je een democraat bent. Over een tijdje heb je wat meer geld, eens zien hoe je er dan tegenaan kijkt.'

'Zijn we niet van dezelfde leeftijd?'

'Maar ik ben opgegroeid met m'n neus boven op de politiek. Ik heb er al langer over nagedacht.'

'Ik ben geen democraat omdat ik niet over de problemen heb nagedacht,' zei ik. 'Ik ben democraat omdat ik dat wel heb gedaan.'

'Mensenkinderen! Heb jij ooit overwogen om speeches te gaan schrijven? Mij overtuig je niet, maar massa's mensen zouden wel pap lusten van die bagger. Excusez le mot.'

'Weet je, ik ben opgegroeid in Riley, vlak bij Houghton,' zei ik. 'Houghton High was onze rivaal. Dus als je iets te weten wilt komen over de plaats waar je zogenaamd woont, kan ik je misschien helpen, maar alleen als je ophoudt mijn partijvoorkeur belachelijk te maken.'

'In dat geval hoef ik jou niet uit te leggen waarom ik daar alleen in naam woon,' zei hij. 'Ik ga er eens per week naartoe, post ophalen, kijken of er geen wasbeer is langsgeweest die het huis heeft verwoest, en dan maak ik dat ik wegkom uit Dodge.'

'Als je het zo vreselijk vindt, had je beter een andere plaats kunnen kiezen.'

Charlie schudde zijn hoofd. 'Het Zesde District loopt door tot Appleton, maar in het noorden hebben we fabrieken, dus dat zit wel snor. In het zuiden zit het bolwerk van Alvin Wincek, daar moeten we op focussen. Je hebt geluk dat je in Riley bent opgegroeid in plaats van Houghton – Meersman is jullie vertegenwoordiger, toch? Bud Meersman, dat is nog eens een goeie republikeinse maat voor jou.'

'Ik heb nooit in Riley gestemd,' zei ik. 'De eerste keer dat ik kiesgerechtigd was, was in '68, en ik heb me in Madison geregistreerd.'

'Zeg alsjeblieft dat je niet op Humphrey hebt gestemd.'

'Charlie, ik ben democraat,' zei ik. 'Natuurlijk heb ik op hem gestemd.'

'Door mensen als jij heeft mijn vader de verkiezingen verloren,' zei Charlie, en hoewel ik verschillende redenen had kunnen opnoemen waarom gouverneur Blackwell in '68 niet tot president was gekozen – hij behoorde niet eens tot de laatste drie republikeinse kandidaten – leek Charlie niet helemaal een grapje te maken.

De serveerster kwam eraan met rode, ovale bakjes waarin onze hamburgers lagen, verpakt in vetvrij papier. 'Ik hoop dat het naar smaak is,' zei ze, en Charlie antwoordde: 'Vast en zeker, Miss Evelyn.'

Terwijl ik mijn hamburger doormidden sneed, zei ik: 'Waarom ben je eigenlijk in het oosten naar school gegaan?'

'Heb je het nu over mijn *Ivy League-opleiding*?' Hij sprak de woorden uit met een pruimenmondje. 'Geloof me, het is nog erger dan alleen Princeton en Penn. Eerst werd ik op kostschool gedaan in een plaatsje genaamd Exeter, in feite een broedplaats voor snobs. Het ligt in New Hampshire, mijn moeder is in Boston opgegroeid en ze is nog steeds zeer gecharmeerd van de levensstijl aan de oostkust – ééns een meisje uit Massachusetts, et cetera, et cetera. Dus we moesten allemaal naar Exeter, daarna vier jaar Old Nassau, zoals de cognoscenti Princeton noemen, en daarna Wharton. Ik heb er een paar fantastische vrienden gemaakt en ondanks al mijn inspanningen het een en ander opgestoken, maar vergis je niet, renteniers uit New England zijn niet mijn mensen. Het is allemaal érg *Charlotte, zou je de gin-tonic even willen deurgeven*, erg kil en fake. Moet je zo'n bruiloft meemaken – ik was bruidsjonker voor een vent uit New Canaan – dat gaat er haast net zo opgefokt aan toe als een begrafenis. Da's niet mijn stijl.'

'Maar ik zou toch denken dat een gouverneurszoon als jij was opgegroeid als lid van de Madison Country Club en zo.'

Charlie lachte honend. 'De Madison Country Club is voor parvenu's, lieverd. De echte ingewijden zitten bij de Maronee Country Club. Die ligt ten noorden van Milwaukee.'

'Serieus?'

'Wat?' Zijn gezichtsuitdrukking was defensief, maar op een luchtige manier, zoals hij gekeken zou kunnen hebben als hij ervan werd beschuldigd dat hij het laatste koekje uit de trommel had opgesnoept.

'Je moest jezelf eens horen,' zei ik. 'Hou maar op over die jaargenoten uit Princeton – jíj bent hier de snob.'

'Er is niets mis met het kaf van het koren scheiden, en ik bedoel niet in financiële zin. Dat is de Ivy League-mentaliteit: zat jouw pappie aan de universiteit bij die-en-die eetclub, was jouw grootmoeder lid van de Dochters van de Amerikaanse Revolutie? Dat zijn gewoon etiketten. Maar je wilt toch niet ontkennen dat sommige mensen kwaliteit hebben en andere niet.'

'Ik heb geen idee wat je daar eigenlijk mee bedoelt.' Ik denk dat ik op dat moment op hem had kunnen afknappen, althans een beetje en misschien nog wel meer dan dat, maar toen fronste hij zijn voorhoofd, grijnsde en zei: 'Jaa, ach, ik eigenlijk ook niet.'

Hij nam een hap van zijn hamburger. Anders dan ik had hij hem niet doormidden gesneden maar hield hij het broodje met beide handen vast en werkte zich er slagvaardig doorheen. 'Ik ben waarschijnlijk net zo'n hypocriet als de rest,' zei hij. 'Maar voor het ontwikkelen van een gespleten persoonlijkheid gaat er dan ook niets boven een vader die gouverneur wordt als jij in groep acht zit. Ik beklaag me niet, hoor. Ik ben hartstikke trots op hem. Maar bij publieke evenementen ben je de prins, in de kleedkamers ben je de klos, en dan ga je naar kostschool en als ze horen dat je uit Wisconsin komt, denken ze dat je in een koeienstal bent opgegroeid. Tijdens mijn eerste week op Exeter vroeg een jongen me, serieus, of we elektriciteit hadden waar ik vandaan kwam. Nu hebben de vooroordelen waarmee ik geconfronteerd werd me uiteindelijk alleen maar trotser gemaakt op waar ik vandaan kom en wie ik ben, maar dat gezegd hebbende – ga ík lid worden van een bowlingteam waar de melkboer ook in zit? Waarschijnlijk niet.' Hij trok een sluwe grijns. 'Althans niet voor ik me officieel kandidaat heb gesteld en er een fotograaf van *The Houghton Gazette* aanwezig is om het vast te leggen. Maar toch...' Hij leunde voorover. 'Ik ben echt geen elitarist. Dat geloof je toch wel?'

'Ik weet niet wat ik moet geloven.'

Een oprecht verontruste blik gleed over zijn gezicht, en zijn oprechtheid nam me weer voor hem in. Charlies standpunten weken heus niet zoveel af van die van de andere mannen die bij de barbecue van de Hickens waren, daar was ik van overtuigd. Het verschil was dat Charlie er zo openhartig over was. Ik zei: 'Ik durf te wedden dat je schattig was als gekwelde twaalfjarige.'

Onmiddellijk keerde zijn grijns terug. 'Nou en of. Hoe smaakt je hamburger?'

'Hij is heerlijk.' Hij had de zijne al naar binnen gewerkt en ik had mijn eerste helft nog niet eens op.

'Ik heb een idee,' zei Charlie. 'Het komt net bij me op. Wil je het horen?'

'Natuurlijk.'

'Ik ga afrekenen. Dan gaan we terug naar Madison – ik wil wel rijden. We gaan naar jouw appartement, trekken al onze kleren uit, we gaan in bed liggen en dan laat ik jou zien dat republikeinen toch wel íéts kunnen.' Hij zweeg even. 'Zodra je klaar bent met eten, natuurlijk.'

Als ik geschokt of afkerig had gekeken, zou dat nep zijn geweest – er was in mijn leven al genoeg gebeurd dat veel schokkender en afstotelijker was dan een uitnodiging voor seks. En daarbij klonk hij zo jongensachtig, zo lief zelfs. Nu had ik ook nog kunnen doen alsof ik beledigd was, niet omdat dat echt zo was, maar omdat ik hem dat om fatsoensredenen wilde laten denken. Maar dat vond ik flauwekul. Ik was eenendertig. Wat kon mij het schelen: dan sloeg ik de normale kennismakingsstadia maar over, dan hield ik me maar niet aan mijn standpunt dat ik niet kon uitgaan met Charlie – een standpunt dat ik eigenlijk maar al te graag wilde loslaten. Nee, ik was niet helemaal zeker van hem, en ja, dit zou mijn vriendschap met Dena onder druk zetten. Maar het verantwoordelijkheidsgevoel en de omzichtigheid die ik zo lang had proberen te betrachten – sinds het ongeluk, maar in zekere zin zelfs al daarvoor – hadden me niet veel goeds gebracht, vooral de laatste tijd niet. Bovendien was Charlie een ongelooflijk knappe man. Ik wílde al mijn kleren uittrekken en met hem in bed stappen.

Ik legde mijn cheeseburger neer. 'Ik ben klaar met eten.'

Terug in mijn appartement zag ik Pierre en Meneertje Nies op mijn bed liggen, en vlak bij hen zat het babykonijntje uit *The Runaway Bunny*, dat ik als vissertje had uitgedost. (Het moederkonijn lag in de huiskamer te wachten op haar laarzen en hengeltje.) Ik zette de figuren voorzichtig tegen de muur op de vloer, en toen ik me omdraaide had Charlie zijn hemd al uit en was hij zijn broek aan het losmaken. 'Wat?' zei hij. 'Dacht je dat ik een grapje maakte?'

'Laat me op z'n minst even een plaat opzetten.' Terwijl ik langs hem liep, gaf ik een net-niet tikje tegen de zijkant van zijn hoofd, al merkte ik wel op (subtiel, hoopte ik) dat zijn naakte borst gespierd en goudgebruind was, met een beetje maar niet te veel lichtbruin haar. In de woonkamer wilde ik eerst een plaat van John Denver pakken, maar toen schoot me te binnen dat Denver president Carter had gesteund, ik was bang dat Charlie zou denken dat ik er iets mee bedoelde en zette in plaats daarvan Stevie Wonder op.

Er was een korte gang tussen de woonkamer en mijn slaapkamer, en terwijl ik daardoor liep stond Charlie spiernaakt in de deur van de slaapkamer, zijn armen over elkaar, met een enorme grijns op zijn gezicht. Toen ik dichterbij kwam maakte hij zijn armen los, hield ze open en sloot me in, hij wreef over mijn rug en kuste me boven op mijn hoofd, en als antwoord kuste ik zijn blote schouder – bespikkeld met beige sproeten – en we vonden elkaars mond, toen elkaars tong, en zijn penis veerde een paar keer tegen me aan alvorens tot een erectie te verharden. Het is een prettig ongelijk gevoel om een man te omhelzen wanneer hij naakt is en jij je kleren aanhebt, en ik rook zijn huid, ik proefde het bier, en ik was zelf degene die mijn shirt over mijn hoofd trok en op de vloer liet vallen. Hij boog zich voorover en begroef zijn gezicht tussen mijn borsten; hij maakte mijn beha niet los maar schoof de cups gewoon omlaag.

Al snel waren al mijn kleren ook uit, we rolden het bed op, ik had mijn benen om hem heen geslagen en nam zijn erectie in mijn hand en leidde hem in me en het voelde zo elementair, zo noodzakelijk dat we op deze manier verenigd werden, en toen was het alsof ik plotseling wakker werd, en ik klampte zijn arm vast en zei: 'Wacht, mijn pessarium ligt in de...'

'Nee, ik heb een condoom. Het is oké.' Hij zat in zijn portemonnee, die in zijn broek op de vloer lag, en terwijl ik toekeek hoe hij hem eruit haalde, was ik al te zeer in een roes om me opgelaten te voelen omdat ik zat te staren. Zijn billen waren klein zoals een heleboel mannenbillen, wat ik steeds weer vergat; hoe zou hij ooit een gewetenloze politicus kunnen zijn met zo'n schattig kontje? Terug in bed ging hij geknield op de matras zitten – ik lag plat en hij torende boven me uit – en misschien klinkt het grof, maar dit was het moment waarop ik wist dat ik van hem kon houden, toen ik zijn penis zag. Bij de mannen uit mijn verleden had de penis me een vreemd aanhangsel geleken, tegelijk komisch en droevig. Maar ik kreeg een groot gevoel van overgave aan Charlie toen ik voor het eerst naar de zijne keek, de rossige, opwaarts wijzende schacht, de gezwollen aderen en de top als een mutsje. Alles eraan behoorde hem zo volkomen toe, en ik voelde dat er geen stukje van zijn lichaam was dat ik niet zou willen aanraken, dat het uitgesloten was dat ik hem niet zou toestaan mij aan te raken.

Toen hij het condoom had omgedaan ging hij schrijlings op me zitten en bracht zijn romp omlaag en stootte weer in me, en hij zei zachtjes: 'Ik kan niet geloven dat iets wat zo lekker voelt, legaal is,' en ik zei: 'Ik ben zo blij dat je hier bent,' en hij kreunde in mijn nek. Een paar minuten later kwam hij klaar, hij zeeg ineen boven op me en we waren allebei stil, ik omhelsde hem zonder een woord, en na nog een paar minuten tilde hij zijn hoofd op zodat we elkaar konden aankijken en zei: 'Ik wilde het nog wat langer volhouden, maar je bent zo'n godin met die ongelooflijke geile borsten...'

'Charlie.' Dit was het eerste moment van die avond waarop ik wel een zekere opgelatenheid voelde.

'Wist je niet dat je geile borsten hebt?'

Ik klemde mijn hand over zijn mond.

Nadat hij hem had losgerukt, zei hij: 'Nu ben jij aan de beurt. Ik ben rechts, dus voor maximale handvaardigheid kan ik beter aan deze kant liggen.' Hij beduidde met zijn kin naar links en rolde van me af.

'Dat hoeft niet,' zei ik.

'Alice, ik streef naar totale klanttevredenheid.'

'Ik weet niet... ik heb gewoon niet...'

'Je hebt toch wel eens een orgasme gehad? Zo niet, ook goed, al ben je in dat geval wel ernstig tekortgedaan.'

'Nee, dat heb ik wel,' zei ik. 'Alleen niet, je weet wel, elke keer.'

'Dat is onaanvaardbaar. Het is een simpele biologische functie.'

'Tjonge, wat ben jij verlicht.'

'Ja hè, ik heb *Fear of Flying* gelezen. Ik weet alles over het ritsloze nummer.'

'Ik vind het heel...' Ik aarzelde. In de nadagen van mijn relatie met Simon was het een heikele kwestie geworden hoe lang het bij mij duurde; soms had hij het maar opgegeven. 'Ik ben blij dat je het wilt proberen,' zei ik. 'Maar ik ben bang dat het misschien niet lukt, en ik wil deze fijne avond niet bederven.'

'Je hebt duidelijk geen idee hoe getalenteerd ik ben op dit gebied.'

Ik draaide mijn hoofd om zodat we elkaar recht aankeken. 'Niet vanavond.'

Hij trok zijn wenkbrauwen samen. 'Ik snap niet hoe iemand een aanbod kan afslaan dat...'

'Charlie, ik heb er geen zin in,' zei ik, en ik wist dat mijn stem een beetje scherp klonk.

Geen van ons zei meer iets tot hij aarzelend begon: 'Wou je de andere informatie nog horen die ik voor je dossier heb verzameld?'

We waren in de ban van een betovering geweest, en die betovering was verbroken. Ik wilde niet koel tegen hem doen, maar ik wilde ook niet zogenaamd vrolijk zijn. Ik zei: 'Misschien later.'

'Nee, het is alleen maar positief. Ik heb in de loop van de avond mijn bestand bijgewerkt.' Zijn stem klonk warm en verzoenend. 'Laat ik bij het begin beginnen: Alice Marie Lindgren, geboren op 6 april 1946. Geliefde enige dochter van Phillip en Dorothy Lindgren, kleindochter van... hmm, hier moet je me even helpen.'

'Emilie Lindgren.' Ik zorgde ervoor dat ik ook aardiger klonk – als hij zijn best deed, kon ik het ook. Bovendien was ik verbaasd en gevleid om hem die gegevens te horen opsommen. Ofschoon ik ze hem de zaterdagavond ervoor had verteld in de uren die we liggend op de bank in mijn huiskamer hadden doorgebracht, had ik niet verwacht dat hij ze zich zou herinneren, deels omdat hij had gedronken en deels omdat we zomaar wat hadden gebabbeld.

'Een van de beste studentes van haar lichting en een keurig meisje in het algemeen,' ging hij verder. 'Bij welke kerk ben je trouwens?'

'Mijn familie is luthers, maar ik ga alleen naar de kerk als ik bij hen ben.'

'Je bent geen kerkganger? Mon dieu, ik heb het zojuist gedaan met een atheïste!'

'Ja hoor,' zei ik, en Charlie kroop lekker tegen me aan.

'Verder. Universiteit van Wisconsin, afgestudeerd in 1968 – summa cum laude?'

Ik schudde mijn hoofd. 'Magna, maar aangezien je zelf Princeton hebt gedaan, vraag ik me af waarom je denkt dat ik zo knap ben.'

Hij grinnikte. 'Laten we zeggen dat ik op de campus niet bekendstond om mijn hoge cijfers. Gelukkig hebben we het nu over jou en niet over mij. Na de universiteit ga je lesgeven aan groep drie van... hier heb ik ook een beetje hulp nodig.'

'Harrison Elementary,' zei ik. 'Maar ik betwijfel of ik je dat al had verteld, dus dit kost je geen minpunten.'

'Frequent lezeres van *De gulle boom*, even frequent huilebalkje. Nee, ik plaag je maar – ik heb er een kijkje in genomen en ik begrijp waarom je er een fan van bent. Ook niet te veel moeilijke woorden voor een oen als ik.' Dus in de drie dagen sinds we elkaar voor het laatst hadden gezien was hij op zoek gegaan naar *De gulle boom*? Ik stond paf. (Later bleek dat hij het boek niet echt had gekocht, hij had het van begin tot eind gelezen in de boekwinkel – maar toch.)

'Toen een master, opnieuw aan de UW,' zei hij, 'en daarna de Theodora Liess-school, waar onze heldin momenteel nog verkeert. Gedurende het schooljaar doet ze de kinderen duizelen van haar charme en knappe verschijning, en in de zomervakantie vervaardigt ze grote, felgekleurde dieren van karton.'

'Papier-maché, maar al met al zeer indrukwekkend.'

'Wacht, er staat nog één notitie in het dossier.' Hij tuurde naar zijn handpalm en deed alsof hij las. 'Wordt momenteel het hof gemaakt door een stoere jonge politiekeling. Weet het nog niet, maar staat op het punt waanzinnig verliefd te worden.'

'O ja? Staat dat er echt?' Ik greep naar zijn hand, maar hij trok hem weg.

'Dit zijn allemaal geheime documenten, Miss Lindgren, en u hebt geen permissie.' Hij draaide zich om en kuste me, eerst wat speels, maar daarna gingen we helemaal op in de kussen waarin onze monden elkaar beurtelings zochten en weer loslieten.

Charlie had het echter mis; ik wist het wel, ik wist al dat ik verliefd werd.

Ik trof Dena in haar winkel. Ik was degene die had voorgesteld te gaan lunchen, in de hoop dat ik mijn bekentenis kon doen en dat tegen de tijd dat we 's avonds de verlate ratatouille aten, dit hele gesprek achter ons zou liggen, maar zodra ik bij D's naar binnen ging, besefte ik dat ik me had vergist. De winkel stond bomvol klanten en Dena was onder hoogspanning in de weer, blij met alle drukte. Bij het weggaan zei ze tegen het meisje achter de toonbank: 'Als Joan Dorff voor één uur die corduroy tas nog niet is komen halen, bel haar dan en zeg dat we hem niet langer voor haar kunnen vasthouden.'

We liepen naar een broodjeszaak in de buurt die Dena had voorgesteld, en toen we de menukaart opensloegen zei ik: 'Trouwens, ik trakteer.'

'Shit, als ik dat had geweten, had ik de Gilded Rose voorgesteld. Vieren we de koop van je huis?'

Het leek nog te vroeg in de lunch om de ware reden ter sprake te brengen. Maar misschien maakte ik me te veel zorgen, misschien zou het maar eventjes vervelend zijn.

Dena zei: 'Voor ik het vergeet, ik heb in dat tweedehands zaakje een prachtige bank voor je woonkamer gezien. Hij kost driehonderd dollar, maar ik ken de eigenares en ik wed dat ik er wel wat van af kan kletsen.'

'Dena, ik heb een afspraakje gehad met Charlie Blackwell,' zei ik.

Onmiddellijk werden haar ogen nauwer.

Ik zette door. 'Op het feestje zei je dat je hem niet echt leuk vond.' In feite had ze gezegd dat ze dacht dat hij haar niet leuk vond, maar die twee dingen lagen niet zo ver van elkaar, en dit leek me een wat diplomatiekere versie. 'Dit was natuurlijk niet mijn bedoeling, maar het ging... het klikte gewoon. Voor ik hem leerde kennen zou ik hebben gedacht dat jullie beter bij elkaar pasten, maar het blijkt...' Ik leek vast te lopen. 'Dena, onze vriendschap is zo belangrijk voor me, en daarom probeer ik eerlijk te zijn. Ik begrijp wel dat...'

Ze viel me in de rede. 'Je bent toch niet met hem naar bed geweest?'

Ik aarzelde.

'Dat meen je toch niet.' Ze slaakte een zucht vol afkeer. 'Het lijkt wel of jij automatisch in elke vent geïnteresseerd raakt die ik leuk vind. Je bent altijd al jaloers geweest.'

'Dat is helemaal niet waar.'

'Hoe verklaar je het anders? Want dit is niet de eerste keer.'

Zeg het niet, Dena, dacht ik. Alsjeblieft, omwille van ons allebei. Ik slikte. 'Als ik niet echt een soort band met Charlie voelde, had ik het niet zover laten komen. Maar als ik bij hem ben...' Het was onmogelijk, besefte ik. Ik kon mijn gedrag niet rechtvaardigen zonder te klinken alsof ik me verkneukelde.

'Wat, ben je van plan met hem te trouwen?'

'Ik denk niet dat dat buiten de mogelijkheden ligt,' zei ik, en ik vermoed dat ik daar zelf even verbaasd over was als Dena. Niet dat ik me er niet vaag, ergens heel vaag van bewust was dat het bij me was opgekomen, maar ik had nooit kunnen vermoeden dat ik het risico zou durven nemen die gedachte te uiten. Snel voegde ik eraan toe: 'Uiteraard kennen we elkaar nog maar net.'

'Is het omdat hij rijk is?'

'Natuurlijk niet! Ik heb niet eens – we hebben het niet over geld gehad. Ik weet niet eens of hij wel zo rijk is.'

'Dat is hij,' zei Dena. 'Steenrijk.'

'Zijn familie misschien, maar...'

'Nee.' Haar stem was vlak. 'Hij. Zij allemaal.'

Op dat moment kwam de serveerster naar ons toe, en Dena stak haar hand omhoog. 'Ik blijf niet.' De serveerster keek naar mij.

'Hebt u nog even?' zei ik, en ze knikte en liep weg. 'Dena, ga niet weg. Of ga maar als je vindt dat je dat moet doen, maar laat dit niet tussen ons in komen. Je bent mijn beste vriendin.'

Ze schudde haar hoofd. 'Als je eenmaal gescheiden bent, weet je dat weglopen uit een huwelijk een stuk moeilijker is dan weglopen van een vriendschap.'

'Maar ik ken je langer dan Dick je kende,' zei ik, wat zelfs in mijn eigen oren nogal pathetisch klonk.

'De laatste keer dat je me dit flikte waren we tieners, en wat wisten wij nou helemaal?' zei Dena. 'Maar nu zijn we volwassen, dus dat betekent dat jij gewoon zo iemand bent – iemand die achter de man aan gaat in wie je beste vriendin geïnteresseerd is.' Ik wilde haast dat ze tegen me tekeerging, maar ze had haar stem niet verheven. 'Ik ben die valsheid van jou kotsbeu,' zei ze. 'Jij hebt altijd al het keurige meisje uitgehangen, dus weet je, word jij maar lekker de vrouw van een Congreslid. Ga maar al je tijd doorbrengen met de Trommlers en de Hickens en die andere opgeprikte stellen. Laat Charlie maar fijn juwelen en auto's voor je kopen.' Hoewel we niets hadden besteld, hadden we allebei ons servet al op schoot gelegd; ze verfrommelde het hare, liet het op tafel vallen en stond op. 'Ik hoop dat hij je alles geeft wat je hartje begeert.'

Terwijl ik daar achterbleef nadat ze was weggegaan, voelde ik me licht beschaamd omdat ze me had laten zitten, en ook wat ongelovig over de heftigheid van haar reactie; het was wat ik had gevreesd maar niet echt verwacht. En toen, minder dicht aan de oppervlakte dan deze emoties maar misschien dieper, voelde ik nog iets: diepe dankbaarheid omdat ze, evenals Pete Imhof, Andrew niet bij name had genoemd.

Bij mijn volgende bezoek aan Riley vertelde ik mijn moeder en grootmoeder pas toen we bijna klaar waren met de lunch dat ik niet bleef slapen. Met zo weinig mogelijk bombarie zei ik: 'Ik heb vanavond wat te doen in Madison, dus ik denk dat ik vanmiddag maar weer ga.' Het was een warme zaterdag en we hadden net boterhammen met kipsalade gegeten.

'O, vanmiddag al?' zei mijn moeder, en mijn grootmoeder zei: 'Wat ga je doen?' Sinds mijn vaders overlijden was ik altijd blijven slapen als ik thuiskwam.

Ik wierp mijn grootmoeder een blik toe – ze had waarschijnlijk wel geraden dat mijn plannen met Charlie te maken hadden, en ze had ook kunnen raden dat ik, als ik er meer over had willen zeggen, dat wel had gedaan – en zei: 'We gaan gewoon met een stel naar het Terrace.' Dit was in elk geval waar: ik zou een heel stel van Charlies vrienden voor het eerst ontmoeten.

Toen mijn moeder opstond om de borden af te ruimen, pakte mijn grootmoeder me bij mijn pols en hield me tegen. Zodra mijn moeder in de keuken was, zei mijn grootmoeder zachtjes: 'Ze heeft speciaal voor jou een Weense taart gemaakt voor vanavond na het eten.'

'O, dat wist ik niet... maar dan blijf ik wel,' zei ik.

Mijn moeder kwam weer de eetkamer binnen, en mijn grootmoeder zei: 'Dorothy, zo te horen heeft je dochter een nieuwe vlam.'

'O, hemel.' Het was mijn moeder, niet ik, die op dit moment bloosde.

‘Het is nog niet officieel.’ Ik wierp mijn grootmoeder een geïrriteerde blik toe. ‘Maar zijn naam is Charlie, hij is opgegroeid in Madison en Milwaukee en ik heb hem leren kennen via Kathleen Hicken en haar man, ken je die nog?’ Uit mezelf met deze informatie komen was een trucje, een manier om niets te hoeven zeggen over de meer opvallende wetenswaardigheden omtrent Charlies achtergrond of zijn huidige politieke aspiraties. Ik was er niet zeker van hoe mijn familie zou reageren als ik hun daarover zou inlichten, gegeven mijn vaders stelregel over gekken en dwazen die op roem azen. Ook kwam het, terwijl ik daar zat, bij me op dat ik geen idee had van mijn moeders politieke voorkeur. Ik had altijd geweten dat mijn grootmoeder democraat was en mijn vader republikein, maar ik wist niet eens zeker of mijn moeder stemde.

Mijn grootmoeder zei: ‘Een beetje gezelschap kan fijn zijn. Vind je niet, Dorothy?’

Mijn moeder, die nog steeds stond, tilde de kan ijsthee op. ‘Hij klinkt aantrekkelijk, Alice,’ zei ze en ze verdween weer de keuken in. Toen ze de kraan opendraaide, fluisterde mijn grootmoeder: ‘Ik probeerde haar een aanleiding te geven om iets te zeggen over Lars Enderstraisse.’

‘Oma, ik denk heus niet dat ze iets hebben.’ Ik fluisterde ook. ‘Wat mam ook voor geheimzinnige tochtjes maakt, ik ben ervan overtuigd dat ze niets met hem te maken hebben.’

‘Denk jij soms dat je de enige bent die het hof gemaakt wordt?’ Mijn grootmoeder gnuifde en zei op normale spreektoon: ‘Hier zit iemand erg vol van zichzelf te wezen.’

Mijn grootmoeder en ik zaten die middag in de woonkamer te lezen, zij op de bank en ik in de stoel, en toen ik op zoek ging naar mijn moeder, zat ze tussen de tomatenplanten onkruid te wieden.

‘Als je het goedvindt blijf ik toch eten,’ zei ik. ‘Mijn vrienden komen pas rond negen uur bij elkaar.’ Dat was niet waar, maar mijn moeders gezicht klaarde op.

‘O, dat is fijn. We hebben een toetje waarvan je zult smullen.’

Terwijl ik naar haar keek – ze zat op haar knieën en had een wit badstoffen hoedje op – streden opwellingen van genegenheid en schuldgevoel om voorrang. Waarom had ik Charlie niet meteen gezegd dat ik vanavond niet vrij zou zijn? Onze agenda’s waren flexibel, we konden in de loop van de komende week afspreken. Maar de waarheid was dat ik niet in Riley wilde blijven. De dwingende kracht van familieliefde en -verplichtingen kon op dit moment niet op tegen het nieuwe van seks in een pas ontluikende relatie. Sterrenlicht, bier en onze kronkelende, naakte lichamen – dat was wat ik wilde, niet een plaats aan een eettafel met twee oude vrouwen die gepaneerde kalfskoteletten aten en Weense taart. Als mijn egoïsme voortkwam uit verliefdheid was het volgens mij toch niet zo dat ik daar voorheen niet toe in staat was geweest, maar eerder dat ik nooit echt verliefd was geweest, althans al heel lang niet meer.

Ik hurkte bij haar neer. 'De tomaten zien er goed uit.'

Mijn moeder gooide een bos onkruid op de hoop. 'Lieverd, Dena heeft je zeker al verteld over Marjorie. Lillian is in alle staten.'

Ik probeerde neutraal te kijken. Natuurlijk had Dena me niets verteld over Marjorie, een van haar twee jongere zussen.

'Maar ja, je weet hoe die familie is,' zei mijn moeder. 'De meisjes zijn altijd zo eigenzinnig geweest. Mack kon zo overdreven streng zijn, en Lillian compenseerde het door toe te geven, en voor de meisjes was het het ene of het andere uiterste.' Het laatste wat ik over Marjorie Janaszewski had gehoord was dat ze een relatie had met David Geisseler, de jongere broer van onze vroegere klasgenoot Pauline Geisseler; David had al twee kinderen met een andere vrouw met wie hij niet getrouwd was geweest, en hij en Marjorie werkten allebei als barkeerper in de Loose Caboose in Burlington Street. 'Maar ik kan het Lillian niet kwalijk nemen dat ze zich zorgen maakt,' zei mijn moeder.

Ik liep al de hele tijd met een envelop op zak – niet dichtgeplakt en onbeschreven – en ik stak hem mijn moeder nu toe. 'Het was een goed idee van je die broche te verkopen,' zei ik. 'Ik heb hem naar een antiquair gebracht.'

'O, God zegene je.' Zonder erin te kijken, vouwde ze de envelop dubbel en stak hem in de zak van haar rok.

Ik moest me verbijten om niet te zeggen: wees er voorzichtig mee. Verder dan 'Hij bleek aardig wat waard te zijn', waarbij ik mijn best moest doen om nonchalant te klinken, kwam ik niet.

'Dat is mooi...' zei ze afwezig. 'Alice, ik had wat problemen met rupsen die de tomaten opvraten, en mevrouw Falke zei dat ik goudsbloemen moest planten, en dat heeft perfect gewerkt. Mevrouw Falke is heel bescheiden, maar ze heeft echt groene vingers.'

Ik sloot mijn ogen en heel even zag ik het huis in McKinley Street, de veranda en de zitjes in de vensterbank en het geheime kastje, maar toen deed ik mijn ogen weer open, en mijn moeder zat onkruid uit de grond te trekken, mijn standvastige en goedhartige moeder met haar witte badstoffen hoedje op, en het huis verdween. De cheque had een waarde van eenenzeventighonderd dollar, heel wat minder dan mijn moeder aan Pete Imhof had gegeven, en precies het bedrag dat ik zou hebben gebruikt voor de aanbetaling.

Het was na middernacht toen Charlie en ik het Terrace verlieten. Zijn vrienden bleken van hetzelfde type te zijn als de gasten bij de barbecue van de Hickens, en in feite was er zelfs enige overlapping: Will Werden, een neef van Frank Werden, was er met zijn vrouw Gayle, en toen Charlie me aan iedereen voorstelde, zagen twee van de andere vrouwen en ik meteen dat we elkaar een paar jaar eerder hadden ontmoet tijdens een babyshower. We waren in totaal met zijn tienen, allemaal stelletjes, en de andere stellen waren allemaal getrouwd, behalve Charlies vriend Howard, die makelaar was, en zijn vriendin Petal, een meisje van eenentwintig dat twee maanden daarvoor van de universiteit was gekomen. 'Hoe lang geleden denk je dat ze díé naam heeft verzonnen?' fluisterde een van de vrouwen van de babyshower – ze heette zelf Anne – terwijl ze als in wanhoop omhoog keek. 'We hebben geen idee waar Howard ze vandaan haalt.' Dit was een vriendschappelijk gebaar van Annes kant dat ik dankbaar aanvaardde, al sprak ik later met Petal (zij kon er niets aan doen dat ze tien jaar jonger was dan de rest) en bleek ze heel intelligent te zijn; ze had een dubbele major gedaan, kunstgeschiedenis en Italiaans. Aan het eind van de avond nam Anne me apart en zei: 'Charlie is smóór op je.' Ik lachte, want dat was gemakkelijker dan iets zeggen. Zelfs Will Werden gaf me op zeker moment een zachte por en zei: 'Ik wist niet dat jij en Blackwell iets hadden.' Weer glimlachte ik alleen maar.

In de loop van de avond waren er wat plaatsverwisselingen geweest, mensen die opstonden om naar de wc te gaan of degenen met kinderen die naar de munttelefoon gingen om de babysitter te bellen, maar het grootste deel van de tijd hadden Charlie en ik naast elkaar gezeten, en zelfs wanneer we allebei met anderen in gesprek waren, voelde ik dat zijn aandacht bij mij was: zijn hand op mijn knie of op mijn onderrug, de snelheid waarmee hij zich omkeerde als ik zijn naam zei of op zijn arm tikte. Zo nu en dan boog hij zich naar me toe en zei: 'Alles oké?' of: 'Amuseer je je een beetje?' Het was zo'n eenentwintig graden, een volmaakte zomeravond, en Lake Mendota was overwegend zwart met een paar weifelende, weerspiegelende lichtjes.

En toen namen we afscheid – een ander stel ging tegelijk met ons weg – en terwijl we rond Memorial Union liepen naar de plaats in Gilman Street waar Charlies auto stond, pakte hij mijn hand. Alsof onze vingers daaronder een eigen leven leidden, ver weg onder ons gebabbel, haakten we ze in elkaar. 'Je hebt aardige vrienden,' zei ik.

We kwamen bij Charlies auto, een grijze vijfdeurs Chevy Nova, en ik zei: 'Zal ik rijden?' Ik had het zorgvuldig bij één glas bier gehouden.

Charlie gaf me de sleuteltjes en terwijl ik de motor startte zei hij: 'Kijk me eens aan.' Toen ik dat deed, boog hij voorover en kuste me. Toen zei hij: 'Dat wil ik nu al de hele avond doen.' Ik zette de motor weer uit, hield mijn hoofd schuin naar hem toe en we kusten nog even, we sloegen onze armen om elkaar heen en ik was blij dat we alleen waren, alleen wij twee, in een stevige omhelzing. Niet dat ik me niet had geamuseerd op het Terrace – dat had ik wel – maar ineens was het alsof al het gepraat iets was geweest waar we doorheen moesten om bij deze beloning te komen.

Charlie trok zich een stukje terug. 'Ik ben niet vergeten wat je nog van me te goed hebt. Laten we naar mijn huis gaan.'

Verward zei ik: 'Ik heb niets van je te goed.' En toen begreep ik het – hij grijnsde – en ik zei: 'O, dat.'

'Ditmaal kom je er niet onderuit. Je moet aanspraak maken op wat je rechtens toekomt.'

En hoewel ik zelfs onder het rijden prikkelingen van nerveuze voorpret voelde, wilde ik tegelijkertijd voor altijd in dit niemandsland blijven; ik zou het prima hebben gevonden om helemaal naar Canada te rijden in de wetenschap dat er iets moois ging gebeuren als we daar waren.

Het was de eerste keer dat ik in Charlies appartement kwam, en wat me direct opviel was dat hij bijna al zijn lichten aan had gelaten. Zijn woning was zowel kleiner als schaarser gemeubileerd dan de mijne, en de woonkamer leek nog het meest op een opslagplaats voor sportartikelen: een bruinleren tas vol golfclubs stond tegen de ene muur, en op een rommelige hoop lagen een honkbalknuppel, handschoenen, tennisrackets, een voetbal en de eerste lacrossestick die ik ooit had gezien. Er stond een grote televisie, een behoorlijke stereo-installatie, een zwarte zitzak en een Franse barokke sofa compleet met caprioolpoten en bekleed met bordeauxrood pluche. (Later zou ik erachter komen dat hij aan die sofa was gekomen door de kelder van zijn ouderlijk huis in Milwaukee te plunderen, waar de eigendommen van zijn grootmoeder van vaderskant onaangeroerd hadden gestaan sinds haar dood, zeven jaar eerder.) Er hing niets aan de muur, en in zijn boekenkast waren twee van de vijf planken leeg. Van de overige drie bevatte er een boeken, een snuisterijen en een foto's in lijstjes; zijn vader in smoking en zijn moeder in een glimmende rode avondjurk die elkaar in de ogen keken; hij en drie mannen van wie ik aannam dat het zijn broers waren, op een rijtje in blazers; hij en een andere man, allebei in Schots geruite jasjes, neerhurkend bij een dode hertenbok met uit zijn bek sijpelend bloed, Charlie grijnsde terwijl de andere man zijn hoofd boog om het gewei van het dier te kussen; Charlie op twintig- of eenentwintigjarige leeftijd met een 'BLACKWELL FOR PRESIDENT'-bord in zijn handen. Op de volgende plank, die met boeken erop, stonden een woordenboek, een biografie van Willie Mays, bestsellers als *The Deep* van Peter Benchley en, inderdaad, *Fear of Flying*, en een samenraapsel van het soort boeken dat je in de eerste jaren van de middelbare school voor je lijst leest: *Paradise Lost*, *A Midsummer Night's Dream*, *Faust* van Goethe. Op de onderste plank lagen een gesigneerde honkbal, een bierpul, een paar whiskyglazen, een presse-papier van een zwart met oranje geëmailleerd schild en een groengele rubberen slang.

Ik zag dit alles, ik nam het vlug in me op, en het kon me niet echt schelen. Hij was duidelijk een vrijgezel – natuurlijk was hij dat, anders zou hij niet met mij uitgaan. Het was er wel schoon, niet stoffig of rommelig. De slaapkamer was leeg met uitzondering van een springveren matras zonder ombouw. De lakens waren blauw-wit gestreept, netjes opgetrokken tot aan de kussens, en een plafondventilator stond al aan. In de deuropening van de slaapkamer kuste Charlie me opnieuw, hij dwong me achteruit te lopen en manoeuvreerde me op het bed. Toen ik op mijn rug lag, stond hij boven me en grinnikte. 'Dat is een stuk beter.'

Ik droeg mijn spijkerrok en een kastanjebruine tuniek met oranje en roze bloemetjes. Hij boog zich over me heen en gebruikte beide handen om de tuniek van mijn middel tot boven mijn beha en over mijn schouders te schuiven. Zo uitgekleed worden gaf me, op een vreemd nieuwe manier, het gevoel dat ik een kind was dat naar bed gebracht werd. Mijn beha volgde, en toen hij die ergens achter mijn hoofd had neergegooid staarde hij op me neer, zoals ik daar lag in het licht van zijn slaapkamer – aan het middelpunt van de plafondventilator bungelde een kaal peertje – en hij zei: 'Ik kan niet geloven hoe mooi je bent.' Hij boog zich voorover en kuste de ene tepel en toen de andere, langzaam en methodisch, eerst met gesloten lippen, waarna hij zijn mond opende om eraan te zuigen op een manier die respectvol, bijna eerbiedig leek.

Vervolgens maakte hij het knoopje van mijn spijkerrok los en ritste hem open, en ik maakte een holle rug om hem te helpen die uit te trekken; ook de rok gooide hij terzijde. Ik droeg een roze katoenen slip, en hij haakte zijn duim achter de tailleband, liet het elastiek zachtjes tegen mijn heupbeen schieten en grinnikte. 'Hoi roze,' zei hij.

'Hoi,' zei ik terug, en terwijl we elkaar aankeken voelde ik wat ik die keren had gevoeld dat ik onder hem had gelegen in mijn appartement: tomeloos, enorm geluk. Wat ik het liefste wilde was precies datgene wat ging gebeuren. Aan welke samenzwerende krachten had ik zo'n absurde voorspoed te danken?

Hij liet zijn wijsvinger vanaf mijn navel recht naar beneden glijden over mijn ondergoed, vertraagde boven mijn schaambeen, en toen hij bij het spleetje kwam was de katoenen stof onder zijn vinger vochtig, en hij zei: 'Ik geloof dat iemand hier het naar haar zin heeft.'

Ik stak mijn hand uit en hij had zo weinig vet op zijn buik dat ik zonder zijn broek los te maken mijn hand in zijn boxershort kon laten gaan. Zijn erectie was heet en stijf, en toen ik mijn vingers over de top liet gaan stokte zijn adem, maar toen trok hij zich terug en schudde zijn hoofd. 'Het gaat nu om jou. Ik kom later wel.'

'Het kan om ons allebei gaan.' Ik bevoelde hem nu aan de buitenkant van zijn broek, maar hij schudde zijn hoofd en duwde zachtjes mijn hand weg.

Op dat moment trok hij mijn slip omlaag – hij bleef even om mijn enkels hangen voor ik hem wegtrapte – en toen lag ik naakt op zijn blauw met wit gestreepte lakens en hij kwam gehurkt over me heen, bruin en mannelijk in zijn gele oxfordhemd, zijn neusvleugels wijdopen, een lichte zweem van stoppels, zijn lichtbruine haar en zijn glimlach, zijn perfecte glimlach, en ik voelde me totaal, ongeremd tot hem aangetrokken. Hij boog zijn hoofd en kuste mijn borstbeen, mijn navel en buik, mijn schaambeen, de bovenkant van mijn dijen, en toen viel hij op zijn knieën op de vloer en gebruikte zijn ellebogen om mijn benen te spreiden, me te openen, en toen bracht hij zijn gezicht in de opening en likte me, likte me stevig en gedurig, en het leek tegelijk moeilijk te geloven (Charlie Blackwells gezicht tussen mijn benen?) en totaal onvermijdelijk: voorbij alle logica en taal en decorum. Misschien, dacht ik, had ik mijn leven tot nu toe geleid om door deze man gelikt te worden. Ik hoorde mezelf koeren – ik leunde op mijn ellebogen, met mijn voeten vlak boven de grond, en hij zat geknield met zijn beide armen onder mijn dijen – en toen begon hij zijn tong snel heen en weer te laten bewegen, bijna zwiepen, op een heel gericht plekje. Zijn wangen tussen mijn dijen, zijn op en neer gaande hoofd en zijn vurig, volhardend likken – al snel werd het me te veel, mijn adem stokte en ik schreeuwde het uit. Het was als een zenuwtrekking en ik voelde hoe mijn dijen zich rond zijn hoofd klemden, en toen hij een paar tellen later omhoog kwam en mijn voorhoofd kuste zei ik: 'Ik hoop dat ik je niet heb verstikt,' en hij zei: 'Ik kan me geen mooiere dood voorstellen.' Toen fluisterde hij met zijn mond tegen mijn oor: 'Ik wil heel graag in je zijn, nu,' en zodra hij het condoom om had omvatte ik hem met mijn benen en gleed hij in me. Hij maakte niet veel geluid toen hij klaarkwam, zijn ademhaling werd alleen zwaarder en een beetje trager, en daarna waren we allebei stil. Terwijl ik daar lag voelde ik een vredig soort doezeligheid over me komen. Ik had ter plekke in slaap kunnen vallen, zonder mijn tanden te poetsen of mijn gezicht te wassen, zonder van houding te veranderen. Niet dat ik dat zou doen; in plaats daarvan zou ik binnen een uur vertrekken en alleen terugkeren naar mijn appartement. Seks met een man was één ding, maar bij hem blijven slapen was een ander verhaal – ook al was mijn persoonlijke opvatting van de etiquette uit de tijd, het kostte me moeite me er niet aan te houden.

Met zijn mond tegen mijn hals zei Charlie: 'Dit zouden we iedere dag moeten doen, de rest van ons leven.' En even later: 'Ik voel je glimlach.'

Ineens waren we heel vaak samen. In mijn appartement verhuisde ik de personages van papier-maché naar de huiskamer zodat we op mijn bed konden liggen, en hoewel hij van mij niet mocht blijven slapen, ging hij elke nacht wat later weg – om een of twee, soms drie uur. Omdat we vaak in slaap vielen na het vrijen ging ik ertoe over mijn wekker op twee uur te zetten, en als hij dan afging kreunde Charlie en zei: 'O, in godsnaam, doe me een lol en zet dat ding uit,' en dan kropen we weer tegen elkaar aan en vielen weer in slaap en na twintig minuten, een halfuur, schoot ik dan wakker en gaf hem een duw en zei: 'Je moet nu echt gaan,' en dan deed hij alsof hij zich klein maakte, sloeg zijn handen om zijn hoofd en zei kreunend: 'Ik word eruit gegooid! De koningin verbant me uit het kasteel!'

Meermalen zei hij: 'Lijkt het je niet fijn om samen wakker te worden? En wat ochtendlijke ontucht te plegen waar niemand behalve wij twee van hoeven te weten?' Maar het feit dat ik het niet netjes vond om in elkaars appartement te overnachten was werkelijk ons enige twistpunt. Hij was heel gemakkelijk in de omgang, heel prettig op een manier die me verbaasde. Als Simon en ik elkaar wilden kussen en onze monden misten doel, dan deed hij alsof het niet was gebeurd; hij zou er ook nooit iets van zeggen als zijn of mijn maag rommelde. Met Charlie gebeurde alles openlijk. Een keer zaten we na het eten in zijn woonkamer tv te kijken toen hij zijn hand onder mijn shirt stak om over mijn buik te wrijven, en toen ik van nee schudde en zei: 'Ik heb buikpijn,' zei hij: 'Joh, laat er maar eentje vliegen als het moet. Dan vind ik je nog steeds het mooiste meisje van heel Madison.' Ik deed het niet – ik zou niet hebben gekund, ik zou nog eerder gaan tapdansen in de calvarie-lutherse kerk – maar hij had kennelijk geen last van dat soort remmingen. Een paar dagen later, toen ik achter hem aan de keuken in liep, rook ik een onaangenaam, aards luchtje, en ik zei: 'Heb jij soms...?'

'Ik kan het me niet herinneren, maar het zal wel.' Hij grijnsde. 'Bij ons thuis heet dat "op je eigen toeter blazen".'

Hij oefende een enorme aantrekkingskracht op me uit, en hij was heel zeker van zijn aantrekkelijkheid, op een eerder innemend jongensachtige dan arrogante manier. Hij wilde altijd knuffelen, hij gebruikte zelfs het woord 'knuffelen', dat ik nog nooit uit de mond van een man had gehoord. Op de avond dat ik heilbot voor het eten maakte deed hij naderhand de afwas, en toen hij klaar was kwam hij de kamer in, waar ik op de bank lag te lezen. Zonder een woord pakte hij het boek uit mijn handen, kwam boven op me liggen en zei: 'Ga je je armen nog om je man heen slaan?'

Bij hem thuis legden we altijd hamburgers of steaks buiten op de grill (ik had die avond toen we naar Red's gingen niet begrepen dat we een van Charlies twee lievelingsmaaltjes aten). Zijn koelkast was grotendeels leeg, maar er stonden een paar dingen in die allemaal in dezelfde categorie vielen: ketchup, mosterd, relish, pakken hamburgerbroodjes die hij na het eerste gebruik nooit goed afsloot zodat het brood oud werd, en een heel rek vol bier. Zijn vriezer daarentegen zat volgestouwd met gezinsverpakkingen Blackwell rundersteaks en rundergehakt. Zijn appartement lag op de begane grond, en op een betegeld stukje achter het huis had hij een zwarte ketelbarbecue op drie poten staan, waar hij gewoonlijk via zijn keukenraam naartoe ging om niet via de voordeur te hoeven omlopen. Ik zat op een kruk in de keuken terwijl hij in en uit het raam klom en op het vlees lette, en als het klaar was namen we ons bord mee naar de huiskamer, gingen op de bank zitten en keken honkbal. Ik wist dat menige vrouw dat geen prettige gang van zaken zou vinden, maar ik vond de ontspannen conversatie bij de wedstrijd juist fijn, we konden praten of niet praten zonder dat dat een punt was, en ik vond Charlie zo lief als hij het spel uitlegde: 'Dat was een mooie redding, want als de bal recht op je af komt is het lastig te zien hoe diep hij is.' Of: 'Hij had al twee keer fout geslagen, dus daarom is hij nu uit.'

Charlie ontbeet elke ochtend in een eettentje aan Atwood Avenue en hij wilde graag dat ik daar ook naartoe kwam, maar ik was bang om een bekende tegen te komen, want dan zou het lijken alsof we de nacht samen hadden doorgebracht. ('Dan kunnen we dat toch net zo goed doen,' grapte hij, maar ik was opgegroeid in een tijd waarin de seksuele revolutie nog niet echt had doorgezet, toen ik op de universiteit kwam moesten we nog op een bepaalde tijd binnen zijn – doordeweeks om tien uur, in het weekend om middernacht – en mannen mochten niet in onze kamers komen. Het viel me niet gemakkelijk de fatsoensregels uit die tijd af te schudden.) Bovendien moest ik overdag aan de slag: ik wilde de poppen van papier-maché af hebben voor eind augustus, als de stafvergaderingen voor het nieuwe schooljaar begonnen, en na verloop van enkele weken was ik echt aan mijn lesplannen begonnen. Ik schiep er eer in een bibliothecaresse te zijn die niet jaar na jaar dezelfde stof afdraaide, en dit jaar was ik met name enthousiast over *Sadako and the Thousand Paper Cranes*, een nieuw boek dat ik met groep vier als uitgangspunt wilde gebruiken voor origami.

Wat Charlies agenda betrof, hij omschreef deze tijd als de stilte voor de storm – die uitdrukking gebruikte hij herhaaldelijk, zowel tegen mij als tegen anderen. Ik vroeg maar niet te veel door over zijn aankomende deelname aan de race om het gouverneurschap; dat onderwerp gaf me de kriebels en het kwam me ook onwerkelijk voor. Wilde hij echt het grootste deel van het jaar in Washington D.C. gaan wonen? Wilde hij in een kantoorgebouw op Capitol Hill gaan zitten discussiëren over beleidskwesties en in parlementszittingen zijn stem uitbrengen? De rusteloze, grappen makende, atletische, spontane Charlie? Het zou zijn alsof hij een rol speelde in een toneelstuk. Plus, als hij werd verkozen (wat niet waarschijnlijk was, maar stel), wat zou er dan met ons gebeuren?

Voor zijn werk bij Blackwell Meats ging hij voor zover ik wist niet meer dan tweemaal per week naar het hoofdkantoor aan de rand van Milwaukee. Hij ging wel vaker naar Milwaukee, maar dan voor een partijtje golf of tennis overdag met een van zijn broers, voorafgegaan door een lunch met Hank Ucker en toekomstige geldschieters voor zijn strijdkas: advocaten van grote kantoren, de directeur van een fabrikant van buitenboordmotoren, mannen die hij omschreef als 'krijtstreeppakken'. Ik vroeg hem eens een beetje aarzelend of hij zijn baan bij het vleeswarenbedrijf als fulltime beschouwde, en hij zei zonder enige aarzeling: 'Alice, ik zal je een inkijkje geven in wie ik ben. Een Blackwell zijn is mijn fulltime baan.'

Laat in de namiddag of in de weekends, wanneer ik steeds vaker mijn bezoekjes aan Riley afzegde, gingen Charlie en ik zwemmen aan het BB Clarke-strand ('Je zou een bikini moeten dragen,' zei hij de eerste keer dat we gingen toen hij mijn rood-wit gestreepte badpak zag), en daarna gingen we badmintonnen bij de Hickens thuis of spraken we op het Terrace af met Howard en zijn laatste jonge verovering – hij was alweer van Petal af – en dan dronken Howard en Charlie een paar pullen bier (Charlie reed altijd heen, ik terug), en dan gingen we naar huis en legden we wat op de barbecue. De Gilded Rose was er nooit van gekomen, we hadden het er niet eens meer over gehad. Ik vond het niet erg.

In Charlies nabijheid, de hele tijd sinds die barbecue bij de Hickens, was het alsof ik tegen beter weten in nog even geloofde dat het waar was. De manier waarop we bij elkaar pasten leek zo onwaarschijnlijk dat omgaan met hem me aanvankelijk voorkwam als zowel amusant als lichtelijk onverantwoordelijk. Eerder dat jaar was ik een keer op een zondagmiddag in mei in de coöperatieve natuurwinkel waar ik vaste klant was Maggie Stenta tegen het lijf gelopen, een van de docenten van groep een op Liess, en we waren aan de praat geraakt terwijl Maggies kinderen wild rondrenden tussen de schappen. 'Zeg, heb je zin om met ons mee te gaan?' had Maggie gezegd. 'We eten broodjes gehakt.' Hoewel ik een lijst had gemaakt met andere dingen die ik nog moest doen, nam ik de uitnodiging aan, en dus reed ik achter Maggie aan naar haar huis, waar ik vervolgens vergat de melk uit de tas op de achterbank van mijn auto te halen. Binnen zei Maggie: 'Wil je een glas sangria? We hadden gisteren bezoek, en als we het niet opdrinken bederft het maar.' We zaten op stoelen in de achtertuin, Maggies kinderen waren aan het trampolinespringen – de oudste, Jill, zat bij mij in de klas – en Maggies echtgenoot zat binnen op de bovenverdieping, en Maggie riep naar hem: 'Maak jij het eten klaar, Bob? Ik heb geen puf meer,' en toen kwam haar buurvrouw Gloria langs en zei dat ze zo goed als zeker een hagedis onder de bank in haar woonkamer had gezien – 'geen grote, misschien tien centimeter,' lichtte ze toe – en dit scheen Maggie prachtig te vinden, dus we gingen erheen en kantelden de bank een stukje, en toen schoot de hagedis eronder vandaan – hij was olijfgroen – en verdween in een spleet in de vloer, en Maggie besloot dat we een net nodig hadden, wat in geen van beide huishoudens aanwezig was, dus we lieten de kinderen achter onder de hoede van haar man en liepen naar een gereedschapswinkel waarvan Maggies man had gezegd dat die gesloten zou zijn, wat inderdaad zo was. Toen we terugliepen zei Maggie blijmoedig: 'Heb je ooit slechter opgevoede kinderen dan de mijne gezien?' We liepen terug naar Gloria's huis en keken rond in de kelder, waar het een ongelooflijke rommel was, maar we zagen geen spoor van de hagedis. Tegen die tijd was het zeven uur, ik moest nog wat voorbereiden voor mijn les van de volgende dag, ik was aangeschoten van de sangria (uiteindelijk belde ik twee uur later een taxi), en de melk in mijn auto was ongetwijfeld zuur geworden. Maar wat ik die middag en avond voelde was wat ik de hele tijd ervoer in de buurt van Charlie: *Dit is niet mijn echte leven. Ik zou andere dingen aan het doen moeten zijn. Ik heb het naar mijn zin.*

Halverwege augustus zat ik bij de kapper in Salon Styles – ik was net in de stoel gaan zitten nadat mijn haar was gewassen – toen Richard, de man die me knipte, zei: 'Heb je het gehoord van Elvis?'

'Wat?'

'Hij is dood. Ze zeiden op de radio dat het een hartaanval was, maar volgens mij had die ouwe *hound dog* een zwak voor de pilletjes.'

In de grote spiegel tegenover me zag ik mijn ogen groter worden. 'Zo oud was hij nog niet, of wel?'

'Tweeënveertig.' Richard had een middenscheiding gemaakt in mijn natte haar en nam aan weerszijden van de scheiding plukken haar op die hij aan de punten vasthield. 'Hoeveel centimeter mag er dit keer af?'

Die avond, zodra ik wist dat ze thuis zou zijn van haar werk, draaide ik Dena's nummer. De opgewekte toon waarmee ze opnam, voor ze wist dat ik het was, gaf me een kleine knauw.

'Met Alice,' zei ik. 'Ik moest aan je denken vandaag vanwege... nou ja, je weet zeker wel dat Elvis dood is, en weet je nog toen je moeder ons op de eerste avond meenam naar *Jailhouse Rock* en na afloop boterhammen met pindakaas en banaan voor ons maakte?' Dena gaf niet meteen antwoord, en ik voegde eraan toe: 'Is je moeder erg van streek?'

'Ik heb haar niet gesproken.'

'Nou ja, ik moest gewoon aan je familie denken.' Ik zweeg even. 'Dena, ik mis je. Het spijt me en ik mis je.'

Ze was stil. Toen zei ze: 'Ga je nog steeds met hem?'

'Ik begrijp natuurlijk waarom je boos op me bent, maar dit zou onze vriendschap niet mogen verstoren. Ik doe dit niet om jou een hak te zetten.'

'Dus je gaat nog steeds met hem?'

'Dena, jij hebt veel meer relaties gehad dan ik. Het lijkt me... nou ja, jij bent zo knap en dynamisch, en ik weet honderd procent zeker dat je iemand zult tegenkomen met wie het echt klikt. Dan zul je blíj zijn dat het niets is geworden met Charlie.'

'Het is vast fijn om in de toekomst te kunnen kijken.' Ze klonk sarcastisch.

'Wat ik met hem heb lijkt in niets op wat ik in het verleden heb meegemaakt,' zei ik. 'Ik zou nooit zomaar onze vriendschap op het spel zetten, maar dit voelt gewoon anders. Ik had nooit verwacht dat dit zou gebeuren.'

'Bel je me daarvoor op?'

Ik zat aan mijn keukentafel en keek omlaag naar de placemat die voor me lag, oranje plastic met vlinders, en ik wist dat Dena het me niet zou vergeven. Toch zei ik: 'Gaat het goed met je zus? Een paar weken geleden zei mijn moeder iets over...'

'Hou maar op,' zei ze. 'Oké? Gewoon ophouden.'

'Als je van gedachten verandert...' begon ik.

Ze kapte me af. 'Laat me met rust. Dat is alles wat ik van je wil.'

De volgende avond, toen we in de rij stonden in de coöp, draaide Charlie zich naar me toe en zei: 'Zeg – had jij geen huis gekocht?'

Ik verstijfde, maar niet langer dan een paar tellen. 'Het is niet door de inspectie gekomen.'

'Wat was het probleem?'

'Een draagbalk in de kelder was verschoven en de hele fundering was instabiel.' Nadine had me ooit verteld over andere klanten van haar die een bod hadden gedaan op een huis waarbij tijdens de inspectie dat probleem aan het licht was gekomen. Mijn leugen gaf me een opgelaten gevoel, maar hoe kon ik Charlie de reeks gebeurtenissen uitleggen die ertoe had geleid dat ik van gedachten was veranderd; hoe kon ik hem over mijn moeder en de investeringszwendel vertellen nog voor hij haar had ontmoet en zelf kon zien dat ze geen losbol was, en hoe kon ik ooit uitleggen wat het verband was tussen mijn familie en Pete Imhof? Ik had noch Wade Trommler, noch Simon Törnkvist ooit verteld over Andrew; vooral bij Wade had ik me afgevraagd of hij er niet zelf achter zou komen, want ik was niet de enige persoon uit Riley die in Madison woonde, maar voor zover ik wist was dat niet gebeurd.

'Wat een domper,' zei Charlie.

'Het mocht kennelijk niet zo zijn.' We waren bij de kassa gekomen en ik begon onze boodschappen uit het karretje te halen. Ik had besloten die avond linzensalade bij onze steak te maken en Charlie was met me meegegaan naar de coöp; hij was er kennelijk nog nooit geweest, en toen we naar binnen liepen zei hij: 'Ik had al zo'n vermoeden dat je een hippie was.'

Ik legde de linzen, knoflook, feta, walnoten, olijfolie en verse dille op de band. Charlie keek me niet aan terwijl hij zei: 'Hoeveel denk je dat het zou kosten om de fundering op te knappen?'

'O...' Ik aarzelde. We naderden hier een heikel onderwerp met veel ingewikkelde vertakkingen, voelde ik. Twee dagen daarvoor had ik, toen ik bij Charlie thuis met mijn bord vol eten de kamer in kwam, op de tafel in de woonkamer een cheque zien liggen ten name van Charles Blackwell, ter waarde van twintigduizend dollar; zijn naam en het bedrag stonden erop getypt. Maar de cheque was ook afkomstig van Charles Blackwell: zijn naam stond in drukletters in de linker bovenhoek. Ik had nog nooit een cheque gezien voor een bedrag dat daar ook maar in de buurt kwam, en ik had geen idee waar die voor kon zijn, of wat het betekende dat hij zowel aan als van hem was. Ik raakte hem niet aan en schoof snel weer op de bank, waar ik wachtte tot hij erbij kwam zitten. Toen hij met zijn eigen bord binnenkwam ging hij zitten, draaide de cheque achteloos om en we vervolgden ons gesprek.

In de coöp zei ik: 'Het herstellen van de fundering zou waarschijnlijk evenveel geld kosten als het hele huis. Het is het niet waard.' De caissière begon onze boodschappen aan te slaan, en achter ons zette de volgende klant haar boodschappen op de band. Het was een tengere vrouw van onze leeftijd, gekleed in een blouse met korte mouwen en een wikkelrok. Ze had de sproeten en het felrode haar waar mensen zelf nooit blij mee schijnen te zijn, maar die ik altijd best mooi vind.

'Was dat je droomhuis, of vond je het zozo?' vroeg Charlie.

Ik probeerde me in te houden en zei: 'Het kon ermee door.' Dit gesprek moest niet te lang meer duren, want dan zou ik in tranen uitbarsten. Niet omdat het zo verschrikkelijk was geweest het huis kwijt te raken – ik had er eerlijk gezegd niet zoveel meer aan gedacht – maar omdat het allemaal opeens zo vreemd en beladen aanvoelde. Als ik zou vragen: 'Wil je het huis alsjeblieft voor me kopen?', zou Charlie dan ja zeggen? Het viel me op dat de roodharige vrouw de spullen kocht die je eet als je alleen woont: een pak muesli, wat appels, een plastic bakje met yoghurt. Terwijl we wachtten tot de caissière het totaalbedrag noemde, zei Charlie: 'Ik verheug me op onze hippiesalade,' en hij boog zich naar me over en kuste me in mijn nek.

Met plotselinge helderheid zag ik dat ik was overgegaan naar een andere categorie. Ik was die roodharige vrouw geweest: mijn eerste tien jaar als volwassene had ik muesli en yoghurt gekocht, ik had in de buurt van stelletjes gestaan en toegekeken hoe ze elkaar knuffelden, en nu maakte ik deel uit van zo'n stel. En ik zou niet teruggaan, daar was ik bijna zeker van. Maar ik herkende haar manier van leven, ik kende dat zo goed! Ik wilde haar sproetige hand omklemmen en tegen haar zeggen – we zouden vast een gemeenschappelijke codetaal spreken (of niet, ze zou me maar een idioot hebben gevonden): *Het is fijn hier aan de andere kant, maar aan jouw kant is het ook goed. Geniet ervan. De eenzaamheid is moeilijker, en dat weegt het zwaarst; maar andere dingen zijn daar gemakkelijker.*

Een paar maanden geleden hadden Rita Alwin en ik kaartjes gekocht voor een voorstelling van *Romeo en Julia* in een experimenteel theatertje vlak bij de campus, en toen we er die week naartoe gingen, kwamen we erachter dat het experimentele ervan was dat alle acteurs gedurende de hele voorstelling naakt waren. Daarbij waren het geen bijzonder goede acteurs. Rita en ik zaten elkaar de hele tijd aan te kijken en te giechelen, en tijdens de pauze zei ze: 'Zullen we het voor gezien houden?'

We gingen een glas wijn drinken in een café om de hoek, en toen ze tegenover me zat, zei Rita: 'Er is iets aan jou veranderd.'

'Ik ben naar de kapper geweest.' Ik flapte het er grappend uit. Ik droeg mijn haar in die tijd tot de kin, het was nog dik en donker (ik was er heimelijk trots op dat ik nog geen enkele grijze haar had hoeven uittrekken), en ik liet het aan de zijkanten een klein beetje in laagjes knippen. De lente daarvoor had iemand tegen me gezegd dat ik iets had van Sabrina in *Charlie's Angels*, maar dat was een opmerking die ik eerder verontrustend dan vleiend vond, omdat ze afkomstig was van een meisje uit groep drie.

'Het is niet je haar,' zei Rita. 'Het is meer je uitstraling.' Ze boog zich naar me toe. 'Ben je verliefd?'

'Wat? Nee. Nee, maar ik ben een tikkeltje verbrand.' Toen zei ik: 'Nou ja, ik heb iets met een man, Charlie.'

'Ik wist het!' Rita was zestig en nooit getrouwd geweest, en hoewel ze aantrekkelijk was leek ze geen relaties te hebben. Ze had geweten van Simon, maar ik vertelde haar zelden iets over de gearrangeerde afspraakjes waar ik af en toe in verzeild raakte – ik vond het altijd oersaai als jonge vrouwen het de hele tijd over hun romantische avontuurtjes hadden. 'Neem hem mee naar de picknick aan het begin van het nieuwe schooljaar,' zei Rita. 'Wat is hij voor iemand?'

'Hij is knap en grappig en... ik weet niet, hij is leuk. Hij is heel knap.'

Rita stak haar hand uit en klopte op mijn onderarm. Het verbaasde me dat ze zo enthousiast was. Ze zei: 'Ik wíst dat dit je zou overkomen.'

Ik had het niet voor mogelijk gehouden, maar vergeleken bij Charlies appartement in Houghton was zijn behuizing in Madison een juweeltje van binnenhuisarchitectuur. Ik ging op een vrijdagmiddag zonder speciale reden met hem mee – want we gingen intussen overal samen naartoe – en ontdekte dat hij, of Hank Ucker voor hem, een appartement had gehuurd in een zielloos wooncomplex van vier verdiepingen, een paar huizenblokken van het centrum. Charlie had een woning met twee slaapkamers en een smal keukentje, bruine vloerbedekking, beige gordijnen, een lichtbeige bank met dunne blauwe en rode zigzagstrepen en een laag glazen bijzettafeltje. In de hoek van de kamer stond een niet aangesloten televisie op de vloer. De kasten in de keuken en slaapkamers waren leeg en in geen van beide toiletten lag zeep, geen handdoeken, geen theedoeken in de keuken, niet eens servetten of tissues; wel stond er een volle fles afwasmiddel op het aanrecht, en toen ik daar mijn handen mee waste nadat ik naar de wc was geweest, stak Charlie zijn buik naar voren en zei: 'Droog maar aan mij af.' Terwijl ik mijn handpalmen aan de fijne katoen afveegde zei hij: 'O jee, je windt me op.'

'Waarvoor heb je twee slaapkamers nodig als je hier niet eens slaapt?'

'Ooit komt er een of andere journalist rondsnuffelen.' Charlie grijnsde. 'Een woning met één slaapkamer zou verdacht kunnen overkomen, alsof ik hier alleen maar iets huur om verkiesbaar te zijn in dit district. Ik zou het vreselijk vinden om op de eerbare inwoners van Houghton over te komen als een cynische politicus.'

'We moeten nodig wat inkopen gaan doen,' zei ik.

'Dat zeggen vrouwen nou altijd.'

Ik trok een gezicht en hij reageerde: 'Grapje. Maj heeft beloofd het hier op te knappen voor ik verhuis, maar als je vingers jeuken om er je vrouwelijke touch aan te geven, ga je gang.' Maj was kennelijk de benaming van Charlie en zijn broers voor hun moeder: een afkorting van Hare Majesteit. En ze vond het nog een leuke bijnaam ook, volgens Charlie; hij kon zich niet herinneren sinds wanneer ze haar zo noemden, waarschijnlijk toen zijn oudste broer op high school zat en Charlie in groep vier of vijf. Ik vroeg hoe ze hun vader noemden, en alsof een andere mogelijkheid nooit bij hem was opgekomen zei Charlie dat ze hem 'pa' noemden, al voegde hij eraan toe dat de kleinkinderen 'Piepa' zeiden; zij noemden hun grootmoeder Omaj.

'Ik heb het over de aanschaf van zeep, wat voor sommigen van ons eerder onder hygiëne valt dan onder woninginrichting,' zei ik. 'Het is hier een deprimerende bedoening, en dat is nergens voor nodig. Het is deprimerend en het komt frauduleus over.'

'Het ís frauduleus.' Hij boog zich voorover en kuste me.

'Charlie, als je in dit district meedoet aan de gouverneursverkiezingen, moet je hier ook de nodige tijd doorbrengen. Er zijn ergere plaatsen op de wereld dan Houghton.'

'Zouden ze dat al hebben overwogen als stadsmotto?'

'Geloof het of niet, ik probeer je te helpen.' Ik keek om me heen. 'Ik heb een voorstel. We maken hier een echt thuis voor je. We kopen lakens en handdoeken en eten – niets wat bederft, maar houdbare dingen. En dan kunnen we hier blijven slapen.' We hadden nog steeds geen hele nacht samen doorgebracht, wat van mijn kant steeds belachelijker voelde.

Charlie zei: 'Misschien eerst knuffelen en dan winkelen?'

'Ik ga niet knuffelen op een bed zonder lakens.'

'Je bent keihard, Lindy.' Lindy was Charlies nieuwe bijnaam voor mij, een afkorting van mijn achternaam. 'Sta je soms stiekem op de loonlijst van de Kamer van Koophandel van Houghton?'

Maar we lachten naar elkaar, en dat was het nu net met Charlie: dat mijn ongeduld met hem altijd een ondertoon, zo niet een boventoon van pret bevatte. Dat hij me amuseerde, dat ik het leuk vond hem ergens toe over te halen. Ik had het gevoel dat ik hem echt kon helpen, dat mijn kalmte en organisatietalent zijn energie en humor aanvulden en omgekeerd.

Ik zei: 'Als ik bij ze op de loonlijst sta, ga ik jou dat niet aan je neus hangen.'

Natuurlijk vreeën we wel later die middag, al belandden we uiteindelijk op de bank, want zelfs nadat we lakens hadden gekocht, wilde ik die eerst wassen alvorens het bed op te maken. 'Wie doet dat nou?' vroeg Charlie, en ik zei: 'Iedereen.'

Hij fronste zijn voorhoofd. 'Maar ze zijn gloednieuw.'

Naakt op de bank had hij me gestreeld tot die warme, snelle innerlijke ontspanning kwam, en daarna was hij in me gekomen, en toen we klaar waren lagen we daar terwijl het zweet op onze huid droogde, en ik zei: 'Die arme Hank Ucker zit op een dag op deze bank zonder het flauwste benul wat zich daarop heeft afgespeeld,' en Charlie zei: 'Je zou Ucks nergens blijer mee kunnen maken. Nee, dan mijn moeder, als díé hier zou zitten...'

'Niet zeggen. Dat is te gênant.'

'Je moet binnenkort eens kennismaken met mijn ouders,' zei hij. 'Ze zitten nu in Seattle, maar op Labor Day komen we met z'n allen bij elkaar in Halcyon, in Door County. O, en met de kerst, je moet erbij zijn met de kerst. Maj maakt een verrukkelijke gebraden gans. Bedruipen met gemberbier, dat is de truc.'

Ik had de indruk dat Charlies ouders vaker op reis dan thuis waren; theoretisch woonden ze in Milwaukee, maar ze waren doorlopend op bezoek bij vrienden in Denver of Boston, of ze verbleven in Door County (kennelijk was er ook nog een derde huis, in Sea Island in Georgia), of ze vlogen naar een universiteit in Virginia waar Harold Blackwell een speech moest houden of naar een zakencongres in Oklahoma City waar hij de hoofdgastspreker was. Het klonk me vermoeiend in de oren, al moest ik toegeven dat ik maar twee keer in een vliegtuig had gezeten: op mijn twintigste was ik met mijn ouders en grootmoeder naar Washington geweest, waar mijn vader en ik de trap van het Washington-monument hadden beklommen, helemaal tot de top, terwijl mijn moeder en grootmoeder de lift hadden genomen; en op mijn zesentwintigste, voordat ik voor een huis begon te sparen, was ik in de voorjaarsvakantie met Rita Alwin naar Londen geweest; daar hadden we in een dubbeldekker rondgereden en voorstellingen van *De koopman van Venetië* en *The Mousetrap* bijgewoond. Charlie zelf was buitengewoon bereisd. Als er in de loop van een gesprek uiteenlopende plaatsen ter sprake kwamen, zei hij terloops, alsof het niet bij hem opkwam dat iemand anders het indrukwekkend dan wel storend zou kunnen vinden, dat hij daar ook geweest was: Honolulu en Charleston en Palm Springs, Martha's Vineyard en Dallas en Nashville en New Orleans. Baltimore, zo verklaarde hij, was 'goor'. Portland, Oregon was 'doodsaai'.

'Mijn broer Arthur begint iets in de gaten te krijgen,' zei Charlie. 'Hij probeert me al weken voor te stellen aan een vrouw, en laatst zei ik hem dat hij geen moeite hoefde te doen, wat zogezegd ietwat ongebruikelijk was.' Arthur was, had ik begrepen, de broer die qua leeftijd en gevoelsmatig het dichtste bij Charlie stond; al zijn broers waren getrouwd. 'Jij zou toch ook nee zeggen als een man je mee uit vroeg, of niet?' zei Charlie.

'Natuurlijk. Charlie, ik slaap niet zomaar met iemand.'

'Nee, dat dacht ik al. Ik wilde even zeker weten dat we het eens waren, da's alles.'

'Weet je, we zijn nu vlak bij het huis van *míjn* familie,' zei ik. 'Misschien moesten we er morgen maar eens naartoe gaan.'

'Denk je dat ik door de keuring zou komen bij de dames Lindgren?'

'Als je je gedraagt.'

Charlie lachte. 'Dus als ik een wind moet laten mag ik je grootmoeder niet vragen aan mijn vinger te trekken?'

Tegen die tijd was het bijna halfzeven, we stonden op, kleedden ons aan en maakten het eten klaar. We hadden bij Scorilio, het enige warenhuis in Houghton borden, bestek, potten en pannen gekocht – ik stond erop ook die spullen af te wassen voor we ze gebruikten – en daarna waren we bij de kruidenier langs geweest voor spaghetti, marinarasaus en brood. (In de winkel fluisterde Charlie me toe: 'Denk je niet dat de andere klanten naar je kijken en denken wat een del je bent, dat je bij je vriendje blijft slapen?') Terug in het appartement, toen we aan het koken waren, voelde het allemaal heel relaxed. We haalden de wekkerradio uit de slaapkamer en zetten hem op een jazz-zender, en te midden van dit alles nam een gedachte vaste vorm aan die al meerdere malen bij me was opgekomen, maar in een schimmige vorm: de bijna-zekerheid dat de kus tussen Gladys Wycomb en mijn grootmoeder waarvan ik al die jaren geleden getuige was geweest, postcoïtaal was geweest. Ik had het op dat moment niet doorgehad; het was al genoeg – te veel – geweest de omhelzing zelf te zien, zonder te weten of het een begin of afsluiting van iets anders was geweest. Maar achteraf bezien viel het niet te ontkennen: die lome, tedere, uitgeputte sfeer die tussen twee mensen hangt wanneer ze niet langer toewerken naar de daad maar deze hebben voltooid, die gelukkige ontspanning. Het is niet waarschijnlijk dat ik iets dergelijks in mijn eerste verliefde weken met Charlie zou hebben gezegd, maar met het ouder worden heb ik besloten dat het naspel het beste gedeelte is. Het mogelijk beladen geven en nemen van de geslachtsgemeenschap wordt vervangen door heerlijk futiele zorgen: wanneer ga je uit bed, waar heb je je shirt gelaten, wat ga je eten. Geen van beiden probeert de ander nog te overreden om door te gaan of het uit te stellen; je probeert niet iets te bereiken en kunt simpelweg genieten van elkaars gezelschap.

Rond drie uur in de ochtend werd ik wakker met mijn hand op Charlies kruis. We waren allebei naakt onder het laken, want hij had me ervan overtuigd dat dat zo moest op onze allereerste nacht samen. Hij lag op zijn rug, en ik op mijn zij naast hem, mijn hoofd op hetzelfde kussen, mijn handpalm op zijn bovenbeen. Ik schaamde me dood. Maar als ik mijn hand weghaalde, zou dat hem er dan niet op attenderen dat hij daar had gelegen? Zo langzaam als ik kon verschoof ik mijn hand een paar centimeter, en hij bewoog, zoals ik al had gevreesd. Hij had een arm om mijn rug gelegd, en zonder zijn ogen te openen draaide hij zijn hoofd, gaf een kus op de scheiding in mijn haar en leek onmiddellijk weer in slaap te vallen.

Ik lag in het donker met mijn ogen open. Was ik eigenlijk niet iets aan het proberen geweest? Me afvragend, al was het onbewust, tot hoe ver ik kon gaan, waar de grenzen van het fatsoen lagen, tot waar we terloops inbreuk op elkaars ruimte konden maken? En hij had het óf niet opgemerkt, óf hij vond het oké. Ik schoof mijn hand terug naar waar hij had gelegen, en viel zelf ook weer in slaap.

Toen we de volgende dag bij mijn ouderlijk huis in Riley aankwamen, klopte ik aan en mijn grootmoeder verscheen aan de deur in een oranje mouwloze acryljurk, een doorzichtige panty en hooggehakte oranje schoenen. Ze had een smalle witleren ceintuur rond haar middel, en haar blote armen waren pijnlijk mager. Ze keek meermalen heen en weer tussen Charlie en mij – ze moest haar hals uitstrekken – en toen klapte ze eenmaal in haar handen en zei: 'O, dit wordt goed!' Ze keerde me haar wang toe om gekust te worden.

'Dit is Charlie,' zei ik. 'Charlie, dit is mijn grootmoeder, Emilie Lindgren. Oma, ik had eerst willen bellen, maar we waren in de buurt en ik...'

'Lieverd, ik ben dol op verrassingen.' Haar stem had iets ondeugends toen ze eraan toevoegde: 'Ik hoop jij ook.'

Eigenlijk had ik expres niet van tevoren gebeld, niet alleen omdat ik niet de aandacht wilde vestigen op het feit dat Charlie en ik de nacht ervoor samen in Houghton hadden doorgebracht, maar ook omdat ik mijn moeder niet het gevoel wilde geven dat ze op het laatste nippertje een uitgebreide maaltijd moest bereiden. Ze aten altijd om halfeen, en het was kwart voor twee toen we binnenkwamen.

'Mevrouw Lindgren, ik heb uw kleindochter beloofd me zo goed mogelijk te gedragen,' zei Charlie, maar voordat mijn grootmoeder iets terug kon zeggen, riep mijn moeder: 'Wie is daar, Emilie?'

Toen kwam mijn moeder zelf de woonkamer in, en haar ogen werden groot. 'Alice, wat enig, maar ik verwachtte je pas volgend weekend.'

'We komen alleen even langs,' zei ik. 'Ik wilde je voorstellen aan... dit is Charlie; Charlie, mijn moeder.'

'Dorothy Lindgren,' zei mijn moeder en ze gaf Charlie een hand. 'Waarom komen jullie niet in de eetkamer zitten?'

Was dit een slecht idee geweest? Pas toen we de eetkamer binnen kwamen, waar ze normaal gesproken niet zo lang na de lunch bleven zitten, begreep ik het: daar aan tafel, in een Schots geruit hemd met korte mouwen, met een koffiekopje in zijn hand dat er bijzonder fragiel uitzag in de knuist van zo'n zwaargebouwde man, zat Lars Enderstraisse. Zonder haar aan te kijken voelde ik onmiddellijk hoe mijn grootmoeder zich verkneukelde; ik voelde ook mijn moeders opgelaten nervositeit. 'Lieverd, je kent meneer Enderstraisse,' zei ze. 'Lars, je kent mijn dochter Alice nog wel, en dit is haar vriend – wat is je achternaam, Charlie?'

'Blackwell,' zei ik vlug.

'Zeg maar gewoon Lars, hoor,' zei meneer Enderstraisse.

Charlie en ik namen plaats op de stoelen waar geen placemat of bord voor stond. 'Lusten jullie misschien wat ham?' zei mijn moeder, en ik antwoordde: 'We hebben al gegeten. Sorry dat ik niet eerst heb gebeld, maar we waren toevallig in Houghton.' Intussen had ik er flink spijt van dat we onaangekondigd waren verschenen. Er daalde opnieuw een stilte neer over de tafel, en mijn moeder zei: 'Laat ik jullie in elk geval iets te drinken inschenken.'

Tegelijkertijd zei ik: 'O nee, dank je,' en Charlie: 'Ik lust wel een biertje als u dat hebt.'

'Ik help je wel.' Ik stond op. 'Nog iemand?'

'Bier doet rare dingen met Lars' maag,' verkondigde mijn grootmoeder met gezag. Hoewel ik het misschien als enige zag, straalde mijn grootmoeder van zelfingenomenheid.

'Opgeblazen gevoel, winderigheid en zo,' zei meneer Enderstraisse. Hij zei het heel hartelijk, en ik vroeg me af of hij werkelijk iets met mijn moeder had. Ik had hem nooit anders dan in een postbode-uniform gezien.

'Ga toch zitten, Alice,' zei mijn moeder, en ik gehoorzaamde weifelend.

'Alice, je hebt vast nog niet gehoord over de inbraak bij de familie Schlingheyde.' Mijn grootmoeder had zich naar Charlie en mij toe gekeerd. 'De hele buurt heeft het erover. Don en Shirley hebben er dwars doorheen geslapen, maar toen ze 's ochtends wakker werden zagen ze dat een keukenraam aan diggelen lag en dat de televisie was verdwenen, evenals Shirleys tafelzilver. Maar het bizarre is dat ze op de afdruipplaat een half broodje kalkoen vonden, waar maar een paar happen van waren genomen en waarvan de andere helft ontbrak. Kun je je voorstellen dat je in alle rust even een hapje klaarmaakt terwijl je bezig bent een huis te beroven? Hij had zelfs mayonaise op het brood gesmeerd.'

'Wanneer was dat?' vroeg ik.

Over haar schouder riep mijn grootmoeder naar de keuken: 'Dorothy, was dat zondagnacht?'

'Maandag,' zei mijn moeder terwijl ze in de deuropening verscheen met Charlies bier. 'Het lijkt mij een behoorlijk gestoorde persoon.'

Ze gaf het glas bier aan Charlie, die goedmoedig zei: 'Bij vrienden van mijn ouders werd in de jaren zestig een keer ingebroken, en die dief liet een schoen achter.' Charlie had uiteraard geen idee hoe ongewoon de aanwezigheid van Lars Enderstraisse was.

'Ik hoop dat jullie de deuren goed op slot houden,' zei ik.

'O, de politie heeft die vent zo te pakken.' Mijn grootmoeder zei het vol vreugde. 'Als sheriff Culver erin slaagt zich langer dan een uur los te rukken uit Grady's Tavern, heeft die inbreker geen schijn van kans.' Zonder plichtplegingen zei mijn grootmoeder tegen Charlie: 'En wat heb jij gedaan dat je een bezoek aan Alice' ouderlijk huis hebt verdiend?'

'Ik heb haar hart veroverd.' Charlie grijnsde, en mij bekroop een nerveuze nieuwsgierigheid over de vraag of hij en mijn grootmoeder elkaar zouden mogen. Ze hadden allebei een bepaalde levendigheid, maar ik wist niet zeker of die van dezelfde soort was, en soms waren verschillende varianten van dezelfde aanleg erger dan totale verschillendheid. Onder de tafel pakte Charlie mijn hand.

'Geef jij ook les, Charlie?' vroeg mijn moeder.

'Nee, mevrouw, ik zit in de rundvleesindustrie.' Toen Charlie in mijn hand kneep, vroeg ik me af of hij kon voelen dat ik gespannen was. 'Ik pendel tussen Houghton, Madison en Milwaukee.'

Ging Charlie ervan uit dat ik hun van tevoren had verteld wie zijn familie was? Aangezien ik dat nog niet had gedaan, moest ik dat misschien nu doen, nu mijn vaagheid de vorm van een regelrechte leugen dreigde aan te nemen.

Mijn grootmoeder stak een sigaret op die ze uit een pakje naast haar bord had gehaald. 'Dat zal je een flinke duit aan benzine kosten.'

'Charlie, ik hoorde Alice zeggen dat je achternaam Blackwell was,' zei Lars Enderstraisse. 'Je bent toch geen familie van de worstjes-Blackwell, of de vroegere gouverneur?'

'Dat is niet te hopen,' zei mijn grootmoeder vrolijk. 'Wat hield die man deze staat in een wurggreep!'

Met luide stem, alsof ik haar opmerking met terugwerkende kracht kon overstemmen, zei ik: 'Harold Blackwell is Charlies vader.'

Er viel een stilte, en Charlie was degene die hem verbrak. Hij zei: 'Geen beter onderwerp voor een felle discussie dan politiek, nietwaar?' En hij glimlachte, een flauwe glimlach, maar hij deed zijn best.

'Jóúw vader is Harold Blackwell?' Een verwarde uitdrukking trok mijn moeders gezicht samen.

'En Charlie is volgend jaar kandidaat voor de Congresverkiezingen,' zei ik. 'Maar het is nog geheim, dus vertel het aan niemand.' Ik wierp hem een blik toe om te zien of hij geïrriteerd was, en hij zag er niet bepaald blij uit, al viel moeilijk te zeggen of dat kwam door mijn grootmoeders opmerking of mijn indiscretie. Maar was het niet beter het er allemaal in één keer uit te gooien? Of zou dit bezoekje de acute nekslag voor onze relatie zijn, onthullen hoe weinig we feitelijk, tegen de achtergrond van mijn opvoeding, met elkaar gemeen hadden?

'Kandidaat voor de Congresverkiezingen – grote goedheid!' zei mijn moeder, en dat herinnerde me aan mijn onwetendheid omtrent haar politieke voorkeur. 'Wat een opwindende tijd voor je.'

'Ik maak mijn kandidatuur pas in januari bekend,' zei Charlie. 'Eerlijk gezegd ligt er een zware periode voor me, met een zittend gouverneur als Alvin Wincek. Maar ik kan oprecht zeggen dat het een voorrecht voor me zou zijn om de bevolking van het zesde district van Wisconsin te dienen.'

Zet alsjeblieft niet je speechstem op, dacht ik. Ik kon mijn grootmoeder niet eens aankijken.

'Ben je republikein zoals je vader?' zei ze, en toen ik toch naar haar durfde te kijken, zag ik dat ze Charlie ongegeneerd zat aan te staren.

'Inderdaad,' zei hij, en zijn stem klonk op een joviale manier verdedigend.

'In een progressieve stad als Madison lijkt me dat je daarmee uit de pas loopt met je leeftijdgenoten,' zei mijn grootmoeder.

'Schijn bedriegt.' Charlie bleef op volkomen beleefde toon spreken. 'Die studenten met hun protesten zetten een flinke keel op, maar de kern van Madison bestaat uit hardwerkende middenklassenfamilies.'

Hou op, allebei, wilde ik schreeuwen.

'Een republikein die ik echt bewonder is Gerald Ford,' zei mijn moeder. 'Wat een moeilijke situatie om binnen te stappen, en die arme vrouw van hem, die zo met haar gezondheid sukkelde.'

'Jerry is een loyale infanterist,' zei Charlie. 'Hij is een man die weet waar zijn kracht en zijn beperkingen liggen.'

Toen viel er een stilte, terwijl we allemaal probeerden vast te stellen welke richting het gesprek op zou gaan. Charlie was degene die er een draai aan gaf. 'Wat een gezellig huis hebt u, mevrouw Lindgren,' zei hij, en het was duidelijk dat de mevrouw Lindgren tegen wie hij het had niet mijn grootmoeder, maar mijn moeder was. 'Hoe lang woont u hier al?'

'O, hemel, dat is al... help eens, Emilie... we kwamen hier vlak voor Alice werd geboren, dus ik denk eenendertig jaar. Je hebt vast en zeker Alice' hartsvriendin Dena ontmoet. Mack en Lillian, Dena's ouders, wonen hier vlak tegenover, en zij kwamen hier nog geen halfjaar na ons.'

'Ik heb Dena ontmoet,' zei Charlie hartelijk. 'Ze is een echte gangmaker op feestjes.'

'Ja, het is een pittige meid. Lillian vertelde me dat het stormloopt in haar winkel.'

'Hoe gaat het met haar zus?' vroeg ik.

'Ik geloof dat het nu beter gaat.' Mijn moeder glimlachte. 'Charlie, heeft Alice je verteld dat haar vader filiaalhouder van de Wisconsin State Bank & Trust in Riley was?'

Charlie glimlachte wezenloos.

'Ze hebben ook filialen in Madison,' zei ik. 'Er is er een aan de West Washington, vlak bij het plein.'

'Het is de beste bank in de streek.' Mijn moeder knikte vurig. 'Weten jullie zeker dat jullie niets willen eten? Alice, ik heb gisteravond weer appeltaart gebakken, en je had helemaal gelijk dat er wat zure room in het beslag moest.'

'Dat kan ik onderschrijven,' zei Lars en hij glimlachte. 'Ik kan jullie wel vertellen dat als ik vanochtend toen ik wakker werd had geweten dat ik tegenover de zoon van de gouverneur van Wisconsin zou komen te zitten, ik mijn camera had meegenomen. Als ik dat maandag op het postkantoor vertel!' Hij voegde er speciaal tegen Charlie aan toe: 'Daar werk ik, op het kantoor in Commerce Street.'

Ik deed mijn uiterste best me niet te generen of toe te geven aan puberale oppervlakkigheid.

'Het zal je verbazen, maar zelfs in een stadje als Riley versturen de mensen hun post naar de vreemdste plaatsen,' zei Lars. 'Laatst was er een man die een pakje helemaal naar Brussel stuurde, in België.'

'Waar Audrey Hepburn is geboren,' zei mijn grootmoeder.

Het viel even stil en Charlie, kennelijk niet gechoqueerd door, noch geïnteresseerd in Lars' baan, zei: 'Mevrouw Lindgren, heb ik mijn kans op die appeltaart verkeken?'

'Helemaal niet.' Mijn moeder sprong op uit haar stoel. 'Alice?'

'Voor mij niet, maar ik help je wel even,' zei ik.

In de keuken stond een met folie bedekte bakvorm op de oven. Mijn moeder deed de oven aan en zette de vorm erin.

'Charlie eet 'm wel koud, mam.'

'Maar opgewarmd is hij veel lekkerder. Ik wou dat we nog wat vanille-ijs hadden... zal ik niet even gauw naar Bierman gaan?'

'Nee, heus niet.'

'Ik had geen idee dat hij de zoon van Harold Blackwell was,' zei ze, en toen, na een tel: 'Ik weet dat Lars' aanwezigheid nogal een verrassing voor je is. Ik ging laatst postzegels kopen en we raakten aan de praat. Hij is een heel aardige man, Alice.'

'O, maar zo komt hij ook over. Sorry dat ik niet had gebeld om te zeggen dat we kwamen.'

'Niemand zal voor mij ooit de plaats van je vader innemen.' Er lag iets fels in haar gelaatsuitdrukking, alsof ze verwachtte dat ik haar niet zou geloven.

'Mam, ik vind het prima... het is goed voor je om, je weet wel, onder de mensen te komen. Jullie twee moeten eens bij me komen eten in Madison, met oma, of alleen jij en Lars, als je wilt komen wanneer oma in Chicago is.'

Mijn moeder keek beduusd. 'Heeft oma tegen je gezegd dat ze naar Chicago gaat?'

'Is haar bezoek aan dokter Wycomb niet ergens in de komende paar weken?'

Mijn moeder schudde haar hoofd. 'Oma is in geen jaren bij haar op bezoek geweest.'

Ik was stomverbaasd. 'Heeft ze er de fut niet meer voor?'

'Nou ja, ze is al tweeëntachtig,' zei mijn moeder. 'Ze is zo bijdehand dat je dat gemakkelijk vergeet.' Mijn moeder had haar eierwekker gepakt, en ik zag dat ze hem op zeven minuten zette. Terwijl ze dat deed, zei ze: 'Dat wil ik je al een tijdje zeggen – nog bedankt voor het verkopen van de broche. Ik weet dat we er waarschijnlijk niet zoveel voor hebben gekregen als hij eigenlijk waard was, maar alle beetjes helpen.'

We bleven niet lang; ik geloof dat we dit bezoekje allemaal, met uitzondering van mijn grootmoeder, slopend hadden gevonden. Mijn moeder stond erop Charlie de portie taart mee te geven die nog over was, en we stonden met z'n vijven in de woonkamer afscheid van elkaar te nemen. 'Nu begrijp ik waarom Alice zo liefdevol over haar familie praat,' zei Charlie tegen mijn moeder, en zijn stem was luid en zelfverzekerd, maar ook afstandelijk – het was de manier waarop ik hem later tegen kiezers hoorde praten. Toen mijn grootmoeder hem de hand schudde, zei ze: 'Ik heb nooit op je vader gestemd, maar ik heb je moeders gevoel voor stijl altijd bewonderd. Ik heb ooit een foto van haar gezien met een adembenemend vossenbontje om.'

Charlie glimlachte niet toen hij zei: 'Ik zal het aan haar overbrengen.'

In de auto wees ik hem de weg de stad uit, en toen we op de snelweg waren gekomen spraken we geen woord, bijna tien minuten lang. 'Sorry als dat onaangenaam was,' zei ik ten slotte. 'Je hebt het goed opgevat.'

Hij zei niets.

'Ben je boos?' vroeg ik.

'Je hebt kritiek op mijn gedrag, maar je kunt beter wat van je etiquettelessen voor je grootmoeder bewaren.'

'Charlie, ze is tweeëntachtig. En ze was maar wat aan het dollen.'

'Jij vindt haar zeker heel wat grappiger dan ik. Ik krijg natuurlijk de volle laag als ik dit zeg, maar er zijn heel wat aardige republikeinse vrouwen die dolgraag mijn vriendin zouden willen zijn.'

'Daar twijfel ik niet aan.'

'Als wij samen verder willen, heb ik je steun nodig. Het kandidaatschap betekent een heleboel stress. Ik heb dat bij mijn vader gezien en nu bij mijn broer, en het is niet gemakkelijk. Het put je uit. Ik moet eropuit om kiezers ervan te overtuigen dat ik het verdien verkozen te worden, maar als ik niet eens de vrouw met wie ik samen ben kan overtuigen, ben ik dan niet erg stom bezig?'

Ik zweeg even, en toen zei ik: 'Ik zou op je stemmen.'

'Gelukkig voor jou ben ik geen kandidaat in jouw district.'

'Geloof je me niet?'
Hij keek me aan. 'Natuurlijk wel. Waarom zou ik je niet geloven?'
'Charlie...'
'Niet dat je de daad bij het woord hoeft te voegen.' Hij wierp me een schuinse blik toe. 'Zogezegd.'
'Dat is niet fair van je.'
Hij had zijn blik weer op de weg. 'Alice, loyaliteit betekent alles binnen mijn familie. Niets is belangrijker dan dat. Als iemand een Blackwell beledigt, is het einde verhaal. Dat begon al op de lagere school, als kinderen dachten dat ze ruzie met me konden maken of me gewoon zaten te pesten – mij maakt het niet uit. Ik probeer ze niet te overreden. Ik negeer ze gewoon. Dus als ik moet aanhoren hoe je grootmoeder...'
'Ik wou dat ze dat niet had gezegd.'
'Als politicus mobiliseer je je aanhangers en probeer je de mensen voor je te winnen die nog geen partij hebben gekozen, maar degenen die je door het slijk halen, vergeet het maar. Die bekeer je nooit. Als je slim bent, verdoe je daar je tijd niet aan.'
We waren allebei stil tot ik zei: 'Ik heb een voorstel. Wat zou je ervan zeggen om het niet over politiek te hebben? Deze zomer met jou was de fijnste die ik ooit heb meegemaakt. Echt. Maar ik wil niet doen alsof ik in dingen geloof terwijl dat niet zo is. Ik wil niet bij een verkiezingsbijeenkomst leuzen staan schreeuwen.' (Het aantal keren dat ik bij een verkiezingsbijeenkomst leuzen heb staan schreeuwen, op het podium, recht voor de camera – ik ben de tel al jaren kwijt.) 'Als ik je nu eens steun, niet als politicus maar als persoon?' zei ik. 'Als we nu eens onze verschillen opzij schuiven, als jij mij niet probeert te overtuigen en ik jou niet, en we gewoon genieten van het feit dat we samen zijn? Ben ik gek, of is dat mogelijk? Ik kan je verzekeren dat ik niemand ooit zal vertéllen dat ik het niet met je eens ben – dat gaat niemand behalve ons iets aan.'
'Dus, even voor de goede orde,' zei hij. 'Ik ben kandidaat voor het Congres voor de republikeinen, jij bent een hippie die belooft dat niet publiekelijk of tegenover mijn familie kenbaar te maken, en samen maken we mooie muziek?'
Ik aarzelde. 'Zoiets.'
'En ik mag je er niet eens van proberen te overtuigen dat Jimmy Carter een sneue stakker is?' Maar zijn toon was nu lichter; ik hoefde niet met zoveel woorden te horen dat we weer aan dezelfde kant stonden om te

weten dat dat zo was. 'Om antwoord te geven op je vraag,' zei hij, 'nee, je bent in de verste verte niet gek. Ik heb gekke vriendinnetjes gehad, en jij beantwoordt daar niet aan.'

'Dank je.'

Hij keek me opnieuw aan. 'Je bent een ongewone vrouw, Alice.'

Ik glimlachte ironisch. 'Sommigen zouden zeggen dat jij een ongewone man bent.'

'Je hebt een sterk zelfbewustzijn. Je hoeft andere mensen niets te bewijzen.'

Was ik het daarmee eens? Ik had nooit het gevoel gehad dat ik een sterk zelfbewustzijn had, het voelde gewoon alsof ik mezelf wás.

'Ik heb een beeld in mijn hoofd,' zei hij. 'We zijn oud, ouder dan mijn ouders nu zijn. We zijn tachtig, of zelfs negentig. En we zitten in onze schommelstoel op een veranda. Misschien zijn we in Door County. En we zijn gewoon echt gelukkig dat we samen zijn. Zie je dat voor je?'

Mijn hart vlamde op. Ging hij een aanzoek doen?

'Ik denk niet dat ik van jou ooit genoeg krijg,' zei hij. 'Ik denk dat ik je altijd boeiend zal blijven vinden.'

Op dat moment schoten mijn ogen vol. Maar ik huilde niet echt, en hij deed geen aanzoek (natuurlijk niet, we gingen pas een maand met elkaar) en we zeiden weer een hele tijd niets.

We waren net Sproule Street ingeslagen toen ik zei: 'Er is iets wat ik je moet vertellen.'

'Dat is een veelbelovend begin voor een gesprek.' Hij parkeerde voor mijn appartement en keerde zich naar me toe, zijn ogen met rimpeltjes eromheen, zijn lippen klaar om te glimlachen. Ik wist dat ik snel door moest gaan, anders zou ik de moed verliezen.

'Toen ik in de bovenbouw van high school zat, heb ik een auto-ongeluk gehad,' zei ik. 'Ik zat achter het stuur en ik botste tegen een andere auto op, en de bestuurder van die andere auto is verongelukt.'

'Jezus,' zei Charlie, en ik vroeg me af of het een vergissing was geweest het hem te vertellen. Toen strekte hij zijn armen naar me uit om me naar zich toe te trekken. 'Kom hier.'

Ik stak een arm omhoog om hem af te weren. 'Er is nog meer. Het was een jongen die ik kende. Ik was verliefd op hem, en ik denk dat hij ook verliefd was op mij. Het ongeluk heeft nooit juridische consequenties gehad, maar het was mijn schuld.'

Weer stak Charlie zijn armen naar me uit, en ik schudde mijn hoofd. 'Je moet dit helemaal horen. Ik voelde me heel schuldig naderhand. Ik voel me nog steeds schuldig, al val ik mezelf niet meer zo hard als toen. Maar ik ben uiteindelijk...' Ik haalde diep adem. 'Ik ben uiteindelijk met Andrews broer naar bed geweest. Zo heette de jongen, Andrew Imhof, en zijn broer was Pete. Het is maar een paar keer gebeurd, en niemand wist er iets van. Maar ik raakte zwanger, en ik heb het laten weghalen. Mijn grootmoeder heeft ervoor gezorgd dat een arts die ze kende, een vriendin van haar, het deed. Ik heb het nooit verteld aan Pete, of mijn ouders, of wie dan ook.'

'Alice...' Hij trok me tegen zich aan zodat we elkaar omhelsden, en ditmaal liet ik hem begaan, en zijn huid was warm en zijn geur was precies zoals ik van hem kende. Met zijn mond tegen mijn hals zei hij zachtjes: 'Wat vreselijk voor je, Lindy.'

'Ik weet niet of ik wel degene ben die medeleven verdient.'

Hij trok zich terug zodat we oog in oog kwamen te zitten. 'Dacht je dat ik geen fouten had begaan?'

'Van die orde?'

'Nou, ik dacht dat ik een meisje zwanger had gemaakt op de universiteit. Ze was al twee maanden over tijd en we waren allebei in paniek. Zij zat op Sweet Briar terwijl ik op Princeton zat, en ik vroeg me af of ik ermee weg zou komen als ik deed alsof het niet van mij was, al wist ik dat ik de enige was met wie ze naar bed was geweest. Toen ze uiteindelijk ongesteld werd, heb ik nooit meer met haar gepraat, dus wie verdient hier geen medeleven?'

'Je was jong.'

'Jij ook. En mensen maken fouten. Dat is nu eenmaal zo. Het begon al met Adam en Eva en voor zover ik weet is er sindsdien een constante stroom menselijke misstappen geweest. Weet je wat? Laten we naar binnen gaan, zodat ik je behoorlijk kan omhelzen.'

'Oké, maar laat ik je meteen ook maar de rest vertellen... Mijn moeder heeft net een heleboel geld verloren met een piramidespel, en dat was de reden waarom ik de koop van het huis niet heb doorgezet, niet de inspectie. O ja, en ik ben er redelijk zeker van dat mijn grootmoeder lesbisch is.'

Tot mijn verbazing barstte Charlie in lachen uit. 'Je groot...' Hij probeerde zich te beheersen. 'Sorry, maar het is wel... dus je grootje is van de befclub?'

'Pas op, Charlie.'

'Heb je bewijzen?'

'Ze is bevriend met een dame. Die vrouwelijke arts, ze zijn al jaren een stel. Ik denk dat mijn grootmoeder te zwak is geworden om haar nog op te zoeken in Chicago, maar ze zijn heel close.'

'Goeie genade.' Charlie leek vol oprechte bewondering. 'Wie vrouwen aantrekkelijker vindt dan mannen, hoeft van mij geen weerwoord te verwachten. En verder? Dit begint interessant te worden.'

'Ik denk dat we alles wel gehad hebben,' zei ik. 'O nee, dan is er nog het feit dat Dena niet meer met me praat omdat ik met jou omga. Ik had gelijk dat ze razend was.' Hoe meer ik erover nadacht, hoe duidelijker het me leek dat Dena's gedrag niet zozeer voortkwam uit boosheid op mij, maar eerder uit frustratie over haar eigen leven, haar teleurstelling over het feit dat ze niet getrouwd was en geen kinderen had. Misschien had ze echt haar hoop op Charlie gevestigd voor ze hem ontmoette, maar dat leek me nogal onrealistisch van haar, en haar vijandigheid jegens mij kwam me overdreven voor.

Charlie liet zijn arm door de lucht zwaaien. 'Ze trekt wel weer bij.' Hij haalde het autosleuteltje uit het contact. 'Ik wil het gesprek niet afbreken, maar laten we binnen verder praten.'

Hoewel ik niet weet of hij dat zei met het oog op seks – waarschijnlijk wel – liep het daarop uit: we kwamen mijn appartement binnen en hij omhelsde me stevig, en algauw stonden we te zoenen en te voelen, vol ongeduld om alle spanning en gepraat af te schudden. Er waren te veel woorden geweest, ze begonnen elkaar te overlappen en samen te stromen, en nu was er alleen zijn lichaam op het mijne, zijn erectie in me, het schokkende ritme van onze heupen. Je voelt je als een holenmens als je het zegt, maar als er een betere manier dan seks is om de lieve vrede te herstellen, dan ken ik die niet.

Naderhand lag hij lepeltje-lepeltje achter me. Hij zei: 'Ik wil voor je zorgen en je beschermen zodat je altijd veilig bent,' en ditmaal begon ik wel te huilen, echte tranen die over mijn gezicht naar beneden stroomden.

'Ik wou dat je dat kon,' zei ik. 'Ik wou dat iemand dat voor een ander kon doen.'

'Draai je eens om,' zei hij. Ik gehoorzaamde, en hij zei: 'Ik hou van je, Alice.' Met zijn duim veegde hij een traan weg onder mijn buitenste ooghoek.

'Ik hou ook van jou,' zei ik, en het leek zo'n ontoereikende uitdrukking van mijn genegenheid en dankbaarheid en opluchting, van mijn met schuldgevoel vermengde opwinding over alles wat voor ons lag. Hoe was dit gebeurd? En de hemel zij dank dát het was gebeurd.

'Wat je me in de auto hebt verteld – ik weet dat dat niet niks is,' zei hij. We lagen tegenover elkaar, en hij wreef onder het laken over mijn heup. 'Maar van nu af aan gaat alles voor de wind. Het komt allemaal goed.'

Mijn grootmoeder belde aan het eind van de volgende ochtend terwijl ik een kwast stond schoon te maken die ik had gebruikt voor het schild van Yertle de schildpad. 'Charlie is fantastisch,' zei ze.

Ik stond paf. 'Neem je me in de maling?'

'Nou ja, zijn politieke opvattingen zijn stuitend, maar hij heeft natuurlijk veel te lang aan de boezem van de conservatieven gelegen. Ik weet zeker dat je hem wel kunt bekeren tot onze kijk op de dingen.'

'Oma, hij is Congreskandidaat als republikein.'

'Lieverd, da's een scheet in een netje. Die ouwe druiloor van een Wincek heeft het zesde district al in zijn zak sinds voor jouw geboorte. Ik denk dat het sowieso meer een overgangsrite in de familie Blackwell is dan een serieuze poging van Charlie om te winnen. Waarom laat je hem niet uitrazen? Maar dat hij gek op jou is, lijdt geen twijfel.'

'En los van de politiek, vond je hem aardig?'

'Hij is aanbiddelijk. Heel levendig, heel welgemanierd. O, hij is een uitstekende partij, en dat vindt je moeder ook. Die is al met je uitzet bezig. En nu we het er toch over hebben: moet ik zeggen dat ik het wel wist van je moeder en Lars, of zeg je het liever zelf?'

'Volgens mij heb je dat zojuist gedaan.'

'Dat van dat opgeblazen gevoel en die winderigheid aan de eettafel... je moeder is duidelijk niet gevallen voor Lars' savoir-vivre, maar we mogen haar niet bekritiseren omdat ze plezier in haar leven wil hebben.'

'Jij lokte het uit, oma.'

Ze lachte. 'Mwah, misschien een beetje.'

'Ik ben blij dat je Charlie leuk vindt,' zei ik. *Ook al is dat niet wederzijds*, dacht ik erbij.

'Alice, vasthouden die jongeman.' Mijn grootmoeder klonk gewoon jubelend. 'Dit is een blijvertje.'

De week daarna, de laatste week voor school weer begon, bracht ik mijn figuren van papier-maché met de auto naar de schoolbibliotheek. Ik moest er twee keer voor heen en weer rijden in mijn Capri, met de poppen voorzichtig op elkaar. Niemand behalve Charlie had ze gezien, maar ik was er bijna zeker van dat ze waren geworden zoals ik had gewild. Zelfs Babars hoofd bleef rechtop staan als ik het met een haak aan de muur vastmaakte.

Terwijl ik Eloïse op een plank installeerde, hoorde ik een zware stem zeggen: 'Wat mooi, Alice.'

'Big Glenn!' Zo noemde iedereen, zowel leerkrachten als leerlingen, de conciërge van Liess, een extreem lange zwarte man van voor in de zeventig; hij werkte al meer dan vijftig jaar op school. Ik liep snel op hem af en begroette hem met een omhelzing. 'Hebben Henrietta en jij een fijne zomer gehad?' Ik had de vrouw van Big Glenn nooit echt ontmoet, maar ik kende haar van de beroemde ananastaart die ze elk jaar maakte en die Big Glenn in mei kwam afleveren in de lerarenkamer, op een ochtend vlak voor het eind van het schooljaar. Gewoonlijk was daar vóór halfnegen al vrijwel niets meer van over, alsof het verorberen ervan een wedstrijdje was.

'Het was heerlijk rustig zonder die duveltjes om me heen.' Big Glenn glimlachte.

'Heb je het nu over de leraren of de leerlingen?' Hij lachte en ik zei: 'Ik wed dat je ons allemaal gemist hebt.'

Hij kwam een stap dichterbij en zei met gedempte stem: 'Niet verder vertellen, hoor, maar ik heb gehoord dat de man van Sandy heel ziek is.'

Mijn adem stokte. 'Weer?' Sandy Borgos gaf les aan groep twee en was een vriendelijke vrouw, twee keer zo oud als ik, die tijdens stafvergaderingen zat te breien en bijna altijd een zelfgebreide beige sjaal omhad. Bij haar man was twee jaar daarvoor keelkanker vastgesteld, maar het laatste wat ik had gehoord was dat hij in remissie was.

'Het ligt nu in Gods handen,' zei Big Glenn. 'Weet je het al van Carolyn, heb je dat al gehoord?' Big Glenn was, onder andere, een bijzonder welingelichte bron van schoolroddeltjes.

Ik schudde mijn hoofd. Carolyn Krawiec werkte in de kleutergroep en was zeven of acht jaar jonger dan ik; ze was pas kort op Liess en ik kende haar nauwelijks.

'Die komt niet terug dit jaar,' zei Big Glenn. 'Ze kreeg een nieuwe vriend en is met hem meegegaan naar Cedar Rapids in Iowa.' Hij trok veelbetekenend zijn wenkbrauwen op. Dat was de ongeschreven regel: expliciete afkeuring werd geschuwd, maar de ons-kent-onsblikken waren niet van de lucht.

'Tjemig,' zei ik.

'Dat zal dan wel de ware zijn.' Big Glenn zei het op hoogst twijfelachtige toon, en ik kreeg ineens de neiging haar te verdedigen. Misschien wás hij wel de ware.

'Hoe lang geleden heeft ze het aan Lydia verteld?' Lydia Bianchi was ons hoofd, een vrouw van vijfenvijftig die ik heel graag mocht. Ze was getrouwd maar had geen kinderen, wat onder haar werknemers – dat wil zeggen, onder ons – tot speculatie leidde over de vraag of haar kinderloosheid een keuze of een persoonlijk drama was geweest.

'Pas een week of twee,' zei Big Glenn. 'De heer in kwestie doet iets in de farmaceutica, hij komt regelmatig in Madison, dus je zou kunnen denken dat ze elkaar zo ook wel hadden kunnen zien.' Hij haalde zijn schouders op. 'Ik ben zeker vergeten wat prille hartstocht is.'

'Hebben ze al een vervanger?'

'Ben je geïnteresseerd?'

'Schei uit! Ik blijf lekker hier in de bibliotheek.' En op dat moment wist ik ergens vanbinnen dat het tegengestelde waar was. Ik zou vertrekken. Ik zou weggaan. Als Charlie en ik bij elkaar bleven, als het tussen ons de kant op ging waarover ik me sinds dat gesprek met Dena in de broodjeszaak tegen niemand had uitgelaten, zelfs niet tegen mezelf, dan waren mijn dagen in het onderwijs waarschijnlijk geteld.

Terwijl ik daar met Big Glenn stond te kletsen voelde ik hoe het huidige moment van me weg stroomde. Ik zou al snel weggaan, besefte ik, en na mijn vertrek zouden de andere leerkrachten ook over mij praten waar ik niet bij was.

Iedereen zei altijd dat er in Madison geen tornado's waren vanwege de meren. De stad ligt op een landengte, een term waar de opgroeiende jeugd van Madison van jongs af aan mee bekend is. En hoewel Wisconsin niet zo vaak door tornado's wordt getroffen als de steden in de staten ten zuiden en net ten westen van ons, hebben we meestal wel een paar tornadowachten per jaar en misschien één waarschuwing en één echte storm. In Riley hadden we, toen ik nog een klein meisje was, elk voorjaar een tornado-oefening. Als we in de klas zaten moesten we in een rij het lokaal uit en dan zaten we in kleermakerszit in de hal, knie aan knie met de leerlingen naast ons, allemaal met ons gezicht naar de muur, ons hoofd naar beneden en onze handen gekruist over onze schedel. Waren we buiten – de oefeningen waren soms tijdens de pauze, wat we vreselijk zonde vonden – dan bracht een leerkracht ons naar een lager gedeelte van het glooiende grasveld achter de lagere school en dan lagen we plat op onze buik, hand in hand, en vormden zo een onregelmatige kring, of een menselijke bloem, met onze lichamen als de naar buiten wijzende blaadjes. Toen we ouder werden, op high school, maakten we grapjes over de absurditeit hiervan: moest dát ons redden? Ik zag een ronde slinger van kinderen voor me die de lucht in werden geblazen en elkaar uit alle macht probeerden vast te houden.

De tornadowacht van eind augustus 1977 vond plaats op een zondagmiddag, en de avond ervoor waren Charlie en ik naar een feestje geweest bij een echtpaar dat hij kende, de Garhoffs. Ik was er redelijk zeker van dat een paar mensen stickies hadden zitten te roken in de badkamer op de bovenverdieping, wat me verbaasde – ik was wel eerder op feestjes geweest waar weed werd gerookt, maar de Garhoffs hadden kinderen die op diezelfde verdieping lagen te slapen. Kort na middernacht gingen we weg, Charlie kwam een uurtje mee naar mijn appartement en probeerde me over te halen te mogen blijven. 'Zoals in Houghton,' was zijn nieuwe argument. 'En zie: het hellevuur heeft ons nog niet verzwolgen.'

Ik zei nee. Ik wist dat hij de volgende ochtend met Hank Ucker naar een kerkdienst in Lomira moest, met aansluitend een pannenkoekenontbijt. Intussen jeukten mijn handen om mijn appartement op orde te brengen: er stond vuile vaat in de gootsteen, er lagen verschillende ladingen wasgoed, onbetaalde rekeningen, alles wat je zo vrolijk verwaarloost als je net verliefd bent.

Op zondag wijdde ik me een paar uur lang aan deze huishoudelijke klusjes, terwijl de lucht van blauw in donkergrijs veranderde. Tegen twee uur 's middags was de temperatuur zeker tien graden gedaald sinds zonsopgang, en ik deed de ramen in mijn keuken en slaapkamer dicht en zette de radio aan. Er bleek een tornado op weg te zijn naar Lacrosse, in zuidwestelijke richting, en het was nog niet duidelijk of hij over Madison zou razen. Ik belde Charlie, en toen hij opnam zei ik: 'Ik ben blij dat je veilig thuis bent.'

'Ik hoef nóóit meer een pannenkoek, Lindy. Allemachtig, die oude besjes proppen je helemaal vol.'

'Heb je de laatste paar uur nog uit het raam gekeken?' Ik stond voor het aanrecht en keek uit over de achtertuin en de achterkant van het huis dat achter het mijne stond. 'Zelfs de vogels fluiten niet.'

'Je bent toch niet ongerust?'

Ik kon zijn tv horen, en ik zei: 'Zit je honkbal te kijken?'

'Onze Brew Crew is de White Sox aan het inmaken, jawel mevrouw! De overwinning smaakt des te zoeter na die twee verloren wedstrijden.'

'Vind je het vervelend om aan de lijn te blijven?' zei ik. 'We hoeven niet te praten.'

'Waarom kom je niet hierheen, of zal ik naar jou toe komen?'

'Je weet toch dat ik een zwart-wit-tv heb?'

'Kom jij dan maar hierheen, dan mag je me over mijn buik aaien.'

'Ik wil nu liever niet in de auto voor het geval dat...' begon ik, en buiten begon het abrupt te plenzen. Toen realiseerde ik me dat het geen regen was, maar hagel.

'Mike Caldwell is als volgende aan slag,' zei Charlie. 'Ik had zo mijn twijfels over hem, maar hij speelt heel behoorlijk. Steve Brye daarentegen...' Op dat moment bliksemde het, waarna een knalharde donderslag volgde, en toen gingen de sirenes af, dat dreigende geloei.

'Ik ga de kelder in; doe jij dat ook maar,' zei ik. 'Alsjeblieft, Charlie, blijf niet voor de tv zitten.'

'Je weet toch dat alles in orde is?' Zijn stem was rustig en vriendelijk.

'Charlie, zet de tv uit.'

Alsof ik naar het strand ging pakte ik een handdoek en een boek (*Humboldt's Gift*) en ook een zaklantaarn, en snelde mijn flat uit. De deur naar de kelder lag achter de trap in het halletje op de begane grond. Het gebouw bevatte slechts één ander appartement op de begane grond, waar een doctoraalstudent woonde die Ja-hoon Choi heette. Ik had al een paar maal samen met hem een tornado uitgezeten, maar nu stond zijn auto niet op de oprit, dus ik nam aan dat hij er niet was. De keldertrap was een gammel houten geval, het tochtte tussen de treden en er hing een kaal peertje dat ik met een ruk aan het koord aandeed toen ik beneden was. Onze huisbaas had daar een oude zeiluitrusting en wat tuinmeubilair opgeslagen, maar voor het grootste deel was de ruimte leeg. Ik klapte een tuinstoel met metalen armleuningen en een polyester zitting open, maar hij was zo verroest en zat zo vol spinnenwebben dat ik hem meteen weer dichtklapte. Toen bleef ik maar staan met mijn handdoek, *Humboldt's Gift* en de zaklantaarn. In de afgelopen paar minuten was het moeilijk geworden om gedachten over de grilligheid van het lot weg te drukken. *Mij overkomt dat niet* – dat is wat we allemaal geloven, wat we móéten geloven om dagelijks op de been te blijven. *Iemand anders. Niet mij.* Maar af en toe ben jij het wél, of iemand die zo dicht bij je staat dat het net zo goed jij had kunnen zijn. Mensen wie nooit iets vreselijks is overkomen vertrouwen op het lot, het idee dat de dingen gaan zoals ze moeten gaan; de rest van ons weet wel beter. Ik zag voor me hoe een boom dwars door het raam van Charlies woonkamer vloog, Charlie zelf die van de bank werd opgetild, gevangen in de kolkende lucht, woest neergekwakt op straat of op een dak. Het is een verschijnsel dat komisch lijkt als je niet in een gebied woont waar tornado's voorkomen – de vliegende koe of wasmachine – en zelfs degenen die in tornadostaten wonen kunnen er in rustige tijden wel om lachen. Maar het hagelde buiten, het was zo donker als de nacht en de angst vloog me naar de strot. *Het kan niet twee keer gebeuren met iemand van wie ik hou*, dacht ik, maar ik kon mezelf niet overtuigen.

Toen hoorde ik boven de neerstriemende hagel en het gejank van de sirenes uit een gebonk, en het drong ten slotte tot me door dat het van de begane grond kwam. Eerst deed ik niets, en toen schoot ik de trap op in de verwachting Ja-hoon Choi door het raam van de voordeur te zien, maar in plaats daarvan zag ik Charlie.

Ik maakte open en zei: 'God, Charlie!' Hij kwam doodkalm naar binnen, drijfnat, en ik sloeg mijn armen om hem heen en zei: 'Je had niet hierheen moeten rijden!' Toen we elkaar kusten, waren zijn lippen glibberig.

Ik trok hem mee de kelder in, en eenmaal veilig beneden gebaarde hij naar de handdoek die ik al die tijd in mijn hand had gehouden. 'Voor mij?' Hij wreef ermee over zijn hoofd, en nadat hij hem had weggetrokken, keek hij de kelder rond. 'Gezellig.'

'Ik kan haast niet geloven dat je hier bent.'

'Er liggen wat afgebroken takken op Williamson Street, maar ik durf te wedden dat de tornado langs ons heen gaat. Dit is alleen maar een onweersbui.' Hij had het nog niet gezegd of de sirenes stopten. 'Zie je wel?' Hij grijnsde. 'God is het met me eens.'

'Toch was het gevaarlijk om...'

Hij legde zijn hand over mijn mond zodat ik niets meer kon uitbrengen. 'Onderweg naar hier heb ik iets bedacht, maar dan moet je ophouden me uit te foeteren. Als ik mijn hand weghaal, hou je dan op?'

Ik knikte en hij haalde zijn hand weg. 'Ik heb besloten dat we moeten gaan trouwen,' zei hij. 'Dan is het uit met dat waardeloze door-de-regen-rennen. We zouden in hetzelfde huis moeten wonen, in hetzelfde bed slapen, 's ochtends samen wakker worden, en als er dan een tornado is, kan ik tegelijkertijd jou beschermen en naar honkbal kijken.'

We keken elkaar aan. Aarzelend zei ik: 'Bedoel je... is dit... een huwelijksaanzoek?'

'Zo voelt het wel.' Hij grinnikte, maar een beetje nerveus.

Ik zei: 'Oké.' En toen keek ik hem stralend aan.

Charlie pakte me zo stevig beet dat ik met mijn voeten van de grond ging – letterlijk, niet figuurlijk. Daar stonden we in de kelder, dat smerige hok: mijn leven nam een nieuwe wending, en wij stonden in de dompigste ruimte die je kon bedenken. Ik was nog steeds mezelf, ik voelde me niet een ander bestaan in gelanceerd, het vertrek baadde niet ineens in een warme gloed. Pas later zou dit moment zijn eigen glans krijgen. Terwijl het gebeurde deed alles nieuw en vreemd en opwindend en breekbaar aan, het tegenovergestelde van hoe het later zou aanvoelen: zwaarwichtig en vertrouwd en geruststellend. Achteraf zou het een episode in een verhaal lijken die onvermijdelijk was, maar dat komt alleen doordat de meeste gebeurtenissen, de meeste levensverhalen, voor ons gevoel onvermijdelijk zijn als we erop terugkijken.

En zo verloor ik Dena en kreeg ik er een huwelijk voor terug; ik had vriendschap verruild voor romantiek, een kameraad voor een echtgenoot. Was dat geen redelijke deal, een die de meeste mensen zouden maken? Ik zou niet langer die zogenaamd excentrieke, zogenaamd beklagenswaardige oude vrijster zijn; mijn bestaan op zich zou niet langer een vraag inhouden waarop anderen zich genoopt zagen een antwoord te geven.

Maar wat me verbaasde was dat ik met een man zou trouwen van wie ik hield; uiteindelijk had ik toch niet de keuze tussen met minder genoegen nemen en single blijven. Simpele opluchting om deel van een stel uit te maken had ik in 1967 kunnen bereiken door met Wade Trommler te trouwen, of nadien met een andere man. Het opmerkelijke was dat ik veel meer dan dat zou krijgen. Charlie was lief en grappig en energiek, hij was ongelooflijk aantrekkelijk – zijn polsen met lichtbruin haar, zijn ballerige overhemden, zijn brede lach en zijn charisma – en ik had tot mijn eenendertigste gewacht, soms had ik me gevoeld als de laatste die over was, en toen had ik iemand gevonden die misschien niet perfect was, maar perfect genoeg, perfect voor mij. Ik werd dus toch niet gestraft. Ik werd beloond, al viel moeilijk te zeggen waarvoor.

Er waren zes weken verstreken sinds onze kennismaking.

Die woensdag en donderdag, voor het weekend van Labor Day, hadden we stafvergadering voor het begin van het nieuwe schooljaar, en eigenlijk waren wij leraren niet anders dan highschoolleerlingen die na een paar maanden vakantie aan elkaar wilden snuffelen, onze vakantieverhalen uitwisselen en kijken wie er afgeslankt of zongebruind uitzag. Tijdens de welkomsttoespraak in het gymlokaal zat ik op de tribune tussen Rita en Maggie Stenta, de docente van groep een die me de lente ervoor bij haar thuis had uitgenodigd voor een broodje gehakt met sangria. Terwijl ons schoolhoofd Lydia Bianchi ons het nieuwe rooster uit de doeken deed voor de begeleiding op de naschoolse bus, boog Rita zich naar me over en fluisterde: 'Hoe is het met je vríéndje?'

Maggie draaide zich om. 'Heb je verkering?'

Ik schudde mijn hoofd alsof ik het niet begreep of mijn aandacht niet van Lydia durfde te laten afdwalen. In werkelijkheid wist ik niet goed hoe ik over Charlie moest praten; ik wilde niet dweperig of opschepperig overkomen. Na drie dagen hadden we nog niemand iets over onze verloving gezegd. We wilden het eerst aan onze familie vertellen, en aangezien we het weekend van Labor Day in Door County gingen doorbrengen met de Blackwells, en het weekend daarna weer naar Riley zouden gaan, leek het wel zo aardig om even te wachten en het nieuws persoonlijk bekend te maken. Wat zijn familie ervan zou vinden om in één klap kennis met me te maken en te horen dat ik hun nieuwste aangetrouwde familielid zou worden, kon ik me niet voorstellen.

Elk jaar moesten alle leerkrachten steeds hetzelfde tekenfilmpje over hoofdluis zien – dat was een bron van uitgebreid gemor, ikzelf zag het nu voor de zesde keer – en die donderdag werd het filmpje na de lunch in de bibliotheek vertoond. Ik kwam met Rita terug uit de kantine en stond nog in de hal toen Steve Engel, een docent natuurwetenschappen van bijna twee meter, zijn hoofd stootte tegen de kano uit *Paddle to the Sea* die in de deuropening van de bibliotheek hing. 'Goeie boot,' hoorde ik hem zeggen tegen niemand in het bijzonder.

Na wat heen en weer schuiven had ik de juiste plek gevonden voor alle papier-maché figuren: het konijntje en zijn moeder, Mike Mulligan en Mary Anne bevolkten de onderste planken, waar de boeken voor de kleinste kinderen stonden, Ferdinand hield de wacht over de kaartenbak, de Gulle Boom kreeg een ereplaatsje op mijn bureau. Ik kon maar half geloven dat ik ze alle tien had afgekregen, vooral nu Charlie me zo plezierig afleidde. Ik had waarschijnlijk in totaal wel tweehonderd uur aan het project besteed – toegegeven, de meeste tijd vóór Charlie – en ik twijfelde er niet aan dat sommige mensen dat zonde van de tijd zouden hebben gevonden.

Na afloop van het tekenfilmpje gaf Deborah Kuehl, de overdreven efficiënte schoolverpleegkundige die het moest vertonen, uitleg over de instelling van een nieuw 'antiluizenbeleid'. 'Niet te geloven, zo vlak na de lunch,' mopperde Rita. Ofschoon Deborah nogal bits kon zijn, liet ze anderen graag meeprofiteren van haar medische expertise en scheen ze er niet mee te zitten als docenten haar om advies vroegen – dan tuurde ze in je keel en vertelde je of het er als een ontsteking uitzag, of ze adviseerde je de zwarte nagel aan je vinger die tussen de deur was gekomen, te laten behandelen.

Toen Deborah vroeg of er nog vragen waren, stak Rita haar hand op. 'Ik wil alleen maar zeggen, ziet de bibliotheek er niet fantastisch uit? Alle figuren zijn door Alice zelf gemaakt.'

Ik voelde hoe de docenten in de rijen voor en achter ons naar me keken.

'Dat is heel collegiaal van je, Rita, maar ik hoopte eigenlijk op vragen over het luizenbeleid.' Deborah speurde de rijen af. Niemand stak nog een hand op en ze leek niet heel teleurgesteld. Stijfjes maar toch welwillend zei ze: 'De personages zijn inderdaad een kleurige toevoeging aan deze ruimte. Hulde voor je creativiteit, Alice.'

Rita begon te applaudisseren en ik mompelde: 'Rita, alsjeblieft,' maar het applaus breidde zich al uit. Ik wist dat ik rood werd.

Naar later bleek vonden de kinderen, toen ze de week erop weer naar school kwamen, de figuren te gek, maar ze zagen ze ook voor wat ze waren: achtergronddecoratie. Er zou dat jaar niet veel van heel blijven:

al tegen het eind van de eerste dag lag een van Ferdinands oren eraf, een ongelukje van een overenthousiaste tweedegroeper, en na het bibliotheekuurtje van groep zes zag ik een snor boven Eloïses lippen (ik wist bijna zeker welke twee jongens dat hadden gedaan). Aan het eind van het schooljaar gooide ik ze allemaal weg, behalve de Gulle Boom, die ik nog steeds heb; telkens wanneer ik verhuis pak ik hem nog zorgvuldiger in, alsof het een kostbare vaas is. Maar ik kan naar waarheid zeggen dat ik het niet erg vond dat de andere personages zo'n kort leven beschoren was. Ik had ervan genoten ze te maken en sowieso, als je uit bent op groot ontzag of oprechte uitingen van dankbaarheid, dan ga je niet met kinderen werken.

Wat ik in die tijd niet had kunnen voorzien was dat dit applaus na het luizenfilmpje het hoogtepunt van mijn professionele carrière was. Het was de grootste publieke erkenning die ik ooit heb ontvangen om mezelf en niet als verlengstuk van iemand anders, of erger nog, als symbool. Vijfendertig applaudisserende leraren in de bibliotheek van een lagere school is, ik besef het maar al te goed, een bescheiden triomf, maar het raakte me. In de jaren daarna heb ik onfatsoenlijk veel aandacht gekregen, meer zelfs dan de ijdelste of onzekerste persoon zich ooit zou wensen, maar ik heb er nooit half zoveel van genoten.

Die avond zaten we bij Charlie thuis te eten, op de bank in de woonkamer met ons bord op schoot terwijl de Brewers tegen de Detroit Tigers speelden, en ik zei: 'Als we in de lente trouwen, zullen we het dan in het arboretum doen? Zouden je ouders het erg vinden als we de ceremonie niet in de kerk hielden?'

'Ik wist wel dat je een atheïst was!' Hij wees naar me. 'Neu, ik denk niet dat ze het erg vinden om het buiten te houden, maar het moet veel sneller gebeuren. In januari moet ik in Houghton gesetteld zijn.'

'Jij, bedoel je, of met mij?'

'Gewoonlijk werkt dat wel zo in een huwelijk: man en vrouw onder hetzelfde dak.' Charlie trok een ondeugend gezicht. Hij was blootsvoets, in een witte korte broek en een wit poloshirt, want hij was nog niet onder de douche geweest na zijn tennispartij met Cliff Hicken. 'Windt mijn viriele mannengeur je op?' had hij gevraagd toen we in de tuin hamburgers stonden te grillen, en hij had zijn lichaam tegen het mijne aan gedrukt en een beetje gedanst. Hoewel ik met veel vertoon mijn neus dichtkneep – dat leek zijn bedoeling te zijn – hield ik ervan als hij bezweet was; ik vond helemaal niet dat hij stonk.

'Maar Charlie, wanneer moeten we dan trouwen?' vroeg ik. 'Januari is al over vijf maanden.'

'Een trouwerij is niet meer dan een feestje waarbij de dame een witte jurk draagt. Jezus, we zouden morgen kunnen trouwen.'

'Je gevoel voor romantiek brengt me echt in de zevende hemel.'

'Zullen we zeggen oktober,' zei hij. 'Heb je iets in oktober?'

Ik dacht erover na. Dat was veel sneller dan ik had gedacht, maar het was haalbaar. 'Ik zie niet in waarom niet.'

'Zo mag ik het horen. We willen sowieso toch geen groots superfestijn met alle toeters en bellen, of wel? Mijn broers en hun vrouwen hielden allemaal van die poepiechique recepties in de country club met zo'n vreselijke felicitatierij. Nou nee, John niet, die is met Nan getrouwd, die helemaal uit het oosten komt, zodat ze het in het huis van haar ouders in Bar Harbor hebben gehouden. Hé, dat is een idee: wat vind je van Halcyon? Alle ruimte, slaapplaatsen genoeg en een spectaculairder setting bestaat er niet.'

'Ik zeg het je wel na morgen, als ik het gezien heb. Maar als we het in oktober doen zou er wel sneeuw kunnen liggen.'

Daar dacht Charlie even over na; toen zei hij: 'Wat ben je toch weer gruwelijk praktisch.'

Ik aarzelde. 'Ik maak dit schooljaar nog vol, toch? Zelfs als we in Houghton wonen, dan rij ik toch op en neer naar Madison?'

Charlie haalde zijn schouders op. 'Als dat voor jou belangrijk is.'

'Ik zou me er niet prettig bij voelen om midden in het jaar op te stappen. Het wordt wel gedaan, maar Lydia, ons hoofd, is er niet blij mee als dat gebeurt.'

'Doe wat je wilt, zolang dit maar je laatste jaar is. Tegen volgende zomer heb ik je hard nodig, dat staat wel vast. De vrouw van een Congreskandidaat zijn is een baan op zich, daar kan Maj over meepraten.'

'Ik hoef toch zeker nooit en public te spreken, of wel? Ik hoef toch geen toespraken te houden?'

Hij grijnsde. 'Is dat een huwelijkse voorwaarde?'

'Charlie, ik durf op stafvergaderingen al nauwelijks iets te zeggen.'

'Oké, oké, je hoeft nooit een toespraak te houden.' Hij was een moment stil, en toen hij weer begon te spreken, was zijn toon serieus. 'Ik ga niet winnen. Dat begrijp je toch wel?'

'Dat is niet erg optimistisch.'

'Dit is geen nepkandidatuur, ik zie mezelf niet als een stroman. Dat bedoel ik niet. Ik zal met volle overgave campagne voeren. Maar de cijfers zijn er niet naar. Het brandpunt ligt nu niet op verkozen worden, nog niet. Het gaat erom mijn naam te vestigen, de mensen te laten weten dat ik volwassen ben. Ik ben een serieuze persoon met serieuze ideeën over de staat Wisconsin.'

Terwijl ik naar hem keek, kwam de onbehaaglijke gedachte bij me op dat ik me niet kon voorstellen dat ik tegen iemand zou zeggen: *ik ben een serieuze persoon met serieuze ideeën.* Ik kon me niet voorstellen dat ik dat nodig zou hebben.

Langzaam zei ik: 'Maar is het niet zo dat een heleboel mensen een heleboel tijd en geld...'

Hij schudde zijn hoofd. 'Zo werkt het nu eenmaal. We leggen de basis.'

'De basis waarvoor? Ben je van plan je over twee jaar opnieuw kandidaat te stellen?'

'Ik hou alle opties open. Waarschijnlijk niet over twee jaar, nee, maar over een tijdje, wie weet? Misschien voor een post binnen de Republikeinse Partij, misschien voor de Senaat. Heel veel van het politieke proces hangt alleen maar af van de juiste timing.'

Ik legde mijn hamburger neer. 'Je klinkt ongelooflijk cynisch.'

'Ik heb de regels niet bepaald,' zei Charlie.

'Je lijkt er anders geen moeite mee te hebben.'

'Godsamme, Alice...' Hij legde ook zijn hamburger neer en zette zijn bord op de salontafel voor de bank. Hij was van kitscherig wit formica, en Charlie had me met zichtbare trots verteld dat hij hem een paar maanden eerder van de straat had gehaald toen zijn buren hem bij het grof vuil hadden gezet. 'Ik dacht dat je me zou steunen. Dat zei je toch in de auto, of heb ik het verkeerd begrepen?'

'Maar wil je dan eigenlijk nooit een normaal leven? Ik zie niet in waarom het zoveel beter is een publieke persoon te zijn dan een gewone burger.'

'Allereerst gaat dit over het dienen van je land, niet over mijn ego. Zeker, er zijn mensen die in de politiek zitten uit puur narcisme, maar niet de Blackwells. Alice, als je me probeert af te brengen van deelname aan de verkiezingen, dan hebben we een serieus probleem.'

'Jij gaf me de indruk dat dit iets eenmaligs was.'

'Met andere woorden, jij dacht ook dat ik zou verliezen. Je zit te jeremiëren over het feit dat ik geld verspil aan een campagne, omdat je erop rékent dat mijn opponent wint.'

We waren allebei even stil. 'Laten we geen ruzie maken,' zei ik toen.

Hij verfrommelde zijn servet tot een bal en smeet hem door de kamer in de richting van de haard. Toen ik tersluiks naar hem keek, zag ik dat zijn gezicht op onweer stond.

'Wil je dat ik wegga?' vroeg ik.

'Dat is misschien geen slecht idee.'

Ik stond op en bracht met trillende handen mijn bord naar de keuken. Waren we nog verloofd? Waren we zelfs nog wel een stel? Nu we niemand hadden verteld dat we gingen trouwen, hoefden we ook niemand te vertellen dat het niet doorging. Misschien was er altijd al iets vluchtigs, iets onwerkelijks aan onze relatie geweest. We konden er een punt achter zetten en er hoefde niets te worden uitgelegd. Als iemand ernaar vroeg kon ik gewoon zeggen dat het als een nachtkaars was uitgegaan.

Terwijl ik naar mijn eigen huis terugreed, dacht ik dat het misschien maar beter was. Was ik er echt zo op gebrand mijn onafhankelijkheid in te ruilen voor een bijrol met veel poeha? Waarom zou ik me vastleggen op een leven lang luisteren naar toespraken zoals die ene in de Lions Club in Waupun? Los van de vraag of ik het eens was met zijn politieke opvattingen, waren dat soort speeches gewoon saai. De herhalingen, de flemerige ondertoon, de zelfingenomen spot en de bedrieglijke helderheid – ze waren even onecht en onbenullig als ze pretendeerden oprecht en van belang te zijn. En Charlie verwachtte dat ik zijn deelname aan dat wereldje niet alleen tolereerde, maar er ook nog enthousiast over was? Maar zou ik ooit van hem kunnen verwachten dat hij in de bibliotheek kwam luisteren naar mijn voordracht van *Bread and Jam for Frances*?

Deze gedachten joegen meer dan twee uur lang door mijn hoofd – ik lag op bed, boven op het dekbed, *Humboldt's Gift* te lezen – en toen keek ik midden in een paragraaf op bladzijde 402 op, mijn zekerheid viel in één tel uit elkaar en wat overbleef was een zwaar, drukkend en naar gevoel. Het onderwerp van onze ruzie leek iets slaps en abstracts. Ik kon me de woorden van ons beiden nauwelijks herinneren, en ik wilde alleen maar naast hem zitten, onder hem liggen, mijn armen om hem heen en zijn armen om mij. Hij was het tegenovergestelde van vluchtig; al het andere was een waas, maar hij was solide en centraal. De mogelijkheid dat we het misschien zojuist hadden uitgemaakt was verschrikkelijk; het was ondraaglijk.

Ik dwong mezelf niet toe te geven aan de verleiding hem te bellen – ik kon beter wachten tot de volgende morgen. Het was aanmatigend te denken dat zijn boosheid dezelfde tijdslijn volgde als de mijne, me in te beelden dat hij mij ook al had vergeven. En toch, als ik hem kon bellen, als ik het goed kon maken, zou de opluchting zo groot zijn dat dat het risico misschien waard was. In de badkamer waste ik mijn gezicht en poetste ik mijn tanden, en daarna epileerde ik mijn wenkbrauwen een beetje, alleen maar om bezig te blijven. Ik ging terug naar de slaapkamer en trok mijn mouwloze katoenen nachthemd aan. Het was twintig over tien, zag ik, en ik besloot hem niet te bellen voor elf uur. Vóór dat tijdstip zou ik niet eens een vast voornemen maken om hem te bellen; ik zou de mogelijkheid openhouden, en als ik mezelf ervan kon weerhouden zou ik dat doen, maar zo niet, dan zou ik om elf uur goed gaan nadenken over wat ik wilde zeggen.

Ik lag op mijn zij, nog steeds op het dekbed, met het licht aan en het raam open, en een warm briesje waaide naar binnen. Ik probeerde niet te huilen. Wat maakte het mij uit om de komende vijftig jaar toespraken over belastingen uit te zitten? Misschien kon ik mezelf aanleren een boek zodanig schuin in mijn tas te houden dat niemand zou merken dat ik zat te lezen. Nee, het zou niet benauwend, geen beperking zijn om Charlies echtgenote te worden; met hem was mijn leven vol mogelijkheden, het was voller en levendiger en veel leuker. Ik was nooit iemand geweest die geloofde dat het leven een avontuur was. Voor mij was het veeleer een reeks verplichtingen, waarvan sommige heel dankbaar konden zijn en andere een kwestie van even doorbijten. Maar nu zag ik het nut van lol en ondeugendheid. Hier kreeg ik mijn eigen persoonlijke gids in het land van geluk op een dienblaadje aangereikt, en ik zocht uitvluchten, zoals ik dat ooit had gedaan met Andrew Imhof. Wat was er toch met me?

Ik sprong uit mijn bed, haastte me naar de keuken, ik had de hoorn van de telefoon genomen en was het nummer aan het draaien toen de zoemer van de voordeur ging, en toen ik de trap af vloog en openmaakte stonden we oog in oog, en zonder dat een van ons een woord zei omhelsden we elkaar stevig, en hij zei: 'Als jij wilt dat ik me hierna niet meer kandidaat stel, doe ik het niet. Jezus, het hoeft niet eens nu,' en ik zei: 'Natuurlijk moet je het wel doen.'

'Ik beloof je dat ik je niet zal proberen te bekeren,' zei hij. 'Al stem je op Fidel Castro, ik zal niet eens met mijn ogen knipperen.'

Hoewel ik niet had gehuild klonk mijn lach nu als het diepe, stokkende gelach dat volgt na tranen.

'Zullen we afspreken dat er geen narigheid tussen ons komt?' Hij keek op me neer en hij pakte mijn gezicht in zijn handen. 'Want ik kan er niet tegen, echt niet.'

Ik was nog wat giechelig van de opluchting. 'Charlie, het spijt me zo.'

'Het is duidelijk dat we elkaar nog niet zo goed kennen,' zei hij. 'Ongetwijfeld zullen sommige mensen zeggen dat we te hard van stapel lopen. Maar ik ben nog nooit ergens zo zeker van geweest. Jou beter leren kennen, het idee dat we alle komende dagen en jaren samen zullen zijn – er is niets waar ik me meer op verheug.'

'Charlie, ik weet echt wel dat je voor dit soort leven bent klaargestoomd, en ik vind dat dat respect verdient. Jij gelooft dat je de wereld kunt verbeteren, en dat bewonder ik.' Terwijl ik dat zei, werd het waar. Er was een scepsis die ik op dat moment opgaf, en die overgave was van lange duur; hij was zo goed als blijvend. Er bestaat zoiets als een vurige woordenwisseling, maar Charlie en ik waren daar niet geschikt voor; we hadden zo weinig zin in wrok dat het minste vleugje daarvan ons bitter smaakte. We konden het met elkaar eens zijn of we konden een discussie vermijden, en ik was goed in allebei; op grond van mijn generatie, mijn sekse, mijn geografische afkomst en bovenal mijn aard was ik goed in het eens zijn en goed in vermijden.

Als ik mijn levensverhaal moest vertellen (ik heb de kans daartoe meermalen afgewimpeld) en als ik dan oprecht zou zijn (dat zou ik natuurlijk niet – niemand is dat ooit), dan zou ik waarschijnlijk geneigd zijn te zeggen dat ik die avond, toen we daar net over de drempel van mijn huis stonden, ik in mijn nachthemd en Charlie in een spijkerbroek en een rood hemd, een keus maakte: ik verkoos onze relatie boven mijn politieke opvattingen, liefde boven ideologie. Maar dat zou ook weer valse bescheidenheid zijn; het zou opnieuw eerder bijdragen aan een bevredigende dan aan een juiste verhaallijn. Mijn opvattingen droeg ik binnen in me mee – ik had het nooit nodig gevonden ze te uiten, en had ik dat wel gedaan, dan kon mijn totale politieke visie worden samengevat door te stellen dat ik meevoelde met arme mensen en blij was dat abortus was gelegaliseerd. Dus ik kóós niet echt iets op dat moment. Ik had Charlie pas een paar weken geleden leren kennen, en nu al voelde ik me bij de gedachte zonder hem verder te moeten leven als een vis op het droge. De stap van een democraat zijn naar een republikein worden, of althans met een verdoezelende glimlach te doen alsof dat zo was – dat was maar een kleine prijs om het water weer over me heen te laten stromen, zodat ik weer kon ademhalen.

Charlie stond breeduit te lachen.

'Wat?' zei ik.

'Er komt ineens iets in me op.' Zijn neusvleugels verwijdden zich een beetje. 'Wij krijgen onze eerste goedmaakseks.'

Ik had een basilicumplant in een terracotta potje gekocht om aan Charlies moeder te geven als presentje voor de gastvrouw, maar we waren nog niet halverwege op weg naar Halcyon toen ik twijfels kreeg over mijn keuze. Die verandering van inzicht vond plaats zo rond het moment waarop ik in de gaten kreeg dat Halcyon niet, zoals ik daarvoor had aangenomen op grond van Charlies terloopse opmerkingen, een stad was. In plaats daarvan was Halcyon een stel huizen op een lap grond van bijna driehonderd hectare in het oosten van het schiereiland dat Door County was, en om eigenaar te kunnen worden van een van die huizen moest je lid zijn van de Halcyon Club. Kennelijk werd je lid door een telg te zijn van een van de volgende vijf families: de Niedleffs, de Higginsons, de De Wolfes, de Thayers en de Blackwells. Charlies eerste zoen, zo verklaarde hij vrolijk, was met Christy Niedleff geweest, toen hij twaalf was en zij veertien; Sarah Thayer, de matriarch van de familie Thayer, was de zus van Hugh de Wolfe, de patriarch van de De Wolfes; Hugh de Wolfe en Harold Blackwell, Charlies vader, waren kamergenoten geweest op Princeton; Emily Higginson was de peettante van Charlies broer Ed – en dat waren zo ongeveer alle insiders-details die ik wist te onthouden, ofschoon er nog veel en veel meer waren en Charlie ze met stijgend enthousiasme opdiste naarmate we dichter bij onze bestemming kwamen. De families hadden het land in 1943 gezamenlijk gekocht, zei hij; ze hadden elk hun eigen huis met een eigen aanlegsteiger, en iedereen at zijn maaltijden in een club die gemeenschappelijk eigendom was en onder gezamenlijk beheer stond. O ja, en dat weekend zou The Halcyon Open plaatsvinden, de traditionele tenniscompetitie waarvoor een zilveren trofee op de schoorsteenmantel van het clubhuis stond en waarin elk jaar de namen van de kampioenen van het herenenkel en herendubbel werden gegraveerd: Charlie had het enkelspel gewonnen in 1965, 1966 en 1974, en samen met zijn broer Arthur het dubbelspel in 1969.

'Eten jullie ál jullie maaltijden in een clubhuis?' zei ik. 'Ontbijt, lunch en diner?'

'De pindarepen daar zijn hemels,' zei Charlie. 'En de appeltaart, die maakt je trots dat je een Amerikaan bent.'

'Maar wie kookt er dan? Doen jullie dat bij toerbeurt?'

'Nee, nee, er is personeel.' Hij zei het langs zijn neus weg – uiteraard was er personeel – en ik probeerde deze informatie snel en neutraal in me op te nemen. Net zoals ik niet vond dat ik me hoefde te verontschuldigen omdat ik in een middenklassenmilieu was opgegroeid, vond ik niet dat Charlie zich hoefde te verontschuldigen of zich ongemakkelijk hoefde te voelen vanwege zijn bevoorrechte jeugd. 'Met name Ernesto en zijn vrouw Mary,' zei hij. 'Echt fantastische mensen, zo'n echtpaar dat steeds mot heeft, maar van wie je weet dat ze toch gek op elkaar zijn. Ze nemen altijd een stel jongeren uit de stad in dienst. Een nichtje van hen, god, hoe heette ze ook weer, maar in elk geval had ze... *een riante voorgevel*, om het netjes uit te drukken. Dit moet zo'n twintig jaar geleden zijn. Elke morgen buigt ze over me heen om de toast op tafel te zetten, en mijn ogen rollen bijna uit hun kassen. Geloof me, mijn broers en ik waren in de zevende hemel, totdat Maj er lucht van kreeg en Mary opdroeg een beter passend uniform voor haar nichtje te kopen.' Charlie tikte met zijn vingers tegen het stuur; hij was bijzonder goedgeluimd. 'Wat we altijd hadden in het weekend van Labor Day, maar waar niemand geloof ik meer tijd in wil steken, dat waren de jaarlijkse musicals,' zei hij. 'Walt Thayer speelde piano, Maj en mevrouw De Wolfe schreven de teksten, en ik zweer je, ik geloofde dat ik carrière zou gaan maken op Broadway, waar Maj praktisch een hartverzakking van kreeg, zoals je je wel kunt voorstellen.'

'Waar gingen die musicals over?'

'Gewoon dingetjes die in de zomer waren voorgevallen. We bleven hier tweeënhalf, drie maanden per jaar, dus de plagerijen lagen voor het opscheppen, en niet alleen onder de kinderen, de volwassenen konden er ook wat van. Een paar gin-tonics en je weet niet wat je ziet. Ken je die roze flamingo's, die tuinornamenten die zo populair zijn onder verpauperde blanken?'

Toen ik in mijn eerste jaar op high school zal, had onze buurvrouw, mevrouw Falke, er twee in haar voortuin gezet. Maar ik zei alleen maar: 'Hm-mm.'

'Nou, Billy en Francie Niedleff kopen er een paar en zetten die voor ons huis. Nadat we erachter komen wie dat heeft gedaan, zint Maj op wraak, dus op zekere nacht maakt ze die krengen in het donker vast aan de boeg van de sloep van meneer Niedleff. Mevrouw Niedleff brengt ze een paar nachten later terug naar onze voortuin, met honkbalpetjes van de Cubs op. Enzovoort, enzovoort, de hele zomer lang, tot de pesterijtjes tot een hoogtepunt komen als pa op een avond naar de plee moet, en raad eens wat-ie daar tegenkomt in de badkuip? Daar staat een echte levende flamingo!' Charlie grinnikte. 'Geloof me, ik weet niet wie erger schrok, pa of die vogel.'

'Maar wat hebben jullie ermee gedaan – toch niet gehouden, zeker?'

'O, die hebben ze de volgende dag naar de dierentuin in Green Bay gebracht. Voordien wist hij nog een gedenkwaardige hoop achter te laten, maar ja, hij was immers in de badkamer. Kun je het hem kwalijk nemen?'

Charlie zat nog na te grinniken toen ik zei: 'Misschien moesten we je familie dit weekend nog maar niet vertellen over onze verloving, goed? We zouden je ouders en mijn moeder en grootmoeder in Madison kunnen uitnodigen voor een lunch en het hun allemaal samen kunnen vertellen.'

Charlie keerde zich met een grijns naar me toe. 'Begin je terug te krabbelen?'

'Het voelt respectvoller om het niet eerst aan de ene familie te vertellen,' zei ik. 'En daarbij gaat het misschien een beetje te ver om tegen je ouders te zeggen: "Dit is Alice, en o ja, we zijn verloofd."'

'Je bent toch niet bang dat ze je niet zullen mogen, hè?'

Niet helemaal naar waarheid zei ik: 'Nee.' We kwamen langs hoge, ranke witte berkenbomen, en tegelijk met mijn spanning vanwege de naderende kennismaking, begon die rusteloosheid in me op te komen die je voelt wanneer je weet dat je in de buurt van water bent, maar dat nog niet kunt zien. De rit vanuit Madison duurde bijna vier uur, en het was tegen drieën toen we een reeks smallere wegen insloegen, die uiteindelijk leidden naar een onverharde weg, waarover we bijna vijf kilometer voorthobbelden. Toen zag ik eindelijk door de bomen Lake Michigan, nog ver, maar blauw en fonkelend in de zon. Charlie ging van de weg af en reed een stuk welig groen gras op met her en der suikerahornen, heesters en op onregelmatige afstanden van elkaar gebouwen van uiteenlopende grootte met witte dakspanen; ik nam aan dat het grootste het clubhuis was.

'Oost, west, Halcyon best,' zei hij en hij gaf een claxonsalvo. Hij wees naar het grote gebouw. 'Dat is het Alamo, daar slapen Maj en pa en sommige van de kleinkinderen. Misschien zetten ze je daar, maar het is waarschijnlijker dat je in een van die zit.' Hij wees naar de kleinere huisjes. 'Dat is de Catfish, dat daar Gin Rummy en dat is Old Nassau. En zie je die daar?' Hij grinnikte. 'Daar heb ik m'n eerste joint gerookt, waarbij het bijna is afgefikt. Het heet Itty-Bitty.' Hij stak zijn hoofd uit het raampje en ik zag dat er iemand uit het grootste gebouw tevoorschijn was gekomen en op ons af kwam, iemand die sterk op Charlie leek, maar dan met donkerder haar. Charlie reed recht op diegene af – met een snelheid van zo'n vijfentwintig kilometer per uur, niet snel, maar ook weer niet zo langzaam gezien de korte afstand – en hoe dichterbij Charlie kwam, hoe breder de glimlach van de ander, hij liep doodkalm verder, en in de laatste seconde, toen mijn adem me al in de keel stokte, ging Charlie vol op de rem staan, en de man riep: 'Chas, wat ben je toch een schijtlijster!'

Charlie parkeerde de auto naast een stationcar met houten zijpanelen – er stonden nog vijf auto's bij de achterkant van het huis – en de andere man kwam op mijn portier af, leunde met zijn onderarmen op het dak terwijl hij door mijn open raampje op me neer keek en glimlachte. 'Dus jij bent de reden dat we allemaal in geen weken iets van Chasbo hebben gehoord,' zei hij. 'Maar nu snap ik dat wel.'

'Rot op, viezerik,' zei Charlie, en in zijn toon klonk een blijdschap die ik nog niet eerder had gehoord, niet zo. 'Alice, dit is mijn broer Arthur.'

We gaven elkaar door het raampje een hand. 'Ik heb bewondering voor je,' zei Arthur. 'Niet iedere vrouw is bereid om een relatie te beginnen met een mongool.'

Intussen was Charlie uitgestapt, en voor ik er erg in had, had hij Arthur van opzij getackeld en rolden ze over elkaar heen door het gras, stoeiend en lachend. Ik deed het portier open en stapte uit. De geur, die zoete, zuivere geur van Noord-Wisconsin, maakte Halcyon bijna zijn pretentieuze naam waardig. Ik keek rondom me naar de vijf gebouwen. Ik was er nu redelijk zeker van, al had Charlie het niet expliciet gezegd, dat deze bouwsels alleen nog maar het bezit van de Blackwells, hun compound vormden en niet het hele Halcyon waren, zoals ik had gedacht toen de huizen net in zicht waren gekomen. Nu mijn eigen recente avontuur in de onroerendgoedsector me in zulke termen had leren denken, raadde ik dat het grootste huis zes- à zeshonderdvijftig vierkante meter was, drie van de andere waren elk zo'n zeventig, tachtig vierkante meter, en het laatste, Itty-Bitty, zal niet groter dan twintig vierkante meter geweest zijn. Rond de stam van een iep groeide wat maagdenpalm en het gras was zo diepgroen dat ik zin had om mijn schoenen uit te trekken. Ik liep rond de zijkant van het grote huis. Misschien zes meter voor me lag een leistenen voetpad, ingebed in het gras, en achter het voetpad, voorbij een met gras begroeide helling van ruim dertig meter, lag een smal rotsachtig strand en daarachter het water. Een lange steiger strekte zich uit in het meer. Aan het einde van de steiger lagen en zaten verre gestalten op badhanddoeken en in klapstoelen. Verder in het water lag een vlot waar net iemand in een rode zwembroek vanaf dook terwijl ik keek.

Toen ik terug bij de auto kwam waren Charlie en Arthur overeind gekomen en ze kwamen licht nahijgend op me af. 'Zeg eens, Alice,' zei Arthur, 'is Chasbo's impotentie nog altijd een probleem, of heeft hij zich laten helpen?'

'Genezen door dezelfde dokter die jouw winderigheid heeft behandeld.' Charlie grijnsde. 'Goeie gast.'

'Liever winderig dan slap,' zei Arthur, en Charlie antwoordde: 'Geloof je het zelf, rufter?'

'Nee, maar zeg nou eens eerlijk, Alice,' zei Arthur, 'was het Chas' zilveren tong waar je voor viel?'

Charlie legde een arm rond Arthurs schouders. 'Alles wat ik weet, heb ik van mijn grote broer geleerd.'

Ze stonden allebei te grijnzen, dezelfde grijns, en Arthur zei: 'Welkom in Halcyon. Biertje?'

We maakten de achterklep open en sjouwden onze spullen naar het huis – 'Ik weet niet zeker waar Maj Alice wil hebben, maar we zetten haar bagage voorlopig wel in het Alamo,' zei Arthur – en ik hield mijn handtas en de basilicumplant vast (die mocht nu wel officieel een geitenwollensokkencadeautje heten), en Arthur pakte de koffer die ik de winter ervoor in Dena's winkel had gekocht, met een krullerig roze met bruin paisleydessin en roze leren bandjes. Toen we bij een hordeur aan de achterkant van het huis kwamen vroeg Charlie: 'Wie zijn er?'

'Eens even kijken... Ed en John zijn gaan vissen met Joe Thayer, Ginger heeft migraine...' Arthur trok in twijfel zijn wenkbrauwen op, '... pa en Maj zijn met de jongens gaan zwemmen en Liza, Jadey en de baby zijn naar de stad om muggenspray te kopen – pas op, want op het moment stikt het van de muskieten – oom Trip ligt te slapen en Nan is aan het tennissen met Margaret. Vergeet ik nog iemand?'

'Is oom Trip hier?' zei Charlie.

Arthur grinnikte. 'Labor Day-weekend zonder hem, dat kan toch niet?'

Op dat moment, terwijl Arthur de hordeur openmaakte en Charlie en ik achter hem aan naar binnen liepen, hadden ze net zo goed Portugees kunnen spreken: vrijwel al die namen zeiden me niets, en het leek alsof er een zee van tijd overheen zou moeten gaan voor dat wel zo zou zijn. Maar ik had het mis, al tegen het eind van dat weekend had ik die opsomming haperend maar accuraat kunnen ontcijferen: Ed was de oudste broer, de Congresman; Ginger was zijn vrouw, vatbaar voor migraines of het voorwenden daarvan, afhankelijk van wie je geloofde (er scheen hoe dan ook met uitzondering van Ed algemene consensus onder de Blackwells te heersen dat Ginger vreugdeloos en stijf was, en zodoende diende zij, misschien bedoeld, als waarschuwing voor mij); de jongens waren hun zoons Harry van tien, Tommy van acht en Geoff van vier jaar; wie ook onder 'de jongens' viel was Arthurs zoon Drew van drie; Jadey was de vrouw van Arthur, en de baby was hun dochtertje van elf maanden Winnie; John was de op een na oudste broer, de man van Nan; Liza van negen was John en Nans oudste dochter en Margaret van zeven was hun jongste; oom Trip was niemands oom maar had in de herfst van 1939 tot het voorjaar van 1940 een studentenkamer gedeeld met Harold Blackwell en Hugh de Wolfe bij de universiteit van Princeton; pa, ten slotte, was Harold Blackwell en Maj was Priscilla Blackwell. Joe Thayer, die met Ed en John was gaan vissen (de Blackwells bezaten vijf boten: een kotter, een motorboot, twee Whitehall-roeiboten en een kano) was met zijn zesendertig jaar het oudste kind van Walt en Sarah Thayer – de Thayers waren een andere Halcyon-familie – en werkte als advocaat in

Milwaukee. Joe was ook de man met wie ik elf jaar later 's avonds op de campus van Princeton plotseling in een zoen verwikkeld zou zijn. Maar van alle dingen die ik die middag niet wist, was dat nog het minste.

We waren het grote huis – het Alamo – binnen gegaan door de keuken, of eigenlijk door een voorraadkamer die uitkwam op de keuken. Zowel het bestaan van de keuken als de eenvoud ervan verbaasde me. De koelkast was wit met ronde hoeken (alsof hij uit de jaren veertig stamde en luidruchtig brommend), er was een groot vierpitsfornuis en een eiken tafel met een glimmend oppervlak stond tegen de muur, met aan de overige drie zijden stoelen met dunne marineblauwe kussentjes op de zittingen. Aan de wand hing een klok met een crèmekleurig front, zwarte minuten- en secondewijzers en een Schlitz-logo in het midden. Wat opviel was hoe vol de ruimte leek – zo vol als elke andere keuken voor een grote familie, uien en aardappelen in een draadgaas mandje dat aan het plafond hing, een kruidenrekje naast het fornuis, dozen cornflakes op een stapeltje op de koelkast en een grote, open zak chips op de tafel. Ik gebaarde naar de chips. 'Ik dacht dat jullie al jullie maaltijden in het clubhuis gebruikten.'

'Alice, een mens kan niet leven van ontbijt, lunch en diner alleen,' zei Arthur.

'Het enige waar de Blackwells beter in zijn dan in eten is drinken,' zei Charlie. 'En nu we het er toch over hebben...' Hij deed de koelkast open en haalde er drie blikjes bier uit, waarna hij Arthur en mij er ieder een gaf. Nadat Charlie het lipje van zijn blikje met een knal had opengetrokken nam hij een grote teug, waarna hij zei: 'Jezus, wat goed om hier te zijn.'

Arthur wendde zich tot mij. 'Ik neem aan dat Chas het sanitaire verhaal al met je heeft doorgenomen.'

Ik keek naar Charlie. 'Oeps,' zei hij, maar hij glimlachte. Tegen Arthur zei hij: 'Ik was bang dat ze dan niet meer mee wilde.'

'Ik zal je een rekenlesje geven,' zei Arthur. 'We zijn hier nu met – Chas, zijn het zeventien Blackwells? Achttien? En er is één badkamer, en ik bedoel niet alleen in dit huis, maar in alle huizen. Nou ja, Maj en pa hebben een wc, maar dat is verboden terrein voor de rest. Waar ik op doel is dat efficiëntie op prijs wordt gesteld.'

Ik knikte. 'Oké.'

'De leidingen zijn niet al te best, dus snel en vaak spoelen,' zei Charlie.

'Als je een enorme hoop moet doen, laat je dan bijstaan door een metalen kleerhanger.' Arthur draaide zijn hand opzij en maakte een doorsnijgebaar.

Hij choqueerde me niet; eerlijk gezegd weet ik niet of hij dat probeerde, of dat hij gewoon zichzelf was. Arthur maakte op mij een kinderachtige indruk, maar ik vond dat niet erg – niet voor niets werkte ik op een school – en daarbij, in mijn kennismaking met Charlies familie wilde ik niet flauw zijn. Ik zei: 'Is dat die badkamer waar je vader een flamingo tegenkwam?'

'Heb je haar dat verteld?' Arthur lachte en schudde zijn hoofd. 'Een klassieker, absoluut een klassieker. Je had dat beest moeten horen gakken en grommen. Wie had ooit gedacht dat flamingo's geluid maakten? Ik zal je even een uitgebreide rondleiding geven.'

We gingen met z'n drieën van de keuken naar de woonkamer, een enorme open ruimte waar tegen de noordelijke wand de grootste open haard stond die ik ooit had gezien; het was een haard waar ik in had kunnen staan. Aan de muren erboven hingen jachttrofeeën: bovenaan een eland en een paar herten (ten minste twee met zespuntige geweien), en daaronder een forel en zalm, fazant en wilde kalkoen en een kraaghoen. In één hoek stond wat ik misschien voor het pronkstuk van de collectie hield: een rechtopstaande opgezette zwarte beer van ruwweg tweeënhalve meter, zijn open bek bevroren in een woest gebrul, op zijn borst een stukje wit bont in de vorm van een hart – alleen was het beest van zijn waardigheid beroofd doordat er een cowboyhoed op zijn kop was gezet. Ik vroeg me af of de beer de jongere kleinkinderen geen angst aanjoeg.

Het meubilair in de woonkamer was een verschoten allegaartje, waarin twee witte bamboebanken met kussens die naar ik vermoedde ooit rood waren geweest, maar nu een verwassen donkerroze waren, de toon aangaven; op beide banken lagen wat decoratieve kussens op basis van het thema 'water', met dessins van vuurtorens, zeilboten en schelpen. Op een plank onder de grote bamboe salontafel lagen stapels bordspellen in dozen die ook verkleurd waren en sommige half uit elkaar gevallen (ik ving een glimp op van Scrabble, Monopoly, Candyland en Sorry, evenals een paar legpuzzels). In de voorgevel zaten lamellenramen, van middelhoogte tot aan het plafond en horizontaal kamerbreed; veel van de ruitjes stonden open, en erachter was een afgeschermde veranda te zien, met verschillende rotan meubels op een grote rieten mat. Aan het verste uiteinde was een hangmat opgehangen waarin – het duurde even voor ik het doorhad – een man van middelbare leeftijd duidelijk diep lag te slapen. Voorbij de veranda lag Lake Michigan.

'De slaapkamers zijn deze kant op.' Arthur leidde ons een gangetje in dat naar twee kleinere kamers voerde. In de eerste lag ook een rieten mat, een laag kingsize bed met een witte sprei, twee nachtkastjes met stapels gebonden boeken en kranten, en een kaptafel met spiegel waarvan de blauwe verf begon af te schilferen. In de tweede kamer stond een tweepersoonsbed met een mintkleurig ijzeren frame en een zo te zien niet nieuwe televisie op het dressoir. Pas toen ik de twee slaapkamers aan de andere kant van het huis zag, die beide meerdere eenpersoonsbedden bevatten en beide leeg waren op wat rondslingerend kinderspeelgoed en wat achtergelaten kledingstukken na, drong tot me door dat de eerste slaapkamer die ik had gezien die van Charlies ouders geweest moest zijn.

'Zou ik nu even gebruik mogen maken van de beroemde badkamer?' zei ik.

'Daarzo.' Charlie hield zijn hoofd schuin, en terwijl ik de kant op liep die hij aangaf riep Arthur me achterna: 'Snel en vaak spoelen.'

Ik bevond me nu in een halletje waar oude jassen en flanellen overhemden aan haakjes hingen en op een hoge plank een bonte verzameling huiselijke attributen lag: een frisbee, sneeuwschoenen, een plastic vlieger, een telefoongids van Milwaukee, een blik grijze muurverf met een laag stof erop.

Op de badkamerdeur hing een porseleinen ovalen plaatje met daarop in elegante letters 'W.C.'. Maar dat klopte niet helemaal, besefte ik toen ik de deur openmaakte en een ruimte aantrof die zo groot was als de eetkamer van mijn ouderlijk huis in Riley. Er stonden een wasmachine en -droger; een badkuip op pootjes; een oud toilet met een wc-bril van zwart plastic, een stortbak hoog boven de wc met aan de zijkant een ketting waaraan je moest trekken om door te spoelen; een witporseleinen fonteintje; vlak daarnaast een laag houten tafeltje waarop vier mokken stonden met in elk ervan een stuk of drie tandenborstels; een boekenplank met voornamelijk tweederangs paperbacks, maar ook een paar gebonden boeken: *The Confessions of Nat Turner*, een groot, groen exemplaar van *Trinity* van Leon Uris; en een raam, geblindeerd door middel van een niet helemaal ondoorzichtig gordijn van katoenen voile, waardoor ik de geparkeerde auto's kon zien en niet alleen de wind in de achtertuin hoorde, maar ook de verre kreten van de zwemmers en zonnebaders op de steiger. Ik deed de deur dicht en tilde net mijn rok omhoog – voor mijn kennismaking met Charlies familie had ik een gele tricot jurk met een kraagje, korte mouwen en een knoopceintuur uitgekozen, en mijn blauwe gezondheidssandalen – toen ik merkte dat de deur vanzelf was opengegaan. Na een tweede poging hem dicht te trekken kwam ik erachter dat hij niet bleef zitten; er klonk geen klik van een slot; het zachte hout van de deur gleed weg van het zachte hout van de deurpost. Uiteraard. Ik voelde een lichte beklemming opkomen (één badkamer voor achttien mensen! Voor de komende drie nachten!) maar die slikte ik weg, ik pakte *Trinity* en *The Confessions of Nat Turner* van de boekenplank en legde ze op elkaar tegen de deur aan – voor zover ik wist waren ze daarvoor bedoeld. Toen stak ik voor alle zekerheid mijn hand achter het ruitjesgordijn en deed het raam dicht; er was geen hor.

Toen ik weer tevoorschijn kwam, waren Charlie en Arthur in de woonkamer, waar Arthur Charlie een artikel over hun broer Ed liet zien in het tijdschrift *Washingtonian*, een blad dat ik niet kende. 'Goeie genade, wat is die Eddie kaal aan het worden.' Charlie hield het blad omhoog zodat ik het kon zien. 'Dat krijgt hij nog wel van me te horen. Alice, wil je je badpak aantrekken?'

'Het is misschien een beetje waardiger om kennis te maken met je ouders als ik nog aangekleed ben.'

Arthur lachte. 'Als je op zoek bent naar waardigheid, dan zit je hier fout.' Hij liep naar een tafeltje tussen twee bamboe stoelen in en pakte een grote vlekkerig-zilveren fotolijst op. 'Moge ik u verwijzen naar bewijsstuk A.'

'O, jee.' Charlie grijnsde. 'Wil je soms dat ze me hier ter plekke de bons geeft?'

Arthur overhandigde me de fotolijst. Bovenaan, onder het doffe zilver, viel een monogram te onderscheiden, de letters PBH, met de B in het midden groter dan de andere twee. Op de foto stond een blonde vrouw in een witte trouwjurk, Arthur zelf in rokkostuum, en aan weerszijden van hen waaierde een rij glimlachende jonge mensen uit; aan de kant van de bruid stonden zes vrouwen in eendere satijnachtige roze jurken, en aan Arthurs kant stonden zes mannen in rok; de dichtstbijzijnde was Charlie.

'Mooi,' zei ik. 'Wanneer ben je getrouwd?'

'Eenenzeventig, maar daar gaat het niet om. Kijk eens wat beter.'

'Het enige wat ik kan zeggen is: je moet ogen in je rug hebben,' zei Charlie. 'Niet jij, Alice.'

Ik stond nog steeds naar de foto te turen, die misschien twintig bij vijfentwintig centimeter was. En toen zag ik het, en Arthur zag dat ik het zag en hij zei: 'Flink stelletje, hè? Maar ik neem aan dat je dat al wist.'

Op de foto, voor de plaats waar Charlies rits zou moeten zitten, hing een roodachtige bobbel. Hij was enigszins misplaatst, maar onmiskenbaar: Charlie had (ik hoopte althans dat hij het had gedaan en niet iemand anders) zijn scrotum uit zijn broek gehaald en voor de foto tentoongespreid.

Ik wierp een blik op Charlie – werkelijk, de Blackwells waren net een stel zesdegroepers van Liess, van die jochies die een schuttingwoord zeiden binnen gehoorsafstand van de leraar en hoopten op een reactie – en ik zei mild: 'Dat is een ongewone pose voor een foto.'

'Het heeft ongeveer vijf jaar geduurd voor Jadey het me vergaf, maar het was elke minuut waard.' Charlie grinnikte. 'Nee hoor, ze wist dat het maar een geintje was.'

'Mijn vrouw is een gróót bewonderaarster van de balzak in smoking,' zei Arthur. 'En ik bedoel echt groot.'

Charlie pakte mijn hand vast en gaf er een kneepje in. 'Ik beloof je dat ik dat niet op onze bruiloft zal doen.' Arthur gnuifde luid – hij had natuurlijk geen idee dat we echt verloofd waren – en op dat moment hoorden we voetstappen op het trapje naar de veranda en toen een stem, een beschaafde stem van een vrouw van middelbare leeftijd die riep: 'Knibbel, knabbel, knuisje, er zit een binnengeslopen vriendin in m'n huisje.'

'Moet ik Priscilla zeggen of mevrouw Blackwell?' fluisterde ik. Charlie liep de veranda op met mij achter zich aan, en hij zei: 'Hé Maj, Alice vraagt of ze je Priscilla of mevrouw Blackwell moet noemen.'

'*Charlie*,' siste ik.

Zijn moeder lachte. 'Hangt ervan af,' zei ze. 'Laten we eerst maar eens zien of ik Alice leuk vind.'

Ze had wit haar op kinlengte dat achterover tegen haar hoofd geplakt zat, door het vocht op zijn plaats gehouden zoals het maar een paar minuten blijft zitten nadat je uit het water bent gekomen. Ze droeg een marineblauw badpak en een horloge, verder niets, niet eens schoenen of een handdoek. Ze was ongeveer één meter tachtig en haar benen, borst en schouders waren zowel gerimpeld als gebruind; haar lichaam was slank en atletisch. ('Ik was aanvoerster van het hockeyteam, zowel in Dana Hall als in Holyoke,' zei ze later in het weekend, en ik mompelde iets goedkeurends, niet omdat ik er echt van onder de indruk was, maar omdat ik merkte dat dat van me verwacht werd.)

Ze had nog niet mijn kant op gekeken, en ze stak haar arm uit en legde haar vingers onder Charlies kin – ik constateerde bevreemd dat Charlie en zijn moeder elkaar niet omhelsden – en nadat ze haar blik over zijn gezicht had laten glijden zei ze op hartelijke toon: 'Met dat kapsel zie je eruit als een Jood.'

Charlie lachte zonder aarzeling – van harte, leek het. 'Nou, ik héb tenminste nog haar; dat kan ik van je oudste zoon niet zeggen.'

Maar ze was al verder gelopen; zonder blikken of blozen nam ze me op van top tot teen. 'Zo, wat een lekker ding.'

Ik stapte naar voren en hield haar de terracotta pot met de basilicumplant voor. 'Bedankt voor de gastvrijheid.'

'Alice heeft wat zelfgekweekte marihuana voor je meegebracht,' zei Charlie. 'Topkwaliteit uit Madison.'

'Het is basilicum,' zei ik vlug.

Mevrouw Blackwell wendde zich tot Charlie. 'Dat zou je wel willen, hè, dat het marihuana was,' zei ze, en er zat een sprankje trots in haar stem dat sterker werd toen ze er, tegen mij, aan toevoegde: 'Mijn zoons zijn onverbeterlijk, op Eddie na, die is zo droog als gort. Charlie vertelde me dat je uit Riley komt, dus dan ken je de familie Zurbrugg zeker wel.'

Ik knikte. 'Ik heb altijd met Fred op school gezeten.' De Zurbruggs waren de rijkste familie in Riley, misschien de enige rijken: ze waren eigenaar van een van de grootste zuivelboerderijen in de staat, en het was natuurlijk ook Freds feestje geweest waarnaar ik op weg was op de avond van het ongeluk.

Mevrouw Blackwell zei: 'Ada Zurbruggs gladiolen stelen de show in onze tuiniersclub in Milwaukee; we weten niet hoe ze 't flikt. Maar wat jammer van Geraldine, niet? Ze was zo'n schattig kind.'

'Is er iets...' Ik aarzelde. Geraldine was Freds oudere zus, en als haar iets ergs was overkomen, was ik daar niet van op de hoogte.

'Nou ja, ze is moddervet!' riep mevrouw Blackwell uit. 'Ze weegt zeker over de honderd kilo! Het is gewoon tragisch.'

'Ik heb haar al een paar jaar niet gezien.'

'Als de bikini ooit verboden wordt, zou zij als eerste...' Mevrouw Blackwell lachte opgewekt. 'Alice, ik zet je in Itty-Bitty. Chas, help haar even met haar spullen, en vergeet niet uit te leggen hoe het met de wc zit.' Ze draaide zich weer naar mij toe. 'Halcyon kan een beetje rustiek zijn, maar jij houdt vast wel van het primitieve leven. Ben je meer een meisje voor single of voor dubbel?'

Het duurde een paar seconden voor ik begreep waar ze het over had. 'O, ik tennis niet.' Ik liet een spijtig glimlachje zien. 'Charlie heeft me wel over het toernooi verteld, het lijkt me een enige traditie.'

'Als je niet tennist, wat doe je dan in 's hemelsnaam?' Ze deed alsof ze in verwarring verkeerde, terwijl ik zeker weet dat ze helemaal niet verward was. De scherpzinnigheid straalde van haar af.

'Nou...' Ik viel even stil. Was het een retorische vraag of wilde ze een antwoord? Niemand sprak een woord, en ik zei: 'Ik hou van lezen.' Voor het eerst tijdens dit onderhoud spande ik me niet in om positief en oprecht over te komen; ik zei het maar gewoon, want ik kon wel zien dat Priscilla Blackwell iemand was die je niet moest als je haar ervan probeerde te overtuigen dat je goed genoeg was. Misschien moest ze je ook niet als je dat niet deed, maar waarschijnlijk minder.

Charlie legde een hand op mijn rug. 'Alice is een genie,' zei hij. 'Ze heeft elk boek gelezen dat er is.' Die opmerking was wel absurd, maar ook lief. Hij voegde eraan toe: 'Ik hoor dat Ginger migraine heeft?'

Mevrouw Blackwell snoof. 'Ginger is een tuthola.' Ze keek op haar horloge. 'Borreltijd is om klokslag zes uur, en we vertrekken om twintig over zeven naar het clubhuis.' Ze keek opnieuw naar mij toen ze erbij zei: 'Jullie willen je vast omkleden voor het diner.'

In Itty-Bitty stonden twee stapelbedden, een minikoelkast (zodra we binnen waren bediende Charlie zich van een tweede biertje) en een kast waar niets in hing behalve lege ijzeren kleerhangertjes; er was uiteraard geen badkamer. Van de vier matrassen was er maar één opgemaakt: strakgetrokken witte lakens, één kussen in een wit kussensloop, een bruine wollen deken opgevouwen op het voeteneind.

Charlie zat op de deken, voorovergebogen om zijn hoofd niet tegen het bovenste bed te stoten, terwijl ik mijn kleren ophing. 'Dit is ideaal,' zei hij. 'Ik was al bang dat ze je bij een of ander krijsend neefje of nichtje zou stoppen, maar hier heb je privacy zodat je kunt lezen, uitslapen...' Hij grijnsde '... en nachtelijk bezoek ontvangen.'

'Reken daar maar niet op.' Ik hing een blouse over een hanger. 'Ik wil niet het risico lopen door je moeder te worden betrapt. Je hebt zeker wel eens andere vriendinnen meegenomen naar Halcyon?'

'Is dat codetaal voor de vraag met hoeveel meisjes ik heb geslapen? Dat mag je best vragen, hoor.'

'Het was geen codetaal, maar nu je het er toch over hebt...'

'Elf. Voor jou, bedoel ik, jij bent de twaalfde. En jij, hoeveel knapen?'

'Met jou meegerekend vier.' Ik zette mijn witte pumps onder in de kast.

'Vier, echt?' Charlie leek verbaasd.

'Wat had je dan gedacht?'

'De broer van die jongen op high school, ik, en...'

'Op de universiteit had ik een relatie met Wade Trommler, en een paar jaar geleden met ene Simon.'

'Ben jij van bil geweest met tampende Trommler? Heb jij gerampetampt met de trommelaar?' Charlie leek totaal niet jaloers, maar hoogst geamuseerd. 'O, man, dat is kostelijk! Wade is onbetwist de allersaaiste man op de planeet. Begrijp me niet verkeerd, hij is echt erg aardig, maar zo saai als een soepstengel. Hoe was hij?'

'Waarom wil je het daarover hebben?' Bij een recent spelletje badminton bij de Hickens hadden Wade en Charlie in hetzelfde team gezeten, maar ik zag Wade natuurlijk niet meer als mijn ex-vriendje; ik zag hem gewoon als de man van Rose.

'Betekent dat slecht of goed?'

'Er was niets mis met hem,' zei ik. 'Je hebt gelijk dat hij aardig is en je hebt gelijk dat hij saai is.'

'Dus hij was geen Charlie Blackwell?'

Ik liep naar Charlie toe en sloeg mijn armen om hem heen; hij zat nog steeds, en hij wreef zijn gezicht tegen mijn borst. 'Er is maar één Charlie Blackwell,' zei ik, en ik kon het niet laten erachteraan te zeggen: 'Goddank.'

'En die andere jongen, Simon hoe?'

'Zijn achternaam was Törnkvist. Ik weet zeker dat je hem niet kent. Hij was nogal een hippie, en een heel serieus type.'

'En in bed?'

'Kom op, Charlie.'

'Ik wil een beeld krijgen van de hele Lindy. Om samen de toekomst in te gaan, moeten we ook onze geschiedenis in ere houden.'

Ik duwde zijn hoofd zachtjes naar achteren zodat we elkaar aankeken. 'Komt dat uit een speech?'

Hij meesmuilde. 'Misschien.'

'Ik geloof dat Simon werd gekweld door de herinnering aan Vietnam.'

'Aha.' Charlie knikte. 'Een hippie van het verbitterde soort. Verstandig van je om er een punt achter te zetten.'

'Je hoeft niet zo minachtend te doen,' zei ik. 'Hij is een fatsoenlijk iemand. Jij bent niet...' Ik vermoedde wel wat het antwoord op deze vraag zou zijn, maar zeker weten deed ik het niet. 'Jij bent niet in Vietnam geweest, of wel?'

'Kon niet. Platvoeten.' Charlie was blootsvoets, al in zijn zwembroek, en hij stak zijn benen uit en liet me zijn voeten zien.

'En je broers?'

'Eerst zat Ed op de universiteit, toen was hij met Ginger getrouwd, dus hij kreeg steeds uitstel van militaire dienst, en John en Arthur hebben ook platvoeten. Wat een toeval, hè?' Charlie grijnsde en terwijl hij aanhalingstekens in de lucht krabde, zei hij: 'Dat waren mijn jaren in de "toeristische sector", oftewel ik was skileraar. Ik gaf les in Squaw Valley en ik liet een holenmannenbaard staan. Ik zal Maj eens vragen of ze nog foto's heeft, want je gelooft je ogen niet.'

Het was raar om aan Simon herinnerd te worden terwijl ik in dit gastenhuisje in de vakantiekolonie van de Blackwells stond, raar om te bedenken hoe anders het hier moest zijn dan de peulvruchtenkwekerij waar Simons familie woonde. Hij zou de Blackwells verwend, vulgair en arrogant vinden, zo stelde ik me voor, en zij op hun beurt zouden hem stug en humorloos vinden – niet dat hun wegen elkaar ooit zouden kruisen, natuurlijk. Dus wat betekende het dat ik zonder al te veel moeite in beide kampen kon vertoeven? Betekende dat dat ik wispelturig was en geen eigen identiteit had? Ik kon de argumenten van beide kanten zien, voor en tegen mensen als de Blackwells, voor en tegen iemand zoals Simon. Toch kon je je moeilijk voorstellen dat Charlies gedrag, anders dan het mijne, zou veranderen afhankelijk van degene met wie hij een relatie had; hij zou altijd Charlie blijven. Hij had me verteld dat ik een sterk zelfbewustzijn had, maar ik vroeg me op dat moment af of het niet omgekeerd was: of wat hij voor kracht aanzag in feite niet een soort aanpassing was aan zijn manier van doen, of wat hij zag als hij naar mij keek niet de weerspiegeling was van zijn eigen wil en persoonlijkheid. Ik was beleefd, ontwikkeld en knap genoeg en als ik met hem wilde trouwen, betekende dat dat hij als waardige en begeerlijke man een goede partij was. Maar nee – deze gedachtegang was zinloos. Talloze vrouwen hadden wel met Charlie willen trouwen. Wat pretentieus om me in te beelden dat mijn jawoord op de een of andere ingrijpende, officiële manier bepalend was voor zijn prestige, wat uitermate lachwekkend voor iemand als Priscilla Blackwell, die mij ongetwijfeld als een eenvoudige schooljuf uit een provinciestadje zag. Ik wás ook een eenvoudige schooljuf uit een provinciestadje. (Maar onder die conclusie, waarvan ik me voorhield dat ik die getrokken had, lag mijn eigenlijke conclusie: dat ik per slot van rekening toch gelijk had. Hoewel massa's vrouwen inderdaad met Charlie hadden willen trouwen, waren dat vrouwen zoals Dena, geen vrouwen zoals ik. Ik ging niet met hem trouwen om zijn geld of zijn maatschappelijke status. Ik ging met hem trouwen omdat ik graag bij hem was. En vanuit zijn standpunt bezien was ik een serieuze persoon – hij zag mij zoals ik Simon had gezien – en eigenlijk was het mijn ernst waar Charlie door bevestigd werd; in het licht daarvan kon zijn speelsheid doorgaan voor oppervlakkig vermaak, waarachter reserves van wijsheid en stabiliteit schuilgingen. Als Charlie Blackwell werkelijk een verwende losbol zou zijn, zou Alice Lindgren niet met hem gaan trouwen; we moesten er allebei in geloven. Maar zoals ik al zei: dit is de conclusie waarvan ik deed alsof ik hem niet had getrokken.)

Charlie klopte me op mijn rug. 'Hup, trek je badpak gauw aan,' zei hij. 'Ik wil lekker even zwemmen voor het avondeten.'

Twee uur later, terwijl ik om één voor zes het trapje op ging dat naar de afgeschermde veranda van het Alamo leidde, zag ik dat deze leeg was. Natuurlijk vroeg ik me af of ik me in tijd of plaats van de borrel had vergist, en mijn ongerustheid nam nog toe toen ik achterom keek en Charlies broer John in een boxerzwembroek de grazige heuvel vanaf het meer op zag komen, hand in hand met zijn zevenjarige dochter Margaret. Toen hij dichterbij kwam, lachte hij zo'n beetje. We zijn zo omgekleed,' zei hij tegen me. 'In een wip, hè, Margaret? Je ziet er prachtig uit, Alice.' Een versleten witte handdoek hing rond Johns nek, en in zijn rechterhand hield hij een zwarte rubberen binnenband. Hij en Margaret waren verbrand op hun neus en schouders.

Ik had die middag op de steiger kennisgemaakt met John en verschillende andere Blackwells. Iedereen was vriendelijk – de kinderen waren aan het spetteren en spelen – en het kostte me moeite te onthouden wie wie was, behalve Harold Blackwell, die net op een houten trappetje het water uit klom toen Charlie en ik aankwamen. Hij zag eruit als een oudere versie van de gouverneur die ik, toen ik op high school en de universiteit zat, vluchtig voorbij had zien komen in de krant en op televisie. Alleen droeg hij nu geen pak, maar een zwembroek, zijn natte grijze borsthaar zat op zijn huid geplakt en zijn tepels waren mauve munten; de tepels van de voormalige gouverneur zien was een verwarrende ervaring waar ik niet te lang bij stil probeerde te staan. (Ik bedacht dat Dena het gênante van deze ontmoeting zou kunnen waarderen, en er ging een steek van spijt door me heen dat ik er haar geen beschrijving van zou kunnen geven, en daarna werd ik afgeleid door de kennismaking met de vele andere Blackwells.) Toen Charlie ons aan elkaar voorstelde, legde Harold Blackwell zijn beide handen over de mijne. 'Ik kan je niet zeggen hoe blij we zijn dat je hier bent,' zei hij, en hij leek geenszins op de man die ik me van de tv herinnerde, namelijk afstandelijk, zelfverzekerd, een doorsnee man van middelbare leeftijd. Was hij door de jaren heen veranderd? Hij had een soort aardigheid die tegelijk bedroefd en authentiek was – een verdrietig iemand wiens verdriet, uit alle mogelijkheden, een aardiger mens van hem had gemaakt.

Ik had net de hordeur naar de veranda geopend toen een tengere zwarte vrouw van middelbare leeftijd in een zwarte jurk met een witte schort uit het huis tevoorschijn kwam met een dienblad met krabdip en crackers dat ze op een ronde tafel neerzette. Op het witte tafelkleed stonden al flessen wijn, whisky, brandy, zoete vermout en kruidenbitter, naast een zilveren ijsemmer, een limoen, een schoteltje maraschinokersen, groene cocktailservetten en veel glaswerk – wijn-, cocktail- en whiskyglazen – waarin de avondzon betoverend mooi reflecteerde. Een plastic koelbox vol ijs en blikjes Pabst en Schlitzbier stond naast de tafel met het deksel eraf.

'Hallo,' zei ik. 'Ik ben Alice Lindgren. Ik ben Charlies... Ik ben een gast van Charlie.'

De vrouw knikte niet bijzonder hartelijk. 'Wat wilt u drinken?'

'Ben ik te vroeg?' vroeg ik. 'Zal ik helpen alles klaar te zetten?' Op de rieten tafeltjes tussen de stoelen in zag ik kommetjes pinda's en Cheeto's staan; ook zag ik, nu ik beter keek, dat op de servetten een opstuiterende tennisbal stond met in witte letters: TENNISSERS SLAAN NOOIT MIS!

De vrouw zei: 'Wilt u witte wijn misschien?'

'Dat zou heerlijk zijn.' Toen ik zag dat ze een fles ging openen, wilde ik dat ik nee had gezegd, maar daarvoor leek het te laat. Ze reikte me het glas aan en ik had net een slokje genomen toen een mannenstem riep: 'Miss Ruby!' Er zoefde iets voorbij aan de rand van mijn gezichtsveld, een snelbewegende menselijke gestalte, en de vrouw met het schort vloog de lucht in. De gestalte bleek Charlie te zijn; hij had haar opgetild en draaide haar rond, en toen hij haar neerzette keek de vrouw hem boos aan, streek haar schort glad en zei: 'Je bent niet goed wijs.'

Charlie grijnsde. 'Miss Ruby, dit is mijn toekomstige bruid, Alice Lindgren. Alice, dit is mijn eerste liefde, Miss Ruby.'

Ik had die onthulling van Charlie over onze verloving vervelend kunnen vinden – het leek me een schending van onze afspraak in de auto – ware het niet dat Miss Ruby, terwijl we elkaar een hand gaven, niet meer in me geïnteresseerd leek dan vóór Charlies komst. Had Charlie andere jonge vrouwen aan haar voorgesteld als zijn toekomstige bruid? Dat zou best kunnen. 'Blijf af van die krabdip, Charlie Blackwell,' snauwde ze, en ik zag dat hij zijn wijsvinger in een kristallen kommetje naast de wijnflessen had gestoken. Miss Ruby blies door haar neusgaten. 'Kun je geen mes gebruiken zoals een beschaafd mens?'

'Zo smaakt het lekkerder.' Charlie likte zijn vinger af. 'Alice, wil je iets drinken?'

Ik hield mijn glas omhoog.

'Uitstekend,' zei hij. 'En je ziet er schitterend uit, natuurlijk.' Hij boog zich naar me toe om me op mijn mond te kussen; hij was duidelijk in een uitbundige stemming. Ik had dit in Madison een paar keer meegemaakt als we met een groepje waren. Soms was hij hartveroverend mal, maar nog wel in staat om te luisteren naar wat je zei, en soms, vooral als hij een paar uur lang had zitten drinken, was hij door het dolle heen, doof voor de opmerkingen van iedereen die niet even dronken en door het dolle heen was. Die momenten had ik gewoon uitgezeten, wachtend tot we naar huis konden gaan, soms onder het uitwisselen van sympathiserende blikken met de vrouwen of vriendinnen van andere mannen. Ik wilde Charlie niet aanmoedigen, maar ik had ook geen zin hem te vertellen hoe hij zich moest gedragen.

'Miss Ruby kan bevestigen dat dit de enige keer in de familiegeschiedenis is dat ik hier als eerste ben,' zei Charlie. 'Ik wilde niet dat je dacht dat je verkeerd zat, Lindy. *Blackwell Standard Time* loopt – wat zou u zeggen, Miss Ruby, zo'n vijfenveertig minuten achter?'

'Niet zo brutaal,' zei ze.

Charlie gebaarde naar haar. 'Deze vrouw heeft voor me gezorgd vanaf de dag dat ik thuiskwam uit het ziekenhuis, en ik zweer je, ik geef mijn leven voor haar.'

'Ja, vast,' zei Miss Ruby terwijl ze terug het huis in ging.

'Ze is dolkomisch, hè?' zei Charlie. 'Onbetaalbaar.' Ik was er niet zo zeker van of ik het daarmee eens was, en op slag, nu Miss Ruby weg was en het publiek alleen uit mij bestond, bedaarde hij een beetje. Toch voelde ik dat hij opgeladen was voor de avond. En ik kon het hem niet kwalijk nemen – het was duidelijk dat familiebijeenkomsten voor de Blackwells niet alleen gepaard gingen met competitiesport, maar een soort competitiesport op zichzelf waren. De omgang met de Blackwells (deze indruk keerde in de jaren die volgden telkens opnieuw terug) vervulde me met afgunstige verwondering over hun clan-energie, hun zelfverzekerdheid, alleen al hun aantal, en tegelijkertijd met dankbaarheid dat ikzelf in een kalm, klein gezinsverband was opgegroeid. Als Blackwell had je zoveel familiegrappen om bij te houden, zoveel bijnamen en verwijzingen naar incidenten van lang geleden, je moest elkaar continu de loef afsteken: ik was vast niet de enige die het vermoeiend vond.

Het volgende halfuur kwamen ze allemaal tevoorschijn, hetzij vanuit het Alamo, hetzij aanslenterend uit de andere huisjes, velen van hen met nat haar, de mannen in seersucker pak of kaki broek met marineblauwe blazer, de vrouwen in zomerjurk, met kinderen aan hun hand – kleine meisjes in een groene of roze jurk met een lijfje van smokwerk, of geappliqueerde ballonnen of appels en schoenen met enkelbandjes aan hun voeten; kleine jongetjes in korte tuinbroek en met witte, omgevouwen sokjes en tweekleurige veterschoenen met witte neuzen.

Er werden drankjes geserveerd; de meeste volwassenen dronken old-fashioned cocktails, terwijl de kinderen Shirley Temple- of Roy Rogers-cocktails kregen – Miss Ruby ging rond met de krabdip en ik maakte kennis met de familieleden die ik nog niet had ontmoet. Het werd al snel duidelijk dat er geen gesprek was waarin veel meer van me verwacht werd dan een knikje en een lachje. 'We zijn allemaal zó nieuwsgierig naar je,' zei Nan, de vrouw van Charlies broer John, om me vervolgens geen enkele vraag te stellen terwijl zij en John en Charlie en ik daar tien minuten stonden. John en Charlie voerden de boventoon in de conversatie, die eerst draaide om de huidige kwaliteit van de vis uit het meer en toen overging op de vraag of de 1-0-winst van de Brewers op de Detroit Tigers de avond ervoor te danken was aan het goede spel van de Brewers of aan het slechte spel van de Tigers. Ik vond dit niet erg; ik heb altijd een zwak voor spraakzame mensen gehad, omdat ik het gevoel heb dat ze het werk voor mij doen. Ik heb gewoonlijk niet zo heel veel te zeggen – ik benijd de mensen bijna om hun fervente opinies, hun felheid en zekerheid – en vind het prima om te luisteren. Er zijn een paar onderwerpen die me bijzonder interesseren (als iemand net hetzelfde boek heeft gelezen als ik, vind ik het leuk onze ervaring te vergelijken), maar ik heb er een hekel aan te doen alsof ik een mening heb wanneer dat niet zo is. De paar keren dat ik heb gedaan alsof, gaven me achteraf een zuur, hol gevoel, een zeurende spijt.

Ik raakte achtereenvolgens in gesprek met oom Trip, ook zeer spraakzaam, die uitlegde dat hij, om zakelijke redenen of voor zijn plezier, dat werd me niet duidelijk, zijn tijd afwisselend doorbracht in Milwaukee, Key West en Toronto. Op dat moment leek me dat de vreemdste driehoek die je je maar kon voorstellen, maar in feite bleek die voor vrienden van de Blackwells helemaal niet zo afwijkend te zijn. Milwaukee en Sun Valley, Milwaukee en de Adirondacks, Minneapolis en Cheyenne en Phoenix, Chicago en San Francisco. Ze verkochten textiel of dolven erts of waren eigenaar van een galerie in Santa Fe of ze waren consultant – dit was voordat het consultantschap zoiets alledaags was als het nu is – of ze hadden net een cruise gemaakt rond de Golf van Alaska, en dat was, zo vertelden ze, fantástisch geweest.

Wat het emplooi van Charlies broers betreft: Ed, de oudste was het Congreslid, Charlies op een na oudste broer John was algemeen directeur van Blackwell Meats (die middag op de steiger had Charlie John voorgesteld als 'de worstengigant van de worstengigant') en Arthur, die maar twee jaar ouder was dan Charlie, werkte ook voor het familiebedrijf, maar dan als advocaat. Geen van hun vrouwen had een baan.

Het was druk op de veranda, en ik had het met John over het hoofd van de schoolinspectie van Wisconsin, dat wil zeggen, John vertelde over die keer dat inspecteur Ruka, die hij Herb noemde, in de Country Club van Maronee een birdie had geslagen op een lange par 4, toen zijn twee dochters Liza en Margaret tussen ons door holden en weer verdwenen in de kluwen van volwassen lichamen. Margaret, de jongste, kwam terug en tikte me op mijn onderarm. Ze keek naar me op met een nerveuze, opgewonden en geheimzinnige uitdrukking die me een sterk vermoeden gaf dat ze door haar grote zus was gestuurd. 'Bent u de vriendin van oom Chas?'

'Margaret, wat zeggen we als we een gesprek onderbreken?' zei John berispend.

'Sorry,' zei Margaret. 'Sorry, maar bent u de vriendin van oom Chas?'

'Dat klopt,' zei ik.

'Doet u parfum op?'

Ik lachte. 'Soms.'

'Kunt u de kop en schotel?'

'Ja hoor,' zei ik. 'Kun jíj de kop en schotel?'

'Het is Liza's touwtje, maar ze zei dat als u meedoet, ik ook mag.'

Ik keek John aan. 'Ik geloof dat ik word ontboden.' John glimlachte zogenaamd beschaamd (ik kan me niet voorstellen dat hij dat werkelijk was, maar alle Blackwells begrepen hoe innemend een beetje zelfverachting kan zijn, en hoe hoger geplaatst de persoon in kwestie, hoe innemender de zelfverachting). 'Daar hoef je echt geen gehoor aan te geven,' zei hij, en toen, tegen Margaret: 'Wat zeg je dan tegen miss Lindgren?'

'Dank u wel, miss Lindgren,' zei Margaret terwijl ze mijn hand pakte en me door de hordeur naar de verandatrap voerde, waar Liza op ons zat te wachten. Een meter verder zaten hun neefjes met dunne stokjes te duelleren.

We waren bij onze derde herhaling van een touwfiguur die Liza 'krabbenbek' noemde, toen de veranda op het geluid van tinkelend glas stilviel. Op mijn horloge zag ik dat het tien over halfacht was. Hadden de kinderen al gegeten? Zo niet, dan gedroegen ze zich opmerkelijk goed. 'Als jullie het goedvinden wil deze seniele oude man even een paar woorden zeggen,' zei Harold Blackwell, en er klonken een paar gilletjes en kreetjes ter aansporing; Arthur stak zijn vingers in zijn mond en floot. Charlie stond net binnen de hordeur, en hij stootte hem open en gebaarde me de trap op te komen. Toen ik dat deed en vlug naast hem kwam staan, pakte hij mijn hand en fluisterde: 'Alles oké?' Ik knikte.

'Wat een enorm plezier voor Priscilla en mij om jullie allemaal hier te hebben.' Harold Blackwell liet zijn blik over de veranda gaan. 'Wat zijn we toch gezegend als familie.' Hoewel ik er nog steeds op was voorbereid dat zijn woorden althans een beetje nep en voorgekookt zouden klinken, werd ik er opnieuw door getroffen hoe aardig en ongekunsteld hij overkwam. 'Als ik zo naar de groep mensen kijk die hier is verzameld, kan ik jullie niet zeggen hoe trots me dat maakt,' zei hij, en ik dacht dat hij misschien een traantje zou wegpinken. (Ik probeerde me voor te stellen hoe hij als presidentskandidaat 'ongewassen en onopgeleid' had gezegd, en dat was moeilijk; nu al was dat beeld van hem ongrijpbaar, vervangen door deze man op een paar meter afstand, zijn gezicht gegroefd, zijn haar bruin als dat van Charlie maar dun en achterovergekamd, de kwetsbaarheid van zijn schedel.) Hij liet geen traantje. In plaats daarvan zei hij glimlachend: 'Het doet ons intens plezier om kennis te maken met Alice. Een speciaal welkom voor jou, meisje.'

'Bravo!' zei Charlie en hij rammelde met het ijs in zijn glas; hij dronk whisky.

Toen riep John: 'Alice, denk je dat je onze wilde Blackwell-hengst kunt temmen?'

'Ze zit er nog op,' zei Charlie.

'Zit ze erop of ligt ze eronder?' riep iemand – dat leek me typisch een opmerking voor Arthur, maar hij zou zelfs van oom Trip afkomstig kunnen zijn.

'Rustig aan, jongens,' zei Harold. 'Wat ik wil zeggen is dat ik hoop dat jullie allemaal ooit de kans zullen krijgen om drie generaties voor je te zien en de liefde en trots te voelen waar mijn hart vanavond vol van is. Moge God de familie Blackwell voor altijd zegenen en beschermen, en moge het licht van Zijn geest uit ons allemaal schijnen.' Toen hief hij zijn glas, en iedereen mompelde goedkeurend; een paar mensen zeiden 'amen'. De gesprekken begonnen net weer op gang te komen toen Arthur luid zijn keel schraapte en vervolgens boven op een stoel klom. 'Laat ik dit moment meteen maar te baat nemen,' zei hij. 'Toen ik hoorde dat Chasbo een nieuw meisje mee naar huis zou brengen, wilde ik iets ter ere van haar doen. Dus ik heb een gedicht geschreven...' Hierop barstte het gezelschap los in rauw gejuich, ook Charlie. Arthur trok een opgevouwen blaadje uit zijn zak, keek ernaar en vouwde het daarna weer op. 'Volgens mij ken ik het wel uit mijn hoofd.'

'Berg je, Shakespeare!' riep Charlie.

'Oké.' Arthur slikte en gaf een knikje. 'O ja, het is een limerick, had ik dat al gezegd?'

'Kom op met dat verrekte gedicht,' brulde John.

Arthur keek me recht aan en glimlachte.

'Nymfo-Alice, die dol op de daad was,
stak een staaf dynamiet in haar poespas
Ze vonden haar snee
in zonnig LA
en haar tepeltjes ginder in Texas.'

In de stilte die daarop volgde kon ik de cadans van de golfjes tegen de oever verderop horen, en een van de jochies voor op het gazon zei: 'Maar hij is van míj.' En toen klonk er een verrukt soort gegier, en het drong al snel tot me door, al kon ik het bijna niet geloven, dat dat geschater afkomstig was van mevrouw Blackwell. Al snel deden alle anderen mee, bulderend en applaudisserend. Ik was zo geschokt dat ik had kunnen huilen – het zouden tranen van verbijstering zijn geweest, niet van verdriet of gekwetstheid – maar ik wist dat het cruciaal was dat niet te doen. Ik hield mijn hoofd rechtop en glimlachte glazig. Ik keek niet naar Charlie, want ik was bang een vrolijke grijns op zijn gezicht te zien. Zouden de kinderen het hebben gehoord? vroeg ik me af. En Miss Ruby?

'Bis!' riep mevrouw Blackwell. 'Nog een keer!'

En voor het geval iemand iets had gemist, begon Arthur opnieuw: 'Nymfo-Alice, die dol op de daad was...'

Toen hij was uitgesproken, zei mevrouw Blackwell, nog steeds met een verheugde lach: 'Ik daag iedereen uit die beweert dat ik niet de slimste zonen heb van het westelijk halfrond. Arty, je hebt jezelf overtroffen.'

'Hoewel het verre van mij is een van mijn jongere broers te prijzen,' zei Ed, 'moet ik toegeven dat dat meesterlijk was.' (En Ed ging hier door voor de degelijke zoon.)

Oom Trip gaf me een zachte por. 'Dat maak je niet elke dag mee, een gedicht ter ere van jou, nietwaar?'

Ik liet een proestend neplachje horen, meer kon ik er niet van maken.

Charlie en ik stonden nog steeds zij aan zij, we keken elkaar niet aan, maar ik was er redelijk zeker van dat hij grijnsde terwijl hij tussen zijn opeengeklemde kiezen zei: 'Je bent ontzet, hè?'

'Arthur heeft dat niet geschreven.' Ik bewoog mijn lippen ook bijna niet. 'Ik heb het voor het eerst in 1956 gehoord, van een jongen die Roy Ziemniak heette.'

Charlie grinnikte. 'Arthur jat alles overal vandaan als het moet,' zei hij. 'Typisch Arthur.' Toen zei hij: 'Je doet het goed. Ik weet dat dit niet gemakkelijk is.' Hij keerde zich naar me toe en we keken elkaar recht aan, en zijn gezichtsuitdrukking was niet vrolijk, maar onzeker. Zijn gezicht op dat moment was me heel vertrouwd; misschien kwam dat door het contrast met alle anderen met wie ik net had kennisgemaakt, maar die vertrouwdheid verbaasde me. Charlies bruine ogen en de rimpeltjes in de hoeken ervan, zijn borstelige, golvende lichtbruine haar, zijn lichtroze lippen, nu droog, waar ik een aanzienlijk deel van de afgelopen zeven weken mijn eigen lippen tegenaan had gedrukt – zijn gelaatstrekken deden me goed. Het was veel moeilijker hem niet aan te raken dan het zou zijn geweest hem aan te raken, mijn handpalm tegen zijn wang of hals te leggen, me voorover te buigen en hem te kussen, mijn armen om hem heen te slaan en zelf ook omhelsd te worden. Het deed me goed te weten dat ik uiteindelijk – zo niet vanavond, dan toch gauw, en nog heel lang – weer met hem alleen zou zijn en dat we over alle anderen konden praten, of niet eens praten, maar gewoon samen zijn in de luwte na onze interactie met die andere mensen. Ik vond mezelf zo'n geluksvogel, het leek bijna een wonder, dat van alle mensen op de veranda híj degene was met wie ik een paar vormde, híj mijn partner was. Niet Arthur, godzijdank, of John of Ed, maar Charlie – Charlie was de mijne. Zeker, hij kon ook de lolbroek uithangen, maar ik voelde dat hij een groter hart had dan zijn broers, dat hij meer begreep van de wereld, van menselijk gedrag. Charlies grappenmakerij leek eerder een beslissing dan een reflex. (Natuurlijk vroeg ik me later af: als je het onderwerp van iemands liefde bent, begiftig je diegene dan niet vanzelf met een groter hart en meer begrip van de wereld? Misschien is je indruk slechts terecht voor zover het over jóú gaat; in jouw aanwezigheid wordt hij inderdaad met deze eigenschappen verrijkt, juist omdat jij het onderwerp van zijn liefde bént. Hij is niet zozeer attent als wel attent ten opzichte van jou, niet zozeer aardig als wel aardig tegen jou.)

Terwijl Charlie en ik elkaar aankeken, omringd door het gekwetter en het getinkel van het borreluurtje van de Blackwells, kwam het bij me op dat als ik op Halcyon was gekomen voordat hij en ik ons hadden verloofd, er een goede kans was dat dat nooit meer zou zijn gebeurd. In de context van onze families waren de verschillen tussen ons levensgroot. Op dit moment leek het echter maar goed ook dat ik niet had geweten waar ik aan begon; ik was blij dat het te laat was.

We liepen in een slordig soort karavaan naar het clubhuis voor het diner en op tweehonderd meter van de compound van de Blackwells, afgescheiden door een groepje dennenbomen, kwam rechts van ons een andere compound in zicht, een groepje huizen met vergelijkbare ligging en afmetingen als die van de Blackwells. Kennelijk bezat Charlies familie het noordelijkste stuk land; bij het volgende grote huis kwam een menigte mannen, vrouwen en kinderen tevoorschijn, aangevoerd door een zilverharige tachtiger die met zijn rechterbeen trok, op een gebogen wandelstok van donker hout leunde en een marineblauwe pantalon droeg waarop kleine schildpadjes waren geborduurd. 'Harold, ik ga heus niet al die zoete-aardappelsouffleetjes aan jou overlaten,' riep hij op geaffecteerde toon, en Harold Blackwell riep terug: 'Daar durfde ik al niet op te hopen, Rumpus!' Althans, dat dacht ik dat Harold zei: Rumpus, maar ik twijfelde aan mijn eigen gehoor – want wie luistert er nu naar een naam die 'tumult' betekent? – tot ik in de eetkamer van het clubhuis naast diezelfde man terechtkwam. Vier lange tafels strekten zich in de vier windrichtingen uit vanuit het midden van de zaal – als een enorm kruis – en de tafels waren niet per familie ingedeeld, zoals ik zou hebben gedacht (later besefte ik dat dat ook niet had gekund, want er waren vier tafels en vijf families), maar veeleer aan de hand van de drukke, schijnbaar arbitraire bedisselingen van de matriarchen. Mevrouw Blackwell dirigeerde de kinderen naar één tafel en haar oudere zoons en hun vrouwen naar verscheidene plaatsen her en der, en richtte vervolgens haar aandacht op Charlie en mij. 'Chas, ga jij bij mevrouw De Wolfe zitten, want die wil dolgraag jouw theorie over Jimmy Connors horen. Alice, jij zit hier.' Ze wees naar de op een na laatste plaats aan een tafel. 'Het is zo saai als stellen naast elkaar zitten, vind je niet?' Ik knikte, hoewel ik me niet kon herinneren wanneer ik voor het laatst ergens was geweest waar aan tafelschikking werd gedaan. De tafels waren bedekt met wit linnen, en er was volledig gedekt. Het porselein en het tafelzilver waren allemaal best fraai, al zag het er verre van nieuw uit, maar het clubhuis als geheel had dezelfde sleetse uitstraling als het Alamo: de mosgroene katoenen gordijnen waren verschoten, er zaten krassen op de hardhouten vloer, de stoelen waren van het niet bepaald comfortabele houten soort dat je aan het bureau in een studentenkamer zou verwachten. Een grote vaas met paarse hortensia's stond in het hart van de vier tafels, en boven de schoorsteenmantel hing een aardig olieverfschilderij van een donker water: Lake Michigan, waarschijnlijk.

Toen we allemaal op onze plaats zaten – de mannen wachtten op de vrouwen, merkte ik op, en de vrouwen begeleidden eerst de kinderen naar hun plaats – stak de man naast me, de eigenaar van de schildpadbroek, zijn hand uit. 'Rumpus Higginson,' zei hij.

'Alice Lindgren.' Terwijl we elkaars hand schudden, was ik lichtelijk trots op mezelf dat ik niet lachte, zelfs niet eens glimlachte of met mijn lippen trok. (Twee weken later, terug in Madison, kocht ik de *Wisconsin State Journal* en zag op de voorpagina een artikel over de uitbreiding van de Wall Bank – een concurrent van de Wisconsin Bank State & Trust, tweeëndertig jaar lang de werkgever van mijn vader – met erbij een fotootje, korrelig en niet groter dan een postzegel, maar voor mij toch herkenbaar, van een man die in het onderschrift Leslie J. Higginson werd genoemd; kennelijk was hij de oprichter van de bank. Dat betekende dat mijn vader zeker van hem gehoord zou hebben, hoewel ik betwijfelde of mijn vader ooit had geweten dat hij naar de naam 'Rumpus' luisterde.)

Als eerste gang kregen we crème Vichyssoise, opgediend in ondiepe witte kommetjes met wat fijngehakte bieslook erop. Onder het eten van de soep zei Rumpus, of meneer Higginson – ik had echt nauwelijks een idee hoe ik iedereen moest aanspreken: 'Ben je al vaker in Door County geweest, Allison?'

Ik verbeterde hem niet. 'In feite ben ik hier voor het eerst, maar het doet zijn reputatie zeker eer aan.'

'Een mooiere dag had je ook niet kunnen treffen.' Rumpus schudde zijn hoofd. 'Absoluut verrukkelijk.'

Toen me deze plaats was toegewezen, had ik me afgevraagd of mevrouw Blackwell me misschien wilde verbannen, maar ze was schuin tegenover me aan tafel gaan zitten (om een oogje op me te houden? Maar nee, wat een belachelijke gedachte) en zei op dat moment: 'Rump, zeg me dat het niet waar is van Cecily en Gordon. Als ze naar Los Angeles verhuizen, zien we ze natuurlijk nooit meer.'

'Ach, schei toch uit!' wierp Rumpus tegen. 'Een vlucht naar Californië is toch helemaal geen punt voor een verstokte reizigster als jij, Priscilla.'

Ze schudde haar hoofd. 'De laatste keer dat ik in Los Angeles was, zei ik tegen mezelf: "Nu is het welletjes." Rampzalig verkeer, waardeloos eten en de staf in het Biltmore was ontzettend incompetent. Ze willen een stad van wereldklasse zijn, maar ik vind het er erg provinciaal.' Ik weet dat er mensen zijn die niet zouden geloven dat iemand uit Wisconsin zo'n opmerking zou durven te maken; ze hebben het mis. Mevrouw Blackwell zei: 'Ik zag Cecily dit jaar in maart in Sea Island en ik zei: "Cecily, als jullie er ook maar over peinzen om over te lopen naar de Westkust, dan spreken Harold en ik niet meer met jullie."'

'Maar het komt eigenlijk door Gordon, nietwaar? Ik weet dat hij erop gebrand is relaties met Aziatische investeerders te cultiveren, wat een stuk handiger is...'

In die trant ging de conversatie verder terwijl we doorgingen met de tweede gang, braadkuiken: ze bespraken een ander echtpaar, de Bancrofts genaamd, die, zo maakte ik eruit op, in Milwaukee woonden, hun keuken aan het renoveren waren en de pech hadden gehad een beunhaas in te huren; ze bespraken een echtpaar genaamd de LeGrands, wier zoon in zijn tweede jaar aan de medische faculteit in Dartmouth zat, al vroeg mevrouw Blackwell zich af of hij wel 'voldoende' in huis had – ze tikte tegen haar slaap – om de studie te voltooien ('Zijn cijfers aan de UW waren nog erger dan die van Chas aan Princeton!' riep ze uit); en ten slotte bespraken ze een Weense cellist die sinds een paar maanden in het symfonieorkest van Milwaukee speelde en inwoonde bij Will en Emily Higginson, de zoon en schoondochter van Rumpus. 'Zoals de Italianen zeggen: logés zijn als vis.' Mevrouw Blackwell glimlachte zelfgenoegzaam. 'Na drie dagen beginnen ze te stinken.' (Ik sloeg uiteraard snel aan het rekenen: als Charlie en ik op een vrijdag waren aangekomen en op een maandag weer weggingen, was dat niet meer dan drie dagen, of wel? Al was alleen ik een gast; Charlie was familie.) Tijdens het hele diner knikte ik instemmend met wat de juiste tussenpozen leken, glimlachte ik wanneer zij glimlachten en lachte wanneer zij lachten, en beantwoordde ik zelfs een vraag over mijn muzieksmaak – 'Allison, geef je de voorkeur aan de klassieke of de romantische periode?' vroeg Rumpus, en ik zei: 'Ik heb altijd genoten van Mahlers Vijfde' – en tegelijkertijd begon ik aangeschoten en vervolgens ronduit dronken te raken zoals ik het van mijn hele leven nog niet geweest was. De obers en serveersters, van wie de meesten ongeveer veertien jaar leken, vulden onze wijnglazen veelvuldig bij. Bij mijn tweede tochtje naar het toilet ging ik net de zaal uit toen de koffie en desserts werden opgediend, en ik zag de muren bewegen tijdens het lopen.

Net buiten de eetzaal was een zitruimte, en zowel de muren daarvan als die van de gangen naar het toilet hingen tjokvol foto's, merendeels zwart-wit: inwoners van Halcyon die een vis ophielden of aan het tennissen waren (van de laatste activiteit waren er zowel actiefoto's als geposeerde plaatjes, waarop de spelers hun racket schuin voor hun borst hielden. Op één foto stond mevrouw Blackwell met haar hand stevig om die van een peuter geklemd die heel goed Charlie zou kunnen zijn, op de veranda van, meende ik, dit gebouw. Mevrouw Blackwell was niet mooi geweest, maar wel donkerharig en aantrekkelijk, de huid van haar gezicht glad en rimpelloos, een pientere glinstering in haar ogen. Ik stond de foto te bestuderen toen uit het niets een vrouw verscheen, die zich in mijn armen wierp. 'Ik vind het zó fantastisch om jou te ontmoeten!' riep ze. Ze sprak met een lijzig accent dat, net zoals dat van Charlie, vaag zuidelijk was.

Zelfs toen ze zich losmaakte uit onze niet-wederzijdse omhelzing bleef ze mijn bovenarmen stevig vasthouden terwijl ze me vol enthousiasme aankeek. Ze had witblond haar, naar achteren getrokken in een paardenstaart, grote voortanden en een gebruinde huid; ze was knap, zeker, maar op dit moment was ze ook fysiek veel te dichtbij. 'Ik heb gehoord over dat ránzige gedicht dat Arthur over je geschreven heeft, en ik bestíérf het bijna, ik zat met de baby in Gin Rummy, maar als ik erbij was geweest had ik dat nóóit laten gebeuren. Je vindt ons vast de ordináírste familie van de héle wereld.'

Toen verwijdden haar ogen zich, en ik overdrijf niet als ik zeg dat ze begon te gillen. 'O, je weet niet eens wie ik ben! O, hemeltje!' Ze begon te lachen en bracht een hand naar haar borst. 'Ik ben Jadey! De vrouw van Arthur! Ik ben Jadey Blackwell! O, Alice, sorry voor mijn belabberde manieren!'

'Wat leuk om kennis met je te maken.' Ik hoorde de euforie in mijn stem, hij klonk echt anders dan anders. 'Maar je man vergat dat de limerick ook nog een alternatief slot heeft.' Zowel het uitspreken van 'limerick' als 'alternatief' was een hele toer, en ik was trots dat ik beide woorden had overwonnen. 'Wat hij zei was... "en haar tepeltjes ginder in Texas", maar het kan ook zo... "en haar aars in het wufte Las Vegas". Wist je dat je getrouwd bent met een plagiator?'

Jadey keek me van dichterbij aan en fluisterde: 'Mijn god, ben je drónken?' Ik schudde mijn hoofd, maar ze zei al: 'O, dat zou ik ook zijn! Je bent natuurlijk helemaal uit je doen! Ik kan me wel voorstellen wat dit weekend voor jou moet zijn. Ze plagen je zo vreselijk, hè? Het eerste jaar van mijn huwelijk stond ik constant op het punt in tranen uit te barsten, en dan was ik nog met de Blackwells ópgegroeid! O, ik had gewoon de pést aan hen allemaal, en toen Arthur me dwóng om met hem te trouwen, dacht ik bij mezelf: Jadey, ben je gék geworden? Je wíst dat die familie een stel herrieschoppers was!'

Was Jadey gek? Ik was nu een minuut in haar gezelschap en had al het gevoel dat ik die vraag correct kon beantwoorden.

'Blijf hier,' zei ze. 'Ik ga Charlie halen. Arm kind, je bent zo zat als een tor.'

Omdat ik inderdaad dronken was, vond ik het niet erg om daar gewoon wat te blijven staan; ik staarde naar de zilveren beker die op de schoorsteenmantel boven de haard stond – hij was ongeveer dertig centimeter hoog – en toen Charlie een minuutje later uit de eetzaal kwam met Jadey vlak achter hem, hield ik de trofee in mijn armen terwijl ik er tussen mijn wimpers door naar tuurde. 'Waar staat jouw naam?' vroeg ik aan Charlie, en hij leek tegelijkertijd geamuseerd en verontrust.

'Zullen we dit maar terugzetten waar het hoort, kleine gauwdief.' Hij nam de trofee voorzichtig uit mijn handen en zette hem terug op de schoorsteenmantel; vervolgens zei hij tegen Jadey: 'Zeg tegen Maj dat je denkt dat Alice heeft waar de baby aan lijdt.'

Jadey trok een gezicht. 'Darmkrampjes?'

Hij maakte een wegwuifgebaar. 'Verzin maar wat. Ik breng haar terug naar Itty-Bitty.'

Jadey legde haar handen hoog op mijn schouders; het zag eruit als iets tussen een baboesjka die je in je wangen knijpt en een minnaar die zich vooroverbuigt om je te kussen. 'Alice, wij gaan díkke vriendinnen worden,' zei ze. Ze dempte haar stem. 'Met Ginger en Nan is geen lól te beleven. Ze bedoelen het goed, maar ze zijn zo saai. Maar ik hoorde over jou...' Ze praatte weer harder, en sneller... 'en ik wist het gewoon meteen. Ik zei bij mezelf: "Alice klinkt helemaal als mijn type."'

Wat had Jadey over mij gehoord? En wanneer – die dag, of daarvoor? En van wie?

'Je lijkt me een héél bijzondere persoon,' zei ik en Charlie barstte in lachen uit. Hij zei tegen Jadey: 'Zo is ze anders nooit. Serieus, ik heb haar nog nooit zo gezien.'

'Ze is schattig,' zei Jadey, en ze hield de deur van het clubhuis voor ons open terwijl we naar buiten liepen. 'Laat haar niet vallen, Chas.'

Het leistenen pad werd slechts door de sterren en de halve maan verlicht, en de afstand die we moesten afleggen leek aanmerkelijk groter dan op de heenweg. Charlie had een arm om me heen geslagen en met de andere hield hij me vast aan mijn elleboog. 'Hou je vast, feestbeest,' zei hij. 'Was Rump Higginson zo erg als tafelgenoot?'

We kwamen langs de familiecompound die het dichtst bij het clubhuis lag – deze, zo had ik een paar uur eerder gehoord, was van de Thayers – en ik zei: 'Iedereen hier is zó rijk.'

Charlie lachte, maar niet van harte. Na een tel vroeg hij: 'Vind je dat fijn?'

'Rijke mensen zijn bizar!' riep ik uit. (Dit was een opmerking die ik in de jaren die volgden nog vaak terug zou horen van Charlie.) 'Ik hou van je, Charlie, maar al dat gedoe over tennis en Princeton en het Biltmore-hotel... als je nou de ploegbaas van Fassbinder's was, soms denk ik dat dat makkelijker zou zijn.'

'Bedoel je Fassbinder's de kaasfabriek?'

'Ze maken ook boter,' zei ik. 'Zullen we gaan zwemmen?'

'Ik weet niet of dat zo'n goed idee is.'

'Jij bent toch de loltrapper?' Ik porde hem in zijn ribben. 'Altijd in voor een feessie. Ben je soms bang? Weet je nog toen je me vertelde dat je bang was voor het donker?'

'Ik doe mijn best me groot te houden voor mijn laveloze vriendin.'

'Ik weet dat je bang voor het donker bent, want ik heb het in mijn dossier opgeschreven. Mijn *Charlie van Wyck Blackwell*-dossier.' Ik sprak elk van zijn namen overdreven nadrukkelijk uit. 'En nu kan ik je niet beschermen omdat ik' – ik dacht aan Jadey – 'zo zat als een tor ben.'

'En dat ben je,' zei Charlie. 'Ik probeer erachter te komen of je een goeie of een kwade dronk hebt.'

'Als we gaan zwemmen,' zei ik, 'dan zijn we bloot en dan kun je onder water je penis in me stoppen.'

'O, man!' zei Charlie. 'Oké, ik heb besloten dat je aan de fles moet. Jij hebt een uitstekende dronk over je.'

'Het is mijn eerste keer,' zei ik.

'Sorry, maar daar kom je nu echt een beetje te laat mee aanzetten.'

'Nee, nee,' zei ik. 'De eerste keer dat ik dronken ben.'

'Nou, je lijkt anders wel een prof.'

'Nee, eerlijk... ik merk dat je me niet gelooft, maar ik spreek de waarheid.'

Toen we bij de Blackwell-compound aankwamen zei hij: 'Het probleem is, ik weet niet hoe lang het duurt voor de anderen terugkomen, en als we in het meer liggen te spetteren terwijl Jadey tegen Maj heeft gezegd dat je ziek was...'

'Ik geloof niet dat je bang voor het dónker bent.' Ik tikte Charlie met mijn vingertop op het puntje van zijn neus. 'Jij bent bang voor je moeder.'

Hij lachte. 'Dat zou jij ook zijn.' Ik vermoed dat Charlies eigen voorliefde voor drank, zijn leven rondom drank, hem uitzonderlijk tolerant maakte ten opzichte van andermans dronkenschap. 'Ik zou je dolgraag aan dat hele penis-onder-wateraanbod willen houden,' zei hij, 'maar wat zou je ervan zeggen om Itty-Bitty binnen te gaan?'

'Laten we het hier doen.' Ik gleed uit zijn armen en ging op het gras liggen. We waren voor het Alamo; Miss Ruby was misschien nog steeds binnen, of misschien was ze al naar het studentenhuisachtige gebouw achter het clubhuis gegaan waar zij en de andere dienstmeisjes van de Halcyon-families sliepen, maar hoe dan ook, ik was haar totaal vergeten. Het gras was koel, de sprietjes een beetje kleverig.

'Hemelse goedheid,' zei Charlie. 'Wie bén jij?' Hij trok me overeind en bracht me half dragend, half slepend over het grasveld naar Itty-Bitty. Alle lichten waren uit, en hij zette me op het onderste bed alvorens de lamp aan te knippen. 'Even pissen,' zei hij. 'Niet weglopen.'

Ik wist dat hij niet terug naar het Alamo liep om de wc te gebruiken, maar ergens heel dichtbij bleef, want ik kon hem horen plassen terwijl ik in bed lag. Ik giechelde een beetje, ik dacht erover hem te plagen als hij terugkwam, ik dacht eraan hoe zijn penis in mijn hand zou aanvoelen. Maar dat was het laatste wat ik dacht, want ik viel acuut in slaap. Zoals Charlie me de volgende dag vertelde lag ik toen hij Itty-Bitty weer binnen kwam, ongegeneerd te snurken.

Rond vier uur in de ochtend, toen het echte nachtdonker was vervaagd tot het grijs dat voorafgaat aan zonsopgang, werd ik wakker met een klemmend gevoel in mijn buik en ik wist dat ik hoognodig naar de wc moest. Het zou beter zijn geweest als ik had moeten overgeven, want dat was nog iets wat je eventueel buiten kon doen; dit niet. Toch bleef ik nog een aantal minuten gekweld op het onderste bed liggen, want het vooruitzicht om het grasveld naar het Alamo over te sprinten en daar op de wc primitieve geluiden te gaan zitten maken in een huis waar alle anderen lagen te slapen, was nét nog iets erger dan gekweld in bed te liggen. Was het de bedoeling dat je voor zo'n toiletbezoek voor dag en dauw eerst echte kleren aantrok? Gold hiervoor een of ander protocol, en werd van mij verwacht dat ik kon raden wat dat was? Toen ik het niet langer uithield kwam ik uit bed, merkte tot mijn verbazing dat ik niet mijn nachtpon maar mijn jurk van de vorige avond aanhad – hij rook naar eten en alcohol – en haastte me blootsvoets naar buiten, het koele, dauwnatte gras op. Ik vreesde dat het huis op slot was, maar dat was niet zo. (Later kwam ik erachter dat het nooit werd afgesloten, zelfs niet 's winters als er hooguit eens per maand mensen waren; er kwam dan alleen af en toe een plaatselijke huisbewaarder langs. 'Als er vandalen naar binnen willen, heb ik liever dat ze door de deur komen dan door het raam,' zei mevrouw Blackwell laconiek, alsof ze het heel sportief opvatte. Vooral in die eerste tijd kon ik maar zelden voorzien hoe mevrouw Blackwell op een bepaalde situatie zou reageren, maar wat haar reactie ook was, als de mijne daar niet mee overeenkwam hield ik er steevast het gevoel aan over dat dat kwam door ons verschil in sociale achtergrond. Of ik wist althans dat zij een eventuele onenigheid aan dat verschil zou toeschrijven, en daar zou ze zo hartgrondig in geloven dat het net zo goed waar kon zijn.)

Ik glipte naar binnen door een achterdeur – niet die van de keuken, maar een andere, van de gang die op de badkamer uitkwam. Zoals ik had verwacht, was het huis volkomen stil. Ik deed de badkamerdeur dicht – ditmaal wist ik dat ik de boeken ertegenaan moest schuiven – en toen ik ging zitten had ik een gevoel alsof een slang zich in mijn buik ontrolde – hij ontrolde zich razendsnel – maar toch kon ik hem niet laten gaan. Ik wilde wel, maar ik kon het niet, zo bang was ik voor de geluiden die ik zou maken. Ik leunde naar voren, sloeg mijn armen om mijn middel en probeerde niet te kreunen. Ze slapen allemaal, zei ik tegen mezelf, maar ik kon me niet verroeren, en toen richtte de slang zich op, ontblootte zijn giftanden en zijn gespleten tong, en alles wat in me zat spoot eruit, een langgerekt, hoogst gênant gekletter. De waarschuwingen over de gebrekkige afvoer indachtig, gaf ik onmiddellijk een ruk aan de ketting. Maar ik was nog niet klaar – dat wist ik – en de bak was nog niet opnieuw volgelopen toen er een tweede buitensporige stroom uit mijn ingewanden gutste. Wat vernederend dat ik zoveel had gedronken, en wat dom ook. (Nooit heb ik sinds die keer meer dan twee drankjes op één avond gedronken.) Mijn buik was nu leeg, heerlijk leeg, maar voelde nog steeds onbestendig. Ik veegde me af en spoelde het toilet een tweede maal door, en toen ik opstond, toen het waterpeil in de bak weer was gestegen, zag ik dat spoelen alleen niet voldoende zou zijn; bruine vegen plakten aan het porselein. Moest ik mijn hand erin stoppen? Ik was gewend schoon te maken na toiletgebruik van kinderen; meestal was het alleen maar urine, maar de kleinere kinderen hadden regelmatig een ongelukje, of er gaf iemand over, en als Big Glenn ergens anders mee bezig was, gooide ik liever zelf wat zaagsel op de vloerbedekking dan op hem te wachten. Ik spoelde een derde maal door, en toen het water naar beneden kolkte, stak ik mijn hand erin met een prop toiletpapier en veegde de ergste klonters en strepen weg voor het water weer omhoog kon komen. Toen gooide ik het toiletpapier erin, spoelde een vierde maal door – lag Priscilla Blackwell op ditzelfde moment te luisteren hoe ik haar afvoer in de vernieling hielp? – en waste mijn handen. De zeep was een lichtblauw ovaaltje, op vele plaatsen gebarsten en door veel wrijven zo dun als een plectrum; terwijl ik er mijn handpalmen tegenaan bewoog, brak het in tweeën en ik dacht – het kwam zo natuurlijk in me op, zo'n terloopse reactie – ik heb de pest aan dit oord.

Dat was het soort gedachte dat ik nooit had, en zelfs op dat moment kwam ik er onmiddellijk op terug. Dat mijn ingewanden van streek waren, was net zomin aan de Blackwells te wijten als een zomerse onweersbui zou zijn geweest! (O, maar wat waren ze dol op die ene wc van hen, wat waren ze dol op hun verschoten meubels en hun mossige, gammele steiger, hun schoteltjes met schilfertjes eraf en vlekkerige fotolijsten en harde matrassen. Ze waren dol op deze valse, selectieve vorm van ontbering, op hun eigen soepele omgang met de conventies die erbij hoorden en het mogelijke ongemak van een gast. In het huis waar ik was opgegroeid hadden we ook één toilet, maar het was nog nooit bij een van mijn familieleden opgekomen om daar tróts op te zijn. Ik was totaal niet verbaasd – tegen die tijd begreep ik het – toen ik, slechts een paar weken later, met Charlie naar het huis van de Blackwells in Milwaukee ging, hun voornaamste verblijfplaats, waarbij vergeleken zelfs het Alamo klein was; het huis in Milwaukee besloeg, schat ik, eerder rond de vijfendertighonderd vierkante meter, een veldstenen kolos met een leien dak. Het strekte zich naar alle kanten uit met meerdere nokken en schoorstenen, rijen ramen, gedeelten die vooruitsprongen of naar achteren weken; de combinatie van de stenen en de enorme omvang deden denken aan een kasteel. Het gazon voor het huis was even groen en getrimd als een golfcourse, de oprijlaan was van gravel, in de garage pasten vier auto's – met de huishoudelijke staf en bezoekers en leden van de jongere generatie betekende dat dat er nog steeds drie of vier auto's buiten geparkeerd stonden, op de oprijlaan zelf – en achter was een zwembad dat op een spartaanse temperatuur van zestien graden gehouden werd; 'scrotumverschrompelend' noemde Charlie het. Binnen was het ingericht met hardhouten vloeren en enorme Perzische tapijten, kandelaars, gordijnen tot op de grond, massief meubilair, olieverfschilderijen van stillevens met vruchten en schedels, en in de eetkamer een muurschildering over een hele wand van een Engels jachttafereel: lords en lady's, velden en bomen, honden en vogels. Ook waren er zeven toiletten. Dus natuurlijk, natúúrlijk vonden ze de ontberingen van Halcyon prikkelend. Ze vonden het er heerlijk, zoals kinderen uit de buitenwijken het heerlijk vinden in een tent in hun eigen achtertuin te slapen. Maar dit groeiende vermoeden over de Blackwells, dit nog niet bewuste besef, borg ik op dezelfde plaats op waar mijn idee lag dat Charlie met me wilde trouwen omdat ik hem geloofwaardigheid verleende: in de krochten van mijn verstand. Het is denk ik meer een neiging van stedelingen uit kustplaatsen dan van ons uit het Midden-Westen om al je indrukken zo nodig op de voorgrond te willen plaatsen, om te blijven stilstaan bij de onaangename gevoelens die je naasten bij je opwekken – om te besluiten dat die gevoelens ertoe doen, dat ze een onderwerp vormen dat besproken moet worden, misschien met een therapeut, en dat je aan de hand van je eigen ideeën tot een oplossing kunt komen of ze op zijn minst uitgebreid kunt vergelijken met die van je leeftijdgenoten, die ongetwijfeld soortgelijke gevoelens koesteren.)

Nee, ik had niet de pest aan dit oord, ik gaf Charlies familie niet de schuld van mijn maag die van streek was of van wat dan ook. De pest aan iets hebben was zo'n melodramatische emotie, zo brallerig en dom. Misschien wekten de Blackwells een zeker scepsis in me, maar ik was toch heus niet de eerste ter wereld met bedenkingen over haar toekomstige schoonouders, of over de rijken.

Ik zette de boeken terug en maakte langzaam de badkamerdeur open om eventueel gekraak tot een minimum te beperken. Terwijl ik voorzichtig naar buiten liep hoorde ik iemand hoesten, maar ik had geen idee uit welke slaapkamer het kwam. Ik keerde op mijn schreden terug door het natte gras, en net voor ik Itty-Bitty binnen ging wierp ik een blik naar rechts, en het meer was vlak en grijs, een donkerder grijs dan de lucht, zo somber en streng en prachtig dat mijn adem stokte. Nee, het was geen pretentie en aanstellerij wat de Blackwells hier aantrok – wat unfair van me om zoiets aan te nemen. Het was eerder dat ze de schoonheid van Halcyon zagen en zich die konden veroorloven. Zouden mijn eigen ouders, als ze dezelfde overvloed aan tijd en geld hadden gehad, het niet fijn hebben gevonden elke zomer een paar maanden door te brengen op zo'n plaats?

Of misschien was ik, terwijl ik op het trapje van Itty-Bitty stond, wat milder gestemd jegens de Blackwells omdat ik moe was en terug naar bed wilde. Mogelijk kwam het gewoon door mijn vermoeidheid dat ik geneigd was me over te geven in plaats van me los te maken uit de toekomst die Charlie en ik waren begonnen te plannen.

Een paar uur later aan het ontbijt in het clubhuis zei Arthur vanaf de overkant van de tafel tegen me: 'Alice, het woord van de dag is "benen". Zeg het voort.' Jadey, die naast hem zat met de baby op schoot, gaf Arthur een speels klapje en zei: 'Ze heeft haar koffie nog niet eens op.' Jadey zei niets over onze ontmoeting van de avond ervoor, waar ik dankbaar om was, hoewel ik in haar gezichtsuitdrukking een binnenpretje bespeurde.

Het ontbijt, zo merkte ik, ging er losser aan toe dan het diner, men kwam en ging op verschillende tijden, en als je toast wilde of een Engelse muffin of cornflakes, dan pakte je dat zelf van een buffet met een wit tafelkleed; alleen als je eieren, bacon of wafels wilde vroeg je die aan de ober, een bleke, magere tiener met een enorme adamsappel.

Sommige kinderen hadden hun zwemgoed al aan, en verschillende volwassenen waren al in tenniskleding in afwachting van de competitie van die dag; de vrouwen in plooirokjes die zo kort waren dat ze aan het obscene zouden hebben gegrensd, als het niet duidelijk was dat ze ergens in het verre verleden waren goedgekeurd. Priscilla Blackwell droeg zo'n minuscuul rokje, en enkelsokjes met roze pompons boven de hiel. (Het zou nog tot 1988 duren voor de raad van toezicht van Halcyon – die zijn eigen handvest had en als voorwaarden voor het lidmaatschap stelde dat je ten eerste van het mannelijk geslacht moest zijn en ten tweede verkozen moest worden, wat erop neerkwam dat twee mannen uit elke familie een termijn van vijf jaar in de raad zaten – besloot dat niet-witte kleding op de tennisbanen van Halcyon was toegestaan. De andersdenkenden in deze kwestie, met voorop de zesenzeventigjarige Billy Niedleff en zijn middelste zoon Thaddeus, die toen veertig was, bleven de eerste tien jaar nadien morren over het dalende niveau.)

Toen ik de middag ervoor in Halcyon was aangekomen, was ik bang geweest dat het weekend lang zou duren, maar het omgekeerde bleek het geval. Aan het ontbijt had ik weliswaar barstende hoofdpijn, maar tegen het eind van de ochtend was die weggezakt. Ik bracht het grootste deel van de dag door op een plaid naast de tennisbaan als toeschouwer bij de wedstrijden, ofwel toekijkend hoe Charlie speelde, ofwel naast hem zittend als hij niet speelde. Hij werkte zich tijdens zijn sets enorm in het zweet en vulde dan een beker met water uit de grote thermoskan bij het net, goot die over zijn hoofd leeg en schudde zich uit als een hond. Die ochtend, toen hij naar Itty-Bitty was gekomen om me voor het ontbijt te halen, zat ik al aangekleed op hem te wachten, en terwijl hij door de hordeur naar binnen kwam, riep hij: 'Waar is mijn favoriete drankorgel?' en ik zei: 'Charlie, het spijt me zo van gisteravond,' en hij zei: 'Het enige wat je moet spijten is dat je me hebt zitten opgeilen en vervolgens knock-out bent gegaan, maar ik hou het nog wel van je te goed.' Hij boog zich voorover om me te kussen en ik voelde me intens opgelucht dat ik een relatie had met een man die geen wrok koesterde, althans niet tegen mij (met Simon was dat andersom geweest). Toen zei hij: 'Neem je tandenborstel maar mee naar het clubhuis; Maj moest vanochtend al een loodgieter bellen voor de plee in het Alamo, en de goede man probeert op ditzelfde moment een wonder te verrichten. De hoofdverdachte van het deponeren van de megadrol is vooralsnog John.' Ik knikte neutraal en terwijl ik John in stilte om vergeving smeekte, zweeg ik in alle talen.

Op de tennisbaan zei mevrouw Blackwell, nadat ze Emily Higginson met 7-3, 6-4 had verslagen: 'Zo te zien was een nachtje slapen de juiste remedie.' Ik was er bijna zeker van dat ze wist dat ik te veel had gedronken, en ik vroeg me ook af of ze wist dat het verstopte toilet door mij kwam, maar ik mompelde alleen iets instemmends.

Ik had een roman meegenomen naar de tennisbaan – *Pale Fire*, dat ik had gekocht na Nabokovs overlijden eerder die zomer – maar door de zon en het gebabbel kwam ik uiteindelijk niet aan lezen toe. Ik speelde een hele tijd met Winnie, het kindje van Jadey en Arthur (als ongetrouwde vrouw van eind twintig, begin dertig zorgde ik ervoor me niet al te moederlijk-enthousiast te gedragen in mijn omgang met andermans baby's; dat zou maar als een blijk van wanhoop overkomen. Ik vond het irritant dat ik me zo moest inhouden, het gaf me de aanvechting ertegen in te gaan en te roepen: nee, ik heb kleine kinderen altíjd al leuk gevonden, van jongs af aan – maar Jadey was een moeder van de gulle soort, die deed alsof ik haar een dienst bewees door Winnie bij me op schoot te houden.) Die dag en de dag erna waren echt een aaneenschakeling van gesprekken en activiteiten en maaltijden, je moest je de hele tijd omkleden, zwempak aan, uit en weer aan terwijl je badpak nog niet helemaal droog was, weer het water in (het had een ideale temperatuur, koel genoeg om te verfrissen maar niet kil zoals Lake Michigan zo vaak is), en toen gingen we met de motorboot naar de stad een paar kilometer verderop om ijsjes te eten, toen weer terug naar Halcyon, weer een rok aan, naar het diner, en ineens zag ik dat ik een bruin kleurtje op mijn armen en gezicht had gekregen. Op zondagochtend kwam er om tien uur een anglicaanse priester, de eerwaarde Ayrault, op de veranda van het Alamo een dienst houden vóor de familie Blackwell, compleet met communie; kennelijk was hij speciaal voor dat doel uit Green Bay gekomen, en na afloop zat hij naast mevrouw Blackwell tijdens de lunch in het clubhuis. 'Wat aardig van hem om helemaal hierheen te komen,' zei ik tegen Charlie, die antwoordde: 'Die goeie man geilt op republikeinen.'

Op zondagmiddag ontvingen de winnaars van het Halcyon Open hun trofeeën, kleine goedkope gouden figuurtjes op een houten voetstukje, die op het punt stonden een bal te serveren; de zilveren beker zou later van inscripties worden voorzien, maar hij werd overhandigd aan Roger Niedleff voor het herenenkel en Dwight de Wolfe en zijn zwager Wyman Lawrence voor het herendubbel. Het damesenkel werd gewonnen door Sarah Thayer, en het damesdubbel door Priscilla Blackwell en haar schoondochter Nan. 'Zo'n competitieve schrielhans, die Roger,' bromde Charlie terwijl de winnaars de trofeeën in ontvangst namen, waarna de twaalfjarige Nina de Wolfe het 'Star-Spangled Banner' afspeelde op een cassetterecorder. Mevrouw Blackwell van haar kant wentelde zich in superioriteitsgevoel. Terwijl we van de tennisbaan terugliepen naar het Alamo – een afstand van zo'n achthonderd meter – dacht ik eraan dat we de volgende dag zouden weggaan en ik voelde alvast een sprankje weemoed. Ik begon net in het ritme van Halcyon te komen.

We naderden het Alamo toen Jadey ons inhaalde en haar hand op mijn onderarm legde. 'Kom met me mee onze haren wassen in het meer. Ik heb twintig minuten voor de kleine wakker wordt en de hel losbreekt.' Ze draafde naar Gin Rummy, het huisje waarin Arthur, zij en de kinderen verbleven, en ik keek vragend naar Charlie.

'Je hebt het goed gehoord,' zei hij. 'Schiet maar op.'

'Wast ze haar haar ín het meer?'

'Om niet in de rij te hoeven staan voor de badkamer.'

In feite was mijn indruk toen ik een paar minuten later met Jadey in het water bij de steiger stond, haar plastic shampooflesje op de bovenste sport van het houten trapje, dat ze vooral haar haar in het meer waste omdat ze dat leuk vond. Ze masseerde tot haar hele hoofd met wit schuim bedekt was. 'Herinner je je nog dat je dit deed tijdens zomerkamp?' zei ze.

Ik lachte maar wat, aangezien ik nooit op zomerkamp was geweest.

'O, dat wilde ik al een tijdje zeggen, je hebt een schattig badpak,' voegde ze eraan toe. 'Is het van Marshall Field's?'

'Het komt uit een winkel in Madison van een vriendin van me.' Jadey had een Lilly-bikini aan, en mijn badpak was rood met witte strepen. Ik wist nog niet dat Jadey fantastisch kon winkelen – ze had een zesde zintuig voor wanneer iets op het punt stond te worden afgeprijsd, of wanneer het juist loonde om er het volle pond voor te betalen omdat het weg zou zijn als je te lang wachtte. Het was al bij me opgekomen dat Jadey en

Dena elkaar graag zouden hebben gemogen, of juist het omgekeerde – zoals bij Charlie en mijn grootmoeder, dat hun persoonlijkheden elkaar precies op de verkeerde punten overlapten.

'Je hebt geluk dat je borsten nog zo stevig zijn,' zei Jadey. 'Ben je al dertig?'

'Eenendertig,' zei ik.

'Oh, dat is niet eerlijk! Ik word in oktober pas achtentwintig!'

'Maar moet je mijn kraaienpootjes zien.' Ik bracht mijn gezicht dichter bij het hare en hield mijn gezicht zo dat ze mijn rechteroog van opzij kon zien.

'Is Charlie net als Arthur wat sexy ondergoed betreft? Arthur wil dat ik van die lingerie draag waar een prostituee nog van zou blozen. En ik vertel hem: "Zolang jij zelf niet hebt meegemaakt wat een hel het is om een kind te baren, heb je niet het mínste idee wat er met mijn lichaam is gebeurd. Je moet me vijf jaar met rust laten voor ik ook maar halverwége ben om weer je sletje te worden."'

Ik lachte, al was ik me ervan bewust dat het geluid van onze stemmen ver droeg over het meer. Bovendien was bij de volgende steiger, nog geen vijftig meter verderop, een van de Higginsons baantjes aan het zwemmen langs de steiger; ik kon niet zien welke Higginson het was, maar toen we aankwamen had hij zijn borstcrawl even onderbroken om naar ons te zwaaien.

Jadey en ik stonden tot borsthoogte in het water, het meer was nu donkerblauw, en de zon aan de westelijke hemel was zwaar en geel. Jadey liet zich achterover vallen en ging met haar schouders en hoofd onder water, en toen ze weer tevoorschijn kwam, was de shampoo uitgespoeld; zo nat was haar blonde haar bijna goudkleurig. Ze boog zich achterover en dreef op haar rug, trappelend om aan de oppervlakte te blijven. 'Hoe is Maj tegen je? Ze kan nogal bot zijn, hè?'

Ik stak één vinger op om een pauze aan te kondigen en kneep mijn neus dicht terwijl ik onder water dook. Toen ik weer aan de oppervlakte kwam zei Jadey: 'Ze zeggen dat ze een meisje had gewild, maar ze kreeg steeds maar jongens en uiteindelijk...'

'Sst!' Ik hield het niet meer vol – niet de informatie zelf, waarnaar ik nieuwsgierig was, maar het gevoel dat andere mensen, misschien zelfs mevrouw Blackwell zelf, ons gesprek konden horen.

Jadey lachte. 'Je bent echt een bibliothecaresse.'

'Nee...' Ik fluisterde en maakte een gebaar naar het huis. 'Ik ben bang dat ze ons...'

'Ik vat 'm.' Jadey knikte en dempte haar stem. 'Enfin, dat is de theorie, waarom ze niet van meisjes houdt... omdat ze zich áfgewezen voelt door hen. Klink ik als Sigmund Freud?' Ze glimlachte alsof ze haar eigen woorden belachelijk vond en ik vroeg me af of ze de Blackwell-eigenschap van wisselende plagerij en zelfspot had overgenomen, of dat ze die eigenschap altijd al had gehad. Eerder had ze me verteld dat ze als tiener twee huizen verder dan dat van de Blackwells had gewoond in Milwaukee, zij zat in groep acht en Arthur in zijn laatste jaar van high school, al kregen ze pas een relatie toen zij naar de universiteit ging. Ze had me ook verteld – ik had ernaar gevraagd – dat Jadey een bijnaam was die haar moeder haar bij de geboorte had gegeven; haar echte naam was Jane Davenport Aigner, en natuurlijk had ze de achternaam Blackwell aangenomen toen ze met Arthur trouwde.

'Wat ik wil zeggen is dat je niet bang moet zijn voor Maj,' zei Jadey. 'Ze blaft harder dan ze bijt.'

'Ik zou niet zeggen dat ik bang voor haar ben.' Dat was ik echt niet. Hier in Halcyon was ik op haar terrein, maar de globale indruk die ik telkens kreeg, was dat er iets was wat mevrouw Blackwell je kon verlenen, een soort goedkeuring, die au fond niet belangrijk voor me was. Het zou belangrijk zijn geweest voor Dena. Maar het enige wat ik wilde was een redelijk prettige omgang. Ik hoefde niet close te worden met mevrouw Blackwell, hoefde niet een van haar favorieten te zijn. Als ze echt een hekel aan me had zou dat vervelend zijn, maar zolang ze me wel oké vond, was dat voldoende. En in de loop van het weekend kreeg ik eigenlijk het gevoel dat ze me wel aardig begon te vinden; aan het eind van de vorige middag, voor het borreluur, was ze langs Charlie en mij gekomen terwijl we zaten te scrabbelen op de veranda van het Alamo, en ze had gezegd: 'Geef 'm ervanlangs, Alice.'

Jadey begon de rugcrawl te doen, ze gooide beurtelings haar armen boven haar hoofd, en ik keek toe, onder de indruk. Ik was niet bepaald sterk in zwemmen. Ofschoon mijn vader het me in Riley had geleerd in Pine Lake, kon ik niet veel meer dan schoolslag, en ik had zeker niet kunnen wedijveren met Jadeys rugcrawl of de soepele, zekere borstcrawl van die telg van de familie Higginson.

Jadey keerde onder water en kwam weer mijn kant op. 'Je hebt geluk dat je wat ouder bent,' zei ze. 'Niet beledigend bedoeld, hoor. Alleen, weet je, ik was eenentwintig toen ik met Arthur trouwde, en ik was zo gemakkelijk te intimideren. Als Maj boe tegen me zei, zat ik al griènend in een hoekje. Daarbij had Arthur de gewoonte...' Op dat moment hoorden we onmiskenbaar babygehuil. Jadey sloeg haar blik in wanhoop ten hemel. 'Neem nóóit kinderen,' zei ze, maar ze zwom al naar het trapje.

'Jadey,' zei ik, en ze keek om. 'Dank je dat je niets hebt gezegd over vrijdagavond.'

Op zondagavond tijdens het borreluurtje (als er een dag in de week was waarop de Blackwells niet dronken, dan heb ik die nooit meegemaakt) raakte ik voor de eerste keer in gesprek met Charlies broer Ed. Hoewel ik de afgelopen dagen meerdere malen met hem in dezelfde gemeenschappelijke ruimte was geweest, had ik nauwelijks een woord met hem gewisseld. Ik was me er bewust van geweest dat ik niet op hem af stapte alleen maar omdat hij het Congreslid was – niet dat ik stiekem wél op hem af wilde stappen, maar ik wilde al helemaal niet dat het wel zo leek. Maar hij was degene die mij aansprak op de veranda; hij zei: 'Ik hoop dat je ons niet te overweldigend vindt.' (Natuurlijk gingen ze hier allemaal prat op, zoals alle families die zowel groot als gelukkig zijn.)

'Nee, ik heb een heerlijk weekend gehad,' zei ik.

'Ik hoorde dat je bibliothecaresse op een basisschool bent. Ik moet je bekennen dat ik niet zoveel lees als ik zou willen, maar ik vind lesgeven een prachtig beroep voor vrouwen.'

'Ik heb zo het idee dat je zoons bijzonder goede leerlingen zijn.' Ik probeerde me niet alleen maar geliefd te maken; het was me opgevallen dat Harry, Tommy en Geoff alle drie welbespraakt voor hun leeftijd waren, en energiek maar niet wild.

'Het zijn goeie jongens,' zei Ed. 'Ginger heeft haar handen vol aan ze, maar vervelen doen we ons nooit.' Met zijn kalende hoofd vertoonde Ed de meeste gelijkenis met hun vader, besefte ik toen hij praatte. Hij was ook de enige Blackwell die ook maar een tikkeltje gedrongen was, en hij droeg een bril. 'Ik kan je wel vertellen dat ik met drie zoons in huis nog meer respect voor Maj heb gekregen – ik kan me niet voorstellen hoe ze er vier heeft aangekund.'

'Vind je het niet lastig om heen en weer te reizen tussen Milwaukee en Washington?' Het was niet mijn bedoeling geweest het gesprek in de richting van zijn Congresfunctie te leiden, maar nu leek het er toch op dat ik dat had gedaan; ik hoopte maar dat dat geen faux pas van me was geweest.

Ed schudde zijn hoofd. 'In feite is het een voorrecht,' zei hij. 'Dit land te mogen dienen, Alice, ik kan me niets fantastischers voorstellen. En mijn jongens weten dat ook wel. Als hun pappie er 's avonds niet is om hen in te stoppen is dat niet leuk, maar ze zijn trots dat hij daarginds is en opkomt voor de belangen van de bevolking van Wisconsin.' Terwijl ik naar Ed zat te luisteren, trof het me dat zijn woordkeuze die hij duidelijk al vele malen had gebruikt die woorden nog niet onwaar maakte – waren ze niet waar als hij ze geloofde? Dat was mijn eerste gedachte; mijn tweede was: *Alsjeblieft, alsjeblieft, laat Charlie de verkiezingen niet winnen.*

Alsof hij mijn geestelijk verraad jegens hem aanvoelde, dook Charlie naast ons op. 'Eddie, zin in een potje poker om tien uur? Gil de Wolfe belde.'

'Alice, wat vind je van een man die gokt?' Ed trok zijn bril omlaag tot het puntje van zijn neus en keek er zogenaamd serieus overheen. 'Is dat iets wat je goedkeurt?'

'Het enige poker dat Alice speelt is strippoker,' zei Charlie, en ik zei: 'Charlie!'

Ed lachte en wees naar zijn broer. 'Pas op je portemonnee met deze jongen, anders draait hij je een poot uit. Maar wat is hier aan de hand?' Eds middelste zoon Tommy was in tranen naar ons toe gekomen en vertelde huilend: 'Drew heeft de slinky ingepikt.'

Ed keek Charlie en mij schouderophalend aan. 'De plicht roept.'

'Je vindt het toch niet erg als ik na het eten een paar uurtjes naar de De Wolfes ga?' zei Charlie.

Ik schudde mijn hoofd. 'Ik moet toch inpakken.'

'Blij dat je kunt ontsnappen?'

'Ik mag je familie graag, Charlie,' zei ik. 'Ze zijn heel gastvrij geweest dit weekend – nou ja, op de limerick na, maar daar ben ik alweer overheen.'

'Weet je? Ik mag jou wel. En ik vind dat je er prachtig uitziet op dit moment.' Charlie boog zich naar me toe en gaf me een kus op mijn mond. Het was maar een klein kusje, maar onmiddellijk hoorde ik iemand roepen: 'Moet je die tortelduifjes zien!' Toen zei John, die dichtbij stond:

'Jezusmina, kunnen jullie twee niet even van elkaar afblijven?'

Ik deed een stapje naar achteren, al hadden we helemaal niet op een onfatsoenlijke manier staan zoenen. Het werd stil op de veranda, en van het andere uiteinde riep oom Trip: 'Chasbo, denk je dat Alice een blijvertje is, nu ze heeft gezien uit wat voor soort nest je komt?'

'Ik hoop het wel,' zei Charlie, en – ik voelde de blikken van de Blackwells – ik glimlachte stijfjes. *Maak je niet klein.* Dat waren niet de woorden die Jadey had gebruikt, maar dat was wel de onderliggende boodschap geweest.

Toen zei John: 'Alice, als je niet uitkijkt, ziet het ernaar uit dat onze Chas je de grote vraag zou kunnen gaan stellen.'

Er viel een stilte, kort, en voor iemand die kon opvullen met een schuine grap zei ik: 'In feite...' mijn stem klonk schor, en ik schraapte mijn keel op zo elegant mogelijke wijze, 'in feite heeft Charlie me al ten huwelijk gevraagd, en ik heb ja gezegd.'

Misschien heb ik dit deel erbij verzonnen, maar ik geloof dat ik iemands adem hoorde stokken – een vrouw, en ik weet bijna zeker dat dat Ginger was. Charlie legde zijn hand op mijn onderrug, en toen zei Harold, die bij de hangmat stond: 'Tjonge, dat is fantastisch. Dat is gewoon schitterend nieuws. We zouden niet gelukkiger kunnen zijn voor jullie beiden.' Al snel praatten alle Blackwells door elkaar heen: 'Serieus?' zei Arthur, en hij en John gaven Charlie een broederlijke omhelzing, en Ed kwam terug om me een kus op mijn wang te geven en Arthur wreef met zijn knokkels tegen mijn hoofd en riep: 'Welkom bij de familje, Al!' Harold boog zich om Charlie heen om me op mijn hand te kloppen en toen sloot Jadey me in haar armen terwijl ze schreeuwde: 'Ik wist het! Ik wist het! Ik zei je toch dat we dikke vriendinnen zouden worden, en nu is het nog beter, we worden zússen!'

Ik maakte me los uit Jadeys armen toen ik mevrouw Blackwell naderbij zag komen; ik streek mijn haar glad. De rest van hen – ze vervaagden om me heen. Dat ik niet bang was voor mevrouw Blackwell was min of meer waar, tenminste in theorie. Maar het was ook waar dat wanneer ze haar aandacht op me richtte ik altijd een gevoel kreeg, en niet op een positieve manier, alsof we de enigen in de kamer waren, alsof totale waakzaamheid vereist was.

Ze omhelsde of kuste me niet, ze raakte me helemaal niet aan. Ze leek zowel geamuseerd als twijfelachtig terwijl ze me een lang moment aankeek alvorens iets te zeggen. Ten slotte zei ze: 'Wat een slimme meid ben jij.'

In de auto op weg terug naar Madison zei Charlie: 'Ik ben niet boos. Echt niet. Zou het, in een perfecte wereld, beter zijn geweest als we het Maj en pa eerst hadden verteld, zonder dat iedereen erbij was? Natuurlijk, maar gebeurd is gebeurd.'

'Wéét je dat je moeder het vervelend vindt of denk je dat alleen maar?'

'Maj houdt ervan om naar de ogen gezien te worden.' Charlie grijnsde. 'Zoals alle vrouwen. Luister, jij was degene die wilde wachten en het onze ouders samen wilde vertellen, maar uiteindelijk was toch iedereen erachter gekomen, dus ik zie het grote verschil niet.' Charlie strekte zijn hand uit en kneep in de mijne. 'Als Maj iets niet zint, is het de manier waarop het nieuws bekend werd gemaakt. Niet jij.'

'Ik heb het altijd prima met andere mensen kunnen vinden,' zei ik. 'Als ze liever een schoondochter had willen hebben die uit haar eigen milieu komt, neem ik haar dat niet kwalijk. Dat kent ze nu eenmaal. Maar ik denk dat ze wel aan me zal wennen, en je hoeft niet bang te zijn dat je voor bemiddelaar moet spelen.'

Er was een minuut verstreken toen Charlie zei, terwijl hij recht voor zich door de voorruit keek: 'Als je het wilt weten: ik zou jou verkiezen boven hen.'

'Doe niet zo belachelijk,' zei ik.

'We zouden kunnen weglopen naar... waarheen heb jij altijd willen weglopen? In mijn fantasieën is het Mexico, maar daar zou ik waarschijnlijk alleen maar diarree oplopen. Californië is misschien een betere optie.'

'Zó bezorgd ben ik niet,' zei ik.

'Een hutje op het strand,' zei Charlie. 'We slapen in een hangmat, leven van de kroonslakken die ik aan mijn speer rijg, en jij draagt een kokosnotenbeha.'

En als ik nu eens ja zei? Niet tegen de cartoonversie maar een echte, een verhuizing naar een andere staat. Een leven dat we met eigen handen zouden opbouwen in plaats van het te erven; afstand en ruimte. Wat zouden we – wat zou Charlie – nog te bewijzen hebben, ver weg van zijn familie? Had wat er in de jaren daarna is gebeurd voorkomen kunnen worden, had ik het kunnen voorkomen door alleen maar te capituleren? Had Charlie een meer vooruitziende blik dan ik dacht? Misschien zag hij de toekomst helderder voor zich dan ik. Of misschien blufte hij alleen maar.

'We komen uit Wisconsin, Charlie,' zei ik. 'Hier horen we thuis.'

En toen was het schooljaar begonnen, dat onnavolgbare, onmiskenbare geluid van roepende en rondrennende kinderen 's ochtends voor de bel, de absentiekaartjes die op mijn bureau lagen, de aandachtige manier waarop de leerlingen hun potlood vasthielden om hun naam op te schrijven en hun trots als ze letters aan elkaar konden schrijven. Ik las de eerstegroepers *Tico and the Golden Wings* voor en *Flowers for Algernon* aan groep zes – ik geloofde dat elfjarigen, ook al gaven ze het niet toe, het nog steeds leuk vonden om voorgelezen te worden – en groep vier maakte papieren kraanvogels tijdens ons origamiproject. Er waren onze maandagochtendvergaderingen, er was pleindienst, waarbij ik oplette dat de spelletjes vierkantbal niet al te ruw verliepen, en er was de lunch in de kantine: chili-hotdogs en pizza-pepperoni en halve perziken in siroop, en om de twee weken op vrijdag 'ontbijt als lunch', waar leerlingen dol op waren en docenten een hekel aan hadden: toast, gebakken aardappelen met ui en worstjes. Als je deze maaltijd om kwart voor twaalf achter je kiezen had, speelde je maag op door alle suiker, zetmeel en goedkoop vlees en wilde je niets liever dan even gaan liggen, maar dan kwam er al weer een groep binnenstormen, bakkeleiend over wie er tijdens het voorleesuurtje op een van de twee zitzakken mocht, of wie er aan de beurt was om het nieuwste deel van *Encyclopedia Brown* in te kijken. Elke dag als de school om drie uur uitging, was ik uitgeput en gelukkig.

Maar dit was het verschil: terwijl ik alle jaren dat ik had gewerkt ook in de uren dat ik niet voor de klas stond zeeën van tijd aan school wijdde, deed ik dat nu vrijwel niet. Ooit bleef ik tot vroeg in de avond in de bibliotheek om me voor te bereiden op de volgende dag, of ging ik na de schoolbel 's middags naar Rita's klaslokaal om een leerling te bespreken over wie ik me zorgen maakte – had zij ook die uitslag op Eugene Demartino's arm gezien, en had zij de indruk dat Michelle Vink en Tamara Jones samenspanden tegen Beth Reibel? Maar vanaf het begin van dit schooljaar haastte ik me naar mijn auto zodra de lessen voorbij waren, en op de dagen dat ik busdienst had was ik licht geïrriteerd. Ik voelde de druk van mijn andere leven, mijn leven met Charlie; ik wilde naar de kruidenier om boodschappen te doen voor ons avondeten, of naar huis om mijn appartement op te ruimen of mijn benen te scheren. Als het een dag was waarop hij geen afspraak met Hank Ucker had gehad en ook niet naar zijn werk in Milwaukee was gegaan, nou, dan wilde ik gewoon bij hem zijn, samen op de sprei van mijn bed liggen terwijl het warme licht van een septembermiddag door het raam filterde, om ten volle te genieten van al het nieuwe en opwindende tussen ons zolang het nog nieuw en opwindend en van ons was. In de bibliotheek bleef ik energiek en geduldig met de kinderen. Daarbuiten waren er tijden dat ik mijn schooltas bij de voordeur van mijn appartement achterliet of soms zelfs in mijn auto, en hem niet openmaakte voor het moment dat ik terug moest naar school. In plaats daarvan kuste ik Charlie op zijn lippen en zijn bovenarmen, zijn platte buik, heel zijn zoutige huid, en hij bewoog zich in me, keer op keer; ik hield ervan onder hem te liggen, hem te ontvangen. Nu we verloofd waren, liet ik hem eindelijk 's nachts bij me blijven, of ik sliep bij hem thuis, en hij had gelijk dat het heerlijk was om samen wakker te worden. Niet voor het eerst dankte ik de hemel dat ik als bibliothecaresse geen nakijkwerk had.

Onze bruiloft was op zaterdag 8 oktober in Milwaukee; de plechtigheid werd om elf uur 's morgens in de hal van huize Blackwell geleid door bisschop Knull van het episcopale bisdom van Milwaukee. Naderhand was er een lunch met champagne en citroenlimonade, boterhammen zonder korst met waterkers en eisalade; deze waren klaargemaakt door Miss Ruby en haar dochter, een negentienjarig meisje dat Yvonne heette.

Toen ik mijn moeder en grootmoeder vertelde dat ik met Charlie ging trouwen – bij die gelegenheid was ik zonder hem naar Riley gegaan – had mijn moeder gehuild van geluk, en mijn grootmoeder had, zittend in haar stoel, een vreugdedansje nagedaan. Later had ik mijn moeder uitgelegd dat het huwelijk niet zoveel zou kosten, omdat we gebruik zouden maken van het huis van de Blackwells en hun huishoudelijke staf; als ze een cheque voor negentig dollar wilde uitschrijven voor de champagne, zou dat meer dan genoeg zijn. Ik was op dat bedrag uitgekomen door het laagst mogelijke getal te bedenken waarvan ik dacht dat het in haar ogen geloofwaardig zou zijn. Ik weet niet precies hoeveel de bruiloft de Blackwells werkelijk gekost heeft, maar ik liet hen de kosten dragen. Ook vertelde ik mijn moeder op een manier die niet uitnodigde tot doorvragen dat Dena en ik ruzie met elkaar hadden en dat ze niet op de bruiloft zou worden uitgenodigd. Niettemin kreeg ik van haar ouders een juskom.

Er kwamen negenenveertig gasten: negenentwintig van hen waren Blackwells, twaalf waren vrienden van Charlie (mannen die hij kende van Exeter, Princeton of Wharton) en hun vrouw, en verder Hank Ucker en zijn vrouw, Kathleen en Cliff Hicken, de enige twee die we uitnodigden van die uitgebreide vriendengroep uit Madison; en de overige waren mijn moeder (ze vond het niet gepast om Lars als haar vriend mee te brengen), mijn grootmoeder, onze buurvrouw van vroeger mevrouw Falke en mijn beste vriendin van Liess, Rita Alwin; Rita bleek de enige zwarte te zijn, naast Miss Ruby en Yvonne. Het had een heel andere bruiloft kunnen zijn, veel groter, maar ik zag niet waar dat goed voor was, ik hoefde al die overdreven aandacht niet zo nodig. We hadden geen bruidsmeisjes behalve Liza en Margaret Blackwell, onze bloemenmeisjes, en geen dansfeest, al speelde er wel een harpist tijdens het buffet. Jadey deed mijn make-up en kapte voor de ceremonie mijn haar in een slaapkamer op de bovenverdieping, en mijn jurk was eigenlijk een rok met blouse die ik een paar weken daarvoor bij Prange in het rek had gevonden: beide van witte katoen, een bloezend, getailleerd bovenstukje met een v-hals en een kuitlange rok, waaronder ik mijn witte pumps droeg. (Toen Priscilla Blackwell naar binnen gluurde in de slaapkamer waarin ik me aan het omkleden was, riep ze uit: 'Wat een schattig jurkje! Goh, je lijkt wel een pionier die zich opmaakt om de Great Plains over te steken!') Ik had een bruidsboeketje van vijf witte lelies; Charlie droeg een boutonnière van één witte lelie, net zoals zijn vader; mevrouw Blackwell, mijn moeder en mijn grootmoeder droegen corsages.

Ik liep alleen naar het altaar door een pad dat was gecreëerd tussen de rijen withouten klapstoelen die we niet hadden hoeven huren omdat de Blackwells er bijna tweehonderd van in hun bezit hadden, evenals ronde klaptafeltjes; ze lagen opgeslagen in hun enorme niet-betimmerde kelder en werden door het personeel naar boven gebracht voor feesten en fondsenwervingspartijen. Toen ik Charlie bij de trap naast bisschop Knull op me zag staan wachten, beving me geen buitengewoon gewichtige emotie; ik voelde een lichte gêne om zoveel aandacht gericht op mezelf, op de gevoelens die Charlie en ik voor elkaar hadden. Om wat voor reden moest dit zo publiekelijk worden uitgemeten? Maar het moest vanwege de conventies, en er zijn slechtere beweegredenen. Het was noodzakelijk, erkende ik, voor alle anderen. Terwijl ik langs de voorste rij liep, zag ik dat mijn moeder en grootmoeder straalden. De ceremonie was kort; naderhand waren de toespraakjes van Charlies broers, voor mij een bron van bezorgdheid vooraf, grof maar op een onschuldige manier.

Bij de receptie, toen Charlie met mijn moeder stond te praten, ging ik bij mijn grootmoeder zitten; mevrouw Falke was naar het toilet en mijn grootmoeder zat rond te kijken en een sigaret te roken. 'Chique familie waar je in getrouwd bent,' zei ze. We keken elkaar aan en ze voegde eraan toe: 'Ze hebben geluk dat ze jou krijgen.'

'Mag ik een slokje?' Ik gebaarde naar haar glas champagne op de tafel, en mijn grootmoeder knikte. Ik zei: 'Mam vertelde me dat je dokter Wycomb al een tijd niet hebt gezien; als dat komt doordat het te veel gedoe is met de trein, kan ik je wel een keer met de auto naar Chicago brengen. Een van de komende weekends? Ik krijg het heel rustig als de bruiloft achter de rug is.'

Mijn grootmoeder keek stomverbaasd.

'Niet als je niet wilt,' zei ik snel. 'Ik dacht alleen...'

'Als we bij Gladys voor de deur zouden staan, ben ik bang dat ze ons niet binnen zou laten.' Mijn grootmoeder glimlachte bedroefd. 'Ze is al jaren boos op me.'

'Was er...' Ik aarzelde. 'Is er iets gebeurd?' En zo waren we beland bij het onderwerp dat ik zo lang mogelijk angstvallig had gemeden, maar in plaats van bevangen te worden door nervositeit of afkeer, voelde ik een soort en-wat-dan-nognonchalance: ik merkte dat ik me afvroeg waarom ik eigenlijk al die tijd zoveel energie had gestoken in het omzeilen ervan.

'Gladys wilde dat ik naar Chicago verhuisde,' zei mijn grootmoeder. 'Vooral nadat jij wegging voor je opleiding zei ze steeds: "Wat heb je nu nog in Riley?" Ze kon het niet begrijpen, omdat ze zelf nooit een kind of kleinkind heeft gehad. Ze dacht dat ik mijn schemerjaren in dit bekrompen stadje verspilde terwijl zij en ik samen een kosmopolitisch leven konden leiden. Maar ik heb het niet serieus overwogen. Je vader zou het niet hebben begrepen, en als ik moest kiezen tussen Gladys en mijn eigen zoon, was dat niet echt een keus.'

Ik slikte. 'En toen hebben jullie alle contact verloren?'

'Ze kreeg iets met een andere vriendin.' De gezichtsuitdrukking van mijn grootmoeder was wrang, terwijl ze inhaleerde. 'Een jongere dame, als ik me niet vergis. Nu is het moeilijk om niet jonger te zijn dan ik, maar ik bedoel een heel stuk jonger ook dan Gladys. Op het pedofiele af.'

'Het spijt me, oma. Het spijt me dat...' Ik zweeg even. *Dat ik zo kinderachtig deed over wat jij op deze wereld wilde. Dat ik niet in staat was iets te accepteren wat niemand kwaad deed, dat ik me gedroeg alsof het schandalig was, omdat iemand me ooit de indruk had gegeven dat dat zo was en niet omdat ik de moeite had genomen de situatie zelf te bekijken.* 'Het spijt me dat het zo is gelopen,' zei ik.

'Nou, het is niet bepaald recente geschiedenis.' Ze hief haar champagneglas. 'Haal eens wat sterkers voor me, wil je? Houden republikeinen niet van old-fashioned cocktails?'

'Ik vind wel iemand die er een voor je kan maken.'

Terwijl ik opstond, zei mijn grootmoeder: 'Je nieuwe schoonmoeder lijkt me een sluwe tante.'

'Ik geloof niet dat ze blij met me is.'

Mijn grootmoeder tikte haar kegel af in een asbak. 'Dan doe je zeker iets goed.'

Naderhand, terwijl we de oprijlaan af reden, sloeg Charlie zich tegen zijn voorhoofd en zei: 'O, shit, we zijn vergeten de dollardans te doen!' In Riley, of anders wel in Madison, had ik vele bruiloften bijgewoond waarbij bruid en bruidegom tegen betaling met hun gasten dansten; ik vermoedde dat Charlie er niet een had meegemaakt.

We zouden overnachten in een bed & breakfast in Waukesha, dat een blauwgrijs geschilderd victoriaans huis bleek te zijn. 'Ziet er spookachtig uit,' zei Charlie toen we de met kiezels bedekte oprijlaan op reden.

Ik was degene die het had uitgekozen op basis van een aanbeveling van een andere docent, en ik antwoordde: 'Dan had je iets anders moeten uitzoeken.'

'Ben je altijd zo knorrig op je trouwdag?' vroeg hij, en we lachten naar elkaar op de voorbank van de auto.

Rond drie uur 's nachts werd ik wakker en merkte dat Charlie me door elkaar schudde. 'Ik moet pissen,' zei hij.

Ik schudde hem van me af. 'Ik slaap.'

'Kom je even met me mee?' De badkamer lag buiten onze kamer, een meter of zeven verderop in de gang. Hij boog zich over me heen en knipte het lampje op mijn nachtkastje aan. 'Kom even. Eén minuutje. Ik zal opschieten.'

Ik hield mijn arm voor mijn ogen tegen het licht. 'Doe uit dat ding,' zei ik.

'Kom nou.' Zijn stem klonk overredend en zeurderig tegelijk. 'Ik krijg de kriebels van dit huis.'

Ik deed mijn arm omhoog. 'Wil je serieus dat ik met je meega naar de wc?'

'Lindy, je weet sinds de avond dat we elkaar leerden kennen dat ik bang ben in het donker. Er is hier geen sprake van misleidende reclame.'

Ik schudde mijn hoofd, maar, al was het maar een heel klein beetje, ik glimlachte. In de hal gaf een nachtlampje dat in een stopcontact was gestoken een zwak schijnsel af, maar geen van beiden konden we de lichtknop vinden. Ik liep voorop, en toen er een vloerplank kraakte fluisterde Charlie: 'Hoor je dat?' en ik fluisterde terug: 'Rustig maar. Dit huis is waarschijnlijk honderd jaar oud.'

In de badkamer ging ik op een lage radiator tegen de muur zitten terwijl hij voor de wc stond. Toen hij klaar was, draaide hij zich om en kuste me op mijn mond. 'Ik wist dat ik met de juiste vrouw was getrouwd.'

'Was je handen, dan gaan we terug naar bed,' zei ik.

Toen ik weer in slaap viel droomde ik, voor het eerst sinds vele jaren, over Andrew Imhof. We waren in een grote, vage, drukbevolkte ruimte – de slechtverlichte aula van een school misschien – en we spraken niet en maakten zelfs geen oogcontact, maar ik was me scherp bewust van elke stap die hij zette; hij was in feite het enige waarop ik lette, al deed ik alsof dat niet zo was. Toen was hij plotseling weg, en ik was diep teleurgesteld. Ik was van plan geweest naar hem toe te gaan, ik wist dat hij dat wilde, maar ik had het zo lang uitgesteld dat ik mijn kans had gemist. Toen ik wakker werd was het halfzeven, en de kamer in de bed & breakfast waar Charlie en ik sliepen begon net licht te worden; we lagen in een hoog hemelbed, onder een quilt van patchwork die zo zwaar was dat het zweet me was uitgebroken. Het teleurgestelde gevoel bleef me bij – dat wat ik gewild had de jongen uit de droom was. Zonder mijn hoofd om te draaien naar Charlie, wist ik het. Niet dit. Dat. Andrew. Samenzijn met

Andrew zou volkomen natuurlijk geweest zijn; alles had klaargestaan en ik had alleen maar hoeven toetasten. En dat gevoel te worden aanbeden door een knappe jongen, dat gevoel van zeventien zijn, van het leven dat op het punt staat te beginnen – hoe kon het zo lang geleden zijn, hoe was mijn pad in plaats daarvan deze kant op gegaan? Mijn teleurgestelde gevoel kwam niet doordat ik Charlie naar de badkamer had moeten vergezellen – dat was gewoon vertederend. Het kwam door al het andere: ik was nu getrouwd (getróúwd) met een politicus in spe uit een zelfingenomen, spotzieke familie, ik had een schoonmoeder die me niet mocht, mijn echtgenoot was een man die in wezen (zelfs in de privacy van mijn eigen hoofd erkende ik dit zelden) geen baan had. Ik was voorbestemd om oud te worden in Riley; ik was nooit voorbestemd geweest voor spotternij of rijkdom.

Toen bewoog Charlie, hij trok me naar zich toe, en toen ik eindelijk naar zijn gezicht keek, begon de droom weg te ebben. Ik rolde naar hem toe, voelde de bovenkant van zijn voeten met de onderkant van mijn tenen, voelde het haar op zijn kuiten tegen de huid van mijn benen, en zijn knokige knieën – soms deden ze bijna pijn als zijn benen gebogen waren – en ik drukte mijn borstkas tegen de zijne, ik maakte me klein onder zijn borst en schouders. Ik herkende de geur van zijn huid, en hij was knap; hij was niet zo knap als Andrew Imhof was geweest, want Andrew was een tiener, volmaakt en veelbelovend, maar als Andrew nog leefde zou hij zeker niet meer zo mooi zijn als toen. Dat wat ik met Charlie had niet zo zwanger van beloften voelde als wat ik met Andrew had gehad – tja, natuurlijk voelde het niet zo. Die eerdere belofte had berust op het feit dat hij nooit was ingelost. Charlie en ik kenden elkaar al veel beter dan Andrew en ik elkaar ooit hadden gekend. Al wist Charlie niet hoe de bakkerij op Commerce Street heette, al kon hij niet vertellen waardoor Grady's Tavern in 1956 in brand was gevlogen, al begreep hij niet helemaal waar ik vandaan kwam, hij begreep wel wie ik nu was – hij wist hoe goed doorbakken ik mijn biefstuk wilde, hij wist de kleur van mijn tandenborstel, hij kende het gezicht dat ik trok als ik ontdekte dat ik vergeten was de raampjes van mijn auto dicht te doen voordat het ging regenen. En als het mijn bestemming was geweest om in Riley te blijven, zou ik dat dan niet gedaan hebben? Charlie was niet de reden waarom ik naar Madison was verhuisd; ík was degene die meer dan tien jaar geleden daarvoor had gekozen, en ik had de juistheid van die keuze maar zelden betwijfeld.

Toen vond het eerste en enige paranormale incident tijdens mijn huwelijk plaats. Charlie ging in zijn slaap verliggen, opende zijn ogen, keek me aan en zei zonder inleiding: 'Je moet jezelf vergeven dat je die jongen hebt gedood.' (Hij was de eerste die ooit het woord 'doden' uitsprak; al had ik het in mijn gedachten vaak genoeg gebruikt, niemand had het ooit tegen mij gezegd. Jaren later werd het zo geformuleerd in artikelen en vooral op het internet, maar Charlie was de eerste.) 'Voor jouw bestwil maar ook voor de mijne,' zei hij, en zijn stem was schor van de slaap, maar ook vast en stellig. 'Als je jezelf niet vergeeft, maak je dat ongeluk te belangrijk, dan maak je hém te belangrijk.' Charlie zweeg even. 'En ik wil de liefde van je leven zijn.'

Ik was zo verbaasd dat ik me niet kan herinneren wat ik zei – waarschijnlijk niet meer dan 'oké' – en we vielen opnieuw in slaap, Charlie eerst. Toen we ruim een uur later allebei wakker werden, hadden we het niet over dat gesprekje. We babbelden wat, Charlie probeerde me over te halen om te vrijen – 'We moeten wat vaart zetten achter die consummatie' – maar ik wilde wachten tot we die middag thuis waren, want de muren van de bed & breakfast waren zo dun dat we de eigenaar de avond ervoor hadden horen niezen. We gingen naar beneden voor een ontbijt van broodjes met kersenjam. De verbijstering die mijn droom had achtergelaten, dat schokkende verdriet – het was weg en nu we op waren en rondliepen, nu het een gewone dag bleek, zag ik hoe volkomen irrationeel de droom was. Ik hield wél van Charlie; ik had het buitengewoon getroffen.

Maar de droom kwam terug; de waarheid is dat hij keer op keer op keer terugkwam. Mijn hele huwelijk lang heb ik naar schatting om de twee of drie weken over Andrew Imhof gedroomd, bijna altijd zoals hij aan me verscheen in mijn eerste huwelijksnacht: aanwezig maar ongrijpbaar. Hij staat vlakbij, we praten niet, en ik ben vervuld van een intens verlangen. Als ik wakker word blijft het verlangen langer hangen dan de droom zelf.

Maar de droom is, denk ik wel eens, ook een geschenk: hij maakt het me mogelijk me Andrew te herinneren zonder dat mijn herinnering aan hem wordt overstelpt door schuldgevoel. Misschien had de vrijspraak die Charlie me gaf wel wat effect, samen met het verstrijken van de tijd. Tijdens mijn huwelijksnacht was het al zo veel jaren geleden. Ik was nauwelijks nog hetzelfde meisje dat ik die septemberavond op high school geweest was, en omdat ik niet langer helemaal dezelfde was die dat auto-ongeluk had veroorzaakt, kon ik de persoon die het had gedaan vergeven; ik kon haar vergeven zoals ik bereid zou zijn geweest, al veel eerder, een klasgenote te vergeven die achter dat stuur had gezeten.

En zo was de droom de eerste keer dat ik ons gescheiden-zijn niet als Andrews verlies ervoer, maar puur als het mijne. Niet in de zin van: *Ik heb zo'n spijt van wat ik je heb aangedaan.* Maar van: *Kom bij me terug. Kom bij me terug, want er zijn veertien jaar verstreken, maar ik mis je nog steeds verschrikkelijk.*

Het was de lente daarop, begin mei, toen ik mijn voormalige makelaarster tegenkwam. Het gebeurde op een zaterdagochtend, Charlie was met Hank op pad, van een vier uur durend zuivelcongres in Kimberley snel-snel naar een verzorgingstehuis in Menasha en door naar een diner in Manitowoc, en ik stond op de boerenmarkt mijn keus te maken uit een bak appels toen me het gevoel bekroop dat er iemand naar me staarde. Ik keek op. Nadine stond pal tegenover de tafel waaraan ik stond. Omdat ik niet wist wat ik anders moest doen, glimlachte ik naar haar.

'Ik hoorde dat je getrouwd was.' Ze knikte naar mijn ring, een gladde van goud.

Ik realiseerde me dat ik haar nooit een briefje had geschreven om me te verontschuldigen voor mijn terugkrabbelen bij de koop van het huis; dat was ik wel van plan geweest, maar tijdens mijn verkering met Charlie was ik het vergeten. 'Nadine, het spijt me werkelijk wat...'

'Ik zag de aankondiging in de *State Journal*,' zei ze. 'Je had me best de waarheid kunnen vertellen.'

'Mijn beslissing had niets te maken met het feit dat ik ging trouwen,' zei ik.

'Ik weet niet welke makelaar jullie in de arm hebben genomen, maar dit zal ik je wel vertellen: ik was goed genoeg voor je toen je een meisje alleen met een krap budget was, en ik weet, ook al weet jij het niet, dat ik eersteklas werk had kunnen leveren om het goede huis te vinden voor jou en je echtgenoot. Als je al zo lang in deze branche werkt als ik, ben je bekend met allerlei buurten.'

'Nee, nee,' zei ik vlug. 'We hebben geen huis gekocht. We huren een woning in Houghton.'

'Er bestaat zoals als het openbaar register, Alice. Ik kan er maandag naartoe gaan en uitzoeken wie de makelaar was en hoeveel jullie betaald hebben.'

'Eerlijk,' zei ik. 'We hebben een huurwoning.'

Nadine tuitte haar lippen. 'De zoon van de voormalige gouverneur doet mee aan de verkiezingen voor het Congres, en jij wilt mij wijsmaken dat hij in een miezerig appartementje woont?'

Met Dena had ik geen aanvaringen meer, maar tot mijn spijt moet ik zeggen dat dat wellicht alleen maar komt doordat ik haar niet meer sprak voor ik naar een andere stad verhuisde. Die dag waarop ze was weggelopen tijdens onze lunch had ik, ondanks de dingen die ze zei, niet gedacht dat onze vriendschap voorbij was; ik had het idee dat ze me zou vergeven. Ik geloof nog steeds dat dat wellicht ook zo was, maar dat de omstandigheden – de geografische afstand, eigenlijk – ons uit elkaar hielden. Als ik het lef had gehad om na een tijdje op een dag haar winkel binnen te lopen, of als zij een serieuze vriend had gevonden in de tijd dat ik nog in Madison woonde, denk ik dat we misschien in staat waren geweest de draad weer op te pakken.

Maar ik zag haar maar één keer voor ik verhuisde, en ik had de moed niet om haar aan te spreken. Dit was een paar maanden voor ik Nadine tegenkwam, op een donkere doordeweekse middag in februari, en ik kwam net een kantoorboekhandel in State Street uit waar ik een valentijnskaart had gekocht voor Charlie. Ik zag Dena aan de overkant van de straat, van achteren, en mijn adem stokte; ik stond stokstijf tegen de bakstenen gevel van de winkel tot ze helemaal aan het einde van het huizenblok was. Ik zou haar dertig jaar niet zien.

In november 1978 verloor Charlie de Congresverkiezingen van Alvin Wincek met achtenvijftig tegen tweeënveertig procent. Charlie had het beter gedaan dan verwacht, maar evengoed had hij bij lange na niet gewonnen. Ik had de lente daarvoor mijn ontslag ingediend bij het schoolhoofd van Liess, Lydia Bianchi, en had de hele zomer en herfst met Charlie rondgereden in tuinstoelen achter op de laadbak van een open bestelwagen met aan de zijkanten plakkaten met daarop BLACKWELL IN HET CONGRES. Ik had aangehoord hoe hij zichzelf voorstelde aan duizenden kiezers en honderden malen dezelfde toespraak hield, ik had hem keelpastilles aangereikt als hij zijn stem kwijt was en toch doorpraatte. Ik had zijn hand vastgehouden, ik had geapplaudisseerd, ik had gebakken uienringen en frites gegeten, ik had weer geapplaudisseerd en meer uienringen en meer frites gegeten, en toen Charlie op verkiezingsavond in het hoofdkwartier van de campagne zijn concessietoespraak hield, hadden we allebei een traantje gelaten, en al huilden we niet om precies dezelfde reden, totaal verschillend was het ook niet. We hadden samen iets groots doorgemaakt; wat we wilden was veel meer met elkaar versmolten dan tijdens onze verkering.

In februari, drie maanden na de verkiezingen, kochten we een huis in een noordelijke buitenwijk van Milwaukee – Maronee – waar we introkken op 31 maart 1979. Ik was tien weken zwanger, wat ik van de dokter hoorde op de dag voor de koop werd gesloten; eenmaal in ons nieuwe huis mocht ik van Charlie nauwelijks een doos uitpakken. We waren allebei in de wolken. Een paar weken na onze bruiloft waren we opgehouden met voorbehoedsmiddelen, en aangezien er sindsdien zestien maanden waren voorbijgegaan en ik nu bijna drieëndertig was, was mijn menstruatie een ontmoedigende gebeurtenis geworden; steeds vaker hadden we het over de mogelijkheid van adoptie gehad.

Het huis aan Maronee Drive dat we voor 163.000 dollar kochten, had vijf slaapkamers. Als Nadine onze makelaar was geweest had ze bijna 5000 dollar verdiend, maar we hadden Stuey Patrickson ingeschakeld, een jongen die squashte met Charlies neef Jack. We richtten een slaapkamer in als de onze, een werd de kinderkamer, een was Charlies werkkamer, een een logeerkamer en een werd de trainingsruimte voor Charlie, waar hij kon gewichtheffen; we lieten er zelfs een grote spiegel aan de wand bevestigen, al trainde hij vaker in de fitnesszaal van de Maronee Country Club, waarvan de golfbaan tegenover ons huis lag. (In die tijd was de fitnesszaal een mistroostige, kleine aangelegenheid, maar hij werd steeds chiquer naarmate de nationale belangstelling voor lichaamsbeweging toenam.) Charlie en ik hadden het niet over de mogelijkheid – het kwam niet bij me op, en ik geloof ook niet bij hem – dat ik ook een werkkamer zou krijgen in ons nieuwe huis. De overloop op de eerste verdieping was ruim, en aan een uiteinde, bij een raam, zetten we een bureautje neer waar ik in het gezelschap van mijn Gulle Boom van papier-maché onze administratie deed en bedankbriefjes schreef. Ik was best goed geworden in het schrijven van bedankbriefjes; na onze bruiloft ontvingen we tientallen cadeautjes van vrienden van de familie Blackwell die we niet voor de ceremonie hadden uitgenodigd. Jarenlang was dat de manier waarop ik de mensen van Milwaukee een plaatsje gaf in mijn hoofd: de LeGrands, die ons de broodrooster hadden gegeven; de Wendorfs, van wie we de witporseleinen schaal hadden gekregen.

Charlie en ik raakten al snel gewend aan ons nieuwe leven samen; natuurlijk ging het onstuimige van onze begintijd voorbij, maar dat voorbijgaan leek eerder organisch dan spijtig. Het ritme van een leven als huisvrouw paste bij me. Ik had me afgevraagd of ik me niet zou gaan vervelen, maar er was na de verhuizing aardig wat te doen, toezicht houden op schilders en aannemers (we lieten de grote badkamer vernieuwen) en ik had ook een tuin bij te houden. Elke ochtend nadat Charlie naar zijn werk was gegaan – hij ging nu vier, soms vijf dagen per week naar Blackwell Meats – las ik minstens een uur, en ik had lang genoeg gewerkt om in te zien wat een grote luxe dat was. Ik geef toe dat ik in het begin soms aan het eind van een hoofdstuk opkeek en verbaasd was over mijn omgeving; terwijl ik in een fictieve wereld vertoefde was ik vergeten wat ik was geworden, het was me even ontglipt dat ik een getrouwde vrouw met een huis was, die met haar echtgenoot in een buitenwijk van Milwaukee woonde. Op die momenten, en ook andere, dacht ik aan mijn appartement in Sproule Street, mijn voormalige leerlingen en collega's, mijn vriendschap met Dena en met Rita (ik had mijn moeders broche aan Rita gegeven bij mijn afscheid van het werk; hij was wel mooi, maar er zaten zulke onplezierige herinneringen aan dat ik hem zelf nooit had gedragen). Terwijl ik al met al niet ontevreden was met de veranderingen die in mijn leven hadden plaatsgevonden, voelde ik dan een vleugje heimwee naar wat me niet langer toebehoorde.

Charlie en ik waren pasgetrouwd, en vervolgens werden we al heel snel een van de vele getrouwde stellen en gingen we veel om met zijn broers en andere echtparen die bij onze country club en onze kerk hoorden. Na het werk ging Charlie gewoonlijk squashen, en eens per week bracht hij bloemen voor me mee. Als Harold en Priscilla in de stad waren, gingen we zondags bij hen dineren – ik leerde hen aan te spreken met Harold en Priscilla in plaats van meneer en mevrouw Blackwell – en we maakten reisjes, soms met Jadey en Arthur; in de eerste vijf jaar van ons huwelijk gingen we naar Colorado, Californië, North Carolina, New York en New Jersey, en ik was niet erg teleurgesteld toen Charlie besloot dat we niet met zijn ouders naar Hawaï zouden gaan; onze dochter Ella was inmiddels twee en een lastige tante om mee te nemen in een vliegtuig.

In de eerste jaren van ons huwelijk waren we heel gelukkig – de meeste tijd van ons huwelijk zijn we heel gelukkig geweest, al hebben we net als alle echtparen ook de nodige hobbels moeten nemen. Dit is misschien niet het verhaal dat het publiek graag wil horen, dat de goede tijden ruim opwegen tegen de slechte, maar het is het ware verhaal. Hoe langer we samen zijn, hoe onwaarschijnlijker onze korte verkeringstijd begint te lijken. Verloofd na zes weken! Getrouwd na nog eens zes! Wat impulsief, wat dapper of dom. Kénden we elkaar eigenlijk wel? Maar ik denk van wel. In de meeste opzichten geloof ik dat we dezelfde mensen zijn die we toen waren, al zijn de omstandigheden van ons leven ingrijpend veranderd.

Wanneer deskundigen en journalisten Charlie tijdens die eerste kandidatuur en bij latere verkiezingen onderschatten, kon ik niet echt verbaasd zijn; toen we elkaar pas kenden had ik hem immers ook onderschat.

DEEL III

Maronee Drive 402

Omdat we kaartjes hadden voor de voorstelling van halfacht, had Charlie beloofd om kwart over zes thuis te zijn, en ik had kip marsala gemaakt die we voor ons vertrek samen met Ella konden eten. Maar om tien over halfzeven was Charlie nog steeds niet thuis en onze oppas Shannon, een tweedejaarsstudente op wie Ella dol was, was er al. Ik belde Charlies kantoor en kreeg zijn antwoordapparaat waarop de stem van zijn secretaresse meldde dat hij afwezig of in bespreking was. Was hij het toneelstuk vergeten – het was *De meeuw* van Tsjechov – en naar de club gegaan om te squashen of gewichten te heffen? Was hij naar een honkbalwedstrijd? Het was een woensdag in mei, en hoewel we seizoenskaarten hadden voor het Marcus Center, bezochten we meestal de voorstellingen op vrijdag- en zaterdagavond.

Ik keek in de krant, en de Brewers speelden inderdaad thuis; ze speelden tegen de Detroit Tigers. Dat was de meest waarschijnlijke reden voor Charlies afwezigheid, maar voor alle zekerheid belde ik de club, waar ik werd doorverbonden met de kantine, en Tony, de zeventigjarige die de bar bemande in de met eiken panelen beklede foyer tussen de kleedkamers van de mannen en de vrouwen in, vertelde me dat hij Charlie niet had gezien. Het kon evengoed zo zijn dat Charlie via de zijdeur naar het squashveld of naar de fitnessruimte was gegaan, of dat hij naar het huis van zijn ouders was gegaan, waar hij en Arthur graag samen in alle rust naar honkbal keken. Harold en Priscilla waren twee jaar eerder, in 1986, naar Washington D.C. verhuisd, toen Harold werd benoemd tot voorzitter van het *Republican National Committee*, maar het huis was nog volledig gemeubileerd.

Ik belde Jadey – zij en Arthur woonden ook aan Maronee Drive, anderhalve kilometer bij ons vandaan – en hun zoon Drew van vijftien zei: 'Mama is Lucky aan het uitlaten.'

'Is je vader al thuis?' vroeg ik.

'Hij moet overwerken.'

Toen ik ophing was het tien voor zeven, en het kostte zeker vijfentwintig minuten om in het centrum te komen. Shannon en Ella zaten aan de keukentafel, waar Ella nog zat te eten. Ik liep door de keuken en kuste Ella op haar voorhoofd. Ik zei tegen hen: 'Om halfnegen naar bed, kwart voor negen licht uit, en geen tv.'

'Mama, je oorbellen lijken net punaises,' zei Ella.

Ik schoot in de lach. De oorbellen waren van goud, en ze leken inderdaad een beetje op punaises. Ik droeg verder een lichtroze pakje – een rok met een jasje – en roze Ferragamo-pumps. 'Zorg dat je de spullen van barbie opruimt,' zei ik tegen Ella, en daarna keek ik naar Shannon. 'Er staat nog een stukje vlees in de koelkast als je dat wilt opwarmen. We zijn rond halfelf wel weer thuis. Ik rij even langs het huis van de ouders van meneer Blackwell, want ik denk dat hij daar is, maar mocht hij hier komen, zeg dan maar dat hij rechtstreeks naar het theater gaat, dan zie ik hem daar wel.'

Maar in het huis van zijn ouders was hij ook niet. Toen ik aan kwam rijden op de oprijlaan van hun kasteelachtige woning, had ik lichten zien branden in de keuken, en ik dacht dat ik hem had gevonden, maar toen ik naar de zijdeur liep, zag ik door een raam Miss Ruby staan; ze maakte net de riem van haar bruine regenjas vast.

Ze deed de deur voor me open, en ik zei: 'Charlie is hier zeker niet?'

'Hebt u de club al geprobeerd?'

'Ik geloof dat hij daar ook niet is.' Ik wierp een blik op mijn horloge. 'We moeten naar een toneelstuk en dat begint om halfacht.'

Miss Ruby keek me onbewogen aan. Door de jaren heen had ik gezien hoe de Blackwells vochten om haar afkeuring – als ze Arthur de les las omdat hij bijvoorbeeld een glas op de tafel had gezet zonder onderzetter, deed hij alsof hij een kleine overwinning had behaald – maar dit was geen wedstrijd waar ik aan mee wilde doen. Miss Ruby mocht misschien graag mopperen, maar ze was ook een keiharde werker, en meer dan eens had ik haar op een feestdag om elf uur 's avonds nog in de keuken pannen zien schrobben, en als ik dan de volgende ochtend terugkwam was ze om acht uur alweer bezig met het dekken van de ontbijttafel. Nog maar een paar jaar daarvoor had ik gehoord dat ze een slaapkamer naast de keuken had, met een eigen badkamer, maar bij de Blackwells blijven slapen in plaats van naar je eigen huis gaan leek me eerder een minpunt dan een pluspunt van haar baan.

Het was inmiddels precies zeven uur, wat betekende dat ik waarschijnlijk het begin van het toneelstuk zou missen, dus waarom zou ik nog moeite doen? Ik knikte in de richting van de achterdeur. 'U wilde zeker net naar huis gaan?'

'Alleen even kijken of alles in orde is voor de komst van mevrouw en meneer.'

Ik was vergeten dat Harold en Priscilla dat weekend naar de stad zouden komen, en dat we zaterdag zelfs allemaal werden verwacht voor het eten. Ik nam me in gedachten voor Priscilla te bellen om te vragen wat ik mee zou brengen.

Ik gebaarde naar Miss Ruby dat ze voor mocht gaan, en bijna onmerkbaar schudde ze haar hoofd; ik liep als eerste naar buiten, en zij volgde. Het was ongeveer zestien graden, het was eind mei en de hemel werd donker, de bomen rond het gazon van de Blackwells zaten vol nieuwe blaadjes. Toen we over het grind van de oprijlaan liepen, besefte ik dat alleen mijn auto daar geparkeerd stond, en ik draaide me om naar Miss Ruby. 'Kan ik u een lift aanbieden?'

'Nee, mevrouw, ik pak de bus.'

'Rij dan in elk geval mee tot aan de halte. Bij Whitting Avenue, toch?' Daar was ik haar al een paar keer laat in de middag of vroeg in de avond voorbijgereden.

'Dat is niet nodig,' zei ze.

'Nee, ik sta erop.' Ik lachte even. 'Ik wil vanavond graag nog íéts zinnigs doen.' Toen ze instapte, had ik duidelijk het gevoel dat ze het voor mij deed.

We reden in stilte – het programma van de nationale publiekszender waar ik naar had geluisterd klonk op zodra ik startte, en ik zette hem uit voor het geval het haar niet beviel (Charlie noemde het altijd de 'nationale verziekzender') en toen we bij de hoek van Montrose Lane en Whitting Avenue kwamen, zei ik: 'Zou ú misschien zin hebben om mee te gaan naar de schouwburg? We hebben kaartjes voor *De meeuw*, en anders heeft niemand er iets aan. Maar voel u alstublieft niet verplicht – het wordt nog even haasten om er te komen.' Ze reageerde niet meteen, en ik vroeg me af of ik iets over de inhoud van het stuk moest vertellen, of over de auteur, of dat het misschien aanmatigend was om te veronderstellen dat Miss Ruby nog nooit van Tsjechov had gehoord.

'Ik weet niet of ik daar wel op gekleed ben,' zei ze ten slotte, en ik keek opzij, bang dat ze de zwarte jurk die ze op haar werk droeg aan zou hebben – ik kon het haar natuurlijk niet kwalijk nemen als ze niet mee wilde in haar uniform – maar ik zag dat ze onder haar regenjas een rode broek en een zwarte trui droeg.

'O, daar is niets mis mee,' zei ik. 'Ik ben eerlijk gezegd een beetje te formeel gekleed. Bent u wel eens in het Marcus Center geweest?'

'Jessica is er met school naartoe geweest om naar de kerstliedjes te luisteren.' Jessica was de kleindochter van Miss Ruby, de dochter van Yvonne, en ik wist dat ze allebei bij Miss Ruby woonden; Jessica's vader was niet in beeld. Yvonne had ook een paar keer op feestjes geholpen die Charlie en ik gaven toen we pas getrouwd waren en zij de verpleegstersopleiding deed, en nu werkte ze in het ziekenhuis in St. Mary's. Yvonne had een zonniger natuur dan haar moeder, ik had haar altijd gemogen, en Ella was dol op Jessica, die een paar jaar ouder was. Op de dagen dat Miss Ruby haar kleindochter meenam naar de familie Blackwell, als Jessica geen school had en Yvonne moest werken, konden de twee meisjes urenlang met barbies zitten spelen bij Priscilla in de keuken. Het viel me nu op dat ik Jessica en Yvonne allebei al een tijd niet had gezien, in elk geval niet meer sinds Harold en Priscilla naar Washington waren vertrokken. Ik zei: 'Zit Jessica nog op Harrison?'

'Ja, mevrouw.' Een beetje onzeker vervolgde Miss Ruby: 'Ik denk dat ik wel mee kan naar dat toneelstuk.'

Ik was geschokt en verheugd, maar ik reageerde bewust ingehouden. 'Mooi,' zei ik, en toen, terwijl ik meer gas gaf: 'Jessica was altijd zo pienter. Klopt het dat ze nu bijna klaar is met het vijfde jaar?'

'Ze zit in groep zes, bij meneer Armstrong,' zei Miss Ruby. 'Achten en negens op haar rapport, vicevoorzitter van de leerlingenraad, en ze is leidster van de jongerengroep bij Lord's Baptist.'

'Geweldig,' zei ik. 'Naar welke school gaat ze hierna?'

'Naar Stevens.'

Ik moest me inhouden om geen negatieve opmerking te maken. Stevens was ongetwijfeld de slechtste junior high school van Milwaukee. Wij woonden in een buitenwijk en Ella ging naar een particuliere school, naar Biddle Academy, maar je hoefde niet elke dag *The Milwaukee Sentinel* te lezen om te weten hoe slecht het gesteld was met de openbare scholen van de stad, en Stevens was er het ergst aan toe: het jaar ervoor was er in een klas een pistool afgevuurd dat een elfjarige had meegebracht, en de afgelopen maand waren twee jongens van dertien van school gestuurd wegens crack dealen. (Dertien! Onvoorstelbaar: cráck. Het herinnerde me eraan waarom ik was gaan lesgeven aan jongere kinderen, hoewel ik zoiets in de jaren zeventig niet had kunnen vermoeden.) 'Wat is Jessica's favoriete vak?' vroeg ik.

'Ik geloof Engels, maar ze is overal goed in.' Miss Ruby wees de richting aan. 'Een kortere route is over Howland Boulevard.'

'Wat geweldig dat ze het zo goed doet,' zei ik. 'En hoe gaat het met Yvonne?'

'Die doet geen oog meer dicht sinds de baby er is. Hij wil steeds maar vastgehouden worden.'

'Ach hemel, ik wist niet dat Yvonne een baby had gekregen. Wanneer was dat?'

'Antoine Michael,' zei Miss Ruby. 'Op 1 juni is hij twee maanden.'

'Wat fantastisch, Miss Ruby! Ik zou hem dolgraag zien.' Ik had gedacht dat mijn liefde voor baby's zou verdwijnen nadat ik er zelf een had gekregen, maar het ging nooit over. Ik was nog steeds gefascineerd door hun piepkleine nageltjes en neusjes en oorlelletjes, die volmaakte zachtheid van hun huid – ze leken wel betoverd, van een andere planeet. Toen Ella kleuter werd en daarna naar school ging, vond ik elke fase weer even aanbiddelijk, ze was altijd grappig en vertederend en natuurlijk om gek van te worden, maar ik moet toegeven dat ik het een beetje jammer had gevonden toen ze de babyfase was ontgroeid; die overgang was het moeilijkst geweest. 'Misschien kunnen Ella en ik een keer bij jullie langskomen,' zei ik, en toen Miss Ruby niet reageerde, vervolgde ik: 'Of laten we afspreken dat jullie bij ons komen. Kunnen jullie zondag over een week komen lunchen? Of...' Ik wist niet hoe laat de Suttons uit de kerk kwamen, dus misschien was zondag niet zo'n goed idee '... of maandag? Aanstaande maandag is het Memorial Day, toch?'

'Ik denk dat we dan wel kunnen komen.'

'O, dat zal Ella heerlijk vinden. En is Yvonne... is de vader van de baby...?'

'Clyde woont ook bij ons. Hij en Yvonne zijn vorig jaar zomer getrouwd.'

'Miss Ruby, ik had geen idee dat er zoveel gebeurd is in jullie leven! Hoe hebben Yvonne en Clyde elkaar leren kennen?'

'Hij werkt ook in het ziekenhuis, in de kantine.' Miss Ruby grinnikte. 'Hij verkocht Yvonne koffie en taart, dat slaat toch alles?'

'Wat leuk voor ze.'

Toen we bij het Marcus Center kwamen, parkeerden we in Water Street en haastten ons naar binnen. De portiers wilden de deuren sluiten, maar we konden nog net naar binnen glippen en we hadden onze plaatsen nog niet gevonden of de lichten gingen uit. Ik had *De meeuw* nog nooit gezien, en ik vond het heel goed – de actrice die Madame Arkadina speelde was voortreffelijk. Pas in de tweede akte bekroop me ineens een ongerust gevoel. Waar zat Charlie nou toch? Kon ik er zonder meer van uitgaan dat hij naar honkbal was, of hing hij misschien heel ergens anders uit?

In de pauze vond ik een telefoon in de lobby, maar op kantoor werd er weer niet opgenomen, en thuis meldde Shannon dat ze niets van hem had gehoord. Ik laveerde tussen ergernis en ongerustheid. Het was wel zo dat ik meer reden had om te denken dat hij het gewoon was vergeten, of het zelfs opzettelijk uit de weg was gegaan, dan om te denken dat er iets mis was. In de afgelopen paar maanden was Charlie met steeds meer tegenzin meegegaan naar het theater, en soms, wanneer ik niet graag genoeg naar een voorstelling wilde om hem over te halen, sloegen we bepaalde voorstellingen gewoon over. De waarheid was dat hij al bijna twee jaar lang slechtgehumeurd was; hij was bijna altijd rusteloos en knorrig.

Tot op zekere hoogte was Charlie al rusteloos vanaf dat ik hem leerde kennen – hij trommelde op de tafel wanneer hij vond dat we te lang bij een etentje bleven hangen, hij mompelde 'Volgens mij is zelfs God in slaap gevallen' tijdens een preek in de kerk – maar in het verleden was dat een fysiek soort rusteloosheid geweest, alleen in bepaalde omstandigheden, niet existentieel. Zijn slechte humeur was een ander verhaal. Het was niet tégen me gericht, maar het was zo'n constante geworden dat het een uitzondering was als hij er een keer niet aan leed.

Ik had geprobeerd vast te stellen wanneer het allemaal was begonnen, en dat leek te zijn in de periode dat hij veertig werd, in maart 1986. Tot mijn verbazing had hij geen feestje gewild – we hadden het met z'n drieën thuis gevierd met hamburgers en worteltaart – en in de maanden voor en na zijn verjaardag had Charlie het vaak over zijn nalatenschap gehad. Dan zei hij: 'Ik vraag me gewoon af wat voor herinnering ik achterlaat. In de tijd dat grootvader Blackwell zo oud was als ik, had hij een bedrijf opgericht met dertig werknemers, en toen pa veertig was, had hij het van officier van justitie tot gouverneur geschopt.' Als ik volstrekt eerlijk moet zijn, zou ik de volgende bekentenis doen: er waren veel dingen aan Charlie waarvan ik wist dat anderen dachten dat ik ze irritant zou vinden: zijn grofheid, zijn gezonde ego, dat hij nooit een minuut stil kon zitten – en die ik niet irritant vond. Maar de fixatie op zijn nalatenschap (ik kreeg zelfs een hekel aan het woord) vond ik onverdraaglijk. Het was zo egocentrisch, zo dwaas, zo mánnelijk; ik heb nooit een vrouw horen piekeren over haar nalatenschap, en ik heb al helemaal nooit een vrouw daar panisch over horen doen. Op een keer zei ik, zo tactvol mogelijk, tegen Charlie iets over dat verschil tussen beide seksen, en hij zei: 'Dat komt doordat jullie degenen zijn die kinderen krijgen.' Ik vond dat geen bevredigend antwoord.

Wat ook de oorzaak was van Charlies onvrede, eind 1986 en in de eerste helft van 1987 was die verergerd doordat de winst van Blackwell Meats drie kwartalen achter elkaar terugliep. Daaruit volgde een maandenlange discussie over de vraag of ze met het bedrijf de beurs op moesten, een idee waar Charlie voor was, en zijn broer John, die nog steeds de CEO was, tegen. De vijf andere leden van de raad van bestuur waren Arthur, Harold, Harolds broer, de zoon van die broer en de echtgenoot van Harolds zus; hun stemmen waren gelijk verdeeld, waarbij Harold achter John stond. Dit betekende dat het afhing van Arthur, die na lang aarzelen de kant van John koos en niet die van Charlie. Charlie spaarde Harold en Arthur en richtte al zijn woede op John, en in november van het vorige jaar hadden we allemaal een nogal gespannen Thanksgiving meegemaakt, waarbij Priscilla John en Charlie zo ver mogelijk van elkaar had gezet. Hoewel de kou na zes maanden wel uit de lucht was – John en Charlie zagen elkaar per slot van rekening elke dag op het werk – was Charlie persoonlijk nog steeds ziedend over wat hij Johns gebrek aan kennis noemde (een bijzonder teer punt voor Charlie was dat John nooit bedrijfskunde had gestudeerd), en die woede drukte me er nog eens met mijn neus op dat als iemand anders kritiek had op een Blackwell dat niet werd getolereerd, maar dat het geen enkel punt was als een Blackwell kritiek had op een Blackwell. Intussen had ik mijn best gedaan ervoor te zorgen dat het conflict geen invloed had op mijn verstandhouding met Johns vrouw Nan – ik nodigde haar zelfs vaker uit voor de lunch dan normaal, of ik stelde voor dat we samen naar vergaderingen op Junior League gingen – en Ella, die er geen idee van had dat haar vader en oom onenigheid hadden, was een en al aanbidding voor haar nichtjes: Liza, die me tijdens mijn eerste bezoek aan Halcyon had geleerd draadfiguurtjes te maken, was nu twintig en was bijna klaar met haar voorlaatste jaar op Princeton, en Margaret was zeventien en zou in het najaar op Princeton beginnen.

Maar Charlie voelde er steeds minder voor om naar familiebijeenkomsten te gaan – hij organiseerde er zeker nooit zelf een – en hij ging alleen naar een brunch of diner bij de Blackwells als zijn ouders in de stad waren, wat niet vaker dan eens in de zes weken was. Een maand daarvoor, in april, hadden John en Nan voor acht personen geboekt bij een liefdadigheidsdiner voor het kunstmuseum en nodigden ons aan hun tafel uit, en Charlie was op het laatste ogenblik niet gegaan; het was op een zaterdagavond, hij had zwaar zitten drinken terwijl hij in de televisiekamer naar een honkbalwedstrijd keek, en toen hij boven kwam en zag dat ik zijn smoking aan de deur van onze slaapkamer had gehangen, zei hij: 'Denk maar niet dat ik dat apenpak aantrek.'

'Charlie, er is avondkleding voorgeschreven,' zei ik, en hij zei: 'Jammer dan. Ik hou dit aan, anders ga je maar zonder me.' Ik had eerst gedacht dat hij maar een grapje maakte, maar hij bleef weigeren zich om te kleden, wat hetzelfde was als weigeren om te gaan. Toen ik vroeg wat ik dan tegen John en Nan moest zeggen – ik wist dat ze honderd dollar per persoon hadden betaald – haalde hij zijn schouders op. 'De waarheid.' In plaats daarvan zei ik dat hij buikgriep had gekregen. Toen ik die avond thuiskwam, zat hij nog steeds tv te kijken – een of andere politiefilm – en hij grijnsde kwajongensachtig toen hij zei: 'Vergeef je je schurk van een echtgenoot?' Omdat ik het geen ruzie waard vond, deed ik dat, maar die maandag bestelde ik brochures bij twee verschillende afkickcentra voor alcoholisten, een lokale en een in Chicago. Toen ik de brochures aan Charlie gaf, zei hij boos: 'Omdat ik me laatst niet wilde omkleden? Neem je me nou in de maling? Godverdomme Lindy, doe even normaal.'

Op een gegeven moment in het voorjaar had Charlies malaise zich behalve tegen zijn broers ook gericht op zijn twintigste reünie in Princeton, die begin juni zou plaatsvinden. Van tevoren had hij een in leer gebonden boek ontvangen waarin oud-studenten een update gaven over hun beroeps- en privéleven, en 's avonds voor het slapengaan las hij daar vol minachting en ongeloof uit voor: '"Partner worden bij Ellis, Hoblitz en Carson was een prestatie die alleen werd overtroffen door de onbeschrijflijke vreugde die ik heb beleefd bij het zien van de zonsopgang boven de krater van de Maui Haleakala toen Cynthia en ik ons vijftienjarige huwelijksfeest vierden"... Let wel, die vent was tijdens zijn studie zo stom als het achtereind van een varken. O, dít is een goeie: "Ik voel me te nederig om te bedenken dat ik met mijn oncologisch onderzoek letterlijk mensenlevens red..." We wisten allemaal dat O'Brien een homo was.' Ik beleefde geen plezier aan deze fragmentjes, noch aan Charlies commentaar, voornamelijk omdat ik mijn eigen boek wilde lezen en het storend vond. We hoefden niet naar die reünie te gaan, merkte ik een keer op, wat hem een snauw ontlokte: natuurlijk moesten we gaan! Welke sukkel ging er nu niet naar 'Reunions'? (Zo noemden de Princeton-studenten dit gebeuren – niet de reünie, maar Reunions met een hoofdletter.) Het was duidelijk dat het boek iets bij hem had geraakt, dat Charlie zich, hoewel werken bij een familiebedrijf in vlees hier in Maronee volstond, althans op goede dagen, afvroeg hoeveel indruk hij daarmee op grotere schaal zou maken. Hoewel ik mijn best deed zijn onzekerheid te begrijpen, kon ik het gevoel niet van me afschudden dat dit per saldo nogal een luxeprobleem was.

De laatste paar weken was hij steeds later van zijn werk thuisgekomen, en zelden belde hij om te zeggen waar hij zat. Soms bleek dat hij op de club was geweest, soms was hij in een bar wat gaan drinken (dit verontrustte me het meest, omdat het iets verloederds had – in Riley gingen echtgenoten en vaders wel vaker naar de kroeg, maar niet in Maronee), en soms was hij direct van kantoor naar een wedstrijd van de Brewers gereden. De Blackwells hadden vier seizoenskaarten die Charlie en zijn broers van Harold hadden overgenomen maar die vaak niet gebruikt werden. Toen ik hem die avonden vroeg met wie hij was gegaan, was dat een keer Cliff Hicken geweest (hij en Kathleen, de vrienden die het etentje in de tuin hadden gegeven waar Charlie en ik elkaar hadden leren kennen, waren drie jaar na ons vanuit Madison naar Milwaukee verhuisd, toen Cliff een baan had gekregen als vicepresident van een financieel-adviesbureau) en een keer was Charlie naar een wedstrijd gegaan met een jonge vent van zijn werk, maar ik kreeg het idee dat Charlie meerdere keren alleen was gegaan. Hij kwam dan thuis wanneer ik naar bed ging, en ik was dan boos, verdrietig en te moe om een confrontatie met hem aan te gaan. Ik stelde het uit tot de ochtend, maar tegen die tijd had ik niet de moed de nieuwe dag te beginnen met het slechtste van de dag ervoor. En hoewel

Charlie er nooit met zoveel woorden iets over zei, had ik in elk geval het idee dat hij op die ochtenden vaak zo'n kater had dat hij zich ternauwernood uit bed kon slepen om onder de douche te stappen.

Het was wel bij me opgekomen dat hij misschien een verhouding had, maar dat geloofde ik niet. We hadden nog steeds regelmatig seks, zij het niet meer zo vaak als vroeger, en hij was, in engere zin, even liefdevol als altijd. Midden in de nacht pakte hij vaak mijn hand en hield die vast terwijl we insliepen; de vorige week was ik rond drie uur wakker geworden toen hij zijn voeten tegen de mijne wreef. Toen we opstonden had ik gevraagd: 'Was jij vannacht met me aan het voetjevrijen?' en hij zei: 'Lindy, doe nou niet alsof dat niet je favoriete spelletje is.' Zijn voortdurende slechte humeur had zijn persoonlijkheid niet tenietgedaan; het was meer alsof die ernaast bestond, als een zijspan aan een motorfiets. En wat betreft de mogelijkheid dat hij een verhouding had – hij gedroeg zich eerder verstrooid dan terughoudend.

Aan het einde van de pauze van *De meeuw* voegde ik me weer bij Miss Ruby in de zaal en zei: 'Wat vindt u ervan?' en ze zei behoedzaam: 'Interessant.' Toen het toneelstuk voorbij was en de lichten aangingen, werd ik aangesproken door een paar mensen die Charlie en ik kenden, en toen ik Miss Ruby aan hen voorstelde (in plaats van Miss Ruby, wat in deze omgeving vreemd zou klinken, zei ik 'Dit is Ruby Sutton'), zag ik dat sommigen van hen zich afvroegen wie zij was; de enige die haar leek te herkennen was een oudere vrouw, Tottie Gagneaux, die haar ogen half dichtkneep en zei: 'Bent u niet de hulp van Priscilla?'

Snel zei ik: 'Weet je dat ze dit weekend in de stad zijn? Ze komen uit Arizona, als ik me niet vergis, hoewel het nauwelijks meer bij te houden is, zoveel als die tegenwoordig reizen...'

Het motregende toen we uit de schouwburg kwamen, en Miss Ruby wees me de weg naar haar huis. Ze bleek in Harambee te wonen in een bescheiden huis van één verdieping, op een heuvel, met een steile betonnen trap naar de voordeur. Toen ik haar liet uitstappen, zag ik vlak langs het gordijn voor het raam blauw licht van de tv flikkeren. Iemand met een baby in de armen – Yvonne, kennelijk – trok het gordijn aan één kant opzij en tuurde door het raam naar mijn auto. 'Bedankt dat u me vanavond gezelschap hebt willen houden,' zei ik, en Miss Ruby zei: 'Ja, mevrouw.' Voordat ze het portier dichtdeed, zei ze nog: 'Welterusten, Alice.'

Ik was er bijna zeker van dat ze me in de elf jaar dat we elkaar kenden voor het eerst bij mijn naam aansprak.

Op weg naar huis voelde ik me op een vreemde manier gelukkig en licht. De avond was op een andere manier verlopen dan ik had verwacht, maar volgens mij was het een goede manier – Charlie zou zich bij *De meeuw* hebben verveeld, maar naar mijn idee had Miss Ruby ervan genoten. Toen ik onze oprijlaan op reed, voelde ik echter twijfel opkomen. Shannons auto stond er niet meer en toen ik de knop van de garage had ingedrukt, zag ik Charlies Jeep Cherokee staan. Was de honkbalwedstrijd wegens regen afgelast?

Ik deed de voordeur open en zodra ik binnenstapte, hoorde ik zware voetstappen aankomen. Charlie liep me tegemoet in de hal. 'Ik hoop dat het een verdomd goed toneelstuk was.'

'Is alles goed met Ella?'

'Alles is in orde met haar. Ik heb Shannon om negen uur naar huis gestuurd, en vanaf die tijd wacht ik al op je.'

'Ik heb naar huis gebeld en haar tijdens de pauze nog gesproken, dus je moet meteen daarna thuisgekomen zijn.'

'Pauze, hm?' Hij sloeg zijn armen over elkaar. Altijd als hij 's ochtends naar zijn werk ging en 's avonds als hij thuiskwam, omhelsden we elkaar met een kus, soms meerdere. Tot dusver hadden we niets van dat alles gedaan. Op sarcastische toon zei hij: 'Krijg je wel je dagelijkse portie schone kunsten?'

Ik zei niets.

'Je hebt je niet even afgevraagd waar ik was?' vervolgde hij. 'Ook niet een paar minuten maar, terwijl je keek hoe de acteurs hun tekst opdreunden?'

'Ik nam aan dat je naar de wedstrijd was. Charlie, ik heb de club gebeld, ik heb Arthur en Jadey gebeld, ik ben naar het huis van je ouders gereden, en het spijt me, maar dit is niet de eerste keer dat ik geen idee had waar je uithing.'

'Dus het is geen seconde bij je opgekomen dat er iets mis zou kunnen zijn?'

'Is er dan iets mis?'

'Ik weet het niet. Wat denk jij?' *Jij hebt het verknald*, las ik in zijn gezicht, *en ik heb alle tijd van de wereld om te wachten tot je dat beseft.*

Ik voelde oprechte angst, een diepgewortelde ongerustheid, en tegelijk een opwelling van verontwaardiging. Als er iets mis was, waarom speelde hij dan met me? En als er niet iets mis was, bleef die vraag hetzelfde – waarom speelde hij dan met me?

'Hou hiermee op,' zei ik. We keken elkaar een aantal seconden aan, en ik glimlachte niet, ik glimlachte helemaal niet. Ik was bereid toegeeflijk tegenover Charlie te zijn wanneer hij dacht dat iedereen tegen hem samenspande, maar niet wanneer hij deed alsof ik ook een van die mensen was.

Ten slotte zei hij op een verbazend terloopse manier: 'Het bedrijf is naar de kloten.' Hij draaide zich om en liep langs de woonkamer de televisiekamer in, en ik volgde hem. (In werkelijkheid was ik helemaal niet zo hard – ik zou heus wel achter hem aan komen, ik zou hem heus wel vertroetelen, in ruil voor een flintertje respect en soms voor minder dan dat, voor louter neutraliteit. In andermans ogen leek ik waarschijnlijk een voetveeg, maar ik was een voorstander van selectief ruziemaken, en er was zelden iets wat ik zo graag wilde dat ik er een ruzie voor overhad.)

De tv stond aan, afgestemd op de wedstrijd waar hij blijkbaar niet naartoe was gegaan, en op het tafeltje voor de tv zag ik een geopende zak Fritos, een halfvolle fles whisky en een cocktailglas met een laagje amberkleurige vloeistof erin. Charlie ging midden op de bank zitten, met zijn benen uit elkaar, een houding die niet uitnodigde om naast hem plaats te nemen. Ik ging in een van de twee zware fauteuils zitten die aan weerskanten van de bank stonden.

Ik gebaarde naar de zoutjes en zei: 'Heb je gezien dat er nog kip marsala is?'

'Ik heb een biefstuk gegeten.'

Hij greep een kussen dat naast hem lag, een kussen met een hoes van donkerbruine corduroy, en klemde het tegen zich aan op een manier die zo kinderachtig aandeed dat het grappig of lief had kunnen zijn als hij niet zo witheet was geweest. Hij keek naar de tv terwijl hij zei: 'Elf mensen in Indianapolis hebben maandagavond tijdens een buffet na een schoolsportdag hun maag uit hun lijf gekotst, en wat denk je dat er op tafel stond? Als je denkt dat het chili was, van Blackwells rundergehakt, dan is het bingo, de eerste prijs! Nu is het ministerie van Landbouw erbij gehaald, John heeft besloten het uit de winkels te halen – we hebben het dan over minimaal honderdduizenden, misschien miljoenen ponden vlees, in minstens vijf staten – en weet je wat het mooiste is? Ik durf er wat om te verwedden dat het niet aan ons ligt. Voor zover wij weten, hebben die eikels in Indianapolis vlees gekocht dat over de datum was, maar ja, als dat grote bedrijf in Milwaukee ervoor op kan draaien, waarom niet?'

'Charlie, wat vreselijk.'

Hij keek op. 'Zeg dat wel. Ik heb vanavond een uur zitten praten met een of andere klootviool van *The Sentinel*, terwijl het me allemaal geen ruk kan schelen. Ik gril vlees, ik eet vlees, einde verhaal. Ik ben kotsmisselijk van net doen alsof de integriteit van de worst me iets kan schelen – ik heb geen bedrijfskunde gestudeerd om toezicht te houden op kwaliteitscontrole.'

'Wat zeggen Arthur en John ervan?'

'Arthur en John kunnen de pest krijgen.'

Terwijl hij aan het woord was, had een speler van de Brewers een bal uit geslagen, waarmee de slagronde beëindigd was, en Charlie smeet het kussen naar de tv. Toen leunde hij naar voren, met zijn hoofd in zijn handen, en ik stond op en ging bij hem zitten. Ik legde mijn hand op zijn rug, wreef over zijn witte overhemd, en zei niets.

Met zijn hoofd nog in zijn handen zei hij: 'Ik ben dit gezeik zo zat.'

'Ik weet het.' Ik bleef over zijn rug wrijven. 'Ik weet dat je het zat bent.'

'Ik zou bijna mijn ontslag nemen. Ik heb het daar helemaal gehad.'

'Het is prima als je je ontslag neemt,' zei ik, 'maar ik weet zeker dat je dat zo diplomatiek mogelijk wilt doen.' Al vrij vroeg in ons huwelijk had ik het vreemde besef dat Charlies inkomen weinig invloed had op onze levensstandaard. Het bleek dat Charlie op zijn vijfentwintigste een vermogen had geërfd van 700.000 dollar, en hoewel hij in 1978 27.000 dollar van zijn eigen geld had besteed aan zijn Congrescampagne en 163.000 aan de koop van ons huis, had hij er verder bijna niet aan gezeten, en hij verdiende een goed salaris. Met uitzondering van de beursval in oktober 1987 hadden onze beleggingen het goed gedaan en inmiddels stond er op verschillende rekeningen meer dan een miljoen dollar. Ik vond het nog steeds belangrijk dat Charlie een baan had – goed voor zijn zelfbeeld, zodat hij iets kon zeggen als mensen vroegen wat hij voor de kost deed, en ik kon me ook niets rampzaligers voor ons huwelijk voorstellen dan dat we allebei de hele dag thuis zouden zijn – maar het maakte me niet uit wat voor werk hij deed, en ik was het met hem eens dat hij waarschijnlijk wel iets zou kunnen vinden wat hem meer aansprak dan de vleesindustrie.

Aangezien ik acht maanden na ons trouwen zelf ontslag had genomen, was mijn bijdrage aan ons gezamenlijk vermogen te verwaarlozen, en ik vergat nooit dat óns geld niet echt van ons was; ik was echter degene die alle betalingen deed, en ik hield ook de administratie bij. Soms dacht ik terug aan die cheque van twintigduizend dollar die ik een van de eerste keren dat ik bij Charlie kwam had zien liggen, hoe verbijsterd ik daarover was geweest. Voor bepaalde dingen, wist ik inmiddels, waren cheques met veel nullen nodig: het laten schilderen van de buitenboel, een jaarlijkse respectabele schenking aan het fonds van de Biddle Academy, de aanschaf ineens van mijn Volvo stationwagon, want afbetaling in termijnen was een fenomeen waar Charlie weinig ervaring mee bleek te hebben.

Ik denk dat het kwam doordat de belasting die we altijd in april betaalden over het dividend van onze beleggingen, zelfs als je de inflatie meerekende, hoger was dan mijn salaris als onderwijzeres ooit was geweest, dat het mij een goed gevoel gaf om stilletjes, zonder er iets over tegen Charlie te zeggen, nu en dan schenkingen te doen aan goede doelen die hem niet zo leken te raken als mij. Het waren donaties van twee- of drie-, hoogstens vijfhonderd dollar: ik had in de krant gelezen over een gaarkeuken in de binnenstad, een alfabetiseringsproject, een centrum voor naschoolse opvang voor tieners dat met sluiting werd bedreigd, en ik voelde me steeds vaker ongemakkelijk – een gevoel dat me intussen vertrouwd was – als ik in de televisiekamer of in de keuken zat van ons huis met vijf slaapkamers aan Maronee Drive. Ik schreef dan een cheque uit, stuurde hem op, en het ongemakkelijke gevoel nam tijdelijk af, tot de volgende keer. Charlie bekeek één keer per jaar onze financiële administratie, wanneer de belasting moest worden betaald, maar ik nam deze donaties niet op in de lijst van aftrekposten die ik aan onze accountant doorgaf. Wanneer je een donatie doet, is het alsof je eeuwig op de mailinglijst van zo'n organisatie blijft staan, en toen Charlie de post doornam, stak hij op een keer een envelop van de gaarkeuken omhoog en zei: 'Heb je gezien dat we daar verdomme elke maand post van krijgen?'

In de televisiekamer ging Charlie rechtop zitten, en ik nam de gelegenheid te baat om me naar hem toe te buigen en hem een kus op zijn wang te geven. Hij draaide zich naar me om en kuste me op mijn lippen, en terwijl we elkaar omhelsden, zittend van opzij, verdween de vijandige sfeer die er hing toen we elkaar in de hal troffen. 'Als je bij de zaak weggaat, wat zou je dan willen doen?' vroeg ik.

'Eerste honk spelen bij de Brewers.' Hij grinnikte.

'Ik weet dat ik je dit al eerder heb gezegd, maar ik heb altijd gedacht dat je een uitstekende honkbalcoach zou zijn op een high school. Je weet er alles van, je zou altijd buiten zijn en ik weet zeker dat die jongens aangestoken zouden worden door je enthousiasme.'

Zijn grijns verdween.

'Ik meen het,' zei ik. 'Banen op een high school zijn natuurlijk gewild, maar als je op het niveau van een junior high zou beginnen – we zouden zelfs kunnen kijken of er vacatures zijn bij Biddle – en je daarna opwerkt, zou je na een paar jaar...'

'Alice, jezus! Denk je echt dat ik niet meer kan?' Ik sloeg mijn ogen neer, en hij zei: 'Ik probeer jouw gevoelens te ontzien, waarom probeer je dat dan ook niet met de mijne te doen? Godallemachtig, highschoolcoach...'

'Nou, het werk op school vond ik altijd heel bevredigend,' zei ik.

'Alice, ik heb nota bene op *Princeton* gezeten. Ik heb *Wharton* gedaan. Ik heb meegedaan aan de *Congresverkiezingen*.'

Ik hield mijn mond.

'Het is niet zo dat ik niet genoeg keuzemogelijkheden heb. Dat is het probleem niet,' zei hij. 'Pa zou het prachtig vinden als ik met hem in het Republican National Comittee plaatsnam, Ed zou het geweldig vinden als ik in het bestuur kwam als beleidsadviseur, hier of in Washington. De vraag is, wat vind ik betekenisvol? Wat zou voor mij het meest lonend zijn?' *Alsjeblieft, zeg het niet*, dacht ik, en hij zei: 'Wat voor werk kan ik nu doen dat me een nalatenschap oplevert waar ik trots op kan zijn?'

'Je hebt mijn volledige steun als je in Eds district wilt gaan werken, maar je weet hoe ik over een verhuizing naar Washington denk.'

'Wil je zeggen dat je dat niet doet?'

Ik zuchtte. 'Ik sta niet te trappelen. Washington ligt een heel eind van Riley, en Ella is nu nog in het gelukkige bezit van een overgrootmoeder.'

'Maar ze zou daar wel Maj en pa de hele tijd zien – lood om oud ijzer, toch?'

Dat zag ik heel anders, maar ik zei alleen: 'Jouw ouders kunnen veel gemakkelijker reizen dan mijn grootmoeder.' Mijn grootmoeder kwam zelfs niet meer uit het huis in Amity Lane en mijn moeder had een traplift laten installeren zodat haar schoonmoeder niet meer naar boven hoefde te klimmen. De zitting en de leuning waren van beige leer, en als mijn grootmoeder erin zat, wuifde ze soms koninklijk terwijl ze opsteeg, alsof ze de koningin van Engeland was. Ik had er trouwens voor gepleit om Ella naar mijn grootmoeder te vernoemen, terwijl Charlie haar had willen noemen naar zijn moeder; we sloten een compromis door hun namen te combineren, en mijn moeder werd, niet voor de eerste keer, min of meer genegeerd.

Charlie nam een slok whisky. 'Ik dacht dat mijn levensweg inmiddels wel duidelijker zou zijn, weet je wel? Mijn lotsbestemming.' O, wat had ik een hekel aan dit soort praat – wie dacht er, behalve schoolverlaters, serieus na over zijn lotsbestemming?

'Lieverd, ik weet niet of er zoiets bestaat als je lotsbestemming, maar ik weet wel dat als dat zo is, je hem daar niet in zult vinden.' Ik wees naar de whiskyfles.

Charlie grinnikte. 'Hoe kan ik dat weten als ik de bodem nog niet heb bereikt?'

Ik ging er niet verder op in: 'Als je bij de zaak wilt blijven werken, verzinnen we een manier waardoor het beter gaat, en als je iets anders wilt, dan zul je beslist iets vinden wat je fijn vindt. Je hebt een goed leven, en we hebben het samen goed – we hebben elkaar en we hebben Ella. Wil je dat niet vergeten?'

Hij grinnikte nog steeds. 'Ik word alleen highschoolcoach als jij aanvoerster van de cheerleaders wordt en me je pompons laat zien.'

Ik boog me naar hem toe en gaf hem een kus op zijn wang. 'Dat kun je wel vergeten.'

Ik stond in de rij achter andere auto's voor Biddle op Ella te wachten, toen er een vrouw tegen het half geopende raampje aan de andere kant van mijn Volvo tikte. Toen de vrouw neerhurkte zag ik dat het Ella's onderwijzeres uit groep drie was, Ida Turnau. 'Alice, kan ik je heel even spreken?' vroeg ze.

Mevrouw Turnau was een tenger vrouwtje met een roze huid, van mijn leeftijd, en ze had een heel vriendelijk gezicht. (Als ik haar sprak zei ik altijd Ida, maar in gedachten en ook thuis noemde ik haar mevrouw Turnau.) Ik had haar leren kennen toen ik als begeleidster met een paar excursies was meegegaan. Bij een pizzeria in Menomonee Falls mochten de kinderen in de keuken hun eigen pizza maken; in Old World Wisconsin bezochten ze een lezing over de manier waarop overmatig alcoholgebruik was teruggedrongen en kregen ze een demonstratie in een vlasmakerij, en ik vrees dat ik de excursies veel interessanter vond dan Ella en haar klasgenootjes.

Mevrouw Turnau zei: 'Ik vind het heel vervelend, maar ik zag gisteravond op het nieuws dat dat vlees is teruggehaald uit de winkels en ik vroeg me af of het goed is als we op het eindejaarsfeest geen hamburgers van Blackwell serveren. Ik vind het vreselijk, en ik weet zeker dat het probleem tegen die tijd helemaal opgelost is, maar ik weet gewoon dat ouders vragen gaan stellen.' Het eindejaarsfeest van groep drie zou over twee weken bij ons thuis gehouden worden.

'O, natuurlijk,' zei ik. Ik was geneigd te herhalen wat Charlie tegen me had gezegd – dat het onwaarschijnlijk was dat de besmetting een fout van Blackwell Meats was – maar waarschijnlijk had dat geen zin. 'Geen probleem.'

'Dan hoeven de andere ouders zich geen zorgen te maken,' zei mevrouw Turnau. De rij auto's kroop een klein stukje verder, en ze vervolgde: 'Ik laat je nu met rust. Leuk je even gezien te hebben, Alice.'

Toen ze weg was, besefte ik dat de auto voor me de Volvo was van Beverly Heit, wier zoon een jaar ouder was dan Ella. (Ik had gehoord dat de docenten van Biddle de ouders de Volvo-maffia noemden, een bijnaam waar ik zelf ook aan bijdroeg. Meer dan eens had ik de opwelling gehad, zonder er ooit gehoor aan te geven, om tegen Ella's docenten te zeggen: *Ik ben een van jullie! Ik weet dat ik een van hen lijk, maar in werkelijkheid ben ik een van jullie!*) Ik claxonneerde heel even, en toen Beverly me in het achteruitkijkspiegeltje zag, zwaaide ik. Beverly zwaaide terug en stak toen haar pols omhoog, terwijl ze op haar horloge tikte: *Dit duurt eeuwig.* Ik knikte: *Ik weet het!*

Als product van een openbare school, en zeker als ex-werkneemster aan twee ervan, had ik aanvankelijk een lichte weerstand gevoeld om Ella in te schrijven op Biddle. Niet dat Charlie en ik erover van mening verschilden, want dat was niet zo. Biddle, dat begon met een Montessori-peutergroep en waar je twaalf jaar doorbracht, was de school waar alle neefjes en nichtjes van Ella naartoe gingen of gegaan waren, waar

Charlies broer John voorzitter van het bestuur was, waar Charlie van de tweede tot de achtste groep had gezeten en waar Jadey in 1967 eindexamen had gedaan. (Tot 1975 was er een aparte jongens- en meisjesafdeling geweest aan weerszijden van de campus, waarin nu de onder- en bovenbouw ondergebracht waren.) Ook al zaten de openbare scholen in Maronee bijzonder goed bij kas en waren ze niet te vergelijken met die in de binnenstad van Milwaukee, het was een uitgemaakte zaak geweest dat Ella naar Biddle zou gaan. Toch had ik me afgevraagd of de leerlingen snobistisch zouden zijn, of de docenten niet zelfgenoegzaam waren. Uiteindelijk werd ik verliefd op het witte houten gebouw met de zuilengang ervoor, met zijn tradities – in groep drie had iedereen een penvriend of -vriendin in Japan (die van Ella heette Kioko Akatsu) en in groep vier borduurden alle leerlingen, ook de jongens, een boekenlegger – en zijn wat hippieachtige trekjes: de liedjes die Ella in de muziekles leerde en waarmee ze zingend thuiskwam, waren 'If I Had a Hammer' en 'One Tin Soldier' en 'Imagine'. Ik zag dat de docenten, doordat ze niet een door de staat voorgeschreven leerplan hoefden te volgen, creatiever waren, en ik keek er vooral naar uit dat Ella in groep vijf zou zitten: dan zou haar klas zich als onderdeel van een project over koloniaal Amerika verkleden, de jongens met driekantige hoeden, jabots en knickerbockers, de meisjes in jurken met schorten en mutsjes, en zouden ze met z'n allen een feestmaaltijd aanrichten met gestoomde mais en appelcider en wild dat door een van de vaders was geschoten.

Het duurde nog vijf minuten voordat ik met de auto bij de ingang van de onderbouw was, en daar aangekomen vloog Ella naast me de auto in, waarbij haar paarse rugzak van een schouder viel, met een stapel losse papieren in haar hand; die ze me nog voordat ze het portier had dichtgetrokken onder mijn neus duwde. 'Je moet het briefje ondertekenen waarop staat dat ik op de waterglijbaan mag, ook al is het feest bij ons thuis,' zei ze.

'Ik móét?' herhaalde ik.

Ze draaide zich naar me om met een glimlach – Ella had zonder twijfel de mooiste glimlach van iedereen die ik kende, zo levendig en ondeugend en liefdevol – en ze zei: 'Ik bedoel, alsjeblieft, alsjeblieft, knappe moeder? Heb je volkorenkoeken voor me meegebracht?' Ze had de doos al gevonden tussen onze stoelen, en ze maakte hem open en begon te kauwen, waarbij ze overvloedig kruimels op haar shirt morste. 'Moeder' was een nieuwe, ironische benaming van Ella, al had mijn negenjarige dochter geen flauw benul van ironie. Maar 'moeder' zeggen in plaats van 'mama' was iets wat ze van haar vriendin Christine had overgenomen, die door de wol geverfde, respectloze oudere zusjes had. Hoewel ik er niet zo van gecharmeerd was, vond ik het beter dan dat ze Charlie en mij bij de voornaam noemde, wat ze korte tijd had gedaan toen ze een jaar of vier was, blijkbaar omdat ze ons dat tegen elkaar hoorde zeggen.

'Mag ik een andere zender opzetten?' zei ze, en voor ik iets kon zeggen boog ze naar voren en stemde in plaats van NPR af op 101.8 FM, zodat 'You Give Love a Bad Name' van Bon Jovi de auto in knalde. Ella zong uit volle borst mee met het refrein: '*Shot through the heart/ And you're to blame...*'

O, mijn dochter, mijn luidruchtige, blije, wilskrachtige, onstuitbare enig kind – ik aanbad haar. Een van de dingen die ik niet van het moederschap had verwacht was hoe leuk het zou zijn. Ik wist van mijn werk als bibliothecaresse wel dat kinderen vaak grappig waren, soms zelfs hilarisch, maar dat was iets anders, het was veel leuker nu het om mijn eigen kind ging, met wie ik elke dag uren en uren doorbracht, van wie ik alle uitdrukkingen en intonaties kende, al haar voorkeuren en angsten en passies. Op dit moment was ze helemaal gek van stickers, hinkelen en nagellak (haar tante Jadey had veel meer soorten dan ik), Nutter Butter-koekjes en Uno, het allerliefst wilde ze een pekinees, wat uitgesloten was omdat ze allergisch was voor honden, en naar de film *Dirty Dancing*, die ze van mij pas mocht zien als ze in groep zeven zat, omdat hij door de filmkeuring niet geschikt werd bevonden voor onder de zestien jaar.

Het viel me vaak op hoe wereldwijs Ella was, hoeveel beter ze op de hoogte was van de popcultuur dan ik op haar leeftijd. Ze had een videoband met oefeningen van Jane Fonda gevraagd voor kerst (die we haar niet hadden gegeven omdat ik niet wilde dat ze zich te veel met haar gewicht bezighield – bovendien zat ze al op voetballen, squash en softbal); ze had erop aangedrongen dat ik mijn haar liet 'doen', dat zou mijn hele verschijning 'opfleuren'; en ze had de vorige week aan tafel gevraagd of je aids kon krijgen via een toiletbril. Charlie had gezegd: 'Alleen als je naar de wc gaat bij Billy Torks.' Hiermee refereerde hij aan een vriend van Jadey, een binnenhuisarchitect, die Charlie slechts een paar keer had ontmoet. Ik wierp hem een kwaaie blik toe en zei tegen Ella: 'Dat kan niet, maar je moet evengoed altijd een stuk wc-papier op de bril leggen, vanwege andere ziektekiemen.'

In de auto waren Ella en Bon Jovi nog aan het zingen en ik zei: 'Zet 'm een beetje zachter, pop.'

Ze boog en haar lange lichtbruine haar viel naar voren. Natuurlijk had mijn dochter lang haar, tot halverwege haar rug – ik had het mis gehad met de enige moederlijke restrictie die ik me zo vast had voorgenomen, en zelfs toen ze heel klein was had Ella heftig geprotesteerd wanneer ik er meer dan vijf centimeter afknipte. Hoewel ik meer tijd dan me lief was had doorgebracht met het ontwarren van haar haar (en één keer met het verwijderen van kauwgom met druivensmaak), zag ik wel dat Ella heel knap om te zien was: naast mijn blauwe ogen had ze een sierlijk wipneusje, bezaaid met goudkleurige sproetjes. Ik was blij dat ze zich tot dusver vrijwel niet bewust was van haar aantrekkelijkheid. Toen ze zich had verzet tegen mijn pogingen om haar haar te knippen, was dat dan ook meer om zich te laten gelden dan uit ijdelheid.

Ik wist dat Ella een beetje verwend was, en misschien wel meer dan een beetje. Ik neem aan dat de reden waarom ik geen nee tegen haar kon zeggen voor een deel lag in het feit dat ze haar vaders overredingskracht had geërfd, maar voor een ander deel in het feit dat we niet meer kinderen hadden gekregen; na haar was ik nooit meer zwanger geraakt. We overwogen vruchtbaarheidspreparaten en ivf – dit was toen nog maar net ontdekt – maar ik wilde niets riskeren en besloot dat als mijn lichaam een zwangerschap afwees, daar misschien een reden voor was en dat ik niets moest forceren. Ik bracht deze overtuiging over aan Charlie, maar wat ik niet overbracht was het diepere gevoel dat het misschien hebzuchtig was om veel moeite te doen voor een tweede kind, meer dan ik verdiende. Er school een bitterzoet evenwicht in één abortus en één kind; als ik heel erg mijn best zou doen om nog een kind te krijgen was dat misschien de goden verzoeken. Ik weet zeker dat Charlie teleurgesteld was – een gezin met één kind was in zijn ogen niet compleet – maar na een paar gesprekken drong hij niet verder aan, en hij genoot in elk geval evenveel van Ella als ik.

Vanaf de parkeerplaats ging ik linksaf, nog steeds achter Beverly Heit; de Heits woonden op nog geen kilometer van ons vandaan, en de kans was groot dat ik de hele weg naar huis achter haar bleef rijden. 'Hoe was het op school, pop?' vroeg ik.

'Mevrouw Turnau heeft Megan naar de directeur gestuurd omdat ze steeds maar vroeg wie er een broodje poep wilde.'

'Een wat?'

'Een broodje poep. O, dit nummer vind ik geweldig!' 'So Emotional' was inmiddels op de radio – nog maar een paar maanden eerder had Ella de nieuwe cassette van Whitney Houston gekocht, de eerste muziek die ze ooit van haar eigen geld had aangeschaft – en ze dook naar voren om de radio harder te zetten. Ik stak mijn arm uit en zette de radio af.

'Mama!'

'Ella, je moet luisteren als iemand tegen je praat.' Ik keek haar even aan. 'Wat is in 's hemelsnaam een broodje poep?'

Ella haalde haar schouders op. Megan was Megan Thayer, de dochter van Joe en Carolyn, ook een Halcyon-gezin. Ze waren de afgelopen winter uit elkaar gegaan, en ik had van Jadey gehoord dat Carolyn onlangs de scheiding had aangevraagd; het gerucht ging dat Carolyn geld geërfd had en dat ze zich nu vrij voelde om een einde aan haar huwelijk te maken. Charlie en ik waren nooit echt bevriend geweest met Carolyn of Joe, maar we zagen een heel stel Halcyon-mensen in Milwaukee omdat ze, net als wij, lid waren van de Maronee Country Club, ik zat bij de Tuinclub en Junior League met de echtgenotes, en onze kinderen zaten allemaal op dezelfde school. Dit betekende dat Charlie en ik regelmatig samen met Carolyn en Joe langs de lijn stonden bij een voetbalwedstrijd van Ella en Megan, of een praatje met hen maakten tijdens een inzamelingsactie. Toen het nieuws bekend werd dat ze uit elkaar gingen, had ik de indruk dat de meeste mensen gechoqueerd waren, maar ikzelf was dat niet echt. Joe was een aardige, ietwat saaie man die veel vrouwen in Maronee knap vonden op een klassieke manier: hij was lang en slank en had een grote, aristocratische neus en een kop vol grijs haar dat van voren golfde. Carolyn was een gecompliceerde vrouw die er niet bijster gelukkig uitzag. Er deed een verhaal de ronde dat ze een keer tijdens een etentje dat ze thuis gaven het hoofdgerecht op tafel had gezet, eendencassoulet, waarop een van de gasten, ene Jerry Greinert met wie ze goed bevriend waren, voor de grap had gezegd: 'Niet weer, hè,' en Carolyn had vervolgens de schaal op de grond gegooid, zich omgedraaid en was het huis uit gestormd.

'Mag de radio weer aan?' vroeg Ella.

'Nog niet. Doen mensen vervelend tegen Megan?'

'Als je daar antwoord op wilt, kun je er alleen achter komen als ik de radio aanzet.'

'Wees maar aardig tegen haar,' zei ik. 'Als Christine en jij in de pauze samen spelen, vraag dan of ze mee wil doen.' Hoewel Megan en Ella elkaar goed kenden – er zaten maar vierenveertig leerlingen in groep drie, en bovendien brachten ze een groot deel van de zomer bij elkaar in de buurt door – waren ze nooit echte vriendinnen geworden. Megan was een lang, breedgeschouderd, donkerharig meisje, atletisch van bouw, maar ze had dat overdreven alerte, dat overdreven gretige dat zowel volwassenen als kinderen afschrikt; vorig jaar zomer in Halcyon had ze me gevraagd of Ella een slaapfeestje gaf voor haar verjaardag en zo ja, of zij, Megan, dan ook mocht komen.

Ik zei tegen Ella: 'Maar als Megan je een broodje poep aanbiedt, zeg je nee.'

Ella reageerde geïrriteerd: 'Mama, dat héb ik al tegen haar gezegd.'

'O,' zei ik. 'Goed zo. Maar evengoed moet je aardig tegen haar zijn. Jij hebt zo'n groot hart, pop.'

'Mag de radio aan?'

Het was nog ruim een kilometer rijden. 'Niet te hard,' zei ik.

Ondanks voortdurend onderzoek van de federale keuringsdienst was het nog steeds niet duidelijk hoe het vlees in Indianapolis besmet had kunnen raken. Die avond kwam Charlie op een redelijk tijdstip thuis, en uit gewoonte of opstandigheid stak hij de grill aan. (Hij wilde nog steeds per se houtskool voor de smaak.) Ik had een korte wandeling met Jadey gepland, en nadat ik haar had gebeld, kwamen we elkaar halverwege tegemoet en kozen het pad over de golfbaan. In het weekend was deze route riskant – ongeveer vijf maanden daarvoor had Lily Jones ter hoogte van de zevende hole een bal tegen haar schouder gekregen – maar ik hield van het groene gras, de dennenbomen, de voorjaarslucht in de schemering; afgezien van rondvliegende ballen was het allemaal bijzonder kalmerend.

Jadey droeg een witte joggingbroek, een rood T-shirt en een wit zweetbandje dat haar blonde haar naar achteren hield; we hadden nu allebei korter haar, ongeveer tot kinlengte, hoewel het hare meer in laagjes was geknipt. We waren net de eendenvijver gepasseerd toen ze zei: 'Nou, ik weet hoe ik Arthur terug kan pakken. Eerst ga ik afvallen, daarna begin ik een verhouding. Doe je met me mee?'

'Ik hoop dat je een grapje maakt.'

Ze hief haar linkerarm en greep een homp vlees onder haar biceps. 'Arthur heeft gelijk. Ik bedoel, wie zou met zoiets overspel willen plegen?'

Een paar weken eerder had Arthur volgens Jadey te kennen gegeven dat ze moest afvallen; sindsdien had ze geweigerd met hem te vrijen. Hoewel ik achter haar stond, had het verhaal iets onafs. Arthur mocht dan grofgebekt zijn, wreed was hij niet, en ik kon me niet voorstellen dat hij dat idee net zo bot had geopperd als zij beweerde; ik vroeg me zelfs af of hij niet had gereageerd op een vraag van haar. Sinds ik Jadey had leren kennen was ze inderdaad zo'n twaalf kilo aangekomen, maar ze was nog steeds heel aantrekkelijk. Ze was zachter geworden, minder meisjesachtig, maar ze wás ook geen meisje, ze was achtendertig, en wat was er mis mee om er zo oud uit te zien als je was? Ik was de afgelopen tien jaar zelf waarschijnlijk vier kilo aangekomen, voornamelijk gewicht dat ik nooit helemaal meer was kwijtgeraakt na Ella's geboorte, en door wat ik ervoor had teruggekregen leek het me een goede ruil. Ik zei: 'Mag ik zo vrij zijn te vragen met wie je een verhouding wilt beginnen?'

'Laten we gewoon zeggen dat alle kandidaten serieus in overweging genomen worden.'

'Dat is een verschrikkelijk slecht idee, Jadey.'

'Ach, kom op – hang nu niet de moraalridder uit.'

'Tja, het is ook moreel gesproken een slecht idee, maar ik dacht aan de logistiek. Kun je je voorstellen dat je gaat scheiden, dat je de voogdij moet delen en dat je Drew en Winnie niet meer bij je hebt?' Geen van Charlies broers en hun vrouw had hun kinderen naar kostschool gestuurd, een precedent waar ik heel erg blij mee was; ik zou me er uit alle macht tegen verzet hebben om Ella weg te sturen. 'Of wat dacht je hiervan,' zei ik. 'Stel je voor dat Arthur zou hertrouwen.'

Jadey schudde haar hoofd. 'Ik zou hem eerst zijn strot afsnijden. Al zou het wel interessant zijn om te weten wie hij zou kiezen, toch? Ik heb altijd gedacht dat hij wel een oogje had op Marilyn Granville.'

'Die is getrouwd.'

'Ik ook.'

'Jij bent veel leuker dan Marilyn,' zei ik.

'Ja, hè?' Jadey glimlachte me zijdelings toe, quasi-flirterig, maar toen fronste ze haar wenkbrauwen. 'Jammer dat Arthur daar anders over denkt.'

'Weet hij wel hoe erg je dit vindt?'

'Het is bijna een maand geleden dat hij aan boord is geweest van stoomschip de Jadey, dus hij moet er binnenkort wel achter komen.'

'Wilde hij vrijen en heb jij geweigerd?'

'Wilde hij vrijen?' vroeg Jadey. 'Alice, is de paus katholiek?'

'En jij hebt nee gezegd?'

'Maagden van zestien zeggen nee. Ik hou de boot af.'

'Jadey, dat klinkt onrustbarend. Seks is belangrijk in een huwelijk.'

'Ik mis het niet eens. Het was zo voorspelbaar geworden dat ik het idee had dat we het al hadden gedaan voordat we begonnen – ik moest mezelf knijpen om wakker te blijven. Onlangs besefte ik dat ik al bijna mijn halve leven met Arthur getrouwd ben. Kun je dat geloven? Waarom heeft niemand me verteld dat eenentwintig veel te jong is om je te binden?'

'Volgens mijn arts moet je tweemaal per week seks hebben.'

'En daar luister jij naar?'

'Nou...' In het algemeen was ik minder open dan Jadey als het over onderwerpen ging die ik als persoonlijk beschouwde. Er was niemand aan wie ik meer toevertrouwde, maar ik wist ook dat het zowel Jadeys grootste charme als haar grootste makke was dat ze zoveel praatte. Jaren eerder had Charlie haar voor kerst een kussen gegeven dat hij zelf had uitgezocht en waar hij heel trots op was, en dat een kopie zou zijn van een kussen van Alice Roosevelt Longworth. Het had een witte achtergrond en er stond met groene letters op: ALS JE NIETS AARDIGS TE ZEGGEN HEBT, KOM DAN NAAST ME ZITTEN.

Het gesprek tussen Jadey en mij was nu echter al zo ver dat ik moeilijk kon terugkrabbelen, dus zei ik: 'Ik streef naar één keer in de week.'

'En geniet je ervan?'

'Soms ben ik niet in de stemming, maar achteraf ben ik blij. Ik voel me daardoor dichter bij hem.'

'En lukt het je altijd, je weet wel, om te scoren?'

'Meestal wel,' zei ik. 'Soms ben ik er gewoon te moe voor.'

'Het lukt mij alleen als de kinderen niet thuis zijn.'

'Tja, geen wonder dat het dan niet leuk is. Misschien moet je een paar boeken of films of zo aanschaffen.'

'Je bedoelt porno? Raadt Alice Blackwell pórno aan?' Ze ging op een zogenaamd zedig toontje verder: 'Ik had van mijn levensdagen niet verwacht...'

'Jadey, toe.' Ik gaf haar een teken. Twee mannen kwamen op zo'n vijftien meter in een golfwagentje op ons af rijden en we hadden negentig procent kans – zo zat de Maronee Country Club in elkaar – dat we hen kenden.

'Jullie gebruiken dat toch zeker niet?' Ze sprak nu in elk geval wat zachter.

'Charlie kijkt wel eens in van die bladen.'

'Stoort dat jou niet?'

Ik haalde mijn schouders op. 'Mannen zijn nu eenmaal visueler ingesteld dan vrouwen.'

'Neemt hij de zaak in eigen hand, zeg maar?'

'Ik denk het wel.'

'Denk je dat? En waar is hij dan wanneer hij daarin kijkt, en waar ben jij?'

'Als hij niet kan slapen, gaat hij soms naar de badkamer.' Op hetzelfde moment vond ik dat we op een gebied belandden waar Jadey niets mee te maken had, en dat een echtgenoot die af en toe pornografie bekeek of die masturbeerde niet zo'n ramp was. En ja, dat Charlie masturbeerde was een feit, hij deed het bij een *Penthouse* – hij had geen abonnement, maar hij kocht om de paar maanden een exemplaar en hoewel we er niet echt over spraken, probeerde hij het ook niet voor me verborgen te houden. Ik zou het afschuwelijk hebben gevonden als hij een tijdschrift in de woonkamer zou laten slingeren, of als Ella er een vond, maar aangezien hij discreet te werk ging – hij bewaarde ze in de onderste la van zijn nachtkastje die hij op slot deed – had ik er geen bezwaar tegen.

Soms kreeg ik de indruk dat ik, doordat ik zoveel las, minder snel te choqueren was dan de mensen om me heen, dat ik over meer feitelijke informatie beschikte – over seks, ja, maar ook over tyfoons of volksdansen of de leer van Zarathoestra. Behalve dat ik elke week of twee weken een boek las, was ik geabonneerd op *Time*, *The Economist*, *The New Yorker* en *House & Garden*, en als ik een speciale belangstelling had voor een artikel, ging ik naar de openbare bibliotheek van Maronee om nog meer over het onderwerp op te zoeken.

Jadey vervolgde: 'Kwetst het je niet als hij naar andere vrouwen kijkt?'

'Ik ga er gewoon van uit dat de meeste mannen naar andere vrouwen kijken, en de meeste vrouwen naar andere mannen. Jíj in elk geval wel.'

Ze lachte. 'Dat is het probleem – ik kan niemand bedenken met wie ik een verhouding zou willen.' Het golfkarretje passeerde ons, en een van de twee mannen riep: 'Ahoi, dames Blackwell!' Ik herkende Sterling Walsh, een projectontwikkelaar, en Bob Perkins, een goede vriend van Charlies broer Ed.

Jadey draaide zich naar me toe en knikte veelbetekenend in de richting van het karretje. 'O nee,' zei ik. 'Arthur is veel aantrekkelijker dan die twee.'

'Steun je me dan in elk geval door samen met me op dieet te gaan? Ik hou dat nooit vol als ik het alleen doe.'

'Jij hoeft niet op dieet. Je moet gewoon verstandig eten, en we gaan vaker wandelen. We moeten ook gaan wandelen in Halcyon.' Daar zaten we allebei met ons gezin van juli tot in augustus; Charlie en Arthur gingen dan af en toe terug naar Milwaukee.

'Heb je gehoord van dat dieet waarbij je bij elke maaltijd een halve grapefruit moet eten?'

'O, Jadey, dat hebben de meisjes met wie ik studeerde geprobeerd, en op de derde dag begonnen ze te kokhalzen als ze alleen al een grapefruit zágen.' Maar ik was op dat moment geraakt door mijn diepe genegenheid voor Jadey. Hoewel zij meer was grootgebracht op de manier van Arthur en Charlie dan ik – haar vader had fortuin gemaakt als cementleverancier en zij was opgegroeid in een huis zo groot als dat van Harold en Priscilla – had ik nog steeds het gevoel dat wij als aangetrouwde Blackwells buitenstaanders waren die elkaar hadden gevonden in een vreemd land. Toen zei ik: 'Ik moet je iets vragen. Heb jij wel eens gedacht dat Charlie te veel drinkt?'

Jadey fronste haar wenkbrauwen. 'Nou, de jongens van Blackwell weten 'm wel te raken – Ed niet, maar ónze jongens wel. Maar nee. Ik bedoel, wat zou Chas in zijn dronkenschap doen wat hij niet zou doen als hij nuchter was? Hetzelfde met Arthur.'

'Oké, dat ben ik met je eens.' Het was zo'n opluchting haar deze dingen te horen zeggen – het waren bijna dezelfde dingen die ik soms ook dacht in de strijd die ik de afgelopen maanden met mezelf had gevoerd. 'Hoeveel drinkt Arthur op een gemiddelde avond? Als jullie bijvoorbeeld allemaal samen eten?'

'Hij drinkt een paar biertjes. Jemig, ik drink zélf een paar biertjes. Jemig, Dréw drinkt een paar biertjes. Ik ben een verschrikkelijke moeder, vind je niet?' Ze lachte. 'Geen wonder dat mensen uit Wisconsin voor zuiplappen worden gehouden.'

'Dus Arthur drinkt, hoeveel, drie biertjes? Of meer?'

'Alice, laten we er niet omheen draaien. Hoeveel drinkt Chas?'

Langzaam zei ik: 'Nou, tegenwoordig meest whisky, en ik schat ongeveer een derde fles, maar misschien iets minder. Het is moeilijk te zeggen omdat hij de kistjes bij de groothandel koopt.'

'Een derde fles, elke avond?'

'Ik geloof het wel.'

'En gedráágt hij zich dronken?'

'Nou, vorige week stootte hij zijn voorhoofd toen hij de keuken in kwam, alsof hij de breedte van de deuropening verkeerd inschatte. Maar het is meer dat hij niet zo'n best humeur heeft. Niet dat hij kwaadaardig is, meer alsof hij de moed heeft verloren. Je moet hier natuurlijk niets over tegen Arthur zeggen.'

'Wat, bedoel je als we liggen te vrijen?'

'Charlie gaat 's ochtends nooit meer squashen, hij brengt Ella nooit naar school. Ik weet niet of dat is omdat hij dan een kater heeft of – ik weet het niet.'

'Heb je hem ernaar gevraagd?'

'Ik zeg tegen hem dat hij het rustiger aan moet doen, maar ik geloof niet dat hij luistert.'

'Nou, ik zal opletten of ik iets ongewoons zie als we zaterdag bij Maj en Piepa zijn.' Jadey trok een gezicht. 'Hoewel ik denk dat dit geen normale omstandigheden zijn met die heisa in Indianapolis – als dit je misschien geruststelt, Arthur was gisteravond in een pesthumeur toen hij thuiskwam.'

'Charlie is nu steaks aan het grillen,' zei ik. 'Zou jij op dit moment vlees van Blackwell eten?'

Ze knikte. 'Het lag niet aan Blackwell. Dan zouden er inmiddels meer mensen ziek zijn geworden, en reken maar dat we overal jongens in de regio hebben die met elk ziekenhuis praten. Die arme mensen van die sportdag, hm?' We zwegen allebei, omringd door het gladde groene gras van de golfbaan, waar een lentebriesje opsteeg dat de geur van aarde meebracht. Jadey zei: 'Dat is het probleem van een huwelijk met een Blackwell. Dat we ons steeds worsten laten voorhouden.'

Thuis lukte het me de steak door mijn keel te krijgen, hoewel ik niet kon zeggen dat die me smaakte. Zonder Charlie te raadplegen, maakte ik voor Ella een paar boterhammen met pindakaas – ik at dat vlees van Blackwell liever zelf dan dat ik het haar voorzette – en Charlie had het niet in de gaten of verkoos er niets van te zeggen. Na het eten ging Ella in bad en ik waste haar haar, iets wat ze me, vermoedde ik met enige droefheid, in de nabije toekomst niet meer zou vragen, en daarna stapte ik bij haar in bed en las haar voor uit *The Trumpet of the Swan*; voor mij was dit het fijnste moment van de dag. Voordat ik het licht uitdeed, riep Ella Charlie: 'Papa! Papa, je moet me komen instoppen!' krijste ze, en hij kwam al aandraven. De helft van de tijd maakte hij haar eerder opgewonden dan rustig, door haar te kietelen en rond te dansen, en hij maakte daarbij zulke idiote geluiden en trok zulke gekke bekken dat ze het uitgilde en op en neer sprong op de matras, maar deze avond was hij zo tam dat ze toen hij weg was fluisterde: 'Is papa boos op me?'

Ik ging met mijn hand over haar haar en streek het glad op het kussen. Ella had een belachelijk meisjesachtige slaapkamer, helemaal in roze met wit (we hadden haar alles zelf laten uitkiezen) en ze had een tweepersoonsbed, wat een beetje overdreven leek voor een meisje in groep drie, maar het was mijn bed geweest voordat ik met Charlie trouwde. 'Papa is niet boos,' zei ik. Op dat moment ging de telefoon, en ik hoorde Charlie opnemen.

'Mag ik dit weekend *Dirty Dancing* huren?' vroeg Ella.

'Je mag *Dirty Dancing* huren als je in groep zeven zit.'

'Mama, die film is echt niet "dirty", ook al heet hij zo.'

Ik boog me naar haar toe en drukte een kus op haar voorhoofd. 'Tijd om te gaan slapen, lieverd.'

Toen ik de televisiekamer binnen kwam, zag ik tot mijn verbazing dat Hank Ucker daar samen met Charlie honkbal zat te kijken. Hank boog even zijn hoofd, zonder op te staan. 'Je straalt een moederlijke gloed uit, Alice,' zei hij. 'Je doet me denken aan een madonna uit de renaissance.'

'Ik zie in haar meer de sloerieachtige zangeres Madonna,' zei Charlie met een grijns. 'Kom eens hier, schat.' Toen ik naast hem stond, tikte hij me vol genegenheid op mijn achterwerk.

'Hank, ik wist niet dat we vanavond van jouw gezelschap konden genieten,' zei ik. 'Kan ik je iets te eten of te drinken aanbieden?' Het was bijna negen uur, dus ik vroeg me af hoe lang hij wilde blijven. Voor zover ik wist, woonde Hank nog steeds in Madison. Hoewel ik hem al een paar jaar niet had gezien, had ik gehoord dat hij zijn functie als campagneleider voor de voorzitter van de minderheidsfractie van de Senaat van Wisconsin had neergelegd om een republikein uit Fond du Lac te steunen bij zijn campagne om in de nationale Senaat te komen; deze man had aanvankelijk niet veelbelovend geleken maar de afgelopen weken had hij het volgens meerdere peilingen beter gedaan dan de zittende functionaris.

'Een glas ijswater zou geweldig zijn,' zei Hank.

Charlie, die natuurlijk whisky zat te drinken, grinnikte. 'Nog steeds op weg naar de top, zie ik.'

Hank schonk hem zijn trage, onbetrouwbare grijns. 'Zoals altijd.'

Ik glipte naar de keuken, schonk een glas in voor Hank en toen ik terugkwam hadden ze het over Sharon Olson, de zittende functionaris tegen wie Hanks kandidaat het opnam. 'Jammer dat is uitgelekt dat Sharon Olson een voorliefde heeft voor onze negroïde landgenoten,' zei Charlie grinnikend. De uitslag van de peilingen voor Hanks kandidaat was ongetwijfeld opgekrikt door de recente onthulling – in mijn ogen was het niet onthullend, maar *onthullend* was het woord dat in de lokale nieuwsprogramma's werd gebruikt – dat Olson, een blanke democrate, eind jaren zestig korte tijd getrouwd was geweest met een zwarte man, met wie ze geen kinderen had gekregen. Olson was nu hertrouwd met een blanke jurist met wie ze twee tienerzonen en een dochter had, en ik begreep niet waarom haar eerste huwelijk nog zo belangrijk zou zijn (haar ex-man was allang naar Seattle verhuisd, waar ook hij als advocaat werkte) maar er werden spotjes uitgezonden waarin zij en de bruidegom hand in hand stonden op haar eerste bruiloft, begeleid door onheilspellende muziek, en die eindigden met een vraag die in felrode letters tegen een donkere achtergrond prijkte: *Als Sharon Olson hierover tegen ons heeft gelogen... waarover dan nog meer?*

Hank meesmuilde. 'Inderdaad jammer. Dat arme kind.'

Ik gaf Hank het glas water en zei: 'Als je me wilt verontschuldigen, ik moet nog iets lezen. Leuk je even gezien te hebben, Hank.'

Toen ik ruim een uur later de voordeur open en weer dicht had horen gaan en een auto had horen starten, ging ik weer naar beneden. 'Denk je erover om je verkiesbaar te stellen?'

'Jeminee, Lindy, rustig aan.' Charlie sprak een beetje met een dikke tong en er zat geen druppel whisky meer in de fles, zag ik, maar ik wist niet meer hoeveel erin had gezeten.

'Waar zou je, in aanmerking genomen dat het bijna juni is, realistisch gezien aan mee kunnen doen?'

'Ik zeg toch "rustig aan",' zei Charlie.

'Je weet dat ik Hank nooit heb vertrouwd.'

'En iedereen die zich verkiesbaar stelt voor een regeringsfunctie is een arrogante kwast – nietwaar, schat?'

'Je legt me woorden in de mond.'

Hij wierp me een wellustige blik toe. 'Ik kan wel iets bedenken wat ik liever in je mond zou leggen.'

'Kun je me niet gewoon antwoord geven als ik vraag wat Hank hier kwam doen?'

We keken elkaar aan, hij zat nog steeds op de bank, ik stond een meter van hem af, en hij zei: 'Ik kreeg voordat Ucker kwam een telefoontje van Arthur – het blijkt dat ik gelijk heb gehad, dat we niets met die besmetting te maken hadden. Het lag niet aan de winkel waar die sportlui het vlees hadden gekocht, maar aan de kelderkoelkast waar een van de moeders van de sporters het in had opgeborgen. Een rat had aan het snoer geknaagd.' Charlie hief zijn glas. 'Bon appétit.'

'Die arme vrouw – wat zal ze zich vreselijk voelen.'

'Wat ben ik blij dat we een half miljoen kilo vlees hebben teruggehaald. Fijn dat onze hele regio vanavond het gevaarlijke Blackwell-vlees bespaard blijft.'

'Je hebt de juiste beslissing genomen.'

Charlie gebaarde naar de tv. 'Je hebt zojuist John gemist op het nieuws van Channel 12. Hij zei: "Ons vlees is nog niet zo rot."' Charlie leunde achterover en grinnikte om zijn eigen grapje.

'Nou, ik ben blij dat alles opgehelderd is.' Ik ging zitten en boog naar voren om het laatste nummer van *The New Yorker* van de tafel te pakken. 'Wist jij dat Yvonne Sutton een kind heeft gekregen?'

'Wie is Yvonne Sutton?'

'De dochter van Miss Ruby.'

Charlie schudde verwonderd zijn hoofd. 'Zeg niet dat die mensen niet vruchtbaar zijn.'

'Charlie, Yvonne heeft twee kinderen. Ze zorgt niet bepaald voor overbevolking.'

'Ik neem aan dat het van een andere vader is dan die van Jessica?'

'Het is van haar echtgenoot, en hij werkt ook bij St. Mary's.' Ik sloeg het tijdschrift, dat ik toch niet las, dicht. 'Ik heb ze uitgenodigd voor de lunch op Memorial Day.'

'Ben jij even politiek correct bezig? Misschien kunnen ze onze dochter leren hoe je dreadlocks moet maken.' Een paar jaar daarvoor had Ella voor haar vijfde verjaardag een barbiepop gevraagd. We hadden er een gekocht – Dreamtime Barbie, waar een perzikkleurig beertje bij hoorde – maar toen Ella het cadeau uitpakte barstte ze in tranen uit. Ze wilde zo'n barbiepop 'als die van Jessica', zei ze aldoor, en uiteindelijk begreep ik dat ze een zwarte barbiepop bedoelde. Uiteindelijk ruilde ik Dreamtime Barbie in voor Day-to-Night Barbie, in een roze mantelpakje en een roze jurkje met een glinsterend bovenlijfje en een doorzichtige rok, met een donkerbruine huid en zwart haar. Ik was bijna trots op Ella, en ik geloof dat Charlie het wel amusant vond, ook al zei hij: 'Laat Maj het niet zien, dan worden jij en Ella allebei uit de familie gezet.' Het ironische was dat Charlie, ondanks het feit dat hij regelmatig opmerkingen maakte over het racisme van zijn moeder, zelf vaker kwetsende dingen zei dan zij. Dat hij daarbij knipoogde, betekende volgens hem dat hij minder laakbaar bezig was in plaats van meer, en hoewel ik het daar niet mee eens was en het vooral vreselijk vond als hij dat soort dingen zei waar Ella bij was, had ik het allang opgegeven hem te corrigeren.

In onze televisiekamer zei ik: 'Jessica gaat volgend jaar naar junior high op Stevens en dat baart me echt zorgen.'

'Ze zal het daar vast heel goed doen.'

'Ik krijg de indruk dat ze bijzonder goed kan leren en een heleboel extra vakken doet.'

'Ben je haar pas nog tegengekomen?'

'Ik sprak Miss Ruby gisteravond – toen ik op zoek was naar jou ben ik bij het huis van je ouders langsgegaan.' Het leek me niet nodig te vermelden dat Miss Ruby met me naar het theater was geweest. Ik vervolgde: 'Ik wed dat Jessica het geweldig zou doen op een school als Biddle.'

'Ik krijg het idee dat ze het nu al geweldig doet.'

'Weet je wat voor school Stevens is?'

Charlie grinnikte. 'Waar denk je dat ik mijn crack haal?' Toen zei hij: 'Ik stel me nergens verkiesbaar voor, oké? Hank kwam hier langs om te praten over opties voor de toekomst, maar je hebt gelijk – het is te laat voor dit verkiezingsjaar.'

'Mooi,' zei ik.

Hij strekte een been uit zodat zijn kousenvoet op mijn knie kwam te liggen. 'Ik hou echt van je, Lindy, ook al ben je een benepen liberaal die mij voor een doortrapte republikein houdt.'

Ik legde mijn hand op zijn voet. 'Lieverd, als ik zo benepen was, zou ik niet van jou houden.'

Toen op vrijdagmiddag om één uur de telefoon ging, was ik de tegels van de douche naast onze slaapkamer aan het boenen (ik had nooit een werkster of hulp in de huishouding gewild, en ik wist dat Priscilla en mijn schoonzusjes dat vreemd vonden, maar ik vond schoonmaken zelfs kalmerend). Ik trok de gele rubberhandschoen van mijn rechterhand terwijl ik onze slaapkamer in liep, en toen ik had opgenomen, hoorde ik Lars Enderstraisse zeggen: 'Alice, het spijt me vreselijk dat ik je dit moet zeggen...'

Mijn hart stond meteen stil, het hing roerloos in mijn borst, en toen wist ik ternauwernood uit te brengen: 'Mijn moeder?' En hij zei: 'Nee, nee, niet Dorothy. Het is Emilie. Ik ben bang dat ze na een val een hersenbloeding heeft gehad, dus we zitten in het Lutherian Hospital.' Dit was het ziekenhuis waar ik geboren was, het ziekenhuis waar zowel Andrew Imhof als ik naartoe was gebracht op die gruwelijke avond in september 1963.

'Maar ze is niet...' Ik zweeg even. 'Leeft ze nog?'

'Ze is nu niet bij bewustzijn, maar ik weet dat de dokters er alles aan doen. Je moeder is op dit moment met een van hen in gesprek. Zij en ik staan voor de intensive care, en we hopen dat ze ons straks binnenlaten om...'

'Ligt oma op de intensive care?'

'Omdat ze op leeftijd is, nemen ze alle nodige voorzorgen in acht.'

'Ik kom zo gauw mogelijk.'

Het was aan het einde van de ochtend gebeurd, en zonder aantoonbare reden – ze was toen ze van de eetkamer de woonkamer in liep ineens op de vloer beland en bewusteloos geraakt – en de artsen probeerden nu te achterhalen of de hersenbloeding van mijn grootmoeder de val had veroorzaakt of dat de val de oorzaak was van de bloeding. Mijn moeder had een klap gehoord, maar niet eens hard, 'alsof de post op de mat viel', zei ze, en ze was er snel naartoe gerend en had daar mijn grootmoeder aangetroffen. Mijn moeder had tevergeefs geprobeerd haar bij te brengen en daarna een ambulance gebeld.

In het ziekenhuis bleef mijn moeder zich tegenover me verontschuldigen, alsof het haar schuld was zei ze: 'Het spijt me zo dat je je hierheen hebt moeten haasten.'

'Dat spreekt toch vanzelf, mam.'

Aan het eind van de middag liep Lars naar een buurtwinkel en kocht daar een doos koekjes, waar mijn moeder en ik er niet een van aten; daarna bood hij ze aan aan de andere mensen in de wachtkamer. Er stond een tv-toestel in een hoek, er waren soaps en daarna praatprogramma's, en hoewel niemand ernaar keek, leek iedereen te beschroomd om hem uit te zetten. De reclameboodschappen met hun meedogenloze flitsende aankondigingen en vrolijke jingles voelden aan als een persoonlijke belediging.

Met de munttelefoon in de wachtkamer had ik Charlie gebeld, en daarna Jadey om te vragen of zij Ella van school kon halen, en een paar uur later had ik Ella bij Jadey thuis gebeld om haar uit te leggen wat er gaande was. Ik had gehoopt dat ze bij het horen van mijn stem zou weten dat met mij alles goed was en dat lukte ook, maar toen ik haar stem hoorde raakte ik zelf van streek; ik wilde zo graag bij Ella zijn, haar vasthouden, dat ik de tranen moest terugdringen. Op ernstige toon zei ze met haar meisjesstemmetje: 'Gaat oma dood?' 'Oma' zei Ella tegen mijn grootmoeder, net zoals ik; tegen mijn moeder zei ze grootmama, en tegen Lars (mijn moeder en hij waren in 1981 in stilte getrouwd) papa Lars.

Ik zei: 'Ik hoop het niet, pop.'

Rond vijf uur belde ik Charlie weer op zijn kantoor. 'Ik ben nog steeds hier, er is niet echt nieuws te melden,' zei ik. 'Kun jij Ella gaan halen?'

'Denk je dat Jadey het vervelend vindt als ze daar nog even blijft? Ik zou om halfzes gaan squashen met Stuey Patrickson.'

Vanaf de munttelefoon in de hoek keek ik de kamer rond: een jonge echtgenoot die met zijn hoofd in zijn handen zat, uit vermoeidheid of om zijn tranen te verbergen; een klein kind dat met een autootje op het kleed speelde; mijn moeder die een maanden oude *McCall's* zat te lezen terwijl Lars Enderstraisse naast haar nog een koekje at. (Ik dacht nooit aan Lars als *mijn stiefvader*. Niet dat ik hem niet mocht, ik had zelfs veel genegenheid voor hem opgevat, en mijn grootmoeder tot mijn verbazing ook, ze had hem leren scrabbelen en hij was vooral goed geworden in de lastige tweeletterwoorden, waardoor hij voor mijn grootmoeder een veel interessantere tegenspeler was dan mijn moeder. Maar evengoed beschouwde ik Lars niet als een vaderfiguur; hij was gewoon de man van mijn moeder, haar maatje.)

'Alice?' zei Charlie, en ik zei: 'Ik heb liever dat je Ella nu ophaalt. Ik wil niet dat ze zich niet op haar gemak voelt.'

'Is ze overstuur?'

'Nou, ik denk erover om vannacht bij mijn moeder te blijven slapen. We hebben oma nog niet mogen bezoeken, en ik voel er niets voor om terug naar Milwaukee te gaan als we niet weten wat we kunnen verwachten.'

'Je hebt niet eens een tandenborstel bij je, toch?' zei hij.

'Die kan ik kopen.'

'Als je naar huis komt, spring je zo toch weer in de auto als je terug moet naar Riley. Hoe lang is het rijden, vijfendertig minuten?'

Misschien zoals Charlie reed, maar dat gold niet voor mij. Bovendien wist ik dat Charlie niet zozeer wilde dat ik terugkwam omdat hij me zo graag wilde zien als wel – dat was nog steeds zo – vanwege zijn angst voor het donker; mijn man was bang om de nacht in ons huis zonder mij door te brengen. Afhankelijk van de omstandigheden vond ik zijn fobie aandoenlijk of irritant. 'Weet je wat?' zei ik. 'Ik bel Jadey om te vragen of Ella en jij daar kunnen slapen.'

'Ben je vergeten hoe die rothonden de laatste keer blaften en de hele tijd in mijn gezicht zaten te kwijlen?'

'Charlie, mijn grootmoeder ligt op de intensive care. Je kunt ervoor kiezen om naar huis te gaan, naar Arthur en Jadey, of hierheen te komen met Ella en hier te logeren. Ik geef je een paar minuten om te beslissen, dan bel ik je terug, goed?'

Het bleef even stil, toen zei hij: 'Nee, je hebt gelijk, je hebt gelijk. Ik ga Ella nu halen, en als jij het niet erg vindt om Jadey te bellen, dan kan ik mijn afspraak met Stuey afzeggen. Hoe gaat het met je moeder en Lars?'

'Goed.'

'En met jou?'

'Met mij ook,' zei ik, hoewel ik op het moment dat hij het vroeg door droefheid werd overmand.

Toen zei Charlie: 'Ik weet dat je denkt dat ik het rot vind om zonder jou te slapen omdat ik niet alleen thuis wil zijn, maar het is ook omdat ik je mis, Lindy.'

'Wil je niet hierheen komen met Ella?' Ik besefte dat dit niet waarschijnlijk was. Tijdens zijn eerste bezoekje aan mijn ouderlijk huis in Riley had Charlie zijn, naar ik achteraf aanneem, ontsteltenis kunnen verbergen over de geringe afmetingen. In de jaren daarna was hij opvallend minder diplomatiek geworden. Hij zei dan: 'Een badkamer delen met Lars is een wrede, ongebruikelijke straf.' Zelfs als we daar de feestdagen doorbrachten, bleven we vrijwel nooit slapen, en Charlie probeerde regelmatig mijn moeder, grootmoeder en Lars over te halen om met Pasen of Kerstmis naar het huis van zijn ouders te komen; ze hadden het een paar keer gedaan toen we pas getrouwd waren, en ik geloof niet dat ze zich daarbij erg op hun gemak hadden gevoeld. Ik was er vrijwel van overtuigd dat noch Priscilla noch Harold Blackwell wist dat Lars bij de posterijen had gewerkt – hij was in 1980 gepensioneerd – en hoewel ik het niet zou hebben ontkend, was ik er ook nooit uit mezelf over begonnen. Het grappige was dat mijn moeder door met hem te trouwen er financieel flink op vooruit was gegaan. Sinds dat voorval met Pete Imhof had ze het nooit meer over geld gehad, en zij en Lars hadden zelfs uitstapjes gemaakt naar Myrtle Beach en Albuquerque.

'Eerlijk gezegd lijkt het me beter als we naar Jadey en Arthur gaan,' zei Charlie. 'Ella en ik zouden je moeder maar in de weg lopen. Bel me als je iets nodig hebt, en bel in elk geval voordat je naar bed gaat.'

'Ella heeft afgesproken dat ze morgen naar Christine gaat, dus zorg ervoor dat ze tegen tien uur klaarstaat. En dat ze haar vitamines neemt na het ontbijt.'

'Je bent toch wel op tijd terug voor het etentje bij Maj en pa?'

Ik aarzelde. 'Dat zullen we later nog wel zien.'

Ik wist dat Charlie zich moest beheersen om niet te zeggen hoe belangrijk mijn aanwezigheid daar was, wat in feite niet het geval was – de Blackwells gingen er alleen graag prat op dat iedereen bij hun etentjes aanwezig wilde zijn.

'Charlie, ik weet zeker dat je ouders er begrip voor zullen hebben,' zei ik.

Om zes uur die avond, het laatste bezoekuur op de intensive care, mochten mijn moeder en ik eindelijk door de dubbele deur om mijn grootmoeder te zien. Omdat er maar twee bezoekers tegelijk bij haar mochten, bleef Lars in de wachtkamer.

Ze was niet bij bewustzijn. Ze lag onder een laken in een wit ziekenhuishemd met een patroon van eendjes en sneeuwvlokken, en ze was verbonden aan een aantal monitoren, waarvan er één piepte. Een slangetje zat vastgeplakt in de holte van haar elleboog, en nog twee staken uit haar neusgaten. 'Ze is zo kleintjes,' mompelde mijn moeder. Ik had precies hetzelfde gedacht. In het veel te grote bed zag mijn grootmoeder er hartverscheurend oud en hartverscheurend nietig uit.

Ik liep naar haar toe en zei opgewekt: 'Ha, oma. Hier zijn Alice en mama...'

'Dorothy,' viel mijn moeder me in de rede. 'Nou, oma, wat zijn we blij je te zien. Je hebt ons vandaag behoorlijk laten schrikken.'

'Je wilt waarschijnlijk rusten, dus we blijven niet lang,' zei ik. 'Maar de dokter heeft gezegd dat je nu stabiel bent, en dat is fantastisch nieuws.' We konden onmogelijk zien of ze ons kon horen; de kans was heel groot dat ze dat niet kon. 'Ik weet niet of je het nog weet, maar je bent vanochtend gevallen, daarom lig je in het ziekenhuis. Nu ben je herstellende...' deze diagnose kwam van mij, niet van de dokter; hij had niets gezegd dat bemoedigender was dan 'stabiel' – 'en de dokters en verpleegsters zorgen heel goed voor je.' Ook dat was een optimistische conclusie; ik had er niet echt een idee van wat er achter die gesloten dubbele deuren aan het licht was gekomen. Dokter Furnish, de dienstdoende arts, had een paar minuten daarvoor aan Lars, mijn moeder en mij uitgelegd dat grootmoeder een zogenaamde lobaire intracraniële bloeding had gehad en dat ze haar tot dusver een aantal bloedtransfusies hadden gegeven, maar dat ze aarzelden om haar te opereren, gezien haar leeftijd en haar zwakke conditie; hij waarschuwde ook dat ze misschien een hersenbeschadiging had. Dokter Furnish was niet bijster hartelijk, maar hij leek competent. Terwijl hij aan het woord was, maakte ik aantekeningen achter op een bonnetje dat ik in mijn tas had gevonden.

'Oma, ik geloof niet dat de wachtkamer jouw goedkeuring zou wegdragen,' zei mijn moeder. 'De stoelen zijn bekleed met een oranje stof die jij heel smakeloos zou vinden.'

'En Lars heeft koekjes gekocht die er oudbakken uitzien, en mam en ik waren zo verstandig om ze niet te eten, maar verder heeft iedereen ze opgesmikkeld.' Ik probeerde luchtig en grappig te doen.

'Emilie, je moet beter worden en op tijd thuiskomen voor de laatste aflevering van *Murder, She Wrote* van dit seizoen,' zei mijn moeder.

Ik vervolgde: 'Maar als ik om jou morgenavond niet naar het etentje bij Priscilla en Harold Blackwell hoef, sta ik bij je in het krijt.'

'Alice!' zei mijn moeder.

'Ik plaag maar wat,' zei ik. 'Dat weet oma wel.'

We gingen het halfuur dat we hadden gekregen op deze manier door, voor de helft tegen mijn grootmoeder en voor de andere helft tegen elkaar, en de enige reactie die we kregen was het piepen van de monitor. Zodra we de dubbele deuren uit liepen, terug naar de wachtkamer, trok mijn moeder een zakdoek uit haar zak en droogde haar ogen. 'Ik weet dat oma een lang leven heeft gehad, en het is niet aan mij om Gods bedoelingen in twijfel te trekken,' zei ze. 'Maar Alice, ik ben er nog niet klaar voor.'

En toen, als door een wonder, was mijn grootmoeder wakker. Ik belde het ziekenhuis de volgende ochtend rond zeven uur, zodra ik onder de douche vandaan was, en daar zeiden ze dat ze die nacht bij bewustzijn was gekomen. Ze lag nu weer te soezen, zei een verpleegster, en hoewel ze nog suf zou zijn van de kalmerende middelen, zou ze vrijwel zeker in staat zijn om met ons te praten wanneer we om negen uur kwamen.

Mijn moeder ging even naar de cadeauwinkel beneden om een ballon te kopen – bloemen waren op de intensive care niet toegestaan – en zo kwam het dat ik alleen de kamer van mijn grootmoeder binnen ging. Haar ogen waren gesloten, maar toen ik zei 'Klop, klop,' vlogen ze meteen open. 'Oma, welkom terug!' zei ik. 'We hebben je gemist!' Toen ik naast haar bed stond, boog ik me naar voren en gaf haar een kus op haar wang.

Ze knipperde een paar keer en zei toen: 'Ze hebben me heel pittige kip gegeven, en daar heb ik een droge keel van.'

Besefte ze eigenlijk wel wie ik was? Ik zei: 'Zal ik je wat water geven?' Een witte plastic kan stond op het nachtkastje naast het bed, en daarnaast een avocadokleurige plastic beker met een rietje erin. Ik bracht het rietje naar mijn grootmoeders lippen, en toen ze zoog liep er een helder druppeltje uit haar mondhoek. Ze was intraveneus gevoed en ik was ervan overtuigd dat ze sinds ze in het ziekenhuis was opgenomen niet had gegeten, gekruide kip of wat ook.

Toen ze genoeg gedronken had en haar hoofd weer liet terugvallen op

het kussen, zei ze: 'Ze zitten te gokken op het dak, weet je dat?'
Ik aarzelde. 'Wie?'
Ze knikte ernstig. 'Zíj.'
Ik legde mijn hand ter hoogte van mijn hart. 'Ik ben het, oma, Alice. Je ligt in het ziekenhuis, maar je wordt beter, en ik ben bij je op bezoek.'
Ze keek ontsteld. 'Denk je dat ik niet weet wie je bent? Ik ben niet seníél.' Ze wees naar me. 'Waarom draag je die blouse van Dorothy? Hij staat je tuttig.'
Ik glimlachte. 'Ik ben onverwacht in Riley blijven slapen, dus heb ik hem van mam geleend.'
'Je moet kleren dragen die beter bij je leeftijd passen.'
'Oma, hoe voel je je? Als je wilt rusten moet je het zeggen, hoor.'
Ze reageerde niet onmiddellijk, maar keek de kamer rond en zei toen: 'Ik heb aan je vader gedacht.'
Ik wist even niet hoe ik het had. Hoewel ik helemaal niet zeker wist of ik in de hemel geloofde, was het moeilijk me niet voor te stellen dat ze met 'heb gedacht aan' misschien wel bedoelde 'heb gepraat met' of zelfs 'ben geroepen door'. Maar het enige wat ik zei was: 'O ja?'
'Hij was Dorothy zeer toegewijd,' zei mijn grootmoeder. 'Ik heb het huwelijk van je ouders een heel aantal jaren van dichtbij kunnen meemaken, en ik heb gezien hoe dol ze op elkaar waren.' Ze nam me op. 'Hoe heet je man?'
Ik slikte. 'Charlie. Charlie Blackwell.'
'O ja, de zoon van de gouverneur. Jullie twee zijn elkaar ook zeer toegewijd.'
Ik probeerde te glimlachen. 'Tja, ik hoop het.'
Ze keek me scherp aan. 'Dat klonk niet erg enthousiast.'
'Nee, ik bedoelde niet – alleen – de laatste tijd drinkt hij meer dan me goed voor hem lijkt,' wist ik uiteindelijk uit te brengen.
Ze maakte een gebaar van 'poe, poe', althans ze deed een poging, want het infuus in haar arm beperkte haar in haar bewegingsvrijheid. 'Houd hem niet te kort, lieverd. Dat heeft altijd een averechts effect.'
'O, maar ik – eerder het tegenovergestelde.'
'Je stelt geen paal en perk?'
Ik schudde mijn hoofd.
'Misschien is dat dan het probleem, dat hij graag wil dat je hem wat korter houdt.'

Ik aarzelde – was dit wel de tijd en de plaats om mijn hart te luchten? – maar mijn grootmoeder had altijd graag over mensen gepraat, en ze leek oprecht geïnteresseerd. 'Dit zal in jouw oren belachelijk klinken, maar ik denk dat hij in een soort midlifecrisis zit. Over een paar weken is zijn twintigste reünie van de universiteit, en hij is duidelijk bang dat hij onderdoet voor zijn jaargenoten.'

'Hij heeft Harvard University gedaan,' zei mijn grootmoeder, en de toon waarop ze dat zei klonk vreemd – alsof ze tegen mij pochte over iemand anders dan mijn eigen echtgenoot.

'Hij heeft inderdaad aan de oostkust gestudeerd, maar het was Princeton. Maar goed, ik denk dat hij het idee had dat hij inmiddels meer had moeten bereiken. Hij komt uit een familie van succesvolle mannen, zijn grootvader en zijn vader, en je herinnert je vast nog wel dat zijn broer Ed lid is van het huis van afgevaardigden.' Ik was er helemaal niet zeker van of ze zich dat herinnerde, maar ze knikte bevestigend. 'Maar ik denk gewoon niet dat Charlie voor zakentycoon of politicus in de wieg is gelegd. Niet dat ik dat erg vind – ik ben niet met hem getrouwd omdat ik dacht dat hij zoiets zou gaan doen. Hij is heel erg grappig en levenslustig, hij heeft massa's vrienden, hij is een fantastische vader en ik – ik begrijp gewoon niet waarom dat niet genoeg zou zijn, waarom ons leven niet genoeg is. Het is voor mij wel genoeg, en ik begrijp niet waarom het dat dan ook niet voor hem is.'

'Zijn ambities overstijgen zijn talenten.'

Ik probeerde hier geen aanstoot aan te nemen. 'Ik weet niet of ik zo ver zou willen gaan. Hij is heel slim. En misschien komt het door mij, vindt hij mij saai...' Het was eigenlijk pijnlijk om terug te denken aan de middag waarop Charlie en ik elkaar voor het eerst onze liefde hadden verklaard – het was dezelfde dag waarop hij mijn moeder, mijn grootmoeder en Lars had ontmoet – en hoe hij dat had ingeleid door te zeggen dat hij dacht dat hij me altijd boeiend zou blijven vinden. De reden waarom het pijn deed was dat ik me steeds vaker afvroeg of dat nog steeds gold. Wat een geweldig compliment was dat geweest, zo onverwacht, het was zo'n erkenning geweest. Ik was voor Charlie niet alleen maar een knappe brunette, hij begreep dat ik een individu was die nadacht over dingen, die las en er een mening op na hield, ook al hield ik die voor me, en dat waren allemaal eigenschappen die hij in me waardeerde. Maar had hij achteraf nooit gewild dat hij getrouwd was met een opwindender vrouw, iemand voor wie de ideale zaterdagavond niet bestond uit samen eten met onze negenjarige dochter en daarna voor het slapengaan veertig bladzijden lezen in een boek van Eudora Welty? Misschien was hij zelfs wel in ons huwelijk teleurgesteld doordat het venijn ontbrak – geen kans om te schreeuwen of met deuren te slaan, niet van die heerlijk lelijke woedeuitbarstingen, geen spannende vrijpartijen om het goed te maken.

Mijn grootmoeder zei: 'Iedereen verveelt zich van tijd tot tijd. De interessantste persoon die ik ooit heb gekend was een vrouw die Gladys Wycomb heette. Heb ik je wel eens aan mijn vriendin Gladys voorgesteld?'

Ik knikte.

'Ze was de achtste vrouw in de staat Wisconsin die afstudeerde als arts, echt een briljante meid. Maar als ik bij haar logeerde, kon je er zeker van zijn dat we binnen een paar dagen allebei met een boek aan de eettafel zaten. Het kon me geen zier schelen. Bestaat er een groter geluk dan de luxe je samen te kunnen vervelen?'

'Dat vind ik ook, maar ik geloof niet dat Charlie er zo over denkt.'

'Weet hij van je twijfels over hem?'

'Ik twijfel niet aan hem, hij twijfelt aan zijn baan en de levensweg die hij heeft gekozen, die...' Ik zweeg. Loog ik nu niet, ook al was het ongewild? Ik twijfelde wél aan hem. Ik keek even naar de vloer, die bekleed was met witte linoleumtegels. Toen ik weer opkeek, zei ik: 'Ik weet dat je de eerste keer dat je Charlie ontmoette onder de indruk was, maar ben je dat nog?' Hoe kon ik dit aan mijn gedrogeerde grootmoeder vragen, alsof zij een autoriteit was op het gebied van huwelijksgeluk? Of had ik het juist gedurfd omdát ze gedrogeerd was? Zelfs tegen Jadey was ik niet zo openhartig.

'Ik was onder de indruk van hem omdat ik kon zien dat hij je aanbad, en je verdient het aanbeden te worden,' zei mijn grootmoeder. 'Eerlijk gezegd denk ik dat je je druk zit te maken om niets. Ga naar huis, trek een leuk jurkje aan, hakken, lipstick, flirt met hem, vlei hem en vergeet nooit hoe onzeker mannen zijn. Dat komt doordat ze zichzelf veel te serieus nemen.'

Op dat moment leek haar advies me een reddingsmiddel – zo eenvoudig, zo gemakkelijk uit te voeren. Wat een pak van mijn hart dat er iemand was die zei wat ik moest doen! Toen zei ze: 'Wil je wat water voor me halen? Ze hebben me pittige kip voorgeschoteld, en ik vind die smaak niet lekker.'

'Je beker staat hier.' Ik liet haar weer drinken en toen ze genoeg had gehad, hield ik het boek omhoog dat ik van huis had meegebracht. 'Ik heb je boek voor je, *Anna Karenina.* Zal ik je voorlezen?'

'Dat zou fijn zijn.'

'Het hoofdstuk waarin zij en Vronski elkaar ontmoeten of vanaf het begin?'

'Als ze elkaar ontmoeten.'

Toen ik het boek opensloeg, zei ik: 'Ik hoop niet dat ik je een verkeerd idee heb gegeven over Charlie. Ik denk dat je gelijk hebt, dat ik het veel te zwaar opneem.'

Ze had haar ogen al gesloten, en ze schudde haar hoofd. 'Hoofdstuk achttien,' begon ik, en ik schraapte mijn keel. 'Vronski volgde de conducteur naar de wagon en moest bij de ingang van de coupé blijven staan om een dame te laten passeren...' Toen mijn moeder een paar minuten later met de ballon kwam, was mijn grootmoeder weer in slaap gevallen.

Op de terugweg naar Milwaukee stopte ik bij een benzinestation. Ik had al betaald en hing net de slang terug aan de pomp toen een mannenstem zei: 'Alice, wat toevallig.'

Toen ik opkeek zag ik een meter van me vandaan, naast een auto aan de andere kant van de pomp, Joe Thayer staan die zijn hand naar me opstak. Hij droeg een geel poloshirt dat hij in een korte geruite broek had gestopt, en was knap als altijd, maar hij leek ook onnodig veel afgevallen: zijn jukbeenderen waren geprononceerder, en hoewel hij ruim één meter tachtig was, leken zijn schouders graatmager. Niet dat ik er zelf zo fantastisch uitzag – zoals mijn grootmoeder al had geconstateerd, droeg ik mijn moeders 'tuttige' blouse. Bovendien kroesde mijn haar een beetje omdat ik mijn stylingmousse niet bij me had. Het was nog ruim een kwartier rijden naar Maronee, en ik had niet verwacht een kennis tegen te komen.

'Joe, hoe gaat het?' Ik wierp een blik op zijn auto en toen ik meende zijn zoon erin te zien zitten zei ik: 'En is dat Ben in je – o hemel, dat is Pancake!' Pancake was een zwarte labrador, die in Halcyon beroemd was vanwege het feit dat ze op haar achterpoten kon staan en kon dansen met de tweeënzeventigjarige Walt Thayer, Joe's vader; ik had het idee dat deze gang van zaken niet met wederzijds goedvinden plaatsvond, en het kostte me dan ook moeite om er net zo enthousiast op te reageren als anderen.

'Je bent je zeker aan het voorbereiden op Princeton,' zei ik. 'Vertel eens wat voor belachelijk uniform ze jou laten dragen.' Joe was afgestudeerd aan Princeton in 1953, vijf jaar voor Charlie, wat inhield dat hun reünies altijd in dezelfde tijd plaatsvonden.

Joe schudde zijn hoofd. 'Ik sla deze keer over. Niet echt het juiste tijdstip, als je begrijpt wat ik bedoel.'

'Ze zullen je vast en zeker missen,' zei ik.

'Weet je, Alice, ik had nooit gedacht dat ik ooit nog eens zou gaan scheiden.'

'Ja...' Ik wist niet goed hoe ik moest reageren. Ik kwam niet verder dan: 'Tja, die dingen gebeuren.'

'Mag ik openhartig zijn?' vroeg hij.

'Natuurlijk.'

'Ik zou wel willen weten hoeveel er van onze ellende thuis op straat ligt, zogezegd. Ik zou niet willen dat mensen denken – nou ja, het schijnt dat het vaker voorkomt dat de echtgenoot de vrouw verlaat, maar zo is het niet gegaan. Ik zal niet zeggen dat Carolyn en ik geen problemen hebben gehad, maar ik ben echt overrompeld.'

Ik deed alsof ik van niets wist. 'Joe, wat erg. Dat lijkt me heel moeilijk.'

We keken elkaar aan, en het kwam even bij me op dat hij misschien wel ging huilen. Hij had geen tranen in zijn ogen, maar hij hield zijn kin naar voren en klemde waarschijnlijk zijn kaken op elkaar. Hij en ik waren nooit eerder zo persoonlijk tegen elkaar geweest. Tussen Milwaukee en Halcyon had ik hem misschien wel honderd keer meegemaakt – na ons huwelijk hadden Priscilla en Harold een enorme cocktailparty gegeven op de club voor alle vrienden van de familie die niet voor de bruiloft uitgenodigd waren, en ik was er vrij zeker van dat Joe zelfs daarbij was geweest – maar we hadden nooit over iets opwindenders gesproken dan het nieuwe verkeersplein op Solveson Avenue of de temperatuur van het water van Lake Michigan.

Ik zei: 'Joe, ik hoop dat je beseft dat elk huwelijk zijn problemen heeft, zelfs in Maronee. Jullie zijn echt niet de enige. En ik denk dat iedereen weet dat we ons leven maar tot op zekere hoogte in de hand hebben.' Ik vermoed dat het niet zozeer was wát ik zei als wel het feit dat ik bleef praten waardoor het Joe lukte om zijn tranen binnen te houden; hij zag er al beduidend minder bibberig uit.

'Dank je.' Zijn benzinepomp maakte een klikkend geluid en hij haalde de slang uit zijn tank. Hij gebaarde naar zijn auto en zei: 'Ik ben op weg naar Madison, voor een bezoekje aan Martha.' Dat was zijn jongere zus, die ik van Halcyon kende. 'Ik hunkerde vroeger naar vrije tijd,' vervolgde hij, 'en nu heb ik die meer dan me lief is. De weekends zijn gewoon een gruwel geworden. Pas op met wat je wenst, zou ik zeggen.'

'Nou, je bent bij ons altijd welkom. Als je langs wilt komen om samen met Charlie honkbal te kijken, doe dat dan gerust.' Dit was waarschijnlijk niet verstandig – zou Joe Charlie niet nog chagrijniger maken? – maar hij leek zo radeloos, en ik wist niet wat ik anders moest zeggen. En het was nu eenmaal zo dat Joe en Charlie elkaar al hun hele leven kenden; ze waren meer neven dan vrienden.

Joe wees naar de kassa van het benzinestation en zei: 'Ik moest maar gaan betalen. Het was fijn je te zien, Alice. Bedankt dat je even naar deze zielenpoot hebt willen luisteren.'

'Weet je, misschien is het beter als je toch wel naar die reünie gaat. Verandering van omgeving?' zei ik.

'Ik zal erover nadenken.' Hij zwaaide. 'Doe Chas de groeten.'

Toen Charlie, Ella en ik bij Priscilla en Harold aankwamen voor het etentje, gonsde het in huis al van de Blackwell-energie. Onze neefjes Geoff en Drew waren buiten aan het ringwerpen, en Charlie kon de verleiding niet weerstaan om met hen mee te doen, dus gingen Ella en ik zonder hem naar binnen. Het was moeilijk te geloven dat Ella de laatste telg van deze generatie Blackwells was; de volgende kinderen die werden geboren zouden van haar neven en nichten zijn. Harry, de oudste zoon van Ed en Ginger, was nu eenentwintig en zou een paar dagen na Charlies reünie afstuderen aan Princeton; Liza, de oudste dochter van John en Nan, voltooide haar juniorjaar aan Princeton en ging deze zomer stage lopen bij een modeblad in Manhattan; en Tommy, de middelste zoon van Ed en Ginger, was aan het eind van zijn tweede jaar in Dartmouth; hij deed geen Princeton, wat tot veel geplaag leidde over de inferioriteit van Dartmouth in het algemeen en het gebrek aan activiteit in Hanover in het duffe New Hampshire.

In de voorste hal omhelsde Ella haar grootmoeder om zich onmiddellijk daarna uit de voeten te maken met haar nichtje Winnie, waarschijnlijk naar de kelder, waar de kleinkinderen die nog bij hun ouders thuis woonden altijd de leiding hadden over de pooltafel, waarbij de oudsten broodjeaapverhalen uitwisselden – na zo'n avond was Ella korte tijd gefixeerd geweest op het idee van zelfontbranding – en de jongere neefjes en nichtjes vieze woorden leerden: toen we op Thanksgiving terug naar huis reden, had Ella luid en duidelijk verkondigd: 'Ik weet wat penisballen zijn.'

Naast de grote trap waar Charlie en ik getrouwd waren, gaf ik mijn schoonvader een kus en hij zei: 'Alice, wat erg van je grootmoeder,' en ik zei: 'Gelukkig kan ik zeggen dat het vandaag veel beter met haar gaat.' Daarna boog ik me naar Priscilla, die het in het luchtledige kussen bijna tot een kunst had verheven; als ze haar kin naar je toe bracht, draaide ze hem tegelijkertijd opzij, ze tuitte zelfs niet haar lippen, maar ik trok het me niet persoonlijk aan omdat ze dat bij iedereen deed. Maar dit keer greep ze me bij mijn pols en trok me dichterbij. Tegen mijn oor mompelde ze: 'Ik wil even met je praten.'

Harold liep net weg om drankjes in te schenken toen Jadey uit de eetkamer opdook met een marmeren blad vol hapjes en zei: 'Maj, als ik een kaasmes was, waar zou ik dan liggen? Ooo, die doek staat je schitterend, Alice. Hoe gaat het met je grootmoeder?' Jadey had die doek voor me uitgezocht tijdens een winkeluitje een paar weken eerder; hij was afkomstig uit Marshall Field's, en hij was turquoise met een goudkleurig paisleypatroon.

'Jadey, je bent toch zeker niet van plan al die kaas in één keer op te snijden,' zei Priscilla. 'Dan bederf je ieders eetlust.'

Jadey zei opgewekt: 'O, wat we niet opeten bewaren we, en de biefstukken zien er heerlijk uit, dus maak je geen zorgen, die worden in één ogenblik verslonden.' Door de jaren heen had Jadey als voorbeeld gediend hoe je met Priscilla moest omgaan – vrolijk en indirect, vragen uit de weg gaan die niet per se beantwoord hoefden te worden, en nooit rechtstreeks iets in twijfel trekken of tegenspreken.

'Mijn grootmoeder is op een verbazingwekkende manier hersteld,' zei ik. 'Ze is bijna weer de oude.'

'O, godzijdank,' zei Jadey. 'Niet dat Chas en Ella niet te allen tijde welkom zijn, hoor – ik zweer je dat we ons een piepklein beetje beter gedragen als er mensen zijn – maar het zal een pak van je hart zijn. Nou, Maj, wat de kaasmesjes betreft...'

'Tweede la rechts naast de oven,' zei Priscilla, en het verbaasde me hoe snel ze zich gewonnen gaf. Daarna zei ze: 'Jadey, ik dacht dat jij op je figuur lette.' Ze glimlachte. 'Ik denk dat dit soort voorgerechten te verleidelijk zijn.' Nan en Ginger waren op dat moment uit de woonkamer de hal in gelopen en leidden de aandacht enigszins af van de hatelijke opmerking van Priscilla. Nan zei: 'O, Alice, we hebben voor je grootmoeder gebeden,' en Jadey zei: 'Nee, ze is aan de beterende hand,' en Ginger zei: 'Wat een mooie doek, Alice. Maj, zeg eens waarmee we kunnen helpen.'

'Jullie kunnen ervoor zorgen dat die twee barbaarse zoons van jullie ophouden mijn gazon te ruïneren.' Priscilla lachte hees. 'Als ze zo doorgaan, halen mijn vingerhoedskruid en irissen de maand juni niet.'

Er viel een korte stilte, en Ginger zei: 'Ik denk dat de jongens sowieso wel naar binnen willen.' Toen ze de voordeur uit rende, wierp Jadey me een wanhopige blik toe voordat ze terugging naar de keuken.

Priscilla richtte zich tot Nan. 'Ik neem Alice even mee, als je het niet erg vindt.'

Ik volgde mijn schoonmoeder naar een kleine nis achter het damestoilet onder de voorste trap. Toen ik in de hal stond, had ik Charlies broers in de woonkamer bij elkaar zien zitten en ik had gedacht dat een zorgeloos avondje met de familie tijdens die vervloekte spanningen precies was wat Charlie en ik nodig hadden.

In de nis zei Priscilla: 'Het is ongehoord dat jij met Ruby naar het Marcus Center bent geweest.'

Ik knipperde met mijn ogen. Waarover had ik dan gedacht dat Priscilla het met me zou willen hebben? Het geharrewar tussen haar zoons misschien? Of iets veel alledaagsers: of ik de vogels wilde voeren zolang Harold en zij in Washington zaten?

'Het was hoogst ongepast,' zei ze, en haar stem klonk noch hard noch opgewonden; ze klonk alleen maar ijzig. 'Mijn huishoudelijke hulp is mijn zaak.'

'Ik had niet...' Ik aarzelde. 'Ik had niet gedacht dat je daar aanstoot aan zou nemen. Het was in elk geval niet mijn bedoeling.' Ik was niet van plan om te zeggen dat het me speet, want dat was niet zo. Miss Ruby was een volwassen vrouw, en ik ook – we hadden allebei het recht om een toneelstuk te bekijken met wie we maar wilden.

'Dacht je misschien dat je haar wat culturele ontwikkeling moest bijbrengen?'

'Priscilla, ik heb haar in een opwelling meegevraagd. Ik had er helemaal geen bedoeling mee.'

'Ruby is al meer dan vijfenveertig jaar bij ons in dienst, en we hebben al die tijd uitstekend voor haar gezorgd. Denk je dat ze al die jaren bij ons had willen blijven als dat niet zo was? Ik weet zeker dat er een aantal dingen zijn die jij niet over haar weet, onder meer dat Harold en ik haar hebben geholpen om die gewetenloze echtgenoot te verlaten. Ben je je daarvan bewust?' Priscilla was bijna één meter tachtig, maar tijdens het spreken had ze zich naar me toe gebogen zodat onze gezichten maar een paar centimeter van elkaar verwijderd waren. Ik zag de fijne lijntjes rond haar lippen, haar zachtpaarse lipstick, haar tanden, die van dichtbij kleiner en iets bruiner waren dan ik me herinnerde; bovendien viel haar scheve linker hoektand erg op.

Ik deed mijn mond open, maar het was moeilijk te bepalen wat ik moest zeggen.

'Je zou me een plezier doen als je dit soort dingen voortaan laat,' zei Priscilla. 'Ben ik duidelijk geweest?'

'Ik hoop dat je er Miss Ruby niet op zult aanspreken,' zei ik. 'Het uitstapje was helemaal mijn idee, niet het hare.' Daarna – ik kon er niets aan doen – vervolgde ik: 'Maar met alle respect, ik begrijp nog steeds niet helemaal waar je nu bezwaar tegen hebt.'

'O, Alice.' Priscilla deed een stap naar achteren en zei met een lachje: 'Ik schaam me voor je, dat je dát moet vragen.'

Ik dronk voor het eten een glas wijn, en aan tafel lukte het me een plaats te bemachtigen tussen Harold, vriendelijk als altijd, en John, die ondanks de wrijvingen met Charlie nooit één onaardig woord tegen me had gezegd. Priscilla had, zoals gewoonlijk, de tafelschikking geregeld, maar na ons gesprek onder de trap had ze me vrijwel genegeerd. Bij het nagerecht was mijn verbazing over ons gesprek weggeëbd en kon ik me ontspannen bij het gekscherende gekeuvel; aan het begin van de maaltijd had Priscilla een veto uitgesproken over het onderwerp Blackwell Meats, een verstandige zet van haar. Toen we aan de wafels met vanille-ijs zaten, viel Arthur, die net als de meeste anderen flink wat leek te hebben gedronken, Ed aan over een wetsvoorstel dat hij onlangs had ingediend samen met Judith Pigliozzi, een democratisch afgevaardigde uit Noord-Californië die vooral bekend was vanwege het feit dat ze een, later gesneuveld, wetsvoorstel had gesteund om marihuana als medicijn voor te schrijven. 'Voor je het weet, zitten Eddie en Judith straks joints te roken in het Capitool,' hoonde Arthur, en Ginger, Eds vrouw, zei: 'Weet je, volgens sommige onderzoeken werkt marihuana heel goed tegen migraine' – uit de mond van de lankmoedige, vreugdeloze Ginger, die zelf aan migraine leed, klonk dit zo onkarakteristiek dat iedereen in lachen uitbarstte. 'O, dus dáárdoor lukt het je om het zo lang met Ed uit te houden,' zei Charlie. 'We hebben het ons altijd al afgevraagd.' Tegelijkertijd zei John: 'Er gaat niets boven een blowtje in de middag, wat jij, Ging?' Ginger protesteerde: 'Ik bedoel niet dat ík het heb uitgeprobeerd, ik heb er alleen iets over gelezen...' en Arthur en Charlie deden alsof ze aan een joint zaten te hijsen. 'Echt, ik heb nog nooit marihuana gerookt,' zei Ginger, en ze leek zich erg opgelaten te voelen. 'Het stond in een tijdschrift.'

'Alice, heb jij wel eens zoiets gerookt?' vroeg Arthur, en Jadey zei: 'Ga nu haar niet onder vuur nemen,' en Arthur zei: 'Laten we dan de hele rij af gaan. Pa, kan ik voetstoots aannemen dat jij dat nooit hebt gedaan?'

Harold, met een vermoeide glimlach op zijn gezicht, schudde zijn hoofd. Op dat moment waren alle kinderen weer in de kelder, en ik was blij dat Ella er niet bij was; ik was niet in de stemming om uit te leggen wat hasj was.

'We hebben Ginger al haar onschuld horen verklaren,' zei Arthur. 'Ik, nou, reken maar. Nan?'

Nan trok haar neus op. 'Ik weet niet of ik dit een leuk spelletje vind,' zei ze, en Arthur zei: 'Dat vat ik ook op als een ja. Ed?'

'Ik was te oud,' zei Ed. 'Je moet niet vergeten dat ik ten tijde van de Summer of Love al compagnon was bij Holubasch & Whistler.'

Arthur ging verder het rijtje af. 'Maj, dat denk ik niet, maar je bent een ondoorgrondelijk type, dus wil je het toegeven of ontkennen?'

'Absoluut niet,' zei Priscilla.

Arthur wees naar Charlie. 'Chas, wat jou betreft is er maar één vraag: heb je meer gékocht of vérkocht?'

Charlie grinnikte. 'Ach, iedereen moet érgens goed in zijn.'

'Je hebt toch nooit drugs gedeald?' zei ik, en John zei luchtig: 'Alice, stel geen vragen waarvan je het antwoord niet wilt weten.'

'Jadey, ik weet het van jou, want ik was erbij,' zei Arthur, en Jadey protesteerde: 'Ik was nog een tiener! Dat telt niet!'

'Als je toen een tiener was, moet je nu rond de vijfentwintig zijn.' Arthur keek zijn vrouw meesmuilend aan. (Hadden ze echt geen seks meer? Ze deden zo speels, of misschien zat er meer vijandigheid achter dan ik zag.)

'John?' zei Arthur.

'Ik heb wel eens een hijs genomen, maar het deed niet echt wat met me.'

'En nu weer terug naar de schone Alice.' Arthur zat tegenover me aan de tafel, tussen Ginger en Nan. 'Jij bent een onduidelijke factor. Chas, wil je iets inzetten op je wederhelft?'

Charlie trok zijn ogen tot spleetjes samen, bekeek me aandachtig en zei ten slotte: 'Noteer voor mij maar een "ja". Lindy heeft meer avontuurlijke trekjes dan jullie zouden denken.'

Ik bloosde – zijn opmerking kon als een seksuele toespeling worden uitgelegd – en Arthur zei: 'Het moment van de waarheid, Alice.'

'Eén keer maar,' zei ik. 'Ik behoor denk ik tot dezelfde categorie als John, want het deed niet veel met me.' Ik dacht aan de slaapkamer van mijn grootmoeder, waar ik in de zomer van 1968 met haar en Dena Janaszewski zat, en daarna dacht ik aan mijn grootmoeder in het ziekenhuis en ik deed voor haar een schietgebedje voor een blijvend herstel.

'Alice, je hebt het duidelijk geen kans gegeven,' zei Arthur. 'Waar is je doortastendheid gebleven?' Hij grijnsde de Blackwell-grijns en zei tegen Charlie: 'Hoe komt het dat je vrouw zo'n afhaker is?'

'Is het heel erg dat ik door al dat gepraat begin te hunkeren naar een joint?' zei Jadey. 'En ik zweer dat het zo'n twintig jaar geleden is.'

Arthur trok zijn wenkbrauwen op naar Charlie, die tegenover hem aan tafel zat. 'Chas, denk jij wat ik denk? Maar kennen wij iemand die...?'

Charlie knikte in de richting van de klapdeur naar de keuken. 'Wat dacht je van Leroy?' Angst vloog me naar de keel. Leroy was de zoon van Miss Ruby, ouder dan Yvonne. Ik had hem nooit ontmoet, maar ik wist dat hij een paar keer met de politie in aanraking was geweest.

'Briljant!' Arthur boog naar voren en pakte het witporseleinen belletje van tafel waarmee Priscilla altijd klingelde om Miss Ruby te ontbieden. Priscilla graaide het onmiddellijk uit zijn handen, wat me enorm opluchtte. 'Je betrekt Ruby niet bij jullie malle spelletjes,' zei ze.

'Ga me nou niet vertellen dat Big Leroy Sutton niet zou weten waar je in deze stad goed spul kunt krijgen,' zei Arthur, en John zei: 'O, ik denk dat hij dat allang achter de rug heeft. Dat spul is kinderspel voor een jongen als hij.' (Kwam het niet bij hen op dat Miss Ruby elk woord dat ze zeiden zou kunnen horen? Schijnbaar niet.)

'Dit lijkt me een goed moment voor Ginger en mij om netjes de aftocht te blazen,' zei Ed, maar hij glimlachte terwijl hij zijn stoel naar achteren schoof. 'Maj, pa, bedankt voor het eten, het was zoals altijd voortreffelijk.'

'Spelbrekers, spelbrekers!' riep Arthur.

'Tja, het zou de vertegenwoordiger van het Negende District bijzonder slecht uitkomen als hij vijf maanden voor de herverkiezing zou worden betrapt op het roken van weed,' zei Charlie. 'En nog wel ten huize van de voormalig gouverneur. Heeft iemand *The Washington Post* al gebeld?'

Ed zei laconiek tegen Ginger: 'Kom, schat, we gaan Geoff halen.'

Toen Ginger van tafel opstond, zei Nan: 'Ik vind het ook welletjes voor vanavond.' Ik zag haar een betekenisvolle blik naar John werpen; daarna stonden ze allebei op en gingen Ed en Ginger achterna.

Toen ze alle vier verdwenen waren, schraapte Harold zijn keel, en we keken allemaal naar hem. 'Sta me toe dat ik ongevraagd wat advies geef,' zei hij. 'Nostalgie of niet, dit is een afgrijselijk idee.' Hij stond op. 'Wie gaat er met mij koffiedrinken in de woonkamer?'

Daarna stond iedereen op, het idee om marihuana te kopen van Leroy Sutton of via een andere bron leek naar de achtergrond geschoven – godzijdank, wat mij betrof – en terwijl de mannen met Harold meeliepen naar de woonkamer en de vrouwen de borden opstapelden, fluisterde Jadey tegen mij: 'Nu zal Maj me wel niet alleen een schrokop vinden maar ook nog een blowneus.' Het leek haar niet echt te deren.

Terwijl we daar stonden was Miss Ruby op wonderbaarlijke wijze opgedoken, samen met ene Bruce die hielp met opdienen en afruimen en die de bar bemande wanneer de Blackwells een groot feest gaven. Hoewel ik Miss Ruby in de loop van de avond al verschillende keren had gezien, had ik haar slechts heel even kunnen begroeten; ze was druk bezig geweest met het bereiden van de maaltijd, en er waren anderen in de buurt geweest. Pas nadat de koffie was opgediend en Priscilla in de woonkamer zat, zag ik kans om even alleen te zijn met Miss Ruby; ze was bezig het tafelzilver in de afwasmachine te zetten. Ik zei: 'Heeft mevrouw Blackwell het met je over het toneelstuk gehad?'

Miss Ruby keek me amper aan. 'Dat is in orde,' zei ze.

'Het spijt me als ik het je moeilijk heb gemaakt,' zei ik.

We zwegen allebei en er steeg damp op van het water dat uit de kraan stroomde.

'Jij hebt natuurlijk niets fout gedaan,' vervolgde ik. 'Ik hoop dat jullie volgende week maandag nog wel bij ons thuis komen lunchen. We willen dolgraag de baby van Yvonne zien.'

Miss Ruby trok haar wenkbrauwen op. 'Hebt u het tegen mevrouw gezegd?'

'Nee, en als het voor jou niet goed voelt om bij ons te komen, begrijp ik dat. Maar ik hoop dat je weet dat we het enig zouden vinden. Alleen Charlie, Ella en ik zijn dan thuis.' Ik zweeg even. 'We gaan ervan uit dat het doorgaat, maar mocht er iets tussenkomen, bel dan maar even.' Maakte ik het nu allemaal nog erger, bracht ik Miss Ruby's baan in gevaar? Maar het leek me veel erger om het hoofd te buigen voor Priscilla's grillen dan om er tegenin te gaan, en bovendien gingen Harold en zij over een paar dagen weer terug naar Washington. Het was erg genoeg dat ze ons de wet probeerde voor te schrijven als ze hier was, maar het zou gewoonweg absurd zijn als ze dat ook op afstand zou doen.

Voordat ik de keuken verliet, zei ik: 'Dank je wel voor de maaltijd. Alles was even heerlijk.'

Onderweg in de auto naar huis – het was over tienen toen we vertrokken, en ik zat achter het stuur – zei Charlie: 'Het gerucht gaat dat je onlangs met een negerin op stap bent geweest.'

'Charlie, je weet dat ik niet graag problemen maak, maar dat je moeder beweert dat het verkeerd is om...'

'Je moet mij niet de schuld geven.' Hij klonk geamuseerd. 'Wat mij betreft mogen jij en Miss Ruby bloedzusters worden. Ik hoop alleen dat ik op de eerste rij zit bij de confrontatie Lindy-Maj.' Hij nam de toon aan van een sportcommentator: 'In de ene hoek, met 59 kilo en in een roze tennisrokje...' Toen hij merkte dat ik er niet om kon lachen, zei hij: 'Kom op, dit is toch leuk? Je bent dus helemaal naar de kern gereden, hm? Je bent een dappere meid.'

'De kern' was een minachtende benaming voor de binnenstad van Milwaukee, en niet een woord dat ik gebruikte. Ik negeerde Charlie en op de achterbank zei Ella: 'Mama, hoeveel dagen duurt het nog voordat we naar Princeton gaan?'

Ella verheugde zich op de reünie vanwege het spektakel – Charlie had haar de verschillende strijdliederen en juichkreten geleerd, en ik had mijn best gedaan om de zwart met oranje pakjes te beschrijven, de bands in tenten 's avonds, de schoonheid van de campus (toen Ella in 1983 met ons meegegaan was voor Charlies vijftiende reünie, was ze nog zo klein dat ze zich daar nu nauwelijks iets van kon herinneren) – en ze verheugde zich er ook op omdat ze daar haar neefje Harry en nichtje Liza zou zien. Ik zei: 'Als het vandaag 21 mei is, en we vertrekken op 3 juni, hoeveel dagen is het dan nog? Weet je nog hoeveel dagen mei heeft?'

'Dertig dagen heeft september...' begon Ella het versje. Ze telde op haar vingers. 'Veertien dagen?'

'Bijna goed,' zei ik. 'Dertien.'

'En betekent dat dat mijn klassenfeest over twaalf dagen is?'

'Precies.'

'Pap?' zei Ella.

Charlie draaide zich even om naar de achterbank.

'Ik zie je hoofdhuid tussen je haar door,' zei ze.

'O ja?' reageerde Charlie. 'Nou, dan krijg ik een blotebillenkop.'

Ella giechelde. 'Misschien word je behalve kaal ook nog wel stom.'

'Je moeder vond me al stom toen ze me leerde kennen, maar nu weet ik zelfs niet meer hoe ik in mijn neus moet peuteren,' zei Charlie. Hij vervolgde: 'Er is een verzoek gekomen om de wereldberoemde operazangeres Ella Blackwell te laten optreden. De fans schreeuwen om haar. Zal ze hen teleurstellen, of neemt ze de uitdaging aan? Drie, twee, een, en vooruit, Ella!' Hij was in feite degene die het lijflied van Princeton inzette: '*Ooo, Princeton was Princeton when Eli was a pup...*'

Ella vervolgde met haar hoge, lieve stem: '*En Princeton will be Princeton when Eli's days are up...*'

Samen zongen ze, steeds harder, de laatste twee regels, waarvan ik helemaal niet wist of ze wel zo geschikt waren voor een negenjarige: '... *So any Yalie son of a bitch who thinks he has the brass/ Can pucker up his rosy red lips en kiss the Tiger's ass!*' Schuttingwoorden genoeg.

Dit was nog maar één klein stukje van de Princeton-propaganda waar mijn man onze dochter aan blootstelde. Er was ook nog de kleding die hem voor de reünie gestuurd was, die al zijn jaargenoten zouden dragen tijdens de campusparade en die tot dusver alleen door Ella was gepast, niet door Charlie: een oranje sportpak met een zwarte streep langs de zijkant van de broek en de rits van het jasje, en een slappe witte hoed met '68' erop in oranje-zwarte letters langs de rand. (Het thema van de outfit was tennis, ofwel 'Over-40 Love'.) Dan was er Ella's favoriete yell, bekend als de *locomotive.* Op elk willekeurig moment – aan tafel, of net als Ella op het punt stond om naar bed te gaan – riep Charlie '*Sixty-eight locomotive*' en dan riepen ze samen: '*Hip! Hip! Rah! Rah! Rah! Tiger! Tiger! Tiger! Sis! Sis! Sis! Boom! Boom! Boom! Bah! Sixty-eight! Sixty-eight! Sixty-eight!*' Daarna schreeuwden ze yells en gingen ze klappen en zelfs dansen; soms vond ik hun manier van doen enig en soms vond ik het irritant. Een Princeton-reünie deed me denken aan een academische, geïnstitutionaliseerde versie van de familie Blackwell, even imponerend als zelfingenomen, even overweldigend als hypnotiserend, even fantastisch als stuitend. Dit keer maakte ik me vooral zorgen over hoeveel Charlie zou drinken; zijn vijftiende reüniefeest was de enige keer geweest dat ik hem zoveel had zien drinken dat hij moest overgeven, en in die periode dronk hij veel minder dan nu.

Charlie hief een ander lied aan: '*Tune every heart and every voice/ Bid every care withdraw...*' Dit vond ik een leuk lied, ook al eindigde het met een gebaar dat akelig veel leek op de nazigroet. Maar we zaten in de auto, met ons gezinnetje, en ik viel ook in: '*Her sons shall give while we shall live/ Three cheers for Old Nassau.*' En daarna, omdat we een gezin waren, omdat je in een gezin dezelfde dingen steeds opnieuw doet, zongen we het een tweede, een derde, een vierde keer, en tegen het einde van de vijfde keer waren we thuis.

De Brewers speelden die zondag tegen de Toronto Blue Jays, en de wedstrijd begon om kwart over een. Het oorspronkelijke plan was dat Arthur en zijn zoon Drew met Charlie en Ella mee zouden gaan, maar Arthur belde die ochtend om te zeggen dat hij had bedacht dat het misschien een slechte indruk maakte als hij en Charlie zo kort na het vleesschandaal op tv zouden verschijnen en genoten van het honkballen (de plaatsen van de Blackwells bevonden zich acht rijen boven de dug-out van de Brewers, tussen het derde honk en de thuisplaat). 'We zijn van alle blaam gezuiverd!' protesteerde Charlie, maar Arthur was blijkbaar niet te vermurwen. Toen Charlie ophing, zei hij: 'Ik voel gewoon dat John hier achter zit.'

Ik had me voorgenomen die dag alles voor te bereiden voor de komende week – de dag erop zou ik weer naar Riley gaan om samen met mijn moeder mijn grootmoeder uit het ziekenhuis op te halen, en op dinsdag moest ik voor een lunch van de tuinclub bij Sally Gilman een aardappelsalade maken voor dertig man – maar ik stemde er meteen mee in om mee te gaan in plaats van Arthur. We belden Harold om te vragen of hij ook mee wilde, maar hun vliegtuig naar Washington vertrok om vier uur.

Ik vond het niet echt erg dat de plannen veranderden; zelfs voordat Charlie en ik Ella hadden, was het kijken naar een honkbalwedstrijd waarschijnlijk onze meest gedeelde activiteit. Ik vond het heerlijk om deel uit te maken van een menigte, maar wel een geordende menigte – er waren stoelen en rijen en vakken, zodat het zelfs met tienduizenden geen chaos werd, en als een fan dronken en lastig werd, werd hij meestal onder begeleiding afgevoerd. Wat me beviel aan het stadion was dat je er geen gesprek hoefde te voeren, ik keek graag naar mensen (de fans zoals wij, gezinnen met kinderen, en de jonge of oudere stelletjes die samen kwamen, de groepjes vrienden van achter in de twintig of begin dertig, de mannen die alleen kwamen, en die in mijn ogen iets ontroerends hadden, of althans zo was het geweest voordat Charlie een van die mannen werd, naar mijn gevoel ten koste van mij en Ella). Maar ik hield van de juichkreten en de oubollige tradities en de bekende liederen en de eenvoudige smaak van een hotdog en een biertje op een zonnige middag of avond. Het enige wat me niet beviel aan een honkbalwedstrijd was wanneer een foute bal of homerunbal de tribune in vloog en mensen erom vochten – als maar één iemand kreeg wat massa's wilden. Maar over het algemeen hielden de wedstrijden Charlie voldoende bezig, verveelden ze hem niet, en was het voor mij ook rustig genoeg. Wat Ella betreft, zij had haar eigen redenen om ervan te houden – haar Japanse penvriendin was een enorme fan van de sport, waardoor Ella's belangstelling ervoor was toegenomen, en ze was ook dol op de vanille-ijsjes in kleine plastic Brewers-caps die je mee naar huis kon nemen – maar het belangrijkste was dat ze er graag naartoe ging, dat we er allemaal graag naartoe gingen.

In de vierde inning was de stand 4-1 voor de Brewers, en Charlie leek zijn ergernis over zijn broers te vergeten. Op dat moment kwam Zeke Langenbacher op ons af. Zeke was een man die zo'n twintig jaar ouder was dan Charlie en ik, en die naar verluidde de rijkste man van Milwaukee was, en misschien van Wisconsin – hij was een vroegtijdige schoolverlater geweest die begonnen was als hulpje van een melkleverancier en rond zijn vijfentwintigste zijn eigen zuivelbedrijf had, voordat hij zich toelegde op autoverzekeringen, radiostations en motels. Ik had hem een aantal keer ontmoet, maar ik dacht altijd dat hij mijn naam niet meer zou weten en was altijd aangenaam verrast als dat wel het geval bleek te zijn. Hij en Charlie tennisten wel eens samen – Zeke had de naam zowel een uitstekende als een bijzonder agressieve speler te zijn – en ik denk dat Charlie aan deze wedstrijden, zelfs als hij verloor, een soort trots ontleende. 'Zeke heeft het verdomd ver geschopt,' zei hij een keer na zo'n wedstrijd. 'Hij is een topman in het bedrijfsleven.'

Na mij te hebben begroet en te zijn voorgesteld aan Ella, gebaarde Zeke naar de lege stoel naast Charlie. 'Zit daar iemand?'

Charlie klopte op de zitting. 'Die hebben we vrijgehouden voor jou.' Zeke had eigen seizoenskaarten, een paar rijen voor ons – County Stadium heeft nooit skyboxes gehad, wat voor mij een deel van zijn charme was – en eerder in de wedstrijd had ik hem daar zien zitten met twee andere mannen.

Ella zat tussen Charlie en mij in, en Zeke zat aan de andere kant van Charlie, dus ik kon niet horen wat ze tegen elkaar zeiden toen Zeke eenmaal zat. Het verbaasde me dat hij tot aan de zevende inning bleef zitten, toen de Brewers nog drie homeruns hadden gehaald. Ik liep met Ella mee naar de wc en ging daarna met haar in de rij staan voor patat frites, en we waren net op weg naar ons vak toen Ella tegen een jongen van haar leeftijd botste. Bijna de helft van Ella's frietjes vielen uit het kartonnen bakje op de grond en vitterig zei ze tegen de jongen: 'Kijk nou wat je doet!'

De jongen keek angstig en ik zei: 'Ella, liefje, het was een ongelukje. Hij kon er niets aan doen, net zomin als jij.' De jongen was samen met een man, en toen ik opkeek en een uitwisseling van verontschuldigende glimlachjes verwachtte, zag ik dat het Simon Törnkvist was. Ik geloof dat we allebei overwogen om te doen alsof we elkaar niet herkenden – hij droeg een andere bril, met grotere glazen, en hij had geen baard meer, maar zijn sluike blonde haar was nog hetzelfde, net als dat ene hangoog – en toen zei ik: 'Hemel, wat is de wereld toch klein!' Ik legde een hand op Ella's schouder. 'Dit is mijn dochter Ella.'

'Mijn zoon Kyle.'

'Wat een prachtige dag voor honkbal,' zei ik.

'We wonen nu in Oshkosh, maar we zijn hier op bezoek bij vrienden.' Simons toon was hartelijker dan ik had verwacht.

'Je komt toch oorspronkelijk uit Oshkosh?' zei ik, en hij zei: 'Goed onthouden.'

Goed onthouden? dacht ik. *We hebben een jaar verkering gehad!*

'Het zal je misschien verbazen dat ik uiteindelijk ook in het onderwijs terecht ben gekomen,' zei hij. 'Ik ben geschiedenisleraar op een high school.'

'Dat is geweldig,' zei ik. Het leek erop dat hij wachtte tot ik met een update van mijn positie kwam – *Ik zwoeg nog steeds in de bibliotheek* – en ik merkte dat ik niet aan Simon kwijt wilde dat ik niet meer buiten de deur werkte. Ik besefte dat ik me had afgevraagd of hij wist met wie ik getrouwd was, of althans wist dat het een van de zoons was van de vroegere gouverneur, en ik was blij dat hij er geen idee van bleek te hebben. Wat zou Simon Törnkvist daar schande van spreken, hoe kleinburgerlijk zou mijn leven in zijn ogen zijn. 'Laten we maar weer gauw naar de wedstrijd gaan kijken,' zei ik. 'Het was leuk om je even te zien.'

'Misschien kunnen we iets afspreken als we de volgende keer hier zijn,' zei hij, en ik glimlachte, rekenend op het feit dat hij me nooit zou kunnen opsporen.

'Doen we.'

Terug op onze plaatsen bleek Zeke Langenbacher vertrokken te zijn, en ik zei tegen Charlie: 'Je gelooft nooit wie Ella en ik zojuist tegen het lijf liepen: Simon Törnkvist.'

'Je bedoelt meneer Kruidentuin?' Dat was de bijnaam die Charlie jaren eerder op basis van mijn korte beschrijving van Simon aan hem had gegeven. Ze hadden elkaar nooit ontmoet, maar Charlie had op de een of andere manier de indruk gekregen dat Simon een langharige, op een gitaar tokkelende pacifist was; dit zei natuurlijk niet zozeer iets over hoe Charlie over Simon dacht als wel over zijn idee van mij. 'Hij was met zijn zoontje,' zei ik, en Ella zei: 'Hij stootte al mijn friet uit mijn bakje!'

'Niet allemaal, zo te zien,' zei Charlie en hij stak zijn hand uit om er een paar te pakken. Verontwaardigd gaf Ella hem een klap op zijn onderarm.

'Ik dacht dat meneer Kruidentuin geen kinderen wilde,' zei Charlie. 'Dat was toch de reden waarom jullie uit elkaar gingen?'

Nu was het mijn beurt om aangenaam verrast te zijn door het geheugen van een ander. 'Ik denk dat mensen veranderen,' zei ik. Ik was me ervan bewust dat ik het feit dat Kyle bestond misschien als kwetsend moest opvatten, en misschien had Simon nog wel meer kinderen. De kans was groot. Maar in feite was ik alleen maar dolblij dat ik met Charlie was getrouwd en niet met Simon. Simon was horkerig en weinig liefdevol geweest toen we met elkaar omgingen, saai zelfs, en ik had het pas achteraf beseft; Charlie had ik, ondanks zijn vele kleine gebreken, oneindig veel liever. Ik reikte achter Ella langs om Charlies nek te wrijven. 'Wat had Zeke Langenbacher te zeggen?'

Charlie haalde zijn schouders op. 'Gewoon, een beetje ouwehoeren.'

De Brewers wonnen met 7-1, en we reden allemaal tevreden, door de zon verzadigd en vermoeid naar huis. Toen we de oprijlaan opreden, keek ik even om naar de achterbank. 'Pop, ik wil dat je vóór het eten je speelgoed opruimt.'

'Voor het geval je je afvraagt waar barbie is, die ligt wijdbeens in evakostuum op de grond in de televisiekamer,' zei Charlie. 'Het lijkt erop dat ze een wilde nacht heeft gehad.'

'Charlie.' Ik keek hem bestraffend aan.

'Wat betekent evakostuum?' vroeg Ella.

'Ik zeg het gewoon zoals het is,' zei Charlie.

Tegen Ella zei ik: 'Dat betekent naakt. Trek haar maar wat kleren aan, anders krijgt ze het misschien koud.'

Toen we binnenkwamen ging de telefoon, en mijn eerste opwelling was het antwoordapparaat te laten opnemen, maar misschien was het Jadey die wilde gaan wandelen, dus nam ik toch maar op.

'Hallo?' zei ik. Er werd niet onmiddellijk iets gezegd, toen hoorde ik iemand snuffen op een manier die me bekend voorkwam, en mijn moeder zei: 'O, Alice, ik vind het zo erg dat ik je dit moet zeggen, maar oma is overleden.'

Ik had nooit eerder zwarte kleding voor Ella gekocht. Ik had haar zelfs verteld dat het niet geschikt was voor kleine meisjes, iets wat ze me herhaaldelijk onder de neus wreef toen ik op een bankje zat in de paskamer bij Miss n' Master, de veel te dure kinderboetiek in Maronee, en zij zich in een tuleachtig zwart jurkje wurmde met ruches langs de mouwen en een sjerp rond de taille. Ze bekeek zichzelf in de spiegel en zei met onverwacht genoegen: 'Ik lijk op dat meisje uit *The Addams Family*. Wil je vlechten in mijn haar maken voor oma's begrafenis?'

‘Pas deze eens.’ Van een hanger haalde ik een marineblauw jurkje met een witte Peter Pan-kraag. Toen Ella hem over haar hoofd had getrokken, keek ze fronsend naar haar spiegelbeeld, en ik zei: ‘Hij staat je beeldschoon. Waarom vind je ’m niet leuk?’

‘Ik wil die andere.’

Het was donderdagmiddag vier uur, vier dagen na het telefoontje van mijn moeder, en de begrafenis zou de volgende ochtend om elf uur plaatsvinden. Ik zuchtte. ‘Goed, dan nemen we die zwarte.’

‘Mag ik ’m met kerst ook aan?’

‘Dat duurt nog zeven maanden, schat.’

‘Mag ik hem aan naar Princeton?’

‘Daar hebben we het later wel over. Draai je eens om, dan kan ik je rits opendoen.’

Bij de kassa zei Ella tegen de vrouw van middelbare leeftijd toen die het bedrag aansloeg: ‘Hij is voor de begrafenis van mijn overgrootmoeder, die is overleden omdat ze bloed in haar hoofd kreeg.’

De vrouw keek gechoqueerd. ‘Wat erg,’ zei ze.

Het was vreemd om in Riley te zijn zonder mijn grootmoeder. In het verleden was ik er wel eens geweest wanneer zij in Chicago bij Gladys Wycomb was, of op het moment dat ze net een dutje deed, maar die keren had ik zelfs tijdens haar afwezigheid haar kracht gevoeld, en nu was ze er helemaal niet meer. Maar wie was ik om dat te zeggen, wat wist ik eigenlijk van de mysteriën van het leven na de dood, misschien was ze wel vlak bij me, en keek ze toe terwijl ik me omdraaide om de mensen te begroeten in de banken achter de eerste rij in de calvarie-lutherse kerk. Een knellende band van bedroefdheid, als een riem die te strak was aangetrokken, was constant aanwezig, maar ik voelde me ook aangetrokken tot de beleefde praatjes met anderen die me altijd verbaasden op begrafenissen – het feit dat de momenten van diepe treurnis een uitzondering waren, de momenten waarop je in gedachten echt bij de overledene was in plaats van je vaag bewust te zijn van jezelf in een kerk, onderdeel van een menigte, terwijl je gebeden opzegde of met anderen praatte. Ongeveer zestig mensen waren naar de dienst gekomen, voornamelijk buren en ook Ernie LeClef, die nu filiaalhouder was van de Wisconsin State Bank & Trust in Riley, en deze opkomst was hoger dan ik had verwacht gezien het feit dat mijn grootmoeder weinig goede vrienden had en ze haar leeftijdgenoten en veel mensen van de generatie erna, onder wie natuurlijk mijn vader, had overleefd.

De voorganger was Gordon Kluting, een man die ik amper kende en die de dienst begon met de woorden 'Gezegend zij God, de Vader van onze Heer Jezus Christus, de bron van alle genade en de God van alle troost.' Na zijn begroeting zongen we 'Jezus ga ons voor', daarna volgden de litanie en psalm 23, en mijn moeder las voor uit Openbaringen (ze was voor het grootste deel onverstaanbaar) en daarna was het mijn beurt om voor te lezen uit de zaligheden uit Mattheüs 5: 'Gezegend zijn de armen van geest, want hun valt het koninkrijk der hemelen ten deel. Gezegend zijn de treurenden, want zij zullen getroost worden...' Ik was blij dat ik dit stukje moest voorlezen en niet dat van mijn moeder, omdat hier meer medeleven uit sprak dan geloof; na al die jaren was mijn geloof ontegenzeggelijk wankel gebleven. Dat de wereld wondere, onverklaarbare wegen kende, zou ik niet betwisten. Dat die wonderen iets te maken hadden met de gebouwen die we kerken noemden, met de opeenvolging van woorden die we gebeden noemden – daar was ik minder van overtuigd. Als gelovige kon ik me, of dat nu in de kerk van Luther was of die van Christus de Verlosser, de episcopale kerk in Milwaukee waar we altijd naartoe gingen, vooral vinden in een paar zinnen uit de Bijbel, soms uit de context. In de brief van Paulus aan de Filippenzen stond bijvoorbeeld: *Want ik heb geleerd om vergenoegd te zijn in hetgeen ik ben. Ik weet vernederd te worden en ik weet ook overvloed te hebben. Alleszins en in alles ben ik onderwezen beide verzadigd te zijn en honger te lijden, beide overvloed te hebben en gebrek te lijden...* In eenvoudige gedachten of elegant taalgebruik ervoer ik een weerklank die ontbrak wanneer ik ter communie ging of de meeste gebeden opzegde. (De geloofsbelijdenis van Nicea, met zijn agressieve zekerheid die verder alles uitsluit, gaf me vooral een ongemakkelijk gevoel, en soms, als ik dacht dat niemand het zag, weigerde ik het op te zeggen; maar als het bijvoorbeeld kerstavond was en ik in de kerkbank naast Priscilla Blackwell zat, was dat die stellingname gewoonweg niet de moeite waard.) Ik vond het in elk geval wel belangrijk om Ella kerkelijk groot te brengen, al was het alleen maar omdat het geloof haar, als ze er mettertijd misschien troost in zou willen zoeken, niet vreemd zou zijn. Het ironische was dat ik degene was die er op zondag meestal voor zorgde dat we naar de kerk van Christus de Verlosser gingen. Toen we pas in Milwaukee woonden, was Charlie een fervent kerkganger geweest, maar ik denk dat dat meer te maken had met het feit dat we ons in de gemeenschap een plaatsje veroverden als getrouwd stel dan met zijn geloof, dat hij alleen leek te belijden omdat hij niets beters had. Voor Charlie bestond er natuurlijk wel een God; natuurlijk moesten we tot Hem bidden, vooral met Kerstmis en met Pasen en in tijden van onrust; en nee, het was niet verkeerd om Hem lastig te vallen met zelfs onze kleinste zorgen (daar was Hij voor, als de manager van een luxehotel). De laatste paar jaar was Charlie niet meer zo trouw elke zondag naar de kerk van Christus de Verlosser gegaan, en soms gingen Ella en ik zonder hem; zij bezocht de zondagsschool, waar ze het zelfs fijn vond omdat de juffrouw, Bonnie, een negentienjarig meisje was met een glazen oog, en aan het eind van de les haalde ze, als de kinderen braaf waren geweest, dat oog er voor hen uit. Ella vertelde me ernstig dat Bonnie haar oog was kwijtgeraakt op haar derde, toen haar oudere broer er een elastiekje in had geschoten, maar Bonnie had het haar broer allang vergeven want, hield Ella voor terwijl ze Jezus citeerde: 'Als je mensen hun zonden vergeeft, zal de hemelse Vader jou vergeven.'

Toen ik na het voorlezen van de zaligheden opkeek, zag ik op de een na laatste rij Harold Blackwell zitten. Pas toen voelde ik de eerste tranen opwellen. Zelfs Jadey was niet gekomen – ik had tegen haar gezegd dat dat echt niet hoefde, en ik kreeg het gevoel dat ze opgelucht was. Harold was er speciaal voor naar Wisconsin gekomen, besefte ik. En hoewel mijn grootmoeder haar bedenkingen had gehad over de politieke ideeën van Harold, was ik zeer ontroerd. Toen ik terugliep naar mijn plaats op de eerste rij, en langs Lars en mijn moeder tussen Ella en Charlie ging zitten, kneep Charlie even in mijn hand en fluisterde: 'Goed gedaan.'

Na de preek van pastor Kluting stak hij een lofrede af die ik niet specifiek op mijn grootmoeder van toepassing vond – hij noemde haar onder andere een steunpilaar van de parochie van Riley – en na het credo, het onzevader en een gebed voor de overledenen zongen we ten slotte het lied 'Hef hoog het kruis'. Opnieuw kreeg ik een brok in mijn keel. Niet dat iets in dit lied me aan mijn grootmoeder deed denken, maar het was een lied dat ik al vanaf mijn kinderjaren kende en zong, en bij het horen van het orgel en stemmen in de volle, of redelijk volle kerk, van mensen die mijn familie kenden, welde er een verschrikkelijke droefheid bij me op. O, hoe anders zou mijn leven zijn verlopen als ik niet was opgegroeid in het huis waar mijn grootmoeder woonde, en hoeveel kleingeestiger en saaier! Zij had ervoor gezorgd dat ik was gaan lezen, en door te lezen was ik voor een groot deel geworden wie ik was; het had me nieuwsgierigheid en medeleven bijgebracht, een bewustzijn van de wereld als een vreemde, levendige plaats vol tegenstellingen, en het had mijn angst weggenomen voor die vreemdheid en levendigheid en tegenstellingen. En zou ik ooit met Charlie zijn getrouwd als mijn grootmoeder er niet was geweest? Vast niet, niet zozeer vanwege de hoge dunk die ze van hem kreeg tijdens hun eerste kennismaking als wel vanwege de eigenschappen die ze gemeen hadden, de trekjes die ik in hem waardeerde omdat ik ze eerst in haar had leren waarderen: schalksheid, humor en een zekere respectloosheid, met een intelligentie die eerder impliciet was dan dat ze zich erop liet voorstaan. Hij stond nu naast me, ik zag zijn grijze pak vanuit mijn ooghoek, en ik dacht: had mijn grootmoeder in al het andere geen gelijk gehad? Van mode tot opvoeding tot haar hulp om mijn zwangerschap vroegtijdig te beëindigen, wanneer had ze me geen aandacht gegeven, wat had ze ooit verkeerd ingeschat? En moest ze het dan ook wat hem betrof niet bij het juiste eind hebben gehad?

Haar kist stond op een baar met wieltjes en werd begeleid door mannen van het uitvaartcentrum. Tijdens het laatste couplet liepen zij als eerste het kerkpad af, daarna de pastor, daarna de familieleden, en ik zag dat mijn moeder zowel beleefd naar mensen lachte als huilde. In de auto op weg naar de begraafplaats – we hadden zelfs toen geen limousine gehuurd, dat deden mensen in Riley niet – boog Ella zich naar voren en tikte op mijn schouder; Charlie reed en ik zat naast hem. Toen ik me omdraaide, keek Ella ernstig, alsof ze serieus over het onderwerp had nagedacht. Ze zei: 'Ik denk dat oma mijn jurk wel mooi zou vinden.'

Tijdens de condoleance, die in mijn ouderlijk huis in Amity Lane werd gehouden, had ik net een schaal met fruitsalade op de eetkamertafel gezet toen Charlie achter me opdook en zei: 'Denk je dat je hier nog even blijft of wil je weg?' Hij stond ergens op te kauwen – het bleek de koude bacon-kaasdip te zijn die bij de chips hoorde, die ik uitsluitend op begrafenissen had gezien – en hij slikte zijn hap door en veegde zijn handen af aan een servetje.

'Heb je haast?' vroeg ik.

'Ik wil je niet opjagen, dus als jij misschien hier nog het een en ander wilt afhandelen, kunnen Ella en ik met pa mee terugrijden. Het is maar een idee.'

Bijna alle begrafenisgangers stonden verspreid in de woon- en de eetkamer. De ceremonie op de begraafplaats was kort geweest, en we waren vijftien minuten daarvoor thuisgekomen. Harold kwam toen naar ons toe, ging tussen Charlie en mij in staan en legde een hand op ons beider rug. (Sinds we thuis waren, had ik andere gasten naar Harold zien kijken, naar elkaar knikken en fluisteren – *volgens mij is dat gouverneur Blackwell.* Maar Harold zelf had dat ofwel niet door ofwel hij was er zo aan gewend dat hij er geen acht op sloeg.) Hij zei: 'Alice, namens de hele familie moet ik je zeggen dat jij en je grootmoeder vandaag in ons hart zijn.'

'Ik vond het heel fijn dat je bent gekomen,' zei ik.

'Ik vond het belangrijk om vandaag bij jou te zijn. Het spijt me alleen dat ik nu moet gaan, ik word vanavond voor een toespraak in San Diego verwacht. Je begrijpt dat het Priscilla heel erg speet dat ze er hier niet bij kon zijn.'

Ik knikte. 'Natuurlijk.'

'We houden heel veel van je,' zei hij, en toen we elkaar omhelsden, bedacht ik dat niets ter wereld me zo ontwapende als het sentimentele trekje van Harold Blackwell. In die mate dat ik me begon af te vragen of er nog meer regeringsfunctionarissen waren die ik net zo verkeerd had ingeschat als hem. Waren er mannen (het zouden hoofdzakelijk mannen zijn) die in plaats van quasi-rechtvaardig en eerzaam het tegenovergestelde waren: quasi-hard, quasi-gevoelloos? Mannen die door een vertekend beeld van de media of onder vermeende druk om zich op een bepaalde manier te gedragen, althans in het openbaar, hun eigen sympathieke, vriendelijke aard sublimeerden?

Na onze omhelzing klopte Harold Charlie op de schouder. 'Pas goed op haar, zoon,' zei hij, en Charlie zei: 'Denk je dat er in jouw Batmobile nog twee passagiers kunnen?'

'Lieverd, je kunt hier blijven,' zei ik. 'Je loopt echt niet in de weg.'

Charlie meed mijn blik toen hij zei: 'Ja, weet je, er is iets op het werk wat ik moet doen. Het is zelfs nogal belangrijk, anders zou ik het wel uitstellen, dat weet je.'

'Ik ben ervan overtuigd dat je broers zullen begrijpen dat je vandaag bij Alice moet zijn,' zei Harold, en ik zei: 'Wat is het dan?'

Charlie aarzelde. 'Ik wil er liever niet over uitweiden. Erewoord, ik zal het jullie vertellen zodra dat kan. Lindy, denk je dat je om vijf uur à half-zes thuis zult zijn?'

'Weet je zeker dat je niet kunt zeggen waar het over gaat?'

Hij trok een verontschuldigende grimas. 'Geef me een paar dagen de tijd, lukt dat? Het komt allemaal nogal plotseling, en ik wil er pas iets over zeggen als er meer duidelijkheid over is.' Tegen zijn vader zei hij: 'Ik ga Ella halen, dan zien we je buiten, goed?' Hij boog zich naar me toe en gaf me een kus. 'Tot vanavond.'

Toen Charlie was vertrokken, voelde ik dat Harold en ik ons allebei geneerden – we waren per slot van rekening respectievelijk zijn vader en zijn vrouw. Op een gemaakt luchtige toon zei ik: 'Ik verwacht natuurlijk dat je het onderweg uit hem trekt en het aan me doorbrieft zodra je thuis bent!' Zoiets verwachtte ik totaal niet.

'Klinkt wel spannend allemaal, vind je niet?' Harold schudde zijn hoofd. 'Laat het ons weten als we iets voor je kunnen doen.'

Een van de laatste bezoekers die vertrokken was Lillian Janaszewski, de moeder van Dena. Ik was al bezig borden en glazen naar de keuken te brengen toen ze me tegenhield en zei: 'Alice, je hebt de hele middag nog geen moment gezeten. Je bent net als Dorothy.'

'Dank voor je komst,' zei ik. 'Het is heel fijn om je te zien.' Ik had deze woorden, of variaties erop, die dag al zo vaak gezegd dat ze er automatisch uit rolden, net als de micro-update van mijn leven en de vluchtige herinneringen aan mijn grootmoeder: *Ja, Charlie en ik wonen nog in Milwaukee. Ella is nu negen, ze is bijna klaar met het derde jaar. Ze staat daar, ja, dat meisje met dat lange haar.* Of: *Ze is net weg – ik weet het, jammer dat je haar hebt gemist. Charlie en ik boffen heel erg.* Of: *Inderdaad, mijn grootmoeder was een geweldige vrouw.* Dit onderdeel van de begrafenis leek ook veel minder te maken te hebben met de mens die mijn grootmoeder was geweest dan met decorum, zozeer zelfs dat ik, als ik mezelf hoorde kakelen, een pijnlijk soort trouweloosheid ervoer. Maar wat kon ik anders doen? Hoe kon ik haar tegenover iedereen op een levendige en realistische wijze gedenken? *Ze vond het in Riley nogal saai. Ze kon voortreffelijk bridgen. Ze heeft nooit een vinger uitgestoken in de keuken of in het huishouden, zelfs niet toen ze jonger was en nog zo vief dat ze het gemakkelijk had gekund, en ze rookte aan één stuk door, ook in het bijzijn van haar kleindochter. Ze was dol op* Anna Karenina *omdat ze van de personages hield, maar ze vond* Oorlog en vrede *slaapverwekkend politiek, en ze bleef de mode volgen tot ze in de negentig was, en ze had er een hekel aan als mensen de hele dag in joggingpak liepen; ze vond dat jurkjes van Laura Ashley eruitzagen alsof ze bedoeld waren voor boerinnetjes. Ze had een langdurige liefdesverhouding met een andere vrouw, waarover niemand van ons iets zei, en toen maakten ze het uit en ook daarover hebben we amper ooit iets gezegd.* Hoe mijn grootmoeder echt was geweest ging niemand van de gasten iets aan; iemands wezenlijke persoon ging niet meer mensen aan dan een select clubje familieleden of goede vrienden. En in elk geval, hield ik mezelf voor, kon het maken van oppervlakkige opmerkingen de doden net zomin in een kwalijk daglicht stellen of kwetsen als het gemis hen kon terugbrengen.

Mevrouw Janaszewski pakte mijn hand stevig in de hare, haar huid was verbazend koel op deze warme meidag. 'Ik vind het verschrikkelijk van jou en Dena,' zei ze. 'Ze woont weer hier, weet je dat?'

'Werkt ze niet meer bij D's?'

Mevrouw Janaszewski zei vol spijt: 'Kledingzaken hebben het moeilijk, Alice. De klanten zijn kieskeurig en in Madison is er zo'n verloop onder de studenten.'

Dit verbaasde me, omdat het bij D's altijd druk was geweest als ik erlangs kwam. Toen besefte ik dat ik er meer dan tien jaar geleden voor het laatst was geweest; ik ging wel af en toe terug naar Madison – om te lunchen met Rita Alwin, mijn oude vriendin van Liess, of voor een tentoonstelling in het Elvehjem Museum – maar ik vermeed State Street omdat ik er bedroefd van werd.

'Dena is nu gastvrouw bij het steakhouse in het nieuwe winkelcentrum, maar het grote nieuws is dat ze een vaste vriend heeft,' zei mevrouw Janaszewski. 'Je zult hem wel kennen: Pete Imhof.' Ik neem aan dat van mijn gezicht af te lezen moet zijn geweest hoe ik schrok, want mevrouw Janaszewski bracht haar hand naar haar mond en zei: 'O, Alice, hij is de broer – o, dat was ik helemaal vergeten – neem me niet kwalijk.'

'Nee, nee, dat is al zo lang geleden,' zei ik, en ik had me toen net zo trouweloos kunnen voelen tegenover Andrew als tegenover mijn grootmoeder – *Ik zal mijn verdriet zo veel mogelijk wegdrukken om een praatje te kunnen maken; het praten over koetjes en kalfjes is belangrijker dan ons verleden, jullie nagedachtenis* – als ik niet zo van slag was geweest door het nieuwtje van mevrouw Janaszewski. Dena had verkering met *Pete*? Maar Pete was verschrikkelijk! Dena was grappig en schattig en een harde werker, en Pete was een onbetrouwbare nietsnut; een klootzak. Ik vroeg me zelfs af of zij hem onderhield. Hoe waren ze weer met elkaar in contact gekomen? Was het misschien mogelijk – ik hoopte van wel, omwille van haar – dat hij veranderd was nadat hij mijn moeder had opgelicht? En toen dacht ik, als Dena en Pete een relatie hadden, had zij hem vast en zeker verteld over mijn abortus. En mijn god, als hij er na al die tijd achter kwam dat ik zwanger was geweest – zou hij dan niet razend op me zijn? Van weerzin vervuld, of teleurgesteld, of misschien alleen opgelucht dat ik het had laten weghalen? Ik vroeg aan mevrouw Janaszewski: 'Hoe lang zijn ze al samen?'

'O, bijna een jaar inmiddels. Ze zegt: "Mam, hou op met vragen wanneer we gaan trouwen. Als ik je iets te vertellen heb, dan hoor je het wel."'

Dus als Pete me zou willen opsporen, me ermee zou willen confronteren, zou hij dat dan niet al maanden geleden hebben gedaan? Had Dena hem niets verteld, zou het kunnen dat ze het vergeten was? Dit leek onwaarschijnlijk, maar niet onmogelijk. Na al die jaren waren Dena en Charlie nog steeds de enige mensen aan wie ik het had verteld; het leek me te riskant om het aan Jadey toe te vertrouwen.

Ik zei: 'Het moet heerlijk voor u zijn dat Dena zo dichtbij woont.'

'Ze woont aan Colway Avenue,' zei mevrouw Janaszewski. 'En ik weet misschien niet de hele toedracht van wat er tussen jullie twee is voorgevallen, maar Dena kennende, zal ze dolgraag iets van je horen. Ik zal je haar telefoonnummer geven, ze gaat pas om vijf uur naar haar werk – ik denk zelfs dat ze op dit moment thuis is.'

'Jammer, ik moet straks terug naar Milwaukee.' Ik trok een gezicht alsof ik er niet bijzonder veel zin in had om terug te keren naar mijn gewone leven, mijn eigen huis en bed en keuken en gewoonten. 'Ella en Charlie zijn al vertrokken. Maar het is fijn om te horen dat alles goed gaat met Dena.'

'Jij en ik weten allebei hoe koppig ze kan zijn, maar jullie waren vroeger zulke goede vriendinnen. Ik dacht altijd bij mezelf: Alice is net een vierde zusje, waren mijn eigen dochters maar half zo welgemanierd.'

Het verbaasde me dat Dena haar moeder niet had verteld waarom onze vriendschap was gestrand. Maar als ze dat wel had gedaan, zou mevrouw

Janaszewski me dan even hartelijk hebben bejegend? Ik had nooit het gevoel gehad dat ik zo verkeerd bezig was geweest als Dena me had willen doen geloven, maar ik had mezelf ook nooit helemaal kunnen vrijpleiten; dat mijn ontluikende relatie met Charlie ten koste was gegaan van mijn vriendschap met Dena was niet iets waar ik graag aan terugdacht. Nu ik wist dat ze met Pete Imhof ging probeerde ik me niet af te vragen of ze het, afgezien van de abortus, ooit samen over me hadden gehad.

Ik deed mijn best een spijtige toon aan te slaan toen ik tegen mevrouw Janaszewski zei: 'Volgende keer beter.'

Toen iedereen weg was, gingen Lars en mijn moeder en ik in de woonkamer zitten, mijn moeder zijdelings op de bank, met haar benen in een zwarte broek recht vooruit en haar voeten in doorzichtige zwarte kousjes op schoot bij Lars, die ze verstrooid masseerde. Ik vond het intieme aspect van dit tafereeltje zowel verwarrend als vertederend; in elk geval had ik de aanwezigheid van Lars nog nooit zo geruststellend gevonden als op deze dag, in de wetenschap dat hij daar bleef wanneer ik terugreed naar Milwaukee.

'Ik wil niet onaardig klinken, maar heb je die nachostoofschotel gezien die Helen Martin heeft meegebracht?' zei mijn moeder. 'Van zoiets had ik nog nooit van gehoord!' Mijn moeder was in een verrassend uitgelaten stemming; ik veronderstel dat ze blij was dat de gasten vertrokken waren.

'Nee, hij was heel lekker,' zei Lars. 'Pittig, maar niet te.'

'Het klinkt alleen zo gek.' Mijn moeder keek de kamer in, waar ik op een luie stoel zat, een van de weinige meubelstukken die Lars aan het interieur had toegevoegd toen hij daar introk. 'Heb jij het geproefd, schat?' vroeg mijn moeder.

Ik schudde mijn hoofd. 'Maar ik ben me te buiten gegaan aan de chocoladekoekjes van mevrouw Noffke.' De telefoon ging – mijn moeder had eindelijk het draaitoestel vervangen door een crèmekleurig model met druktoetsen – en toen ik naar de keuken liep om op te nemen, zei ik: 'Ik geloof dat ze er walnoten in heeft gedaan. Hallo?'

'Ben je daar nog?' zei Charlie.

Ik keek op mijn horloge. 'Het is nog niet eens halfzes.'

'Ga je zo weg of duurt het nog even?'

'Charlie, ik heb je gezegd dat ik rond etenstijd thuis ben.'

'Heb je toevallig het nummer van Shannon bij je? Ik wil haar vragen of ze op Ella kan passen.'

'Ik denk niet dat ze op zo'n korte termijn beschikbaar is.'

Mijn moeder verscheen in de deuropening van de keuken en fronste vragend haar wenkbrauwen. Ik legde mijn hand over de hoorn en schudde mijn hoofd. 'Niets aan de hand. Het is Charlie maar.'

'Charlie maar, hm?' zei Charlie toen mijn moeder weer wegliep.

'Je weet best wat ik bedoel.' Er volgde een stilte, en ik zei: 'Ik wil echt graag dat je me vertelt wat dat geheimzinnige gedoe inhoudt.'

Hij zuchtte. 'Je weet toch dat ik zondag tijdens de wedstrijd met Zeke Langenbacher heb zitten praten? Nou, hij nodigde me uit voor een borrel. Het zou de kans van mijn leven kunnen zijn – meer kan ik er nu niet over zeggen, maar geloof me, het is iets geweldigs.'

'Ga je voor hem werken?'

'Niet echt. Luister, heb jij Shannons nummer? Ik beloof je dat ik je later alles uitleg.'

'Kijk maar op de koelkast. Nee, weet je wat, bel haar maar niet. Ik stap nu in de auto. Hoe laat heb je die afspraak met Zeke?' Ik wierp een blik op mijn horloge; het was tien voor halfzes, en het zou me vijftig minuten kosten om naar Milwaukee te rijden.

'Halfzeven,' zei Charlie.

'Dan haal ik het...'

'Nee, niet in de club, maar bij Langenbacher op kantoor, in de stad.'

'Nou, laat Ella alsjeblieft niet alleen thuis. Als je weg moet en ik ben nog niet terug, breng haar dan naar Jadey en Arthur.'

'Je bent een schat,' zei Charlie. 'Zeg, hoe gaat het daar?'

'Goed.'

'Ben je boos?'

'Ik moet nu gaan.'

'Wel een beetje doorrijden, oké?' zei hij. 'Ik wil niet rot doen, maar dit is belangrijk.'

'Ik zal mijn best doen om er zo snel mogelijk te zijn.' Ik hoorde de strakke, bijna sarcastische toon in mijn stem, maar deze keer zei Charlie er niets over.

Ik vond mijn tas terug op de keukenstoel waar ik hem had neergezet, en nam hem mee naar de woonkamer. 'Ik moest maar eens gaan,' zei ik, en Lars zei: 'Alles goed thuis?'

'Charlie wilde weten of ik het restje van de nachostoofpot kon meesmokkelen naar Milwaukee,' zei ik. 'Volgens hem zouden jullie er niets van merken.' Lars grinnikte, maar mijn moeder keek somber; de stemming was omgeslagen toen ik in de keuken was. 'Gaat het, mam?' vroeg ik.

Mijn moeder hield haar hoofd schuin omhoog. 'Ik denk steeds dat ze boven zit te lezen.'

Ik begreep het volkomen; nu de voorbereidingen en de begrafenis niet langer voor afleiding zorgden, wachtte haar een lange toekomst zonder mijn grootmoeder. Was Lars uiteindelijk wel genoeg om het huis te vullen, om mijn moeder gezelschap te houden?

Met meer vertrouwen en optimisme dan ik in werkelijkheid voelde, zei ik: 'Misschien zit ze daar ook wel.'

Ons huis in Maronee stamde uit 1922, een *Georgian* koloniaal huis, waarvan de overnaadse planken lichtgeel geschilderd waren – ze waren wit geweest toen we het kochten, maar we hadden het vijf jaar geleden opnieuw laten doen, en ik vond het geel zachter – en aan weerszijden van de voordeur droegen twee extreem hoge Ionische zuilen een timpaan, louter en alleen voor de sier. Op de meeste dagen kwam ons huis, wanneer ik de oprijlaan op reed, me heel normaal voor, gewoon als ons huis; maar soms, als ik weggeweest was, vooral als ik, zoals op deze avond, terugkwam uit Riley, besefte ik weer hoe groot het was, helemaal voor maar drie mensen. Het huis stond op een halve hectare zoysiagras (dat elke week, behalve 's winters, door het hoveniersbedrijf Glienke & Sons werd gemaaid), met op verschillende afstanden van elkaar hoge eiken en olmen en populieren die schaduw boden en een soort buffer vormden voor de weg. Onze oprit was van glad asfalt, onze garage voor drie auto's was vrijstaand en ook geel; hoewel we maar twee auto's hadden, was het ons gelukt de resterende ruimte vol te stouwen met fietsen, harken, een ladder en nog een heleboel andere huishoudelijke rommel. Toen ik deze avond bij ons huis aankwam, zag ik dat Charlie en Ella in de voortuin stonden te frisbeeën; Ella was blootsvoets maar had nog steeds haar jurk van de begrafenis aan. Toen ik de oprit op kwam rijden, stak Charlie zijn linkerarm op, deels ter begroeting, deels om me tot stoppen te manen, en Ella begon een dansje dat ze, voor zover ik kon zien, zelf had bedacht: ze plaatste haar handen op haar hoofd, stak haar wijsvingers als voelsprieten omhoog en sprong met kleine hupjes zijwaarts. Het vroege avondlicht dat gefilterd werd door de bomen was goudkleurig, en ondanks mijn ergernis over Charlie dacht ik eraan hoe goed we het hadden; ik wist eigenlijk niet zeker of het wel eerlijk was om het zo goed te hebben.

Ik zette mijn voet op de rem en draaide mijn raampje omlaag, en Ella riep: 'Papa gooide de frisbee met effect en ik heb hem gevangen!'

'Je doet veel langer met dat jurkje als je er niet in speelt, pop,' zei ik. 'Laten we naar binnen gaan en je iets anders aantrekken.'

'Bedankt dat je teruggekomen bent,' zei Charlie. 'Je bent een engel, Lindy.'

'Je bent een bengel, Lindy,' gekscheerde Ella, en Charlie lachte en haalde zijn hand over haar hoofd.

Tegen mij zei hij: 'Goed als ik jouw auto neem?' Hij opende het portier aan mijn kant, stak met een overdreven zwierig gebaar zijn arm uit en zei: 'Madame.' Ik zette de motor uit en hij zei: 'Laat de sleutel er maar in zitten.'

Toen ik uitstapte, gaf hij me snel een kus op mijn lippen en glipte op mijn plaats. 'Adios, amiga,' zei hij tegen Ella, en tegen mij: 'Ik zal tegen tien uur wel thuis zijn.' Hij reed al achteruit toen ik riep: 'Mijn tas!' Hij pakte de tas en gooide hem uit het raampje; onwaarschijnlijk genoeg ving ik hem op en hij zei: 'Zo hé, je lijkt wel een prof.' Toen reed hij achteruit de oprit af en verdween uit het zicht.

'Dat moet jij nooit doen,' zei ik tegen Ella.

'Hard rijden?'

'Dat ook niet, maar ik bedoelde met mama's tas gooien.'

We gingen naar binnen om een korte broek voor haar te halen en toen weer naar buiten omdat ze nog wilde frisbeeën. Nadat we een paar keer heen en weer hadden gegooid, stelde ze terloops vast: 'Je kunt het niet zo goed als papa.'

'Ik heb niet zoveel geoefend als hij,' antwoordde ik.

Toen ze zich moe had gespeeld gingen we naar binnen, ik liet het bad voor haar vollopen, en toen het tijd was om haar haar te wassen, riep ze me. Ook al was ik er eerst zo op tegen geweest dat mijn dochter lang haar had, dit was een van mijn favoriete rituelen. Ik waste het nog steeds met Johnson's babyshampoo, met de roze druppel in het logo waarop stond: GEEN TRAANTJES MEER. Ik vermoedde dat ze het binnenkort zou zien staan en zich zou ergeren aan het woord 'baby', maar tot dusver had ze er niets over gezegd. Ze zat naakt in kleermakerszit met haar rug tegen de zijkant van het bad, haar hoofd naar voren gebogen, en ik masseerde haar hoofdhuid in gemoedelijke stilte; af en toe liet ze met haar duim en wijsvinger het water opspatten. Ik spoelde de shampoo uit met de douche, en toen ze uit bad stapte, zat ik met een handdoek klaar op het deksel van de wc; ze liep naar me toe en ik wikkelde haar erin, en hield haar stijf in mijn armen. 'Mama,' zei ze.

'Ja?'

'Ik kan een potlood oppakken met mijn tenen.'

Ik bleef haar vasthouden. 'Sinds wanneer?'

'Christine heeft het me geleerd. Wil je het zien?'

'Laat het maar zien als je je pyjama aan hebt.'

Het boek waar ik haar die avond, niet voor het eerst, uit voorlas was *De gulle boom.* We waren bij het stukje waarin de jongen de appels van de boom plukt om ze te verkopen, toen ik aanvoelde dat Ella in slaap gevallen was – we leunden allebei tegen het hoofdeinde van haar bed – en na nog een paar bladzijden draaide ik me om zodat ik haar ogen kon zien. Ze waren inderdaad dicht. Op dat moment had ik het boek dicht moeten klappen en het licht uit moeten doen, maar ik bleef lezen; ik las door tot ik het uit had.

Het was na enen, zag ik op de digitale wekker op mijn nachtkastje, toen Charlie naast me in bed stapte. Slaperig mompelde ik: 'Had je een lekke band?'

'Ssst,' fluisterde hij. 'Ga maar weer slapen.'

Maar toen we daar in het donker lagen, werd ik steeds wakkerder in plaats van dat ik weer indutte. Mijn hoofd werd steeds helderder en ik dacht: waar kan Charlie in 's hemelsnaam gezeten hebben? Dit was in elk geval de langste dag van mijn leven.

Toen ik begon te praten, was het op normale gesprekstoon. Ik zei: 'Je moet het me nu vertellen.'

Onmiddellijk draaide hij zich naar me toe en legde zijn armen om me heen, en toen hij begon, was zijn adem warm tegen mijn gezicht. Ik kon merken dat hij opgetogen was. Hij zei: 'Nee, nee, alles is in orde. Alles is dik in orde.' Zijn blijdschap verspreidde zich door onze donkere slaapkamer. Hij zei: 'Ik ga de Brewers kopen.'

Het zwembad van de club ging die zaterdag open – het was het weekend van Memorial Day – en Ella drong erop aan dat we er al om negen uur zouden zijn. Maar eerst haalden we Jadey en Winnie op. Toen ze tevoorschijn kwamen uit hun huis, een gigantisch Tudor-pand, zag ik dat Winnie een rode bikini droeg waarvan de cups plat op haar twaalfjarige borstkas lagen, en Ella riep vanaf de achterbank: 'Jij zei dat het ongepast is om een bikini te dragen voor je zestiende!'

'Iedere familie heeft zijn eigen regels.'

'Maar Winnie ís toch familie!'

'We hebben het er later wel over,' zei ik omdat Jadey en Winnie bijna bij onze auto waren. Jadey droeg, ondanks al haar gepraat over afvallen, ook een bikini – bravo voor haar, dacht ik – die ik onder haar doorzichtige witte linnen bovenkleding kon zien. Ze had ook een zonnebril op haar voorhoofd die haar blonde haar naar achteren duwde, en over een schouder hing een enorme canvas tas met blauwe riempjes en een blauw monogram. Toen ze de portieren van de auto opendeden, zag ik dat zij en Winnie allebei rode teennagels hadden.

De meisjes begonnen achterin meteen te praten – Winnie was heel lief tegen Ella, ze betrok haar overal bij, waaruit ik deels afleidde dat Jadey en Arthur fijne ouders waren – en naast me zei Jadey: 'Hoe was de begrafenis? Voor een begrafenis, bedoel ik.'

'Niet al te erg.'

'Je grootmoeder was volgens mij een heel toffe vrouw.' Jadey haalde een blikje cola light uit haar tas en trok het lipje open. 'Ik wou dat ik haar beter had leren kennen.' Toen ik vanaf hun oprit Maronee Drive op reed, draaide Jadey het raampje aan haar kant open en keerde zich toen om. 'Ella, ik heb gehoord dat je dit jaar met de zwemploeg meedoet. Ik denk dat je dol zult zijn op juf Missy. Jullie krijgen de zomer van je leven.' Hoewel we de hele maand juli en een deel van augustus in Halcyon zouden doorbrengen, was het niet erg dat we de helft van het zwemseizoen misten omdat er zoveel gezinnen die bij de club waren naar hun vakantiehuis gingen.

We waren niet de enigen die precies op tijd waren voor de opening van het bad, en op de benedenparkeerplaats was het één grote wirwar van kinderen, moeders, een paar vaders en tieners. De Maronee Country Club was in feite een staatje op zich, een van die piepkleine, enigszins absurde vorstendommen – Liechtenstein, misschien. Hij beschikte over dertig hectare grond, die voor het merendeel in beslag genomen werd door een golfterrein met achttien holes. Het clubhuis was een extreem lange rechthoek van wit stucwerk – het deed me altijd denken aan een bruiloftstaart – met een veranda ervoor, vol met bovenmaatse witte schommelstoelen en een Amerikaanse vlag die wapperde op het dak. Je auto werd voor je weggezet, hoewel ik me daar altijd een beetje raar bij voelde en hem net zo lief zelf had geparkeerd. De grote eetzaal was op de benedenverdieping, en hier werden trouwrecepties en debutantenbals gegeven, met tafels en stoelen die in de herfst en de winter om de andere vrijdag werden weggezet om plaats te maken voor de dansles voor kinderen uit groep zes en zeven. Daaronder was een informele eetzaal die 'de sportzaal' werd genoemd, waar Harold, Ella en ik, voordat mijn schoonouders naar de oostkust vertrokken waren, soms afspraken voor een zaterdagse lunch met een broodje gezond of een broodje kalkoen. In een aangrenzend gebouw waren de fitnessruimte, squashbanen, kleedkamers en een lounge waar je net zo goed een viertal zeventigjarige bridgende matrones kon aantreffen als twee mannelijke studenten aan de bar, in het wit, bezweet van een partijtje squash (in het rijk van de Maronee Country Club gold er geen minimumleeftijd om alcohol te mogen drinken). De tennisbanen lagen tussen het clubhuis en de weg, meer dan twaalf banen met in het midden een tenniswinkel met een balie voor de profs en waar je water kon halen, je racket opnieuw kon laten bespannen, kleding kon kopen, of kon discussiëren over de vraag of Björn Borg de grootste speler aller tijden was (iets dergelijks was er voor de golfspelers, en op de parkeerplaats was een speciaal deel gereserveerd voor de vloot golfkarretjes). De tennisbanen vormden een barrière tussen de weg en het clubhuis; de zanderige greens werden omsloten door draadhekken van ruim acht meter hoog, en als je daar op af liep hoorde je het holle, rubberachtige stuiteren van ballen.

Natuurlijk was het zwembad die ochtend de hoofdattractie – het enorme, majestueuze, glinsterend blauwe bad dat, tussen het weekend van Memorial Day en van Labor Day in, een magische aantrekkingskracht uitoefende, niet alleen op de kinderen, maar ook op de volwassenen. Het lag achter het clubhuis en toen ik zes jaar eerder, op de huwelijksreceptie van Polly Blackwell (Polly was Charlies volle nicht), op een juniavond in de schemering uit het raam van de eetzaal had gekeken, was het alsof ik uitkeek op een sprookjesmeer. Het bad had olympische afmetingen, scheidingslijnen met donkerblauwe drijvers, een diep gedeelte aan de noordwestzijde en een ondiep gedeelte aan de zuidoostkant (het ondiepe deel was niet hetzelfde als het pierenbadje, dat een apart bad was; natuurlijk vormde de relatieve warmte van het water daarin voortdurend een aanleiding voor grapjes). Je kwam in het zwembadgedeelte door een zwart geschilderd ijzeren hek aan de zuidoostkant; aan de noordkant lag een gazon waar de zwemploegen voorafgaand aan een wedstrijd bijeenkwamen en waar de tienermeisjes de rest van de tijd lagen te zonnebaden; aan de zuidkant was het babybad, de inschrijfbalie, waar je ook handdoeken kon huren (niemand bracht die zelf mee), een betonnen trap die naar de kleedkamers van de heren en de dames leidde – elke zomer was er wel een kind dat per ongeluk de verkeerde afdeling in liep – en de snackbar. (Geen geur of geluid roept meer herinneringen bij me op dan die specifieke combinatie van gefrituurd eten dat in de middagzon werd genuttigd en op de achtergrond watergespetter en kindergeschreeuw. Als ik daar nu aan denk – een normaal leven – raak ik vervuld van nostalgie.) In de snackbar en in het clubhuis, in de sportzaal, op de golf- of tennisbanen – nergens werd met contant geld betaald. In plaats daarvan kreeg je een mosgroen potloodje zonder gum met op de zijkant de opdruk MARONEE COUNTRY CLUB, en je ondertekende een bon waar een carbonnetje onder lag; ik schreef dan *mw. Charles V. Blackwell.* Aan het eind van de maand kreeg je een gespecificeerde rekening thuis gestuurd.

Afhankelijk van hoe sociaal ik me voelde, was het beste of slechtste aspect van de club dat we daar bijna iedereen kenden; als je er ging eten was het net of je naar een restaurant ging waar elk gezicht je toevallig bekend voorkwam. Dit had vooral iets geruststellends, ik voelde me daardoor meer bij een gemeenschap horen dan ik ooit tijdens mijn jeugd in Riley had gedaan. Soms echter, als ik haast had – als Ella een verjaarspartijtje van een vriendinnetje in het zwembad had gehad en ik haar alleen snel wilde ophalen – had ik liever niet zeven mensen hoeven groeten, tegen Joannie Sacks hoeven zeggen 'Was het fijn in Frankrijk?' of van Sandra Mahlberg hoeven te horen: 'Je schoonzus heeft laatst een voortreffelijke forel met mierikswortel gemaakt!' En heel af en toe was die exclusiviteit gewoonweg onverdraaglijk – dan schaamde ik me namens mezelf en ieder ander op de club voor onze rijkdom, voor de vanzelfsprekende aanspraken die we op privileges maakten. De vorige zomer had ik een keer

The Sentinel van die dag mee naar het zwembad genomen, en ik zat met Jadey op het flagstone terras achter de duikplanken toen ik een artikel las over een man die in de stadswijk Walnut Hill woonde en hepatitis C en cirrose had, maar geen medicijnen kon betalen. En toen ik opkeek en zag hoe de vijftienjarige Melissa Pagenkopf haar buik stond in te smeren, hoorde ik een vrouw even verderop zeggen: 'Wij vliegen liever niet met United,' en ik voelde me verschrikkelijk schuldig. In dit geval kon ik niet simpelweg een cheque uitschrijven – er werd geen organisatie in het artikel genoemd, hij was gewoon een individu, en zou hij de komende jaren geen medicijnen nodig hebben? Tweehonderd dollar opsturen zou een druppel op een gloeiende plaat zijn. En ik wist al dat ik niet de moed had om precies uit te zoeken wie hij was (zijn naam was Otis Donovan) zonder een liefdadigheidsorganisatie die kon bemiddelen; ik zou geen cheque voor hem willen uitschrijven waar mijn adres op stond, ik zou niet willen dat hij een middel in handen kreeg om me op te sporen.

Op zo'n moment had ik het gevoel dat we hetzelfde waren als mensen in Californië die in enorme huizen op de helling van de rotsen wonen, dat ons leven mooi maar precair was, dat de funderingen kwetsbaar waren. En daarna dacht ik: was het puberaal om je te veel bezig te houden met andermans problemen of om, wanneer je de krant las of het nieuws op tv zag, het gevoel te krijgen dat je, als je je niet inhield, in tranen zou kunnen uitbarsten? Het leven was voor zoveel mensen zo hard, ze hadden alles zo vreselijk tegen. De andere volwassenen die ik kende leken niet zoveel last te hebben van dit soort verschillen, en leken er in elk geval niet door overvallen te worden, terwijl ze mij onveranderlijk bleven overvallen.

Ik had me naar Jadey gekeerd en gebaarde om ons heen. 'Voel je je nooit schuldig over dit alles?'

'Wat, alles?' zei ze.

'Ik lees hier over een man in Walnut Hill die hepatitis C heeft, en dan bedenk ik dat mijn grootste probleem is dat mijn dochter weigert groente te eten. Komt het nooit bij je op dat je heel anders zou moeten leven?'

'O, dat ken ik.' Jadey knikte begrijpend. 'Ik wilde altijd vrijwilligerswerk gaan doen in het buitenland. Zie je me al, in Zambia of zo? Hoe zou ik het daar tien minuten uithouden zonder mijn haardroger?'

Hoewel haar toon hartelijk was, wist ik dat ik er niet verder over door moest gaan – Jadey had het al weggeschoven zoals ze beledigingen en ordonnanties van onze schoonmoeder wegschoof – en ik vroeg me al af of ik misschien de regels van de betamelijkheid had overschreden door mezelf voor te doen als iemand die diep over dingen nadacht, overtuigd van haar eigen goedheid. Het was niet gepast om het over armoede en ellende te hebben als je aan het zwembad in de zon lag; óf je roerde het aan in een andere omgeving en deed er iets aan, óf je ging zonnebaden in de sfeer die bij zonnebaden hoort. Er was een oudere vrouw die ik van de tuinclub kende, Mary Schmidbauer, met wie ik drie of vier jaar daarvoor was gevraagd als gastvrouw op te treden tijdens een bijeenkomst, en toen ik had voorgesteld om die, zoals gebruikelijk, in de sportzaal van de club te houden, had ze gezegd: 'Je moet het niet verkeerd opvatten, Alice, lieverd, maar ik ben daar al geen lid meer sinds mijn man is overleden. Ze hebben niet graag alleenstaande vrouwen, en Joden of zwarten hebben ze al helemaal nooit toegelaten. Toen Kenneth stierf, besloot ik dat ik er genoeg van had.' Ik was gelouterd, en Mary en ik hadden de bijeenkomst uiteindelijk bij mij thuis in de woonkamer gehouden.

Nadat Jadey, Ella, Winnie en ik ons die zaterdag van het weekend van Memorial Day hadden ingeschreven – er stond zelfs een rij, wat op een doordeweekse dag nooit gebeurde – zetten we onze ligstoelen aan de zuidoostkant van het zwembad, vlak achter de stoel van de badmeester, en Winnie en Ella lieten braaf hun rug door Jadey en mij insmeren. Zodra we daarmee klaar waren, ging Ella achter haar nichtje Winnie aan toen die naar het water rende, en ze doken er allebei in; aan hun strakke manier van duiken was te zien dat ze les hadden gehad; Jadey zette haar ligstoel nog wat schuiner naar achteren en installeerde zich, terwijl ze het tafereeltje vóór haar bekeek. 'Wat een verrukkelijke dag!'

Het was inderdaad een verrukkelijke dag: zonnig en windstil, met een temperatuur van ruim twintig graden. Jadey boog zich naar haar tas, die op de flagstone tussen ons in stond, haalde er twee tijdschriften uit en hield ze naast elkaar: een exemplaar van *People* en een van *Architectural Digest*. 'Welke wil jij?'

Toen ik naar *Architectural Digest* wees zei ze: 'Ik hoopte al dat je die zou kiezen, want ik móét gewoonweg weten wat prinses Di deze week heeft uitgespookt.'

Terwijl we daar gezellig zaten te bladeren, en elkaar af en toe een zinnetje voorlazen of een foto lieten zien – ik liet haar sierkussens of antieke bureaus zien, en zij mij foto's van Cher in een of andere vreemde outfit, of van Bruce Willis en Demi Moore die hand in hand liepen – had ik veel zin om haar het nieuws van Charlie over de aankoop van het honkbalteam te vertellen. Maar dat mocht niet, want hij had me expliciet gevraagd dat niet te doen, en ik kon het hem niet kwalijk nemen. Als ik het aan Jadey vertelde, zou ze het vast en zeker aan Arthur overbrieven, die het weer aan John en hun ouders zou doorvertellen, en binnen de kortste keren zouden dan waarschijnlijk heel Wisconsin en half Washington D.C. op de hoogte zijn.

De vorige avond, toen Charlie het me had verteld, had ik gezegd 'Dit meen je niet,' en hij had gezegd: 'Jawel, maar laten we het er morgen over hebben.'

'We hebben niet genoeg geld,' zei ik. Ik had geen idee hoeveel een honkbalteam zou kosten, maar het waren vast miljoenen dollars.

'Goeie god, ik koop het niet alleen,' zei Charlie. 'Het is een investeringsgroep, waarvan ik beherend vennoot word. Beherend vennoot van de Brewers, klinkt goed, toch? Ik moet alleen nog maar aan zes- à zevenhonderd ruggen zien te komen, en de rest komt van die andere kerels, Zeke Langenbacher en onze eigenste Cliff Hicken. Dit is de kans van mijn leven, Lindy, dit heb ik altijd gewild. Wat zullen mijn broers de pest in hebben!'

Máár zes- à zevenhonderd ruggen? Maar ik reageerde niet – ondanks het feit dat hij me hiermee overviel, merkte ik dat ik weer in slaap dreigde te vallen nu zijn geheim niet iets was wat me echt zorgen baarde.

'Denk eens aan al die wedstrijden die ik kan bekijken, gewoon voor mijn werk,' zei hij gelukzalig.

Ik kreeg ontzettende slaap en kon mijn ogen niet openhouden. Ik hoorde hem wel, maar ik had moeite om een antwoord te formuleren. 'Misschien kun je erachter komen wat er met Bernie Brewer is gebeurd,' zei ik. Bernie Brewer was de in lederhosen gestoken, snordragende mascotte die een paar jaar eerder de aftocht had moeten blazen. Voor die tijd ging hij na elke homerun kopje onder in een grote pul bier, tot grote vreugde van Ella.

Charlie grinnikte, en ik viel onmiddellijk in slaap.

De volgende ochtend werd ik even na zes uur wakker, Charlie lag op zijn zij met zijn ogen dicht, en haalde gelijkmatig en rustig adem. 'Ben je wakker?' vroeg ik, een slim trucje dat ik af en toe toepaste. Toen hij niet reageerde, vroeg ik het nog eens, en zonder zijn ogen open te doen schudde hij zijn hoofd. Ik zei: 'Heb ik dat nou gedroomd, dat jij en Zeke Langenbacher de Brewers gaan kopen?'

Het echte gesprek vond pas een paar uur later plaats, aan het ontbijt. Ella was ook in de keuken, maar zat te bellen met haar vriendin Christine (dat ze Christine straks zou zien in het zwembad maakte een telefoontje kennelijk nog noodzakelijker) en Charlie legde de situatie uit: aangezien het maandag Memorial Day was, zouden ze dinsdag een bod doen van 84 miljoen dollar; de familie die op dit moment eigenaar was van de Brewers, de Reismans, wisten dat het bod kwam en waren bereid het te accepteren.

Charlie at een stukje geroosterd brood, en ik stond met mijn rug naar het aanrecht. Ik zei: 'Nou, gefeliciteerd.'

'Dat klonk niet erg enthousiast.'

'Helemaal niet, ik ben echt blij voor je, maar wat ik niet begrijp – als jullie investeringsgroep 84 miljoen biedt, hoeveel mensen doen er dan aan mee? Niet dat ik wil dat je er meer in steekt, maar hoe kan zes- of zevenhonderdduizend dollar genoeg zijn, tenzij er tientallen beleggers meedoen?'

Het leek me niet niets om zo'n groot deel van ons spaargeld uit te geven. Maar het was niet echt mijn geld, dat was het nooit geweest, en ook al raakten we het kwijt, dan nog hadden we wel wat achter de hand. We waren nooit een hypotheek of lening voor een auto aangegaan, en de grootste uitgave die ons te wachten stond was Ella's opleiding – we konden het best redden.

'Ze hebben me ook niet gevraagd omdat ik zoveel geld kan inbrengen,' zei Charlie. 'Vergeleken met sommige van die kerels zouden we zowat in het armenhuis horen. Nee, Langenbacher wil me graag hebben vanwege de geloofwaardigheid en de connecties die de naam Blackwell oproept, en eerlijk gezegd heb ik daar geen problemen mee – ik stap er met open ogen in. Het wordt een synergetische situatie, goed voor het team, goed voor mij, goed voor onze familie. Ze weten dat ik bedrijfskunde heb gestudeerd, en ze weten wat ik te bieden heb.'

'En wat wordt er van een beherend vennoot verwacht?'

'Dat ik ga juichen voor Robin Yount.' Charlie grijnsde. 'Boe roepen als de White Sox naar de stad komen. Eindelijk het volkslied een keer uit mijn hoofd leren. Nee, er zitten nog zes jongens in de beleggersgroep van Langenbacher, Cliff incluis – je kent de meesten wel van naam – en ze zijn vanzelfsprekend allemaal succesvol, maar geen van hen blinkt uit op charismatisch gebied, als je begrijpt wat ik bedoel. Wat ze nodig hebben is een smoel naar buiten toe, zowel voor de marketing als om op te treden als contactpersoon voor andere kopstukken in de gemeenschap. Dit is nog supergeheim, maar een van de belangrijkste doelen is zo snel mogelijk een nieuw stadion te bouwen, en je weet dat daarvoor een hoop tactvolle onderhandelingen nodig zullen zijn.'

'En je weet zeker dat de familie Reisman het team wil verkopen?'

'O, Lloyd Reisman vindt het fantastisch dat lokale mensen ervoor willen dokken. Het zou het einde betekenen voor het moreel van deze stad als de Brewers weer ergens anders naartoe zouden moeten. Je maakt je toch geen zorgen om het geld? Want geloof me, 84 miljoen is een koopje. We kunnen hier alleen maar rijk mee worden.'

'Ik had er alleen geen idee van dat je zoiets in gedachten had,' zei ik. 'Je bent natuurlijk een enorme fan, maar dat je er ook je beroep van wilt maken – het verbaast me, dat is alles.'

'Nu weet je waar ik het zondag met Langenbacher over had. Wat dacht je van eenentachtig wedstrijden per jaar? Eigenlijk nog meer, want soms ga ik met het team mee.'

Ik glimlachte. 'Natuurlijk.' Was dit het, kon dit Charlie tot rust brengen? Beherend vennoot worden van een honkbalteam – en een team dat ondanks Charlies trouw niet bepaald beroemd of succesvol was – leek me niet iets wat voor een nalatenschap zorgde. Maar in aanmerking genomen dat ik sowieso niet begreep waarom een nalatenschap zo belangrijk was, was het niet meer dan logisch dat ik niet inzag wat zoiets kon genereren. Als het genoeg was voor Charlie, was het genoeg, meer dan genoeg, voor mij. Charlie zat aan de keukentafel, en toen ik naar hem toe liep, legde hij zijn armen om mijn middel en drukte me tegen zich aan. We zeiden niets, en Ella, die nog in de hoek aan de telefoon zat, zei op geagiteerde toon: 'Maar Bridget speelt vals met watertikkertje.'

Charlie zei: 'Wat doen mensen volgens jou liever: coach zijn van een highschoolhonkbalteam of eigenaar zijn van een honkbalteam?'

'Je doet dit toch niet alleen om indruk te maken op je jaargenoten van Princeton, hè?'

Met zijn gezicht tegen mijn buik aan gedrukt lachte Charlie. 'Waar zie je me verdomme voor aan?'

Rond het middaguur liep ik om het zwembad heen naar de snackbar om onze bestelling voor de lunch door te geven: een broodje tonijn en cola light voor Jadey en mij, tosti's en limonade voor Ella en Winnie. De snackbar was in feite een opgeknapte schuur met een keuken achterin en een balie waar je je bestelling kon doen; als er onverwacht noodweer uitbrak, stapten de meeste mensen in hun auto en reden naar huis, maar de optimisten kropen bij elkaar voor de snackbar in de hoop dat de regen wegtrok.

Toen ik met het blad met ons eten terugliep naar de ligstoelen, zaten Ella en Winnie tegen elkaar aan gekropen op de mijne – drijfnat. Toen ze me zagen aankomen, riep Winnie: 'Sneller, tante Alice – we hebben zo'n honger!'

Ik deelde het eten uit en Winnie zei: 'Mam, als ik dit op heb, mag ik dan een ijsje?'

'Alleen als je er ook een voor mij haalt,' zei Jadey.

We zeiden tegen de meisjes dat ze een uur moesten wachten voordat ze weer het water in mochten, en ze slenterden weg naar het grasveld aan de noordkant van het bad; zodra ze buiten gehoorsafstand waren, fluisterde Jadey: 'Toen ik zo oud was als zij, wachtte ik nóóit een uur.' Jadey was, net als Charlie en Arthur, opgegroeid met de club, en had toen ook al in dit bad gezwommen. Ze had me verteld dat het thema van haar debutantenbal, dat in juni 1968 op de club had plaatsgehad, 'Hawaïaans feest' was geweest, en ze had daarbij een strapless jurkje met hawaïprint gedragen, en een slinger van orchideeën rond haar hals; de gasten hadden vruchtencocktails gekregen, ananas-garnalenkebabs en varken van het spit (dat al uren tevoren was aangezet), en terwijl er tijdens het diner binnen een traditionele twaalfkoppige dansband had gespeeld, had er buiten op de hoge duikplank een man op een ukelele zitten tokkelen.

'Weet je wie hier langs liep toen jij eten aan het halen was? Joe Thayer,' zei Jadey. 'Misschien moet ik met hem maar een verhouding beginnen.'

'Jadey, hij zit midden in een scheiding.'

'O, ik ben dol op gekwetste mannen. Ik heb vaak gewenst dat Arthur wat meer deuken had opgelopen in het leven. Maar wat ik zo vreemd vind is dat Joe's dochter zo'n griezel is geworden, dat moet ze toch ergens vandaan hebben?'

'Megan is geen griezel,' zei ik. 'Dat kind is negen.'

'Ik kan haar niet uitstaan!'

'Jadey!'

'Nee echt, toen ik vorig jaar in Halcyon een keer naar de haven liep, liet ik een heel groot blad met hapjes en drankjes vallen – het vloog alle kanten op – en vloekend begon ik alles op te rapen, en toen ik omkeek zag ik dat ze aldoor naar me zat te kijken, zonder een woord te zeggen. Ze lachte zelfs niet, ze zat me alleen maar aan te staren.'

'Het is nog maar een kind,' protesteerde ik.

'Het is een psychopaat. Bovendien zei Winnie dat Megan haar ooit een broodje poep aanbood.'

Ik onderdrukte de opwelling om te zeggen dat Ella hetzelfde verhaal had verteld. Die arme Megan leek al genoeg problemen te hebben zonder dat ik over haar roddelde, dus zei ik maar: 'Ik denk dat je eens met Arthur moet praten. Hij weet vast wel dat je kwaad op hem bent, maar waarschijnlijk wil hij er niet zelf over beginnen.'

Jadey veranderde opnieuw de positie van de ligstoel totdat hij horizontaal stond, schraapte haar keel en ging op haar buik liggen. Haar gezicht was naar me toe gekeerd, haar ene wang drukte tegen de plastic banden van de stoel. 'Had jij ooit kunnen denken dat een huwelijk zo verdomd moeilijk is? Godallemachtig.' Ze zette haar zonnebril af voordat ze ging liggen, en haar ogen vielen dicht. Met een slaperige stem zei ze: 'Maak je je nog ongerust over Chas en zijn whisky?'

'Misschien was mijn reactie een beetje overdreven.'

'Ik ben vergeten hem in de gaten te houden bij Maj en Piepa, misschien omdat ik zelf te druk bezig was om me vol te gieten. Heb jij van die merlot gedronken?'

'Ik heb een glas chardonnay genomen.'

Ze deed haar ogen open en kwam half overeind op haar ellebogen. 'Een glas?' herhaalde ze. 'Je bedoelt één glas?' Toen ik knikte, zei ze: 'Lieverd, misschien is het probleem niet dat Chas minder moet gaan drinken. Misschien moet jij meer gaan drinken.'

Toen ik Charlie er op maandagochtend aan herinnerde dat de Suttons kwamen lunchen – Miss Ruby had die avond ervoor gebeld om de afspraak te bevestigen, en toen ik aanbood om hen op te halen had ze gezegd dat Yvonne zou rijden – stond hij zich voor de wastafel in onze badkamer te scheren, en ik stond in de deuropening. 'Dat lukt niet,' zei hij, 'ik heb om elf uur met Zeke en Cliff afgesproken op de golfbaan.'

'Charlie, ik heb je dit ruim een week geleden verteld.'

'Lindy, morgen moeten we het bod uitbrengen aan de familie Reisman. Lijkt het je, nu er 84 miljoen op het spel staat, niet verstandig als we meteen spijkers met koppen slaan?'

'En dat gaan jullie doen op de golfbaan?' Ik sloeg mijn armen over elkaar. 'Doe nu niet alsof ik een zeurpiet ben.'

Hij gniffelde. 'Of jij een zeurpiet bent moet je zelf bepalen, maar ik heb een afspraak om elf uur, en het zou onprofessioneel zijn als ik me daar niet aan hou.'

Ik keek toe terwijl hij het scheermes langs zijn rechterkaak haalde, zijn mond scheefgetrokken naar links, en ik voelde een overbekende woede opwellen. Ging het er zo aan toe in het huwelijk, een langzaam proces waarin je de ander veel beter leerde kennen dan je lief was? Soms voelden Charlies gebaren en stembuigingen zo genadeloos eigen dat hij een verlengstuk van me leek, een deel van mijn eigen persoonlijkheid waarover ik weinig te zeggen had.

Ik zei: 'Als je niet bij dit soort sociale bezoekjes aanwezig wilt zijn, laat het dan, maar als je belooft erbij te zijn en 'm vervolgens smeert breng je mij in verlegenheid en het is onbeschoft tegenover de gasten.'

Toen hij me even aankeek, kreeg ik het gevoel dat mijn woorden op hem afketsten; alsof ze totaal geen doel troffen. Hij zei: 'Maar je was geen zeurpiet, hm?'

'Ik had gedacht dat je er alles aan zou doen om Miss Ruby je respect te betuigen.'

Hij hield zijn scheermes een paar seconden onder de kraan en bracht het toen weer naar zijn gezicht. 'Wie heeft haar de indruk gegeven dat ik thuis zou zijn? Ik niet, schat. Als dit zo belangrijk voor je is, spreek dan iets anders af – vraag of ze volgend weekend kunnen komen. Het enige wat ik weet is dat ik op het punt sta een honkbalteam te kopen.'

'Volgend weekend zijn we in Princeton.' Ik deed een stap naar achteren, onze slaapkamer in. Ik zou naar beneden gaan, de lunch voorbereiden en de Suttons welkom heten in ons huis, ook al verwaardigde Charlie zich niet om erbij te zijn en kon het zijn moeders goedkeuring niet wegdragen. Maar eerst zei ik op een toon die zo snibbig klonk dat ik mezelf nauwelijks herkende: 'Laat geen haren in de wastafel achter.'

Jessica Sutton was sinds de laatste keer dat ik haar had gezien waarschijnlijk dertig centimeter gegroeid, en zodra we hen bij de deur begroetten wist ik dat ze, zo niet volwassen, dan toch in elk geval geen kind meer was. Sommige leerlingen uit groep zes zijn nog kind – jongens vaker dan meisjes – maar bij andere kinderen van die leeftijd kun je al een nieuw, wankel bewustzijn van zichzelf en de wereld constateren. In het beste geval houdt dat bewustzijn ook beleefdheid in. Wanneer je hun vraagt hoe het met ze gaat, spelen ze de vraag terug, en dit was precies wat Jessica deed, en daarna zei ze: 'Bedankt voor uw uitnodiging, mevrouw Blackwell,' en ik voelde een kleine teleurstelling om Ella, die nog echt een klein meisje was en die, vermoedde ik, moeite zou hebben om de evenwichtige, volwassen jonge vrouw die Jessica was geworden bij te houden. Ik besefte dat het standaardbeeld dat ik van Jessica in mijn hoofd had, nog stamde van jaren geleden, toen we paaseieren hadden gezocht bij Harold en Priscilla (in tegenstelling tot wat Priscilla had gesuggereerd, gingen de Blackwells soms wel op vriendschappelijke voet om met hun personeel, maar dat was op het terrein van de Blackwells, onder omstandigheden die hun goedertierenheid en goedgeefsheid benadrukten zonder de suggestie te wekken dat ze met deze mensen omgingen omdat ze er werkelijk plezier aan beleefden). Bij die gelegenheid had Jessica een rood rokje met paarse sterretjes gedragen, en een bijpassend paars shirtje met rode sterretjes, en zelfs haarclipjes in dezelfde kleuren. Haar haar was over haar hele hoofd verdeeld in vierkantjes waar vlechtjes uit staken die vastgezet waren met een rood of paars clipje; terwijl ze rondrende om eieren te zoeken, tikten de clipjes tegen elkaar. Nu was Jessica lang en ernstig, en ze was knap – ze droeg een mouwloos roze topje onder een roze met wit gestreept loshangend bloesje, en een witte broek – maar echt meisjesachtig kon je haar niet noemen.

Zodra zij, Miss Ruby, Yvonne, Antoine, Ella en ik op de met klinkers geplaveide patio in onze achtertuin zaten, zei Ella: 'Mag ik Jessica mijn limonadefles laten zien?' en ik zei: 'Lieverd, ze zijn hier nog maar net.'

Jessica zei: 'O, maar ik wil hem graag zien.' De fles was een prijs die Ella afgelopen najaar had gewonnen tijdens het oogstfeest op Biddle: een glazen Pepsifles waarvan de hals was verhit en vervormd voordat de fles, waar de cola uit was, met een giftig uitziende blauwe vloeistof was gevuld. Hoewel Ella de prijs, die pijn deed aan je ogen, al meer dan een halfjaar had, bleef het steeds weer een bron van trots – wanneer ze indruk wilde maken, beschouwde ze dit duidelijk als het krachtigste wapen van haar arsenaal.

'Over tien minuten gaan we eten,' riep ik hen achterna terwijl ze naar binnen liepen, en toen ze verdwenen waren, zei ik: 'Niet te geloven hoe Jessica gegroeid is. En Antoine...' ik boog me naar hem toe, maakte grote ogen en deed mijn mond open, 'jij bent misschien wel de liefste baby die ik ooit heb gezien.' Hij droeg een lichtblauw luierpakje en had grote bruine ogen, een kopje vol krullend bruin haar, en zo'n volmaakt glad babyhuidje.

Yvonne zei op geamuseerde toon: 'Alice, je mag hem best even vasthouden.'

'Voorzichtig met zijn hoofdje,' zei Miss Ruby nors toen Yvonne hem aan mij gaf.

In mijn armen was Antoine absurd licht – hij was twee maanden en woog misschien tien pond – en ik begon automatisch te kirren en te brabbelen en gekke gezichten te trekken, niets was me te dol zolang ik beloond werd met een lachje van hem.

'Misschien moet jij er ook nog eentje nemen, denk je daar wel eens aan?' vroeg Yvonne.

Ik lachte. 'Ik ben te oud.'

Yvonne keek sceptisch. 'Nou, ik durf te wedden dat Charlie B. en jij nog best wel tot iets in staat zijn.'

'Let op je woorden, Yvonne Patrice,' zei Miss Ruby, en daarop schoten Yvonne en ik in de lach. Miss Ruby had een turquoise linnen broek aan, een turquoise trui met korte, geschulpte mouwen en platte sandalen met turquoise riempjes, en Yvonne droeg een gebloemd T-shirt en een lange denim rok. (Miss Ruby was slank, maar Yvonne had brede heupen en zware bovenarmen, grote tanden en lippen, kort haar dat wijd uitstond op haar hoofd en, zag ik, gezwollen melkborsten.)

'Het spijt me dat Charlie er vandaag niet is,' zei ik. 'We hebben elkaar verkeerd begrepen en toen bleek hij voor vandaag een zakelijke bespreking op het programma te hebben staan.'

Yvonne wuifde mijn verontschuldiging weg. 'Clyde is aan het werk in het ziekenhuis, dus ik weet er alles van. Artsen en verplegers moeten ook eten op Memorial Day.'

'Zijn Clyde en jij afgelopen zomer getrouwd?' vroeg ik.

'Hij is een echte lieverd.' Yvonne boog zich naar voren, waar ik Antoine op schoot hield. 'Ja, toch, kleintje?' kirde ze. 'Papa is een lieve man.' Tegen mij zei ze: 'Antoine lijkt precies op zijn vader.'

'Dat doen ze altijd op die leeftijd,' zei Miss Ruby.

Een paar minuten later, toen Ella en Jessica terugkwamen, haalde ik de koude pastasalade die ik had gemaakt, met asperges en kip erin. Met volle mond zei Ella tegen ons: 'Willen jullie weten wat Jessica me heeft geleerd?'

'Eerst je mond leegeten, schat,' zei ik.

Ella had met één been onder zich op een smeedijzeren stoel gezeten, en ze stond op en met haar vork nog in haar hand wierp ze haar armen in de lucht en wiegde ze met haar heupen:

> 'Basketbal is het helemaal,
> en we juichen allemaal.
> Schud je armen, schud je benen,
> En de bal is in de ring verdwenen.'

'Indrukwekkend.' Ik klapte even, en Yvonne en Jessica ook, maar Miss Ruby niet. Ik wendde me tot Jessica. 'Ben jij cheerleader?'

'Nee, ik ken alleen dat liedje. Misschien word ik het als ik in de brugklas zit.'

'Ik hoor van je grootmoeder dat je zo goed in Engels bent. Welke boeken heb je dit jaar gelezen?'

Jessica schudde haar hoofd en glimlachte. 'Oma schept alleen maar graag over me op. Nee, laat 's kijken, we hebben niet zoveel boeken voor Engels gelezen, we hebben meer in werkschriften gedaan. Het enige echte boek dat we hebben gelezen was *The Call of the Wild* – kent u dat?'

Ik knikte. 'Natuurlijk, Buck die naar de Yukon gaat.' Ik keerde me om naar Ella. 'Dat is een boek over een hond die sleden hielp trekken toen er mannen naar goud gingen zoeken.'

Plotseling, en voor de eerste keer, begon Antoine te huilen en Yvonne zei op zangerige toon tegen hem: 'Jou sturen we nooit naar de Yukon, hoor. Nee, echt niet. Waarom huil je dan, kleintje?'

'Geef hem maar hier,' zei Miss Ruby. Yvonne sloeg haar blik ten hemel maar gehoorzaamde haar moeder, en Miss Ruby liep met hem de patio rond, terwijl ze hem zacht op zijn ruggetje klopte. Binnen een minuut was hij stil.

'De meeste boeken die ik lees zijn niet voor school, maar gewoon omdat ik ze leuk vind,' zei Jessica. 'Ik ben dol op Agatha Christie, hebt u ooit Agatha Christie gelezen?'

'O, zeker, Miss Marple en Hercule Poirot. Die heb ik al heel lang niet meer gelezen, maar toen ik iets ouder was dan jij verslond ik die boeken.'

'Ik heb net *Moord in de Oriënt Express* uit,' zei Jessica. 'O, dat vond ik zo goed! Hebt u wel eens van V.C. Andrews gehoord?'

'O, Jessica!' Ik kon er niets aan doen dat ik mijn afkeuring liet merken, maar ik moest ook een beetje lachen. 'V.C. Andrews is zó griezelig.'

'Ja, maar je kunt het niet meer wegleggen,' zei Jessica. 'Oma, weet u nog dat u op een nacht om drie uur mijn kamer in kwam, en dat ik in bed lag en niet kon stoppen met lezen? Ik kon er gewoon niet mee ophouden. Oké, mevrouw Blackwell, dit zult u ook wel niets vinden, maar kent u die Harlequin-romannetjes? Sommige zijn goed, echt waar. Eentje heet *Storm boven de wolken*, dat is mijn favoriet, want die vrouw daarin gaat naar Rome in Italië.'

'Je weet dat ik het niet afkeurend bedoel, Jessica,' zei ik. 'Het is juist geweldig dat je zoveel leest.'

'Mijn vader en ik hebben net *De GVR* uit,' verkondigde Ella, en Yvonne vroeg goeiig: 'En wat betekent dat, *GVR*?'

'Hij eet alleen snoskommers, maar hij vindt ze niet lekker,' zei Ella, en ik zei: 'Ella, misschien moet jíj eens proberen dingen te eten die je niet lekker vindt.' Tegen Yvonne zei ik: 'Die letters staan voor Grote Vriendelijke Reus – het is van Roald Dahl.'

'Mama, mag Jessica een keer met ons mee naar het zwembad?' vroeg Ella.

'O, dat water is veel te koud,' zei Jessica. 'Ik heb mijn pink er een keer in gestoken, en ik trok hem er meteen weer uit!'

'Mag het?' drong Ella aan, en ik voelde me erg opgelaten en hoopte dat het voor de anderen niet duidelijk was dat Jessica het zwembad bij Harold en Priscilla bedoelde – nu die in Washington waren, was dat het hele jaar afgedekt – terwijl Ella het over het zwembad van de Maronee Country Club had. Niet dat zwarten er officieel werden geweerd, althans niet voor zover ik wist, maar zelfs in 1988 waren er geen zwarten lid; clubbestuurders zouden zeggen dat dat kwam doordat die zich niet aanmeldden, doordat er zo weinig zwarten in Maronee woonden. Zelfs het personeel, de obers en serveersters en barkeepers, de badmeesters en de instructeurs in de fitnesszaal, bestond uit louter blanken, met uitzondering van een schoonmaakster die eruitzag als een latina. In één zomer zag je misschien twee keer een zwarte persoon bij het zwembad – meestal een kind dat was uitgenodigd op een verjaardagspartijtje – en rond het zwembad, tussen de verscheidene zwemmers en zonnebaders, waren er dan wellicht wat verstoorde, behoedzame blikken te signaleren; of die verstoorde blikken voortkwamen uit schaamte over de exclusiviteit van onze club of uit woede over het feit dat er een bres in de ongeschreven regels was geslagen, verschilde ongetwijfeld per individu.

'En ze hebben er ook milkshakes,' zei Ella en Jessica zei: 'Oma, hebt u milkshakes gemaakt voor Ella Blackwell en niet voor mij?'

'Nee, op de club,' zei Ella, en ik praatte er snel overheen: 'Ik denk niet dat iemand vandaag waar dan ook wil gaan zwemmen.' Het was zonnig geweest toen we gingen zitten, maar daarna werd het bewolkt en de hemel zag er grauw uit. 'Wie gaat er mee naar binnen voor een stukje rabarbertaart?' vroeg ik.

De Suttons hadden dit dessert meegebracht, en ik had er uitvoerig mijn bewondering over geuit toen Jessica het gaf, en daarna was ik snel weggerend om de stroopkoekjes die Ella en ik die ochtend hadden gebakken op te bergen. We aten het dessert in de eetkamer, en toen we het op hadden, deelde Ella de cadeautjes uit die ik de vorige dag had gekocht: voor Antoine, van Miss n' Master, een geel rompertje en een paar knettergekke schoentjes, van rood leer, met een honkbal op de neus – een onpraktisch cadeautje dat Ella per se had willen kopen. Voor Jessica (onder het mom van een cadeautje voor de overgang naar de brugklas, maar eigenlijk omdat ik niet wilde dat ze zich buitengesloten zou voelen als er alleen iets voor Antoine was), waren we naar Marshall Field's in het winkelcentrum van Mayfair geweest en hadden we een Swatch-horloge uitgekozen met een doorzichtige roze plastic band en een roze bloemetje op de wijzerplaat. Jessica deed het om haar pols en strekte net haar arm uit om het aan ons te showen toen ik Charlies stem in de hal hoorde.

'Nou, nou, nou,' zei hij, en toen we ons allemaal naar hem omdraaiden, stond hij te grijnzen. 'Mag ik binnenvallen tijdens een dameslunch?'

'Kijk eens wie we daar hebben,' zei Yvonne. 'We dachten dat je aan het werk was, Charlie.'

'Ik wilde dit niet missen,' zei hij. Hij droeg een lichtblauwe korte broek – ongeveer dezelfde tint als het luierpakje van Antoine – en een wit poloshirt, en witte sokken; zijn witte golfschoenen had hij in de hal uitgedaan. Mocht het nog niet duidelijk zijn waar hij vandaan kwam, hij had ook nog zijn clubs bij zich, en op dat moment zette hij de tas tegen een muur van de eetkamer. Zijn haren en shirt waren vochtig, constateerde ik, en toen ik naar buiten keek zag ik dat het was gaan regenen. 'En dit moet de grote kerel zijn.' Hij liep naar het autostoeltje op de grond, waarin Antoine in slaap was gevallen. Charlie boog naar voren en zei: 'Wat een verdomd mooie baby. Goed gedaan, Yvonne. Gefeliciteerd.' Hij stak zijn hand op voor een high five, maar voordat ze dat kon doen, kreeg hij de taart in de gaten en riep hij uit: 'Leeftocht!' Toen pas had ik door dat hij had gedronken. Na een groot stuk voor zichzelf te hebben afgesneden, begon hij het vervolgens uit de hand op te eten. Zonder iets te zeggen stond ik op en gaf hem mijn bord en vorkje, die hij allebei aannam, hoewel hij ze niet gebruikte.

'Charlie Blackwell, je hebt de manieren van een wild zwijn,' zei Miss Ruby, waarop Ella en Jessica begonnen te giechelen.

Ook Charlie lachte. 'Yvonne, als ik zelf niet zo'n geweldige moeder had gehad, had ik die van jou al jaren geleden gekaapt.' Hij veegde zijn handen af aan het servet van iemand anders, en legde toen een hand op de schouder van Miss Ruby. 'Jessica, jouw grootmoeder is een nationale schat,' zei hij, en ik vroeg me af of Miss Ruby de alcohol in zijn adem kon ruiken.

'Papa, luister eens.' Ella, die tijdens het uitpakken van de cadeautjes dicht bij Jessica had gestaan, alsof ze zichzelf de taak van opzichter had toebedeeld, deed een stap van de tafel vandaan, maar toen we allemaal keken, nam ze ineens een heel andere pose aan: ze hield haar hoofd schuin en keek ons van onder haar wimpers aan. Zachtjes zei ze: 'Laat maar.' Dit was iets nieuws – er zat een meisje bij haar in de klas, Mindy Keppen, dat altijd verstijfde wanneer ze door een leraar naar voren werd geroepen, en toen ik Ella had uitgelegd wat verlegenheid was, was haar fantasie daarmee aan de haal gegaan. (O, mijn dronken echtgenoot en mijn lieve, geraffineerde dochter.)

'Je wilt hem zeker de *cheer* laten zien?' zei Jessica. 'Zal ik met je meedoen?'

Ella keek op en glimlachte geestdriftig knikkend. Jessica stond op en min of meer gelijk hieven ze hun armen en wiegden ze hun heupen van de ene kant naar de andere.

> 'Basketbal is het helemaal,
> en we juichen allemaal.
> Schud je armen, schud je benen,
> En de bal is in de ring verdwenen.'

Bij 'schud je armen' zwaaiden ze denkbeeldige pompons boven hun hoofd, en bij 'schud je benen' brachten ze ze naar hun knieën.

'Fantastisch,' zei Charlie toen ze klaar waren. 'Super!' Mijn hart zonk in mijn schoenen toen hij langs de tafel liep, naast de meisjes ging staan en zei: 'Dus het is: "Basketbal is het helemaal..." Giechelend leerden ze hem de woorden. Ella was helemaal in de wolken, waarschijnlijk kon ze zich niets fijners voorstellen – samen met een tof, ouder meisje haar vader de woorden van een cheerlied leren, én publiek – terwijl Jessica blijmoedig haar medewerking verleende, maar ook, vermoedde ik, de situatie analyseerde om Charlies motieven te doorgronden. Jessica en Charlie kenden elkaar al haar hele leven en waarschijnlijk hadden ze nooit echt met elkaar gepraat.

Toen hij de woorden uit zijn hoofd kende, zongen ze het met z'n drieën nog een keer, en op het eind schreeuwde Charlie: 'Hup, Brewers!'

Ella lachte en greep zijn riem vast, terwijl ze zei: 'Nee pap, geen hónkbal – básketbal.' Hij tilde haar op, iets wat mij niet meer lukte, en ze lachten elkaar breed toe. Dit was duidelijk het hoogtepunt van de middag, en de Suttons voelden dat; kort daarna maakten ze aanstalten om te vertrekken, waarbij ze Antoines luiertas en autostoeltje, de cadeautjes en de taartschaal bijeenzochten. Ik trok een regenjas aan en liep mee naar de auto. Op de oprit zei ik tegen Jessica: 'Heb je al plannen voor de zomer?'

Ze droeg Antoine en knikte naar hem, terwijl ze zei: 'Dit zijn mijn plannen – die kleine hier en V.C. Andrews. Nee, ik plaag u maar met V.C. Andrews, mevrouw Blackwell.'

'Nou, we vonden het allemaal enig dat jullie hier waren,' zei ik. Ik dacht aan Ella's vakantiebezigheden: de zwemclub, het creatieve kamp waar ze de laatste week van juni naartoe ging, en daarna zouden we in juli naar Halcyon gaan.

Toen ik het huis weer binnen ging en de deur dichtdeed, was Charlie niet meer in de eetkamer. Ik bracht de borden en glazen naar de keuken, heen en weer door de klapdeuren, en ik hoorde de televisie in de kamer ernaast. Terwijl ik de vaatwasser inruimde, merkte ik dat ik hoofdpijn had. Wat leek ons huis ineens groot en leeg.

Ik had net de spons voor de laatste keer uitgeknepen en teruggelegd op zijn plek naast de zeephouder, toen Charlie binnenkwam en een biertje uit de koelkast pakte. 'Dat was een mooie negerbaby.' Hij grinnikte, en ik wist niet of hij me uit mijn tent probeerde te lokken of dat hij gewoon zichzelf was.

We keken elkaar aan, op een afstand van anderhalve meter, en ik vond eigenlijk dat ik hem de les moest lezen, maar ik kon het niet opbrengen. Ik had misschien één keer in de paar maanden genoeg energie om ruzie te maken, niet twee keer op een dag.

'Wat ben je stil,' zei hij.

'Ik heb hoofdpijn. Ik ga boven wat lezen.'

'Wil je niet weten hoe het golfen met Cliff en Langenbacher ging?'

'Ik neem aan dat het niet doorging vanwege het weer.' Ik hoorde het buiten zacht maar gestaag regenen.

'Langenbacher wil me dolgraag hebben, dat geloof je niet. Cliff was degene die me heeft voorgesteld, wat betekent dat ik eeuwig bij hem in het krijt sta. Maar Langenbacher mag zich gelukkig prijzen met mijn inbreng – ik ben een enorme fan, dus ik hoef niet te doen alsof, maar ik heb ook de zakelijke expertise.' Charlies wangen waren rood, van genoegen of van de drank. 'Je bent toch niet boos omdat ik niet bij de lunch was?' zei hij. 'Ik zou zeggen dat ze op het laatst toch nog waar voor hun geld hebben gekregen met die charmante Chas Blackwell. Nu ik eraan denk, misschien speelde je vandaag wel onder één hoedje met de weergoden.'

'Eigenlijk was het nogal raar dat je kwam opdagen, want ik had gezegd dat je een bespreking had.'

'Had ik ook.'

'Een echte bespreking.'

'Dat was het toch! Jezus, Lindy!'

'Dan verbaast het me wel dat Zeke Langenbacher er geen bezwaar tegen heeft dat mensen zoveel drinken tijdens het werk.'

Charlie zette een chagrijnig gezicht op. 'Verdomme zeg, wat heb je nou?' vroeg hij. 'Dit is een droom van me die uitkomt, en ik snap niet waarom je al mijn plezier moet bederven.'

'Natuurlijk ben ik blij voor je.' Als compensatie voor zijn felle, harde toon praatte ik zachter dan normaal. Ik zei: 'Maar ik heb je gezegd dat ik hoofdpijn heb, en ik ben niet in een jubelstemming. Mijn grootmoeder is onlangs overleden.'

Ik had even het gevoel gehad dat ik dat niet moest zeggen, dat het, ook al was het waar, goedkoop was, en dat hij zich daardoor schuldig, maar ook vernederd zou voelen. Ik had me geen zorgen hoeven maken. Ik geloof wel dat ik mag zeggen dat hij me op dat moment woedend aankeek. Hij zei: 'Jemig, Lindy, ze was negentig. Wat had je dan verwacht?'

Zoals afgesproken liep ik die avond voor het eten naar het huis van Arthur en Jadey, en zodra we op veilige afstand op de golfbaan waren, zei ze: 'Arthur kwam vanochtend rond mijn tentje snuffelen, maar ik heb hem genegeerd.'

'Misschien is het tijd om hem een kans te geven, Jadey.'

'Aan wiens kant sta jij?'

'Aan die van jullie allebei,' zei ik, maar ik vroeg me af of ik het kon opbrengen hierover te praten; ik vroeg me af of ik de wandeling niet had moeten afzeggen. Sinds de Suttons ons huis een paar uur eerder hadden verlaten, had ik getwijfeld tussen twee opties: een flinke huilbui of anders – en deze optie vond ik de ergste – me overal voor afsluiten. Het was voor het eerst in ruim twintig jaar, de enige keer, behalve dan bij de dood van Andrew Imhof, dat ik me aangetrokken voelde tot het niets, en ik wist dat die neiging nu veel gevaarlijker was; ik had de verantwoordelijkheden van een volwassene en meer dan wat ook moest ik waken voor Ella's welzijn. Maar wat zou het heerlijk zijn om het op te geven, te slaapwandelen – het niet langer te proberen met Charlie, of dat van hem ten opzichte van mij te verwachten.

Jadey zei: 'Misschien ben je het er niet mee eens, maar ik vind dat mijn man wel wat meer zijn best mag doen om mijn genegenheid terug te winnen.'

We waren allebei stil – de regenwolken waren al lang verdwenen, de zon scheen door de bladeren van de bomen, de grassprietjes glinsterden en de cicades sjirpten als gekken – en ik zei: 'Vind je het echt leuk om dit soort spelletjes met hem te spelen?'

'Luister, we hebben niet allemaal zo'n perfect huwelijk als jij.'

'Word je nu sarcastisch?' Het gesprek dat Jadey en ik voerden was veel scherper van toon dan normaal, en ik geloof dat het ons allebei verbaasde dat het nog aan stootkracht won.

Voorzichtig – het was aan Jadey te danken dat het er daarna iets minder heftig aan toe ging – zei ze: 'Het was niet mijn bedoeling om een gevoelige snaar te raken. Ik bedoelde alleen dat jij het gemakkelijker hebt dan sommigen van ons.'

En toen gebeurde het, ik barstte in tranen uit, en Jadey zei: 'Godallemachtig, wat heb ik gezegd? O, lieve god.' Ik was blijven staan en sloeg mijn handen voor mijn gezicht, en ze klopte me op mijn rug. 'Alice, je weet dat ik stapeldol op je ben. Heeft dit met je arme grootmoeder te maken of is er iets anders aan de hand?'

Ik depte mijn ogen. 'Jij denkt dat ik het gemákkelijk heb?'

'Nou ja, je man kust de grond waarop je loopt. Tja, Chas mag dan misschien te veel drinken, maar als ik tussen twee kwaden mocht kiezen... Jullie zijn in elk geval nog steeds hopeloos verliefd.'

'Jadey, ik – ik denk erover bij hem weg te gaan. Ons huwelijk is verre van perfect.'

'Bedoel je dat je wilt scheiden?'

'Ik weet het niet. Ik weet niet eens hoe dat zou moeten. Zou ik het huis uit moeten gaan of hij?' Het uitspreken van deze woorden tegen Jadey markeerde het eerste moment waarop ik er serieus over nadacht mijn huwelijk te beëindigen. Maandenlang had ik gefluister gehoord – *uit elkaar gaan, scheiden* – en hoewel het erop had geleken dat die woorden door de wind naar me toe werden geblazen, kwamen ze in werkelijkheid uit mezelf. Maar toch: het waren abstracte gedachten geweest, een laatste uitweg. 'Of hoe moet ik Maj onder ogen komen, denk daar eens aan,' vervolgde ik. (Ook al zei ik geen Maj tegen mijn schoonmoeder, dat kon ik niet, was ik er heel goed toe in staat die bijnaam te gebruiken in gesprekken met anderen. Het zou overdreven formeel zijn geweest, en ik zou er aandacht mee hebben getrokken, als ik dat niet had gedaan.) 'Ze zou razend op me zijn. Ik krijg bijna het gevoel dat ze het niet toe zou laten, weet je wat ik bedoel?'

'Ze heeft niets over ons te zeggen,' zei Jadey. 'Ja, ik weet precies wat je bedoelt, maar als jij dat besluit, kan ze niets doen, behalve je uit haar testament schrappen.' Zou ik wel in Priscilla's testament staan? Ik betwijfelde het, maar Jadey wierp wel de vraag op over mijn toekomstige financiële situatie. Zou ik alimentatie krijgen? Zou ik een huis in deze omgeving kunnen betalen, ook al was het maar klein, en hoeveel kleine huizen waren er in Maronee? Huurde men hier ook? Ik zou natuurlijk een baan zoeken, en in sommige opzichten zou dat positief kunnen zijn, maar de kost verdienen voor mezelf en Ella (dat ik niet de eerste voogd zou worden was ondenkbaar) terwijl we allebei gewend waren aan zo'n uitgesproken luxeleven was nog heel wat anders dan zelf rondkomen als alleenstaande moeder in Madison.

'Oké, en als Chas zich laat behandelen voor zijn drankprobleem?' zei Jadey. 'Hoe heet die kliniek ook weer, in Minnesota? Daar zou hij naartoe kunnen gaan.'

'Dat doet hij nooit.' Zou het erger zijn om het de rest van mijn leven te moeten stellen met Charlies slechtgehumeurdheid dan om uit elkaar te gaan? Een scheiding leek me, als ik erover nadacht, vreselijk – mogelijk, maar vreselijk. 'Vrijdag gaan we naar Princeton,' zei ik. 'Misschien helpt het als we er een paar dagen tussenuit gaan.'

'O, goeie god, hebben jullie Reunions?' Jadey keek ontzet. 'Nou, Alice, het enige wat iedereen daar doet is drinken. Dat weet je. Ontzie hem even, goed? Neem geen beslissingen zolang je daar bent.'

Ik wees naar voren. 'Moeten we niet doorwandelen?'

Toen we verder liepen over het asfalt, zei Jadey: 'Wacht, het is zijn twintigste reünie, toch? Godallemachtig, Arthurs kleine broertje is al twintig jaar van school – wanneer zijn we zo oud geworden?' Jadey zei het op de overdreven manier die haar eigen was, maar er klonk oprechte bedroefdheid in haar stem door. Toen zei ze: 'Alice, jullie kunnen niet gaan scheiden, dat kan gewoon niet.' Toen ik niet reageerde, zei ze: 'Ik denk namelijk niet dat ik zonder jou een Blackwell kan zijn.'

Ella en ik waren in de keuken toen Charlie die dinsdag van zijn werk thuiskwam, en zodra ik hem de voordeur hoorde dichtdoen, gaf ik haar een wenk. 'Ga papa maar een knuffel geven.' In de vierentwintig uur na het vertrek van de Suttons hadden Charlie en ik ons behoedzaam tegenover elkaar gedragen, maar niet echt vijandig. We hadden elkaar die dag niet aan de telefoon gesproken, wat ongewoon was maar wel vaker voorkwam; hoewel hij meestal halverwege de middag belde, was het mogelijk dat hij het te druk had gehad met de Brewers-transactie. De gedachte was bij me opgekomen iets feestelijks voor hem te doen, een taart te bakken in de vorm van een honkbal misschien, maar ik was door de gebeurtenissen van de vorige dag nog te gekwetst om al die moeite te doen.

Ella draafde naar de deur en riep: 'O, liefste vader, begroet je geweldige, mooie dochter.'

Hierop had ik gehoopt – dat haar uitbundigheid mijn gebrek daaraan zou compenseren. Maar toen Charlie de keuken in kwam, wist ik al voordat hij een woord had gezegd dat de deal niet doorgegaan was. 'Lloyd Reisman is een smerige gluiperd,' zei hij. Hij maakte zijn das los en ging zitten, en Ella klom meteen op zijn schoot en begon aan zijn oren te trekken; ze reageerde niet op zijn gevloek, waar ze door de jaren heen al aan gewend was geraakt.

Charlie duwde Ella's handen weg. 'Hij houdt zich niet aan de belofte die hij Langenbacher heeft gedaan, en zeikt over een voorschot dat we eerst moeten betalen. Allemaal gelul.' Charlie schudde zijn hoofd. 'Ik moet een borrel hebben.'

'En wat nu?'

'Ik krijg zin om tegen hem te zeggen dat hij dat team in zijn reet kan steken. Als hij denkt dat hij nog eens zo'n aanbod krijgt, heeft hij het goed mis.'

'Vinden Zeke en Cliff dat ook?'

Charlie lachte schamper. 'Cliff is bereid om zich te laten naaien door Reisman. Langenbacher zegt dat we een paar dagen moeten wachten, hem moeten laten hunkeren, maar ik laat de boel niet graag onbeslist. Verkoop ons dat verdomde team of doe het niet, maar laat ons niet in onzekerheid.'

'Maar Reisman is niet degene die de boel uitstelt, toch? Als hij zegt dat hij wil dat jullie met meer dan 84 miljoen over de brug komen, en Zeke Langenbacher weigert om...'

Charlie zwaaide met zijn hand door de lucht, een gebaar dat ik had leren interpreteren als: *Einde discussie.* 'Wil je hamburgers voor het avondeten?'

'Zeker, zal ik de grill aansteken?'

Op een robottoon zei Ella: 'Ik geen hamburger, dank u.' Ze zat nog bij Charlie op schoot en duwde op het puntje van zijn neus. Zag ze niet dat hij een verschrikkelijk slecht humeur had, of deden haar vaders buien er gewoon niet toe, waren ze ondergeschikt aan de hare? Op dit soort ogenblikken benijdde ik haar.

'Hou op,' zei Charlie, en Ella-de-robot antwoordde: 'Hou niet op. Weet niet wat “hou op” betekent. Onze planeet is gemaakt van suikerspin en we dragen schoenen aan onze oren.’

Charlie keek naar mij. ‘Kun jij hier iets aan doen?’

‘Ella, ik heb je hulp nodig.’ Ik stak mijn hand uit, en ze gleed van Charlies schoot en greep me vast. Zelfs nu ik zo dichtbij stond kuste of omhelsde ik hem niet, en hij mij ook niet, en ik voelde de schaduw van mijn gesprek met Jadey over ons heen gaan als een vliegtuig op een zonnige dag. Tegen Ella zei ik: ‘Wil jij de tafel dekken?’

De volgende ochtend bracht ik Ella naar school, en ik had gemakkelijk kunnen parkeren en bij Nancy Dwyer langs kunnen gaan – het bureau Toelating en Financiële Tegemoetkoming lag aan dezelfde gang als Ella’s klaslokaal – maar ik wilde er niet zonder afspraak binnen lopen. Toen ik weer thuis was, bleek Charlie al naar zijn werk te zijn (hij had Arthur, John of de rest van zijn familie niet op de hoogte willen brengen van zijn plannen met de Brewers totdat alles rond was, een besluit dat nu verstandig bleek te zijn). Ik liep naar boven en ging aan mijn bureau zitten dat in de gang op de eerste verdieping stond. Toen ik Nancy’s nummer draaide, zwaaiden de touwachtige takken van de treurwilg buiten heen en weer in de wind, een beeld dat uitvergroot weerspiegeld werd in de papiermaché Gulle Boom op mijn bureau, en toen Nancy opnam zei ik: ‘Met Alice Blackwell. Schikt het even?’ De volgende dag zou de laatste van het schooljaar zijn, maar ik wist dat de mensen op de administratie vaak niet dezelfde werktijden hadden als de leraren en de leerlingen.

‘Ja hoor,’ zei Nancy. ‘Wat kan ik voor je doen?’

‘Ik hoop dat je het niet raar vindt, maar ik – we – hebben vrienden met een dochter die net klaar is met groep zes – haar grootmoeder heeft nauwe banden met Charlies familie – en zij is heel intelligent, beslist een goede leerling, en ik vraag me af of er een manier bestaat om haar voor deze herfst nog in de brugklas te krijgen.’

‘Je bedoelt met deze herfst over drie maanden?’ Nancy zei het lachend, maar niet onvriendelijk. Zij en ik kenden elkaar niet goed. We hadden elkaar alleen ontmoet toen Ella als driejarige op toelatingsgesprek moest komen voor Biddle, een gesprek dat in die zin een beetje belachelijk was omdat we alleen maar hoefden te bevestigen dat ze zindelijk was en geen andere kinderen beet, en ook omdat John, Ella’s oom, voorzitter was van het schoolbestuur; Charlie zei gekscherend dat Ella op de vloer van Nancy's kantoor haar darmen had moeten legen om afgewezen te worden, en zelfs dan nog zouden ze haar waarschijnlijk aangenomen hebben.

'Ik besef dat het niet gemakkelijk zal zijn,' zei ik.

Nancy zei: 'Maar niet per se onmogelijk.'

'Er is nog iets,' zei ik. 'Ik vermoed dat ze volledige financiële steun nodig heeft, of zo goed als.'

'O jee, Alice.'

'Ze is Afro-Amerikaans,' vervolgde ik. 'Misschien dat dat helpt? Maar ze is echt ongelooflijk intelligent en aardig, ze is leidster van een kerkelijke jongerengroep, ze zit in de leerlingenraad, en ze verslindt boeken. Ze komt van basisschool Harrison en ze zou hierna naar Stevens gaan, maar, Nancy, onder ons gezegd moet ik er niet aan denken dat dit veelbelovende meisje...'

'Nee, ik weet het,' zei Nancy. 'Dat zou doodzonde zijn.' Ze blies langdurig haar adem uit. 'Laat me even nadenken, dan bel ik je terug. Ik kan wel al zeggen dat die financiële ondersteuning een probleem kan worden. Ook al is de instroom in de brugklas groot, we kunnen meestal nog wel een plaatsje vinden voor een extra leerling. Maar de beurzen zijn al maanden geleden toegewezen, en daar valt niet veel meer aan te doen.'

Biddle had een vermogen uit donaties van vijf miljoen dollar, wist ik, en ik begreep waarom het niet verstandig zou zijn om daarop in te teren, maar ik kon me niet voorstellen dat vijfenvijftighonderd dollar – het jaargeld voor een brugklasser – veel verschil uitmaakte.

'We zouden haar boven aan de lijst kunnen zetten voor het najaar van '89,' zei Nancy. 'Maar als de kans dat we het dit jaar met het geld redden zo gering is, weet ik niet zeker of ik de aanvraagprocedure in gang moet zetten – ik wil haar niet naar de campus laten komen om weer weggestuurd te worden.'

'Nee, natuurlijk,' zei ik. 'Ik stel het op prijs dat je alleen al over de mogelijkheid wilt nadenken.'

'Geef me haar naam maar.' Ik kon Nancy met papieren horen ritselen.

Ik zei: 'Jessica Sutton,' langzaam, zodat Nancy het kon noteren.

'Goed, Alice, ik wil niet impertinent zijn, maar de aangewezen persoon hiervoor is je zwager John. Heb je al met hem gesproken?'

'Ik wilde het eerst bij jou neerleggen.'

'Ik zal eerlijk zijn. Aan de ene kant heb ik niet veel hoop, gezien het tijdstip. Aan de andere kant...' Nancy grinnikte even '... zijn we bij Biddle dol op de familie Blackwell.'

De laatste schooldag op Biddle eindigde officieel om twaalf uur, waarna de kinderen van alle klassen in bussen werden geladen en naar hun respectieve eindejaarsfeestjes vervoerd. Voor de kinderen van groep drie die bij ons kwamen, had ik vlees gehaald om hamburgers van te maken – niet van Blackwell – en een platte taart met FIJNE VAKANTIE!! in onnatuurlijk-rood glazuur erop, een aantal bakken ijs, en paarse en blauwe ballonnen, de kleuren van Biddle. Toen ik naar de feestwinkel ging om de ballonnen te halen, vertelde de verkoper me dat ik die ochtend de tweede was die om die kleurencombinatie vroeg. Thuis belde ik Jadey, bij wie het feestje voor groep zeven was, waar Winnie in zat, en ik vroeg: 'Heb jij ook blauwe en paarse ballonnen bij Celebrations gehaald?'

Ze lachte. 'Toen ik ze bestelde, dacht ik er zelfs aan twee keer zoveel te nemen en de helft aan jou te geven.'

Twee andere moeders, Joyce Sutter en Susan Levin, die kwamen helpen, brachten chips en dipsausjes mee en tweeliterbakken popcorn, en we hadden de *Slip 'n slide*, een groot stuk plastic, uitgerold in de achtertuin. Joyce Sutter sloot de tuinslang erop aan terwijl Susan Levin hamburgers maakte van het gehakt. Het verbaasde me enigszins toen ik ontdekte dat geen van beiden wist hoe de grill werkte, dus goot ik zelf aanmaakvloeistof over de houtskool en gooide er een lucifer in.

We haastten ons allemaal naar de voortuin toen we de bus hoorden aankomen, en ineens liepen overal rumoerige en slordig uitziende kinderen. Een jongen trok zijn shirt uit en schreeuwde: 'Ik ben eerst op de waterglijbaan.' Veel kinderen waren al in badpak, met een handdoek rond hun nek; ze wierpen hun tassen en rugzakken ergens op het gras neer. 'Allemaal naar achteren, alsjeblieft,' herhaalde ik zo hard en gezaghebbend mogelijk. 'Het feest is in de achtertuin.'

Ella kwam op me af gerend. 'Waar is mijn handdoek met de zeester erop?'

'In de keuken. Ella, vergeet niet...'

'Ik weet het, moeder,' viel ze me in de rede. 'Ik zal een *heel vriendelijke gastvrouw* zijn.'

Toen ze uit beeld was, zei Susan Levin zachtjes: 'Ze wordt echt een stuk, hè? Alice, ze lijkt sprekend op jou en Charlie.'

In de achtertuin had ik de grill van de patio gehaald en op een plek gezet waar ik de kinderen op de waterglijbaan in de gaten kon houden; ze kwamen aanrennen en wierpen zich op hun buik op het gele plastic – Joyce Sutter spoot voortdurend met de tuinslang om het zo glad mogelijk te maken – en daarna gleden ze met hun armen naar voren over het lange, rechte stuk. Ik hoopte vurig dat niemand zijn tanden uit zijn mond zou stoten op een boomwortel of een steen.

Ella at haar hamburger terwijl ze naast me stond te bibberen in haar natte zwempak, en ik zei: 'Ga je handdoek halen, pop,' maar ze schudde haar hoofd.

'Ik ga nog een keer.'

'Zorg dat je geen buikpijn krijgt.' Ik keek de tuin rond. 'Lieverd, waar is Megan Thayer?'

Ella haalde haar schouders op.

'Was ze wel op school vandaag?'

Ella dacht even na en knikte toen.

'Zat ze in de bus?'

Ella haalde weer haar schouders op. 'Mag ik hierna mijn Addams Family-jurk aan?'

'Niet zolang de gasten er zijn.' Ik knikte in de richting van een meisje, Stephanie Woo, dat alleen zat. 'Ga anders even vragen of Stephanie het Paardenspel met je wil spelen.'

'Ik ga weer op de waterglijbaan.'

'Eén keertje dan nog,' zei ik. Ella maakte aanstalten om te protesteren, en ik zei: 'Ik dacht dat je die jurk aan wilde.'

Ik zette de bovenkant op de grill, draaide het gas uit en liep naar Joyce, die bij de limonade stond; Susan had de tuinslang van haar overgenomen. 'Wil jij de grill in de gaten houden terwijl ik even naar binnen ren?'

Binnen deed ik snel de ronde over de begane grond, waar niemand was, op twee jongens – Ryan Wichinski en Jason Goodwin – na die in de woonkamer op de piano bezig waren. Het deed me eigenlijk wel plezier: Ella had zo'n afkeer gehad van de lessen waar ik haar voor had opgegeven, dat we haar er na een jaar mee lieten ophouden, en Charlie en ik konden allebei geen noot spelen. 'Jullie zijn muzikale wonderen,' zei ik terwijl ik de hal in liep.

Boven stonden de deuren van alle kamers open, en in de laatste, de ouderslaapkamer, zat Megan Thayer op de grond onbewogen in een *Pent-*

house te bladeren. Er lagen nog meer exemplaren uitgespreid om haar heen, en voordat ik dichtbij genoeg was om te zien welke het waren – o, had ze *The New Yorker* maar uitgeplozen, of woontips verzameld uit *House & Garden*! – wist ik het.

Het zag ernaar uit dat ze de tijdschriften niet meteen had gevonden. Eerst had ze een stel schoenen van mij gepast, daarna een stel van Charlie (ze stonden verspreid door de kamer), en ze had zichzelf besprenkeld met mijn lelietjes-van-dalenparfum – op mijn ladekast, de dop was van de fles af en de geur hing in de lucht – en ze had ook een pot met kleingeld die Charlie op een vensterbank had staan, omgekeerd op de beddensprei en de kwartdollars apart gelegd.

Ze keek op, en ik zou bijna zeggen met een ervaren, zelfs volwassen blik, maar ik denk dat ik daarmee alleen zou proberen mezelf vrij te pleiten. Ze was niet ervaren, ze was niet volwassen. Ze was negen jaar, en ze keek naar foto's van vrouwen die hun benen spreidden, die schaamteloos hun weelderige borsten etaleerden.

Ik liep met grote stappen op haar af en bukte om het tijdschrift van haar schoot te plukken – ze bood geen weerstand – en ik zei: 'Megan, liefje, dit is niet voor jouw ogen bestemd.'

Ze keek me alleen maar aan, zonder iets te zeggen zat ze daar, onderuitgezakt, met haar donkere haar en haar brede schouders.

'Heb je daarin gekeken?' Ik wees naar de onderste lade van Charlies nachtkastje die hij, ondanks het feit dat er een slot op zat, had opengelaten. 'Dit soort bladen zijn voor grote mensen, niet voor kinderen,' zei ik. 'Er staan foto's in die heel moeilijk te begrijpen kunnen zijn.' (Na het feest bladerde ik er een door, omdat ik vond dat het mijn verantwoordelijkheid was precies te weten wat Megan had gezien. Ik kwam bij een spread van wat vermoedelijk moest doorgaan voor een 'stijlvolle' vrouw: op de eerste foto stapte ze uit een limousine in een bontjas en met hoge hakken, verder niets; op de volgende stond ze in een soort balzaal met haar rug naar de camera, haar billen waren te zien, en ze keek schuin over haar ene schouder met een glas champagne in haar hand. Toen vond ik het genoeg – ik kon niet verder kijken en sloeg het blad dicht. Het was zo stom, het model was zo opgedirkt en onecht, de ideeën over elegantie van het tijdschrift waren zo onelegant, maar het had ook iets bizars, een schending van de privacy van deze vrouw van wie ik te zien kreeg hoe ze er zonder kleren uitzag. Ik kon me niet voorstellen waarom iemand zichzelf op zo'n manier te kijk zette, tenzij ze in grote financiële nood verkeerde.)

Megan wees naar een tijdschrift dat op de vloer lag. 'Daarin staat een naakte vrouw te bowlen.'

Wat moest ik in vredesnaam zeggen? Als haar moeder haar kwam ophalen, moest ik natuurlijk uitleggen wat er was gebeurd, en ik kon me geen onaangenamer scenario voorstellen dan aan Carolyn Thayer te moeten bekennen dat haar dochter op een stapel pornobladen van mijn echtgenoot was gestuit.

'Megan, als je vragen hebt over die bladen, kun je daarover het best met je moeder praten. Ik wou dat je niet in die laden had geneusd, want die zijn privé, dus niet van jou. Maar het spijt me ook om wat je hebt gezien. Dat is niet voor negenjarigen bedoeld.' Ik aarzelde. 'En niet alle volwassenen lezen dit soort tijdschriften. Ikzelf vind er niets aan.'

'Waarom hebt u er dan zoveel?'

Ik had erom gevraagd, nietwaar? Ik rekte tijd door de bladeren op te stapelen en ze terug te leggen in het nachtkastje; natuurlijk wist ik niet waar de sleutel lag. Van buiten kwam het geluid van kinderen die schreeuwden en speelden in de achtertuin. Toen ik me omdraaide, zat ze daar nog steeds. 'Ik hoop dat je hier niet met Ella of je andere klasgenootjes over zult praten, want daar zouden ze zich ongemakkelijk bij voelen. Goed?' Ik keek haar aan – ik geloofde sterk in de kracht van oogcontact, en niet alleen bij kinderen.

'Dit is een stom feestje,' zei ze. 'Jullie hebben niet eens een zwembad.'

Ik lachte geforceerd. 'Nou, fijn toch dat jullie er wel een hebben?'

'Alleen bij mijn moeder.'

'Ga je mee naar beneden?' zei ik. 'Ik wilde net de taart aansnijden, en ik kan wel wat hulp gebruiken.'

Ze stond op en streek haar short glad. Dus zo oncoöperatief was ze niet, dacht ik, en toen zei ze: 'Meneer Blackwell zal die bladen wel lezen omdat de vrouwen die erin staan knapper zijn dan u.'

Ze was niet, zoals Jadey had beweerd, een psychopaat, maar ze was wel duidelijk een meisje dat zich zo hard mogelijk opstelde, en door die gedachte had ik eerder medelijden met haar dan dat ze me ergerde. De kans was groot dat het met haar weer goed zou komen, dat ze zou opgroeien en een normaal leven leiden als ieder ander, maar toen we daar in de slaapkamer stonden, kwam het bij me op dat de brugklas en zelfs high school waarschijnlijk heel zwaar zouden worden voor Megan.

Ik zei: 'Megan, onze families zijn al een tijd met elkaar bevriend, en daardoor weet ik dat je geen gemakkelijk jaar achter de rug hebt. Maar je bent een heel goed, bijzonder meisje, en ik hoop dat het in groep vier beter zal gaan. Ik weet dat Ella en nog een paar andere meisjes een balspel aan het doen zijn, misschien vind je dat leuker dan taart snijden.'

We liepen de hal in en kwamen bij de trap naar beneden, toen ze zei: 'Ik heb een driepunter gescoord met basketbal.'

'Dat is geweldig,' zei ik.

'Het was bij ons op de oprit, en mijn broer gelooft het niet, maar het is echt waar.'

Ik klopte haar op de schouder. 'Ik geloof je.'

Aan de telefoon zei Charlie: 'Trek je baljurk maar aan. U spreekt met de nieuwe beherend vennoot van de Milwaukee Brewers.'

'Gefeliciteerd. Dat is fantastisch, schat.'

'Ik wil graag dineren in de club. Wil jij een tafel reserveren?'

'Charlie, het is geweldig, maar vind je het erg als we thuis eten? Ik moet inpakken voor Princeton, we hebben een drukke middag achter de rug met Ella's klassenfeestje...'

'Wanneer heb ik je voor het laatst uitgenodigd om uit eten te gaan?' Dat was waar. Op het bijwonen van honkbalwedstrijden na moest het al maanden geleden zijn. 'Het is tijd om een feestje te vieren, meid,' zei Charlie. 'De kranten staan er morgen vol van, maar jij hebt de primeur.'

'Ik neem aan dat je het aan je familie hebt verteld?'

'Ik heb net pa gebeld en zo meteen vertel ik het aan Arty en John. Tjonge, wat zullen mijn broers jaloers zijn. Zullen we zeggen halfacht?'

'Ik ben heel blij voor je, schat, echt, maar kan ik je echt niet overhalen om hier te eten? Ik ben nog bezig de troep van het feest op te ruimen en... Nou ja, er is iets wat ik met je wil bespreken.'

'Wat dan?'

'Dat zeg ik liever als je thuis bent.' Achteraf was Carolyn Thayer Megan niet komen halen, omdat die meereed in de auto van Joyce Sutter, wat inhield dat ik Carolyn moest bellen. Het gesprek was zo rampzalig verlopen als maar mogelijk was – 'Ik ben geschokt dat juist jij dit hebt laten gebeuren,' had ze gezegd, en ook: 'Ik hoop dat je weet dat Megan niet meer bij jullie thuis zal komen.' *En denk je dat ik dat erg vind?* had ik gedacht, maar ik had me uitvoerig verontschuldigd. Tijdens het telefoongesprek had ik ook beseft waar ik nog niet eerder aan had gedacht, namelijk dat dit een sappige roddel zou zijn voor iedereen die we in Maronee kenden. Ik was er misschien in geslaagd Megan ervan te weerhouden om wat ze had gezien aan haar leeftijdgenoten te vertellen (ik rilde bij de gedachte dat Ella tijdens de zwemtraining gepest zou worden), maar zou het naïef zijn om te hopen dat Carolyn haar mond hield? Misschien zou ze het, om Megan te beschermen, niet verder vertellen, maar ik wist dat het moeilijk was om de verleiding van het roddelen te weerstaan. Toen ik had opgehangen, had ik de benauwenis van Maronee gevoeld, de beklemmende sfeer die er soms hing.

'Gaat het om iets ernstigs?' vroeg Charlie.

'Ik beloof je dat we het vanavond bespreken.'

'Geef even een hint. Hoeveel lettergrepen? Het rijmt op...?'

'Megan Thayer is op het feestje naar boven gegaan en heeft je *Penthouses* gevonden.'

Ik kan niet zeggen dat ik heel erg verbaasd was toen Charlie in lachen uitbarstte. Wilde ik niet horen dat het allemaal wel meeviel, dat het dwaas van me was om me zo schuldig te voelen? 'Zou ze een pot zijn?' zei hij. 'Ze heeft wel de bouw van een lijnverdediger.'

'En verder heb ik vanmiddag een heel onaangenaam gesprek met Carolyn gehad, en ik hoop niet dat er nu geruchten...'

Hij viel me in de rede. 'Wanneer is een gesprek met Carolyn Thayer níét onaangenaam? En mocht het praatje rondgaan dat ik *Penthouse* lees, dan is dat geen gerucht, schat. Weet je, het kan me geen reet schelen. Denk je niet dat de helft van de mannen in Maronee zich aftrekt bij dat soort tijdschriften?'

'Dus als Jadey erachter komt, of Nan...'

Hij lachte opnieuw. 'Hun echtgenoten zijn degenen die me voor het eerst in contact brachten met porno. Rustig nou maar, oké? En bel de club om te zeggen dat we een tafel willen om halfacht.'

Ik zweeg even en zei toen: 'Nee. Het spijt me, maar dat doe ik niet – we hebben een druk weekend voor de boeg, en ik wil me niet als een gek hoeven haasten om morgenochtend het vliegtuig te halen. Ik heb een rustige avond thuis nodig om alles te regelen.'

'Godverdomme, Lindy, ik heb vandaag een honkbalteam gekocht!'

'Vloek niet tegen me, Charlie.'

'Gedraag je dan ook niet als een klotewijf.'

Ik hield de hoorn een stukje van mijn oor af, alsof ik een elektrische schok had gekregen. Waren we zo diep gezonken? Dat Charlie grof deed was geen verrassing, maar dat hij het tegen mij deed – dat was niet altijd zo geweest. Ik had ooit geloofd dat hij tegen mij liever en tederder was dan tegen wie ook, en dat maakte zijn grove uitlatingen in tegenstelling daarmee bijna vleiend. Maar nu hoorde ik bij de anderen in de kelder van het studentenhuis, en werd er van me verwacht dat ik bier zoop en lachte om schuine bakken terwijl ik iets te hard op mijn schouder werd geslagen.

Ik dacht dat hij misschien net zo in de war was als ik door wat hij zojuist had gezegd, maar toen hij verderging, hoorde ik in zijn stem geen spijt maar ergernis – híj ergerde zich aan míj. Hij zei: 'Geniet jij maar van je rustige avondje thuis, oké? Dan ga ik wel kijken of ik nog een paar mensen kan vinden die wel in de stemming zijn voor een feestje.'

Toen de telefoon ging, hoopte ik dat het Charlie was die was afgekoeld, maar het was Joe Thayer die zei: 'Ik hoorde van Carolyn wat er is gebeurd op het feestje, en ik...'

'Joe, ik vind het vreselijk. Ik kan je niet zeggen hoe het me spijt. Ik hoop dat jij en Carolyn weten...'

Ik was hem in de rede gevallen en nu deed hij dat bij mij. Hij zei: 'Ik wist dat je het jezelf zou kwalijk nemen, en ik ben ervan overtuigd dat Carolyn je onomwonden de waarheid heeft gezegd, maar toe, Alice, maak je geen zorgen. Neem maar van mij aan dat Carolyn de laatste tijd vervuld is van woede. Natuurlijk hadden we allemaal veel liever gehad dat dit niet was gebeurd, jij evenzeer als wij, maar als dat het ergste is waaraan Megan ooit wordt blootgesteld, dan mag ze van geluk spreken. Ik sta al perplex over wat er tegenwoordig op tv te zien is – heb je dat programma *Married with Children* gezien?'

'Ik heb ervan gehoord. Joe, dank voor je begrip, maar ik hoop dat je weet dat het me echt spijt.'

'Die tijdschriften zijn toch niet van jou, Alice.' In Joe's stem klonk iets van humor door, die er al die tijd al in had gelegen, besefte ik toen.

'Nou, nee,' zei ik. 'Dat is niet het soort lectuur dat ik lees.'

'Vergeet niet hoe lang ik je man al ken,' zei Joe. 'Ik weet nog dat hij als jongen in Halcyon die truc deed met het indianenmeisje op de verpakking van Land O'Lakes-boter.' Ik wist niet of ik het schattig of deprimerend moest vinden dat Charlie een paar maanden geleden diezelfde truc voor Ella had gedaan – de knieën van het indianenmeisje uitknippen en ze voor haar borst houden zodat het, als je een klepje oplichtte, net leek alsof ze haar eigen volumineuze borsten ondersteunde. Blijkbaar vond Charlie sommige dingen, zelfs na dertig jaar, nog lollig.

'Ik moet bekennen dat toen Carolyn het me vertelde, het eerste wat ik dacht was: als ik een vrouw als Alice had, zou ik mijn toevlucht niet nemen tot die rotzooi. Charlie is een man die niet weet wat hij heeft, en na dit telefoontje vertel je hem maar dat ik dat heb gezegd.'

Joe sprak op luchtige toon, en dat probeerde ik ook. Ik zei: 'Aardig van je.'

'Maar nu iets veel belangrijkers,' zei hij. 'Nadat ik je bij de benzinepomp had gesproken, heb ik een ticket geboekt naar Princeton, voor de reünie. Het idee om alleen te gaan had me zo ontmoedigd, en ineens dacht ik: ik lijk wel gek. Tussen vrienden zijn, de juiste remedie.'

'Joe, wat geweldig. Heel goed van je. En moet je nu zo'n rare zwart-oranje kimono aan?'

'Ik heb zo lang gewacht voor ik me inschreef dat ik de outfit op de campus wel ophaal, en ik kan me alleen maar voorstellen hoe die eruitziet. Laten we naar elkaar uitkijken in de P-rade, kan dat? Ik vrees dat jij daar misschien wel de enige andere normale bent.'

'O, dan overschat je me. Ik heb mijn speciale yell geoefend.'

'Weet je, ik heb Carolyn nooit zover kunnen krijgen dat ze een yell leerde,' zei Joe. 'Denk je dat ik dat als een voorteken had moeten opvatten?'

Zodra we hadden opgehangen ging de telefoon weer, en toen ik opnam, zei Jadey: 'Heeft Chas de Brewers gekocht?'

Ik aarzelde. 'Zoiets.'

'Wanneer had je me dat willen vertellen?'

'Het is vandaag pas definitief geworden, ik heb het zelf ook nog maar net gehoord. Je weet toch dat het niet alleen Charlie is? Het is een hele groep investeerders, en zijn bijdrage – nou ja, ik weet zeker dat het minder is dan jij denkt.' De grap was dat Jadey met het geld dat ze had geërfd, samen met Arthur waarschijnlijk veel meer hadden kunnen investeren dan Charlie en ik. Was het slechts toeval geweest dat Arthur die zondag had besloten om niet naar de wedstrijd te gaan, zodat hij buiten de transactie werd gehouden?

Jadey zei: 'Zorg jij dan dat we de beste zitplaatsen krijgen?'

Ik schoot in de lach. 'De plaatsen die we nu hebben, zijn anders zo slecht nog niet.'

'Bel me zodra je terug bent van Princeton, oké? Ik zweer je dat het op Arthurs twintigste reünie kokendheet was, maar we hebben evengoed veel plezier gehad. En denk eraan, Charlie zal 'm dit weekend waarschijnlijk flink raken, maar laat hem maar, want dat doet iedereen.'

Ik overwoog haar te vertellen wat er met Megan Thayer was gebeurd, en misschien ook dat Charlie 'klotewijf' tegen me had gezegd, maar dat zou een gesprek van drie kwartier zijn geworden en ik had veel te veel te doen. Bovendien wilde ik niet dat Ella ons zou horen. 'Ik bel je maandag,' zei ik.

Ella gaf ik die avond geroosterd brood met mozzarella – 'pizzatoast' noemden we het, hoewel er geen tomatensaus aan te pas kwam en de gelijkenis met een pizza eigenlijk ver te zoeken was – en voor mezelf warmde ik een hamburger op die was overgebleven van het klassenfeest en doopte die in Dijonmosterd; als Charlie honger had als hij thuiskwam, kon hij ook nog een burger eten. Omdat er de volgende dag geen school was, mocht Ella naar *The Cosby Show* kijken – ze was weg van Rudy, en na haar was Theo haar favoriet – en ze lag op ons bed in haar belachelijke zwarte jurk terwijl ik inpakte, heen en weer lopend tussen haar kamer en die van ons. Ik riep naar haar: 'Je wilt zeker Bear-Bear meenemen?'

'Nog niet inpakken!' riep ze. 'Ik heb hem vanavond nog nodig.' Bear-Bear was geen doorsnee pluchen knuffel, maar meer een lappenbeer, gemaakt van allerlei lapjes rode stof. Mijn moeder had hem gemaakt toen Ella werd geboren, en hij was het enige knuffelbeest dat nog steeds elke avond mee naar bed moest.

Na *The Cosby Show* kwam *A Different World* en daarna *Cheers*, wat Ella nog nooit van me had mogen kijken, en Charlie was nog steeds niet thuis. Hoeveel avonden zouden zo eindigen, hoeveel avonden zou ik zo láten eindigen? Toen de telefoon opnieuw ging, nam ik weer aan dat het Charlie was, en nogmaals werd ik verrast. 'Mevrouw Blackwell?' zei een vrouwenstem die ik herkende maar niet onmiddellijk kon thuisbrengen. De stem was niet alleen van een vrouw, maar ook jong en onzeker. 'U spreekt met Shannon.'

'Natuurlijk,' zei ik tegen onze oppas. 'Hoe is het?'

'Eh, het spijt me dat ik u stoor, maar...'

'Is er iets aan de hand?' vroeg ik, en Ella keek op vanaf het bed. De telefoon was draadloos, en ik liep ermee de gang in.

'De reden waarom ik bel is, eh, dat ik zojuist meneer Blackwell heb gezien.' Ongerustheid vlamde in me op als een spiraal die zich in mijn binnenste afrolde; het voelde als heet, dun draad. Ik dacht dat Shannon hierna zou zeggen: *met zijn auto tegen een boom geknald*, en wat ze in werkelijkheid zei was niet veel geruststellender. Ze zei: 'Eh, we waren bij Herman's...'

'Wat is Herman's?'

'Een café.'

'En daar kwam je meneer Blackwell tegen?'

'Nee, ik eh, ik ben er met hem naartoe geweest. Hij belde me een paar uur geleden, en hij vroeg of ik tijd had, dan zou hij me komen ophalen omdat hij me wilde spreken. Ik dacht – ik weet niet, ik eh, ik nam aan dat het over Ella ging. En toen ik in de auto zat vroeg hij of ik, eh, iets wilde gaan drinken.'

'Waar is Herman's?'

'Het is in Wells, vlak bij de campus. Ik denk dat ik u bel omdat, eh, omdat hij een paar glaasjes op had, begrijpt u wat ik bedoel?'

De draadspiraal binnen in me was geëxplodeerd; kleine stukjes raceten in mijn bloedbaan. Dus het scenario op-een-boom-geknald was nog steeds mogelijk; zijn afspraakje met de oppas kwam mogelijk boven op, niet in plaats van, een ongeluk. En de campus – ze bedoelde Marquette, waar ze tweedejaars was – was zes kilometer van ons huis. Ik probeerde kalm over te komen toen ik zei: 'Hoeveel glazen heeft hij ongeveer gehad?'

'Eh...' Ze wachtte even. 'Eh, vijf misschien? Of zes? We zijn er maar ongeveer een uurtje of zo geweest. Het spijt me, mevrouw Blackwell, maar het leek me dat u het moest weten.'

'Nee, ik stel het op prijs dat je me hebt gebeld. Toen hij uit het café vertrok, zei hij toen of hij naar huis ging?'

'Ik weet het niet, sorry. Hij zei dat hij de Brewers had gekocht, dus dat is wel tof, denk ik.' Ze liet even een vreemd lachje horen.

'Heeft hij...' Ik kon de woorden nauwelijks uit mijn mond krijgen, maar het zou niet eerlijk zijn ze door haar te laten zeggen, en nog erger om haar te dwingen voor hem te zwijgen. 'Heeft hij iets met je geprobeerd?' vroeg ik met verstikte stem.

Ze zei snel: 'Nee, nee, hij heeft alleen zitten praten. Hij had het over honkbal en zo. Hij was in een goede bui, en daarna heeft hij me weer teruggebracht.'

Hij had in een uur tijd vijf of zes drankjes gehad, en daarna was hij achter het stuur gekropen met Ella's oppas naast hem, en had hij haar thuisgebracht...

'Shannon, het spijt me echt ontzettend. Meneer Blackwell heeft zich heel ongepast gedragen, en je hebt de situatie uitstekend aangepakt.'

'Nou ja, ik was niet bang of zo. Ik bedoel, ik ken meneer Blackwell. Ik hoop alleen dat hij veilig thuiskomt.'

Op het moment dat ze dat zei, hoorde ik hem op de oprit, eerst de motor en daarna zeven of acht keer de claxon. Soms deed hij dat om zijn komst aan te kondigen.

'Ik beloof je dat het niet meer gebeurt,' zei ik.

Toen ik de telefoon weer op de basis legde, ging mijn hart tekeer.

'Wie was dat?' vroeg Ella, en ik zei: 'Een vriendin van mammie die je niet kent.' Er was reclame voor waspoeder op tv, en Charlie kwam beneden binnen en liep vervolgens zingend de trap op. Hij zong 'When Johnny Comes Marching Home'.

'When Johnny comes marching home again,
Hurrah! Hurrah!
We'll give him a hearty welcome then
Hurrah! Hurrah!
The men will cheer and the boys will shout
The ladies they will all turn out
And we'll all feel gay when Johnny comes marching home.'

Hij kende alleen het eerste couplet, dus begon hij opnieuw toen hij de slaapkamer binnen kwam, zich naar me toe boog voor een kus – mijn klotewijverige gedrag was me blijkbaar vergeven – en Ella sprong van het bed en probeerde hem om te gooien. Hij tilde haar op en hield haar ondersteboven, en toen haar jurk over haar hoofd viel, kietelde hij haar blote buik. Ze krijste en spartelde terwijl ze naar hem klauwde, en onder de stof van haar jurk probeerde zij ook te zingen: '*The ladies they will all turn out...*'

Charlie maakte de laatste regel dramatisch door hem langer aan te houden, daarna gooide hij Ella op bed, en ze kroop rond tot haar jurk weer goed zat, en onmiddellijk probeerde ze weer boven op hem te klimmen. Toen dat niet lukte, hief ze haar armen en zei: 'Til me op,' en Charlie zei: 'Je breekt m'n rug, Ellarina. Hoeveel weeg je nu, duizend kilo?' Hij duwde haar weer op bed, kietelde haar en zei: 'Ik geloof dat hier iemand een heleboel ijsjes met karamelsaus heeft gegeten! Dat iemand extra grote pizza's heeft zitten bikken!' Ze lachte zo hard dat de tranen over haar rode wangen rolden, een hese, gierende lach waar ik als kind zelfs nooit door was bevangen. Naast mijn woede op Charlie was ik op een afstandelijke manier die ik al veel vaker had ervaren onder de indruk – het was onmiskenbaar een talent om louter door je binnenkomst de sfeer in een huis waar nauwelijks iets gebeurde te kunnen omtoveren tot een luidruchtig spektakel, er je eigen feestje van te maken, je eigen voorstelling. En ze waren zo blij, mijn man en mijn dochter, dat ik hem niet tot de orde kon roepen; ik keek alleen maar toe terwijl zij aan het ravotten waren. Charlie zei: 'Hé, Ella, wil je horen wat ik vandaag heb gekocht?'

'Een heteluchtballon!' schreeuwde ze.

'Het is nog veel mooier.' Charlie grinnikte. Hij leek eigenlijk niet zo dronken; uitgelaten, dat wel, maar hij leek precies te weten wat hij deed. 'Ik heb het honkbalteam van de Brewers gekocht,' zei hij. 'Ga je mee om heel, heel veel wedstrijden te kijken?'

'Jaaaa!' gilde Ella.

Charlie keek naar mij. 'Leuk om te zien dat in elk geval iemand het op prijs stelt.'

'Mag Kioko Akatsu ook komen?' vroeg Ella.

'Liefje, Kioko zou er twaalf uur over doen om met het vliegtuig hierheen te komen,' zei ik.

Ella begon te klappen en pakte daarna Charlies handen vast om hem ook te laten klappen. Ze zette een stem op als van een volwassene toen ze zei: 'Ik ben de beste honkbalspeler die ooit heeft geleefd. Jij bent de stomste man van de wereld.'

Charlie trok zijn handen los en legde ze aan weerszijden van haar hoofd. 'Ik ben de kampioen van Milwaukee, Wisconsin,' zei hij. 'Jullie zijn de sukkels met een kantoorbaan van negen tot vijf.'

Toen ik in bed stapte was het kwart voor twaalf, en Charlie lag op zijn rug met zijn ogen dicht. Ik voelde echter dat hij niet sliep, en ik zei: 'Ik vind dat wij voor Jessica Sutton de studiekosten voor Biddle moeten betalen.'

Zijn ogen gingen open, daarna kneep hij ze tot spleetjes. Zijn toon was meer verward dan ruzieachtig toen hij zei: 'Waar heb je het in godsnaam over?'

'Ik kan het idee niet verdragen dat ze naar Stevens gaat. Ik heb Nancy Dwyer van het toelatingsbureau gebeld om te vragen of het te laat is om Jessica in het najaar toe te laten en het ziet ernaar uit dat ze haar wel in de brugklas kunnen plaatsen, maar dat alle studiebeurzen al verdeeld zijn.'

'Nou je het zegt.' Hij rolde zich op zijn zij. 'Wie denk je dat ik vanavond heb gezien?'

'Als je het niet erg vindt wil ik graag doorgaan met het gesprek waar we mee bezig zijn.'

'Raad alleen even.' Hij grinnikte.

Op kille toon zei ik: 'Ik weet wie je hebt gezien, en ik vind het helemaal niet grappig.'

'Je hebt geen idee!' Hij klonk nog steeds vrolijk en vergenoegd.

'Charlie, Shannon heeft me gebeld zodra je haar had thuisgebracht, en ze leek erg van streek, wat ik haar niet kwalijk kan nemen. Heb je er enig idee van hoe je actie moet zijn overgekomen? Je bent twee keer zo oud als zij, je bent haar wérkgever. Ik weet niet of we haar nog kunnen vragen om te komen oppassen, en zelfs als we dat doen, betwijfel ik of ze nog wil. Als ik haar was, zou ik het niet doen.'

'Je bent gek – ze heeft het hartstikke naar haar zin gehad. Het is een goeie meid, uit een hardwerkende familie. Wist je dat haar vader loodgieter is?'

Ik ging rechtop zitten, leunde tegen het hoofdeinde van ons bed en sloeg mijn armen over elkaar. Het was moeilijk om op de juiste manier te reageren, moeilijk iets uit te leggen wat zo vanzelfsprekend was. Ik haalde diep adem. 'Ze is onze óppas,' zei ik. 'Jij bent tweeënveertig, en je hebt haar meegenomen naar een café.'

'Maar er is niets mis mee als jij Miss Ruby meeneemt naar een toneelstuk?' Hij meesmuilde en ik begreep het: ik was in de val gelokt. Hij had dit avondje in elkaar gezet met als enig doel me deze vraag te kunnen voorleggen. Om die reden had hij juist Shannon uitgekozen – niet omdat hij haar gezelschap zo op prijs stelde, maar om mij een lesje te leren. En om dezelfde reden had ik me sinds Shannons telefoontje diep ellendig gevoeld, zonder me als minnares bedreigd of als vrouw verraden te voelen. Charlie was geen vreemdganger. Een flirt, dat wel, zowel met mannen als met vrouwen, maar ik kon me niet voorstellen dat hij een echte verhouding zou beginnen, met alle smoezen en logistieke complicaties van dien. Hij mocht me dan misschien belachelijk maken of vernederen, maar ontrouw zou hij niet zijn.

Ik zei: 'Je weet wat het verschil is.'

Hij haalde zijn schouders op. 'Huishoudster, oppas – in mijn ogen is het vrijwel hetzelfde.'

We keken elkaar aan en ik had zin om hem een klap in zijn gezicht te geven of hem tegen zijn borst te stompen. In plaats daarvan schoof ik de dekens weg en stond op. 'Wat is er met jou aan de hand? Zie je niet dat dit geen grap is? En Shannon heeft me verteld hoeveel je hebt gedronken – stel dat je was aangehouden? Stel dat je ergens tegenaan was geknald en jezelf had doodgereden, of dat je iemand anders had doodgereden?'

Hij draaide zich weer op zijn rug, deze keer steunde hij op zijn ellebogen. Langzaam en rustig zei hij: 'Alice, ik geloof niet dat jij in de positie bent om mij de les te lezen over autorijden.'

Het was verbijsterend – de afgelopen weken had ik vaak gedacht dat Charlie niet vreselijker uit de hoek kon komen, maar hij wist zichzelf steeds weer te overtreffen. Witheet beende ik om het bed heen en toen ik bij zijn nachtkastje was aangekomen, rukte ik de onderste lade open, trok er de exemplaren van *Penthouse* uit en slingerde ze stuk voor stuk naar hem toe. 'Je bent verschrikkelijk!' zei ik, en ik was me er vaag van bewust dat ik stond te schreeuwen en dat Ella een paar deuren verderop lag te slapen, maar ik was niet bij machte om me te beheersen. 'Je bent een verwende etter, je hebt voor niemand respect, alleen voor jezelf! Je denkt dat het leven o zo grappig is, o zo gemakkelijk, en de enige reden daarvoor is dat je geld hebt. Je hebt altijd mensen gehad die het vuile werk voor je opknapten, die ervoor zorgden dat je op bepaalde scholen werd toegelaten, je een baan aanboden bij het familiebedrijf – godallemachtig, ze bieden je een hónkbalteam aan, en nu heb je mij om dat idiote, kwetsende gedrag van je glad te strijken. Maar ik ben het zat, Charlie, begrijp je dat? Ik heb er genoeg van. Dat je nooit in de problemen raakt, betekent nog niet dat je nooit iets verkeerd hebt gedaan.'

Er waren geen pornobladen meer over. Charlie verborg zijn gezicht achter zijn handen, een gebaar om zichzelf te beschermen, en tussen zijn vingers door keek hij verbaasd, maar niet echt ernstig. Het leek alsof hij nog steeds hoopte dat ik een grapje maakte. Ik draaide me met een ruk om en liep naar de deur.

'Lindy...' zei hij. 'Jezus, bedaar een beetje...'

Ik ging naar de logeerkamer en deed de deur achter me dicht, trillend over mijn hele lichaam. Hoe konden Charlie en ik nog bij elkaar blijven? En toen hoorde ik voetstappen in de gang en ik was blij dat hij het kwam uitpraten, het had iets volwassens, of dat dacht ik althans totdat ik een klein stemmetje hoorde zeggen: 'Mammie?' Toen ik de deur opendeed, begon Ella te huilen.

Tijdens de vlucht naar Newark waren we, net zoals die ochtend thuis, alle drie stil en rustig op weg naar het vliegveld, en die stilte bleef toen we de huurauto gingen halen en invoegden op de 1-95 naar het zuiden. Charlie leek te wachten op een teken van mij, en dat gaf ik hem niet; ik keek hem nauwelijks aan. Ook Ella was ongewoon op haar hoede, en keek onzeker van de een naar de ander. Charlie had Ella die ochtend in de keuken het artikel in *The Sentinel* laten zien over de aankoop van de Brewers door The Capital Group, en hoewel hij het rustig had gebracht, voelde ik dat hij het evenzeer voor mij als voor haar deed. Ik las het artikel zelf niet.

Toen we op ons vliegtuig stonden te wachten, had ik me afgevraagd of we Joe Thayer misschien zouden tegenkomen, maar we hadden blijkbaar een andere vlucht genomen. We zagen wel Norm en Patty Setterlee – Norm was in 1948 afgestudeerd aan Princeton, en hij gaf Charlie een lichte por tegen zijn bovenarm toen hij zei: 'Je moet me wel beloven dat we de White Sox nooit meer laten winnen.'

In het vliegtuig, waar Ella tussen ons in zat, had Charlie tegen me gezegd: 'Ik heb er even over nagedacht, en het zou me helemaal niet verbazen als Jessica Sutton in aanmerking komt voor een beurs.'

Ella keek op uit haar boek, *Bunnicula*. 'Wat betekent "aanmerking"?' Toen Charlie en ik allebei niet reageerden, trok ze me aan mijn mouw en zei: 'Waarom komt Jessica in aanmerking?'

'Dat betekent dat ze er goed genoeg voor is,' zei ik. Tegen Charlie zei ik: 'Dat probeerde ik je uit te leggen. Waarschijnlijk komt ze wel in aanmerking, maar ze hebben alle beurzen voor het komend schooljaar al verdeeld.' Ik probeerde terloops over te komen – kalm en beschaafd, niet zo uitzinnig als de vorige avond. Al dacht ik er serieus over bij hem weg te gaan, dat was nog geen reden om niet vriendelijk te zijn.

Charlie zei: 'Het is absoluut een bewonderenswaardig idee van je, maar op dit moment komt het ons gewoon niet zo goed uit. Ik ben bezig een flink deel van ons vermogen in de aankoop van het team te steken, en ik wil op andere gebieden wat voorzichtig zijn.'

Ik zei – beleefd, hoopte ik – 'Weet je wat het schoolgeld is voor een brugklasser van Biddle?'

'Vijfduizend? Zes?'

Mijn opzet werkte averechts. 'Vijfenvijftighonderd,' zei ik. 'Maar...' *kalm, zakelijk* '... dat is een fractie van het spaargeld dat jij gebruikt om de Brewers te kopen. Dat merk je toch nauwelijks?' Waarom bleef ik hierover doorgaan? Ook al kon ik Charlie er nu van overtuigen, als ik hem vertelde dat ik bij hem wegging, was het uitgesloten dat hij er werk van zou maken.

'Maar het gaat niet om slechts één jaar,' zei Charlie, en ook hij klonk alsof hij zijn uiterste best deed om een verzoenende toon aan te slaan. 'Laten we zeggen dat ze zich inschrijft voor dit najaar, wij dokken die vijfenvijftighonderd, en dan zegt Nancy Dwyer: "Oeps, administratief foutje, volgend jaar blijkt er ook geen beurs voor haar beschikbaar." Dan halen we Jessica niet van die school af, toch? Als we eraan beginnen, moeten we ervan uitgaan dat we er de volgende zes jaar aan vast zitten.'

Hij had wel gelijk, maar dan nog, hij kon best zo'n veertigduizend dollar missen. Het was niet niets, maar we – hij – kon dat doen. En was de beweegreden om de Brewers te kopen trouwens niet voor een deel dat hij en de andere investeerders uiteindelijk winst zouden maken? Mijn ongeduld nam toe; dit gesprek was in feite voor hem alleen maar een gelegenheid om te laten zien hoe doordacht hij te werk ging. Hij zou het voorstel uiteindelijk afwijzen, maar hij wilde wel waardering voor het feit dat hij de zaak van alle kanten had bekeken.

'Dat zal wel waar zijn,' zei ik, en ik verdiepte me weer in mijn *New Yorker*.

In de huurauto zeiden we nauwelijks een woord, totdat we bij de campus aankwamen. Achterin zei Ella: 'Ik heb trek.'

Ik draaide me om. 'Ze hebben wel iets te eten in de tent, maar neem intussen hier maar wat van.' Ik haalde een plastic zakje met zoute krakelingen uit mijn tas.

‘Ik hou niet van krakelingen.’

‘Sinds wanneer?’

‘Sinds altijd.’

‘Dat is dan nieuw voor me.’

Charlie, die achter het stuur zat, zei: ‘Dan zul je het wel niet erg vinden als ik er een paar neem.’ Hij stak zijn arm uit naar mijn schoot, wurmde zijn hand in het zakje, haalde bijna alle krakelingen er in één greep uit en propte ze in zijn mond. Zijn wangen bolden op en kruimels vielen op zijn hemd terwijl hij kauwde en met volle mond Koekiemonster nadeed: ‘Mjam, mjam, mjam.’ Ella giechelde en hij grijnsde haar toe in het achteruitkijkspiegeltje. Toen slikte hij en hij keek even naar mij. ‘Ik hoop dat je ze niet wilde bewaren voor later, maar als dat wel zo is, kun je ze terugkrijgen.’ Hij schoot naar voren en naar rechts, en deed alsof hij overgaf: ‘Bwèèèh.’

‘Wálgelijk,’ riep Ella – ze genoot duidelijk van zijn voorstelling – en ik zei: ‘Wil je op de weg letten?’

We parkeerden achter het New New Quad en liepen naar de tent van de twintigste reünie. Ik was met Charlie meegegaan naar zijn tiende reünie in 1978, toen we nog geen jaar getrouwd waren, en naar de vijftiende reünie in ’83, toen Ella vier was, en beide keren was mijn reactie op de campus hetzelfde geweest als nu: dat het in zijn perfectie meer leek op een filmset van een universiteitscampus dan een echte campus; dat je je in eerste instantie verzette tegen zijn bekoorlijkheden zoals tegen de avances van een knappe, charismatische man op een feestje van wie je wist dat hij waarschijnlijk met iedereen flirtte.

De gebouwen waren in tudor en victoriaans gotische stijl, baksteen en marmer en blokken natuursteen, palladiaanse vensters met veel ruitjes, en met knopversieringen en finales en lagen klimop (voor mijn bezoek in ’78 had ik niet beseft dat Ivy League letterlijk op de ivy, klimop, sloeg). Er waren torens en koepels en arcades waar je onderdoor liep, arcades die heerlijk in de schaduw lagen, die róken naar studie en een veelbelovende toekomst. Er waren vierkante stukken gras, met wandelpaden diagonaal erdoorheen, en aan de voorzijde van de campus stond Nassau Hall, het eerste bouwwerk dat je zag wanneer je FitzRandolph Gate binnen ging, gebouwd van zandsteen, groots en recht en riant. Aan weerszijden van de frontale trap hielden bronzen tijgers met een zilvergroene gloed die verkregen was door ouderdom en de elementen de wacht. En daar waren dan de studenten, de laatstejaars en ook de eerste- en tweedejaars die gebleven waren om mee te helpen aan de Reunions – onder wie onze neef Harry en onze nicht Liza – die er intelligent en sportief en bevoorrecht uitzagen. Een verblijf op Princeton voelde niet eerlijk, zoals ons leven in Milwaukee soms niet eerlijk voelde, niet eerlijk ten gunste van ons. Ik zag Ella kijken naar deze negentien- en twintigjarigen, en ik wist dat ze zich door hen een voorstelling maakte van hoe het was om student te zijn, terwijl een student aan Princeton University eigenlijk een vertegenwoordiger was van een bepaalde klasse, even weinig representatief als een volbloed renpaard of een Stradivarius-viool.

De tent voor de twintigste reünie stond op Holder Courtyard. Net als de andere reünietenten die op de verschillende terreinen rond de campus stonden, was hij enorm – een wit tentdoek van misschien wel negen bij twaalf meter werd gesteund door drie binnenpalen – en bij de ingang hingen zwarte houten bordjes met de klassenjaren in oranje cijfers, en oranje gloeilampen erboven: bovenaan 1968, en daaronder 1966, 1967, 1969, 1970. In de tent was een houten dansvloer, een verhoogd podium voor de bands die die avond en de volgende dag zouden spelen, een lange tafel met een oranje papieren kleed eroverheen (ik zag een stel niet echt smakelijk uitziende sandwiches met kalkoen liggen, naast koekjes die aantrekkelijker oogden), en veel ronde tafeltjes met klapstoelen eromheen waarop mannen in oranje joggingpakken en witte slappe hoeden al hard lachend bier zaten te drinken. Naast de grote tent stonden kleine tentjes waar gratis Bud en Bud Lite verkrijgbaar waren aan de tap, allemaal bediend door studenten – op dit moment door een gebruinde, opgewekte jongeman die een oranje bandana droeg. Charlie was afgestudeerd aan Princeton voordat er meisjes toegelaten werden, en er hing een typisch mannelijke sfeer, ondanks de aanwezigheid van echtgenotes met zwart-met-oranje sjaaltjes, zwarte of oranje blouses of wikkelrokken, echtgenotes die tassen bij zich hadden gemaakt van oranje gevlochten lint of, in één geval, een houten koffertje, als een minipicknickmand, waar op één kant NASSAU HILL geschilderd was; ik zag ook twee afzonderlijke gouden tijgerbroches met smaragden als oog. De kinderen droegen universiteitsspulletjes, en in een hoek van de tent waar ze zich konden laten schminken zag je kinderen met zwarte en oranje strepen en snorharen.

We liepen naar het aanmeldingshokje, waar een heel knap meisje met een lange blonde paardenstaart en een oranje T-shirt ons een kamer toewees in een studentenhuis dat Campbell heette (ik had van tevoren het reserveringsformulier opgestuurd – slapen in een studentenhuis zou voor Ella veel leuker zijn dan in de Nassau Inn, dacht ik). Daarna wees ze ons de weg naar de rij die stond te wachten op beddengoed, waar een ander meisje, ook knap, vanuit een raam op de begane grond van Holder lakens en handdoeken uitdeelde.

Charlie had al een man of twintig gedag gezegd, van wie ik er een aantal herkende, sommigen waren alleen en anderen werden vergezeld door hun vrouw. Er waren hartelijke uitroepen, omhelzingen, klappen op schouders, vriendschappelijke plagerijtjes: 'Shit, man,' zei een kerel die Dennis Goshen heette, terwijl hij Charlie bij de zoom van zijn jasje greep. 'Pas je dit ding nog?' Vanaf ons vertrek uit Milwaukee had Charlie het zogenaamde 'bierjasje' aan uit het jaar dat hij afstudeerde: een katoenen colbertje met een afbeelding van een tijger die gevloerd met zijn rug op een zandloper ligt, met zijn voeten uit elkaar, de krul van zijn staart vormde een '6' en de boven- en onderkant van de zandloper waren een '8'; een pul bier gleed uit zijn klauw.

Bij de begroeting bogen Charlies jaargenoten zich naar me toe en kusten me op mijn wang, en tegenover Ella zeiden ze voor de grap iets schandelijks over Charlie. Toby McKee zei, terwijl hij Charlie met een vinger op zijn schouder tikte: 'In het voorjaar van '68 heeft deze man me, voor niet meer dan een koude sixpack, zijn hele proefschrift laten tikken. Honderdtwintig pagina's, en ik heb zelfs die beroerde spelling van hem verbeterd!' Of Kip Spencer: 'Ik zal maar niet beginnen over de tijd dat je ouweheer me zover kreeg om de klepel van de klok te stelen boven in Nassau Hall!'

Er werd geïnformeerd naar ons leven in Milwaukee, en uiteindelijk besefte ik dat Charlie dat uitlokte door zijn klasgenoten te vragen of ze nog steeds arts waren in Stamford, of nog steeds bij dat reclamebureau werkten in New York. Wanneer zij de vraag op hun beurt stelden, zei Charlie steeds: 'Ik heb trouwens een nieuwe bijverdienste – ik heb net met een stel kerels de Milwaukee Brewers gekocht.'

'Het honkbalteam?' reageerde een studiegenoot dan. 'Niet verkeerd!' Of: 'Holy cow!' of, in het geval van ene Richard Gibbons: 'O, man, ik ben goddomme stikjaloers!' Daarna wierp Richard een blik op Ella en mimede 'Sorry' naar mij. Hoe enthousiaster de reactie die Charlie had uitgelokt, hoe bescheidener hij werd. Hij zei: 'Ik heb geboft dat ik op het juiste moment op de juiste plaats was', of 'Als je de ups en downs van onze laatste paar seizoenen bekijkt, weet je dat er heel wat werk te verzetten valt'. Slechts één man prikte door zijn valse bescheidenheid heen. Theo Sheldon zei: 'Hou toch op, je zit straks in de zevende hemel! Als jij dadelijk buiten een balletje speelt met Paul Molitor, denk dan maar aan sukkels als ik die aktes aan het archiveren zijn, dat zal je pijn wel verzachten.' Ik vroeg me nogmaals af of Charlie de deal net op tijd had gesloten om er hier over te kunnen pochen, maar ik kon me moeilijk voorstellen dat hij er zoveel zeggenschap over gehad zou hebben; het leek waarachtig, zoals met zoveel voorvallen in zijn leven, een gelukkige samenloop van omstandigheden.

We gingen onze koffers in de slaapkamer zetten, in feite een prima suite, alleen lagen de badkamers een verdieping lager, en hoewel we maar een paar minuten weg waren geweest, leek de tent toen we terugkwamen twee keer zo vol. Ik hielp Ella iets te eten uitzoeken. Kip Spencer en zijn vrouw Abigail hadden een dochter van Ella's leeftijd, Becky, en die twee renden algauw samen rond. Ze doken geschminkt weer op, en toen ze daarna weer opdoken was de verf uitgelopen, en tegen die tijd bestond de groep uit minstens tien kinderen, en Ella leek het reuze naar haar zin te hebben.

Het verbaasde me dat ik me kon ontspannen en me op mijn gemak voelde. Overal om me heen leken de mannen in hun belachelijke oranje en zwarte outfit aangeschoten en vrolijk, Charlie zelf was in zijn nopjes, en de andere echtgenotes en ik lachten elkaar toegeeflijk toe. Rond vier uur leek het idee om een einde te maken aan mijn huwelijk niet zozeer een vast plan als wel een fragment uit een droom. De spanning tussen Charlie en mij was weggevallen en hoewel ik aan de meeste gesprekken niet actief deelnam, was dit iets wat ik nooit erg had gevonden; ik was altijd graag te midden van uitbundige, lachende, vriendelijke mensen. Als de mannen een yell aanhieven of wanneer ze Princeton 'de fijnste plek op aarde' noemden, waarmee ze uit een liedje citeerden, waren ze in mijn ogen echt schattig. En Charlie was in tijden niet zo zorgzaam geweest en vroeg steeds wanneer hij een nieuw biertje ging halen of ik er ook een wilde. (Iedereen dronk uit plastic bekers waarop verschillende tijgers stonden, al naar gelang de tent waar je in stond.)

's Avonds was er een aangenaam doorsnee buffet in de tent, kip, aardappelen in de schil, salade en brownies, en daarna trad er een fantastisch goede Motownband op: zeven zwarte mannen in lichtblauwe pakken en één zwarte vrouw in een witte mouwloze jurk die 'I Heard It Through the Grapevine' zongen, en '(Love is Like a) Heat Wave' en 'Ain't Too Proud to Beg'.

De kinderen begonnen het eerst te dansen, Ella en Becky en de rest, weinig ritmisch maar opgetogen stompten ze in de lucht en sprongen ze op en neer, en algauw deden de volwassenen mee. Charlie kon geweldig dansen; ik had dat pas ontdekt toen we een paar maanden getrouwd waren, op het feest van zijn broer John in de club ter gelegenheid van zijn vijfendertigste verjaardag, waarbij avondkleding verplicht was. Niet dat Charlie bij elke gelegenheid de beste danser was, al was hij echt goed. Maar wat het zo leuk maakte om naar hem te kijken en met hem te dansen, was dat hij zo ongeremd was, dat hij zich zo intens leek te vermaken dat hij tegelijkertijd zelfvertrouwen en malligheid uitstraalde. Voor 'Ain't No Mountain High Enough' danste hij de shimmy op een meter van me af, draaide zijn rug naar me toe, stak zijn billen naar achteren, keek grijnzend over zijn schouder en sprong naar achteren, een sprong op elke regel – '*Ain't no mountain high enough/ Ain't no valley low enough/ ain't no river wide enough*'. Algauw gutste het zweet van hem af. Later danste hij met Pam Sheldon, de vrouw van zijn studiegenoot Theo, en ik danste met Theo, en daarna danste Charlie met Theo, en Pam en ik stonden erbij te lachen. Te midden van zijn leeftijdgenoten viel het me op hoe fit en jong Charlie er nog uitzag – veel studiegenoten waren kaal of dik of zagen er ondanks hun vrolijke gedoe gewoon afgeleefd uit, maar Charlie was nog net zo knap als toen we trouwden. Eigenlijk was zijn uiterlijk nauwelijks veranderd.

Rond halftien doken tot vreugde van Ella neef Harry en nicht Liza op, Harry in het bierjasje van zijn jaar, en ze waren allebei in feeststemming en vermoedelijk bezopen, Harry erger dan Liza. Liza en Charlie dansten terwijl Harry met Ella danste, daarna danste Harry met mij – net als zijn oom kon Harry goed uit de voeten op de dansvloer (ik nam me voor Ed en Ginger te vertellen dat het de moeite had geloond om hem naar de danscursus in de club te sturen), en hij flirtte op die nietszeggende, charmante manier van rijke, knappe, zelfverzekerde mannen van tweeëntwintig. Hij zou de zomer doorbrengen in Alaska, waar hij het grootste deel van de tijd in een viskwekerij ging werken (ook dit had ik nooit eerder gezien voordat ik in de familie Blackwell terechtkwam:

de wens om naar verre oorden te reizen en aanzienlijke bedragen uit te geven om zwaar en mogelijk smerig werk te doen dat stof voor prachtige verhalen kon opleveren; mijn neef Tommy, Harry's broer, had een zomer meegewerkt aan een programma van high school waarin ze wegen aanlegden in Griekenland, Liza had vrijwillig in een weeshuis in Honduras gewerkt, en een aantal van hen was ook mee geweest op survivalkamp of buitenschoolse reisjes). Na de viskwekerij zouden Harry's twee broers en Ed zich bij hem voegen en met z'n vieren gingen ze dan twee weken op een vissersboot varen in Noord-Alaska; bij hun terugkeer zou Harry aan de slag gaan als researchmedewerker bij Merrill Lynch in Manhattan. Dit alles in aanmerking genomen was de wereld in de ogen van mijn neef natuurlijk aantrekkelijk en uitnodigend, natuurlijk was hij dronken en blij aan de vooravond van zijn afscheid van Princeton.

Toen Harry en Liza verder liepen, zag ik tot mijn verbazing op mijn horloge dat het over elven was. Ik keek rond naar Ella – zij en een klein jochie dansten hun negenjarige versie van de tango – en ik zei tegen Charlie dat ik met haar naar het studentenhuis ging om haar naar bed te brengen. Ik voelde me een beetje schuldig dat het al zo laat was en probeerde het te vergoelijken met de gedachte dat het in Wisconsin een uur vroeger was.

'Als ze in bed ligt, kom dan terug.' Charlie moest bijna schreeuwen om boven de muziek uit te komen. 'Het is hier volkomen veilig, dat weet je toch?'

Ik schudde mijn hoofd. 'Ik laat haar liever niet alleen, maar blijf jij hier nog maar wat plezier maken.' Ik was ervan overtuigd dat hij dat ook wel zou doen zonder mijn aanmoediging, maar ik wilde voor de verandering eens genereus tegen hem zijn, mijn zegen geven aan het feit dat hij plezier maakte. Ik had een paar mannen horen zeggen dat ze naar de eetclubs zouden gaan – Charlie was lid geweest van zo'n club die Cottage heette – en ik vond het allang best dat dat deel van de avond aan mij voorbijging. De eetclubs leken me niet veel meer dan pretentieuze societeiten; als plaats waar derde- en vierdejaars hun maaltijden gebruikten en feestjes hielden, hadden ze een aantal prachtige panden naast elkaar aan Prospect Avenue, en om lid te worden moest je als student deelnemen aan een soort ontgroeningsritueel dat veel weg had van wat er op andere universiteiten gebeurde, maar deze clubs wakkerden zulke hartstochtelijke gevoelens aan dat ik vast iets miste. Als student was Charlie voorzitter van de ballotagecommissie geweest bij de Cottage, en na al die tijd was de enige rekening waar hij echt belang in stelde – hij wilde altijd weten of ik die wel betaald had – de jaarlijks verschuldigde contributie, toentertijd vijfentachtig dollar. Cottage liet vanaf 1986 vrouwen toe, na een proces dat was aangespannen door een studente, en hoewel Charlie minachtend deed over het 'feministische gekrijs' van deze vrouw, leek hij er geen bezwaar tegen te hebben dat de Cottage ook vrouwen toeliet.

Terwijl de band 'Dancing in the Street' speelde, zei Charlie in de tent van de twintigste reünie: 'Weet je zeker dat je niet meer terug wilt komen? Het is veel leuker als jij erbij bent.'

Het was zo'n lieve, eenvoudige opmerking dat ik een brok in mijn keel kreeg. Ik beschouwde mezelf niet meer als leuk, en zeker niet vanuit Charlies optiek. Ik deed een stap naar voren en kuste hem op zijn mond. 'Ik had het graag gedaan. Denk erom dat je rustig aan doet – morgen wordt een drukke dag.'

Hij salueerde. 'Breng Ella even om welterusten te zeggen.'

Nadat ik Ella met moeite bij haar nieuwe vriendjes had weggehaald en ze Charlie een kus op z'n wang had gegeven, liepen we naar het studentenhuis. Toen we een trap afdaalden en onder een arcade liepen, zei ze dromerig: 'Ik vind het heerlijk op Princeton.'

De P-rade – het hoogtepunt van de Reunions – begon zaterdag rond twee uur. We stonden met duizenden op Cannon Green in rijen op volgorde per studiejaar en terwijl we wachtten, was er veel kabaal, werd er veel bier gedronken (Princetongangers zijn de enige mensen die ik ooit heb ontmoet die net zoveel kunnen drinken als de bewoners van Wisconsin zonder hun vriendelijkheid en waardigheid te verliezen), en liepen jaargenoten elkaar voortdurend tegen het lijf en wisselden opgewonden begroetingen uit. Het was een zonnige, warme dag – er werd van tevoren altijd druk gespeculeerd over het weer, of het loeiheet zou zijn of dat het zou stortregenen – en tegen de tijd dat de optocht eindelijk van start ging was de menigte niet meer te stuiten. Voorop liepen de deelnemers van de groep uit 1963, die hun vijfentwintigste reünie vierden – het jaar dat als hoogtepunt werd beschouwd, hoewel deze mannen pas zevenenveertig waren! Ik keek uit naar Joe Thayer; te midden van de chaos van lichamen en lawaai en zonneschijn kon ik hem niet vinden. Daarna kwam de oudste student die was teruggekomen – in dit geval een heer genaamd Edwin

Parrish uit de groep van 1910 – wie de eer ten deel viel een bijzondere zilveren stok vast te houden; Parrish reed in een golfkarretje dat werd bestuurd door een student en toen hij voorbijreed, werd hij toegejuicht. Na de oudste deelnemer volgde de rest in chronologische volgorde, de oudste groep voorop, en elke groep werd voorafgegaan door een vaandel tussen twee stokken, van zwarte stof met een oranje bies en een oranje jaartal erop. Voor de oudere groepen, die bekendstonden als de Oude Garde, werden de vaandels gedragen door studenten of kleinkinderen van oud-studenten; voor de groepen daarna werden ze door de oud-studenten zelf gedragen. Veel mannen van de Oude Garde werden gereden in golfkarretjes, en in sommige gevallen waren het niet de mannen zelf die reden, maar hun weduwen, iets wat ik niet als enige aangrijpend vond; ik zag overal om me heen mensen met tranen in hun ogen. Toen een man van een oudere groep kwam aanlopen – een opmerkelijk krasse baas uit de jaargroep van 1916, die al dik in de negentig moest zijn, liep bijna te tapdansen – liet de menigte een oorverdovend gejuich horen. Overal waar je keek zag je oranje joggingpakken, oranje-met-zwarte blazers, broeken en T-shirts, honkbalpetjes, platte strohoeden met oranje en zwarte linten, kinderen én volwassenen met een tijgerstaart. Sommigen reden in oldtimers en claxonneerden joviaal, en de grootste groepen hadden als feestelijke attractie voor speciale optredens gezorgd – brassbands van lokale high schools, een buikdanseres, zelfs een vuurvreter – die voor hun groep uit liepen. Charlie boog zich met een grijns naar me toe en zei: 'Rijke mensen zijn bizar, zei je toch?' Dit was natuurlijk geweest in Halcyon, en toen hij in mijn hand kneep en hem vervolgens losliet om te klappen voor de groep uit 1943, bedacht ik dat ik er ten minste in één opzicht niet verkeerd aan had gedaan om met hem te trouwen: hij had mijn leven in elk geval kleurrijker gemaakt.

We wachtten, en we wachtten nog een tijdje, en toen kwamen de groepen van '65, van '66, van '67 voorbij – links van ons, waar ze al die tijd naast ons hadden gestaan – en eindelijk was het onze beurt. We sloten aan en Ella kreeg Charlie zover dat hij een kreet uit '68 aanhief: *Hip! Hip! Rah! Rah! Rah...* Alle groepen jonger dan die van Charlie juichten terwijl we voorbijliepen, en wij wuifden alsof we hoogwaardigheidsbekleders waren. De route eindigde op het honkbalveld, waar we bleven staan – Ella drong erop aan, zodat we Harry konden zien – totdat de laatste groep afstuderende ouderejaars naar voren rende en officieel door de universiteitspresident werd uitgeroepen tot alumni van Princeton. 'Als ik naar Princeton ga, wil ik boven de Blair Arch wonen,' zei Ella.

'Dan hoop ik dat je geluk hebt met de loting,' zei Charlie.

'En dan moet je nu maar goed je best doen op school,' voegde ik eraan toe.

Omdat ik orde in mijn leven probeerde te brengen, had ik organisatietalent bij anderen altijd gewaardeerd, en ik moet zeggen: de reünies bij Princeton waren voortreffelijk georganiseerd. Al die tenten en hekken en klapstoelen en tafels, de biervaten en outfits, de speeches en de a-capellakoortjes die op uitgekiende tijdstippen optredens over de hele campus verzorgden! De planning die bij zo'n weekend kwam kijken ging je verstand te boven, en toch verliep alles schitterend, vlekkeloos. Voor de kinderen werden er die avond twee films vertoond in McCosh 10, *Back to the Future* en *Splash*, terwijl in de tent voor de volwassenen een coverband Beatlesliedjes ten gehore bracht. Tijdens het eten – die avond was het varkensvlees van de barbecue, aardappelsalade, maiskolven en maisbrood – was Charlie zowel rusteloos als uitermate hartelijk. Ik raakte in een lang gesprek verwikkeld met de vrouw van een jaargenoot van hem, Mimi Bryce, die ik al had ontmoet bij de tiende reünie en die onderwijzeres van groep vier was op een particuliere meisjesschool in een buitenwijk van Boston; we zaten zo'n veertig minuten met elkaar te praten, waarin Charlie me drie keer onderbrak met teksten als: 'Kom op, even met je fraaie heupen zwaaien, Lindy', of 'Niemand laat Charlie Blackwell wachten, jij ook niet'. Ten slotte pakte hij me gewoon bij de hand en ik verontschuldigde me tegenover Mimi terwijl ik me door hem de dansvloer op liet trekken.

'Ik vond het leuk om met haar te praten,' zei ik.

'Ze spelen "Can't Buy Me Love" en jij praat liever over het leerplan van groep vier?'

De band was in feite net aan het eind van 'Can't Buy Me Love', dat naadloos overging in 'Twist and Shout', waarvan Charlie de hele tekst uit zijn hoofd kende, die hij me vol verve toezong, terwijl hij naar me wees en gevoelvolle grimassen trok: '*You know you twist so fine (twist so fine)/ Come on and twist a little closer, now (twist a little closer)*.' Hij wenkte me met een vinger, en toen ik naar voren stapte, liet hij me ronddraaien. Voor het stukje aan het eind, 'shake it up', stak hij zijn armen in de lucht en schudde ze daadwerkelijk – hij droeg de oranje joggingbroek en een witte polo, en hij had grote zweetplekken onder zijn armen. Aan het slot van het nummer trok hij me naar zich toe, greep me bij mijn achterste, kuste me stevig op mijn mond en zei: 'Zullen we voordat Ella terugkomt snel een wip maken in de slaapkamer?'

'Chárlie!'

Hij grinnikte. 'Waarom niet? Het duurt niet lang, dat beloof ik je.' En toen kwam zijn hand omhoog en kneedde mijn linkerborst. 'Leuk toch.' Ik deed een stap naar achteren. De dansvloer was vol, de hele tent was vol, en niemand leek aandacht aan ons te besteden, maar evengoed was ik verbijsterd.

'Charlie, we zijn geen beesten,' zei ik. 'Dit kun je niet en plein public doen.'

'Misschien ben jij geen beest, maar ik ben een tijger, schatje.' Zijn gezicht was verhit.

'Ik hoop dat je niet meer drinkt.'

Hij lachte honend. 'Waarom ga je niet weer met Mimi babbelen? Ik heb gehoord dat ze een fantastisch inzicht heeft in de ideeën van dokter Seuss.'

Ik haalde diep adem. 'Ik zal proberen de avond voor jou niet te verpesten, als jij dan de mijne niet verpest.'

Hij lachte nog steeds laatdunkend. 'Lindy, al zou je het willen, die kún je voor mij niet verpesten.'

Op dat moment kwam een jaargenoot van hem, Wilbur Morgan, op ons af en wees met zijn duim naar Charlie – hij had blijkbaar niet door dat we ruzie stonden te maken – en zei tegen mij: 'Ik hoor geruchten dat deze kerel onlangs een honkbalteam uit de eredivisie heeft gekocht.' Hij wendde zich tot Charlie. 'En, meneer de lefgozer, is dat waar of niet?'

'Morgy, ik hoop dat jij korte stop speelt.' Charlie tikte Wilbur speels tegen zijn buik. 'Je moet wel gaan trainen, makker.'

'Het is niet eerlijk!' Wilbur schudde zijn hoofd en grijnsde breed. 'Het is níét éérlijk dat jij de tofste baan ter wereld in de wacht hebt gesleept. Ik zou er mijn linkerbal voor geven!'

'Wat gek, ik wist niet dat jij een linkerbal had,' zei Charlie, en Wilbur zei tegen mij: 'Is hij ook maar een sikkepitje veranderd?'

Ik glimlachte flauwtjes. 'Als jullie me willen excuseren.' Ik liep naar de watertent en had net een plastic bekertje aangenomen toen ik me omdraaide en daar Holly, de vrouw van Dennis Goshen, naast me zag staan. 'Je moet op zo'n avond zorgen dat je niet uitdroogt, nietwaar?' zei ze. Dennis en Holly woonden in New York, waar Dennis beurshandelaar was op Wall Street en Holly als aerobicsinstructrice werkte. We waren begin jaren tachtig op hun bruiloft geweest in de Rainbow Room, en Holly was, zoals je kunt verwachten van een aerobicsinstructrice, slank en aantrekkelijk, met golvend blond haar. We stonden al nippend naar het feestgedruis te kijken. Om iets te zeggen, begon ik: 'Ik neem aan dat jullie morgenochtend teruggaan naar New York?'

Ze knikte. 'Het is vreselijk om te zeggen, Alice, maar ik ben zo blij dat ik hier niet de enige vrouw ben wier echtgenoot nog steeds blowt. Jij bent zo'n aardig, normaal iemand, dat het me echt geruststelt jou te zien.'

'Wier echtgenoot wát?' herhaalde ik.

'O, ik wilde niet...' Ze lachte nerveus, en ik kon zien dat ze dacht dat ze me had beledigd. 'Mannen blijven altijd kleine kinderen, dat bedoelde ik alleen maar. Sommige van die jongens met wie Dennis werkt gebruiken elke avond coke, en dat kan hij godzijdank niet meer. Hij is tweeënveertig!'

'Wil je zeggen dat Dennis en Charlie vanavond cocaïne gebruikt hebben?'

'Ik dacht...' Ze leek zich nog opgelatener te voelen. 'Ik zag ze samen weggaan voor het avondeten, dus ik dacht... ik heb geloof ik m'n mond voorbijgepraat, hè? Kunnen we niet vergeten wat ik heb gezegd?'

Ik kreeg sterk de neiging om te zeggen: Charlie gebruikt geen cocaïne, maar zodra ik dat dacht, dacht ik ook aan zijn vreemde gedrag van de afgelopen avond, zijn fysieke opdringerigheid.

En het was niet Holly's schuld, zij had er in wezen niets mee te maken, maar ik had geen puf meer over om dit recht te trekken. Ik zette mijn plastic bekertje neer. 'Ik moet gaan.'

Hoewel ik buiten de tent bijna tegen Joe Thayer botste, herkende ik hem pas na een paar seconden, toen hij had gezegd: 'Naar jou was ik nu net op zoek. Ik zag je al even in de P-rade, maar ik werd voortgestuwd door de menigte en ik kon niet – Is alles goed met je? Alice, hemel, wat is er met je?'

Ik had heel erg mijn best gedaan om niet te huilen, maar het lukte me niet. Het kwam door de meelevende uitdrukking op Joe's gezicht, zijn vriendelijke trekken. Mensen liepen voortdurend de tent in en uit, en ik kende waarschijnlijk vele van hen. Hoewel er al een paar tranen ontsnapt waren, kneep ik mijn lippen op elkaar en schudde mijn hoofd.

'Weet je wat, doe mij een plezier en geef me het idee dat ik iets voor je kan betekenen,' zei Joe. 'Zullen we een ommetje maken?'

Ik knikte, nog steeds niet in staat iets te zeggen, en hij pakte me losjes bij mijn arm en leidde me de trap af en onder de boog door die uitkwam bij het studentenhuis waar we logeerden, alleen sloegen we nu vlak voor Campbell links af, in de richting van Nassau Hall. Het was donker op de campus, de avondlucht was warm; het rook naar de vroege zomer. Ruim tien minuten moeten zijn verstreken voordat een van ons iets zei. Aanvankelijk had ik het gevoel dat ik me moest vermannen en iets zeggen, maar toen besefte ik dat Joe niet op een verklaring wachtte – hij bood me slechts zijn aanwezigheid, zijn gezelschap aan. Ik was al een tijdje opgehouden met huilen voordat we bij de Firestone Library kwamen en ik vroeg: 'Heb jij wel eens cocaïne gebruikt?'

'Pardon?'

'Ik besef dat het in bepaalde kringen in is, maar ik heb gewoon – ik heb gewoon nooit gedacht...' Toen we twintigers waren had Dena me verteld dat zij het een paar keer had gebruikt in de jaren dat ze stewardess was, maar zij en misschien ook haar zus Marjorie waren de enige bekenden waarvan ik dat wist.

'Is het onbeleefd als ik vraag waarom je daarover begint?' vroeg Joe.

We stonden tussen de bibliotheek en de kapel, een imposante gotische kerk die er in het donker een beetje spookachtig uitzag, en ik wees naar de traptreden. 'Zullen we gaan zitten?' We namen naast elkaar plaats. De maan was halfvol, de sterren waren piepklein en ver boven ons. Ik zei: 'Ik geloof dat Charlie op dit moment stoned is, dat hij misschien heeft... "gesnoven", zo heet dat toch?'

'Ik geloof dat het afhangt van de soort cocaïne, maar het woord klopt.' Als Joe al geschokt was door wat ik hem had verteld, liet hij daar niets van merken.

'Denk je dat zijn gezondheid gevaar loopt?' vroeg ik. 'Kan hij niet elk moment een hartaanval krijgen, moet ik niet een dokter bellen?'

'Ik moet toegeven dat ik er ook niets van weet.' Joe sloeg zijn benen over elkaar. 'Maar voor zover ik heb begrepen, is alleen een overdosis echt gevaarlijk, en als hij nog recht loopt en in staat is een gesprek te voeren...'

‘Ik voel me hierdoor zo onnozel,’ zei ik, en Joe reageerde niet onmiddellijk.

Na een poosje zei hij: ‘Ik geloof niet dat bezorgdheid onnozel is. Doet hij dit vaak?’

‘Wist ik het maar. Ik kwam er een paar minuten geleden pas achter, en in elk geval niet van hem. Ik geloof – neem me niet kwalijk, Joe, dat ik dit nu net tegen jou moet zeggen – maar ik geloof dat ik niet langer bij hem kan blijven. Elke dag, om de paar uur neem ik een ander besluit, alsof uit alles wat hij zegt of doet blijkt dat ik of moet blijven of moet vertrekken. Ik weet niet of ik nog wel bij mijn volle verstand ben.’

Wederom duurde het even voordat Joe iets zei. ‘Je kunt het huwelijk van anderen nooit inschatten, vind je niet? Ik heb altijd gedacht dat jullie elkaar perfect aanvulden. Maar ik zal je iets vertellen – toen jullie je dat weekend verloofden, waren wij verbijsterd. Mijn familie met aanhang, bedoel ik. Toen we het hoorden kenden we je nog maar net, maar we dachten: gaat dat lieve, lieve meisje met Chárlie trouwen?’

Ik voelde dat mijn lippen begonnen te trillen en mijn ogen tegelijk volschoten. Met de rug van mijn hand ging ik langs mijn neus. ‘Die verloving was niet in Halcyon,’ zei ik. ‘We waren al verloofd, maar we hadden het niet meteen verteld.’

‘Ik zag je toen voor het eerst op hun aanlegsteiger, weet je nog? Ik kwam terug van een vistochtje met Ed en John, we kwamen met pruttelende motor aan, en daar stond jij in een geel jurkje...’ (hij had gelijk, dat gele tricot jurkje met die kraag, ik was het totaal vergeten) ‘... en ik dacht – ik durf dit alleen te bekennen omdat het zo lang geleden is en omdat ik vanavond meer Bud Lite heb gedronken dan goed voor me is – maar ik dacht: wie is dat beeldschone meisje? Ik was met stomheid geslagen. Toen pakte Charlie je hand.’

De waarheid was dat ik me niet kon herinneren dat ik kennismaakte met Joe. Ik herinnerde me wel dat ik Charlies ouders die dag had ontmoet, en later die avond Jadey, toen ik zo stom was geweest om dronken te worden, en ik wist nog wel dat ik Joe later had gezien en beleefd met hem had gepraat; hij was knap en gereserveerd, en misschien een tikje saai, en het was totaal niet bij me opgekomen dat ik voor hem meer betekende dan de echtgenotes van de anderen. Betekende ik voor hem echt meer dan andere echtgenotes?

‘Dat was een heftig bezoekje,’ zei ik. ‘God zegene de familie Blackwell, maar – nou ja, je begrijpt het wel. Daarom is het zo fijn om met jou te praten, Joe, dat ik niets hoef uit te leggen.'

Joe schudde zijn hoofd. 'Kijk ons nou,' zei hij. 'Denk je dat we de jonge studenten moeten gaan waarschuwen vooral goed na te denken over de keuze van hun levenspartner?'

'Alsof ze zouden luisteren.'

We zaten in een aangenaam stilzwijgen op de trap; in de verte hoorden we de liedjes van een paar bands die tegelijkertijd in verschillende tenten optraden. 'Ik geloof dat ik altijd een beetje gek op je ben geweest,' zei Joe. 'Maar gezien onze beider omstandigheden, ben ik bij je uit de buurt gebleven. Niet letterlijk, bedoel ik, maar om afstand te houden.' Toen ik niet reageerde, zei hij: 'Ik hoop niet dat je je hierdoor ongemakkelijk voelt.'

'Joe, ik voel me gevleid.' Ik klopte hem op zijn knie op een manier die vriendschappelijk bedoeld was, maar toen ik het had gedaan, besefte ik meteen dat het misschien flirterig overkwam, en in feite was het misschien ook wel zo bedoeld. Ik was de weg kwijt – dat was al eerder begonnen, op een onbestemd moment, en nu kon ik hem nergens meer vinden.

'Ik ga niet proberen je advies te geven over Charlie,' zei Joe. 'Dat gaat me niets aan. Maar als ooit de kans zou bestaan, ja, ik weet het, met Halcyon en mijn familie en zijn familie, zou de beer los zijn, maar als je ooit het idee hebt dat wij samen...'

Ik legde hem het zwijgen op door hem te kussen. Ik boog abrupt naar voren – weinig elegant, vermoed ik – en drukte mijn mond op de zijne, en we kusten elkaar hongerig, eerst met een alles verterende hartstocht, het was verboden en verkeerd en opwindend, maar het duurde maar heel even voordat ik me bewust werd van een weinig vleiende vergelijking tussen zijn manier van kussen en die van Charlie. Joe was er niet zo bedreven in. Het was zo lang geleden dat ik iemand anders dan mijn eigen man had gekust, dat ik was vergeten dat er verschillende manieren bestonden, of dat er vaardigheid aan te pas kwam, maar Joe – ik vond het cru om dit te constateren – kwijlde een beetje, er kwam een overvloed aan speeksel met zijn tong en lippen mee. Ik trok me terug en stond snel op. Ik bracht een hand naar mijn borst. 'Ik kan niet... ik... Joe, ik... ik moet Ella gaan zoeken.'

Hij keek me vol hartstocht aan.

Omdat ik niets anders wist te doen of te zeggen, maakte ik een gebaar dat iets van een reverence weg had. 'Neem me niet kwalijk,' zei ik, en ik maakte me snel uit de voeten. Ik kon zelfs niet als excuus aanvoeren dat ik door alcohol beneveld was: Joe was, zoals hij zelf had toegegeven, aangeschoten geweest, maar ik was broodnuchter.

In de slaapkamer pakte ik toen Ella eenmaal sliep de koffers in – onze vlucht uit Newark was die zondag om één uur – en de vragen die bij me opkwamen leken me afgezaagd en banaal, alsof ik ze wellicht had horen stellen door een naïeve echtgenote in een film, of in een tv-spot over drugsverslaving. Hoeveel keer eerder, en hoe vaak en waarom? Misschien zou mijn stem, wanneer ik Charlie *waarom* vroeg, wel trillen, en daarmee zou ik laten merken hoe bedrogen ik me voelde.

Maar nee – ik wilde niet zo'n soort vrouw zijn, ik wilde dat gesprek niet voeren. Daarvoor voelde ik me te goed; daarmee zou ik zijn abominabele gedrag aandacht geven die het niet verdiende.

Hij kwam eerder naar de slaapkamer dan ik had verwacht, nog voor twaalf uur. Meer terloops dan boos zei hij: 'Ik wist niet waar je uithing,' en ik legde een vinger tegen mijn lippen om aan te geven dat Ella sliep. Hij dempte zijn stem. 'Een waardeloze band, als je het mij vraagt. Alleen al het idee van een coverband heeft iets triests, als je bedenkt dat je moet teren op andermans roem.'

Had hij nu helemaal niets door? Hij had helemaal niets door. Ik kon geen andere conclusie trekken. Ik vouwde een broek van hem op en legde hem in onze koffer.

Hij kwam dicht bij me staan en zei half fluisterend: 'Je bent toch niet kwaad meer om wat er gebeurd is?' Dus hij had toch wel iets door, maar zo'n klein, zielig beetje dat het te verwaarlozen was. 'Je weet dat ik uit m'n dak ga in het gezelschap van die mafkezen.' Hij boog zich naar me toe en kuste me. 'Dan ben ik weer even achttien.' Hij grijnsde en ik voelde zowel verbazing – hoe kon het zijn dat we onze relatie zo verschillend ervoeren? – als opluchting omdat ik ervoor had gekozen hem er niet mee te confronteren. Het was de juiste beslissing geweest.

Hij kuste me opnieuw, mijn wangen en hals, hij legde zijn handen op mijn heupen en ik besefte dat hij wilde vrijen. Ik wees naar de muur tegenover me, waar Ella's kamer was en fluisterde: 'Ze ligt hier vlak naast.'

'We kunnen zachtjes doen. Nou ja, jíj misschien niet.' Hij trok de perzikkleurige blouse die ik droeg (zwemend naar oranje, maar zonder het agressieve van die kleur), uit mijn broek en stak zijn handen eronder. Hij reikte naar achteren en maakte mijn beha los.

Ik gaf me gewonnen. Het was gemakkelijker dan praten, het zou als een balsem kunnen werken voor de ruzie van het afgelopen weekend. De veren van de matras piepten, wat me afleidde, maar ik was er toch al niet zo bij. Terwijl Charlie boven op me lag te pompen, keek hij op me neer en zei: 'Je bent prachtig, Lindy.' Hij rook naar zweet en bier en naar dat typisch Charlie-achtige, zijn eigen geur, waaraan ik zo gewend was.

Ik dacht beschaamd aan mijn kus met Joe Thayer. Inmiddels had ik het idee dat ik hem niet zozeer had gekust omdat hij zo aantrekkelijk was als wel uit medelijden – ik had de kus bedoeld als troostprijs, een manier om hem de schaamte te besparen gevoelens te hebben opgebiecht die slechts van één kant kwamen. *Als de omstandigheden anders waren*, had ik te kennen willen geven, en zelfs al was dat een leugen, dan was het er een uit bestwil, een extreem soort beleefdheid en voorkomendheid. Maar misschien hield ik me dit slechts voor omdat het me goed uitkwam. Misschien had ik hem gekust uit meer zelfzuchtige redenen – gewoon omdat ik het wilde – en toen het niet zo'n aangename ervaring was als ik had verwacht, was ik van gedachten veranderd.

Charlie begon te hijgen, zijn mond was vlak naast mijn oor zodat ik zijn gezicht niet kon zien, en daarna werden zijn bewegingen trager, en hij kreunde zacht. Hij viel tegen me aan en ik sloeg mijn armen om hem heen. 'Wil je dat ik...?' mompelde hij (dat vroeg hij altijd als ik door penetratie niet was klaargekomen, met zijn hand, bedoelde hij) en ik schudde zonder iets te zeggen mijn hoofd. Ik voelde tegelijkertijd dat ik hem beschermde voor en mezelf wapende tegen de destructie waarvan hij nog niet wist dat ik die zou teweegbrengen.

Ik zou naar Riley gaan, had ik besloten, en ik zou Ella meenemen, maar ik moest nog één boodschap doen voor ik vertrok, en daarvoor moest ik naar mijn favoriete boekwinkel, die Thea's heette. De eigenares, Thea Dengler, was van mijn leeftijd, een gezette vrouw die wijde zwarte broeken en truien altijd combineerde met gaasachtige sjaals of zware turkooizen kettingen, en haar winkel was in Mequon, twee etages, met zulke hoge boekenkasten dat je, ook al was het er niet groot, altijd het gevoel had dat je er in alle rust kon rondneuzen. Bovendien was er een uitstekende sortering, Thea las voortdurend (het gebeurde zelden dat ik een boek noemde dat ze niet kende), en als je iets wilde dat ze niet in huis had, bestelde ze dat met alle plezier, net zo verlangend naar het moment dat het aankwam als jij. Ze verkocht ook tijdschriften, maar niet van die rommel die tegenwoordig overal in boekhandels schijnt te moeten liggen: bekers en fotolijstjes en wenskaarten, koelkastmagneten, kalenders, chocolaatjes.

Ik was van plan om drie boeken te kopen voor Jessica Sutton, maar zodra ik bij de boeken voor jongvolwassenen stond en ze in de kromming van mijn arm opstapelde, besloot ik dat vijf ook wel kon, en algauw had ik er meer dan tien in mijn arm die zo'n wankele stapel vormden dat ik ze onder mijn kin moest vastklemmen. Ik legde ze een voor een neer op de plank zodat ik gemakkelijk zou kunnen kiezen: *To Kill a Mockingbird* (die moest mee, geen twijfel aan); *Deenie* (Jessica was twaalf – natuurlijk moest ik haar een boek van Judy Blume geven, en dit was minder omstreden dan haar andere boeken); *Roll of Thunder, Hear My Cry, A Wrinkle in Time, Anastasia Krupnik,* of anders *Autumn Street* van Lois Lowry, dat ik ook prachtig vond; *The Westing Game* (ik dacht dat dat haar wel zou bevallen omdat ze van Agatha Christie hield); *The Outsiders, I Know Why the Caged Bird Sings, Homecoming,* en daarna pakte ik de twee andere uit de Tillerman-serie erbij. *Dicey's Song* en *A Solitary Blue*; *Het dagboek van Anne Frank*; en ten slotte *Locked in Time* (ik had alleen het eerdere werk van Lois Duncan gelezen in de tijd dat ik in de bibliotheek werkte, maar dit nieuwe boek zag er intrigerend uit). Behalve het feit dat dit negen boeken meer waren dan ik had willen kopen, was er minstens één – *Rebecca* van Daphne du Maurier – dat ik van de volwassenenafdeling wilde halen, en ik had ook aan *Pride and Prejudice* gedacht. Ik stond even na te denken welke ik zou nemen, en uiteindelijk legde ik de boeken van Cynthia Voigt terug; ik besloot ook *Pride and Prejudice* en *Autumn Street* (misschien kon ik die bewaren voor kerst?) te laten liggen. Was Jessica te oud voor *Roll of Thunder, Hear My Cry*? Maar het was zo goed! Toen besefte ik dat ik vergeten was *A Tree Grows in Brooklyn* te pakken, en die moest ook echt mee. Uiteindelijk liep ik met twaalf boeken naar de kassa. Toen Thea ze zag, zei ze: 'Dat wordt een zomer lang lezen voor Ella.'

'Nee, nee, ze zijn voor een vriendinnetje van ons dat naar de brugklas gaat.'

'Zal ik ze inpakken?'

Dat sloeg ik af, en ze stopte de boeken in een grote bruine papieren tas met hengsels van touw. Toen ik de winkel had verlaten, pulkte ik in de auto de prijsjes eraf – een zinloze daad, gezien het feit dat de prijs ook op de achterkant van de boeken gedrukt stond, maar de regels van fatsoen vereisten dat gewoon – en toen reed ik naar de Suttons. Jessica deed open, met Antoine in haar armen. Ze stapte opzij om me binnen te laten, en ik zei: 'Nee, nee, ik wil alleen iets afgeven. Jessica, als voormalig bibliothecaresse voel ik me genoodzaakt om je te laten kennismaken met een paar andere schrijvers dan V.C. Andrews. Deze zijn voor jou, maar ik beloof je dat je er geen boekverslagen over hoeft te schrijven.' Ik hield de tas open om haar de inhoud te laten zien, en omdat ze Antoine vasthield, zette ik hem binnen op het kleed.

'Wie is daar, Jessie?' hoorde ik Yvonne roepen, en Jessica riep terug: 'Het is Ella's moeder.' Tegen mij zei ze: 'Zijn die allemaal voor mij?'

'We vinden het geweldig dat je het op school zo goed doet. En ik zou dolgraag met je over die boeken willen praten, maar nogmaals, voel je niet verplicht om ze te lezen. Alleen als je dat wilt, en dan zul je er ongetwijfeld plezier aan beleven.'

'Dat is echt heel aardig.' Jessica leek een beetje confuus maar nieuwsgierig. 'Wilt u niet binnenkomen?'

'Ik moet nog boodschappen doen.' Ik stak mijn hand uit en wreef over Antoines beentje, dat bloot was; hij had een geel badstof hansopje aan. 'Doe je moeder en je oma de groeten van me.'

Terwijl ik de betonnen trap weer af liep naar de auto, zag ik twee mannen op de veranda van het huis aan de overkant zitten – jongens, meer van Jessica's leeftijd dan van die van mij. De een droeg een zwart gaatjeshemd en de ander, die cornrows had, had helemaal geen hemd aan. Ze keken naar me en ik knikte hen toe zonder iets te zeggen terwijl ik naar mijn auto liep – mijn glanzende, burgerlijke, witte dames-Volvo. Toen ik wegreed klikten de sloten automatisch dicht, en tot mijn schaamte bespeurde ik een gevoel van opluchting.

Die avond wachtte ik in de televisiekamer met een nummer van *The Economist* waar ik me niet op kon concentreren tot Charlie Ella naar bed had gebracht. Toen hij de kamer weer binnen kwam, zei hij: 'Hebben we ijs in huis? Ik heb zin in zoetigheid.'

'Er is nog wat karamelijs,' zei ik, maar toen hij zich omdraaide om naar de keuken te gaan, zei ik: 'Wacht. Ga even zitten.' Ik moet serieuzer hebben geklonken dan mijn bedoeling was, ook al was dit natuurlijk wel serieus – misschien wel het meest serieuze gesprek dat we ooit hadden gevoerd. Hij keek me afwachtend aan terwijl hij op de leuning van de bank ging zitten.

Mijn hart ging tekeer. Wanneer had ik me voor het laatst nerveus gevoeld tegenover Charlie? Niet om wat hij zou doen, over een faux pas die hij misschien zou begaan in het bijzijn van anderen, waarna ik de schade voor hem mocht herstellen, maar nerveus over hoe hij op mij zou reageren. 'Ik wil apart gaan wonen,' zei ik.

'Wat?'

Had hij het niet gehoord of niet begrepen? 'Een proefscheiding,' zei ik. 'Niet voor de wet – althans, nog niet.'

'Wil je scheiden? Zit je me nou in de zeik te nemen?' Hij keek ongelovig, maar, en dat was typisch Charlie, ook een heel, heel klein beetje alsof hij het amusant vond. Ik denk niet dat dit zo was, maar hij had zo'n guitig gezicht en hij was zo geneigd om overal de humor van in te zien, of het nu wel of niet gepast was, dat ik het niet zeker wist.

'Dat heb ik niet gezegd. Ik wil dat we apart gaan wonen. Ik hou van je, Charlie, en ik hoop dat je dat altijd weet, maar op deze manier kan ik niet verder.' Er brak iets vanbinnen, ik begon steeds erger te trillen.

'Ik dacht dat we een prima avond hadden.'

'Daar gaat het niet om – dat hadden we ook.' Ik had de vreemde impuls om op te staan en naar hem toe te gaan, hem te troosten. Dat zou vast niet verstandig zijn. 'Ik weet dat je in Princeton cocaïne hebt gebruikt met Dennis Goshen,' zei ik. 'Holly heeft het me verteld. En dat je vorige week met Shannon naar een café bent geweest... dat kan ik gewoonweg... met bepaalde beslissingen die jij neemt kan ik niet leven. Ik kan geen verantwoordelijkheid nemen voor jou, en als jouw echtgenote voel ik me wel verantwoordelijk. Ik ben doodsbang dat je iemand pijn zult doen, jezelf of iemand anders, en dat het ons leven kapot zal maken. Ik weet hoe dat is, en het is verschrikkelijk, en het ergste is dat jij dan een vergissing begaat die voorkomen kan worden. Dat idee maakt me ziek – de gedachte dat jij je laat vollopen met whisky en in je auto stapt maakt me misselijk, Charlie. Ik wil dat niet meemaken, en ik wil ook niet dat Ella dat meemaakt.'

'Dus je wilt niet alleen bij me weg, maar je wilt onze dochter ook meenemen?'

'Het lijkt me in het begin...' Zou hij hierover de strijd met me aanbinden? 'Ik ga morgen naar mijn moeder,' zei ik. 'Ik dacht eraan Ella mee te nemen. Het lijkt me redelijk, gezien jouw werktijden.'

'Binnenkort wordt dat veel flexibeler.'

Ik slikte. 'Als ik met Ella naar mijn moeder ga, is dat voor haar een uitstapje, een vakantiereisje. We hoeven haar nog niets te vertellen. Ik wil haar leven niet onnodig in de war sturen of haar zekerheden wegnemen. Maar jij en ik moeten een tijdje apart wonen. Is dat jou ook niet overduidelijk?'

Charlie zweeg, en zei toen: 'Heb je wel eens van een waarschuwing gehoord?' Ik voelde dat zijn woede toenam. 'Zo werkt dat op school toch? De leraar zet je naam op het bord, er komt een kruisje achter, en dán word je de klas uit gestuurd. Je hoeft niet de eerste keer dat je het te bont maakt meteen naar het hoofd van de school.'

'Maar Charlie...' Tranen sprongen in mijn ogen, en het waren geen tranen van verdriet maar van frustratie. Ik knipperde ze weg. 'Maar dat is het nou juist,' zei ik. 'Dat bedoel ik nou. Ik bén je leraar niet. En ik héb je verteld dat het me stoort dat je niet komt opdagen op het afgesproken tijdstip, en dat het me stoort dat je zoveel drinkt, dat het me stoort als je me beledigt. Als je ook maar even hebt geluisterd, begrijp ik niet dat dit je overvalt.'

'Ja, we maken wel ruzie, maar je hebt het nooit over uit elkaar gaan gehad.'

'Dan heb ik het er nu over.'

'Behalve die laatste keer heb ik al jaren geen coke meer gebruikt,' zei Charlie. 'Goshen bood me wat aan, ik heb een paar lijntjes gesnoven, en echt, Lindy, als je niet zo verdomd opgefokt deed, zou je kunnen weten dat het niets voorstelt. Ik ben er niet aan doodgegaan, ik heb er niemand mee gekwetst, en ik ben niet van plan om het binnenkort nog eens te gebruiken, oké?'

'Het gaat niet alleen om de cocaïne. Het gaat om alles. Toen Megan Thayer die pornobladen vond, kreeg ik niet de indruk dat het je ook maar iets kon schelen.'

'Dus nu ben ik fout omdat ik me niet net zo druk maak als jij over wat anderen denken?'

'Het is geen geheim dat onze karakters verschillen, Charlie.' Ik schreeuwde niet – hoewel de verleiding groot was om me te laten gaan, zou daar niets goeds uit voortkomen. 'Ik heb dat heel lang geweldig gevonden. Je hebt een heleboel schitterende eigenschappen, dat is duidelijk, en als ik er niet zo over dacht, zou ik nooit met je getrouwd zijn. Maar Charlie de schurk, de deugniet – daar kan ik niet meer tegen. Het is niet leuk. We zijn tweeënveertig, en ik wil je niet meer hoeven smeken om je aan afspraken te houden.'

'Denk je dat ik je niet respecteer, is dat het?'

Ik haalde mijn schouders op.

'Er is niemand die ik meer respecteer dan jou.' Toen zei hij: 'Ik hou van je, Lindy,' en zijn stem sloeg over.

Weer was het moeilijk om niet op te staan en hem te troosten. Ik zei: 'Ik hou ook van jou.'

'Ik weet dat ik je geduld op de proef heb gesteld, maar jemig, we zijn een gezin. Denk je dat het beter is voor Ella als ze in een gebroken gezin opgroeit...'

Ik viel hem in de rede. 'Een proefscheiding, Charlie, meer wil ik niet. Ik wil zien hoe het is om niet...'

'Met wie heb je hierover gesproken? Heb je het aan Jadey verteld?'

Ik aarzelde. 'Niet echt.'

'Als je naar een zielknijper wilt, doen we dat. Ik ga wel een verwijsbriefje halen.'

'Ik waardeer het aanbod, en daar kunnen we het later nog over hebben,' zei ik. 'Maar op dit moment wil ik ruimte.'

'En wat moet ik dan?'

'Dat weet ik niet,' zei ik. 'Maar ik ben erg ongelukkig geworden.' Toen begon ik te huilen – is het gênant om toe te geven dat ik geraakt werd door de simpele waarheid van mijn eigen bewering? Ik zat ongegeneerd te snikken.

Een minuut verstreek en toen ik weer naar hem keek, zat hij me aan te kijken met zo'n vreemde uitdrukking dat ik hem eerst niet kon duiden. Toen wist ik het: hij was bang.

Hij zei: 'Goed, neem Ella maar mee, maar je moet me beloven dat je terugkomt. Ik beloof beterschap, Lindy. Ik weet dat je me nu niet gelooft, maar ik ga ervoor zorgen.'

Ik depte mijn ogen en knikte zonder iets te zeggen. Hij had wat dit betrof gelijk – ik geloofde hem niet.

Op onze tweede dag in Riley reed Lars met Ella en mij naar Fassbinder, waar het huis van de fabrieksoprichter een jaar of tien geleden was omgebouwd tot een kaasmuseum. Het huis lag aan de andere kant van de parkeerplaats van de eigenlijke fabriek, en bezoekers konden door grote ramen kijken naar werknemers die bezig waren met tonnen melk of wrongel. Je mocht de wrongel, nog warm, ook proeven en in de cadeauwinkel kon je verschillende soorten kaas kopen, maar ook jams, worstjes, crackers en witte porseleinen vingerhoedjes met het logo van Fassbinder erop. Ik stond een vingerhoedje te bekijken toen Ella bij me kwam staan en fluisterde: 'Het is hier saai.' Ik wierp haar een vermanende blik toe.

'Ik denk dat Dorothy dit 's ochtends op brood wel lekker zal vinden,' zei Lars, en hij hield een pot kruisbessenjam omhoog.

Naast me zeurde Ella: 'Je zei toch dat we zouden gaan zwemmen.' Dat had ik de vorige dag toen we de stad in reden inderdaad beloofd, maar toen Lars aan het ontbijt voorstelde een bezoekje te brengen aan de kaasfabriek, had ik niet de moed gehad om dat af te slaan.

Ik had mijn moeder op dinsdag gebeld, voorafgaand aan mijn gesprek met Charlie, om te vragen of we een paar weken bij hen konden logeren, maar de ware reden had ik niet verteld. Ik had gezegd: 'Charlie heeft een heleboel aan zijn hoofd door dat honkbalgedoe, en ik denk dat Ella nu wel oud genoeg is om de charme van Riley te kunnen waarderen.'

Op woensdag reden we rond twaalf uur weg. Ik had het plan slechts een paar uur van tevoren aan Ella meegedeeld, zodat ze nog genoeg tijd had om haar tas in te pakken en ik haar daarna kon overhalen om dat wat praktischer te doen: twee zwempakken in plaats van vier, zeven paar sokken in plaats van één, geen zwarte jurk. Ze leek niet echt verbaasd door de plotselinge aankondiging dat we weggingen, en zelfs opgewonden bij het vooruitzicht. Ze zei: 'Gaat Papa Lars een ei met een hoge hoed voor me maken?' Bij dit ontbijt zette Lars een glas omgekeerd op een boterham om er een mooi rondje uit te snijden; hij roosterde het brood en het broodrondje, legde het brood met het gat over een gebakken ei, zodat de dooier eruit piepte, en het geroosterde rondje op het eigeel – de hoge hoed. 'Als je het hem lief vraagt, doet hij dat vast,' zei ik.

Toen we aankwamen had mijn moeder net pindasaus gemaakt, waar Ella en ik stukjes brood in doopten terwijl Lars onze koffers naar boven droeg. Pas toen ik op de eerste verdieping stond, besefte ik dat Lars Ella mijn kamer had toebedeeld, en mij de kamer van mijn grootmoeder.

Mijn hart trok samen – het was een van die momenten waarop je het gevoel hebt dat de tijd als een tapijt onder je voeten vandaan wordt getrokken; alles om je heen is zo geleidelijk veranderd dat je als je opkijkt ineens ziet hoe anders je leven is geworden. Daar stond het eenpersoonsbed van mijn grootmoeder, maar met een andere sprei – deze was gestreept. Mijn moeder had alle cosmetica en parfumflesjes, en de asbakken en de dozen met tissues van mijn grootmoeders ladekast en nachtkastje weggehaald; ook de laden had ze uitgeruimd, constateerde ik toen ik ze opentrok. Maar het borstbeeld van Nefertiti stond er nog, schuin, en de boekenplanken stonden nog vol. Ik ging met een vinger langs de ruggen – de boeken stonden niet op alfabet, zoals de mijne, noch waren ze op een andere manier geordend, voor zover ik kon zien. *The Picture of Dorian Gray* en *The Group* en *Gone with the Wind*, *Frankenstein* en *Presumed Innocent* en *The Count of Monte Cristo* en *The Golden Notebook*, *In Cold Blood*, *Lady Chatterley's Lover*, *The Great Santini*, *The Maltese Falcon*, *Native Son* – al die werelden, al die versies van mezelf toen ik die exemplaren had gelezen, en alle versies van haar. Ik pakte *The Magnificent Ambersons* van Booth Tarkington (de titel en de naam van de auteur stonden in goudopdruk op een verder leeg omslag van donkerblauw leer) en sloeg het open op een willekeurige pagina, pagina 172, en rook eraan, duwde mijn neus tegen de band, maar het rook alleen naar oud papier, naar een oud huis, en niet naar mijn grootmoeder.

Bij Fassbinder zei Lars tegen Ella: 'Heb je de kaas horen piepen?'

'Kan mij wat schelen dat-ie piept,' zei Ella, en ik zei: 'Dat is onbeleefd, Ella.'

Lars zei vriendelijk tegen mij: – Ella stond op dat moment tegen me aan geleund en trok aan mijn blouse – 'Ik geloof dat er iemand aan een dutje toe is.'

'Ik doe geen dutjes meer,' zei Ella.

Dit was niet helemaal waar, maar ik zei slechts tegen haar: 'Denk je dat grootmoeder de jam die Papa Lars heeft uitgekozen lekker vindt?' Ze reageerde niet, en ik wierp Lars een verontschuldigende glimlach toe. 'We zien je zo in de auto.'

Charlie belde die avond rond elf uur, toen ik nog als enige wakker was. Ik lag in bed *The Old Forest* van Peter Taylor te lezen, en zodra ik de telefoon hoorde – er stond een toestel in de kamer van mijn moeder en Lars, en een beneden in de keuken – wist ik dat het Charlie was, maar ik kon niet opnemen. Ik kon moeilijk bij mijn moeder en Lars binnenvallen, en ik zou nooit op tijd in de keuken zijn. Toen klopte mijn moeder op mijn deur. Ze droeg een beige kunstzijden nachthemd met een geschulpte hals en driekwart mouwen, en haar haar was aan één kant geplet. 'Liefje, het is Charlie...'

Ik stond op. 'Sorry, mam. Ik neem 'm beneden wel.'

Toen ik in de keuken de klik hoorde die aangaf dat de hoorn er boven werd opgelegd, zei ik: 'Charlie, weet je hoe laat het is?' en hij zei: 'Kom naar huis. Alsjeblieft. Ik smeek het je.'

'Je kunt zo niet bellen,' zei ik.

'Ik word verdomme knettergek. Je weet dat ik niet alleen kan zijn. Wil je weten waar ik de afgelopen nacht heb doorgebracht? In het Ramada-hotel in Wauwatosa. Het verrekte Ramada, ja? Ik geef me gewonnen. Ik ben een verschrikkelijke echtgenoot. Maar ik heb je nódig, Lindy.'

Zo'n uitspraak komt behoorlijk aan. Ik zuchtte. 'Charlie, als ik terugkom, weet ik nog niet of er iets veranderd zou zijn.'

'Ik zal me niet meer gedragen als een onvolwassen lul. Ja ja, ik weet heus wel wat je bedoelde – ik ben de laatste tijd een egoïst geweest. Maar er is iets veranderd, dat honkbalgedoe wordt echt goed, en ik wil met een schone lei beginnen.'

'Blijf je drinken?' Ik hoorde dat hij had gedronken. Niet dat hij met een dubbele tong praatte, maar wel een beetje ongearticuleerd.

'Is dat het probleem?'

'Ik weet het niet. Soms hóóp ik dat het de drank is, maar ik weet het niet zeker.'

Hij bleef zwijgen, en zei toen: 'Wanneer heb je je tegen mij gekeerd?'

'Dat is niet eerlijk.'

'In mei? In januari? Twee jaar geleden?'

Ik zei: 'Ik weet dat je moeite hebt met ouder worden, je veertigste verjaardag, je twintigste reünie, maar ik wou dat je niet zo – ik geloof dat ik probeer te zeggen dat er ook nog zoiets bestaat als in stilte lijden.'

Hij liet een holle lach horen. 'Inderdaad, en blijkbaar heb jij daar patent op.'

'Ik ga slapen,' zei ik. 'Iedereen ligt hier in bed, en ik wil ze niet wakker maken. Als je wilt, kunnen we morgen praten.'

'Hoor nou wat je zegt. Een verrekt ijskonijn ben je.'

'Ga me alsjeblieft niet beledigen.'

'Wat wil je? Wat moet ik doen?'

'Dat heb ik je gezegd – ik wil wat ruimte.'

'Alice, je wéét dat ik niet alleen in dit huis kan zijn. Kom terug, dat is het enige wat ik vraag, en dan praten we het allemaal uit. Ik zal je 's nachts heus niet, je weet wel, lastigvallen – goddomme, ik ga wel in een andere kamer slapen. Maar dit huis is doodeng.'

'Ik dacht dat je in het Ramada-hotel zat.'

'Daar krijg ik het ook op mijn zenuwen. Ik moest er weg.'

'Dus je bent op dit moment thuis?'

'Waar anders?'

'Ons huis is niet eng, Charlie, en we wonen in een heel veilige buurt. Heb je de gordijnen van de woonkamer en de eetkamer dichtgetrokken?'

'Zal ik daarheen komen?'

Ik zat aan de keukentafel en sloot mijn ogen. 'Waarom bel je Arthur en Jadey niet? Maar dan moet je wel snel zijn, want die gaan nu vast net naar bed, als ze er niet al in liggen.'

'Ja, en me dan de hele nacht door Lucky laten berijden.'

'Je kunt John en Nan bellen, of Ginger...'

'Ik wil helemaal niet bij mijn broers logeren! Ik heb geen zin om mijn privéproblemen rond te bazuinen. Ik wil in mijn eigen huis slapen, met mijn vrouw naast me, en mijn dochter in haar eigen bedje. En zal ik je eens wat zeggen? Voor de meeste mensen zou dat niet te veel gevraagd zijn.'

Ik zei niets, en hij bleef ook een poos zwijgen. Ten slotte zei hij, op een minder strijdlustige toon: 'Vraagt Ella naar me?'

'Ze mist je. Als je morgen overdag wilt bellen, zal ze graag met je praten.'

Na een stilte zei hij: 'Als je het wilt weten, je hebt mijn borstkas opengewrikt, mijn hart eruit gerukt, en nu knijp je er met je blote handen in, dus ik hoop dat deze godvergeten oefening in huwelijksbezinning, of wat het ook is waar je mee bezig bent, de moeite waard is.'

'Ik ga naar bed, Charlie. Ik hoop echt dat je ergens kunt slapen waar je je op je gemak voelt.'

'Gooi nou niet de hoorn neer.'

'Ik gooi niets neer. Ik wens je welterusten. Welterusten, oké? Welterusten. Zeg je dat ook nog tegen mij?'

'Betekent ons huwelijk dan helemaal niets voor je?'

'Charlie, ik gooi niet de hoorn op de haak, maar als jij geen welterusten wilt zeggen, dan hang ik op. Dus voor de laatste keer: welterusten.'

'Krijg de pest,' zei hij, en daarna was hij degene die de verbinding verbrak.

We waren bij Pine Lake toen ik het kind – een meisje, dacht ik, ergens achter me – hoorde huilen en ik hoorde het al ruim een minuut toen het met een schok tot me doordrong dat het Ella was. Ik zat op een handdoek op het zand, mijn moeder naast me in een ligstoel, niet in badpak maar een lange broek en een truitje met korte mouwen; haar enige concessie aan de omgeving waren haar blote voeten en de platte schoentjes die ze vasthield. Ze had me verteld van de controverse over de locatie van het standbeeld dat Riley wilde oprichten ter nagedachtenis aan de Koreaveteranen – er was grote onenigheid over de vraag of het op de oever van de Riley River moest komen of in het centrum, in Commerce Street – en ik draaide me om, wierp een blik over mijn schouder en sprong op. 'Wacht even, mam,' zei ik, 'ik ben zo terug.'

Het strand van Pine Lake was niet groot – misschien honderd meter breed – en anders dan in mijn jeugd was er een strandwacht en lagen er kabels om aan te geven tot hoe ver je het water in mocht. Het strand maakte deel uit van Pine Park, en op het gras naast het zand stonden picknicktafels en barbecues. Op de parkeerplaats lag grind en in een hoekje stond een wagen waar vanille-ijs verkocht werd, met een schuifraam aan de zijkant. Vlak voor deze wagen stond mijn dochter, op slippers en in badpak, haar lange haar nat en verward, haar gezicht rood en verwrongen terwijl ze hysterisch stond te snikken. Toen ze me zag aankomen, stak ze haar armen naar me uit – ze jammerde 'Mammie!', een kreet die me door merg en been ging – maar ze werd tegengehouden door een jongen, een tiener met een witte schort die haar bij haar pols vast had. Er stonden een paar mensen uit de omgeving, van wie sommigen een reep of een hamburger aten, bij te kijken.

'Hij doet me pijn,' riep Ella, en ik zei tegen de jongen: 'Ik ben haar moeder. Wat is er aan de hand?'

'Ze heeft een ijsje gestolen!' De jongen was razend. Hij was ongeveer één meter vijfenzeventig en bleek, met blond stekeltjeshaar en een sprietig snorretje.

Ik legde mijn hand op Ella's pols en duwde de hand van de jongen weg – stevig, maar niet agressief, hoopte ik. 'Ik neem haar mee,' zei ik, en tot mijn opluchting liet hij haar los. Onmiddellijk drukte Ella haar gezicht tegen mijn borst aan. 'Als je me vertelt wat er is gebeurd, kunnen we het probleem vast wel oplossen,' zei ik.

'Ze heeft gestolen!' herhaalde hij, en hij wees naar beneden, waar op het grind een hoopje vanille-ijs in een hoorntje lag te smelten. 'Ze probeerde weg te komen zonder te betalen.'

Ella protesteerde brabbelend tegen mijn borst.

'Wat zeg je, liefje?'

Ze trok haar hoofd terug en haar gezicht was nog betraand en rood. 'Hij wilde me niet laten tekenen!' Snel verborg ze haar gezicht weer.

Ik zei tegen de jongen: 'Er is sprake van een misverstand. We wonen niet in Riley, en waar wij wonen, betalen we met...' Ik kon me beter de moeite besparen; uitleggen hoe het er op een club aan toe ging zou het alleen maar erger maken. 'Als je even wacht, haal ik mijn portemonnee,' zei ik. 'Had ze verder nog iets behalve het ijsje?'

Ella keek op. 'Ik heb dat ijsje niet eens meegenomen! Hij heeft het afgepakt!'

'Je hebt eraan gelikt,' zei de jongen scherp, en ik zei: 'Hoeveel is het?'

'Een vijfenzeventig.'

'Mijn portemonnee ligt in de auto, en die staat daar.' Ik wees. 'De blauwe Volvo stationwagen, zie je die? Je kunt me ernaartoe zien lopen, en ik kom meteen terug. Ella, ga je mee?' Ik glimlachte naar de jongen en naar de andere mensen die naar ons stonden te kijken, daarna maakte ik Ella van me los en pakte haar bij de hand. Toen we in de richting van de auto liepen, liet ze haar haar voor haar gezicht hangen. 'Ik vind het hier stom,' zei ze zachtjes.

Toen we weer thuis waren, bleek Jadey drie keer gebeld te hebben; Lars had plichtsgetrouw het tijdstip van alle telefoontjes tot op de minuut nauwkeurig genoteerd op de blocnote die bij de telefoon in de keuken lag.

Ik ging naar boven om haar terug te bellen; niet dat ik graag met haar wilde praten, want op dit moment was er niets over de situatie te zeggen, maar als ik niet belde, zou ze het beslist blijven proberen, en dat zou mijn moeder waarschijnlijk aan het denken zetten. En dat deed mijn moeder al – alleen haar terughoudendheid, typerend voor mensen uit het Midden-Westen, weerhield haar ervan me rechtstreeks te vragen waarom we zo plotseling bij haar waren neergestreken.

'Dus je hebt het gedaan,' zei Jadey. Op de achtergrond hoorde ik Lucky blaffen, en Jadey zei tegen iemand: 'Laat hem even in de tuin.' Ik hoorde Winnie protesteren, en Jadey zei: 'Ik vraag het niet aan je broer, ik vraag het aan jou.' Tegen mij zei ze: 'Chas kwam hier vannacht rond twaalf uur aanzetten.'

'Hoe was het met hem?'

'Ik heb hem maar een minuutje gezien, en hij vertrok vanochtend in alle vroegte, maar hij heeft tegen Arthur gezegd dat je kwaad op hem bent. Je hebt toch geen echtscheiding aangevraagd?'

'Nee,' zei ik snel. 'Nee, we zijn alleen – Ella en ik blijven hier een poosje logeren.'

'Alice, je hebt het tegen mij, hoor. Ik zal niets doorvertellen, en al helemaal niet tegen Charlie, als je daar soms bang voor bent.'

Eigenlijk was ik banger dat ze het zou doorvertellen aan Billy Torks of aan een van haar vriendinnen.

'Waren de Reunions zo erg?' zei ze. 'Je weet wat ik heb gezegd – zodra die jongens een voet op de campus zetten, worden ze gek. Ze gaan er helemaal in op.'

'Dat was het niet,' zei ik. 'Niet helemaal, althans. Jadey, ik waardeer je betrokkenheid, echt, maar ik heb gewoon wat afstand nodig.'

'Oké, doe wat je moet doen.' Ze was zachter gaan praten – misschien was Winnie weer in de kamer. 'Als je zover bent dat je terug wilt komen, wachten we op je.'

Die avond gingen Ella en Lars rond dezelfde tijd naar bed, en mijn moeder en ik keken samen naar *Knots Landing*. Ik had gedacht dat we wat zouden kletsen met de tv op de achtergrond, maar tot mijn verbazing merkte ik aan haar lichaamstaal dat ze een fervent televisiekijker was geworden, dus zweeg ik, behalve tijdens de reclameblokken. Toen het programma afgelopen was, draaide ze zich naar me toe, glimlachte wat verlegen en zei: 'Ik geloof dat het eigenlijk pulp is.'

'Pulp heeft ook zijn charme.'

'Ik vind het zo naar voor Ella, wat er vandaag op het strand gebeurd is. Weet je, ik geloof dat het Tim Ziemniak was die haar zo te grazen heeft genomen. Toen we weggingen heb ik snel een blik geworpen in die ijscowagen.'

'De zoon van Roy en Patty?' Roy had altijd bij me in de klas gezeten en zijn vader was mijn tandarts geweest; Patty had ook op Benton County Central High gezeten, maar een paar klassen lager dan wij.

'Ik weet zeker dat hij er niets mee heeft bedoeld,' zei mijn moeder. 'Hij kan niet veel ouder zijn dan veertien of vijftien, en ik denk dat hij zijn verantwoordelijkheid veel te zwaar opneemt.'

'Het komt wel goed met Ella,' zei ik.

'Ze doet me denken aan jou toen je zo oud was.'

'O, maar Ella heeft veel meer pit dan ik,' zei ik. 'Ze is echt één brok energie.'

'Tja...' Mijn moeder wachtte even, haar toon had iets mijmerends, iets onmiskenbaar droevigs, omdat het verleden droevig is. 'Wat ik me herinner,' zei ze, 'is dat je altijd zo'n lief klein meisje was.'

Ik voelde een golf van genegenheid voor haar opwellen; ik had zo'n geluk gehad dat ik was grootgebracht door een liefdevolle, rustige, ongecompliceerde moeder. Ik bedacht dat ik haar vaak niet had gewaardeerd, omdat ze overschaduwd werd door mijn grootmoeder, die veel meer de aandacht trok en amusanter was. Maar hoe ouder ik werd, hoe meer oog ik kreeg voor de wreedheden die familieleden elkaar aandeden, uit jaloezie of onwetendheid of wanhoop, en soms gewoon voor de lol – mensen konden zo hard zijn, alsof het de gewoonste zaak van de wereld was. Dat wilde ik niet voor Ella: dat ze louter door het lot, door haar geboorte, overgeleverd was aan de genade van Charlies zelfzuchtigheid en onvolwassenheid. Naast een volwassene leven die onnadenkend en impulsief handelde, en dat dan zonder ingrijpen ongestraft te laten gebeuren – ik had het gevoel dat een kind daardoor een verkeerd idee van de wereld zou kunnen krijgen, dat het haar zou belemmeren logische patronen te ontdekken. Het kon me niet schelen of Ella naar Princeton ging, of ze bijzonder aantrekkelijk was, of ze later een rijke man zou trouwen, of ze überhaupt trouwde – er lagen heel wat mogelijkheden voor haar in het verschiet die ik blijmoedig zou accepteren, of ze nu een hippie werd, een huismoeder of een carrièrevrouw. Maar wat me wel kon schelen, wat ik het allerliefst wilde, was dat ze begreep dat hard werken loonde, dat je met fatsoen fatsoen uitlokte, dat bescheidenheid geen jas was die je af en toe aantrok als je dacht dat de omstandigheden daar om vroegen, maar meer een constante manier van in de wereld staan, in de wetenschap dat iedereen te maken kreeg met voor- en tegenspoed, en dat niemand volledig verantwoordelijk was voor geluk of tragedie. Boven alles wilde ik dat mijn dochter begreep dat veel mensen gedreven werden door bitterheid en dat je dit soort mensen het best kon mijden – hun buien en fratsen waren een wespennest waar je maar beter omheen kon lopen zonder er aandacht aan te besteden. En ik hield van Ella, ik hield oneindig veel van haar, maar ik vroeg me af of ze niet al beïnvloed was door het slechtste in Charlies karakter en door mijn neiging zijn tekortkomingen door de vingers te zien. Ze zou dingen van ons overnemen – dat stond vast, dat deden alle kinderen – maar zou het zijn typische humeurigheid of mijn slachtofferrol zijn die ze zou imiteren? Ik wilde niet dat ze opgroeide met het idee dat ik zijn keuzes onderschreef; tegelijkertijd wist ik niet hoe ik kenbaar moest maken dat ik er anders over dacht, behalve door bij hem weg te gaan.

Naast me op de bank in de woonkamer zei mijn moeder: 'Wat denk je, belt Charlie vanavond nog? Want dan kan ik beter de telefoon in onze slaapkamer uitzetten.'

'Ik vind het vreselijk om je tot last te zijn,' zei ik, maar ze kwam al overeind.

'Ik ben zo terug.'

Toen ze weg was, keek ik rond in de woonkamer, waar nog steeds de brede hoekige bank en de stoelen stonden die mijn ouders begin jaren vijftig hadden gekocht, de mauve ruggen van de *Encyclopaedia Britannica*, Lars' ligstoel, het schilderij boven de haard – een reproductie van Picasso's *De gitarist* die mijn grootmoeder hun een keer met kerst had gegeven en waarvan ik vrijwel zeker ben dat mijn moeder noch mijn vader er ooit iets aan had gevonden.

Toen mijn moeder terugkwam, zei ik: 'Ik hoop dat je niet lang wakker hebt gelegen na Charlies telefoontje gisteravond.'

'Zit daar maar niet over in. Komt hij hier ook nog heen? Als hij een keer wil komen eten, zouden we dat enig vinden. Lars wil hem graag een paar suggesties doen voor zijn honkbalteam.'

'Dat heb ik gehoord.' We wisselden een glimlach. 'Charlie heeft een hoop te doen in Milwaukee, dus ik denk niet dat hij het redt, maar het is heel lief van je.' Daarna, een beetje aarzelend, zei ik: 'Jij en pap hadden nooit echt ruzie, toch? Jullie leken altijd heel harmonieus met elkaar om te gaan.'

'O, hemel, elk echtpaar maakt ruzie.' Mijn moeder was weer gaan zitten en tijdens het praten pakte ze het borduurwerkje op dat sinds vorige avond op de plank onder de salontafel had gelegen; ze maakte een kussenovertrek met een roos erop.

'Maar jij en pap hadden toch nooit echt ruzie? Zo erg dat jullie erover dachten uit elkaar te gaan?'

'Dat kwam in die tijd nog niet zo vaak voor.' Mijn moeder stak een draad door de naald zonder me aan te kijken, en ze bleef op gelijkmatige toon praten. Evengoed weet ik zeker dat ze precies wist waar we het over hadden. 'Het is tegenwoordig niet zo ongewoon om te scheiden, maar jaren geleden kende ik niemand die dat deed. Ik geloof dat de Conners het eerste stel waren – herinner je je Hazel en William nog? Men zei dat hij een gokprobleem had. Maar zij was wel een aardige vrouw.' Mijn moeder draaide het borduurwerk om en tuurde naar een bepaalde steek. 'Het gebeurde wel dat je vader me razend maakte, maar ik kan niet zeggen dat het ooit bij me op is gekomen om bij hem weg te gaan. Ik geloof dat ik een besluit had genomen...' Ze zweeg even. 'Toen ik opgroeide werd er heel wat afgeruzied bij mij thuis, en het was niet prettig om dat te moeten aanhoren. Het veroorzaakt alleen maar meer van hetzelfde – als mensen eenmaal kwaad zijn, doet het er niet echt toe waar het precies over ging, toch? Toen ik trouwde besloot ik dat als je vader en ik ooit ruzie zouden krijgen, ik vriendelijk tegen hem zou blijven. Ik nam me voor: of ik nu vind dat hij gelijk heeft of niet, ik ga niet proberen het te bewijzen. Ik zal hem eraan herinneren dat ik om hem geef, in de hoop dat het hem eraan herinnert dat hij ook om mij geeft. Ik had het geluk dat je vader een zachtaardig mens was.' Ze keek op en schonk me een milde glimlach. 'Zo zijn niet alle mannen.'

Ik moedig je niet aan om van Charlie te scheiden, maar als je het doet, begrijp ik het – probeerde ze me dat niet min of meer duidelijk te maken?

Ze had het borduurwerk weer omgedraaid, ze was gestaag bezig steken te maken, en ik boog me naar haar toe om het beter te bekijken. Ik zei: 'Dat wordt een prachtig kussen.'

Nadat ik mijn nachthemd had aangetrokken en mijn tanden gepoetst, ging ik terug naar de keuken met *The Old Forest*, wachtend tot de telefoon ging. Het werd halfelf, vijf minuten over elf, tien voor halftwaalf, en ik merkte dat ik me steeds meer begon te ergeren toen ik bedacht hoe weinig attent het van Charlie was om zo laat te bellen. Om tien over halfeen wist ik dat hij niets meer van zich zou laten horen. Het was doodstil in het huis van mijn moeder, er reden geen auto's door Amity Lane, en mijn irritatie ging abrupt over in eenzame teleurstelling.

Toen de volgende ochtend de telefoon ging waren we net klaar met het ontbijt, en Ella nam op. Na even te hebben geluisterd, zei ze: 'Mama en ik gaan naar de ijsbaan, en ik weet hoe je achteruit moet schaatsen.' Waarschijnlijk was het Charlie. 'In het winkelcentrum,' zei Ella. Daarna, bijna schreeuwend: 'In het wínkelcentrum! Ja, die zit hier.' Ella stak me de hoorn toe. 'Het is Grootmaj.'

Priscilla viel meteen met de deur in huis: 'Alice, stap in godsnaam in je auto en kom terug naar Milwaukee. Chas klinkt wanhopig.'

Ik zou sowieso al met mijn mond vol tanden hebben gestaan, maar met Ella, Lars en mijn moeder naast me aan tafel wist ik helemaal niet wat ik moest zeggen. Ten slotte zei ik: 'Priscilla, als je het niet erg vindt, pak ik even een andere telefoon.'

Boven lag de stekker er sinds de vorige avond nog uit, ik kroop op mijn knieën om hem weer aan te sluiten en nam toen de hoorn op. Toen ik op de rand van het tweepersoonsbed ging zitten, hoorde ik dat er beneden werd opgehangen, en ik zei: 'Hallo?'

'Dit is gewoonweg onzin,' zei Priscilla. 'Toen je met Chas trouwde wist je dat hij een zuiplap was. Stel je niet aan en zorg dat het weer goed komt.'

'Priscilla, ik zie Charlies drankgebruik niet als een raar karaktertrekje. Misschien is het vanuit Washington niet zo duidelijk als wanneer je met hem onder één dak woont, maar hij is...' ik aarzelde, en toen zei ik het maar gewoon, 'hij is bijna elke avond dronken. Hij is alcoholist.'

Priscilla reageerde niet alsof dat een openbaring voor haar was. Ze zei: 'En aan wie denk je dat dat ligt?'

'Als je suggereert dat ik verantwoordelijk ben voor Charlies drankgebruik, moet ik protesteren. Hij is een volwassen...'

'Laat me je dit vragen. Wat is jouw taak?'

'Ik begrijp je niet.'

'Nee, inderdaad. Je bent huisvrouw, lieve kind. Het is je plícht om ervoor te zorgen dat alles bij je thuis op rolletjes loopt. Door wiens inkomen kun jij je de luxe permitteren thuis te blijven?'

'Priscilla, het is niet zo dat ik thuis met een doos bonbons naar soaps zit te kijken. Maar als ik je teleurgesteld heb, dan spijt me dat.'

'O, het komt niet onverwacht, hoor,' zei Priscilla. 'Goeie hemel, ik zit hier al tien jaar op te wachten. Iedereen wist dat je beneden je stand trouwde.'

Ik kon de wrede voldoening niet weerstaan haar te corrigeren. Ik zei: 'Je bedoelt dat Charlie beneden zijn stand trouwde.'

'O jee nee, Charlie trouwde boven zijn stand. Kom nou toch, Alice, hij was een nietsnut van eenendertig die belachelijk genoeg een gooi deed naar niets minder dan het Congres, en hij ging uit met serveerstertjes. Wij begrepen niet wat jij in hem zag!' Ze gnuifde luidruchtig, en terwijl ik daar op het bed van mijn moeder zat, raakte ik compleet in verwarring.

'Maar – jij dacht toch dat ik hem erin had geluisd? Zoiets zei je toen we onze verloving aankondigden.'

'Zoiets heb ik nooit gezegd.'

'Je kwam naar me toe en zei dat ik het heel slim had aangepakt.'

'Je had je zo bedeesd gedragen.' Priscilla klonk – het was bizar – bijna bewonderend. 'Het hele weekend was je in Halcyon geweest zonder te kennen te geven dat jullie verloofd waren, en precies op het juiste moment toverde je een konijn uit de hoge hoed. Het was een perfect stukje theater.'

'Ik dacht...' Had ik haar al die jaren verkeerd beoordeeld? Of loog ze nu? Of geen van beide – misschien was het niet echt zo dat ze ooit een hoge dunk van mij had gehad, maar had ze alleen een lage dunk gehad, of nog steeds, van Charlie. 'Ik dacht dat jij dacht...' begon ik, maar weer kwam ik niet verder dan wat gesputter.

Priscilla overbluftte me: 'Wat mij verbaast is je timing, waarom je dit moment hebt gekozen om je kont tegen de krib te gooien, net nu Chas de beste zet van zijn leven heeft gedaan. Hij zal het uitstekend doen bij de Brewers, en god weet dat hij voor iets anders nooit heeft gedeugd. Hier heeft hij jarenlang, zonder dat het hem lukte, zijn best gedaan om ons bedrijf naar de filistijnen te helpen, alleen door toedoen van Harold hebben zijn broers hem niet ontslagen, en nu Zeke Langenbacher ons allemaal een enorme gunst heeft bewezen hoeven Chas en jij alleen maar achterover te leunen en te klappen voor een homerun. Dát moet toch wel lukken?'

Mijn hoofd tolde: vonden alle Blackwells Charlie incompetent en dwaas? Allemaal? (De Thayers in elk geval, had ik onlangs van Joe begrepen.) En was ik, in het verlengde daarvan, incompetent en dwaas omdat ik met hem was getrouwd? Op dit moment wilde ik Charlie zelfs verdedigen – hij mocht dan een neiging tot snoeven en vuilspuiterij hebben, Arthur deed niet voor hem onder. Charlie was niet de ergste van het stel, hij was geen idioot.

'Het slaat nergens op dat jij je huwelijk wilt opgeven,' zei Priscilla. 'Ik kan me tientallen redenen voorstellen, en eerlijk gezegd is geen ervan erg interessant. Niemand zal aanvechten dat jij slimmer en veel verfijnder bent dan Chas, maar dat was je al op de dag dat je hem ontmoette. Dat is jouw probleem; niet het zijne, en al helemaal niet het mijne. Maar jullie hebben een huis samen, en wat belangrijker is, jullie hebben een dochter. Als je haar geen broertjes of zusjes kunt geven, geef haar dan ten minste twee ouders.'

Het was me niet duidelijk of dit het meest verhelderende of het meest beledigende gesprek van mijn leven was geweest, allebei, of geen van beide. Ik haalde diep adem – in het algemeen was de reden van mijn diplomatieke opstelling dat je daar misschien soms wel spijt van kreeg, maar van botte reacties nog veel vaker – en daarna zei ik tegen mijn schoonmoeder: 'Kennelijk heb ik heel wat om over na te denken, Priscilla.'

We hadden besloten naar de ijsbaan te gaan in het winkelcentrum van Riley omdat dat het enige was wat overbleef: Ella weigerde nog een keer naar Pine Lake te gaan, en we hadden al een bezoek gebracht aan Fassbinder. Bovendien had ze thuis al vaak gezegd dat ze naar de ijsbaan in de Mayfair Mall wilde, en daar was ik nooit met haar naartoe gegaan; ik kon er nu niet veel tegen inbrengen. Omdat de zomer nog maar net begonnen was en de echte hitte nog moest komen, was de ijsbaan vrijwel leeg en de popmuziek die uit enorme speakers vlak onder het dak kwam, klonk hard. De laatste keer dat ik had geschaatst was tijdens een winter in Halcyon geweest, voordat Ella geboren was, en ik had er bepaald geen talent voor. We stuntelden wat op het ijs en ik zag haar naar twee andere meisjes kijken, zusjes, zo te zien, een paar jaar jonger dan Ella, die het heel goed konden en die elkaar wijzend en lachend toeriepen. 'Wil je met hen schaatsen?' vroeg ik. Toen Ella heftig haar hoofd schudde, borrelden schuldgevoelens in me op. Nadat we onze schaatsen uitgetrokken en teruggebracht hadden, aten we kippenboutjes in het *food court* van het winkelcentrum, en in een winkel met goedkope sieraden en accessoires kocht ik een armbandje met een dolfijnbedeltje voor haar.

Toen we door de brede roze marmeren gangen van het winkelcentrum liepen (waarom had Riley, in Wisconsin, een marmeren vloer?) vroeg ik me onwillekeurig af wat ik ons tweeën aandeed. Hoe lang zouden Ella en ik het in deze stad uithouden? Omdat je gemakkelijk op één dag heen en weer kon naar Riley, was dit het langste bezoek dat ik hier in jaren had afgelegd en hoewel ik het had gezien als een time-out, klopte Ella's opmerking bij Fassbinder: het was hier saai. Ik was hier thuis, en daar was ik dankbaar om, maar elke dag leek hier drie keer zo lang te duren als een dag in Milwaukee. Maar als we naar huis gingen, zou dan alles niet precies hetzelfde zijn? Charlie zou misschien een paar weken lang zijn beste beentje voorzetten, een paar maanden op z'n langst, en zelfs dat was waarschijnlijk wishful thinking – de kans was groot dat hij even wrokkig als berouwvol was.

Die middag belde ik Jadey. (Als ik erop terugkijk is dit me het meest bijgebleven van die vreemde periode in Riley – dat ik aan de telefoon zat. Als mijn moeder en Lars me door de vele keren dat ik me afzonderde om te bellen of te wachten tot ik gebeld werd beschouwden als een humeurige, onverschillige tiener, kon ik hun dat niet echt kwalijk nemen.)

Toen Jadey opnam, zei ze: 'Zeg alsjeblieft dat je belt om me te vertellen dat je naar huis komt en wilt vragen of ik mee ga wandelen, want het antwoord is ja. Ik ben al twee kilo aangekomen doordat ik je mis – nou ja, doordat ik je mis, geen beweging krijg en een heleboel gevulde brownies heb gegeten.'

'Vindt iedereen in de familie Charlie een stuk onbenul?'

'Waar heb je het over?'

'Maj belde vandaag – ze is helemaal niet blij met me, zoals je je wel kunt voorstellen – en ze suggereerde... Het was heel raar. Hebben Arthur en John ooit overwogen om Charlie te ontslaan?'

Jadey reageerde niet onmiddellijk, en dat was ook een antwoord, maar niet het antwoord waarop ik had gehoopt. Toen zei ze: 'Hij gaat midden op de dag tennissen, ik denk dat dat het grootste probleem is. Ze weten gewoon heel vaak niet waar hij uithangt, en als er een groothandelaar komt voor een bespreking die Chas heeft geregeld...'

'Waarom heb je me dat niet verteld?'

'Wij hoeven toch niet op hen te passen? Niet boos worden. Ben je boos? Alice, zo is hij altijd al geweest. Niemand vindt hem een idioot. Hij is alleen – misschien is hij niet de hardst werkende man ter wereld, laten we het zo zeggen. Maar weet je wie dat wel is? Ed, en wie wil met hem getrouwd zijn?'

Het had iets van de optische illusie van de heks en de elegante jonge vrouw – vanuit de ene hoek was mijn leven bevoorrecht en onstuimig, natuurlijk met een paar problemen, maar die wogen niet op tegen de voordelen; en van de andere kant was mijn huwelijk een farce, mijn man de risee. Ik wist al lang hoe dun de lijn was tussen geluk en ellende, rust en chaos, maar het was zoveel jaren geleden dat ik dat aan den lijve had ondervonden. 'Als je hem vanavond ziet, wil je hem dan vragen of hij me belt?' vroeg ik.

'O, Chas logeert niet meer bij ons,' zei Jadey. 'Hij is hier maar één nachtje geweest.'

'Waar is hij dan nu?'

'Ik neem aan dat hij heeft besloten een grote jongen te worden en naar huis te gaan.'

Ik kreeg een rilling, zo een die voorafgaat aan kippenvel. Hij was niet thuis; dat wist ik zeker.

'Ben je er nog?' vroeg Jadey. 'Zeg eens iets.'

Ik zuchtte. 'Ik ben er nog.'

Die zondag gingen Ella en ik met mijn moeder en Lars naar de kerk, en Ella zat tijdens de hele dienst heen en weer te schuiven, ze verlangde ongetwijfeld naar Bonnie, de glazen-oog-uithalende-zondagsschooljuffrouw in Milwaukee. Toen we weer thuis waren, begonnen Lars en ik na de lunch aan een legpuzzel van een trein in de Zwiterse Alpen van vijfhonderd stukjes – hij had speciaal daarvoor het kaarttafeltje uitgeklapt – en in de voortuin vulde mijn moeder een glazen slakom met water en een paar druppels glasreiniger zodat Ella haar barbie erin kon laten zwemmen; als mijn moeder of Lars al een mening had over barbies huidskleur, had geen van hen daar ooit iets over gezegd. Na een poosje kwam mijn moeder binnen en zei: 'Ik maak in vijf minuten een handdoekje voor je barbie.'

Ik keek op van de puzzel. 'Je zou ook eens lekker kunnen gaan zitten.'

Maar ik zag al die afwezige, geconcentreerde blik in haar ogen: *een project.* Ze verdween naar boven, waar haar naaimachine in mijn oude kamer stond.

Door het raam hoorde ik Ella af en toe praten tegen haar barbie – 'Nu ga je de rugslag doen' – en daarna was ze stil. Toen ik even buiten ging kijken wat ze deed, zat ze gehurkt naast de kom met blauw water. 'Pop, hoe gaat...' begon ik, en toen ze opkeek, zag ik dat ze een glimmende paarse diadeem droeg en bijpassende paarse oorhangers. 'Hemel,' zei ik. 'Waar heb je die vandaan?'

'Van die mevrouw gekregen.' Ze wees naar het huis recht aan de overkant, waar de Janaszewski's woonden.

'Heeft zij je die gegeven?' vroeg ik.

Ella knikte.

'Heeft ze je geholpen om ze in te doen?'

Ella knikte nogmaals. De plastic diadeem zat achter haar oren, de opzichtige krulvormen aan weerszijden kwamen in het midden bij elkaar in een bovenmaatse namaakamethist, en daarboven zat een fonkelende ster. De oorhangers hadden clips, de druppelvormige amethisten waren zo groot als stuivers en ingelegd met nepdiamantjes. Ik wist meteen wie er zo dol was op dit soort accessoires, maar natuurlijk kon ik het niet zeker weten, en zelfs als ik wist wie het was, had ik al helemaal geen idee van de bedoeling van dit cadeau. Was het gewoon voor de aardigheid, om een klein meisje een plezier te doen, een speels zoenoffer, of was het het tegenovergestelde, een spottende kritiek met een scherpe bijbedoeling: *Jouw dochter is een prinses.*

'Zei die mevrouw haar naam?' vroeg ik.

Ella haalde haar schouders op. 'Oma is een handdoek voor mijn barbie aan het maken.'

'Dat weet ik, en vergeet niet haar daarvoor te bedanken. Ella, die mevrouw die je die sieraden heeft gegeven – wist zij jouw naam?'

Ella keek peinzend. 'Ik geloof het wel.'

'Hoe zag ze eruit?'

'Mammie, ze ging dáár naartoe. Daar kun je haar zelf opzoeken.'

'Was ze zo oud als ik, of zo oud als oma?'

Ella keek me even onderzoekend aan en zei toen: 'Oud, maar wel zoals jij.'

Ik wierp een snelle blik op de voordeur van de familie Janaszewski. Was dit een uitnodiging, een uitdaging, of beide? Of was het gewoon iets wat Dena's moeder tijdens het opruimen was tegengekomen en waarvan ze dacht dat Ella het leuk zou vinden?

Ik ging op de veranda zitten wachten tot ik iemand uit hun huis zag komen, en algauw kwam mijn moeder bij ons zitten – ze had zelfs een rode B op het handdoekje gestikt, dat duidelijk uit een oud badlaken was geknipt – maar ze vroeg niet naar de diadeem of de oorhangers; waarschijnlijk dacht ze dat Ella die van mij had gekregen. Toen we bijna een uur later weer naar binnen gingen, hadden we geen teken van leven meer gezien bij de Janaszewski's.

Ik had verscheidene keren geprobeerd ons huis aan Maronee Drive te bellen, op verschillende tijdstippen overdag en 's avonds, en Charlie had niet één keer opgenomen; maar toen ik uiteindelijk een berichtje had ingesproken, belde hij binnen een paar uur terug. We spraken af dat Ella en ik de volgende dag met hem zouden gaan lunchen in een park bij de I-94, tussen Riley en Milwaukee. De picknick was mijn idee, en het leek me beter dan een restaurant, voor het geval hij zijn zelfbeheersing verloor en zou gaan schreeuwen; ook zouden hij en Ella er vrij rond kunnen rennen. Ons telefoontje was kort en niet echt vijandig – het was ook in geen enkel opzicht emotioneel – maar wel gespannen.

Ella en ik maakten kipsandwiches en mijn moeder wilde per se koekjes bakken, en net toen Ella en ik de deur uit wilden gaan, belde Arthur. Hij zei: 'Er is niemand gewond, met Chas is alles in orde, maar hij is gisteravond aangehouden vanwege rijden onder invloed, en hij heeft me gevraagd om je te zeggen dat hij niet kan komen. Hij weet dat je razend zult zijn, maar Alice, ik heb hem zojuist gezien en geloof me, er is niets wat je tegen hem zou kunnen zeggen wat hij zelf niet al heeft bedacht. Een paar uur in de cel geeft je de tijd om na te denken, weet je wel?'

'Is hij...' Ik stond weer in de keuken, dus ik kon niet vrijuit praten. 'Is hij daar nog, kan hij daarom niet zelf bellen?'

'Hij zit niet meer in de cel, nee – hij is bij onze advocaat. Hij doet verwoede pogingen om dit buiten de publiciteit te houden, want dan zou hij een slechte beurt maken bij Zeke Langenbacher, dus pap en Ed zitten aan de telefoon. Chas wil graag weten of die lunch naar morgen kan worden verzet, maar misschien kun je hem later op de dag zelf even bellen. Niet dat ik het niet enig vind om zijn secretaresse te spelen, hoor.'

'Wanneer is...' Maar er was niet één vraag die ik kon stellen zonder een woord te laten vallen dat Ella en mijn moeder ongerust zou kunnen maken: *gewond* of *aanrijding* of *advocaat* of *cel.* En toen dacht ik (het voelde vreemd bevrijdend), laat het hem zelf maar opknappen. Ik hoefde niet in te grijpen. Als zijn auto in de kreukels lag, als de kranten er lucht van kregen, als hij zichzelf wel kon slaan omdat hij zijn nieuwe baan in gevaar had gebracht nog voor hij ermee was begonnen – allemaal zijn probleem. Arthur had gezegd dat er niemand gewond was, en dat was het enige wat me interesseerde. Ik zei: 'Bedankt voor je telefoontje, maar wat morgen betreft: het antwoord is nee.'

'Alice, hij vindt het echt heel vervelend voor...'

'Het antwoord is nee,' zei ik. 'Meer hoef je hem niet te zeggen.'

Toen ik had opgehangen, zei ik opgewekt tegen Ella: 'Papa heeft vandaag een vergadering over het honkbalteam, en hij kan niet weg. Hij vindt het zo jammer dat hij je niet kan zien dat hij iets heeft voorgesteld, en ik vind het alleen goed omdat je zo lief bent geweest. Hij wil dat ik de videoband van *Dirty Dancing* voor je koop.'

Ella had argwanend naar me gekeken – ik durfde niet eens naar mijn moeder te kijken – maar zodra ik de woorden 'Dirty Dancing' had uitgesproken, stootte ze een kreet uit en wierp ze haar armen in de lucht. 'Nu?' zei ze met grote ogen.

'Zullen we hier in de achtertuin picknicken?' zei ik. 'Mam, eet jij mee – er is een sandwich over.' Toen keek ik haar wel aan, en ze leek onbezorgd maar behoedzaam; ze wilde de waarheid evenmin horen als ik die wilde vertellen. Tegen Ella zei ik: 'Na de lunch gaan wij samen naar het winkelcentrum, pop.'

Mijn moeder zei: 'Alice, we hebben geen – hoe heten die apparaten?'

'Nee, daar heeft Charlie ook aan gedacht.' Ik glimlachte maniakaal. 'Hij waardeert jullie gastvrijheid zo, dat hij me heeft gevraagd voor jou en Lars een videoapparaat te kopen.'

In de twee weken daarna onthield ik onwillekeurig elke regel van *Dirty Dancing.* De film was anders dan ik me had voorgesteld – genuanceerder en niet zo gewaagd als ik had gevreesd, hoewel er een scène in voorkwam waarin je Patrick Swayze een fractie van een seconde naakt uit bed zag stappen na een vrijpartij. Er kwam tot mijn verbazing ook een abortus in voor, wat aan Ella voorbij leek te gaan; ze was voornamelijk gefixeerd op het dansen, en dat was ook echt geweldig. Het speelde zich af in 1963 en de hoofdrolspeler was een jaar ouder dan ik toen was geweest, zodat veel van de liedjes herinneringen opwekten. Ik zou er niet per se voor hebben gekózen om deze film zo'n tien keer te zien, en we gingen uiteindelijk ook andere huren, maar tot mijn verrassing vond ik *Dirty Dancing* heel leuk.

In die dagen had ik, wanneer ik in de woonkamer voor de tv zat, het gevoel dat ik ergens op wachtte, maar waarop? Charlie belde ik niet, en hij mij ook niet. Ella's vakantiekamp begon al gauw, en op een dag was het zover; die ochtend belde ik op om de directeur te laten weten dat ze niet meeging. Ik moest beslissingen nemen, ik moest plannen ten uitvoer brengen (wat had ik graag gewild dat mijn grootmoeder er nog was om me van advies te dienen), maar ik bleef het gewoon voor me uit schuiven.

Aan de telefoon zei Jadey: 'Ik weet niet of ik je dit wel moet vertellen,' een inleiding waarop waarschijnlijk nooit iemand heeft gezegd dat de ander dan maar zijn mond moest houden. 'Chas is bevriend geraakt met een geestelijke, pastor Randy,' vervolgde ze. 'Niemand weet hoe ze elkaar hebben ontmoet, want als je ernaar vraagt, praat Chas eroverheen. Nan vertelde me dat zij en John hen gisteravond hebben gezien bij een etentje in de sportkantine, en ik geloof dat hij ook met Chas bij een honkbalwedstrijd was.'

'Wie is hij?'

'Dat is het nou juist – dat weet niemand. Niemand heeft ooit van hem gehoord, hoewel hij naar verluidt een of andere kerk heeft in Cudahy. Little Rose? Heavenly Flower? Waarschijnlijk maak ik het nu erger dan het is.'

'Hoe gaat het met Charlie?'

'Nou, we hebben hem te eten gevraagd, maar ik geloof dat hij bang is dat ik hem dan de les ga lezen.'

'Jadey, doe dat alsjeblieft niet.'

'Geloof me, Arthur heeft me al met veel omhaal verteld dat jouw vertrek en de intrekking van zijn rijbewijs al genoeg straf zijn, bla bla bla.'

Ik was het niet helemaal met haar eens. Niet dat ik het voor Charlie wilde opnemen, maar volgens mij zou een preek van Jadey totaal geen effect hebben en alleen maar een wig tussen hen drijven. Tegelijkertijd voelde ik met het verstrijken van de dagen dat mijn eigen boosheid afnam. Ik miste Charlie – ik miste het praten, ik miste hem naast me, het 's avonds in de keuken inruimen van de vaatwasser in de wetenschap dat hij in de televisiekamer honkbal zat te kijken, de grapjes in bed nadat we het licht uit hadden gedaan en voor we in slaap vielen. Ik miste zijn schuine opmerkingen en dat, wanneer hij vernietigende dingen zei over mensen die we kenden, ík daar niet aan mee hoefde te doen; ik kon de goeierd spelen die hen verdedigde.

Tegen Jadey zei ik: 'Ik begrijp nog steeds niet wie die pastor Randy is.'

'Nee, ik ook niet.'

En toen belde hij; hij belde de volgende avond, toen we al drieënhalve week in Riley waren. Het was negen uur, en Lars en ik waren inmiddels bezig met een legpuzzel van het Opera House in Sydney. Charlie zei: 'Het is allemaal opgelost. Jessica is ingeschreven voor dit jaar in Biddle, alles is betaald – door ons, bedoel ik, maar geen van de Suttons zal er iets van weten, want ik nam aan dat jij dat zo zou willen. Hoe gaat het met Ella?'

'Heb je geregeld dat Jessica naar Biddle gaat?'

'Nancy Dwyer heeft de familie gebeld, ze heeft ze uitgenodigd op de campus en gezegd dat de school van ons over Jessica had gehoord – Yvonne en Miss Ruby zouden wel erg dom geweest moeten zijn als ze niet wisten dat wij erachter zitten, dus waarom niet een deel bekennen? – en Jessica heeft vandaag alle tests gehaald. Dus dat is voor mekaar. Ik zal de cheque voor haar schoolgeld tegelijk uitschrijven met die voor Ella.'

'Charlie, dat is fantastisch. Ik weet niet wat ik moet zeggen. Dank je wel.'

'Je had gelijk.' Hij klonk beter dan in lange tijd, energieker en vrolijker, en zo te horen had hij niet gedronken, of althans niet veel. 'Dit is een kans voor ons om iets goeds te doen, en voor wie kunnen we de portemonnee beter trekken dan voor Miss Ruby? Ik ben blij dat je me hebt overtuigd. Alles kits in Riley?'

Het was alsof Ella en ik gewoon een tijdje op vakantie waren zonder hem, alsof Charlie en ik een doorsnee echtpaar waren dat 's avonds de dag met elkaar doornam. 'Ja, alles goed.' Ik dempte mijn stem – ik was in de keuken, en mijn moeder en Lars zaten in de woonkamer. 'Ik geloof dat Ella zich eerlijk gezegd een beetje verveelt.'

Charlie grinnikte. 'Misschien wel goed voor haar.'

'Je klinkt geweldig,' zei ik. 'Echt – je klinkt fantastisch.'

‘Ik ben begonnen met hardlopen. Je weet dat ik John altijd belachelijk maakte vanwege die nichterige broek die hij aanhad, maar jemig, Lindy, die endorfine is echt fantastisch. Het is anders dan andere sporten.’

‘Hoe lang ga je al...’

‘Nog maar een dag of tien, maar ik voel me als herboren. Ik sta om zes uur op en ga dan naar het parcours in Cudahy, bij de high school. Een stukje rijden, maar het geeft me energie.’

Charlie stond om zes uur op om een eind te rijden en over het parcours bij een high school te rennen?

‘Luister,’ zei hij. ‘Ik wil je niet ophouden. Ik hang nu op, dan bel ik Ella morgen op mijn werk.’

‘Waar ben je nu?’ vroeg ik.

‘Ik kijk honkbal op tv – de Brewers spelen vanavond in Anaheim. Zeg, mijn nieuwe kantoor in het stadion is geweldig. Dat moet je zien.’ Zijn toon was even vriendelijk en onbezorgd alsof hij het tegen een buurvrouw had op wie hij zeer gesteld was. ‘Nog een fijne avond, Lindy,’ zei hij. ‘Liefs voor jou en El.’

Ik had nog een keer willen vragen waar hij nu precies was – thuis, naar het scheen, alleen kon ik dat gewoon niet geloven – en ook wie Randy was, maar het gesprek was tegen de verwachting in zo goed verlopen dat ik me schikte in de manier waarop het eindigde. ‘Ook liefs van mij,’ zei ik.

De volgende avond lazen Ella en ik voordat ze ging slapen een hoofdstuk uit *Fantastic Mr. Fox*, en nadat ik was opgestaan om het licht uit te doen, zei ze: ‘Mam, wie is Andrew Christopher Imhof?’

Ik bleef stokstijf staan. Ik probeerde mijn stem in bedwang te houden toen ik vroeg: ‘Heeft iemand je iets over hem verteld?’ Dena misschien, toen ze Ella die diadeem had gegeven? We waren ook een vroegere klasgenoot van me tegengekomen, Mary Hafliger, in Commerce Street, maar die zou vast niets over Andrew hebben gezegd. En als ze dat wel had gedaan, of iemand anders, dan had ik het gehoord.

Ella haalde een groot blauw gebonden boek uit het nachtkastje. Het was het jaarboek van mijn school, besefte ik meteen toen ik de cursieve reliëfletters in zilverdruk op het omslag zag: *De Zenit* 1964. ‘Hij staat hierin,’ zei ze, terwijl ze erin begon te bladeren. Toen hield ze me de bladzijde voor met het ‘In memoriam’ waarop Andrews naam voluit stond, zijn foto in zwart-wit, zijn blonde haar en lange wimpers, zijn hartverscheurende lieve glimlach. Onder de foto stonden zijn geboorte- en zijn sterfjaar vermeld: 1946-1963. Het leek allebei verschrikkelijk lang geleden. De jaren veertig, dat was het decennium geweest van de Tweede Wereldoorlog en Sugar Ray Robinson en Rita Hayworth, maar zelfs de jaren zestig, vooral het begin ervan, leek heel ver weg: de tijd waarin Jackie Kennedy een klein rond dameshoedje droeg en chimpansees naar de ruimte werden gelanceerd.

Ella wees naar de data en zei: 'Betekent dat dat hij dood is?'

Ik liep naar het bed. 'Andrew zat bij mij in de klas, en hij is inderdaad gestorven vlak voordat we van school gingen. Het was heel erg triest.'

'Waaraan is hij doodgegaan?'

Mijn hart bonkte in mijn keel, zodat ik moeite had met praten en ademen. Was Ella oud genoeg? Ze zat nog op de kleuterschool toen ze al vroeg waar de kinderen vandaan kwamen, en ik had het haar simpel en kort maar duidelijk verteld; ik had de woorden *vagina* en *penis* gebruikt, iets wat Jadey, toen ik het haar vertelde, niet kon geloven – Drew was toen twaalf, en bij hen thuis hadden ze het nog steeds over *meisjesplassertjes* en *jongensplassertjes*. Maar ik meende dat het ontwijken van vragen van kinderen niet per se goed was, voor hen noch voor de ouders.

Ik haalde diep adem. 'Hij is verongelukt met de auto,' zei ik.

'Had hij zijn gordel niet om?'

'Veel auto's hadden die toen nog niet,' zei ik. 'Die waren niet zo veilig als nu.'

'Heb je gehuild toen hij doodging?'

'Ja,' zei ik. 'Ik heb heel veel gehuild.' Toen zei ik – ik wist niet zeker of dit verstandig was, maar misschien was het verzwijgen ook wel verkeerd: 'Ik was betrokken bij dat ongeluk van Andrew. Ik reed in de ene auto, en hij in de andere, en mijn auto botste op die van hem.'

Ella zette enorme ogen op. 'Moest je naar het ziekenhuis?'

'Ja, maar ik was niet erg gewond. Ik heb geluk gehad, en Andrew niet. Hij was een heel fijn mens, en ik mocht hem erg graag. Ik kende hem al toen ik nog jonger was dan jij nu bent. Zijn dood was het droevigste wat ik tot dan toe had meegemaakt.'

'Droeviger dan toen je papa doodging, en toen oma doodging?'

'Anders. Als iemand jong sterft – het gebeurt niet vaak, en het zal met jou niet gebeuren, want daarom draag je ook een autogordel, en daarom kijken we naar links en rechts bij het oversteken, want je moet wel voorzichtig zijn – maar als iemand jong sterft, is dat anders dan wanneer een ouder iemand doodgaat. Mensen moeten groot worden en trouwen en kinderen krijgen, en als dat niet zo gaat, voelt dat verkeerd.'

'Zoals bij Jezus?' Ik had Ella nog nooit zo ernstig gezien – heel geconcentreerd luisterde ze naar elk woord dat ik zei.

'Nou, Jezus was een volwassen man toen hij stierf. Maar het klopt wel dat hij niet getrouwd was en geen kinderen had, en zijn dood was ook heel treurig.'

Ella dacht even zwijgend na. 'Denk je dat Andrew Christopher Imhof en oma nu bij elkaar zijn?'

Ik glimlachte. 'Hij heette gewoon Andrew, of Andrew Imhof,' zei ik. 'Je hoeft zijn middelste naam er niet bij te zeggen. Weet je, hij en oma kenden elkaar een beetje – zoals je waarschijnlijk wel hebt gemerkt, is Riley zo klein dat iedereen elkaar kent. Toen Andrew en ik een jaar jonger waren dan jij nu, kwamen oma en ik hem en zijn moeder een keer tegen bij de supermarkt, en oma dacht dat Andrew een meisje was. Zijn haar was toen een beetje lang en het krulde.'

'Dacht ze dat hij een méisje was?' Ella leek zowel verbijsterd als opgewonden.

'Ik geloof niet dat hij er zich veel van aantrok.'

Ella had onder de lakens haar benen opgetrokken en het jaarboek lag open tegen haar knieën. Ze bestudeerde de foto. 'Hield je van Andrew?'

'Ja,' zei ik. 'Ik hield van hem.' Het was op een bepaalde manier fijn om over hem te kunnen praten – dit waren vragen die niemand me ooit had gesteld, vragen die alleen een kind durfde te stellen – maar terwijl ik daar in mijn oude slaapkamer stond was het ook frappant om te bedenken hoever ik hem achter me had gelaten. Ik droomde nog steeds regelmatig van Andrew, maar in die dromen bleven we dankzij een soort wazigheid en verwrongen feiten leeftijdgenoten, zodat ik kon negeren wat er op dit moment zo akelig duidelijk was: ik was vijfentwintig jaar ouder dan hij was geweest toen hij stierf; ik leefde langer, beduidend langer, na het ongeluk dan hij ervóór had geleefd; Ella was veel dichter bij de leeftijd waarop hij was gestorven dan ik. Was het stuitend, was het onbetamelijk, dat ik me als vrouw van tweeënveertig nog zo duidelijk herinnerde hoe het voelde vlak voor de eerste kus, hoe gebruind en knap hij was geweest in zijn footballoutfit, hoe warm zijn huid was? En nu verfde ik mijn grijze haar, ik had rimpeltjes rond mijn ogen en mond en mijn gezicht was verweerd – niet heel erg, ik was niet iemand die gebukt ging onder mijn eigen verouderingsproces, maar niemand zou me jonger schatten dan ik was. Er was zoveel tijd verstreken sinds Andrews dood. Dat was wat zo moeilijk te geloven was, dat er zoveel tijd was verstreken en dat het ongeluk nog steeds niet gemakkelijker te begrijpen was dan toen. Ik kon woorden vinden om het te beschrijven zodat het verschrikkelijk klonk, en ver weg, tragisch maar lang geleden, terwijl het in werkelijkheid, als ik erover nadacht, even moeilijk te bevatten was als in 1963. Hoe kon ik met mijn auto frontaal tegen die van Andrew zijn gereden en hoe kon hij daardoor overleden zijn?

Toen zei Ella: 'Hield je meer van hem dan van papa?'

Ik knipperde met mijn ogen. 'O, liefje, zo is het niet. Het is niet – Andrew was niet mijn vriendje. We waren wel bevriend, en ik geloof dat we elkaar door de jaren heen wel regelmatig zagen, maar we hebben nooit verkering gehad. Omdat we uit dezelfde plaats kwamen en bij elkaar in de klas zaten, zou je kunnen zeggen dat we elkaar goed kenden, maar dat is niet te vergelijken met de manier waarop je iemand kent met wie je samenleeft. Wij weten bijna alles van papa, toch? Hoe hij snurkt en wat zijn lievelingsoverhemd is en hoeveel ijsklontjes hij in zijn glas water wil bij het eten.'

Ella moest lachen – Charlies gesnurk was altijd weer een bron van vermaak voor haar.

'Zoals ik ook bijna alles over jou weet,' zei ik. 'Dat komt doordat ik je moeder ben en van je hou en jij mijn allerliefste meisje bent.' Ik boog me naar voren en drukte een kus boven op haar hoofd, en terwijl ik dat deed, dacht ik aan wat Charlie op de ochtend na onze huwelijksnacht tegen me had gezegd, toen ik wakker werd na een droom over Andrew: *Ik wil de liefde van je leven zijn.* Hij had zijn zin gekregen, toch? Zelfs nu we allebei ergens anders waren, werden mijn stemmingen bepaald door hem, door de laatste gedachten die ik had gehad over de hoop op of zinloosheid van onze toekomst samen. Door de kus met Joe Thayer, hoe kort en klungelig ook, was er een gedachte door me heen geflitst die nu bij me terugkwam – dat ik van mijn leven niet van een andere man zou kunnen houden. Niet zozeer uit trouw aan Charlie als wel door een soort vermoeidheid, het niet kunnen opbrengen om opnieuw te beginnen. Ik hield van mijn man uit genegenheid en ook uit gewoonte, ik hield van hem met het hart van een echtgenote, en met mijn geheime hart, mijn droomhart, hield ik van Andrew Imhof. Ik had verder geen liefde meer over, niet van de romantische soort. Als ik een scheiding met Charlie doorzette, zou ik daarna niet meer trouwen; ik kon het me gewoon niet voorstellen, en ik vroeg me intussen af of alleen wonen, weer vrijgezel zijn, zwaarder zou zijn dan met hem leven. Misschien was een leven met hem wel gemakkelijker dan zonder hem – als de beproefde echtgenote, voorwaarts gestuwd met een doel voor ogen, door mijn lastige echtgenoot. Terwijl ik het, als ik er alleen voor stond, financieel zwaar zou hebben, ik zou voorzichtig moeten laveren tussen de Blackwells en Charlie zelf, en er zou uitgesproken in plaats van onderdrukte bitterheid zijn.

Wat ik wilde weten (het was zinloos, en ook puberaal) was: als ik die avond in september in 1963 iets eerder of iets later van huis was gegaan, of als het feestje van Fred Zurbrugg niet doorgegaan was, of als ik geen ruzie had gemaakt met Dena en alleen had gereden, of als onze ruzie me zo van streek had gemaakt dat ik had besloten helemaal niet naar dat feest te gaan – als het ongeluk niet gebeurd was, zouden Andrew en ik dan een stel geworden zijn, als we een stel geworden waren, zouden we dan bij elkaar zijn gebleven, en zouden we uiteindelijk zijn getrouwd? Dit verhaal had ik mezelf lange tijd voorgehouden, en als het een verzinsel was, had het desondanks als waar aangevoeld – het had gevoeld als een waarheid die je niet hoeft te verdedigen omdat er, ondanks alle argumenten die ertegen in konden worden gebracht, niets aan afgedaan kan worden. Maar nu twijfelde ik. Na nog geen vier weken was ik Riley zat, ik was klaar om naar huis te gaan, omdat hier mijn thuis niet was. Als ik met Andrew was getrouwd, zou ik dan tevreden zijn geweest met een minder groots leven, waarin ik altijd in een plaats als deze had moeten blijven? Was mijn honger naar wat de wereld te bieden had gescherpt doordat ik me in die wereld had gewaagd? Of zou ik het, als ik hier was blijven wonen, als vrouw van een boer, hoe dan ook als verstikkend hebben ervaren?

'Ik ben aan het bidden voor Andrew Imhof,' zei Ella.

Ik deed het licht uit. 'Dat is lief van je, pop.'

In Riley lagen de protestante en de katholieke kerkhoven naast elkaar, bijna twee kilometer ten zuidwesten van de rivier, en 's ochtends reed ik eerst naar St. Mary's, de katholieke begraafplaats. Bij bloemist Buhler had ik twee bossen witte tulpen gekocht, en ik legde er een op Andrews graf, een platte, grijze granieten steen in het gras. Het was een prachtige ochtend in juni, een graad of twintig en met een lichte bries, en er waren geen andere bezoekers op de begraafplaats, alleen een man op een grasmaaier die in de verte aan het werk was. Toen ik op zoek was naar Andrews graf, was ik langs een paar graven gekomen met droogbloemen, kunstbloemen, molentjes of windzakken, maar de meeste waren, net als het zijne, onversierd. Ik bleef staan en keek naar zijn naam en naar de data. Ik was niet op zijn begrafenis geweest, en ik was ook nooit naar zijn graf gegaan – waarschijnlijk zou ik, als ik dat gesprek met Ella niet had gevoerd, nu ook niet gegaan zijn – en het was schrijnend om te zien. Ik zou bijna zeggen dat het iets bewees, alleen was er niets meer te bewijzen.

Op dat moment wilde ik dat mijn geloof sterker was, dat ik in alle oprechtheid een gebed kon opzeggen, maar er kwam niets bij me op. Ik hurkte neer, raakte de koele steen aan zoals ik Andrew nooit echt had aangeraakt, en ik dacht: *Ik hoop dat je in vrede rust. Het spijt me verschrikkelijk.* Het enige wat zich liet horen was de ronkende grasmaaier, maar iets anders had ik ook niet verwacht.

Ik ging terug naar de auto en reed naar Grace Cemetery, de protestantse begraafplaats; die lag waarschijnlijk nog geen kilometer van de andere en ik had te voet kunnen gaan, maar er waren hier geen trottoirs langs de wegen en het zou al te wrang zijn geweest als ik tussen twee begraafplaatsen in aangereden zou worden. Op Grace wist ik de graven van mijn vader en mijn grootmoeder wel te vinden: in tegenstelling tot die van Andrew stonden de grafstenen rechtop, die van mijn vader grijs en met een licht gewelfde bovenkant, als het hoofdeinde van een bed; die van mijn grootmoeder had dezelfde vorm, maar was glanzend roze met grijs gemêleerd. PHILLIP WARREN LINDGREN, 1923 – 1976, DIERBARE ZOON, ECHTGENOOT EN VADER. En bij mijn grootmoeder stond EMILIE WARREN LINDGREN, 1896 – 1988. Voor mijn grootmoeder had mijn moeder als achtergrond een open boek met blanco pagina's uitgekozen – in het algemeen een verwijzing naar de Bijbel, nam ik aan, maar mijn moeder had tegen me gezegd: 'Omdat oma zo graag las,' en ik wist dat ze geen religieuze boeken had bedoeld. De aarde op het graf van mijn grootmoeder was nog donker en vochtig; ze was net een maand geleden begraven, en ik bleef het gevoel hebben dat ik haar binnenkort weer zou zien. Ik legde de bloemen tussen hun stenen in. Hoewel ik niet wist wat ik geloofde over zielen of een leven na de dood, troostte het me dat ze nu bij elkaar waren. Mijn grootmoeder had twaalf jaar langer geleefd dan haar zoon, haar enig kind, en ik stelde me voor dat ik Ella zou overleven; het was een ondraaglijke gedachte.

Ik zou mijn vader, als hij nog had geleefd, niet hebben gevraagd wat ik met mijn huwelijk aan moest; hij zou zo'n persoonlijke vraag niet prettig hebben gevonden. Maar ik kon wel raden wat hij me zou hebben geadviseerd. Wat mijn grootmoeder betreft hoefde ik niet te raden – ze had het me ronduit gezegd. En hier op Grace Cemetery leek het schandelijk dat ik ooit iets anders had overwogen, dat ik nog steeds deed alsof ik een keuze had. Misschien kwam het doordat ik tussen rijke mensen leefde – misschien doordat ik zelf rijk werd – dat ik was vergeten dat het leven hard werken is. Of misschien lag het aan de tijdgeest, de cultuur; het deed er niet toe. Het feit was dat ik het was vergeten. Maar bijna elf jaar geleden had ik een belofte gedaan, in het openbaar. Ik dacht aan mijn vaders motto – *Wat je ook doet, doe het goed* – en hoewel mijn identiteit ooit was bepaald door het feit dat ik de dochter was van Phillip en Dorothy Lindgren, en de kleindochter van Emilie Lindgren, was ik nu de vrouw van Charlie Blackwell, de moeder van Ella Blackwell. Al die mensen zouden, ieder op zijn eigen manier, diep teleurgesteld zijn als ik mijn huwelijk op de klippen liet lopen. Wat voor keus had ik eigenlijk, behalve teruggaan – behalve proberen, zoals mijn moeder ooit ten opzichte van mijn vader had besloten, om vriendelijk tegen mijn man te blijven?

Terug in Amity Lane gaf mijn moeder me een briefje met daarop in Lars' handschrift: *Zo snel mogelijk Yvonne Sutton bellen*, en daarna een telefoonnummer van zeven cijfers. Toen ik belde, hoorde ik Antoine op de achtergrond huilen. 'Alice, we zijn zo blij dat Jessica naar de school van Ella gaat,' zei Yvonne. 'Ik weet niet wat je hebt gedaan om ze zover te krijgen dat ze haar een beurs hebben gegeven, maar je bent een engel.'

'O, maar je moet Biddle niet zien als de school van Ella – het is nu ook de school van Jessica en, Yvonne, zij heeft het aan zichzelf te danken dat ze is toegelaten. We zijn heel blij voor haar. Als je nog vragen hebt over het een of ander, bel dan gerust.'

'Dat is echt heel aardig van je, en ik vergeet nog bijna je ook voor de boeken te bedanken – ik geloof niet dat Jessie één moment heeft opgekeken sinds je ze hebt langsgebracht.' Ik wilde iets zeggen, maar Yvonne ging op een andere toon verder. 'Helaas is er nog een andere reden waarom ik je belde, Alice. Mama wil het zelf niet zeggen, dus moest ik het doen – ze kan geen nacht langer in Maronee Drive blijven. God weet dat ik me niet met jullie privéleven wil bemoeien, maar het is gewoon niet goed voor een dame van drieënzestig om op een volwassen man te passen.'

'Bedoel je dat Miss Ruby...' Ik aarzelde. 'Ik schaam me dit te moeten zeggen, maar ik weet niet precies wat er aan de hand is. Heeft Charlie Miss Ruby gevraagd om bij hem te blijven in ons huis?'

'Niet in jullie huis – in het huis van meneer en mevrouw Blackwell. Alice, mama zou alles doen voor Charlie, hij kan haar om zijn vinger winden, zijn hele leven al, maar hiervoor is ze te oud. Ze moet in haar eigen bed slapen.'

Natuurlijk – natuurlijk was Charlie niet in Maronee Drive. Hij sliep in het huis van zijn ouders, en Miss Ruby logeerde bij hem, in haar kamer naast de keuken. Waarschijnlijk zorgde ze ook voor zijn ontbijt en avondeten.

'Je hebt volkomen gelijk,' zei ik. 'Het spijt me, en ik ben blij dat je hebt gebeld. Ik weet niet of je moeder wel eens heeft verteld dat Charlie... Dit klinkt heel raar, maar hij is bang in het donker.'

'O, dat weet ik.' Yvonne lachte. 'Geloof me, we weten alles over de monsters onder het bed van Charlie B.'

'Ik zal niet tegenspreken dat hij anders dan anderen is,' zei ik.

'Ik probeer niet te oordelen.' Yvonne sprak op een toon die aangaf dat ze daarin, althans in dit geval, niet slaagde. 'Ik maak me alleen zorgen om mama. En toen ik Jadey sprak, zei ze dat ze niet weet wanneer je thuiskomt, maar dat Charlie gerust bij hen mag logeren, dus als jij hem wilt bellen, of je wilt dat ik hem bel... Hij zal waarschijnlijk eerder naar jou luisteren, maar als...'

'Ik beloof je dat ik het in orde maak,' zei ik. 'Vanavond slaapt iedereen in z'n eigen bed.'

Terug in Maronee bracht ik Ella naar Jadey – Jadey slaakte een kreet van vreugde toen ze me zag en verklaarde zich bereid de meisjes mee te nemen naar het zwembad als ik beloofde die avond met haar te gaan wandelen – en toen ging ik naar huis om de post uit te zoeken en de telefonische boodschappen af te luisteren, het bedorven eten uit de koelkast weg te gooien, de prullenmanden te legen en ons bed op te maken nadat Charlie daar waarschijnlijk één nacht in had geslapen, of had geprobeerd te slapen. Daarna reed ik naar het huis van Harold en Priscilla, waar Miss Ruby naar *The People's Court* zat te kijken op het kleine toestel in de keuken. Ik zei dat ze naar huis kon gaan en gaf haar de volgende week vrijaf – ik zou Priscilla hiervan op de hoogte brengen – en ik verzamelde Charlies spullen. Hij had niet in een slaapkamer boven geslapen maar op de bank in zijn vaders studeerkamer, die dichter bij de kamer van Miss Ruby, naast de keuken, lag, en ze had zijn spullen kennelijk steeds opgeruimd. Ik pakte de wekker van de salontafel, vouwde de slaapzak op die hij van thuis had meegenomen, en pakte zijn tandenborstel en tandpasta van de wastafel in het toilet onder het trapportaal. Ik keek rond op de bovenverdieping, maar kennelijk had hij ergens anders gedoucht, in de club of gewoon thuis.

Tegen die tijd was het vier uur 's middags en ik reed naar het County stadion. Het kostte me enige tijd om een deur te vinden die open was en die niet op de sportvelden uitkwam, maar uiteindelijk zag ik een onderhoudsmonteur weggaan door een onopvallende metalen deur. Hij liet me binnen, en daar kwam ik weer iemand tegen, een oudere man, misschien een coach, en die verwees me naar een man in een hemd met korte mouwen en een grijze broek, en nadat ik ieder van hen afzonderlijk had uitgelegd wie ik was en hun had gevraagd waar ik mijn man zou kunnen vinden, kwam ik eindelijk bij Charlies kantoor. Het was kleiner dan ik had gedacht, met ramen die uitkeken op de gang, maar niet naar buiten; het was ongeveer zo groot als het kamertje van de secretaresse van de directeur van de lagere school in Biddle. Charlie had niets aan de muren gehangen, en het blad van zijn bureau was bijna leeg, op een paar stapels papier na. Hij zat met zijn benen over elkaar op het bureau – hij droeg zwarte molières – en hij had een manilla dossier in zijn handen waarin hij zat te lezen.

De deur stond open, maar ik klopte op de aluminium deurpost. Ik zei: 'Stoor ik?'

Toen hij opkeek keek hij blij verrast, maar ook behoedzaam. Hij stond niet op, maar haalde zijn benen van het bureau en zette ze op de grond. 'Wat een verrassing.'

Gezien zijn opgewekte stemming toen we elkaar voor het laatst aan de telefoon hadden gesproken, was het bij me opgekomen dat hij misschien van gedachten was veranderd wat betreft zijn wens dat we – dat ik terugkwam. Ik zei: 'Hoe gaat het?' Voordat hij iets kon zeggen vervolgde ik: 'Ik geloof dat het tijd is dat Ella en ik weer thuiskomen. Ben je het daarmee eens?'

Hij boog zijn hoofd. Dacht hij na over de vraag? Ineens werd ik nerveus. Toen er bijna een minuut in stilte was verstreken, zei ik: 'Charlie?'

Eindelijk hief hij zijn hoofd, hij leek van slag. 'Je overvalt me, dat is alles,' zei hij. 'Natuurlijk moeten jullie thuiskomen. Lindy, ik moet je mijn verontschuldigingen aanbieden. Ik heb me niet als een waardig echtgenoot gedragen.'

'Wat? Ik – nee, Charlie, dat bedoel ik niet. Natuurlijk, we weten allebei dat er dingen beter kunnen, maar...' Mijn stem stierf weg; hij schudde zijn hoofd.

'De Heilige Geest maakte zich kenbaar via jou, Lindy. De Heer heeft ervoor gezorgd dat jij wegging, zodat ik mijn zonden zou inzien en berouw zou krijgen, en er is geen twijfel mogelijk, ik héb gezondigd. Maar ik ben een nieuw mens. Ik ben herboren, en als God me kan vergeven, dan kun jij dat hoop ik ook. Je moet weten dat ik in acht dagen geen druppel heb gedronken.'

Ik verwachtte half dat hij nu zou grijnzen, in lachen zou uitbarsten en zeggen: *Geintje... haha, je trapte erin! Geef toe, je geloofde het!* Alleen zei hij dat niet, en hij maakte geen grapje.

'Is dit...' Ik wachtte even. 'Jadey heeft me verteld dat je met ene pastor Randy omgaat?'

'Hij is een bijzondere man, Lindy. Je zult erg van hem onder de indruk zijn. Hij heeft lang over dit soort problemen nagedacht, en hij kent de strijd, hij begrijpt hoe moeilijk het is om níét te zondigen, maar tjonge, het is zo inspirerend om hem te horen spreken over de beloning die je krijgt als je Jezus als jouw Verlosser aanvaardt.'

'Hoe heb je hem leren kennen?'

'Gek genoeg heeft Miss Ruby ons aan elkaar voorgesteld.'

'O, is hij... is hij zwart?'

Charlie grijnsde. 'Je zou je gezicht eens moeten zien. Nee, Raciaal Verlichte Vrouw, hij is niet zwart.'

'Ik zei niet dat het erg is als hij zwart is, ik vroeg het me alleen af. Ik begrijp uit de manier waarop je over hem praat dat hij een wedergeboren christen is?'

Weer keek Charlie geamuseerd. 'Er is niets mis mee om God te aanbidden, schat. Als je in de nabijheid van Randy bent, voel je echt de aanwezigheid van Christus.'

Er waren verscheidene manieren waarop Charlie had kunnen reageren toen hij me ineens zag opduiken in het stadion, verschillende stemmingen waarin ik hem had kunnen aantreffen – verzoenend of nukkig, hartelijk of blasé – maar in al die jaren dat ik hem nu kende had niets, helemaal niets me hierop voorbereid. Charlie, mijn Charlie, was gelovig geworden? Ik wist dat dit mensen kon overkomen, maar hij was de laatste bij wie ik het had verwacht. Maar goed, als het hem van de drank af hielp, als het hem ertoe bracht verantwoordelijkheid te nemen voor zijn eigen gedrag... ik zal niet ontkennen dat ik die middag heel veel scepsis voelde, maar ik onderdrukte dat gevoel en schreef het toe aan mijn eigen snobisme. De meeste mensen die ik kende gingen naar de kerk; maar ik kende niemand die wedergeboren christen was. Maar had ik niet steeds weer geleerd dat de wereld groter en complexer was dan ik me ooit had voorgesteld, en was dit in feite geen positieve les?

Ik zei: 'Het is toch niet zondig als een echtgenote haar man op dit moment kust?' Ik had het nog niet gevraagd of Charlie stond al op om me te omhelzen. Hem weer in mijn armen te houden, dat vertrouwde lichaam, die lengte, die geur, die huid en dat haar en die kleren – wat een enorme opluchting, voor het eerst sinds weken, nee, jaren, was mijn wereld weer in harmonie. Tegen mijn oor fluisterde Charlie: 'Je weet niet hoe ik je heb gemist.'

Ik hield mijn hoofd schuin naar achteren zodat we elkaar konden aankijken. Ik zei: 'Ella is met Winnie en Jadey naar het zwembad in de club. Je kunt er hier zeker niet even tussenuit?'

Charlie grinnikte. 'Dat moet ik even aan de algemeen directeur vragen.' Hij hield zijn hoofd schuin alsof hij luisterde – er was niets te horen behalve, in de verte, het zoemen van een heel grote ventilator – en toen knikte hij. 'Hij zegt dat het een misdaad zou zijn om hier te blijven met zo'n knappe vrouw als jij.' Charlie zocht wat papieren bij elkaar, stopte ze in zijn aktetas en sloot hem af. Voordat we naar buiten liepen pakte hij mijn hand.

Veertig minuten later lagen we naakt in ons bed, ik op mijn rug en hij boven op me, en vlak voor hij in me kwam, wachtte hij even – op dat moment was ik er klaar voor, meer dan klaar voor – en hij zei ernstig:

'Van nu af aan ga ik de man worden die jij verdient.'

Ik knikte; ik was buiten adem en opgewonden. 'Schiet op,' zei ik.

Na al die jaren zeggen ze dat ik hem voor de keuze heb gezet: 'Jack Daniel's of ik.' Of, in andere versies: 'Jim Beam of ik.' Die ultimatums zullen wel pakkend klinken, maar ik heb ze niet gesteld. Ik heb zelfs niet op een minder krachtige manier gezegd dat ik bij hem weg zou gaan als hij niet stopte met drinken. Ik ben wel een korte periode bij hem weggegaan, en hij stopte inderdaad met drinken, en die gebeurtenissen hebben wel met elkaar te maken, maar niet zo duidelijk of rechtstreeks als een buitenstaander misschien zou denken.

Zijn critici horen deze foutieve anekdote liever dan zijn fans, en ik denk dat het in hun ogen illustreert dat het mijn schuld is – zijn verkiezing is mijn schuld, zijn presidentschap is mijn schuld, zijn oorlog is mijn schuld. Waarom heb ik hem niet gewoon alcoholist gelaten? Er zijn vrouwen genoeg die daar elke dag mee moeten omgaan!

Maar deze beschuldigingen vooronderstellen een consensus over het soort president dat Charlie is geweest; een vreselijke, volgens zijn critici. Vind ik dat hij een vreselijke president is geweest? Ik denk dat het altijd ingewikkelder ligt dan mensen beseffen.

De beschuldigingen vooronderstellen ook dat ik het wist, dat iemand het wist. Maar in 1988 had ik me niet kunnen indenken hoe snel ons leven zou veranderen, en als iemand me het had verteld, zou ik die voorspelling even geloofwaardig hebben gevonden als die van een man op de hoek van een straat met een bord die waarschuwt voor het einde der tijden. *Uw man zal president worden; het einde is nabij.* Ik zou bedaard glimlachend doorgelopen zijn.

Het weekend na mijn terugkeer in Maronee gaven onze vrienden de Laufs een verjaardagsfeestje, waar Joe Thayer ook was, en hij sprak me aan toen ik op weg was naar het lopend buffet. Ik zag aan zijn houding, nog voordat hij iets zei, dat hij gespannen was – van de hartstocht, denk ik. Hij zei: 'Het is niet mijn bedoeling om je onder druk te zetten, Alice, maar heb je nog nagedacht over wat ik in Princeton heb gezegd?'

Hij bedoelde toch niet zijn voorstel om een relatie met elkaar aan te gaan, dat had hij toch alleen onder invloed van alcohol gezegd? Maar dat bedoelde hij wel. Hij staarde me met zo'n vurige blik aan dat ik zou hebben gelachen als er niet die heel lichte dreiging van uitging die een dergelijke hartstocht eigen is.

Ik zei op een, naar ik hoopte, ferme maar niet onvriendelijke manier: 'Joe, ik geef mijn huwelijk niet op.'

'Maar in Princeton...'

Ik schudde mijn hoofd. 'Toen had ik discreter moeten zijn.'

'Alice, je hebt me gekust. Ik kan me niet voorstellen dat je overal alleenstaande mannen kust. Of misschien heb ik het mis, misschien doe je dat wel!' Ik had hem nog nooit zo geagiteerd gezien – misschien had hij het idee dat hij me, zo niet door middel van vleierij, dan toch door aan te dringen kon overhalen, en mocht dat niet lukken, dan door insinuerende lasterpraat. De gedachte ging door me heen dat we allemaal op een bepaalde manier triest zijn, en dat het erom gaat met iemand te trouwen wiens triestheid je kunt verdragen; die van hem zou ik nooit aankunnen. Het kwam bij me op dat Carolyn Thayer zich bij nader inzien misschien toch niet zo heel verschrikkelijk had gedragen.

'Het is onmogelijk,' zei ik, en om zijn ego te sparen probeerde ik iets van spijt in mijn woorden te leggen. Misschien was het een grappige speling van het lot dat Charlie degene was die me zonder zich ervan bewust te zijn redde; hij stond ineens naast me, legde een hand op mijn rug en zei tegen Joe: 'Joe T., wanneer ga je een keer met ons mee naar een wedstrijd? Zeg maar welke avond je wilt, dan hebben wij een ticket voor je klaarliggen.'

Joe leek even adem te moeten happen. Op sarcastische toon zei hij: 'Ben jij even gul.'

'Verrek, kerel, we zouden er een mannenavond van moeten maken.' Charlie knikte in mijn richting. 'Deze dame zal meer wedstrijden moeten uitzitten dan haar lief is, dus zij mag wel eens een avondje vrijaf. Maar geef je broer een belletje, dan bekijken we wanneer het het beste uitkomt en prikken we een datum.' Charlie boog zich naar hem toe en zei iets zachter: 'Ik weet niet of je alweer zoekende bent, maar Zeke Langenbacher heeft een zeer aantrekkelijke jongedame als assistente in dienst, een supermeisje uit een heel aardige familie in Louisville, en ik zou jullie graag koppelen. Alice, doe je oren dicht.' Dat deed ik niet – dat wist hij best – en hij zei: 'En ze heeft een flinke bos hout voor de deur.'

'Charlie!' Ik gaf hem een tik, hoewel ik op dat moment eigenlijk heel veel van mijn man hield. Het herinnerde me eraan, ondanks Joe's sarcasme, hoe oprecht gul en aardig Charlie kon zijn. Joe's ogen spuwden vuur – ik weet zeker dat hij Charlie op dat moment evenzeer haatte als ik hem aanbad – en vanaf dat moment heeft Joe ons gemeden zolang we in Maronee woonden. Hij deed het op zo'n manier dat het me zou opvallen, waarbij hij me aankeek als we elkaar ergens tegenkwamen, om vervolgens met een felle draai weg te kijken en niets tegen me te zeggen. Voor zover ik weet zijn hij en Charlie nooit samen naar een wedstrijd geweest.

Jadey had me pas bij mijn terugkeer in Milwaukee verteld dat mijn vertrek naar Riley Arthur had wakker geschud; op de middag na die ene onzalige nacht die Charlie bij hen had doorgebracht, was Arthur midden op de dag van zijn werk thuisgekomen en had huilend tegen Jadey gezegd dat als zij hem ooit verliet, hij helemaal verloren zou zijn en liever dood zou willen; vervolgens hadden ze hartstochtelijk gevreeën; en sinds die tijd aanbad hij haar en had hij zelfs twee keer, zonder enige aanleiding, bloemen voor haar meegebracht. ('In één boeket zaten anjers,' zei ze, 'maar hij doet zijn best.') Ze vertelde hem niet hoeveel pijn hij haar had gedaan met zijn commentaar op haar gewicht, en ook niet dat ze vol geestdrift een buitenechtelijke affaire had overwogen; ze had besloten dat ze beter geen slapende honden wakker kon maken. Ze zei: 'Misschien moet je wat vaker weglopen, dat is voor Arthur kennelijk een zeer krachtig afrodisiacum.'

'Ik ben blij dat ik jullie van dienst heb kunnen zijn,' zei ik.

Voor Charlie en Ella en mij als gezin waren de vijf à zes jaar daarna waarschijnlijk de gelukkigste. Zoals iedereen had verwacht, was Charlie geknipt voor zijn nieuwe functie bij de Brewers. Hij woonde vrijwel alle thuiswedstrijden bij, en ook sommige uitwedstrijden, en Ella en ik gingen heel vaak mee, hoewel een avond honkbal moeten kijken met ons twee Ella naarmate ze ouder werd steeds minder kon bekoren. Maar ik koester echt dierbare herinneringen aan al die doordeweekse en zaterdagavonden en zondagmiddagen – de keren dat het waaide en zonnig was, de keren dat het ondraaglijk warm was en we verbrand thuiskwamen, de keren dat we dicht tegen elkaar aan in een regenjas zaten te wachten tot de scheidsrechters een eind aan de wedstrijd maakten. We aten hotdogs en patat, we kletsten met de mensen om ons heen, soms zaten we zelfs tweede rang zodat Charlie zich onder de toeschouwers kon mengen en handtekeningen kon uitdelen, en het deed hem bijzonder veel genoegen om honkballen te signeren (ik nam aan dat zitplaatsen bovenin een idee waren van Zeke Langenbacher, maar later kwam ik erachter dat Hank Ucker dat had bedacht), en ik leefde echt mee met het winnen en verliezen van het team. Het nieuwe stadion was klaar in 1992, gebouwd op hetzelfde terrein als het oude, dat afgebroken werd; het nieuwe heeft, onder andere, skyboxes en een schuifdak. Ik kan niet zeggen dat het me verbaasde dat beide stadions in het kiesdistrict van Ed Blackwell bleken te liggen. Omdat het nieuwe stadion door de gemeenschap werd gefinancierd, was het gepaard gegaan met flink wat discussies, en ik geloof werkelijk dat Charlie die problemen beheerst en verstandig heeft aangepakt. Hij had nog nooit van zijn leven zo hard gewerkt als in die jaren, en bij de openingswedstrijd in het nieuwe stadion was ik apetrots op hem.

In 1993 nam Charlie het besluit zich verkiesbaar te stellen als gouverneur – natuurlijk op aandringen van Hank Ucker – en hij werd in 1994 verkozen. Ook dat was een keerpunt in ons leven, maar niet zo goed als het keerpunt in het jaar 2000.

Toen hadden we nooit kunnen voorzien wat voor gevolgen Charlies geloof zou hebben. Het best was natuurlijk zijn oprechtheid. Daarmee heeft hij denk ik de meeste kiezers voor zich gewonnen – hij mag dan soms prikkelbaar en pedant zijn, maar hij is altijd oprecht. Zelfs wanneer hij geacht wordt formeel te blijven, laat hij in zijn oprechtheid zien dat hij een rol speelt: hij knipoogt, trekt gezichten of laat in elk geval merken dat hij dat zou willen. Vaak zei hij tijdens zijn eerste presidentscampagne, wanneer hij probeerde het verschil aan te geven tussen hem en de vertrekkende president, die alom werd gezien als een gladde praatjesmaker: 'Je krijgt wat je ziet.' Daarbij grijnsde hij schalks. Ik heb soms zin om kiezers daar nu aan te herinneren; tegenover hen noch tegenover mij heeft Charlie zich ooit anders voorgedaan dan hij is.

Lang voor zijn gooi naar het presidentschap, voordat ons al niet bepaald alledaagse leven het onwerkelijke kreeg van een sprookje, vond zijn familie zijn bekering tot het geloof een giller. Als Arthur tijdens het eten over een pas gespeelde wedstrijd van de Packers zei: 'Godverdomme, wat een zooi was dat,' kon Charlie met joviale ernst zeggen: 'Je weet dat ik dat soort taal niet op prijs stel,' en dan zei Arthur: 'Jezus christus, Chas, doe niet zo uit de hoogte.' Of: 'Godsklere, waar is je gevoel voor humor gebleven!' (In feite gebruikte Charlie nog graag grove taal – alleen als de naam van de Heer ijdel werd gebruikt, stoorde hem dat.) Hij kocht ook geen pornoblaadjes meer, wat ik prettig vond, maar omdat ik het gevoel had dat hij ze zou missen, kocht ik een boek met artistieke zwart-witfoto's van vrouwelijk naakt voor hem. Waarschijnlijk was het een armzalig substituut.

Charlie had zich aangesloten bij een gebedsgroep van mannen die één keer in de week bij elkaar kwam, soms bij ons thuis. Pastor Randy – nu hij hoofd van de Oecumenische Raad is geworden staat hij bekend als Randall Kniss – had een vaste plek in ons leven gekregen. We bezochten trouw elke zondag Heavenly Rose, we zeiden een dankwoord voor elke maaltijd (Charlie deed het zelfs in restaurants of bij etentjes, wat ik een tikje demonstratief vond, maar ik hield me in en zei er niets over), en Charlie las elke avond voor het naar bed gaan in de Bijbel.

Die zomer van 1988 waren we niet veel in Halcyon, we reden er alleen een paar keer voor het weekend naartoe, omdat Charlie het druk had met de Brewers en omdat hij bang was dat het moeilijker zou zijn om niet te drinken in aanwezigheid van zijn broers, vooral Arthur. Op een keer, ongeveer een maand nadat ik uit Riley was teruggekomen, werd ik om middernacht wakker en constateerde dat Charlie niet naast me lag, hoewel we ruim een uur daarvoor tegelijk naar bed waren gegaan. Omdat ik beneden stemmen meende te horen, liep ik de gang op en bleef boven aan de trap staan; er waren beslist mensen aan het praten – het leek wel zingen – in de televisiekamer. Pas toen ik beneden was kon ik duidelijk horen wat ze zeiden, en wie het was, maar voordat ik de kamer in ging bleef ik staan. In de deuropening zag ik dat mijn man en de stevige, blozende Randy naast elkaar op hun knieën zaten, met de handen gevouwen en hun ogen dicht, en Charlie huilde; steeds opnieuw reciteerden ze het gebed van de zondaar. Ik trok me terug.

Hij was in de verleiding gekomen om een whisky te drinken, vertelde Charlie me de volgende ochtend, zo erg dat hij er niet van had kunnen slapen. Hij had pastor Randy gebeld omdat die dit soort verlangens begreep, en toen ze samen hadden gebeden was de behoefte verdwenen; Satan was ergens anders naartoe gegaan met zijn verzoekingen. Dit gebeurde vaker, dat Randy 's avonds laat kwam, maar ik ben er nooit meer mijn bed voor uit gegaan. Ik ben er niet trots op, maar wat ik die avond zag toen ik de kamer in keek – het irriteerde me. Het kwam niet zozeer door de persoon van Randy als wel door het gebed, die passie die ik nooit zou delen. Charlie was buiten mijn bereik, ergens waarheen ik hem niet kon volgen.

Maar ik moet erbij opmerken dat ik, ondanks al mijn verzet tegen belijdende godsdienst, denk dat Charlie zonder zijn geloof niet met drinken had kunnen stoppen. Het bood hem een manier om zijn gedrag te structureren, en een manier om dat gedrag, zowel in het verleden als in het heden, tegenover zichzelf te verklaren. Misschien hebben boeken voor mij hetzelfde gedaan – wat is een verhaal anders dan orde scheppen in onsamenhangende gebeurtenissen? – en misschien is mijn leeshonger altijd mijn geloof geweest.

Pas jaren later, eigenlijk pas heel kort geleden, heb ik gehoord hoe Miss Ruby ervoor had gezorgd dat Charlie en pastor Randy elkaar hadden leren kennen: ze had de geestelijke in de *Gouden Gids* gevonden onder het kopje KERKGENOOTSCHAPPEN. Omdat ze zelf een trouwe bezoekster was van de baptistenkerk in Harambee had Miss Ruby aangevoeld dat Charlie baat zou hebben bij spirituele ondersteuning, en toen ze pastor Randy aan de telefoon had gekregen, had ze hem gevraagd een huisbezoek bij Charlie af te leggen. Jessica Sutton was degene die me dit vertelde, en ik zei: 'Maar waarom heeft Miss Ruby niet de predikant van haar eigen kerk gevraagd om met Charlie te gaan praten?'

Jessica is nu eenendertig, een lange, evenwichtige, bijdehante tante die aan Yale heeft gestudeerd en aan de Kennedy School van Harvard, en momenteel mijn stafhoofd is; tijdens Charlies eerste termijn in het Witte Huis was ze mijn plaatsvervangend stafhoofd en aan het begin van zijn tweede termijn, toen haar voorgangster vertrok, heb ik haar bevorderd. Ik weet bijna zeker dat Jessica ook een democraat is, hoewel er bepaalde onderwerpen zijn die we mijden. Ze lachte om mijn vraag en hoewel haar woorden vernietigend waren, was haar toon hartelijk, een beetje plagerig. Ze zei: 'Grootmoeder had het idee dat hij niet naar een zwarte man zou luisteren.'

DEEL IV

Pennsylviana Avenue 1600

Vandaag gaat, net als altijd als we in Washington zijn, de telefoon aan Charlies kant van het bed om kwart voor zes. Nadat hij heeft opgenomen, staat hij op en loopt naar zijn badkamer (ik ben me hiervan, beneveld door mijn eigen slaap, half bewust) en doet dan de deur open tussen onze slaapkamer en de gang, waar een jongen staat te wachten om hem de kranten aan te reiken. Het is net een hotel, alleen komt er behalve de kranten ook nog een mens bij kijken; God verhoede dat de president van de Verenigde Staten zich zou moeten bukken of uitstrekken.

Charlie loopt ermee naar mijn kant van het bed: *The New York Times*, *The Washington Post*, *The Wall Street Journal*. Hij fluit terwijl hij aan komt lopen – hij fluit 'Zip-a-Dee-Doo-Dah' – en als ik overeind ga zitten, zie ik dat hij de kranten net buiten mijn bereik houdt. Hij zegt: 'Je mag ze alleen lezen als je niet over Mr. Sympathy begint te zeiken.'

Mr. Sympathy is de bijnaam die Charlie heeft bedacht voor Edgar Franklin, een gepensioneerde kolonel uit het Amerikaanse leger en vader van een soldaat die twee jaar geleden, op zijn eenentwintigste, als gevolg van een bermbom is omgekomen. Tot nu toe heeft kolonel Franklin één nacht doorgebracht in een tent in het Ellipse-park, ten zuiden van het Witte Huis en ten noorden van het Washington Monument, en hij heeft vier nachten in dezelfde tent geslapen op een gazon van achttien vierkante meter aan 4th Street SE, vlak achter het Capitool en ruim vier kilometer van het Witte Huis; daar heeft hij ook zijn dagen doorgebracht in de hoop Charlie te kunnen spreken. Het is de eerste week van juni, en het was gisteren 36 graden, de klamme vochtigheid van Washington maakt het benauwd. Ik durf te wedden dat de temperatuur buiten, op dit vroege uur al, minstens 27 graden is.

Ik strek beide armen uit naar de kranten, maar Charlie schudt zijn hoofd. 'Ik heb je nog niets horen beloven.'

'Zijn er nieuwe ontwikkelingen?'

Hij trekt een gezicht vol weerzin. 'Die vent is een pion van de democraten. Ik durf te wedden dat hij betaald wordt door een stel linkse malloten.'

'Ik denk niet dat hij betaald wordt,' zei ik.

'Geef me je woord – en geen gelobby.'

'Ik geef je mijn woord,' zeg ik en Charlie gooit de kranten op het dekbed; ze komen met een plofje neer. Als hij terugkeert naar de badkamer, zegt hij over zijn schouder: 'Kijk even in het economische katern, want ik heb een gerucht opgevangen dat General Electric en Alitalia gaan fuseren.'

'Heel grappig.' Dit grapje heb ik al zo vaak gehoord dat de clou – *En ze noemen het Genitalia!* – niet meer gezegd hoeft te worden. De tweede grap die Charlie graag maakt wanneer hij de kranten aanreikt, heeft met de beurzen te maken: *Ik hoor net op het beursjournaal dat Northern-toiletpapier gisteren flink is gezakt. Retediep.*

Meestal lees ik eerst van elke krant de koppen op de voorpagina en dan het hoofdartikel en de opiniepagina's, te beginnen met de *Times* en als er geen bijzonder alarmerend nieuws is, ga ik door naar het kunstkatern, dat ik van A tot Z lees. Op de voorpagina van de *Times* van vandaag gaan de koppen over een helikopterongeluk gistermiddag waarbij zes mariniers zijn omgekomen; over de bezoeken die de door Charlie voorgedragen kandidate voor het Hooggerechtshof, Ingrid Sanchez, vanmiddag zal afleggen bij verschillende senatoren, voorafgaand aan de hoorzitting waarbij ze benoemd zal worden; over het Congres dat moet stemmen over het nieuwe energiewetsvoorstel; over de schade als gevolg van een overstroming in South-Dakota; over Edgar Franklin; en ten slotte, ook op de voorpagina, een artikel over de steeds populairder wordende chirurgische ingreep die bekendstaat als 'vaginale verjonging'. Na het lezen van het stuk over Edgar Franklin ga ik door naar de kunst: een profiel van een negentienjarige hiphopkunstenaar genaamd Shaneece, geen achternaam; een recensie van een biografie over Mary Cassatt; recensies over een opera in San Francisco, twee toneelstukken in New York en een keramiektentoonstelling in Santa Fe. Wanneer ik dat katern uit heb, ga ik terug naar het harde nieuws, dat ik ook grondig lees, althans in de *Times*; in de *Post* lees ik alleen de artikelen helemaal die over Charlies regering gaan, en de rubriek 'Stijl', inclusief, ik geef het toe, 'De Betrouwbare Bron'.

Charlie en ik slapen in wat technisch gesproken de presidentsslaapkamer is – veel echtparen hebben in dit huis apart geslapen, en de aangrenzende kamer van de first lady is in feite groter dan die van de president, met een eigen zit- en badkamer, die ik wel gebruik. (In de zitkamer staan ook mijn papier-maché Gulle Boom en de buste van Nefertiti die ik van mijn grootmoeder heb geërfd; Charlie bestempelde de buste als 'te eng' voor onze slaapkamer. Terwijl ik lees, doucht en scheert Charlie zich en poetst hij zijn tanden op muziek van Mozart via een Bose-stereo-installatie die in een nis in de muur van zijn badkamer staat. Hoewel hij niet heeft geleerd wat het verschil is tussen barok en romantiek, en niet wil weten welke componist wat heeft geschreven, is klassieke muziek iets wat Charlie tijdens zijn gouverneurschap heeft leren waarderen, toen we naar symfonie-uitvoeringen gingen in het Oscar Mayer Theater in Madison. Ik heb gemengde gevoelens wat betreft de muzikale voorkeur die hij op latere leeftijd aan de dag legt – ik ben blij dat hij ervan geniet, maar ik kan er niets aan doen dat ik vermoed dat die voorkeur direct te maken heeft met zijn jachtige leven, de vele eisen die er aan hem gesteld worden. Ik weet vrijwel zeker dat hij van klassieke muziek houdt om wat het níét heeft, namelijk woorden of verzoeken of kritiek. Het is alleen melodie en sfeer, en zolang die sfeer niet te somber wordt, wordt hij er rustig van.

Toen Edgar Franklin net zijn tent had opgeslagen in het Ellipse-park, moffelde de *Times*-artikelen over hem weg – op pagina A16 of A19 – en de eerste berichten waren niet langer dan een zesde deel van een pagina. Het artikel van vandaag, na de twee kolommen op de opiniepagina van gisteren, is tot nu toe het opvallendst: hij is niet van plan om te vertrekken en hij heeft bijval gekregen van honderden mensen, die de nacht doorbrengen bij vrienden of onbekenden in rijtjeshuizen of appartementen in de hele stad, in hotels en motels, in een eigen tent op kampeerterreinen helemaal in Millersville, Maryland, of Lake Fairfax Park in Virginia, en elke ochtend terugkeren naar Capitol Hill. Kolonel Franklin heeft ook tientallen bossen bloemen ontvangen, honderden kilo's voedsel, donaties van duizenden dollars, en hij heeft gezelschap gekregen van een dagbladjournalist uit Manhattan die onbetaald verlof heeft genomen. Als reactie hierop citeert de *Times* een woordvoerster van het Witte Huis, Margaret Carpeni (Maggie is eenendertig, een atletische jonge vrouw die twee marathons heeft gelopen en die zojuist haar relatie heeft verbroken met haar vriend, een arts in opleiding, al weet niemand van ons waarom) die zondag heeft gezegd: 'De president blijft bidden voor onze gesneuvelde soldaten en hun dierbaren die achterblijven, waarmee hij het ultieme offer erkent dat deze mensen hebben gebracht om de vrijheid en onafhankelijkheid in de Verenigde Staten en over de hele wereld te beschermen.'

Het is een gespierde Afro-Amerikaan, Edgar Franklin, zesenvijftig jaar oud, en de afgelopen vijf dagen heeft hij niet zijn legeruniform gedragen – als hij dat wel had gedaan, zou ik me meer aan Charlies zijde scharen, omdat ik het theatrale aspect daarvan zou wantrouwen – maar een kaki broek en een blauw of wit overhemd met korte mouwen, waaronder zijn hemd te zien is. Hij ziet er opmerkelijk fris uit voor iemand die nachten in een tent heeft geslapen, hoewel ik denk dat hij elke ochtend doucht in het huis van het echtpaar bij wie hij op het gazon is neergestreken. Toen hij aanvankelijk zijn tent had opgeslagen in het Ellipse-park, werd hij daar snel weggestuurd. Hoewel hij gearresteerd had kunnen worden, kwam hij ervan af met een boete (hij heeft verslaggevers verteld dat hij die zal betalen) en op dat moment had een sympathiserend stel van achter in de dertig dat op Capitol Hill woont hem hun voortuin aangeboden. Of kolonel Franklin nog steeds de kampeerwet overtreedt is een vraag waar de adviescommissie van de wijk, die voor het overgrote deel liberaal is, zich verder niet over lijkt te willen buigen.

Wat Edgar Franklin wil is dit: een ontmoeting met mijn man om hem te vertellen waarom volgens hem de oorlog zinloos is en waarom de VS de troepen terug zouden moeten halen. In het voorjaar van 2005 was Edgar Franklins enig kind, Nathaniel 'Nate' Franklin, om het leven gekomen als gevolg van een bermbom in een noordelijke provincie. Edgar was al weduwnaar, nadat zijn vrouw Wanda in 1996 aan darmkanker was overleden. Edgar zelf had in Vietnam gevochten – hij was op zijn achttiende in het leger gegaan – en hij bleef dertig jaar in dienst, waarin hij uiteindelijk was uitgezonden naar zes oorlogsgebieden en tot officier was bevorderd. In kranten en televisie-interviews, die elke dag veelvuldiger worden, kraakt hij niet terloops mijn man af. Hij is niet erg spraakzaam en ook niet slordig in zijn woordkeuze. Hij zegt: 'Ik kon het niet met mijn geweten in overeenstemming brengen te blijven zwijgen.' Hij is natuurlijk bekritiseerd door verscheidene ex-collega's uit het leger.

Zijn droefheid, zijn flinke voorkomen, met zorg gekozen kleding en beknopte commentaar – het achtervolgt me. Ik heb een van mijn medewerkers gevraagd om uit te zoeken of kolonel Franklin, net als zijn zoon, enig kind is, en tot mijn grote opluchting bleek hij dat niet te zijn. Kolonel Franklin groeide op in Valdosta, Georgia, als tweede van vijf kinderen, van wie de rest allemaal meisjes waren: Deborah, nu achtenvijftig, nog steeds woonachtig in Valdosta waar ze een crèche aan huis heeft; Pamela zou drieënvijftig zijn maar is overleden (ze leed aan suikerziekte); Cynthia, vijftig, huisvrouw in Dallas; en Cheryl, zevenenveertig, medewerkster op een advocatenkantoor in Atlanta. Cynthia is ook moeder van een militair – haar zoon is bij de speciale commando's in het buitenland – en wees de actie van haar broer donderdag af in *The Dallas Morning News*, en weigerde daarna verder iets in het openbaar te zeggen; volgens het artikel in de *Times* van vandaag had Cheryl zich gisteren bij kolonel Franklin in Washington gevoegd.

Toen het gebeuren afgelopen woensdag bekend werd, zei Charlie tegen me: 'Je kunt de oppositie niet de voorwaarden van het debat laten dicteren,' en later die dag, toen Hank Ucker en ik elkaar tegenkwamen in de gang voor de commandokamer – Hank is nu Charlies stafhoofd – zei hij: 'De president heeft me verteld dat die zaak van Franklin je niet loslaat, maar geloof me, Alice, toegeven aan zijn eisen zou een gevaarlijk precedent scheppen. Je kunt de oppositie niet de voorwaarden van het debat laten dicteren.' Voor mij is duidelijk wie van hen de ander napraat; we kennen elkaar allemaal al langer dan vandaag.

Charlie komt uit de badkamer tevoorschijn met een handdoek om zijn middel, zijn bovenlichaam is bloot. Hoewel hij door het presidentschap ouder is geworden, zoals dat bij alle mannen in dit ambt gebeurt – zijn haar is nu grijzer, zijn gezicht heeft meer rimpels – is hij nog steeds bijzonder fit en knap. Hij komt naar me toe en kust me op mijn neus. 'En, hoe heb ik vandaag de wereld in het honderd gestuurd?'

'Er is een Broadway-productie van *Anything Goes* die een geweldige recensie krijgt,' zei ik.

'Wat staat erin over Ingrid?'

Ik zeg op een toon die ik neutraal wil laten overkomen: 'Ze proberen voornamelijk haar standpunt over abortus te peilen.' Ingrid Sanchez, Charlies kandidaat voor het Hooggerechtshof, was in Michigan officier van justitie en daarna rechter bij de raad van beroep voor het zesde district. Ze is praktiserend katholiek en lekenpredikant in haar lokale kerk, en hoewel ze geen officiële uitspraak heeft gedaan over het onderwerp, wordt er veelal van uitgegaan dat ze tegen abortus is. Ze blijkt ook een smetteloze staat van dienst te hebben, en het feit dat ze een vrouw is maakt protesteren tegen haar benoeming lastiger voor vrouwengroepen, wat niet wil zeggen dat die zich koest houden. Charlies laatste benoeming, de nieuwe opperrechter die in september 2006 aantrad, is ook een conservatief, hoewel zijn standpunt over abortus, zelfs na zijn eerste termijn, ambigu blijft. Als Ingrid Sanchez wordt benoemd is het mogelijk dat het hof het arrest 'Roe versus Wade' zal vernietigen. Hoewel het me een ongemakkelijk gevoel geeft, heb ik hier niets over te zeggen, en het is ook niet zo dat Charlie niet weet hoe ik erover denk; het hele land weet hoe ik erover denk. Kort voor Charlies eerste inauguratie vroeg de presentator van een nationaal ochtendnieuwsprogramma of ik vond dat abortus gelegaliseerd moest worden, en ik zei 'ja'. Toen dezelfde anchorman me in 2004 vroeg of ik van gedachten was veranderd, zei ik 'nee'. Hoewel ik er in beide gevallen niet nader op inging, was het beide keren een vraag waarvoor ik van tevoren toestemming had gegeven.

'Typisch de *Times*,' zegt Charlie, met opengesperde neusgaten van irritatie. 'Ingrid heeft bijna dertig jaar ervaring op het gebied van wetgeving en justitie, en zij moeten dat terugbrengen tot één kwestie.'

'Lieverd, ik denk dat zoiets te verwachten is. De republikeinen zijn even nieuwsgierig als de democraten.' Ook al leest Charlie niet regelmatig de krant en verlaat hij zich in plaats daarvan op briefings van zijn staf, zijn minachting voor *The New York Times* is bijzonder groot. Dit is ironisch, gezien het feit dat hij en Arthur vroeger als we 's zomers in Halcyon waren, een uur en vijfentwintig minuten naar Green Bay reden om de zondagseditie van de *Times* te kopen; ze belden dan van tevoren naar de kruidenier om een exemplaar te reserveren.

Ik duw het laken en het dekbed weg en sta op, terwijl ik mijn armen om Charlie heen sla en de geur van zijn hals en schouder opsnuif. 'Je ruikt lekker schoon,' zeg ik. Ik pak de dunne leren map van zijn nachtkastje en sla hem open. Deze mappen – ik heb er precies zo een op mijn nachtkastje – bevatten ons dagprogramma. Voordat we naar bed gaan, krijgen we allebei een exemplaar van ons eigen programma en van dat van de ander.

Bij hem staat op het menu: briefings geheime dienst en FBI, later op de ochtend een speech op een congres voor leidinggevenden in de detailhandel in Columbus, Ohio, een fondsenwervingslunch in Buffalo, en vanmiddag een bespreking met zijn economisch adviseurs in het Oval Office, waarvoor en waarna hij een paar telefoontjes zal plegen over Ingrid Sanchez. Vanavond om acht uur is er een gala in het Witte Huis, getiteld 'Studenten en docenten brengen een groet aan Alice Blackwell', wat ik heel gênant vind. Zoals Hank me voorhield toen hij er in april mijn toestemming voor vroeg, is het populariteitscijfer voor Charlie gedaald tot tweeëndertig procent, terwijl dat van mij op drieëntachtig procent blijft hangen; ik ben naar men zegt de op een na meest bewonderde vrouw in de Verenigde Staten, vlak na Oprah Winfrey. (Hoe belachelijk ook, deze cijfers zijn niet eens het belachelijkste aspect van mijn leven.) 'Door de Amerikanen eraan te herinneren hoeveel ze van jou houden, herinneren we hen eraan dat ze van de president houden,' zei Hank tegen me. 'Je doet het gewoon voor de anderen, en het enige wat er van je wordt verwacht is dat je daar opdraaft en doet alsof je een ego hebt als de rest van ons.'

Charlie werpt een blik op zijn programma, en trekt dan het mijne eronderuit. 'Je gaat vandaag niet weg, toch?'

Ik knik. 'Het borstkankercomité is in Arlington.'

'Een tietentop, hm?' Charlie grijnst. 'Nog hulp nodig bij het zelfonderzoek?'

'Ga je aankleden.' Ik duw hem weg en draai me om om ons bed op te maken, een gewoonte die de dienstmeisjes naar verluidt hilarisch vinden, maar die ik niet wil opgeven. Voordat wij hier, ruim zes jaar geleden, introkken, werden alle lakens dagelijks verschoond, maar om geen water te hoeven verspillen, verzocht ik om ze niet vaker te verschonen dan één keer per week, zelfs voor Charlie en mij.

Hij duikt een paar minuten later weer op in een mooi wit overhemd, een antracietkleurig pak en een rode das met witte stippeltjes. 'Je ziet er goed uit,' zeg ik.

'Vind je het spannend om vanavond de belle van het bal te zijn?'

Droogjes zeg ik: 'Ik kan niet wachten.'

'Je ziet er toch niet tegenop? Lindy, jij verdient de erkenning. De mensen hebben er geen idee van hoeveel je hebt gedaan, niet alleen voor de regering, maar voor het land.'

Dit is praat waar ik niet van hou, praat zoals je hoopt dat anderen over jou zouden praten, geloven wat ze over je schrijven, of wat je zou willen dat ze over je schrijven. Hoewel ik probeer in het openbaar zowel complimenten als kritiek op een elegante manier te aanvaarden, weiger ik in mijn privéleven mezelf op de borst te slaan voor vage prestaties die bij mijn positie horen – rolmodel zijn, leiderschap tonen – en tegelijkertijd reken ik mezelf niet de grove, algemene nalatigheden aan waarvoor ik door mijn criticasters verantwoordelijk word gehouden. Voor anderen ben ik een symbool; voor mezelf ben ik altijd alleen maar ik geweest.

Ik leg mijn handen op Charlies schouders, we buigen naar elkaar toe en geven elkaar een mentholfrisse tandpastakus. 'Ella komt rond vier uur, en daarna moet ik hier een koor van derdeklassers rondleiden, maar ik hoop wel dat we nog even kunnen ontspannen,' zeg ik. (Dat onze dochter thuiskomt voor het gala van vanavond is naar mijn mening het grootste pluspunt; hoewel ik probeer haar niet onder druk te zetten, vind ik het heerlijk als ze komt.) 'Als je wilt dat we even langskomen, als je een minuutje tijd hebt, laat Michael dan bellen.'

'Komt Wyatt niet met haar mee?' Wyatt is sinds anderhalf jaar Ella's vriend. Ze werken allebei als consultant bij Goldman Sachs in Manhattan, en Charlie speelt graag tennis met Wyatt omdat die goed genoeg is om een uitdaging te zijn maar niet zo goed dat Charlie niet het plezier kan beleven een man te verslaan die half zo oud is als hij.

Ik zeg: 'Nou, Ella vertrekt morgen weer, dus het is een bliksembezoekje. Fijne dag, en wees voorzichtig.' Dit zeg ik elke ochtend tegen Charlie. Je zou denken – ik had gedacht – dat een president en zijn vrouw een heel ander vocabulaire zouden bezigen, waarin de voortdurende mogelijkheid van een nationale of internationale ramp, de last van een land, besloten lag. En er bestaat inderdaad Witte Huis-jargon – FLOTUS (First Lady of the United States) en zwembadspray en 'the football' – maar het blijkt dat we ons voor het grootste deel kunnen behelpen met dezelfde woorden die we altijd al gebruikten.

'Ik hou van je, Lindy,' zegt Charlie. Het is tien voor halfzeven, en van hieruit gaat hij naar de familie-eetkamer voor het ontbijt, waar Hank en Debbie Bell, een van de adviseurs, op hem wachten; ze komen dagelijks bijeen en noemen zichzelf De Havervlokken. Vanuit de eetkamer gaat Charlie naar het Oval Office voor zijn briefings, en daarna meteen door naar de South Lawn voor de korte tocht in de *Marine One* naar Andrews Air Force Base en de langere vlucht naar Columbus. (Charlie laat zich tijdens beide termijnen als president vooral voorstaan op zijn punctualiteit.)

Op dit vroege ochtenduur doet hij me altijd denken aan een acteur die het toneel op gaat, een verzekeringsagent, of misschien de eigenaar van de ijzerhandel die de hoofdrol in de wacht heeft gesleept in de buurttheaterproductie *The Music Man*. O, wat wil ik hem graag beschermen! O, dat bizarre leven van ons, inmiddels vertrouwd en routineus, maar nog steeds zo vreemd. 'Ik ook van jou,' zei ik.

Dit deel is bij iedereen bekend: dat Charlie in het jaar 2000 de presidentsverkiezingen heeft gewonnen met een krappere meerderheid dan iedere andere kandidaat in de geschiedenis van de VS, dat zijn opponent feitelijk meer stemmen van het volk kreeg en Charlie meer van het kiescollege; dat de uiteindelijke beslissing werd genomen door het Hooggerechtshof, dat met vijf tegen vier voor Charlie stemde; dat hij bij zijn inauguratie in januari 2001 een plechtige belofte aflegde om te werken op een allesomvattende manier met twee partijen, een belofte waarvan ik denk dat hij zich eraan heeft willen houden; dat er acht maanden later terroristische aanslagen werden gepleegd in New York en Washington D.C., waarbij bijna drieduizend Amerikanen omkwamen; dat het Congres, eerst in oktober 2001 en opnieuw in maart 2003, zijn goedkeuring gaf aan het gebruik van geweld tegen landen die terroristische groeperingen onderdak boden en massavernietigingswapens verborgen hielden; dat Charlies adviseurs en Charlie zelf het Amerikaanse volk voorhielden dat de oorlog snel afgelopen zou zijn, dat ze zelfs al zes weken na de invasie in maart 2003 meenden dat de voornaamste gevechtsacties volbracht waren, zoals Charlie tijdens een beroemde speech verklaarde aan boord van een enorm oorlogsschip, maar die nu, in het vierde jaar, bloediger en chaotischer is dan ooit. Meer dan drieduizend Amerikaanse soldaten zijn omgekomen, evenveel als bij de terroristische aanslagen, en bijna vijfentwintigduizend zijn gewond geraakt. Wat betreft buitenlandse slachtoffers variëren de schattingen tussen de zeventigduizend doden tot tien keer zoveel. Elke dag zijn er autobommen en zelfmoordaanslagen, gewapende mannen die op politieagenten schieten, mortieraanvallen op huizen en scholen, sluipschuttersvuur voor moskeeën, onthoofdingen op controleposten. Charlie en zijn adviseurs hebben het tegenwoordig over vrijheid, over opnieuw vormgeven aan een gebied en verandering van een ideologie, over afmaken waaraan ze zijn begonnen in plaats van het bijltje erbij neergooien en wegvluchten; zijn tegenstanders hebben het over politiek moeras en burgeroorlog. Sommige van de mensen die eerst achter hem stonden, zijn nu tegenstanders van hem.

Toen we op 8 november 2000 om vier uur 's ochtends gingen slapen, dacht ik niet dat Charlie de verkiezing had gewonnen, en ik vond het erg voor hem maar tegelijkertijd was ik opgelucht voor ons, voor ons gezin. Ik had niet gewild dat hij zich kandidaat stelde als gouverneur van Wisconsin in 1994, en ik had niet gewild dat hij zich kandidaat stelde voor het presidentschap. Ik wist dat we, wat we toen al voor een groot deel kwijtgeraakt waren – boodschappen doen in een supermarkt, rustig uit eten in een restaurant, een wandeling alleen of met een vriendin, of gewoon op zaterdag een boek lezen en het huis opruimen, zonder verplichtingen – helemaal kwijt zouden raken als Charlie president werd. Ik wilde niet in de schijnwerpers staan, niet onze privacy en onze laatste banden met het normale leven kwijtraken.

Toen de uitslag langer dan een maand op zich liet wachten, hielden we ons rustig in de gouverneurswoning in Madison; ik las, ging lunchen bij vrienden en bezocht een paar bijeenkomsten van groepen waarmee ik te maken had gekregen als echtgenote van de gouverneur van Wisconsin, terwijl Charlie en Hank Ucker met verschillende adviseurs, juristen en dat soort lieden dringende, geheime besprekingen voerden en de media meden. Toen Charlie op 12 december, na hertellingen en rechtszaken, werd uitgeroepen tot president, dacht ik bij mezelf: we slaan ons er wel doorheen. Er zouden gevaren zijn, maar we zouden ons erdoorheen slaan alsof het een tornado was: bukken, armen boven je hoofd kruisen. Niet letterlijk natuurlijk – letterlijk zou ik me neerleggen bij alles wat openbaar en verplicht was, zou ik opdraven wanneer dat van me verwacht werd – maar zo dacht ik erover. Minstens vier jaar en waarschijnlijk acht, zou ik mijn adem inhouden en wachten tot het voorbij was, en uiteindelijk zou het zover zijn. Een tornado werkt ontwrichtend, maar hij duurt niet eeuwig.

Maar ik had niet gedacht – hoe was het mogelijk? – aan de omstandigheden waarin Charlie en ik ons verloofden. Te midden van het noodweer had hij zijn appartement verlaten, was hij in zijn auto gestapt en door de bliksem en hagel heen gereden, de trap naar het souterrain van het huis waar ik woonde af gestormd en had hij me ten huwelijk gevraagd. Hij had die dag de tornado getrotseerd, hij was er niet voor gevlucht. En zie daar – het had gewerkt. Na al die jaren waren we nog steeds gelukkig getrouwd.

Wat ik in het begin van zijn presidentschap op Charlie had geprojecteerd was mijn eigen verlangen om geen opzien te baren, geen onnodige aandacht te trekken of me te laten gelden, terwijl Charlie ervan genóót om zich te laten gelden. Ik weet dat er mensen zijn die opperen dat hij of een schimmige figuur uit zijn regering de terroristische aanslagen heeft gepland, en ik vind dat idee belachelijk, niet eens de moeite van het weerspreken waard. Maar hij heeft onmiskenbaar gereageerd; hij nam de uitdaging aan. Heeft hij de terroristische aanslagen op één hoop gegooid met de los daarvan staande, minder grote dreigingen afkomstig uit het land waar we in maart 2003 binnen trokken, terwijl de aanslagen en de bedreigingen niets met elkaar te maken hadden, en heeft hij de mensen aangemoedigd om ze ook als een en hetzelfde te zien? Was die invasie alleen vanwege de olie, waren Charlies beloften om democratie te brengen alleen maar lippendienst? Begon hij sneller een oorlog dan het geval zou zijn geweest indien hij zelf militaire ervaring had opgedaan in plaats van eind jaren zestig en begin jaren zeventig te hebben gewerkt als skileraar? Dit zijn beschuldigingen die zijn tegenstanders hem nu voor de voeten werpen, en hoewel het redelijke vragen zijn, staat me aan het politieke debat het meest tegen dat het voorwendt dat er op alles een passend antwoord bestaat, dat het niet allemaal ondoorzichtigheid en subjectiviteit is. In de dagen voorafgaand aan de invasie van maart 2003 wist ik niet of het een goede of een slechte zaak was, ik wist niet of ik het eens was met de oorlogszuchtigen of de actievoerders die met brandende kaarsen nachtwakes hielden. Net als op college, toen ik de oorlog in Vietnam noch steunde noch veroordeelde, kwam mijn passiviteit voort uit onzekerheid en niet uit onverschilligheid. Maar omdat ik niet wist wat ik ervan vond, probeerde ik geen invloed uit te oefenen op mijn echtgenoot. Er waren mensen genoeg om hem te adviseren, mannen en vrouwen (maar meest mannen), die tientallen jaren ervaring hadden als specialist internationaal beleid, die al eerder in ditzelfde land waren geweest en ook de dictator ervan hadden ontmoet.

Inmiddels zijn er sinds de invasie vier jaar verstreken. Dat een oorlog die ooit werd gesteund door zeventig procent van de Amerikanen intussen tot verdeeldheid heeft geleid en verre van populair is, heeft Charlie alleen nog maar vastberadener gemaakt; zoals dat gaat met dat soort dingen, is hij het meest vastberaden als het om vastberadenheid gaat. De gemiddelde Amerikaan weet niets van de informatie waarover Charlie beschikt, betoogt hij, de gemiddelde Amerikaan is verwend en vergeetachtig, niet gewend aan bloedvergieten of offers. Denk aan de Amerikaanse Revolutie, zegt Charlie, denk aan de Burgeroorlog, denk aan de Tweede Wereldoorlog. Er staat een prijs voor democratie, en zo is het altijd geweest. Negen maanden geleden, in september 2006, zei Charlie tijdens een persconferentie: 'Als we ons nu terugtrekken zou dat betekenen dat we ons overgeven, en ik geef me niet over, al waren Alice en Snowflake de enigen die nog achter me stonden.' (Snowflake is natuurlijk onze kat; hij was ook mijn 'co-auteur' in *First Pet: What I've Seen From 1600 Pennsylvania Avenue*, een belediging die werd versterkt of afgezwakt, daar ben ik nooit helemaal zeker van geweest, door het feit dat, hoewel ons beider namen op de kaft stonden en de gehele opbrengst naar een nationaal alfabetiseringsprogramma ging, ik het boek evenmin had geschreven als Snowflake.)

Sinds Charlies inauguratie heb ik eindeloos berekeningen gemaakt: Nu hebben we er tien procent van zijn ambtstermijn op zitten. Nu is het nog 394 weken. Nu nog vijfenhalf jaar. Vanaf het begin ging ik ervan uit dat hij werd herkozen, niet omdat ik dat wilde, integendeel. Juist op hetgeen we het liefst willen, durven we niet te rekenen; het is altijd veel gemakkelijker om te geloven in een mogelijkheid die je liever niet verwezenlijkt zou zien.

De toespraken van Charlie, en ook die van mezelf, de benefietvoorstellingen en de begrafenissen, de staatsbezoeken en de bals, het linten doorknippen en het handjes schudden en de honderden brieven die ik elke week schrijf en ontvang – ik ben altijd bezig ze af te vinken van een grote lijst, als een aftelprocedure. Niet dat ik nooit geniet van de privileges die ik als first lady heb. Dat doe ik zeker, en ik ben er dankbaar voor. Ik heb legendarische figuren op het gebied van kunst en literatuur ontmoet, vorsten en vorstinnen en opperhoofden en een keizer, ik heb vierenzestig landen bezocht, ik heb belugablini's geproefd op een schip op de rivier de Neva, op een kameel gereden bij de piramiden van Gizeh, in het water gelopen van Pangkor Laut (niet gezwommen, omdat ik niet in badpak voor de camera's wilde verschijnen). Op het vliegveld van Asmara, in Eritrea, waar ik zonder Charlie ben geweest, wierpen de plaatselijke vrouwen me ter verwelkoming popcorn toe; in een weeshuis in Bangalore heb ik een sari aangetrokken en de kinderen voorgelezen uit *De gulle boom*, vergezeld door een tolk in het Kanarees; en in Helsinki beging ik, na een geweldige avond met leuke gesprekken en een feestmaal met rivierkreeft, rendiervlees en een lagentaart met bergbraambessen, een faux pas die ik alleen aan jetlag kon wijten door tijdens een toost op de president van Finland te zeggen dat de vriendelijkheid van het Zweedse volk me altijd zou bijblijven. Ik heb de onwerkelijke ervaring gehad de bijbel vast te houden waarin mijn echtgenoot werd ingezworen als president (ik was zeer ontroerd en tegelijkertijd speelde, ongepast, aldoor een zinnetje uit het oude volksliedje 'Froggie Went-A-Courtin', door mijn hoofd dat Ella op de basisschool had geleerd: 'Zonder toestemming van oom Rat, die malle vent, kon ik niet trouwen met de president...') en ik heb de al even onwerkelijke ervaring gehad terug te keren naar de Theodora Liess Elementary School in Madison, waar ik had gewerkt, om de school om te dopen tot de Alice Blackwell School. (Ik hoopte dat Theodora, de negentiende-eeuwse dochter van een directeur van de Milwaukee and Mississippi Railroad, die zelf een uitgesproken voorstandster was geweest van het opleiden van Ojibwa-meisjes, me het zou vergeven; het leek me onbeleefd om het eerbewijs van de school af te slaan.)

Het heeft me vaak verdriet gedaan dat ik mijn meest kleurrijke ervaringen niet met mijn grootmoeder heb kunnen delen; ze zou mijn leven een giller hebben gevonden, wat zou ze genoten hebben van de roddels. Maar Charlie en ik hebben veel van onze familieleden en goede vrienden laten delen in de genoegens van onze onverwachte omstandigheden: toen mijn vriendin Rita Alwin uit Madison tachtig werd, liet ik haar naar Washington overvliegen, waar ik haar in de Lincoln-slaapkamer liet logeren (in het vliegtuig terug droeg ze mijn moeders broche met granaten, wat me zeer ontroerde). Met kerst hebben Charlie, Ella, mijn moeder, Jadey, Arthur, hun twee volwassen kinderen en ik een keer een heerlijke middag doorgebracht waarop we ons schor schreeuwden op de bowlingbaan van het Witte Huis (we gaan voor de eigenlijke feestdag niet naar Wisconsin omdat we niet willen dat onze agenten van de geheime dienst dan niet bij hun gezin kunnen zijn). En Charlie heeft, naast andere politieke benoemingen, onze vriend Cliff Hicken, die steevast fondsen wierf tijdens de campagne, ambassadeur in Frankrijk gemaakt, zodat ik met Kathleen een aantal heerlijke bezoekjes aan Parijs heb gebracht, waarbij we samen restaurants en musea en boetiekjes afstruinden.

Het leven dat Charlie en ik samen leiden mag dan opgelegd en veeleisend zijn, het is ook bevoorrecht en fascinerend. We maken nu deel uit van een klein clubje, en zo zal het altijd zijn. En echt, mijn eigen plezier in of aversie tegen onze status doet er niet toe; die is er, en kan niet ongedaan worden gemaakt. We zijn beroemd, en als Charlie aftreedt, zijn we beroemde oudgedienden.

Vandaag wordt ongetwijfeld een dag vol theater en verplichtingen, maar het wordt een dag als alle andere; al onze dagen zijn tegenwoordig vol theater en verplichtingen. Vijf kilometer verderop wacht Edgar Franklin – tevergeefs, vrees ik – op een gesprek met Charlie; en Ingrid Sanchez, ook vlakbij, bereidt zich voor op een bezoek aan senatoren; aan boord van de Air Force One, op weg naar Columbus, spreekt Charlie misschien zijn veto uit over een wetsvoorstel, besluit hij onze uitgaven of belastingen met miljarden dollars te verhogen of te verlagen en overlegt hij aan de telefoon met de Engelse premier. Later vanochtend zal ik tijdens het borstkankercongres in een hotelzaal in Arlington, Virginia, een rood linnen pakje dragen en vrouwen aanmoedigen te stoppen met roken, regelmatig te bewegen en vanaf hun veertigste jaarlijks een mammografie te laten maken. Vanmiddag zal ik samen met mijn dochter een groep van veertig kinderen rondleiden in het Witte Huis, die op hun beurt vanavond voor mij op het gala 'God Bless America' zullen zingen. Ik ben niet in de wieg gelegd om voor grote groepen mensen te staan, om raad of aansporingen te geven, en na veel trainingen zou ik mezelf als spreker in het openbaar niet veel meer dan een zesje geven. Maar goed, ik probeer me van mijn taken te kwijten – ik ben de vrouw van de president van de Verenigde Staten, en ik probeer dat goed te doen.

Charlie is nog negentien maanden president.

Aan het eind van het borstkankercongres, tijdens het gedeelte waarin de comitéleden en mensen uit het publiek met me op de foto kunnen – ik begroet de bewuste persoon, we poseren voor een vlag, de fotograaf flitst en dan is de volgende aan de beurt, allemaal binnen enkele seconden – zie ik Hank Ucker tegen de muur bij het podium staan. Ik voel de angst opwellen die me overal vergezelt, een angst waarvan ik de alomtegenwoordigheid herken aan het gemak waarmee hij wordt aangewakkerd. Slechts één keer, in september 2001, was die angst gerechtvaardigd, en zelfs nu besef ik snel dat, wat er ook mis moge zijn, wat het ook is wat Hank Ucker hier brengt in een feestzaal in Arlington, Charlies leven niet in gevaar kan zijn. Als dat wel zo was, zou ik onmiddellijk weggeleid worden, naar een bunker vervoerd, in een kogelvrij vest gestoken. (Die heb ik meer dan eens gedragen; ze zijn zwaar.)

Ik werp een blik op de rij mensen die staan te wachten om op de foto te mogen en probeer te tellen hoeveel er nog staan – meer dan veertig – en ik gebaar naar Ashley Obernauer, mijn persoonlijk medewerkster. (Ashley is vijfentwintig en doet haar werk verbluffend goed.) Wanneer ze zich naar me toe buigt, zeg ik: 'Vraag eens aan Hank wat hij hier doet.'

Ze komt snel terug. 'Hij zegt dat hij op de terugreis met je wil babbelen – zijn woord. Hij zei niet waarover.'

'Uw man doet het echt fantastisch,' zegt een kleine vrouw in een witte polyester broek, met golvend grijs haar, als we elkaar een hand geven. 'We bidden elke avond voor u allebei.'

'Dank u wel.' Ik richt me naar de camera en geef haar een wenk zodat zij er ook in kijkt.

'Ik ben zeer vereerd dat...' begint ze, maar ze wordt afgekapt door een medewerker die haar wegduwt.

'Bedankt voor uw komst,' roep ik haar na.

Een andere vrouw op leeftijd is de volgende (misschien is er een bus bejaarden gekomen?) en ze zegt: 'Zegt u maar tegen president Blackwell dat mevrouw Mabel Fulford heeft gezegd dat hij die terroristen geen duimbreed mag toegeven.'

'Dat zal ik doen,' zeg ik, en de camera flitst, en ik sta tegenover de volgende, een vrouw die meer van mijn leeftijd is en die zegt: 'Ik heb me vandaag ziek gemeld om u te kunnen horen.'

'Uw geheim is bij mij veilig,' zei ik. Deze voorvallen hebben bijna iets Potemkin-achtigs, het contrast tussen het enthousiasme en de warmte van de mensen die we ontmoeten en de verpletterend negatieve verslaggeving van de media over alles wat met Charlies regering te maken heeft. Veel kiezers hebben natuurlijk ook een negatieve visie, maar die komen meestal niet naar zulke evenementen, tenzij het is om te protesteren, en de voorzorgsmaatregelen die genomen worden om die buiten de deur te houden zijn steeds uitgebreider. Omwille van de veiligheid ben ik in dit hotel binnen gekomen via de dienstingang aan de achterkant, maar toen we aan kwamen rijden, zag ik aan de overkant nog actievoerders die met protestborden in hun hand leuzen scandeerden. Gewoonlijk roepen ze antioorlogsleuzen, maar ik geloof dat er vandaag ook nog een paar protestborden waren tegen de benoeming van Ingrid Sanchez bij het Hooggerechtshof.

De volgende vrouw zegt: 'Wanneer gaat Ella trouwen met die vriend van haar?'

Ik lach. 'Ik laat het u horen zodra ik het weet.' Flits, flits, flits, en eindelijk zijn we aan het eind van de rij. De organisatoren bedanken me uitvoerig en geven me een cadeautje dat Ashley aanneemt, en we lopen gezamenlijk door de achterdeur naar de autocolonne – Ashley, een plaatsvervangend perschef genaamd Sandy, Bill Rawson, een van de officiële Witte Huis-fotografen, een vrouw die Zinia heet en deskundig is op het gebied van de volksgezondheid, plus zes agenten van de geheime dienst (buiten wachten meer agenten). Terwijl we lopen, zegt Ashley: 'Alice?' En ik steek mijn handen uit; ze spuit er wat ontsmettingsmiddel op en ik wrijf ze tegen elkaar.

Hank is naast me opgedoken. Hij zegt: 'Amerika houdt echt van zijn first lady.' Mijn afkeer van de term first lady is alom bekend (hoewel ik het soms bij gebrek aan een alternatief zeg, vind ik het overdreven en verouderd), en iedereen in het Witte Huis zegt gewoon Alice of mevrouw Blackwell. Ik schenk Hank een zuinig lachje. Buiten slaat de junihitte toe, zelfs tijdens het loopje van drie meter van de dienstingang naar de autocolonne; een geheim agent, Cal, houdt het achterportier van de derde SUV voor me open. (Ik mijd autocolonnes zo veel mogelijk, ik geef de voorkeur aan een paar luxe personenwagens, maar de borstkankertop trok veel aandacht. Voor september 2001 maakte ik voor openbare gelegenheden gebruik van drie auto's en zes agenten; nu heb ik naast de politie-escorte vijf auto's en negen agenten tot mijn beschikking, een buitensporigheid die niet langer bizar lijkt. Ook heeft mijn autocolonne na september 2001 'kruispuntcontrole' gekregen in Washington, wat inhoudt dat we niet voor rood hoeven te stoppen.) Hank stapt na mij in, en Ashley wil hem net volgen als Hank tegen haar zegt: 'Wil jij de auto hierachter nemen, Ash? Straks steken we in de oostelijke vleugel weer de koppen bij elkaar.'

Ashley kijkt me even aan, en ik overweeg bezwaar te maken, maar iets in Hanks toon houdt me tegen. Terwijl ik mijn autogordel vastmaak, zeg ik: 'Hank, ik dacht dat jij naar Ohio was.'

'De plannen zijn veranderd.'

'Ik neem aan dat met Charlie alles in orde is?'

'Met de president is alles goed.' Hank peurt zichtbaar met de punt van zijn tong in een kies; hij wil vóór alles bedaard overkomen, dus zijn bestudeerde onverschilligheid op dit moment betekent dat er wel iets mis móét zijn. En inderdaad, hij zegt: 'Ik kreeg vanochtend een telefoontje. Zegt de naam Norene Davis je iets?'

Ik zoek mijn geheugen af, hoewel het probleem is dat ik niet langer iedereen ken die ik ken. Ik heb vaak het gevoel dat ik niets anders doe dan kennismaken met mensen; het is heel goed mogelijk dat ik bij een gelegenheid een kwartier met iemand heb gesproken, dat ik zelfs aan tafel naast hem of haar heb gezeten en dat we aangenaam hebben geconverseerd, zonder me daar nog iets van te herinneren. Bij een ceremonie kan iemand zeggen: 'Ik koester de foto waarop ik met u sta en die afgelopen voorjaar bij ons jaarlijkse banket is genomen...' Of: 'Mijn vrouw en ik praten vaak over de keer dat we u ontmoet hebben bij de Republikeinse Nationale Conventie in '96...' en ik knik vriendelijk. Soms maken dit soort hints iets in mijn hersenen wakker – ik héb deze persoon inderdaad eerder gezien – maar uit mezelf zou ik er nooit op komen, en ik mocht hangen als ik zijn of haar naam zou weten. Ik zeg: 'Ik kan me geen Norene Davis herinneren, maar het is mogelijk.'

Hank schraapt zijn keel. 'Ze beweert dat je in oktober '63 abortus hebt gepleegd.'

Ik hap naar adem; ik hoor het voordat ik besef dat ik dat zelf doe. *Verwacht het onverwachte* is een ware, zij het afgezaagde stelregel voor een leven in het Witte Huis, maar dit had ik niet verwacht. Ooit verwachtte ik het half, toen Charlie zich kandidaat had gesteld voor het gouverneurschap, en later nog eens toen hij presidentskandidaat was, en ik maakte me meer zorgen over de schade die het Charlies kandidaatschap kon toebrengen dan over de inbreuk op mijn eigen privacy, al zou ik met geen van beide blij zijn geweest. Maar wat had kunnen gebeuren, gebeurde niet, en het leek erop dat de kans dat het boven water zou komen alleen maar kleiner werd. Als het al aan het licht zou komen – als Dena Janaszewski, of hoe ze tegenwoordig ook heette, me wilde verraden – was dat al gebeurd. Dus zette ik deze zorg in de ijskast; er zijn er altijd nog meer dan genoeg over.

'Kun je een reden bedenken waarom mevrouw Davis dat beweert?' vraagt Hank, en zijn toon is bewust neutraal. Niemand in de auto reageert, Cal, die voorin zit, niet, noch de andere geheim agent, Walter, die de wagen bestuurt. (Cal, die momenteel mijn hoofdagent is, heeft football gespeeld bij ASU; Walter is vader van een tweeling – omdat ze veel te veel over ons weten, hebben Charlie en ik allebei ons best gedaan om onze agenten te leren kennen, en Charlie heeft veel van hun familieleden persoonlijk een rondleiding door het Oval Office gegeven.) Ik kan alleen de achterkant van Walters hoofd zien, en een deel van Cals profiel, maar ik weet zeker dat ze allebei luisteren en dat ze niets zullen zeggen tijdens deze autorit, en ook niet wanneer we terug zijn in het Witte Huis; ze zeggen vrijwel nooit iets uit zichzelf, tenzij de veiligheid in het geding is. In grote menigten hoor ik er soms een van hen die als uit het niets naast me is opgedoken, mompelen: 'Naar links', of 'Wacht even, mevrouw'. Voor mannen met een gewicht van ruim honderdtien kilo bewegen ze zich opvallend gracieus.

Tegen Hank zeg ik: 'Weet je zeker dat die vrouw Norene Davis heet?'

Hank haalt een BlackBerry uit de binnenzak van zijn blazer en leest voor van het scherm. 'Leeftijd zesendertig, huidige adres Manchester Street 5147 in Cicero, Illinois, hoewel we reden hebben om aan te nemen dat ze daar niet meer woont. Gescheiden, geen kinderen, werkzaam als ziekenverzorgster bij een organisatie die de verdachte naam Glenview Health Service draagt.'

'Is het mogelijk dat ze eerst anders heette?'

'Alles is mogelijk. Ik heb de indruk dat ze namens iemand anders spreekt, de vraag is alleen wie. Terwijl onze onvermoeibare onderzoekers dat uitpluizen, wilde ik het aan jou voorleggen. En het verhaal wordt nog ingewikkelder: de dame is niet uit op chantage, althans niet in de conventionele zin. In plaats daarvan dreigt ze het openbaar te maken tenzij je je uitspreekt tegen de benoeming van Ingrid Sanchez bij het Hooggerechtshof.'

Van mijn stuk gebracht herhaal ik: 'Tenzij ik...' Maar nog voordat ik de vraag heb uitgesproken, begrijp ik het. De korte antwoorden die ik heb gegeven over mijn standpunt over abortus in het ochtendprogramma in 2000 en in 2004 hebben de voorvechters van abortus niet tevredengesteld; het lijkt er zelfs op dat ze liever een antiabortus-first lady hadden gehad – een duidelijke tegenstandster – dan een die stilletjes in keuzevrijheid van de vrouw gelooft. Zoals ik al zei, de vraag tijdens het interview was beide keren in grote lijnen geregisseerd, Charlie had zijn zegen gegeven, wat inhield dat Hank dat ook had gedaan, wat inhield dat het de regering goed uitkwam, wat zo was omdat veel republikeinen per slot van rekening zelf voor abortus zijn. De presentator was er van tevoren mee akkoord gegaan geen vervolgvragen te stellen, en die eerste keer zei hij meteen daarna: 'Nu een wat minder zwaar onderwerp, er is één lid van de familie Blackwell dat nog mediaschuwer schijnt te zijn dan u. Kunt u de kijkers iets over de ongrijpbare Snowflake vertellen?' Na de uitzending van dat tv-programma kreeg ik een brief van Jeanette Werden uit Madison, die me al die jaren geleden tijdens de barbecue waar ik Charlie had ontmoet zo had geërgerd met haar geratel over haar huwelijk en kinderen, en die toen zwanger was geweest van hun derde kind, en in die brief stond dat ze een eerdere zwangerschap had afgebroken op haar achtentwintigste – ze had Katie, hun dochter, net zes maanden daarvoor ter wereld gebracht en worstelde met wat we tegenwoordig een postnatale depressie zouden noemen. Toen Jeanette schreef hoe blij ze was dat ik mijn mening had gegeven, had ik zin om haar op te bellen en haar de rest te vertellen. Maar ik deed het niet; ik kon het niet.

Tijdens Charlies eerste gouverneurscampagne was ik uitgebreid geïnterviewd door een van Hanks knechtjes; hij hoorde me uit over alle fasen van mijn leven, vissend naar geheimen of controversiële zaken. We spraken uitgebreid over Andrew Imhof – een roddelblaadje kwam een paar jaar later, in 1999, voor het eerst met dat verhaal, en ik liet de juistheid ervan zo snel mogelijk bevestigen door de perschef van de campagne – en ik beantwoordde alle vragen van de medewerker. Maar ik gaf uit mezelf geen extra informatie. Charlie en ik hadden het de avond ervoor besproken, en hij zei dat hij het prima vond als ik niets vertelde over mijn abortus. Als het nooit zou uitkomen, zou er ook geen noodzaak toe zijn, en als het wel uitkwam, kon het op dat moment afgehandeld worden. Maar het bij voorbaat bekendmaken – de vragen van de medewerker waren er natuurlijk op toegesneden om juist dat soort sensationeel nieuws aan het licht te brengen – leek mij dé manier om het aan de grote klok te hangen, via een campagnemedewerker die een ander in vertrouwen nam, die het weer doorbriefde aan een ander, zodat het ten slotte bij een journalist terecht zou komen.

Op dit moment in de SUV is echter het 'dan' van 'kon het dan afgehandeld worden' aangebroken – het dan van toen is nu, vandaag. Ik zeg tegen Hank: 'Zijn dit soort dreigementen niet strafbaar?'

Hank glimlacht zelfs. 'Norene Davis schakelen we met gemak uit, maak je geen zorgen, maar waar ik nieuwsgierig naar ben is: waarom denk je dat ze met deze specifieke aantijging komt?'

Wat Hank niet zegt – dat kan hij niet omdat ik first lady ben – is dat hij ofwel vermoedt ofwel weet dat de aantijging waar is. (Soms schep ik een wreed genoegen in de etiquette waaraan hij zich te houden heeft, het feit dat hij Charlie 'meneer de president' moet noemen of moet opstaan wanneer ik de kamer binnen kom. Jij hebt ons gemaakt, denk ik dan, en nu moet je aan onze voeten liggen.) Als Hank de aantijging niet geloofwaardig zou achten, zou hij niet hier zijn; per slot van rekening ontvangt het Witte Huis dagelijks tientallen brieven, e-mails en telefoontjes van personen met waanvoorstellingen: 'Zeg tegen Alice Blackwell dat ze moet ophouden mijn hond berichten door te seinen via de tv!' Of: 'Ik ben de geheime halfbroer van de president, uit de affaire van zijn vader in 1950, maar voor twee miljoen dollar beloof ik dat ik mijn mond hou.' Deze beschuldigingen stromen constant binnen, evenals doodsbedreigingen, maar we horen zelden de bijzonderheden.

'Weet Charlie wat er aan de hand is?' vraag ik.

Hank knikt. 'Hij zei dat ik direct naar jou moest gaan.' Heeft Charlie Hank verteld dat het waar is? Ik betwijfel of hij dat ronduit gezegd heeft, maar hij heeft het mogelijk laten doorschemeren.

Ik kijk uit het raam; we rijden in oostelijke richting over Arlington Boulevard, de andere auto's op weg naar Washington staan langs de kant van de weg terwijl we langszoeven.

'Luister,' zegt Hank. 'Dit is geen onoverkomelijke zaak. Als Norene Davis in haar eentje opereert, heeft ze een goed probleem. De kans dat ze met een beetje intimidatie terugkrabbelt is groot. Stel nu eens, puur hypothetisch, dat ze zich helemaal heeft opgepompt en besluit dat ze liever de gevangenis in gaat dan zich het zwijgen te laten opleggen, dus ze gaat met een verslaggever praten, of stel, ze houdt wel haar waffel maar oeps, wacht even, ze had het haar zus al verteld, of haar vriend, of wie dan ook... in beide gevallen ligt het verhaal al op straat. In dat geval denk ik aan Larry King. Niet à la minute, we willen niet meteen in de verdediging gaan. We wachten tien dagen, twee weken, we verpakken het in een ander jasje – alfabetisering, borstkanker, verzin jij het maar – en we laten het hem op de vrouw af vragen. Jij ontkent categorisch.' Dit scenario houdt een vraagteken in, en ik laat de vraag in de lucht hangen.

Ik zeg: 'En als de Witte Huis-pers Maggie of Doug ernaar vraagt?'

'"Hoewel we gewoonlijk niet ingaan op zulke schandelijke en valse aantijgingen, is het respect van mevrouw Blackwell voor dit gevoelige en controversiële onderwerp bla bla bla..." En dan verder, je weet wel: inzepen, uitspoelen, herhalen...'

'Als je maar niet "de heiligheid van het leven" zegt.'

'Dit is niet het moment om met je baas-in-eigen-buikvlaggetje te gaan zwaaien, Alice.'

'Jij hebt me zelf gezegd dat het publiek accepteert...'

Anders dan gewoonlijk valt Hank me in de rede; hij heeft zich in zijn stoel omgedraaid zodat we met onze gezichten naar elkaar toe zitten. 'Het publiek accepteert een first lady die voorstander is van het recht om te kiezen. Maar beeld je niet in dat dat hetzelfde is als een first lady accepteren die een abortus heeft ondergaan.'

Dus hij gelooft dat het waar is; dat moet ook wel en ik wist het al, maar het geeft me een bittere voldoening hem te dwingen het hardop te zeggen. Voorin zitten Walter en Cal zo alert en onbewogen als sfinxen.

Ik kijk Hank recht aan. 'Ik weet niet zeker wie Norene Davis is, maar degene die hierachter zit is een vroegere vriendin van me, Dena Janaszewski. Ik heb haar in geen dertig jaar gesproken en misschien wel vijftien jaar niets over haar gehoord, maar zij – en misschien haar vriend – zijn de enigen naast Charlie die ooit van mijn abortus hebben geweten.'

'Wil je haar achternaam even spellen?' Hank had zijn pen al in de aanslag; als hij geschokt is door mijn bekentenis, bezit hij voldoende zelfbeheersing om dat niet te laten blijken, en verder zegt ook niemand iets.

Ik zeg: 'Ik weet niet zeker onder welke naam ze tegenwoordig leeft, maar ze is veel ouder dan zesendertig; ze is van mijn leeftijd. Ze was getrouwd en haar naam was Cimino, daarna is ze gescheiden, en misschien weer getrouwd, mogelijk met...' Ik zwijg even. 'Eind jaren tachtig, begin jaren negentig had ze een relatie met een man die Pete Imhof heet, dus óf die relatie is verbroken, óf ze zijn nog steeds bij elkaar. Hij is de broer van Andrew, de jongen die...'

'Oké.' Hank knikt.

'En Pete was ook degene van wie ik zwanger was, maar dat heeft hij nooit geweten.'

'Dena zal het hem hebben verteld.' Hank vraagt het niet; hij stelt het vast.

Het is stil in de SUV, op de sirenes van de politieauto's die ons escorteren na, al klinkt zelfs dat vanwege het dopplereffect verder weg dan het is.

'Zorg er alsjeblieft voor dat de agenten die met Dena gaan praten voorzichtig zijn,' zeg ik tegen Hank. 'Ik wou dat ze dit niet deed, maar ik wil niet dat haar leven overhoop wordt gehaald, en ik wil niet dat ze naar de gevangenis gaat.'

'Was de zwangerschap voor of na Andrews dood?' Ik zie dat Hank zit te bedenken hoe hij hier een draai aan kan geven en zich afvraagt of Andrews dood op de een of andere manier de abortus kan compenseren.

'Erna.'

Een moment is Hank stil, hij neemt de informatie in zich op, en dan zegt hij: 'Nou, werk aan de winkel.' (Bij nader inzien ligt hij misschien helemaal niet aan onze voeten. Dat hij hiervan smult en zich in het vuil wentelt is onmiskenbaar – het is niet zozeer dat Hank nergens zo op kickt als een crisis, maar dat hij nergens zo op kickt als op zijn eigen onmisbaarheid voor mijn man als er zich een aandient; niet voor niets is Charlies bijnaam voor Hank 'Shitstorm'.)

'Laat ze Dena niet fysiek bedreigen,' zeg ik. 'Hoor je, Hank? Ik wil dat ze haar met respect behandelen.'

'Alice, ze probeert een benoeming voor het Hooggerechtshof te dwarsbomen en een lastercampagne te voeren tegen de president en de first lady van de Verenigde Staten.'

Ik kijk hem fronsend aan. 'Doe niet zo melodramatisch.' Alvorens me weer om te draaien om uit het raampje te kijken, zeg ik: 'Ze was ooit een goede vriendin van me.'

Zo werkt beroemdheid: mensen zien je naam in het nieuws, hetzij op televisie, hetzij in de krant of een tijdschrift. Er is zojuist iets gebeurd (je echtgenoot heeft met zeven andere mannen een honkbalteam gekocht) of er gaat iets gebeuren (je echtgenoot staat op het punt aan te kondigen dat hij zich kandidaat stelt voor het gouverneurschap van Wisconsin, of hij staat op het punt om verkozen te worden) en de mensen die je kent, maar niet per se goed, nemen contact met je op. Mensen van de country club bij wie je nooit over de vloer bent geweest, die nooit bij jou over de vloer zijn geweest – ze bellen en spreken schertsende berichten in, zoals: 'Vergeet ons, gewone luitjes niet.' Of: 'Ik zag je op Channel 4, en ik móést even contact opnemen nu je nog weet wie ik ben.' Wat het ook is dat net is gebeurd of dat gaat gebeuren, het is tijdrovend; je leven is nog nooit zo hectisch geweest, noch ben je ooit door zoveel mensen benaderd, in wezen om niets, en toch voel je je geroepen te antwoorden, zodat men niet gaat denken dat je beginnende bekendheid je naar het hoofd is gestegen. Je krijgt bericht van je tandarts, je dochters wiskundeleraar, mensen uit je verleden: jeugdvrienden, oude klasgenoten, voormalige collega's; met een verbluffende vaardigheid weten ze je op te sporen. Soms willen ze alleen maar erkenning, maar steeds vaker vragen ze je gunsten, en daarna vragen zelfs onbekenden om gunsten. Ze vragen je een toespraak te houden bij een evenement, eregastvrouw te zijn, lid te worden van hun raad van bestuur, op een liefdadigheidsbijeenkomst een avondje uit met jezelf te veilen; ze willen kaartjes voor honkbalwedstrijden, kaartjes voor de World Series, toestemming om te trouwen op het honkbalveld, kaartjes voor een rondleiding door de gouverneurswoning; en dan willen ze dat je hen helpt toegang te krijgen tot plaatsen waar je niets mee te maken hebt, een chic restaurant in New York, een golfbaan in North Carolina; ze willen dat je hun neef aan een zomerstage bij een talentenscout in Los Angeles helpt. Voordat je roem de staatsgrenzen overschrijdt, zijn zij er al van overtuigd dat dat het geval is. Het zou onmogelijk zijn al deze verzoeken in te willigen, maar opnieuw is het zo dat nee zeggen de kans vergroot dat men je grof zal vinden; bijna niemand die om een gunst vraagt, lijkt op de hoogte van het bestaan van al die andere mensen die hetzelfde doen. Je beseft dat iedereen je tot iets kan verplichten door alleen maar iets te willen: ze schrijven je een brief of een e-mail, ze spreken een bericht in, en als je hun wens niet inwilligt is het al erg genoeg; hen negeren zou onvergeeflijk zijn. Op die manier bepalen zij je dagprogramma en verplichtingen; je bent publiek eigendom geworden.

Geleidelijk aan wordt je bekendheid iets vertrouwds, als een nieuwe jas of een nieuwe auto waaraan je gewend raakt, maar ze blijft vreemd en onaangenaam gedrag oproepen bij anderen. Wanneer je in het openbaar optreedt komen mensen die je nóóit hebt gekend, vrienden van vrienden van vrienden, de tante van je vriendje van de universiteit, de buurman van je loodgieter je claimen en oplepelen hoe weinig handdrukken ze van jou verwijderd zijn. Op privébijeenkomsten die geen verband houden met jou of met de reden waarom je bekend bent geworden, de bruiloften of cocktailparty's of benefietevenementen voor je school die je nog steeds bijwoont in een poging jezelf ervan te overtuigen dat je een normale persoon bent, word je uitgebreid bekeken. Je probeert bescheiden te zijn door er niet van uit te gaan dat iemand je herkent of naar je kijkt; als je iemand voor het eerst ontmoet stel je je voor en maak je een opmerking over de bloemen, het eten of het weer. Maar het enige waar ze echt over willen praten ben jij: wat hun band met jou is (hoe ijler die band, hoe ferventer ze die willen bewijzen), of waar ze waren toen ze een artikel of een televisiefragment over je zagen, of wat ze mensen op straat over je hebben horen zeggen. Ze willen met je praten over hoe vreemd het moet zijn, die bekendheid; ze beseffen niet dat zij op datzelfde moment voor dat vreemde aspect zorgen.

En dan word je echt bekend – niet lokaal of regionaal, maar alom bekend – en gek genoeg wordt je last lichter. Je entourage is gestaag gegroeid, en nu is deze groot genoeg en professioneel genoeg om een buffer tussen jou en de rest van de wereld te vormen. In het openbaar word je geflankeerd door medewerkers; zichtbaar of onzichtbaar word je begeleid door een beveiligingsdetachement. Je kunt niet zomaar worden benaderd, en de gelegenheden waarbij je wel kunt worden benaderd verlopen gecontroleerd en systematisch. Daarom is het moeilijker om een beetje bekend te zijn dan heel bekend; als je een beetje bekend bent ga je nog steeds naar de kruidenier, je doet nog steeds de dingen die je voorheen deed terwijl je elk moment kunt worden opgemerkt en aangeklampt. Als je heel beroemd bent, ga je niet naar de kruidenier tenzij het voor een fotosessie is, en je weet dat je overal waar je wél naartoe gaat, onmiddellijk zult worden herkend. Elke omgeving waar jij een stap in zet, verandert, je aanwezigheid betekent dat iedereen over jou begint te praten en een foto van je wil maken met zijn mobieltje. Om die reden eten we sinds Charlie president is zelden in restaurants in Washington, behalve tijdens evenementen die rondom onze aanwezigheid zijn georganiseerd; we zijn erom bekritiseerd dat we afstandelijk waren, terwijl ik het in werkelijkheid niet fair vind ten opzichte van alle andere restaurantbezoekers. Zij zijn een avondje uit, misschien om een promotie op het werk te vieren of een verjaardag, ze besmeren hun broodje, en daar komen wij en verstoren het evenwicht in de zaal. Als dit het dinertje was waarmee je je promotie zou vieren, dan is het nu het dinertje geworden waarbij de president en de first lady kwamen binnenstappen. Eigenlijk is dat egoïstisch: wij krijgen meer aandacht dan waar we recht op hebben.

In het begin hield ik me, op momenten waarop ik me het meest overweldigd voelde door mijn nieuwe rol als first lady, voor dat ik vast en zeker de bekendste persoon van het land, en waarschijnlijk ter wereld was die haar bekendheid niet had nagestreefd. Dat was een leugen. 'Die haar bekendheid niet had gewild' zou juister zijn geweest. Ik streefde de bekendheid na met aarzeling in mijn hart, met grote bedenkingen, maar ik gaf wel interviews, ik poseerde voor foto's en reisde met Charlie in bussen en vliegtuigen, ik hield zelf toespraken en juichte bij de zijne, ik bezocht kerken en ziekenhuizen en visbarbecues. Net zoals iedere bekende persoon was ik medeplichtig aan mijn roem. Ja, een paar maal per jaar staat een handvol gewone burgers in het brandpunt van de mediagekte: een slachtoffer van een uitzonderlijk weerzinwekkende misdaad, of het kind dat op de tribune zijn hand uitsteekt en een homerunbal vangt in een beslissende wedstrijd – maar die roem gaat voorbij. Het ware, duurzame soort moet continu worden opgepoetst en versterkt. Het gebeurt nooit per toeval.

Misschien is het in 1977 begonnen, met Charlies eerste Congrescampagne, of misschien ruim daarvoor, toen Harold Blackwell zich in 1954 verkiesbaar stelde voor de post van openbaar aanklager van Wisconsin. We hebben onszelf op de mensen gestort – er zijn aangenamer manieren om het te zeggen, maar eigenlijk is dat wat we deden. We zochten hen op, we lieten folders achter in hun brievenbus en onder de ruitenwissers van hun auto, we spraken hen aan via reclamespotjes op de televisie, we gingen naar hun scholen en gemeentehuizen en boerenmarkten. We smeekten hen te luisteren, we bombardeerden hen met beloften en plannen, maar intussen waren we de hele tijd bezig onszelf te verkopen – hem te verkopen.

We deden wat we maar konden om de aandacht van zo veel mogelijk mensen te trekken, en het werkte, en nu klagen we. *Laat ons met rust*, zeggen we. *Net als jullie hebben wij ook recht op privacy.*

Voor zijn speech in Columbus begint, belt Charlie om te zeggen dat hij Dena een volstrekt ongeloofwaardige goedkope del vindt. 'Rustig aan,' zeg ik. Voor zover mogelijk probeer ik de paniek op afstand te houden. Dit schandaal, als het een schandaal wordt, bevindt zich in zo'n vroeg stadium; ik moet er de vorm beter van kennen voor ik me echt zorgen ga maken.

Mijn persoonlijk assistente Ashley en ik lopen van het zuidelijke gazon de diplomatieke ontvangstzaal binnen wanneer Nicole Hethcote, een andere assistente, zegt: 'Mevrouw Blackwell, uw dochter is aan de telefoon. Schikt het u?'

'Verbind maar door naar mijn bureau,' zeg ik. In mijn kantoor in de oostvleugel neem ik op zodra de telefoon overgaat.

'Kun je er alsjeblieft voor zorgen dat pap met die Franklin gaat praten?' zegt Ella. 'Vijf minuutjes maar?'

'Lieverd, je kunt de oppositie niet de gespreksvoorwaarden laten dicteren.'

'Je klinkt als oom Hank.'

Ach, die lieve Ella. Ze is nu achtentwintig en heeft als consultant bij Goldman Sachs een vollere agenda dan Charlie, een werkweek van negentig uur is normaal. In tijdschriften staan soms foto's van Ella en haar vriend Wyatt die chique restaurants in of uit gaan (hun voornaamste vorm van recreatie naast de sportschool, waar ze allebei kind aan huis zijn), en hoewel die media-aandacht me niet zint en ik toegeef dat het idee dat mijn dochter meer uitgeeft aan een fles wijn dan ik als twintiger per maand aan huur kwijt was me lichtelijk van de wijs brengt, ben ik nooit bang dat Ella zal worden betrapt op onbehoorlijk gedrag. Zij is ons wonder, slim en evenwichtig en opgewekt, erfgename van een onwaarschijnlijke combinatie van mijn kalmte en Charlies ondeugd. Misschien vind ik het nog het allerbijzonderste dat ze kennelijk totaal geen wrok jegens een van ons koestert. Alledaags gekibbel en onenigheidjes zijn er natuurlijk altijd geweest, zoals in elk gezin, maar zelfs dat gehakketak, dat tot een hoogtepunt kwam toen ze op high school zat (zowel over atypische onderwerpen zoals de alomtegenwoordigheid van haar persoonsbeveiliging als meer alledaagse zoals de lengte van haar rok, het tijdstip waarop ze thuis moest zijn en of het per se noodzakelijk was om in haar linkeroor twee piercings in plaats van maar een te hebben) is allemaal vervaagd. Hoewel ik betwijfel of zij deze weg zou hebben gekozen voor ons gezin – ze zat in groep acht toen we haar vertelden dat Charlie meedeed aan de gouverneursverkiezingen van Wisconsin, waarop Ella haar vader ervan beschuldigde dat hij haar leven zou verpesten – lijkt het erop dat ze ons vergeven heeft.

In juni 2001 studeerde ze af aan Princeton, een gebeurtenis waarbij Charlies aanwezigheid nogal wat tumult veroorzaakte op de campus; omdat we wisten dat we de andere families ertoe zouden nopen om door beveiligingspoortjes te gaan, naast andere ongemakken, hadden we overwogen de ceremonie niet bij te wonen, maar Charlie noch ik kon dat over ons hart verkrijgen. (Terwijl ik op de voorste rij tegenover Nassau

Hall zat, dacht ik wel met enig ongemak terug aan Joe Thayer, die meer dan tien jaar eerder met een jongere, vriendelijk ogende muzieklerares van Biddle Academy was getrouwd, met wie hij nog twee kinderen heeft gekregen. Door een prettige speling van het lot is de ooit problematische Megan Thayer, Joe's dochter en Ella's voormalige klasgenote, nu ook getrouwd; ze woont in Maronee met twee jonge kinderen.) Ella trad opnieuw in Charlies voetstappen door verder te studeren aan Wharton, al is dat instituut, zoals Charlie heel geestig opmerkte tijdens de promotiedag twee jaar geleden, zo competitief geworden dat hij als hij zich tegelijk met haar had ingeschreven, niet zou zijn toegelaten.

Op dit moment is Ella niet geobsedeerd door politiek maar staat ze er evenmin laatdunkend tegenover: toen ze jonger was, schermden we haar zo veel mogelijk af en lieten haar nooit met de pers praten, en hoewel ze beide presidentiële inauguraties van Charlie heeft bijgewoond, nam ze in november 2004 voor het eerst deel aan enige campagneactiviteit, toen ze met een BLACKWELL/PROUHET-bord op een straathoek in Manchester in New Hampshire stond. Ze heeft nog steeds nooit een interview gegeven en hoewel ze, zoals de meeste achtentwintigjarige vrouwen in Manhattan, waarschijnlijk graag meer tijd met haar vriend en andere vrienden zou willen doorbrengen dan met haar ouders, komt ze altijd naar huis tijdens de feestdagen en bracht ze me vorig jaar op mijn zestigste verjaardag een verrassingsbezoek. Ik kan me niet voorstellen dat zijzelf ooit zal meedingen naar een regeringspost, maar ooit kon ik me ook niet voorstellen dat ik de vrouw zou zijn van de president van ons land.

'Serieus,' zegt Ella, 'die vent wordt daarbuiten levend geroosterd.'

'Ik weet het, pop, maar het is niet zo simpel als het lijkt.'

'Mam, geloof me, het is niet zo dat ik het met hem eens ben over het terugtrekken van de troepen.' In Princeton heeft Ella als hoofdvak publieke en internationale zaken gedaan, en ze was vanaf het begin een uitgesproken voorstander van de oorlog. 'Een verandering van regime is de enige manier om de islamitische jihad uit te schakelen,' zei ze altijd, en dan was ik onder de indruk van haar intelligentie en zelfverzekerdheid. Wat zou mijn vader hebben gevonden van zo'n ontwikkelde, eigenzinnige jonge vrouw? Die haar mening uiteenzet over maar liefst het Midden-Oosten? (Wat dat betreft: wat zou mijn vader hebben gevonden van Charlies presidentschap? Hij was zo'n niet-cynische man, vaderlandslievend in de meest ouderwetse zin, en ik mag graag denken dat hij respect zou hebben gehad voor Charlie en trots op mij zou zijn geweest. Maar misschien is het maar goed dat mijn vader dit hoofdstuk van ons leven niet meer heeft meegemaakt. In het licht van zijn opvatting over namen en gezichten van dwazen kan ik wel raden hoe hij gereageerd zou hebben op een artikel waar *Esquire*, een tijdschrift waarop mijn vader geabonneerd was, verleden maand beroering mee wekte: 'Tien redenen waarom Charlie Blackwell een gore klootzak is.' Terwijl mijn vader, als hij het over de presidenten van mijn jeugd had, sprak over 'meneer Truman' of 'meneer Eisenhower'; hij noemde zelfs de portier bij de bank 'meneer White'.)

'Het wekt de indruk dat pap geen hart heeft,' zegt Ella. 'Ik baal ervan zijn critici van munitie te voorzien. Hoe zal het overkomen als die oude man een hartaanval krijgt?'

'Lieverd, Edgar Franklin is jonger dan je vader of ik.'

'Je weet wat ik bedoel. Trouwens, jullie twee staan niet de hele dag in de zon. Hé, je doet vanavond wel sexy hakken aan, hè?' Aan het eind van de jaren negentig heeft Ella me bekeerd, tenminste voor formele aangelegenheden, van zogenaamde 'blokhakken' tot zogenaamde 'sexy hakken'. 'Ze maken slanker,' zei ze, en hoewel ik dankzij de aansporingen en stimulans van twee personal trainers nu minder weeg dan ik sinds mijn dertigste ooit gewogen heb, is het geen verhaaltje dat de camera je tien kilo zwaarder maakt; ik aanvaard elke hulp die ik kan krijgen.

'Het ziet er wel naar uit,' zeg ik. Op dat moment verschijnt Hank voor mijn kantoor; door de open deur zie ik hem praten met Jessica Sutton, mijn stafhoofd. Als Ella erachter komt dat ik een abortus heb ondergaan, wannéér ze daarachter komt, hoe zal ze dan reageren? Aan de ene kant zie ik haar graag als een in wezen barmhartige persoon; ook is ze zelf, neem ik aan, seksueel actief. Aan de andere kant beschouwt Ella zichzelf net als Charlie als een herboren christen; als puber plakte ze een bumpersticker op de spiegel van haar toilettafel met de tekst: HET IS GEEN KEUZE, HET IS EEN KIND; die sticker had ze van de leider van haar jongerengroep gekregen. Toen ik die sticker zag, zei ik: 'Lieverd, ik denk niet dat welke vrouw dan ook een abortus wil, maar sommigen vinden dat verantwoorder dan een kind geboren laten worden waar ze niet goed voor kunnen zorgen.' Ella keek me vol afgrijzen aan en zei: 'Daar is toch adoptie voor?' Meer recentelijk, nadat ik in twee ochtend-nieuwsprogramma's mijn standpunt over abortus had uiteengezet, zei Ella er beide keren niets over, al denk ik niet dat ze aan haar voorbij zijn gegaan.

Jessica klopt zachtjes op mijn open deur, en als onze blikken elkaar kruisen zegt ze: 'Hank heeft een update.' Ze zet een stap in mijn richting en dempt haar stem tot fluistersterkte. 'Gaat het wel?' Ik had Jessica vanuit de auto gebeld om haar te vertellen wat er speelde, en had haar gevraagd het er met niemand over te hebben. Al heb ik een uitstekende staf, Jessica is degene die ik het meest vertrouw – misschien niet zo verbazend aangezien ik haar al haar hele leven ken.

'Ik moet ophangen, liefie,' zeg ik in de hoorn. 'Bel je me vanaf het vliegveld?' Tegen Jessica zeg ik: 'Laat hem binnenkomen, maar blijf erbij.'

Als ze mijn kantoor weer binnen komen doet Hank de deur achter zich dicht, wat betekent dat zelfs de agenten van de geheime dienst zich aan de andere kant bevinden. 'Tot nu toe leidt het spoor niet naar je vriendin Dena,' zegt hij. 'Herinner je je een arts met de naam Gladys Wycomb?'

Ik staar hem aan. Gladys Wycomb? Dokter Wycomb, de minnares van mijn grootmoeder? 'Maar is die nog niet...' Ik probeer mijn verwarde gedachten te ordenen. 'Die moet intussen wel honderd zijn.'

'Honderdvier. Ze woont nog steeds in Chicago en wordt verzorgd door ene Norene Davis.' Hank trekt een quasi-wanhopig gezicht. 'Ze hebben niet geprobeerd hun sporen te verdoezelen – je kunt beter zeggen dat ze hoopten op aandacht. Ik had Gladys zojuist aan de lijn, en ik zweer je dat ik niet arrogant doe als ik zeg dat een telefoontje van het vleesgeworden kwaad misschien wel het opwindendste is geweest dat die ouwe heks ooit heeft meegemaakt.'

'Heb je haarzelf gesproken?'

Hank knikt. 'Ze is pittig voor een honderdjarige, dat moet ik haar nageven. Ze zegt dat je bent behandeld onder de naam Alice Warren.'

'Is dit geen schending van het beroepsgeheim, of de hippocratische eed?'

'Grappig dat je dat vraagt.' Uit Hanks rappe manier van spreken maak ik op dat de humor van wat hij gaat zeggen mij waarschijnlijk zal ontgaan. 'Feitelijk is abórtus een schending van de hippocratische eed. Toegegeven, die pleit ook voor geheimhouding, maar weet je, als je honderdvier jaar oud bent, doe je gewoon lekker waar je zin in hebt.'

Dan denk ik aan Gladys Wycombs witte vlinderbril, haar forse postuur, haar chauffeur en haar chique appartement en de goudkleurige Franse lelies op het behang in de gang daarbuiten, de gang waar ik meer dan veertig jaar geleden heb overgegeven in de kerstvaas. Langzaam zeg ik: 'En zij wil dat ik Ingrid Sanchez publiekelijk zwartmaak?'

'Ja, kleinigheidje, toch? Dat is alles, en als je toch bezig bent kun je de Amerikanen er meteen aan herinneren wat een fervent voorstander je bent van het keuzerecht van vrouwen.'

'Weet dokter Wycomb dat ik héb gezegd dat ik voor dat recht ben?'

'Niet in de afgelopen drie jaar, en kennelijk stemde je beknoptheid bij beide gelegenheden niet tot tevredenheid. Ik krijg het gevoel dat die tante weet dat ze zo meteen het hoekje om gaat, een tikkeltje te veel naar C-SPAN kijkt en te elfder ure een visioen heeft gekregen dat ze een daad moet stellen. Ze brengt het als een gewetenskwestie.'

'Door mij te chanteren.'

'Nogmaals: ze is honderdvier, en ze denkt waarschijnlijk dat ze het hoekje om is voor ze justitie aan haar broek krijgt. Haar maakt het geen ene...' Hank zwijgt even, '... geen bal uit.' (Een extra voordeel als je first lady bent: ik ben nooit dol geweest op grof taalgebruik, en nu zijn de enige twee die het ongegeneerd bezigen in mijn nabijheid Charlie en Ella.)

'Stelt ze Norene Davis niet ook bloot aan een gevangenisstraf?' zeg ik.

'Waar het om gaat is dat je een abortus hebt gehad. Ik veroordeel je niet, Alice, maar het Amerikaanse volk zal dat wel doen. Als Norene Davis de bak in draait, zit ze een paar jaar vast, maar denk eens aan de belangstelling van de media, de verkoop van de boekrechten. Ze zal als een heldin van het feminisme worden binnengehaald, en de conservatieve basis kan nog jarenlang puinruimen.'

'En nu? Moet ik de aantijging ontkennen? Mevrouw Wycomb uitmaken voor leugenaarster?'

'Dat hoef jíj niet te doen.' Hij wendt zich tot Jessica. 'Kun jij me hiermee helpen?'

'Wat zijn onze andere opties?' vraagt Jessica. Jessica is lang en slank, ze draagt een zwarte broek en een gele zijden blouse zonder mouwen. Er is veel wat ik aan mijn stafhoofd bewonder, maar misschien nog wel het meest haar combinatie van onverstoorbaarheid en warmte; vaak heb ik gezien dat kalmte en professionaliteit hand in hand gingen met emotionele afstandelijkheid, maar in haar geval is dat niet zo.

Hank zegt: 'Ik ben er niet dol op en de president volgens mij evenmin, maar we kunnen een interview plannen waarin je heel indirect Ingrid Sanchez bekritiseert. We doen het voorkomen alsof het een onverwacht moeilijke vraag is, en als we voor deze weg kiezen werkt een vrouwelijk onderonsje het beste – je laat Diane Sawyer zien hoe mooi de rozentuin er in deze tijd van het jaar bij staat, zij verrast je met de vraag wat je van de kandidate voor het Hooggerechtshof vindt, en jij laat je ontvallen dat je wilde dat Sanchez duidelijker liet merken dat ze voorstander is van het recht van de vrouw om...'

Jessica schudt haar hoofd. 'En wat als dat niet genoeg is voor Gladys Wycomb? Dan heb je het slechtste van twee werelden, als wij overstag zijn gegaan en zij toch haar mond opendoet.'

'Ik wil naar haar toe gaan.' Ik sta op; het idee is ineens bij me opgekomen, maar ik ben er zeker van. 'Als ik nu ga, ben ik op tijd terug om de rondleiding voor het kinderkoor te doen. Ik wil graag persoonlijk met dokter Wycomb spreken. Ze was...' Ik breek mijn zin af. 'Ze was de hartsvriendin van mijn grootmoeder.'

'Haar loyaliteit ten opzichte van je familie is ontroerend.' Hank werpt een blik op zijn horloge. 'Als je niets meer hoeft te doen voor je gaat, staat het vliegtuig klaar om te vertrekken.'

'Had je het al ingepland?'

Hank glimlacht. Hij vindt het geweldig om te weten wat iemand wil nog voordat de persoon in kwestie het zelf weet. 'Uiteraard moet het een honkbalpettrip zijn, en hier verspreiden we het bericht dat je bij je moeder op bezoek bent gegaan.' 'Honkbalpet' is onze term voor reizen die *off the record* – OTR – plaatsvinden, of in elk geval vroeger dan gepland, en waar zo min mogelijk personen bij betrokken zijn. De benaming is afkomstig van twee bezoeken die Charlie aan de oorlogsgebieden heeft gebracht: in het holst van de nacht vertrok hij eenmaal vanuit het Witte Huis en eenmaal vanaf Camp David en reed naar Andrews Air Force Base in één enkele geblindeerde SUV, zonder escorte, achter in de auto met een honkbalpetje op, vergezeld door zijn minister van Buitenlandse Zaken en slechts twee geheim agenten; zelfs het kleine groepje journalisten dat aan boord van Air Force One meekwam, hoorde pas halverwege de vlucht waar ze naartoe gingen. 'Jessica, ik stel voor dat jij als enige met haar mee gaat, plus wie er volgens Cal noodzakelijk is qua veiligheid,' zegt Hank. Hij wendt zich weer tot mij. 'Als iemand deze vrouw kan bepraten, ben jij het. Ga naar Chicago, doe een beroep op jullie persoonlijke relatie, vlei haar en laat de oprechtheid ervanaf druipen. Het nadeel is dat als ze niet te paaien valt, je haar geloofwaardigheid verleent door je bezoek, maar daar kunnen we wel een draai aan geven door haar voor te stellen als een verwarde malloot met alzheimer: ze heeft je inderdaad gezien, maar dat abortusverhaal heeft ze verzonnen.'

'Hank.' Ik wacht tot hij me recht aankijkt. 'Ik laat de oprechtheid er niet "vanaf druipen". Ik bén oprecht.'

Hanks grijnslachje is traag en met de lippen op elkaar. 'Dat is je achilleshiel,' zegt hij.

Het aspect van bekendheid dat iemand die nooit bekend is geweest nooit kan begrijpen, is de kritiek. Natuurlijk, schelden doet geen pijn, maar anderzijds is het een feit dat veel mensen waarschijnlijk wel eens hebben gewenst dat iemand volkomen eerlijk tegen ze zou zijn. Hoe staat deze jurk of dat kapsel me echt? Wat vind je werkelijk van mijn vrouw of mijn zoon, het huis dat ik heb gebouwd, de memo die ik heb geschreven, de cake die ik heb gebakken?

In werkelijkheid willen ze dat niet weten. Wat ze willen is een complimentje, en dat dat complimentje volkomen eerlijk is; ze willen alomvattende bevestiging die ook nog eens waar is. Zo werkt het echter niet met onverbloemde meningen. Onverbloemde meningen zijn verpletterend, althans in het begin. Zoals een van mijn voorgangsters, Eleanor Roosevelt, schreef: 'Iedere vrouw met een openbaar leven moet een huid ontwikkelen zo dik als die van een neushoorn.'

Er zijn twee manieren om te worden bekritiseerd: neutraal en opzettelijk. De neutrale kritiek bereikt je bijvoorbeeld in een zogenaamd objectief artikel, in een quasi-nonchalante regel: *Mevrouw Blackwell, die nooit bekend heeft gestaan om haar gevoel voor mode... Wanneer gevraagd naar de lage populariteitscijfers van haar echtgenoot, verstijft Alice Blackwell en gaat ze in de verdediging... Al wordt door insiders beweerd dat ze gevoel voor humor heeft, Alice Blackwell geeft daar in het openbaar zelden blijk van... Anders dan de president en first lady vóór hen, die vaak en van harte optraden als gastheer en -vrouw...* Je hebt een uur in aanwezigheid van deze verslaggever doorgebracht, je was op je hoede, vooral in het begin, maar jullie konden prima met elkaar overweg en lachten samen om een paar dingen (ja, láchten, ondanks je zogenaamde humorloosheid), je dacht dat het interview prima ging – en dan dit? De neutrale kritiek steekt erger, omdat ze zo terloops wordt geuit; hoewel het beweerde niet per se waar hoeft te zijn, voelt het wel zo aan, alsof de verslaggever niet gemeen probeert te zijn, maar gewoon feiten vaststelt.

En dan zijn er nog de regelrechte aanvallen, die meestal op kabeltelevisie of in blogs verschijnen; in het geval van blogs zijn ze zo fel dat ze een beeld oproepen van rondvliegend speeksel, verhitte gezichten en gebeuk op toetsenborden: *Wat een verraadster van het feminisme ... Hoeveel valium denk je dat ze moet slikken om te vergeten dat ze is getrouwd met de antichrist? ... O, GOD, wat een VRESELIJK Stepford-wife!!!* Een of twee keer per jaar typ ik mijn naam in een zoekmachine op internet – ik wil niet te zeer afgeschermd worden van wat daarbuiten gebeurt – en als ik de resultaten vluchtig bekijk, krijg ik een gevoel alsof iemand in mijn maag een deurknop omdraait; elke keer dat ik het doe denk ik achteraf dat dat een vergissing is geweest, en daarna gaat er weer zoveel tijd voorbij dat ik dat ben vergeten. Afgekraakt worden door onbekenden is niet alleen pijnlijk, maar een zo uitgesproken omkering van de gebruikelijke sociale code dat het ook nogal verbazing wekt. Niet-bekende mensen denken dat bekende mensen zielsblij zijn met zichzelf en de publiciteit, en ik neem aan dat sommigen dat ook zijn, maar lang niet allemaal. Ook deze tirades op het web voelen, op een andere manier, bedrieglijk waar aan, fris van de lever en zonder de filters van de grote media. Mijn critici zijn dan wel in de minderheid, maar hoe kan ik luisteren naar lofprijzingen als de criticasters zo agressief, zo verongelijkt en zo zeker van hun zaak zijn?

Bovendien zijn er natuurlijk nog enorme hoeveelheden verdraaide of ronduit onjuiste informatie, beweegredenen of emoties die ons ten onrechte worden toegeschreven: Over Andrew Imhofs dood *(Kwam dat even mooi uit dat Alice Blackwell blank en rijk was en niet naar de gevangenis hoefde nadat ze haar vriendje had vermoord)*, over mijn vermeende christelijke geloofsijver (in een hele serie kranten verscheen een cartoon waarin ik de Bijbel voorlas aan een groep islamitische kinderen, met als onderschrift: 'Kom, kom, jongetjes en meisjes, bidden jullie maar tot Jezus Christus, dan komt alles in orde'), over mijn vermeende intellectuele superioriteit ten opzichte van Charlie (nog een cartoon: Charlie en ik liggen 's avonds in bed, ik verdiept in *Oorlog en Vrede* terwijl hij bladert in *The Cat in the Hat*). Een keer stuurde Jadey me een verjaardagskaart – kennelijk een populaire – met op de voorkant een foto van mij, glimlachend in een marineblauw pakje met een broche in de vorm van een adelaar. (Ik ben nooit dol geweest op die broche, maar ik had hem van de vrouw van Charlies minister van Defensie gekregen en voelde me verplicht hem een paar keer te dragen.) Op de voorkant van de kaart stond: 'Er zijn ergere dingen dan weer een verjaardag...' en binnenin: 'Je zult maar met hém getrouwd zijn.' Eronder had Jadey gekrabbeld: *Niet beledigd zijn, en niet aan C laten zien!*

Sommige andere onjuiste informatie over ons, over mij, is meer feitelijk en triviaal – hoe oud ik was toen Charlie en ik trouwden, de spelling van de achternaam van mijn buurvrouw uit mijn jeugd, mevrouw Falke – maar ongeacht de toon of het soort fout, het is zelden de moeite waard om mijn perschef om rectificatie te laten verzoeken. Ik moet ook maar voor lief nemen dat sommige fouten in feite zijn verspreid door de kring van vertrouwelingen rond Charlie, met name door Hank: dat ik de dochter van een postbode ben was een wijdverspreid gerucht tijdens de eerste presidentscampagne. (Het is heel ironisch dat mijn middenklasseafkomst vanuit politiek standpunt mijn waardevolste kwaliteit is gebleken. Het luchtje van dynastieke privileges en Ivy League-kliek dat om Charlie heen hangt verjaag ik met mijn bescheiden, degelijke afkomst uit Wisconsin.)

Ook al zijn mijn populariteitscijfers hoog gebleven, men heeft zich een algemeen idee van mij gevormd dat weinig verband houdt met wie ik ben, wat ik denk of zelfs hoe ik mijn tijd besteed. Hank heeft ooit een opiniepeiling laten houden waaruit naar voren kwam dat de meerderheid van de Amerikanen gelooft dat ik een vroom christen ben die nooit een betaalde baan heeft gehad. Misschien is dat de reden waaróm mijn populariteitscijfer hoog is gebleven.

Ik kan me niet voorstellen dat iemand volkomen ongevoelig zou kunnen zijn voor het vertekende beeld dat de massa heeft, en ik beweer niet dat het me niet dwarszit, maar ik heb al vroeg, in Charlies eerste campagne voor het gouverneurschap, het besluit genomen dat ik mijn tijd niet ga verdoen aan het corrigeren van misinterpretaties. Een perschef had geregeld dat er een verslaggever van *The Sentinel* bij ons thuis op de thee kwam (wat had ik er een hekel aan om journalisten bij ons thuis te ontvangen, wetend dat ze een kritische blik wierpen op onze familiefoto's, onze tijdschriften, snuisterijen en koelkastmagneten, terwijl die nooit waren bedoeld voor dat soort inspectie, we hadden ze gewoon in de loop van ons leven verzameld – het werd gemakkelijker nadat we naar de gouverneurswoning waren verhuisd en vervolgens naar het Witte Huis, omdat ik altijd wist dat de journalisten misschien indringers waren, maar wij ook). Tijdens dat interview voor *The Sentinel* stelde de journalist me vragen over tuinieren, bakken en kinderboeken; ik gaf tips voor het kweken van ridderspoor, mijn recept voor stroopkoekjes en een lijst van mijn favoriete kinderboeken, met bovenaan *De gulle boom.*

In weerwil van haar schoonfamilie is Alice Blackwell naar eigen zeggen apolitiek, begon het artikel. *Sociale zekerheid en gezondheidszorg? Nee, dank u wel, ze praat liever over hoe ze haar stroopkoekjes zo lekker stevig krijgt...*

Ik schaamde me dood, Charlie vond het een giller en Hank was verrukt van het artikel, met name omdat de democratische opponent van Charlie, de zittend gouverneur, na een huwelijk van drieëndertig jaar onlangs was gescheiden en was hertrouwd met een verdacht aantrekkelijke en veel jongere lobbyiste en geen schijn van kans had tegen onze suikerzoete huiselijkheid. De eerste vierentwintig uur na de publicatie van het artikel was ik gespannen en ongedurig en zat ik de hele tijd in mijn hoofd brieven te schrijven aan de redacteur. Ik was in mijn eentje gaan wandelen – we waren geen lid meer van de Maronee Country Club, Charlie had eruit moeten stappen vanwege het penibele feit dat de club geen zwarte leden had, en dus wandelde ik nu, als ik niet bij Jadey was, door onze straat – en ineens groeide er een besef in mijn hoofd, een idee waar ik in de jaren nadien keer na keer op ben teruggevallen: Charlie deed dan wel mee aan de verkiezingen, maar ik niet. Het feit dat ik in een artikel op een bepaalde manier werd voorgesteld maakte het waar noch onwaar; de manier waarop ik mijn leven leidde, de manier waarop ik me gedroeg, vormden niet alleen de enige waarheid maar ook de enige realiteit waar ik controle over had. Ik ging me niet in allerlei bochten wringen om het de media naar de zin te maken, besloot ik. Ik zou verantwoording verschuldigd zijn aan mezelf, en ik zou altijd weten of ik al dan niet aan mijn eigen verwachtingen had voldaan. Wat een narigheid zou ik op die manier kunnen voorkomen, wat een rust zou het brengen. Sinds die middag heb ik altijd geprobeerd beleefd te zijn tegen de media, al realiseer ik me dat ik niet altijd zo toeschietelijk ben als zij zouden willen. Ik probeer me zo eenvoudig mogelijk uit te drukken, ik antwoord op wat ze vragen in plaats van mijn eigen specifieke interessen naar voren te brengen, ik zwijg over persoonlijke details of kwetsbare punten (toen ik Charlie ontmoette viel ik voor hem, zeg ik, omdat hij leuk was; toen Andrew Imhof doodging, zeg ik, was ik ongelooflijk verdrietig; en als ik aan onze soldaten denk, zeg ik, maak ik me zorgen over hen en bewonder ik hun dapperheid en opofferingsgezindheid.) Ik doe geen grote moeite om reporters ervan te overtuigen dat alles wat ik zeg gemeend is (zij beslissen immers niet of het gemeend is), of om slimme soundbites te leveren; ik laat me niet neerbuigend uit over Charlies opponenten. Dat ik geen opmerkelijke uitspraken doe en vaak een beetje saai ben, beschouw ik als een kleine overwinning.

Toen Ella op de universiteit zat, was ze lid van een eetclub – niet de club waar Charlie toe had behoord, maar een andere, die Ivy heette, en dit was zo'n beetje alles wat de mensen over haar wisten: dat ze naar Princeton ging, dat ze lid was van een exclusieve club waarvan de leden vaak en gretig dronken. Toevallig deed ze ook vrijwilligerswerk bij een christelijke organisatie binnen de universiteit die 's weekends voetbal- en basketbaltoernooien organiseerde voor kinderen uit kansarme buurten in Trenton, en de perschef van het Witte Huis, in die tijd een jongen die Travis Sykes heette, deed erg zijn best om me over te halen mee te werken aan een artikel over Ella's deelname aan die organisatie. Ik weigerde. Ik weet dat sommige mensen vinden dat iets wat niet is vastgelegd niet is gebeurd, maar ik ben het daar niet mee eens. Het is niet de camera of de journalist die iets echt en waarachtig maakt; een camera of journalist doet eerder het tegenovergestelde.

Het is geen geheim dat aandacht bij veel personen een hang naar meer creëert. Vanwege dit fenomeen prijs ik mezelf gelukkig dat ik die honger nooit gevoeld heb. Als je geen aandacht wilt maar er niettemin mee om moet gaan, is dat vervelend. Maar als je de aandacht wél wilt, kan geen enkele hoeveelheid ervan je verzadigen; deze waarheid heb ik keer op keer waargenomen, zowel in Wisconsin als in Washington. Soms zou ik willen dat ik openlijk over dit onderwerp kon praten met Oprah, de enige vrouw in dit land die nog zichtbaarder is dan ik, en zeker in nog sterkere mate een doek waarop Amerikanen hun dromen, wensen en angsten projecteren; heus, wat een loodzware last moet het zijn om Oprah te zijn, al gaat ze er elegant mee om. Hoewel ik twee keer in haar programma ben geweest, zal het niet van een tête-à-tête komen, want ik vermoed dat ze een democrate is die afkeurend tegenover mijn man staat.

In elk geval: berichten en waarschuwingen van deze kant van de bekendheidsmuur worden doorgaans genegeerd, afgedaan als ofwel gezeur ofwel valse bescheidenheid; als ze niet werden genegeerd, als de mensen luisterden, zou niemand ooit nog hunkeren naar aandacht. Maar dat doen ze steeds, ze trekken alle registers open in de hoop dat ook zij op een dag de luxe genieten zich te kunnen beklagen over hun bekendheid. Dat zal me eindelijk tevreden stemmen, denken ze, en alleen als ze de sterrenstatus die ze nastreefden weten te bereiken, zullen ze beseffen dat ze zich hebben vergist.

Of misschien heb ik het mis. Misschien zouden de meeste mensen zijn zoals Charlie, en genieten van de privileges van de roem zonder zich al te zeer belast te voelen door de prijs en verantwoordelijkheden ervan.

Gladys Wycomb woont in een ander appartement, een ander gebouw; dit ligt maar een paar huizenblokken van het huis waar ik tijdens de jaarwisseling van 1962-1963 logeerde, even chic maar kleiner. Als ik door Norene Davis in haar woonkamer word binnengelaten (het lijkt me steeds duidelijker dat mevrouw Davis eerder een werkneemster dan een medesamenzweerder is), herinner ik me sommige schilderijen van dokter Wycomb van al die jaren geleden, al herken ik nu hun herkomst: ze zijn gemaakt door kunstenaars van de New York School, en ik weet bijna zeker dat een ervan een De Kooning is. Intussen ben ik in talloze luxueuze huizen en hotels geweest, ik woon nota bene in een museum, maar het treft me dat het appartement van dokter Wycomb de eerste elegante woning was waar ik ooit ben geweest, en dat het iets bezat wat niet met geld te koop is – het bezat stijl. Geen wonder dat mijn grootmoeder zo weg van haar was.

Dokter Wycomb zelf zit in een leunstoel met olijfgroene fluwelen bekleding en hoewel het warm is in haar appartement ligt er een dekentje over haar benen. Ze draagt een plastic bril met onmodieus grote glazen (geen vlindermodel), en een fleurige, heel wijde jurk van zijde, al is ze in feite geen forse vrouw meer; ze weegt waarschijnlijk half zoveel als toen ik haar voor het laatst zag. Haar gezicht is extreem gerimpeld, haar haar kort en grijs, en haar ogen achter de brilglazen staan alert. Naast haar, tussen haar stoel en een draaibare notenhouten boekenkast, staat een looprek, en er is een kleine zwart-wittelevisie van misschien dertien inch (ik heb in geen jaren een zwart-wittelevisie gezien), die ongeveer een meter voor haar op een rond tafeltje met marmeren blad staat. Hoewel ze zich op het moment dat ik binnenkwam uitstrekte en de volumeknop laag draaide, staat hij, zoals Hank voorspelde, op C-SPAN.

Ze stond niet op toen Norene Davis mijn entree aankondigde – ik krijg de indruk dat het een hele moeite voor haar zou zijn, al wil ze er misschien ook iets mee zeggen – en ik loop naar haar toe en buig me voorover. 'Dokter Wycomb, dat is lang geleden,' zeg ik met al te luide en opgewekte stem. Ik steek mijn hand uit, en als zij de hare niet uitsteekt, klop ik haar simpelweg op haar onderarm. 'U woont hier prachtig.'

Een zweem van een glimlach glijdt over haar lippen. Met een trage en rustige, maar perfect hoorbare stem zegt ze: 'Alice, niet alle oude mensen zijn doof.'

Onmiddellijk heb ik een opgelucht gevoel van herkenning. Bij mensen die je hebben gekend voor je beroemd was merk je meteen, binnen een paar seconden, wie je nu voor hen bent – of ze begrijpen dat je nog steeds jezelf bent en dat ze je als zodanig kunnen behandelen, of je bent in hun ogen veranderd, zodat vleierij en eerbied geboden zijn. Ik denk dat niemand ervan zal opkijken dat deze twee soorten gedrag, gezien de mate waarin alle mensen door elkaar worden gestuurd en beïnvloed, geneigd zijn zichzelf waar te maken. Wanneer oude vrienden of kennissen doen alsof ik groot respect verdien, heb ik de neiging me terug te trekken (ik voel me niet op mijn gemak, maar het komt ongetwijfeld over als gereserveerdheid), wat hun gevoel lijkt te versterken dat ze bij mij in de buurt niet zo ontspannen kunnen zijn als vroeger; maar als ze vanaf het begin ontspannen zijn, ben ik dat ook. Het is duidelijk dat ik voor Gladys Wycomb niet zozeer de first lady van de Verenigde Staten ben als wel de kleindochter van Emilie Lindgren.

Ik gebaar naar een armstoel met verguld houtwerk. 'Mag ik gaan zitten?'

'Ik ben blij dat we je eindelijk hebben bereikt,' zegt dokter Wycomb. 'Norene heeft herhaaldelijk geprobeerd om iemand op je kantoor te pakken te krijgen, maar ze werd steeds weer afgepoeierd. Toen kwam ik op het idee dat ze het bij meneer Ucker moest proberen.'

'O, dat spijt me.' Hoeveel mensen precies heeft Norene gesproken, vraag ik me af, en wat heeft ze gezegd?

Opnieuw dat flauwe glimlachje. 'Zodra zijn mensen doorkregen dat we niet van lotje getikt waren, was meneer Ucker behoorlijk geïnteresseerd.' Ze zwijgt even. 'Norene en ik vinden dat meneer Ucker op een trol lijkt.'

Hank is naast Charlie zelf en de vicepresident het zichtbaarste lid van Charlies regering en hij heeft dan ook zowel een groepje volgelingen als horden lasteraars achter zich aan. Aan Hank, die door het publiek als een kwade genius wordt gezien, worden Charlies verkiezing en herverkiezing toegeschreven, en ook veel van zijn meest conservatieve beleidslijnen. Dat ik Hank ken zoals ik hem ken, maakt hem minder intrigerend en mysterieus dan hij waarschijnlijk van een afstand lijkt, maar ik ben het niet oneens met de opvatting dat Charlie waarschijnlijk geen president zou zijn als Hank hem niet had aangespoord om mee te doen aan de gouverneursverkiezingen en de daaropvolgende campagnes had georganiseerd. (Hank was dolblij toen Charlie beherend vennoot van de Brewers werd, omdat Charlie eindelijk een identiteit los van zijn familie kreeg, een staat van dienst waarop hij kon wijzen wanneer kiezers in Wisconsin vroegen wat hij voor de staat had gedaan. Het verschil tussen Hank en Charlie was dat Hank de baan als een ideale springplank zag, terwijl Charlie het gewoon een ideale baan vond; zonder Hanks gepush en ego-opblazerij denk ik dat Charlie het niet erg had gevonden om eeuwig in die rol te blijven.

'Waar zijn je trawanten toch naartoe gegaan?' vraagt dokter Wycomb. 'Zouden ze iets te drinken lusten?'

'Maak u geen zorgen,' zeg ik. Cal, mijn hoofdagent, stond erop dat drie van hen meegingen naar Chicago en dat nog eens drie agenten ons hier zouden treffen; bij aankomst in het gebouw waar dokter Wycomb woont, hebben Walter en José, de derde jongen uit Washington, voor ik naar binnen ging een globale inspectie uitgevoerd door het hele gebouw. Nu zijn José en Cal in de hal gestationeerd, Walter bevindt zich bij de personenauto langs het trottoir (Jessica zit in de auto) en de drie lokale agenten patrouilleren rond het gebouw.

Ik zeg: 'Dokter Wycomb, toen mijn grootmoeder en ik bij u kwamen logeren was dat de eerste keer dat ik in een grote stad kwam, en sindsdien heb ik altijd een zwak voor Chicago gehouden.' Terwijl ik het zeg, dringt het verwarrende besef tot me door dat ik nu waarschijnlijk zo oud ben als dokter Wycomb tijdens dat bezoek was.

'Ik heb er nooit over gepeinsd om ergens anders te gaan wonen,' zegt ze.

Ik aarzel, dan zeg ik: 'Natuurlijk weten we allebei waarom ik hier ben. Ik begrijp uw zorgen, werkelijk, en ik wil duidelijk maken dat ik uw mening respecteer. Maar als u met de media zou spreken over mijn medische ingreep, zou dat een ernstige vergissing zijn. Ik zal niet doen alsof het mij geen schade zou berokkenen, maar ik heb sterk het vermoeden dat dat ook voor u het geval zou zijn.'

'Als je je zorgen maakt over schade, moet je eens even om je heen kijken.' De toon waarop dokter Wycomb spreekt is op slag heel anders dan toen we het over ditjes en datjes hadden. 'Je echtgenoot en de vicepresident zouden moeten worden berecht als oorlogsmisdadigers.' Ik sta op het punt om te reageren als ze doorgaat. 'Ik vermoed dat het excuus van de president is dat hij dom geboren is, maar ik vraag me al zes jaar af wat het jouwe is. Ik weet niet hoe jij 's nachts kunt slapen.'

Het is niet dat ik niet weet dat er mensen zijn die zo denken, maar die sentimenten worden zelden van zo dichtbij uitgedrukt. Ook komen ze niet uit de mond van mensen die ik ken, of mensen die zo oud zijn.

Ik zeg: 'Is het geen geluk voor ons allebei dat we in een land wonen waar het uiten van dit soort kritiek mag? Dokter Wycomb, het is uw recht het oneens te zijn met alle keuzes die de president maakt, maar vergeet alstublieft niet dat zijn regering los staat van mij als persoon.'

'Wat handig.' Ze kijkt recht voor zich uit. 'Maar het persoonlijke is politiek, of heb je de vrouwenbeweging gemist?' Ze draait haar hoofd, zodat onze blikken elkaar kruisen. 'Heel vaak heb ik het idee gehad je een brief te schrijven, en ik heb mezelf voorgehouden: Gladys, die bereikt haar toch niet. Ze krijgt hem nooit te zien. Maar toch dacht ik dat je zou ingrijpen. Ik bleef wachten op een bewijs dat je hem aan banden legde en hem wat verstand bijbracht.'

'Niet elk gesprek dat ik voer is openbaar, dokter Wycomb.'

'Wil je zeggen dat je tegen je man in bent gegaan?'

'Ik leef naar mijn eigen geweten. Meer wil ik er niet over kwijt.'

'En ik leef naar het mijne,' zegt ze. 'Voor het geval je denkt dat ik twijfels heb over het vertellen van je geheim: het enige wat me spijt is dat ik niet al jaren geleden mijn mond heb opengedaan.'

We zijn allebei stil, en ik hoor een andere televisie – een soapserie zo te horen – ergens anders in het appartement. Toen ze me binnenliet zag ik dat Norene Davis zwart haar had, bijeengebonden in een lage paardenstaart, en een verpleeguniform droeg met teddybeertjes erop.

'Wie wordt de dupe, denk je, als Wade versus Roe wordt tenietgedaan?' zegt dokter Wycomb. 'Niet de vrouwen die wij kennen; die gaan naar hun arts zoals jij naar mij kwam, in het geheim maar volstrekt hygiënisch en professioneel. Maar de arme vrouwen, waar gaan die naartoe? Iedere arts weet dat abortus niet minder vaak plaatsvindt als je het illegaal maakt, het maakt het alleen minder veilig. Vóór 1973 had ik patiënten die bij mij terechtkwamen na een verprutste ingreep. Ze kwamen hier met gevallen van bloedvergiftiging en bacteriëmie om nachtmerries van te krijgen, en dat waren dan nog de gelukkigen – degenen die pech hadden stierven voor ze hulp konden krijgen. Moet ik dan werkeloos toezien en mijn mond houden terwijl ons land daarnaar terugkeert?' Ze beeft, merk ik, een lichte trilling door haar hele lichaam. 'Wat ik niet langer kan dulden van deze regering is die houding van "als het niet mij persoonlijk betreft, dan maakt het niet uit". Ík zou nooit een abortus nodig hebben gehad, of wel soms? Nu ben ik zo oud dat wat er ook van komt, ik het toch niet meer zal meemaken. Maar dat betekent niet dat ik zeg "loop met z'n allen maar naar de maan en de groeten".'

'Dokter Wycomb, het is van belang te bedenken dat president Blackwell is gekozen door het Amerikaanse volk. Ook al bent u het niet met hem eens, een heleboel burgers zijn dat wel. Het is onmogelijk iedereen tevreden te stellen.'

'Die verkiezingen waren gemanipuleerd.' Haar smalle lippen zijn samengeperst; ze is razend op me, echt razend.

Ik zeg: 'Ik voel mee met uw frustratie, maar...'

'Je bent een marionet. Zelfs de woorden die je gebruikt, klinken alsof ze je door een speechschrijver in de mond zijn gelegd...'

Zo spreekt men niet tegen de first lady – niemand eigenlijk, behalve deze of gene demonstrant tijdens een toespraak, en als dat gebeurt wordt hij snel uit de menigte gehaald. Haar opmerkingen zijn beledigend en irritant, ze zijn neerbuigend, maar haar woede heeft ook iets puurs en waarachtigs, als een winterse wind. Het is bijna verfrissend, bijna een opluchting, om persoonlijk de huid vol gescholden te krijgen.

Hoewel ik het antwoord al weet, zeg ik tegen dokter Wycomb: 'Ik neem aan dat u weet dat ik in twee afzonderlijke interviews heb gezegd dat ik voor vrije abortus ben?'

'Die keren dat je met één woord antwoordde?'

'Ik zou graag tot een voor beiden aanvaardbare oplossing willen komen,' zeg ik. 'Denkt u dat dat kan?'

'Zorg dat Sanchez niet in het Hooggerechtshof komt.'

'Dat is een onderwerp waarover ik niets te zeggen heb.'

'Ach kom nou toch, je bent getrouwd met de president van de Verenigde Staten! Naar wie luistert hij eerder dan naar jou?'

Kón ik Charlie overhalen Ingrid Sanchez' voordracht in te trekken – of, zoals het volgens het protocol zou gaan, Charlie overhalen om Ingrid over te halen zich terug te trekken als kandidate? Zelfs al zou het mogelijk zijn, het komt me zo armzalig voor, eerder een manier om mezelf de publieke vernedering te besparen dan een politieke stellingname. Niet dat ik er niet sterk de voorkeur aan geef dat abortus legaal blijft, niet dat ik niet begrijp dat dat met de benoeming van Sanchez misschien niet het geval zal zijn. Ook ontgaat het me niet dat ik overkom als een huichelaarster, al kan ik het met die benaming niet eens zijn; ik heb feitelijk niet het ene gezegd en het andere gedaan. Alleen geloof ik in alle oprechtheid niet dat het mijn verantwoordelijkheid of zelfs maar mijn recht is om te proberen de wet voor te schrijven. Hoe vaak ik het ook zeg, de mensen willen maar niet accepteren dat ík niet ben gekozen. Heb ik geprobeerd Charlie een bepaalde kant op te sturen? Natuurlijk. Een programma voor peuteronderwijs, meer subsidie voor kunst en literatuur, een alfabetiseringsproject – onderwerpen die weinig controversieel zijn, onderwerpen waarover hij mijn mening vráágt.

Ik zeg: 'Dokter Wycomb, ik geef toe dat ik nog niet weet of wat u voorstelt valt onder chantage, maar het komt er zeker dicht bij, en Norene Davis is erbij betrokken. Begrijpt u alstublieft goed dat ik u niet bedreig wanneer ik zeg dat een deal sluiten alleen maar slecht kan aflopen voor ons allemaal. Ik kan een voordracht voor het Hooggerechtshof niet proberen tegen te houden om mijn eigen hachje te redden; dat is niet iets waartoe ik bereid ben, en ik denk trouwens ook niet dat ik ertoe in staat ben. Daarmee ligt de beslissing weer in uw handen wat betreft de vraag hoe u verder wilt, maar me dunkt dat als u een journalist vertelt over een medische ingreep die u bij mij hebt uitgevoerd, dat een aperte schending van het beroepsgeheim is.'

'Abortus, zo heet dat.' Opnieuw kijkt ze me niet aan. 'En jij vond het niet erg de wet te overtreden toen het je uitkwam. Voor jullie soort mensen is het alleen een misdaad als anderen het doen.'

Ze gaat het echt bekendmaken, besef ik, ze is onverschrokken. Het maakt haar niet uit wat de gevolgen zijn, kennelijk zelfs niet voor Norene. Haar leven van meer dan een eeuw lang is gereduceerd tot het volgende: ze heeft de pest aan Charlie, ze heeft de pest aan alles waar hij volgens haar voor staat, en aan mij heeft ze zo mogelijk nog meer de pest. En ze heeft niet eens een hekel aan me als verlengstuk van Charlie – nee, ze vindt mij nog erger dan hem. Ze onderschrijft het geloof, wijdverbreid onder democraten en gedeeld door sommige republikeinen, dat hij een imbeciel is, een boosaardige imbeciel, en tot zekere hoogte pleit hem dat vrij. Maar ík, ik zou beter moeten weten.

Ineens denk ik: oké. Oké, bazuin dan maar rond dat ik een abortus heb ondergaan; laat het de wereld weten, laat ze ervan horen in Missouri en Utah en Louisiana, in Ierland en Egypte en El Salvador. Het is niet onjuist; ik heb er een gehad. Ik zal worden veroordeeld, ik zal worden bekritiseerd, ik zal worden geanalyseerd in talkshows, het onderwerp van grappen zijn in de tv-shows laat op de avond, worden afgemaakt of verdedigd (maar vooral afgemaakt) op de opiniepagina's. De zondag nadat het nieuws bekend raakt zullen in de 'Week in Review' van *The New York Times* drie afzonderlijke artikelen over me hetzelfde standpunt van drie kanten belichten. Zelfs degenen die voorstander van vrije abortus zijn, zullen me aan de kaak stellen als een huichelaarster; vrouwengroepen zullen me gebruiken als bewijs van het een, of als een voorbeeld om voor het ander te waarschuwen. In elk interview vanaf nu tot aan mijn dood zal men me vragen uit te leggen waarom ik een abortus heb ondergaan en waarom ik er daarna zo lang over heb gezwegen, men zal me vragen de inconsistenties tussen mijn persoonlijke ervaring en het gevoerde beleid en de wetgeving van mijn man met elkaar in overeenstemming te brengen. Alles wat ik erop antwoord zal hierop neerkomen: *Ik heb mezelf niet tegengesproken; ik leid een leven dat tegenstrijdigheden bevat. U niet?*

Pete Imhof komt het te weten, als Dena het hem nog niet verteld heeft. Mijn moeder komt het te weten, mijn arme moeder, als ze in haar huidige dementerende toestand nog genoeg bij de pinken is om het te bevatten. De positieve kant is dat andere vrouwen die een abortus hebben ondergaan zich misschien – tja, wat? – minder alleen voelen? Minder schuldig? Maar dan ga je ervan uit dat ze zich nu alleen en schuldig voelen, wat ik over het algemeen betwijfel. Persoonlijk heb ik nooit spijt gehad van mijn abortus; ik heb spijt gehad van de omstandigheden die hem noodzakelijk maakten, maar ik blijf erbij dat het een noodzaak wás, dat het, hoe laf dokter Wycomb me ook vindt omdat ik me van die term bedien, een medische ingreep wás. Zou ik me er ongemakkelijker bij hebben gevoeld als het in de twaalfde of de zestiende week was gebeurd in plaats van de vijfde of zesde? Ja, beslist. Maar de discussie over de vraag wanneer het leven begint lijkt me misplaatst; ik heb een privébeslissing genomen ten aanzien van mijn eigen gezondheid.

Het valt moeilijk te voorspellen hoe nadelig het nieuws voor Charlie zal zijn wanneer het bekend wordt. Zijn regering heeft bewezen schandalen te kunnen overleven, maar op dit moment is hij een makkelijk doelwit, klemgezet door een meerderheid van democraten in zowel het Huis van Afgevaardigden als de Senaat – bij de verkiezingen van '06 liet Hanks vermeende politieke toverkracht het uiteindelijk afweten – en Charlies focus is na al die jaren teruggekeerd naar zijn nalatenschap, dat onderwerp dat me altijd zo irriteerde. Vermoedelijk is die zorg nu meer gerechtvaardigd, maar in stilte heb ik er nog steeds iets tegen. Een nalatenschap zien als een paar grootse daden lijkt me te nietszeggend. Is je nalatenschap niet meer dan die een of twee uitzonderlijke daden van je leven, is het niet de manier waarop je je elke dag, jaar in jaar uit hebt gedragen? Hoe dan ook, Charlie persoonlijk zal me vergeven, daar heb ik vertrouwen in. Op hem inpraten om Ingrid Sanchez' benoeming in te trekken zou in zijn ogen verraad zijn; publiekelijk bekendgemaakt worden als de first lady die een abortus heeft ondergaan zou me alleen maar tot een slachtoffer maken. Om zijn conservatief-christelijke achterban tevreden te stellen zal hij hoogstwaarschijnlijk voorstellen dat ik een interview geef waarin ik mijn gedrag veroordeel, dat ik zeg: 'Ik ben een zondaar', maar als ik dat weiger zal hij me niet onder druk zetten. Dat is onze impliciete afspraak, dat we mogen voorstellen of aanbevelen, maar nooit dwingen, nooit een ultimatum stellen; dat is de reden waarom we geen wrok jegens elkaar koesteren.

En misschien bevalt die onthulling me ergens zelfs wel, zoals de uitbrander van Gladys Wycomb. De lutheranen bij wie ik ben grootgebracht geloofden niet zozeer in een wraakzuchtige als wel in een tuchtigende God: als we op Jezus vertrouwden, zouden we eeuwige verlossing vinden, maar intussen, hier op aarde, konden we hindernissen of beproevingen tegenkomen, bedoeld om ons in ons geloof te sterken. Vele jaren zijn voorbijgegaan sinds ik op Jezus heb vertrouwd, maar het valt niet te ontkennen dat het kader van je opvoeding je bijblijft, en dat het voor mij volkomen aannemelijk is dat ik nu word 'getuchtigd' vanwege misstappen in het verleden: niet vanwege Andrew (in dat geval vielen fout en straf samen) maar vanwege het leven dat ik heb geleid ondanks die verschrikkelijke fout in het begin. Alles had voor mij de mist in kunnen gaan, of niet soms? Maar dat gebeurde niet, en ik werd gelukkig: ik ontving de zegeningen van huwelijk en moederschap, het comfort van rijkdom, en ten slotte de exorbitante privileges die horen bij het hoogste politieke niveau. Sinds Charlie overheidsfuncties bekleedt, heb ik een versterkte versie ervaren van wat ik in de Maronee Country Club altijd voelde: de angst dat we net als de Californiërs waren, die in prachtige huizen wonen pal boven de kliffen.

Bij mijn verwachting dat geluk onontkoombaar leidt tot het tegengestelde daarvan, moet ik wel de kanttekening maken dat ik niet vind dat ik het geluk minder verdien dan een ander; maar in een wereld waarin het ongelijk verdeeld is, verdient niemand de privileges die ik nu geniet. Sinds Charlie gouverneur werd heb ik vaak gedacht dat het geen wonder is dat zoveel beroemde mensen mentaal instabiel lijken. Naarmate hun beroemdheid toeneemt en ze steeds meer naar de mond gepraat worden en iedereen zich aan hen aanpast, kunnen ze een van de twee dingen gaan geloven: óf wel dat ze het verdienen, in welk geval ze onredelijk en onuitstaanbaar worden; óf dat ze het niet verdienen, in welk geval ze kapot gaan aan twijfel en geplaagd worden door het gevoel dat ze bedriegers zijn. Ik vermoed dat dat de reden is waarom ik uit alle macht heb geprobeerd een 'normaal' leven te leiden – waarom ik nog steeds ons bed opmaak, waarom ik, als ik zonder Charlie in Wisconsin ben, bij vrienden of familieleden logeer in plaats van in hotels, waarom ik de krant lees in plaats van blind te varen op briefings, waarom ik zelf, weliswaar met veiligheidsagenten, bij Hallmark ga winkelen, waar ik felicitatie- of verjaardagskaarten uitzoek (nooit met ons erop), want hoe kun je erop vertrouwen dat een assistente weet wat voor felicitatiekaartje ze moet kopen voor jouw eigen vriendin of zwager? Als ik een normale vrouw kan blijven, hoop ik dat ik dat normale kan delen met Charlie; mijn pogingen daartoe zijn gebrekkig, dat besef ik, maar ze zijn beter dan niets.

In de woonkamer van dokter Wycomb zeg ik: 'Het ziet er geloof ik niet naar uit dat een van ons beiden de ander kan overhalen om bij te draaien.'

'Al die vrouwen die abortussen zullen moeten ondergaan in miserabele omstandigheden – ben je in staat daarmee te leven?' Ze beeft nog steeds.

'Dokter Wycomb, ik weet dat u intens...'

'Jij hebt de macht om de geschiedenis te veranderen, en je vertikt het. Dus het recht op vrij gekozen voortplanting spreekt je niet zo aan? Nou, dan misschien het homohuwelijk? Ik kan op zijn minst één reden bedenken waarom dat je ter harte zou moeten gaan. En het milieu dan, en onze vrijheid als burger, en die godvergeten oorlog dan, of zijn jullie twee van plan daar met die oogkleppen op te blijven zitten tot hij is afgetreden en zijn opvolger de rotzooi kan opruimen?'

'U hebt uw standpunt duidelijk gemaakt.' Ik sta op; het is mooi geweest. 'Ik vertrek, dokter Wycomb. Het ga u goed.' Ik kan me niet voorstellen dat ik haar ten afscheid zou aanraken, ik kan me niet voorstellen dat ze dat zou willen. Ik begin in de richting van de hal te lopen.

Ik ben al bij de drempel tussen de woonkamer en de hal wanneer dokter Wycomb zegt: 'Wat zou je grootmoeder teleurgesteld in je zijn geweest.' Wat daarin het ergste steekt, is dat haar stem op dat moment niet zozeer boos is, als wel weifelend-verdrietig.

Ik draai me om, en al hou ik mezelf voor dat Gladys Wycomb niet anders is dan een journalist die een artikel over me schrijft, dat het feit dat zij iets zegt het nog niet waar maakt, kan ik het niet laten hierop te reageren. 'Daar ben ik het niet mee eens,' zeg ik.

'Emilie mag dan geen politieke persoon geweest zijn, ze wist goed en kwaad uitstekend van elkaar te onderscheiden.'

'Ú hebt haar teleurgesteld,' antwoord ik, en ik hoor in mijn stem een onaangenaam woeste toon. 'Ze heeft me zelf verteld dat u haar voor de keuze hebt gesteld tussen u en ons, en dat ze voor ons heeft gekozen. Meer hoef ik niet te weten: ze koos voor ons.'

'Jij en je ouders hielden haar praktisch gevangen in dat sjofele huisje. En gezien de manier waarop jullie allemaal haar seksuele geaardheid probeerden te verbloemen, hoeft het me niets te verbazen wat voor iemand jij bent geworden.'

Is dat zo? Hoe dan ook, is dit wat mijn grootmoeder geloofde, wat ze dokter Wycomb vertelde, of alleen maar wat dokter Wycomb in haar eentje heeft geconcludeerd?

'Ik hield van mijn grootmoeder, en mijn grootmoeder hield van mij.' Voor ik doorloop naar de hal en door de voordeur van het appartement, voeg ik eraan toe: 'Dat kunt u niet verzieken.'

Op een zaterdagavond in oktober 1994, toen het duidelijk was dat Charlie de gouverneursverkiezingen in Wisconsin hoogstwaarschijnlijk zou winnen, kwam onze oude vriend Howard uit Madison naar Maronee voor een bezoek met overnachting samen met zijn vrouw Petal. Het was een uitputtende tijd voor ons gezin: Ella sliep 's nachts vaak bij Arthur en Jadey thuis wanneer Charlie, ik, Hank en andere leden van het campagneteam kriskras door het noordelijke deel van de staat toerden, langs stadjes als Cornucopia en Moose Junction en Manitowish; als we in een Holiday Inn overnachtten in plaats van in een naamloos motel, voelde dat als een luxe. (Al vroeg in de campagne was Charlie ertoe overgegaan op reis zijn eigen donskussen mee te nemen, dat ik elke ochtend dubbelvouwde en in mijn canvas tas stopte.) Gezien ons reisschema waren de mogelijkheden om met vrienden af te spreken beperkt, en ik had het gevoel dat het ons allemaal goed zou doen, vooral Charlie. Ik had gemerkt dat hoe meer dagen achter elkaar hij campagne voerde, hoe ongeduldiger en chagrijniger hij werd – die ochtend had hij in een elektriciteitscentrale in New Richmond, toen een alleenstaande moeder van drie kinderen hem vroeg waarom ze zou moeten geloven dat hij enige notie had van arbeidersgezinnen, gesnauwd: 'Als u denkt dat ik dat niet heb, dan moet u misschien maar niet op mij stemmen' – maar zelfs een korte pauze kon hem enorm verkwikken. Die zaterdagmiddag waren we in een straalvliegtuigje voor acht personen van Eau Claire naar Milwaukee teruggevlogen. Hoewel ik aanvankelijk grote plannen had gehad voor een echte maaltijd, kon ik het nog net opbrengen om spaghetti te maken, maar het werd een heel gezellige avond, Howard, Petal, Charlie, Ella en ik zaten in de keuken in plaats van in de eetkamer, te praten en te lachen.

Ella was de vertaling van *De Odyssee* aan het lezen voor Engels, en ik herlas het zelf ook – ik nam het mee op campagne, en ik had haar syllabus gekopieerd zodat ik elke avond dezelfde pagina's als zij kon lezen en we ze aan de telefoon konden bespreken als ik niet thuis was (ik was altijd dol geweest op *De Odyssee*). Howard bleek het in groep negen te hebben gelezen; hij had de eerste vijf regels in het Grieks uit zijn hoofd moeten leren en herinnerde ze zich nog steeds: *Andra moi ennepe, Mousa, polutropon, hos mala polla...* Toen vertelden ze dat Petal drie maanden zwanger was – ze was bijna twintig jaar jonger dan Howard, Charlie en ik – en ze zeiden dat wij de eersten waren die ze het vertelden naast hun familie; ze wisten nog niet of het een jongetje of een meisje was, dus we verzonnen namen voor allebei. Ella kwam met Ella, Charlie kwam met Charlie, en toen ik niet met Alice kwam zei Howard: 'Waarom zo bescheiden, Al? Kun je niet tegen deze egotrippers op?' Na het eten gingen we in de tv-kamer hartenjagen, en Ella haalde een pit; de avond had het feestelijke karakter van een slaapfeestje gekregen. Charlie ging als eerste naar bed – sinds hij ermee was begonnen 's ochtends te joggen ging hij indien mogelijk om tien uur naar bed – en toen hij sliep gingen Petal, Ella en ik naar zolder, zodat ik mijn oude zwangerschapskleding kon zoeken om die aan Petal te geven. Het meeste was natuurlijk hopeloos gedateerd.

De volgende ochtend ging Howard met Charlie joggen, waarna Howard en Petal naar Madison vertrokken rond dezelfde tijd dat wij naar de kerk gingen. Niet voor de eerste keer werden we na de dienst in Heavenly Rose opgewacht door een lokale nieuwszender – dit was in oktober – en Charlie bleef een paar minuten staan praten met de journalist, terwijl Ella en ik in de auto wachtten. Die avond zou Charlie een toespraak houden in Green Bay, en ik zou in Milwaukee blijven maar hem maandag in Sheboygan treffen, waar zeshonderd republikeinen uit de regio ieder honderd dollar hadden neergeteld om een lunch met ons bij te wonen. Het was na afloop van de lunch, meer dan vierentwintig uur nadat het was voorgevallen, dat Charlie het me vertelde: tijdens het joggen op zondagochtend had Howard gezegd dat Charlie hem een enorme dienst zou bewijzen als hij bereid zou zijn tot een ontmoeting met zijn broer Dave, die algemeen directeur was van een grote bouwonderneming die een contract met de staat in de wacht hoopte te slepen. Tussen jou en mij, had Howard gezegd, Daves firma was veel beter gekwalificeerd dan al die andere die op het moment zaken deden met het Departement van Transport van Wisconsin. 'Denk je dat ze daarvoor gekomen zijn?' vroeg Charlie.

'Ik weet zeker van niet,' zei ik, al was ik daar natuurlijk helemaal niet zo zeker van. Charlie en ik zaten op de voorste stoelen van het busje op weg naar het stadje Little Chute, waar Charlie een speech zou houden voor een stel zuivelboeren, en ik hield mezelf voor dat niemand in het busje naar ons luisterde. Op dat moment zat onze chauffeur Kenny voorin, een speechschrijver genaamd Sean O'Fallon zat op de achterste rij met een koptelefoon op te typen op zijn laptop, en Hank en Debbie Bell, een strategisch medewerkster, zaten op de tweede rij luid en verhit te discussiëren over de vraag of het nummer van Garth Brooks 'Friends in Low Places', dat net op de radio was geweest, geschikt zou zijn om voor Charlies verkiezingsbijeenkomsten te gebruiken. Vanwege de verwijzingen in het lied naar plaatsen 'waar de whisky vloeit en het bier mijn blues verjaagt' leek het mij zonneklaar dat dat een rampzalig idee was, precies wat Hank ook vond – hij zei dat het praktisch een provocatie aan de media was om Charlies veroordeling wegens rijden onder invloed uit 1988 te onthullen, die toen nog geheim was – terwijl Debbie volhield dat het zo'n populair liedje was en zo perfect Charlies pretentieloze persoonlijkheid en de leefstijl van Wisconsin weergaf, dat de alcoholistische verwijzingen er niet toe deden; heel veel kiezers leken Charlie zelfs meer te mogen vanwege zijn strijd tegen de drank.

Terwijl hij naast me zat en de Garth Brooks-discussie langs zich heen liet gaan, leek Charlie eerder melancholiek dan geïrriteerd toen hij zei: 'Zo werkt dat nu zeker, hè? Wij vragen geld aan iedereen die we kennen, en iedereen die we kennen vraagt ons om gunsten.' Hij grinnikte vreugdeloos. 'Ik ben een hoogstaande hoer.'

'Als je jezelf zo ziet, weet ik niet waarom je meedoet,' zei ik. 'Een gouverneur kan veel goed doen, en trouwens, hoogstaande hoer is een oxymoron.'

'Hoho, wacht eens even.' Charlie grijnsde, en nu echt. 'Wie noem jij een oxymoron?'

'Serieus,' zei ik. 'Als je verkozen wordt, en daar ziet het wel naar uit...' dit was niet alleen optimisme van mijn kant, hij stond in de peilingen ergens achter in de vijftig, '... krijg je de kans om een heleboel mensen een beter bestaan te geven. Is dat niet de reden waarom je meedoet?'

Nu, al deze jaren later, zie ik de vraag waarom Charlie aan de gouverneursverkiezingen meedeed als achterhaald – ons leven is gelopen zoals het is gelopen – maar in die tijd deed het ertoe, het gaf me het gevoel dat ik een belangrijk raadsel zou kunnen oplossen als ik het grondig bestudeerde. Waarschijnlijk geloofde ik dat ik, als ik Charlies drijfveren begreep, misschien kon beamen dat meedoen aan de verkiezingen een goed idee was. 'Omdat hij zich geroepen voelt de leiding te nemen,' zei Hank altijd tegen journalisten. Charlie zelf, weigerend om serieus te zijn, zei tegen me: 'Om dezelfde reden als een hond zijn ballen likt – omdat ik het kan.' Omdat hij wilde bewijzen dat hij even slim en ambitieus was als zijn broers, speculeerden journalisten, of omdat hij wraak wilde nemen voor de vernederende deelname van zijn vader aan de presidentsverkiezingen van 1968, en hoewel geen van deze mogelijkheden een erg positief licht op Charlie wierp, waren ze vleiender dan mijn eigen theorie, die ik met niemand besprak: omdat hij bang was voor het donker. Omdat hij als gouverneur, en daarna als president, beveiligd zou worden door politieagenten van de staat en later door veiligheidsagenten, en nooit meer dan een kamer verwijderd zou zijn van mensen die speciaal waren aangesteld om hem te bewaken; hij kon vermoord worden, maar hij zou nooit meer in zijn eentje door een halfdonkere gang hoeven lopen. (Het lijkt er inderdaad op dat ik banger ben dat Charlie vermoord wordt dan hijzelf. Voor hij zich bij de eerste presidentsverkiezingen officieel kandidaat stelde, vond ik dat ik hem moest vertellen over mijn eigenaardige, van schuldgevoel doortrokken opluchting toen Kennedy werd neergeschoten. Zou het geen volmaakt symmetrische straf voor die lelijke gedachten zijn, zei ik, als mijn eigen man president werd en op gelijke wijze werd vermoord? Waarop Charlie zonder een moment te aarzelen antwoordde: 'Je weet toch dat dat onzin is, hè? Dat zijn de hocus-pocusgedachten van een tienermeisje.')

De werkelijke reden waarom Charlie meedeed aan de verkiezingen was volgens mij een combinatie van factoren, plus zijn ego: hij had wel een zeker verlangen om het algemeen belang te dienen, zoals hij het omschreef; hij had ook een zeker gevoel van 'waarom niet?'; hij wilde zichzelf inderdaad bewijzen tegenover zijn familie, en zijn familie bewijzen tegenover de wereld; hij wilde de extraatjes. Zulke motieven, hoe eerloos ze ook zijn, stuiten me niet tegen de borst; ze hebben me er nooit van overtuigd dat het verstandig was dat Charlie de politiek in ging, maar ik vraag me af of de motieven van een ander nobeler zijn.

Voor zijn eerste presidentscampagne in 2000 profileerde Charlie zich als een 'tolerante traditionalist', een stukje alliteratie uit de koker van Debbie Bell. Ironisch genoeg werden Charlies openlijk beleden sympathie voor de gemarginaliseerden en de onderklassen en zijn geloofwaardigheid bij meer naar links neigende stemmers niet alleen ondersteund door zijn gematigde reputatie als gouverneur, maar ook doordat hij al meer dan tien jaar voor hij openbare functies bekleedde, consequent donaties had gedaan aan organisaties zoals gaarkeukens, naschoolse centra, opvanghuizen voor slachtoffers van huiselijk geweld en aidsklinieken. Dit waren natuurlijk de bescheiden donaties die ik heimelijk had gedaan;

toen onze financiële gegevens voor de eerste keer werden doorgelicht en deze kleine geheimpjes aan het licht kwamen, waren Charlie en Hank allebei verrukt. 'God zegene je stiekeme trekjes!' riep Charlie uit.

Een andere ironie met betrekking tot Charlies tolerante traditionalisme was dat die tolerantie zich niet leek uit te strekken tot seksuele geaardheid, maar dat ik er nooit een seconde aan had getwijfeld dat Debbie Bell lesbisch was. Ik wist niet of ze er relaties op na hield – ze had het er nooit over en was nooit getrouwd geweest – maar ze straalde een soort kameraadschap uit tegenover mannen en was flirterig tegen vrouwen. Ze was lang en had kort blond haar, en zelfs wanneer ze geen pak met lange broek droeg, bewoog ze zich alsof dat wel zo was; alles aan haar, haar stem en houding en meningen, ademde een kordaat, atletisch zelfvertrouwen dat je helaas bijna nooit ziet bij heterovrouwen. Op de zeldzame momenten dat ze iets zei over hoe knap een bepaalde man was of haar ongetrouwde status betreurde, kwam ze op mij het duidelijkst over als lesbisch; zo geforceerd en weinig overtuigend kwamen die opmerkingen eruit. Ik besprak mijn visie met Jadey en later met Jessica, die het allebei met me eens waren, maar ik heb er tegen Charlie nooit over gerept omdat ik dacht dat hij erdoor zou worden afgeleid, dat hij zich raar zou gaan gedragen als Debbie in de buurt was, haar op de vrouw af zou plagen of achter haar rug om grapjes over haar zou maken. Het verbaasde me dat Charlie niets merkte van haar geheimzinnige seksuele geaardheid, maar ik denk dat hij zo gestreeld werd door Debbies onwankelbare toewijding dat hij die misschien niet wilde analyseren, bang om iets psychologisch bedenkelijks tegen te komen. En in feite vermoed ik dat Debbie haar innerlijke voorraad aan liefde, die de meeste mensen bewaren voor een echtgenoot, partner of kinderen, aan Charlie besteedt. (Heel vaak bekruipt me het verlangen om haar apart te nemen en in te fluisteren: Je verdient beter dan een surrogaat, ook jij hebt recht op het echte werk, en niet alleen maar stukjes van mijn man. Uiteraard slik ik mijn woorden in en hoop ik maar dat ze een privéleven heeft waar wij niets van weten.)

Debbie had een baan als pr-medewerker bij de Brewers – ze was een even gepassioneerd honkbalfan als Charlie en had zelf naam gemaakt als softbalster aan de UW, en ook zij was, aangemoedigd door Charlie, in 1990 toegetreden tot de Heavenly Rose-kerk en een herboren christen geworden – en nadat Charlie de Brewers had verlaten, was zij met hem meegegaan. In die begindagen van Charlies politieke opkomst verbaasde me het soms hoe gewillig en zelfs geestdriftig de mensen hem volgden. Omdat hij, zoals ik mettertijd had begrepen, zijn ouders, broers en schoonzussen niet veel vertrouwen inboezemde, viel het me moeilijk hem niet enigszins als een underdog te zien. Maar met name tijdens en na zijn periode bij de Brewers zagen anderen een geïdealiseerde versie, alsof Charlie de ster was in een film over zijn eigen leven: een knappe, grappige, opgewekte jongen die aan prestigieuze scholen had gestudeerd en een uitstekende, succesvolle carrière had (of hij een rijkeluiszoontje was? Zeker, maar met het honkbal was hij een andere richting ingeslagen, en als je met hem kennismaakte merkte je binnen de minuut hoe ongekunsteld hij was; hij at liever in een hamburgertent dan in een chic restaurant, hij maakte graag geintjes met je kind, hij was bescheiden op een kwajongensachtige manier.) Hij was zelfverzekerd en fit en religieus, had een huwelijk dat geen spoortje van een schandaal vertoonde en had een hechte band met zijn enig kind. In dit verhaal was hij het soort kerel die mannen als vriend wilden hebben en vrouwen als een voorbeeld voor hun echtgenoot zagen. Hoewel mijn minder aanbiddende kijk op Charlie deels terug te voeren is op het feit dat we zo dicht bij elkaar staan, mag ik wel zeggen dat wat me het allermeeste heeft verbaasd aan het politieke leven de lichtgelovigheid van het Amerikaanse volk is. Zelfs in ons tijdperk van cynisme is het percentage van de bevolking dat iets voor zoete koek slikt alleen maar omdat iemand het hun vertelt, verbijsterend. Ergens is het ook aandoenlijk, het geeft me een beschermend gevoel. (Je ziet een politiek spotje op tv en je gelooft dat de beweringen daarin wáár zijn – hoe kan zo iemand in deze wereld leven? Hoe is het mogelijk dat hij niet dagelijks wordt opgelicht door charlatans die bij hem aan de deur komen?)

Ik had aangenomen dat iedereen, en met name politieke insiders, bij zichzelf dezelfde scepsis koesterde als ik, met name ten aanzien van de discrepantie tussen iemands woorden en zijn daden, maar dat we die scepsis allemaal verborgen uit beleefdheid; maar ik zat er duidelijk naast. Ik hou evenveel – of meer, mag ik hopen – van Charlie als van iemand als Debbie, maar ik hou anders van hem, met een scherper inzicht in zijn tekortkomingen. Ook al geloof ik dat hij zich kandidaat stelde voor het presidentschap als een manier om van zijn angst voor het donker af te komen, op mijn ruimhartigste momenten kan ik die motivatie wel vertederend vinden. Debbie van haar kant gelooft dat Charlie zich verkiesbaar heeft gesteld omdat God hem heeft geroepen, en zij ziet hem als een held.

Terwijl ik naast Charlie in het busje zat, op weg naar Little Chute, werd 'Friends in Low Places' gevolgd door het nummer 'Achy Breaky Heart', een song die in de loop van de campagne een terugkerende grap was geworden omdat niemand wilde toegeven dat hij het leuk vond maar we wel allemaal de tekst kenden, en we bleven het op de radio horen waar we maar gingen, met name in de achterlijkste gehuchten. Hank riep naar Kenny voorin dat hij hem harder moest zetten, en Hank en Debbie onderbraken hun Garth Brooks-discussie en zongen uit volle borst mee. Naast me zei Charlie zachtjes en ernstig: 'Je denkt toch wel dat ik het gouverneurschap aankan?'

'Ik denk dat je het fantastisch zult doen.' Ik loog niet. Toen Charlie meer dan een jaar daarvoor had besloten zich kandidaat te stellen, wist hij nog maar weinig over onze staat dat niet was gefilterd door de familieoverlevering of zijn eigen ervaringen als Congreskandidaat in '78, maar voorafgaand aan de bekendmaking van zijn kandidatuur had hij zich ijverig in de geschiedenis en politiek van Wisconsin verdiept. Hank had ervoor gezorgd dat experts op het gebied van economie, onderwijs en gezondheidszorg hem kwamen informeren, gewoonlijk vertrouwelijk, en Charlie had feiten en statistieken uit zijn hoofd geleerd tot hij ze moeiteloos kon oplepelen.

Hank tikte me op mijn schouder. 'Waarom zingen jullie twee niet mee? "*You can tell your ma I moved to Arkansas/ You can tell your dog to bite my leg...*"'

Ik wierp hem een glimlach toe. 'Volgens mij heb je al genoeg zangers voor dit couplet, Hank.' Toen hij weer achterover was gaan zitten zei ik zachtjes tegen Charlie: 'Er komen beslist allerlei problemen, maar als jij gericht blijft op wat je wilt bereiken, gaat het prima.'

'Weet je wat ik vandaag besefte?' zei Charlie. 'Toen ik aan het handenschudden was bij de lunch, dacht ik bij mezelf: ik zal nooit meer nieuwe vrienden krijgen. Ervan uitgaand dat ik gekozen word, bedoel ik – vanaf dit punt zullen er alleen maar mensen zijn die iets van me willen en een ingang zoeken.'

Ik kon het niet tegenspreken. 'Maar je boft dat je al zoveel vrienden hebt,' zei ik. 'We boffen allebei.'

'Maar dat is het 'm juist.' Hij was heel beschouwelijk op dit moment, vooral in vergelijking met Hank en Debbie die achter ons spektakel maakten. 'Toen Howard me dat vroeg over die bouwcontracten... ik reken het hem niet aan, maar ik kan daar van nu af aan maar beter altijd op bedacht zijn. Ik moet mijn aandacht niet laten verslappen en er niet van uitgaan dat welke samenkomst ook alleen maar om het plezier en de gezelligheid gaat; zelfs mensen die we kennen – joh, zelfs Arthur of John of Ed – velen van hen zullen achterliggende bedoelingen hebben. Nu ik het vanuit deze hoek bekijk, ik heb Ed ook behoorlijk aan zijn kop gezeurd over dat honkbalstadion.'

'Je moet dit eens bij hem aankaarten, of bij je vader. Ik wed dat zij hierover goede ideeën hebben.' Ed zat nog steeds in het Congres, en hoewel er sprake van was geweest dat hij bij de verkiezingen van '92 zou deelnemen aan de senaatsverkiezingen, had hij dat niet gedaan, ik wist niet waarom niet.

'Weet je wie de enige persoon is die me nooit zou gebruiken?' Charlie wees naar mij.

'Lieverd, ik weet zeker dat ik niet de enige ben. Misschien is het voor sommige van onze vrienden even wennen, maar ik zou ze niet onderschatten.'

'De mensen gaan anders wel raar doen. Tot vanochtend was ik het vergeten, maar toen mijn vader gouverneur was, was er een oude familievriend die in aanraking kwam met justitie, ik denk vanwege fraude, en hij wilde dat pa ingreep. Toen pa dat weigerde, wilden de kinderen van die man, jongens die ik goed kende van de country club, niet meer met me praten. De man hoefde uiteindelijk niet eens naar de gevangenis, dus ik weet niet waar die familie zo boos over moest zijn.'

In de stoel achter ons leunde Hank opnieuw naar voren – het nummer liep tegen het einde, waarbij het refrein verschillende keren werd herhaald – en riep: 'Laatste kans, Chuckles, je mag blij zijn dat je voor de politiek hebt gekozen, want in een rondreizend variété was je niet ver gekomen.' (Chuckles, naar de gelijknamige snoepjes, was Hanks bijnaam voor Charlie, een vergelding voor Shitstorm. Natuurlijk is Charlie nu meneer de president en is alleen de bijnaam Shitstorm gebleven.)

Gewillig viel Charlie in: '*Don't tell my heart, my achy breaky heart...*'

Ik pakte zijn hand, verstrengelde mijn vingers met de zijne en boog me naar hem toe zodat mijn mond bij zijn oor was. 'Ik hou heel veel van je,' fluisterde ik.

In de personenauto heeft Jessica Hank aan de lijn. 'Dat wil ze liever niet,' blijft Jessica op vlakke toon zeggen – ze heeft onberispelijke manieren – en ik hoor flarden van Hanks stem, vleiend maar vasthoudend; hij wil me direct spreken. 'Nee, dat was ze niet,' zegt Jessica. 'Ze denkt niet dat Gladys Wycomb daarmee zit. Nee. Nee. Oké. Ik bel je vanuit het vliegtuig.' Ze drukt op de rode aan- en uitknop van haar mobiele telefoon, klapt hem dicht en grijpt onmiddellijk naar haar BlackBerry, waar ze met haar duimen op begint te typen.

We zijn drie kilometer van Midway Airport, Jessica en Cal en ik in deze auto, die door een lokale agent wordt bestuurd. Ik zeg: 'Ik zou graag even een stop willen maken in Wisconsin voor we teruggaan naar Washington.'

Jessica trekt haar wenkbrauwen omhoog. 'Je moeder?'

Mijn moeder heeft ook haar tweede echtgenoot overleefd (Lars, wellicht de enige binnen Charlies en mijn familie die zonder meer blij was om Charlies politieke opkomst, stierf in 1996 aan acuut nierfalen) en woont nu in een verzorgingstehuis op een plek buiten Riley waar in mijn jeugd het vee graasde. Ze heeft alzheimer, maar gelukkig is ze nog steeds goedgehumeurd en lijkt tevreden; gezien het aantal mensen met neurodegeneratieve ziekten die depressief of gewelddadig worden, is dat een zegen. Toch is mijn moeder niet degene die ik wil zien, zelfs al gebruiken we haar als voorwendsel voor mijn trip van vandaag.

Toen ik er vanochtend van uitging dat Dena Janaszewski degene was die naar Hanks bureau had gebeld, leek dat min of meer logisch – er waren onopgeloste kwesties tussen Dena en mij, en dit zou wel een afrekening zijn. Toen ik vervolgens hoorde dat de bedreigingen niet van haar afkomstig waren, was dat bijna een teleurstelling. Vaak heb ik teruggedacht aan die middag in Riley waarop zij Ella de diadeem gaf – hoe meer tijd er is verstreken, hoe zekerder ik weet dat het Dena en niet haar moeder was, en dat het gebaar een zoenoffer was en niet een schimpscheut – en het speet me dat ik dat gebaar niet op de een of andere manier had beantwoord. Maar het gebeurde in zo'n turbulente periode van mijn leven, toen elke relatie behalve die ik met Charlie had, bijkomstig leek. Al die jaren later ben ik bang dat ik een kans heb gemist, en ik word me er steeds meer van bewust dat er, als ik niet de eerste stap doe, misschien geen tweede komt. Zoals de meeste mensen heb ik mezelf bij elke verjaardag die op een nul eindigde ervan weten te overtuigen dat ik nog niet oud was, dat mijn vroegere gevoel bij deze leeftijd, dertig of veertig of vijftig, was vertekend doordat ik zelf nog zo jong was. Dit staaltje zelfbedrog lukte me zelfs toen ik zestig werd – zestigjarigen doen aan bungeejumpen en zwemmen het Kanaal over! – maar nu heb ik een leeftijd bereikt waarop het, als mij iets zou overkomen, wel droevig maar niet tragisch zou zijn. Ik zou aan de jonge kant zijn, maar niet piep. Als ik, in dezelfde lijn doordenkend, op een dag zou horen dat Dena was overleden – hoe dat nieuws me zou bereiken is moeilijk te zeggen, nu mijn moeder in een verzorgingstehuis woont en Dena's beide ouders zijn overleden, maar uiteindelijk zou ik het zeker horen – zou ik er niet van achteroverslaan. Andere leeftijdgenoten zijn al gestorven, Rose Trommler uit Madison is in 2003 aan borstkanker bezweken, en vorig jaar kreeg de man van mijn klasgenote van high school Betty Bridges Scannell een hersenbloeding tijdens een cruise in het Caribisch gebied. Het verdriet om deze doden bleef me een paar dagen bij nadat ik ervan hoorde, maar om Dena zou ik eerder berouw, diep berouw voelen dan alleen maar bedroefdheid. De eerste dertig jaar van mijn leven – de helft – heb ik geen dierbaarder vriendin gehad. Natuurlijk had ze haar tekortkomingen – wie niet? Ze was ook energiek en grappig, ze durfde veel meer dan ik, en we kenden elkaar zo goed; vriendschappen kunnen met veel minder overleven.

Het is vreemd me te realiseren dat op dit moment Jessica waarschijnlijk de vriendin is die het dichtst bij me staat. Jadey en ik spreken elkaar nog steeds eens per week, en ze komt ons een paar keer per jaar opzoeken in Washington, soms met, soms zonder Arthur. Als zij in het Witte Huis komt is dat altijd een enorm frisse wind – ze zegt tegen Charlie: 'Ik noem jou alleen meneer de president als jij mij *Dame* Jadey noemt,' en ze klaagt dat ze bij ons last van constipatie krijgt, omdat ze in zo'n historische omgeving niet fatsoenlijk naar de wc kan – maar er is een onuitgesproken kloof tussen ons die mettertijd groter is geworden. Hoewel ze republikeins is, kwam het hard bij haar aan toen Charlie het amendement tegen het homohuwelijk steunde; ze is nog steeds nauw bevriend met haar binnenhuisarchitect Billy Torks, die ik altijd enig heb gevonden maar in geen jaren heb gezien. Dat was een voorbijgaande bron van spanning, maar ik denk dat het aanhoudende probleem tussen Jadey en mij dit is: we leidden hetzelfde soort leven, maar dat is nu niet meer zo. Zij gaat nog steeds naar de bijeenkomsten van de tuinclub, ze zit in het bestuur van het Milwaukee Art Museum, ze doet aan fondsenwerving voor Biddle, ook al zijn Drew en Winnie al jaren geleden afgestudeerd, en al die activiteiten zijn onderdelen van haar leven waar ik haar om benijd, ik krijg een enorm sentimenteel gevoel als ze het erover heeft, maar zij laat duidelijk merken dat ze denkt dat ik het vervelend en provinciaals vind als ze verhalen vertelt over Maronee. Ondanks mijn herhaalde pogingen haar van het tegendeel te overtuigen, weigert ze te geloven dat ik het veel liever over haar leven heb dan over het mijne. Dan zegt ze: 'Nee, nee, vertel me nou hoe de koning en koningin van Spanje waren.'

Het voelt niet gepast om me tegenover familie en verwanten, of vrienden uit Wisconsin te beklagen, dus dat doe ik niet. Een keer in het begin van Charlies politieke carrière zei ik tegen een andere schoonzus van me, Ginger, dat ik me zorgen maakte over de bloemstukken voor een bal dat we gaven in Madison, en ze zei: 'Je hebt wel lef om over zoiets te klagen, terwijl Ed het veel meer verdiend had om gouverneur te worden dan Chas.' Ik vond dit een verbijsterende opmerking, niet het minst vanwege Gingers gewoonlijke gedweeheid, maar nog verbazender dan de verandering bij Ginger was misschien die bij Priscilla, de laatste van wie ik verwacht had dat ze beïnvloed zou worden door onze roem: kort nadat Charlie gouverneur werd, vertrouwde Priscilla me toe dat ik altijd haar favoriete schoondochter was geweest; ze dacht al heel lang dat wij een soortgelijke gevoeligheid hadden. Toen Charlie tot president werd gekozen, begon ze niet alleen mij maar de hele familie en ook de media te vertellen dat ik haar favoriete persóón was.

Voor de andere vrouwen met wie ik in Maronee of Madison was omgegaan, mijn vriendinnen van de tuinclub of de moeders van Ella's klasgenoten, is de praalvertoning van mijn huidige leven zo kleurrijk en afleidend dat ik denk dat ze zich met moeite kunnen herinneren dat ik nog steeds mezelf ben, dat mijn zorgen vaak banaal zijn – mijn lievelingsshampoo is uit het assortiment gehaald, mijn man snurkt, ik kan bijna geen tijd vinden om te fitnessen – en dat als mijn zorgen niet banaal zijn, als ik inzit over oorlog of terrorisme, de mate van mijn bezorgdheid er nog niet toe leidt dat die plotseling in een andere categorie valt van voor hen onvoorstelbare emoties. Ze zouden mijn zorgen best kunnen begrijpen, als ze even konden ophouden met onder de indruk zijn.

Dit zijn allemaal redenen waarom ik Jessica zo waardeer, al besef ik natuurlijk wel dat onze vriendschap niet zuiver is, omdat ik haar werkgeefster ben. Maar het feit dat we niet van dezelfde leeftijd zijn maakt het makkelijker, denk ik; anders dan Jadey vergelijkt zij zich niet met mij of haar man met de mijne (in 2002 is Jessica getrouwd met Keith, een heel aardige man die bij de Wereldbank werkt; Charlie en ik waren bij de bruiloft in The Washington Club aan Dupont Circle, en tijdens de receptie danste Charlie met Miss Ruby, nu gepensioneerd en over de tachtig, maar nog steeds een energieke brompot, en ik danste met Jessica's jongere broer Antoine, toen een opgeschoten eerstejaarsstudent aan Biddle Academy). Jessica en ik vormen met z'n tweeën een boekenclubje; we kiezen om de beurt een titel, en zonder dat er regels gelden, behalve dan dat het fictie moet zijn, lezen we vaak vertalingen van boeken van auteurs uit de landen waar we ofwel net zijn geweest, ofwel binnenkort naartoe gaan. Het is niet zo dat ik aan Jessica mijn angsten als first lady kan uitleggen, het is dat ik dat niet hoef. Zij maakt deel uit van alles wat er gebeurt, ze weet precies hoe voorgekookt en besloten en luxe mijn leven is, hoe het vreemdste ervan is wat het publiek níét te zien krijgt: dat toen Ella en ik naar Peru gingen, ze uit veiligheidsoverwegingen het zwembad van het hotel lieten leeglopen en met flessen water vulden zodat we erin konden zwemmen; dat de chef-ceremoniemeester van het Witte Huis me elk jaar waarschuwt dat ik met de voorbereidingen voor kerst moet beginnen – de feestjes, kaartjes, decoratie – en wel in april.

'Ik ga de volgende keer wel bij mijn moeder langs,' zeg ik tegen haar. 'Het is Dena Janaszewski die ik graag wil zien, als het geregeld kan worden.'

Als Jessica hierdoor overvallen wordt, laat ze dat niet merken; een teken van haar professionaliteit is dat ze haar verbazing alleen uit als het kleinigheden betreft, nooit bij dingen die er echt toe doen. Heb ik een abortus ondergaan? Ze knikt alleen. Maar draag ik fuchsiaroze schoenen met hoge hakken? 'Wauw!' roept ze dan uit. 'Halló, lady fashionista!'

Jessica kijkt op haar horloge en zegt kalm: 'Het is nu twintig over één centrale tijd, dus twintig over twee in Washington D.C. Ervan uitgaand dat het ons een uur en veertig minuten kost om terug te vliegen en daarna twintig minuten om het Witte Huis te bereiken, brengt dat ons op twintig over vier zonder de stop in Riley, en de rondleiding van het koor staat gepland om kwart over vijf. Zal ik de rondleiding uitstellen, afzeggen of een vervanger zoeken?'

De punctualiteit waar Charlies regering om bekendstaat is niet iets waar zijn eigen familie in zijn jeugd strikt de hand aan hield, maar een van de manieren waarop hij zichzelf discipline probeerde op te leggen nadat hij stopte met drinken. In navolging van hem streef ik er ook naar om op tijd te zijn; daarvan afwijken lijkt me een soort arrogantie. Bovendien vind ik het, hoewel ik er zelden mee zit om verzoeken of uitnodigingen af te slaan, wél bezwaarlijk als ik een afspraak maak en niet in staat ben die na te komen, en dat voelt nog bezwaarlijker wanneer die afspraak met kinderen is. Toch wil ik Dena vandaag zien; ik wil haar zien en Pete ook, als ze nog steeds samen zijn.

Wanneer het abortusverhaal uitkomt, zal Dena, en misschien Pete, de enige zijn die kan bevestigen dat het waar is. Maar ik ga niet in de hoop hen tot stilzwijgen over te halen. Eerder zie ik een bezoek als een kans om na veel te lange tijd de lucht te klaren. In theorie zou ik op een andere dag naar Riley kunnen gaan, ik kom er elke zes weken om mijn moeder te zien, maar als ik wacht, zal het moment dan niet voorbij zijn? Zal ik de moed niet verliezen als ik het niet nu doe?

'Laten we vervanging zoeken voor de rondleiding,' zeg ik, en dan krijg ik een ingeving: 'Ella! Kinderen zijn dol op Ella!'

'Zal ze beledigd zijn als ik een gids regel om haar te begeleiden?'

'Dat zal een opluchting voor haar zijn. O, als ze het goedvindt, lijkt me dat perfect.' Het komt bij me op dat dit wel eens de laatste gunst zou kunnen zijn die ik Ella in lange tijd zal vragen. Als ze van mijn abortus hoort, zal ze afstand van me nemen, verwacht ik. Terwijl Jessica op haar BlackBerry typt, zeg ik: 'Ik denk dat Hanks medewerkers vanochtend op zijn minst zijn begonnen Dena op te sporen, maar haar achternaam kan ook Cimino zijn of misschien Imhof, al weet ik niet of ze bij elkaar zijn gebleven. Als ze met iemand anders is getrouwd, dan heb ik geen idee. Maar haar geboortedatum is 16 juni 1946.' Dat is typisch iets van jeugdvrienden, denk ik: hun verjaardag vergeet je nooit, terwijl je je die van vrienden die je als volwassene maakt nooit goed herinnert; ik stuur graag verjaardagskaarten, maar als ik ze niet op mijn privékalender heb gezet, vergeet ik ze.

Jessica zegt: 'Hoe stel je het je voor, dat Dena naar het vliegtuig komt, dat jij naar haar huis gaat, of dat jullie elkaar op een openbare plaats ontmoeten?' Het vliegveld waar we landen in Rily is piepklein, alleen beschikbaar voor privévliegtuigen en de luchtvloot voor White River Dairy.

'Ik ga naar haar huis,' zeg ik. Ik voel een oude impuls om eraan toe te voegen dat ik Dena niet wil lastigvallen, dat we eerst te weten moeten komen of ze vandaag tijd heeft, maar mensen lastigvallen is niet aan de orde. Vanuit een bepaald perspectief ben ik de afgelopen zes jaar niet anders dan een lastpost geweest, voor wie het verkeer moest stoppen en straten werden afgezet, gebouwen werden afgesloten, deksels van mangaten verzegeld; vanuit een ander perspectief zouden veel Amerikanen en andere mensen over de hele wereld het, zelfs nu nog, niet erg vinden als hun dag op zijn kop werd gezet voor het 'voorrecht' om mij te ontmoeten.

Jessica zegt: 'Terwijl het kantoor Dena opspoort, wil jij Ella vragen voor de rondleiding of zal ik het doen?'

'Ik doe het wel.'

Jessica haalt een tweede mobiele telefoon uit haar tas, klapt hem open en toetst het nummer in. 'Hallo, met Jessica. Blijf je aan de lijn voor je moeder?' Jessica is even stil en zegt dan: 'Over hoe lang?' Weer een korte stilte. 'Perfect. Tot zo meteen.' Als ze ophangt, zegt ze: 'Ella belt over vijf minuten terug.' De hemel zij geprezen voor Ella Blackwell, de enige persoon die de president en de first lady van de Verenigde Staten gewoonlijk afscheept. Ik bedoel het niet schertsend maar serieus als ik zeg: wat zouden we zonder haar moeten om ons nederig te houden?

Op haar eerste mobieltje, dat ze eerder gebruikt had, drukt Jessica één toets in, en na een paar seconden zegt ze: 'Belinda, ik heb berichten verstuurd naar jou en Ashley, maar ik heb een huisadres en telefoonnummer nodig van iemand in Riley. Dit is zeer urgent.' Jessica geeft de informatie over Dena door die ik haar heb gegeven, en als ze weer ophangt zegt ze: 'Even om te weten wanneer ik het vertrek uit Riley in moet plannen: hoe lang denk je dat je ontmoeting met Dena gaat duren?'

'Een halfuur? Maar laten we niet uit Chicago weggaan voor we bevestigd hebben gekregen dat ze me kan en wil ontmoeten. Het is mogelijk dat ze niet meer in Riley woont – voor zover ik haar ken, kan ze best zijn verhuisd naar een oord als New Mexico.'

'Als het bezoek niet meer vroeg genoeg kan worden geregeld om op tijd thuis te zijn voor het galabal, kunnen we vast wel haar telefoonnummer opsporen, en dan kun je toch vanavond met haar praten. Maar laten we zien of we een persoonlijke ontmoeting kunnen regelen. Wil je naar de radio luisteren terwijl ik verder bel?' Jessica's toon en gezichtsuitdrukking zijn meelevend; ik heb haar niet de details van mijn gesprek met

Gladys Wycomb verteld, alleen het eindresultaat, maar ik denk dat ze wel doorheeft dat ik me kwetsbaar voel.

'Goed,' zeg ik. We zijn zo plotseling van huis gegaan dat ik geen boek heb meegenomen.

Jessica drukt op de knop van de intercom. 'José, zet je even NPR op?'

Ik herken het programma dat door de luidsprekers klinkt als *Day to day* voor ik in de gaten heb wat het onderwerp is van het interview dat wordt uitgezonden: het is Edgar Franklin, de man die buiten op Capitol Hill bivakkeert, de vader van de gesneuvelde soldaat. Jessica merkt op hetzelfde moment wie het is, ook al heeft ze tegelijkertijd iemand aan de telefoon. Tegen diegene zegt ze: 'Wacht even,' ze houdt haar hand op de microfoon van haar mobieltje en zegt tegen mij: 'Wil je dat hij wat anders opzet?'

Ik schud mijn hoofd.

Op de radio zegt de interviewer, een man: 'U lijkt van plan hier voor onbepaalde tijd te blijven – klopt dat?'

'Ik ben van plan hier te blijven tot de president me ontvangt,' zegt Edgar Franklin.

'En als dat niet gebeurt?'

'Ik ben van plan hier te blijven tot de president me ontvangt,' herhaalt Edgar Franklin. Zijn stem is vastberaden maar niet agressief – hij spreekt rustiger dan de interviewer, en hij heeft een licht zuidelijk accent.

'Gelooft u werkelijk dat u president Blackwell zover kunt krijgen om een begin te maken met het terughalen van de troepen of zou u een gesprek zien als een symbolische daad?'

'Te veel jonge mannen en vrouwen hebben hun leven verloren, en ik geloof niet dat de president onze aanwezigheid daar ooit heeft kunnen rechtvaardigen,' zegt Edgar Franklin. 'Ik heb de indruk dat hij selectieve informatie te horen krijgt, en dat maakt het moeilijk voor hem om te begrijpen wat een menselijke offers dit eist.'

'Hoewel u zelf nog geen kans hebt gekregen de president te ontmoeten heeft het Witte Huis in de afgelopen dagen de nadruk gelegd op diens veelvuldige bezoeken aan familieleden van de omgekomen soldaten, onder andere twee weken geleden in het zuiden van Californië. Wat hoopt u hem te vertellen dat hij nog niet van anderen heeft gehoord, wier situatie pijnlijk veel op de uwe lijkt?'

'Als je zoon op deze manier sterft, zoek je naar iets wat zijn dood betekenis geeft. Je hoopt dat hij een offer heeft gebracht waar hij in geloofde, en daarom is het verleidelijk om mee te gaan in...' Edgar Franklin aarzelt, '... de oorlogsretoriek, zo moet je het geloof ik stellen. Als ik dacht dat Nate's dood vergeefs was, zou dat geen gebrek aan loyaliteit zijn jegens mijn zoon en mijn land? Het zou betekenen dat ik niet vaderlandslievend was, dacht ik eerst, maar ik ben tot het inzicht gekomen dat juist het terugbrengen van onze troepen vaderlandslievend zou zijn. Een heleboel families maken nu mee wat ik twee jaar geleden heb doorgemaakt, ze beginnen pas met rouwen, misschien denken ze nog niet aan de politieke kant ervan.'

'Wat vindt u van de stroom van steunbetuigingen die u sinds uw aankomst in Washington verleden woensdag hebt ontvangen?'

'Het tij is gekeerd. De Amerikanen weten dat het tijd is voor een open debat.'

'Kolonel Edgar Franklin, dank u voor dit gesprek.'

'Dank u wel, meneer.'

'U luistert naar het door leden gefinancierde WBEZ...' zegt een vrouwenstem terwijl onze personenauto met politie-escorte wordt binnengelaten in het afgesloten gedeelte van het vliegveld. We steken het asfalt over en in de bewolkte hitte van het Midden-Westen weerkaatst er een felle glans van de Gulfstream die vijftig meter verderop staat geparkeerd; het trapje is in afwachting van ons al naar beneden getrokken.

Charlie had altijd een slogan waarmee hij me plaagde als we weer naar zo'n etentje moesten in de eindeloze reeks publieke dinertjes en toespraken om fondsen en aanhangers te werven; dan zei hij: 'Vergeet niet dat fundraising begint met *fun*.' Hij zei dat omdat hij wist dat ik er een bloedhekel aan had – de herhaling, de geforceerde begroetingen en stijve conversaties, de eindeloze fotosessies en bovenal het onbehaaglijke gevoel dat mensen ons letterlijk kochten. De duizend-dollardinertjes zaten me altijd nog minder lekker dan die van vijfentwintigduizend dollar – als iemand het Republikeinse Nationale Comité vijfentwintigduizend dollar betaalt (of, waarschijnlijker, vijftigduizend per echtpaar) om gedurende een uur of twee dezelfde lucht te mogen inademen als Charlie, dan is het duidelijk dat die persoon wat te besteden heeft. Wat ik te sneu voor woorden vind is als je aan iemands accent of kleding duidelijk merkt dat hij niet rijk is, maar zijn laatste centen bij elkaar heeft geschraapt om een evenement met ons bij te wonen. *Dat zijn we niet waard!* wil ik dan roepen. *Had liever de rekening van je creditcard voldaan, geïnvesteerd in het studiefonds van je kleinkind, een vakantie in de Ozarks geboekt.* In plaats daarvan ontvangen ze na een paar weken per post een automatisch gesigneerde foto waarop ze met een van ons of ons allebei staan, die ze kunnen inlijsten zodat we nog jarenlang grijnzend hun woonkamer in kunnen kijken.

Maar er was één fundraising-etentje waarop ik tot mijn eigen verbazing echt 'fun' had. Dat was een miljoen-dollardiner dat in juli 2000 werd gehouden op een voormalige plantage in Mobile, Alabama. Charlie en ik werden altijd aan verschillende tafels geplaatst, en die avond zat ik bij de vrouw van de voorzitter van de Republikeinse Partij in Alabama, twee goedgeklede echtparen van middelbare leeftijd die leken op de mensen die we in Maronee kenden en een koppel van vader en zoon. Voorafgaand aan een evenement geeft een assistent ons altijd een kort overzicht waarop alle aanwezige hoge pieten worden beschreven, en die avond had ik oorspronkelijk moeten zitten tussen een man genaamd Beau Phillips, die een regionale fastfoodketen bezat, en ene Leon Tasket, die algemeen directeur was van de grootste producent van industriële machines in Alabama. Leon Taskets vrouw bleek geveld door de griep, en in haar plaats – dit soort wisselingen op het laatste nippertje zijn nu moeilijk voor te stellen, of sinds Charlie president werd – had meneer Tasket zijn volwassen zoon Dale meegenomen, een lange, zware, geestelijk gehandicapte kerel. Hoewel Dale vermoedelijk de intellectuele vermogens van een negen- of tienjarige bezat, zou ik dat niet hebben geraden als ik hem van een afstandje had bekeken: zijn gelaatstrekken waren niet afwijkend, behalve misschien dat hij vriendelijker uit zijn ogen keek dan de meeste gasten. Toen het tijd was om plaats te nemen voor het diner, bleven de mannen aan tafel staan terwijl de andere echtgenotes en ik onze plaats opzochten, en Dale, aan wie ik een minuutje daarvoor vluchtig was voorgesteld, plofte naast me neer, op de stoel waar het naamkaartje van zijn vader stond; het kaartje voor mevrouw Tasket stond een plaats verder. 'O nee, geen sprake van,' zei Leon Tasket onmiddellijk. Meneer Tasket was korter en peziger dan zijn zoon, met een verzorgde witte snor en baard en in driedelig pak. 'Jongen, als mevrouw Blackwell jou zou zien eten, zou ze zich het apelazarus schrikken.'

Ik glimlachte en schudde mijn hoofd. 'Ik vind het prima als hij daar blijft zitten – als u het goedvindt, tenminste.'

'Dat is nog eens een dappere dame, ze vindt het niet erg om naast een zwarte beer te zitten, hè Dale? Wat vind je, zullen we haar uitdaging aannemen?'

Op het podium vlak boven ons hoofd tikte een man met een das om op de microfoon en zei: 'Als u nu allen wilt plaatsnemen...' Aan een andere tafel zat Charlie tussen de gouverneur en de voorzitter van de Republikeinse Partij van de staat.

'Echt,' zei ik. 'Het is prima.'

Terwijl obers onze salade brachten zei Beau Phillips, de fastfoodgigant aan mijn rechterkant: 'Uw man stevent regelrecht af op de overwinning,' en tegelijkertijd zei Dale links van mij: 'Mijn lievelingsactrice is Drew Barrymore, kent u Drew Barrymore?' Beide mannen hadden een vertederend zwaar, zuidelijk accent, al sprak slechts een van hen – Dale – met volle mond; hij was met smaak aangevallen op zijn salade. Tegen meneer Phillips zei ik: 'Dank u wel,' en toen wendde ik me tot Dale. 'Ja, die ken ik wel.'

'De liberale elite heeft de echte Amerikaanse waarden uit het oog verloren,' zei meneer Phillips. 'We hebben iemand nodig die opkomt tegen activistische rechters die de homoseksuele standpunten erdoor willen drammen. Die levensstijl werkt misschien in het noordoosten, maar ik kan u wel vertellen, hier moeten we er niets van hebben.'

Ik zeg mild: 'Ik weet dat mijn man zich graag richt op wat wij als Amerikanen gemeen hebben.'

'Hebt u haar gezien in *The Wedding Singer*?' vroeg Dale.

Ik draaide me weer om. 'Nee, maar ik heb er wel over gehoord.'

'Ze is de knapste en meest getalenteerde actrice die er is,' zei Dale, en zijn vader, die met de vrouw van de voorzitter aan zijn andere kant had zitten praten, grinnikte. 'Als ik een gokje mocht wagen, zou ik zeggen dat het hier over Drew Barrymore ging.'

'Ik zag haar toen ze nog een klein meisje was in *E.T.*' zei ik. 'O, en weet je, Dale, mijn dochter en ik hebben pas nog een film met haar gezien: *Never been kissed*. Ken je die?'

Het was meneer Tasket die zei: 'Of wij *Never been kissed* kennen? Bij ons thuis kijken we slechts driemaal per week naar *Never been kissed*. Ik heb die film vaker gezien dan dat ik naar het avondjournaal kijk.'

'Meneer Coulson denkt dat Josie een studente is, maar als hij erachter komt dat ze voor de krant werkt, mogen ze verliefd worden,' zei Dale.

'Dat stuk herinner ik me,' zei ik.

'Drew is op 22 februari 1975 geboren,' zei Dale. 'Dus ze is vijfentwintig jaar, zeven maanden en drie dagen, en ze is een Vis, en ik ben een Tweeling, maar ik ben ouder dan zij want ik ben veertig.'

Dale's vader was weer afgedwaald van ons gesprek, maar rechts van mij zei meneer Phillips: 'Bij deze verkiezingen komen de democraten lelijk op de koffie. Let op mijn woorden, we zetten het ze betaald na acht jaar afzien.'

'Charlie en ik zijn net zo benieuwd als u wat er gaat gebeuren,' zei ik. Tegen Dale zei ik: 'Als jij een Tweeling bent, dan ben je dus geboren in mei of juni.'

'Ik ben geboren op 3 juni 1960. Wat zijn uw hobby's?' Dale had een lik dressing in zijn mondhoek. 'De mijne zijn Nintendo, postzegels en de dierentuin.'

Ik kon het niet laten. Ik zei: 'Als ik het zo hoor is Drew Barrymore ook een hobby van je.'

Met een ondeugend lachje zei Dale: 'Een meisje kan geen hobby zijn!' Toen zei hij: 'Als u bij ons thuis komt, laat ik u mijn Classic American Aircraft-postzegels zien. Ik heb ze allemaal, maar de mooiste is de Northrop YB-49 Flying Wing.'

'Mevrouw Blackwell, blijven u en uw man lang in deze omgeving?' Dit kwam van een echtgenote aan de overkant van de tafel, maar voor ik kon antwoorden zei Dale: 'En de Thunderbolt is ook heel cool.'

Ik zei tegen de vrouw (haar naam kon ik me al niet meer herinneren): 'Helaas vertrekken we vanavond weer met het vliegtuig. Jammer, want ik had hier graag meer willen bekijken. Ik heb net gelezen over de tuinen van Bellingrath.'

'De volgende keer dat u hier komt, zou u naar de oostelijke kust moeten gaan. We hebben daar allemaal huizen...' ze gebaarde naar de andere echtparen aan tafel, '... en het is er heerlijk, heel rustig. Campagnevoeren is vast erg vermoeiend.'

Ze waren beleefd, allemaal, en ze waren ook duidelijk geïrriteerd dat Dale beslag legde op mijn aandacht en dat zijn vader en ik dat toelieten. En ik was volkomen medeplichtig – wat kon er zaliger zijn dan naast iemand zitten die overliep van zijn eigen interesses en favoriete onderwerpen, waarvan geen enkele politiek van aard was, iemand die niet wist, noch geïnteresseerd was in wie ik was, op het feit na dat ik van Drew

Barrymore had gehoord en graag over haar wilde praten? Niemand aan die tafel kon op tegen Dale's spraakzaamheid, de gretige, onverschrokken manier waarop hij zijn bord leeg at, zijn argeloze vragen en opmerkingen; ik was verkocht. Mijn andere tafelgenoten gaven het al snel op, en een paar keer zag ik, toen ik in alle rust met Dale kon praten, hoe diens vader een geamuseerde blik op ons wierp, en ik vroeg me af of hij zijn zoon misschien als een soort grap had meegebracht, een tegengif tegen de algemene dufheid van dit soort gelegenheden. Meneer Tasket had ook iets onverschrokkens; ondanks zijn eerdere tegenwerpingen toen Dale naast me kwam zitten, leek hij zich niet schuldig te voelen dat hij zijn geestelijk gehandicapte volwassen zoon naar een chic dinertje had meegenomen.

Toen het voorgerecht kwam had ik niet zoveel trek, en uiteindelijk bood ik Dale mijn lendenstuk aan, dat hij met groot plezier aanvaardde. Hij zei: 'Weet u het zeker?' Ook mijn dessert, een aardbeientaartje, belandde op zijn bord.

Charlie was ongeveer tien minuten bezig met zijn speech toen Dale me op mijn arm tikte en zei: 'Miss Alice, houdt u van boter, kaas en eieren?' Hij sprak op normaal volume, niet fluisterend, en aan onze tafel en de tafels ernaast werd naar hem gekeken. Leon Tasket, kennelijk niet al te zeer verstoord, boog zich aan de andere kant naar zijn zoon toe en zei zachtjes iets. Dale kreeg een geschrokken, bestrafte uitdrukking op zijn gezicht en leunde achterover in zijn stoel, zijn armen over elkaar op zijn aanzienlijke buik.

Ik voelde in mijn handtas en vond een papieren servet en een blauwe balpen. Ik tekende een raster, zette een X in het vakje linksboven en schoof het servet naar Dale toe. Zijn gezicht klaarde op, en toen het leek alsof hij weer iets ging zeggen, hield ik mijn vinger tegen mijn lippen. Op het podium zei Charlie: 'Terwijl ik door dit prachtige land van ons reis, hoor ik een constant refrein: *Breng weer integriteit in het Witte Huis.*' Net als altijd stampte hij bij elk woord eenmaal op het podium, en net als altijd volgde er een luid applaus. Dale zette een O in het middelste vakje. '*Breng weer integriteit in het Witte Huis,*' herhaalde Charlie. 'Nu weet iedereen hier wat dat betekent, maar ik zou het principe graag willen illustreren met een verhaal.' Ik zette een kruisje in het vakje linksonder, maar Dale versperde me de weg door een rondje tussen mijn twee kruisjes te zetten. 'Niet zo lang geleden bezocht ik een school in Ocala, Florida. Een jongen uit groep vijf, een klein jochie dat Timmy Murphy heette, stak zijn hand op en zei tegen me: 'Gouverneur Blackwell, moet de president van de Verenigde Staten niet een held zijn? Maar mijn ouders zeggen dat de huidige bewoner van het Witte Huis helemaal niet heroïsch is.' Opnieuw lang applaus. Ik zette een kruisje in het midden van de rechterkolom en Dale zuchtte gefrustreerd; ditmaal had ik hem de weg versperd. Dit deel van Charlies verkiezingstoespraak stond me bijzonder tegen, zowel omdat er zoveel zelfverheerlijking in zat als om de onwaarschijnlijkheid dat een vijfdegroeper 'huidige' zou zeggen of 'heroïsch'. 'Nou, Timmy,' zei Charlie, en Dale zette een rondje in het vakje middenboven, 'ik ben geen Superman en ik ben geen Spiderman, maar als jouw papa en mama op mij stemmen, beloof ik je dat moed en moraal weer zullen heersen in Washington D.C.' Hierop volgde een daverend applaus. Ons spelletje was onbeslist geëindigd en Dale tekende gauw een nieuw raster. Het volgende spelletje eindigde opnieuw onbeslist, net als de drie potjes erna – tegen die tijd zat Charlie diep in zijn betoog over wat een tolerante traditionalist hij was – en toen won Dale, weer vier keer onbeslist, en daarna won ik; de papieren servet was intussen meer blauw dan wit en onze rasters waren bij elk spelletje kleiner geworden om in de beperkte ruimte te passen. Charlie was uitgesproken, en de plaatselijke partijvoorzitter benadrukte hoe belangrijk het was om alle republikeinen te steunen in de spannende verkiezingen van dit jaar. De toespraken werden besloten met een staande ovatie en toen het applaus langzaam afnam zei Dale: 'Geeft u me uw adres, dan zal ik u brieven schrijven.'

'Miss Alice heeft het heel erg druk,' protesteerde Leon Tasket, maar ik zei: 'Ik zou het heel fijn vinden als je me schreef.'

Ik schreef mijn voor- en achternaam en het adres van de gouverneurswoning in Madison in blokletters achter op een visitekaartje van meneer Tasket. Net voordat ik werd weggehaald om met Charlie op de foto te gaan, gaf Dale me een omhelzing. Hij zei: 'Als u en uw dochter *The Wedding Singer* hebben gezien, moet u daarna *Poison Ivy* huren. Drew is daar nog maar zeventien in, maar hij is echt goed. U hebt mooie blauwe ogen, Miss Alice.'

'Goh, dank je wel,' zei ik.

Twee weken later kreeg ik inderdaad een brief van Dale, op lijntjespapier uit een spiraalblok met het afgescheurde randje er nog aan. Leestekens ontbraken weliswaar en er stonden allerlei hoofdletters waar ze niet hoorden, maar hij was volkomen begrijpelijk: *Nog maar drie Maanden voor de Charlie's Angels Film uitkomt bent u benieuwd ik wel waarom komt u niet terug naar Alabama dan kunt u mee op Krokodillenjacht met Mij en Pap...* De dag erop stuurde ik een handgeschreven antwoord op het briefpapier waarop mijn naam in reliëf stond; ik vertelde dat ik op reis was geweest met mijn man, dat we pas in Ohio en Pennsylvania waren geweest, dat ik een biografie aan het lezen was over de voormalige first lady Abigail Adams, en dat ik nog geen kans had gehad om *The Wedding Singer* te zien, maar me er zeer op verheugde. Nadat ik terugkwam uit Mobile, vroeg ik mijn staf in Madison in de gaten te houden of er post van Dale kwam en zo ja, ervoor te zorgen dat ik die persoonlijk in handen kreeg en dat hij niet werd beantwoord met de standaardbrief en een zwart-witfoto van Snowflake en mij. Aangezien ik mijn assistenten met nadruk had uitgelegd wie Dale was, moest ik toen een reactie van hem uitbleef tot de conclusie komen dat het minder waarschijnlijk was dat de brief verloren was gegaan dan dat hij die nooit had geschreven. Ik was teleurgesteld, en ik heb me sindsdien herhaaldelijk afgevraagd hoe het met hem zou gaan; altijd als ik zie dat er een nieuwe film uitkomt met Drew Barrymore, denk ik aan hem.

Die avond in Mobile, in het busje onderweg naar het vliegveld zei Hank, die aan de tafel vlak naast de onze had gezeten: 'Die mongool viel als een blok voor je, hè Alice?'

'Welke mongool?' vroeg Charlie.

Een paar weken later deed Leon Tasket een donatie van een miljoen dollar aan het RNC, maar in plaats van blij voelde ik me een beetje verdrietig over die ontwikkeling – het was alsof mijn plezier met de zoon van meneer Tasket, net als zoveel andere dingen in de politiek, alleen maar voor de show was geweest. Dat ik tijdens de verkiezingsspeech van mijn man boter, kaas en eieren had gespeeld met iemand uit het publiek haalde *Time Magazine* en is sindsdien in vele artikelen herhaald, een hapklaar brokje informatie over mij dat, bij gebrek aan smeuïger nieuws, doorgaat voor iets wat veel zegt over mijn persoonlijkheid.

'Leg me dan eens uit waarom je op bezoek gaat bij je geflipte vroegere vriendin die je in geen dertig jaar hebt gezien, terwijl ze niets te maken blijkt te hebben met deze hele shit,' zegt Charlie aan de telefoon. Wij vliegen in de Gulfstream over de grens tussen Illinois en Wisconsin, en

Charlie is onderweg naar een afgelegen park langs de Potomacrivier voor een fietstocht; met andere woorden, in drie auto's zijn hij, zijn mountainbike, een bataljon veiligheidsagenten en hun fietsen en zelfs een arts op weg naar het zuiden.

Ik zeg: 'Dena heeft kennelijk nog steeds een relatie met Pete Imhof, dus eigenlijk wil ik ze allebei zien. Ik denk dat ik daar gewoon behoefte aan heb.' Belinda van mijn kantoor had Jessica laten weten dat Dena en Pete inderdaad samenwonen, al zei Belinda dat Dena niet zeker wist of Pete er zou zijn als ik kwam.

'Ik dacht dat Ella en jij een vrouwenmiddagje hadden gepland,' zegt Charlie.

'O, ik verheug me er zo op haar vanavond te zien, ik hoop maar dat ze niet beledigd is vanwege mijn gewijzigde plannen. Ik ben een uur voor het gala thuis. Heb je Ella gevraagd of ze mee wilde fietsen?'

'Ze vond het te warm.'

Ik aarzel, en zeg dan: 'Ik maak me zorgen over haar reactie op dat gedoe van die abortus. Hank heeft dokter Wycomb zover gekregen dat ze beloofd heeft het pas morgen naar buiten te brengen – ik denk dat hij doet alsof er nog een kans is dat ik me tegen Ingrid Sanchez uitspreek – dus ik ben van plan het Ella vanavond persoonlijk te vertellen. Als ik dat gedaan heb, wil je dan zorgen dat je in de buurt bent? Ik heb zo het gevoel dat ze je steun zal kunnen gebruiken, en ze zal wel boos op mij zijn.'

'Ga je haar daarom nu uit de weg?'

'Lieverd, ik ga niets uit de weg. Dena ontmoeten is een kans om de losse eindjes vast te knopen.'

'Ach, Ella staat stevig in haar schoenen,' zegt Charlie. 'Dat loopt wel los.'

'Maar vanuit een religieus standpunt...'

'Denk je niet dat een christen die het zout in de pap waard is wel enig begrip heeft voor het idee dat iemand zondigt? Oké, je hebt veertig jaar geleden iets fouts gedaan, maar dat betekent nog niet dat je nooit meer Gods wegen hebt bewandeld.'

Ik wist dat hij dit ging zeggen, ook al weet hij heel goed dat ik abortus niet als een zonde beschouw (betreurenswaardig, ja, maar immoreel, nee), net zoals hij weet dat ik zijn christelijke opvattingen niet deel. Onze stilzwijgende afspraak over religie is vergelijkbaar met die over politiek: ik spreek hem niet tegen als hij het over God heeft, en hij dringt er niet op aan dat ik mezelf als gelovige presenteer. Ik heb over mijn agnostische opvattingen met even weinig mensen gesproken als over mijn abortus, dus ik begrijp de zowel onder vrienden als onder onbekenden wijdverbreide veronderstellingen rond mijn geloof.

Wat christelijk rechts betreft, de voorvechters van traditionele waarden – hoe je ze ook noemt, zij zijn degenen die geloven dat Charlie een soort messias is. Dit is voor mij zo'n onhoudbare hypothese dat ik de minste gedachte daaraan alleen maar de kop kan indrukken. Dat Charlie, aangemoedigd door zijn adviseurs – Hank voorop – dit idiote idee heeft aangemoedigd is een daad van ófwel zulk cynisme ófwel zo'n grenzeloze overmoed dat ik onmogelijk zou kunnen zeggen wat erger is. Ik verdenk Charlie ervan dat het beeld van hemzelf als een soort messias oprecht is (hoe moet hij anders zijn groei van stuntelende alcoholist tot president verklaren?) en voor Hank onoprecht, al twijfel ik niet aan de oprechtheid van Hanks geloof in Charlie. Ik moet zeggen dat ik dat geloof niet helemaal begrijp, aangezien Hank duidelijk de meest intellectuele en ambitieuze van de twee is, behalve misschien (soms is de simpelste verklaring de juiste) dat Hank al vroeg inzag dat Charlie zijn charismatische marionet kon worden. En had ik niet ook mijn leven aan dat van Charlie gekoppeld, liet ik me niet ook door hem leiden en definiëren? Dus waarom zou ik die impuls bij iemand anders niet begrijpen?

Charlie klinkt opgewekt wanneer hij zegt: 'Als het moddergooien eenmaal begint, vergeet dan niet dat ik nooit meer meedoe aan welke verkiezing dan ook, dus je hoeft je om mij niet schuldig te voelen.'

Ik kijk uit het raam; de kapiteinsstoel waarin ik zit staat naar de zijkant gericht, loodrecht op de afgescheiden cockpit, zodat ik de blauwe lucht kan zien. Deze jet, die ik fijner vind dan de Boeing 757 die ik moet nemen als ik in een groter gezelschap ben, heeft zestien plaatsen, alle stoelen hebben een witleren bekleding en het tapijt is crèmekleurig; de inrichting heeft me altijd een beetje doen denken aan de hemel, door de bril van iemand zonder smaak. Ik zeg: 'Lieverd, ik ben blij dat je me steunt, maar voor we mijn abortus een zonde gaan noemen – wil je zeggen dat je liever had gewild dat ik geen abortus had gehad? Dan zouden we nooit getrouwd zijn, of wel soms, als ik een kind van dertien had toen we elkaar leerden kennen?' Hij aarzelt en ik zeg: 'Zo simpel is het niet. Dat is het enige wat ik wil zeggen. En ik hoop dat deze toestand overwaait, maar ik vrees dat de benoeming van Ingrid Sanchez het in het nieuws zal houden.'

'Je bedoelt toch niet dat ik haar moet dumpen?'

'Nee, maar ik zou niet onderschatten hoe de pers hiervan zal smullen.'

'Waar ik echt doodziek van word is de gedachte dat die verbitterde heksendokter besluit dat ze je gaat verlinken en dat iedereen vervolgens achterover gaat zitten en stommetje speelt. Bestaat er een duidelijker voorbeeld van chantage?'

'Charlie, ze is honderdenvier.'

'Ja, dat blijft iedereen maar herhalen. Op de been gehouden door die goeie ouwe liberale woede, hè?' Hij grinnikt. 'Zeg, als dat voldoende is, overleef je mij nog.'

We zijn allebei stil; buiten de cabine van het vliegtuig brommen de motoren. Jessica zit een meter verderop in haar witleren stoel een sandwich te eten die een van de twee stewardessen voor haar heeft klaargemaakt; Cal en José zitten achter in het vliegtuig te kletsen terwijl Walter een thriller leest. Ik probeer mijn stem te dempen terwijl ik zeg: 'Ik ben het niet eens met de methoden van dokter Wycomb, maar je bent toch niet vergeten dat ik voor vrije abortus ben?'

'Kijk, dat maakt Amerika nou zo'n fantastisch land: er is ruimte voor allerlei tegenstrijdige standpunten.' Ik weet dat Charlie een grijns op zijn gezicht heeft, en dan hoor ik een onmiskenbaar geluid, een met licht geratel ontsnappend geluid, en ik weet dat hij zojuist een wind heeft gelaten. Al heb ik tegen hem gezegd dat het onfatsoenlijk is, volgens mij doet hij het zo vaak mogelijk waar zijn veiligheidsmensen bij zijn. Dan zegt hij: 'Die liggen in een deuk als de leider van de vrije wereld er eentje laat vliegen!'

'Ik heb het wel gehoord,' zeg ik.

'Ik weet niet waar je het over hebt.' Voor we ophangen zegt hij erachteraan: 'Doe de groeten aan de gescheiden dame.'

Als een journalist of een onbekende vraagt wat ik nooit had verwacht in dit leven nog eens te zullen doen, zeg ik: 'Toespraken houden!' Dat antwoord wekt steevast gelach op. Als vrienden het vragen, zeg ik: 'Een kat nemen.' Dat kwam door Hank: een enquête die hij begin jaren negentig liet houden wees uit dat de kiezers van Wisconsin een gunstiger beeld van ons gezin zouden krijgen als we een huisdier hadden, liefst een hond. Ik protesteerde vanwege Ella's allergieën, en zo kwamen we aan Snowflake, onze zogenaamd allergievrije blauwe rus.

Dat onze kat afstandelijk is, is wat mij betreft maar goed ook; ik heb geen traan gelaten om haar kennelijke weerzin tegen op schoot zitten of zelfs maar in onze buurt zijn. Charlie tilt haar soms op, drukt zijn gezicht tegen haar ribben, waarbij hij met zijn neus in haar vacht wrijft en zegt: 'Jij bent de enige die echt van me houdt, hè, Snowflake? Ja, dat ben je, jij goeie republikeinse kat.' Snowflake krijgt haar voer en een schone kattenbak van dienstmeisjes, en er komt een dierenarts langs voor haar jaarlijkse controle; mocht ze op het terrein van het Witte Huis met vogeltjes of muizen aan de haal gaan, dan weet ik daar niets van. Mijn afkeer van katten, ingebakken toen ik als vijfjarige een haal over mijn wang kreeg, is niet algemeen bekend (in dit land van zo'n zeventig miljoen kattenbezitters had ik zijn verkiezing kunnen saboteren alleen maar door daarvoor uit te komen, grapte Charlie), maar omdat het geen gemeengoed is kan ik, als vrienden verwachten dat ik een kruimeltje van mijn privéleven met hen deel, daarmee voor de dag komen. Het is natuurlijk een onthulling van niks, een pseudo-intimiteit, een trucje dat ik van persmedewerkers van het Witte Huis heb geleerd; zij verspreiden regelmatig brokjes informatie over ons die waar zijn, maar ook volkomen triviaal, en die moeten doorgaan voor openhartigheid. Die maken ons menselijker, vertellen ze ons. *Charlie Blackwell is dol op de film* Anchorman. *Alice Blackwell gaf de president voor Kerstmis een digitale camera en een fietstrui. Ella Blackwell eet het liefst fajita's.*

Het ware antwoord op de vraag wat ik in mijn leven nooit had verwacht te zullen doen is dit: een facelift ondergaan. En hoewel er door de media lustig wordt gespeculeerd over dit onderwerp, zal het nooit door mij of door een staflid worden bevestigd, ook omdat slechts weinigen van hen het zeker weten. Charlie had al in 1997, voor zijn herverkiezing als gouverneur, besloten dat hij in 2000 aan de presidentsverkiezingen ging meedoen. In 1998, op een Superbowl-feestje dat we in de gouverneurswoning hielden voor stafleden en goede vrienden, stond ik bij Debbie Bell, Hanks vrouw Brenda en Kathleen Hicken. Debbie, op dat moment Charlies hoofd communicatie, zei: 'Even tussen ons, meisjes, hebben jullie ooit over plastische chirurgie gedacht? Ik was laatst in Ann Taylor, en die kleedkamerspiegels zijn ongenadig.'

'Debbie, je bent nog jong!' zei ik. Ze ligt ongeveer tien jaar achter op Charlie en mij – dan moet ze toen voor in de veertig geweest zijn – dus natuurlijk wilde ik dat zo zien.

'Ja, maar ik hoor steeds hoe simpel dat tegenwoordig gaat,' zei Debbie. 'Ik heb het niet over, je weet wel, implantaten of neuscorrecties, maar gewoon...' Ze hield haar handen aan weerszijden van haar gezicht en trok haar huid naar achteren. 'Een paar rimpeltjes weghalen,' zei ze. Ze draaide zich naar mij toe. 'Zou jij het doen?' (Ik had het moeten weten – o, ik was zo'n sufferd, maar ik had het echt niet door.)

'Duurt het geen maanden voor je van zo'n facelift hersteld bent?' zei Kathleen.

Debbie schudde haar hoofd. 'Misschien vroeger, maar de artsen hebben flink vooruitgang geboekt. Alice, als ik een afspraak maak, ga jij dan met me mee voor morele steun?' Dat vond ik een raar verzoek, want ik was niet zo close met Debbie. We kenden elkaar goed, ze maakte deel uit van het kringetje rondom Charlie, maar zij en ik deden nooit iets met z'n tweeën.

'Ik denk dat ik pas, maar ik ben wel benieuwd wat je van de arts te horen krijgt,' zei ik. 'Ik wed dat hij je afwijst omdat je er veel te jong uitziet.'

Dat, bleek later, was Fase Een. Fase Twee was toen Jadey me belde en zei: 'Ik mag je dit eigenlijk niet vertellen, maar Hank wil dat je een facelift ondergaat, dus ik moet je voorstellen om samen naar Florida te gaan en er allebei een te laten doen, alsof het mijn idee is, maar toen ging ik erover nadenken en ik ben toch wel nieuwsgierig.'

'Wil Hánk dat ik een facelift onderga?'

'Ik weet dat het ontzettend manipulatief is...'

'En hij belde jou?'

'Debbie belde me.'

'Ik bel je zo terug,' zei ik, en nadat ik had opgehangen toetste ik het nummer van de directe lijn naar Charlies kantoor in. Zijn secretaresse Marsha nam op en zei: 'Hij zit in een bespreking met de universitaire raad van bestuur, maar ik zal...'

'Zeg hem dat het urgent is,' zei ik.

Toen Charlie opnam zei hij gespannen: 'Ella...' en ik zei: 'Nee, alles is goed met haar, niets aan de hand behalve dat Hank loopt rond te bazuinen dat ik een facelift nodig heb.'

'Ik had hem gewaarschuwd dat je dit niet leuk zou vinden.'

'Wist je ervan?'

'Het is voor de tv, Lindy, meer niet. Je weet dat ik je mooi vind, maar hij heeft het idee dat als we meer op een nationaal niveau...'

'Ben jíj van plan een facelift te laten doen?'

'Ik hoef jou niet te vertellen dat er een dubbele moraal geldt. Hoor eens, ze hadden wat eerlijker tegen je moeten zijn...'

'Ze?'

'We – we hadden dat moeten doen. Hanks logica is dat áls je het wilt doen, het nu moet gebeuren. Je kunt dat soort ingrepen niet midden in een campagne laten doen.'

'Wie heeft dit verzonnen? Heeft Hank een enquête laten houden over mijn uiterlijk?'

Charlie aarzelde, en ik vroeg: 'Is hij nu bij je?'

'Hij zit binnen bij de curatoren, waar ik ook hoor te zijn. Het is jouw beslissing, Lindy. Het spijt me als je je gekwetst voelt. Je bent nog steeds de mooiste van al mijn vrouwen.'

'Dit is ongelooflijk beledigend.'

'Als ik vanavond thuiskom, zal ik je laten zien hoe aantrekkelijk ik je vind. Ik moet nu gaan voor ik een stijve krijg alleen al bij de gedachte.'

Waarschijnlijk was ik niet alleen gekwetst omdat het idee dat Charlies staf mijn uiterlijk had besproken – en niet goed genoeg had bevonden – vernederend was, maar ook omdat de suggestie mijn eigen twijfel over mezelf versterkte. Hoewel ik nooit onzeker was geweest over mijn uiterlijk, was het me niet ontgaan dat de lijnen in mijn mondhoeken en op mijn voorhoofd dieper waren geworden, dat de huid van mijn hals niet zo glad was als ze ooit was geweest en dat deze gebreken op de televisie duidelijker te zien waren dan in het echt. Toch had ik niet gedacht dat de situatie meer vereiste dan wat geëxperimenteer met make-up.

Drie dagen lang was ik ziedend, de vierde dag liet ik mijn assistente Cheryl een boek over plastische chirurgie kopen, en de vijfde dag ging ik naar een arts. Hij was niet degene die de ingreep uitvoerde; een maand later gingen Jadey en ik inderdaad naar een kliniek in Naples, Florida, naar een chirurg met de reputatie de beste op dat gebied te zijn, en naderhand bleven we twee weken in een besloten huis met uitzicht op een gracht. Helaas was de mooie omgeving niet aan ons besteed omdat we niet mochten zwemmen of in de zon zitten; Cheryl, dertig jaar, was met ons meegekomen en we spoorden haar aan om de auto te nemen naar het strand en zelfs een middag te gaan snorkelen. Intussen hingen Jadey en ik wat rond en lazen, keken tv, klaagden en lachten om onszelf. We hadden opdracht gekregen ons hoofd omhoog te houden – Jadey had meer verband om dan ik, al waren we allebei even stijf en beurs en zwol mijn gezicht behoorlijk op – en zes dagen na de ingreep gingen we terug om de hechtingen aan de haarlijn te laten verwijderen (voor de operatie had een verpleegkundige me gecomplimenteerd over hoe mooi mijn haar eventuele lichte littekentjes zou verbergen). Jadey en ik sloten een pact om het nooit aan iemand te vertellen; onze echtgenoten wisten het, en Cheryl, maar we zouden niets zeggen tegen onze andere schoonzussen, Priscilla of onze kinderen. Mijn bedenkingen golden met name Ella: wat een negatief rolmodel zou ik zijn als ze ervan wist, zo ijdel en afwijzend tegenover het verouderingsproces. Gelukkig zat ze net in Princeton, en tegen alle anderen in Madison en Milwaukee hingen we het verhaal op dat we schilderlessen volgden, een intensieve cursus aquarelleren. ('Wat doen we als ze ons werk willen zien?' vroeg ik, en Jadey zei: 'We zeggen dat we het hebben laten opsturen.' Niemand bleek er ooit naar te vragen.)

Vooral de eerste dagen na onze gelijktijdige ingreep zagen Jadey en ik er zo bont en blauw uit dat we ons hardop en met regelmatige tussenpozen afvroegen of we geen vergissing hadden begaan, en de gedachte ging door mijn hoofd (ik uitte die niet) dat we als personages uit een sprookje waren, narcistische oude wijven die naar onze verloren jeugd klauwden. Maar uiteindelijk werden we niet bestraft omdat we te hoog gegrepen hadden; al een week na de operatie waren de blauwe plekken vervaagd, de zwellingen geslonken, en op de avond voor onze terugkeer naar Wisconsin gingen we samen met Cheryl dineren in een prachtig, heel feestelijk Mexicaans restaurant; drinken mochten we niet, maar Jadey nam stiekem een paar slokjes van Cheryls margarita. Toen we weer thuis waren bleven we elkaar maar bellen om met elkaar te vergelijken hoeveel complimentjes we hadden gekregen, hoe uitgerust we eruitzagen van de frisse zeelucht. Van alle betreurenswaardige feiten omtrent plastische chirurgie is dit misschien nog wel het moeilijkst te accepteren: als het goed wordt uitgevoerd, werkt het. Als je eenmaal een facelift hebt gehad, dringt tot je door hoeveel anderen er ook een achter de rug hebben, en hoewel er volop gevallen zijn waarbij de ingreep te zien is, zijn er veel meer vrouwen en mannen, vooral mensen die in de schijnwerpers staan, van wie we het absoluut niet weten, terwijl we hun gezonde, jeugdige uitstraling bewonderen.

Uit het boek dat ik had gelezen had ik begrepen dat de effecten van een rhytidectomie, zoals het officieel heet, gewoonlijk vijf tot tien jaar duren, waarna een herhalingsoperatie wordt aanbevolen. Dat betekent dat zelfs in het gunstigste geval mijn facelift is verlopen. Ik ben niet van plan een tweede te ondergaan, niet omdat mijn ijdelheid tanende is, maar omdat Jadey en ik nu de voorkeur geven aan botoxbehandelingen, iets wat eind jaren negentig nog niet bestond. Elke drie maanden komt zij met het vliegtuig naar Washington en voert Charlies persoonlijke lijfarts, dokter Subramanium, de behandelingen bij ons uit in de beslotenheid van zijn behandelkamer in het Witte Huis; de procedure neemt tien minuten in beslag en er komt geen verdoving bij kijken. Ik mag graag denken dat de reden waarom ik deze routine zo trouw volg is dat het de band tussen Jadey en mij versterkt, ons een manier biedt om onze band in stand te houden, maar dat is maar half waar. Ik doe het ook omdat ik niet wil dat bloggers en presentatoren van de late talkshows mijn uiterlijk bespotten. Ik sta er zelf versteld van dat ik mijn gezicht regelmatig laat inspuiten met giftig spul, maar niet meer versteld dan ik al ben over het feit dat ik getrouwd ben met de president van de Verenigde Staten, in het Witte Huis woon en de belachelijke titel 'first lady' draag. Voor zover ik weet heeft Debbie Bell nooit enige vorm van plastische chirurgie ondergaan.

In 1998, nadat ik van Naples naar Madison was teruggekeerd, kwam Ella een paar weken later thuis voor de voorjaarsvakantie, en ik ging haar ophalen op het vliegveld; hoewel ik als first lady van Wisconsin beveiliging bij me had, reed ik af en toe nog zelf. Ella's voorjaarsvakantie duurde twee weken, en ze had de eerste week met een stel vrienden op de Turks- en Caicoseilanden doorgebracht, in het vakantiehuis van een klasgenote die Alessandra Caterina Laroche de Fournier (kortweg Alex) heette. De vakantie was tegen het eind een beetje saai geworden, zei Ella; ze had een verwend gevoel gekregen, en deze week wilde ze langsgaan bij de gaarkeuken waar ze tijdens high school als vrijwilligster had gewerkt. Ik had voor haar thuiskomst gezorgd dat mijn agenda leeg was en zei dat als ze zin had om naar de film te gaan of wilde shoppen voor kleren, met name voor haar komende stage die zomer bij Microsoft, ik daar alle tijd voor had. Op vlakke toon zei ze: 'Ja, misschien.'

We kwamen terug in de ambtswoning en ik had net geparkeerd toen ze zei: 'Trouwens...'

Ik wendde me naar haar toe.

'Goeie facelift,' zei ze.

Ze wonen op de begane grond in een huis aan Adelphia Street. Met bonkend hart klim ik het verandatrapje op en klop op de deur, al is dat aankloppen een beetje een formaliteit aangezien zowel hun appartement als dat erboven, toegankelijk via een deur naast de hunne, al door de agenten van de geheime dienst is geïnspecteerd. De koelte van de airconditioner, doortrokken van sigarettenrook, komt me tegemoet wanneer Dena achter de hordeur verschijnt. Ze is een magere vrouw, met een pezige, dunne nek en smalle lippen, haar gezicht vol rimpels, haar ooit lichtbruine haar nu blondachtig grijs en verdord uitziend, nog steeds golvend maar tot vlak over haar oren. Ze is oud, Dena is óúd, maar ze is ook onmiskenbaar zichzelf, en ik barst in tranen uit. Ze maakt de deur open, een geamuseerde blik trekt over haar gezicht en ze zegt: 'Nou, je hoeft er geen drama van te maken.' Als we elkaar omhelzen, klem ik me tegen haar aan.

We gaan haar woonkamer in, waar een zwartleren bank met bijpassende stoel staat, evenals een lage salontafel, dit alles tegenover een grote televisiekast: een drietal planken waarop in het midden een enorme televisie staat, aan één zijde geflankeerd door een stereo-installatie, luidsprekers en cd- en dvd-rekken en aan de andere kant door verscheidene rijen sierborden met ofwel paarden erop (galopperend tegen de achtergrond van westernlandschappen, bezien vanuit een scherpe zijdelingse hoek, hun manen en staart opzwiepend in de wind) ofwel Amerikaanse indianen (een opperhoofd met een tomahawk in handen en een adelaar op zijn schouder, een vrouw met lange zwarte vlechten en een leren jurk met franje die vol toewijding boven een ingebakerd baby'tje geknield zit). Is Dena's smaak veranderd of de mijne, of zijn het gewoon andere tijden? Misschien een combinatie daarvan. De muren van de woonkamer zijn met hout betimmerd, de vloerbedekking is mauve en een deuropening leidt naar een smal, donker gangetje aan het eind waarvan ik een stukje van een zonnig vertrek zie met een zwart-wit geblokte vloer – de keuken, neem ik aan. De televisie staat aan, op *Dr. Phil.*

'Heb je dorst?' vraagt Dena. 'Ik zou je wel wat sterkers willen aanbieden maar we zijn al jaren geleden gestopt met drinken, dus het interessantste wat we in huis hebben is cola light.'

'Lekker.' Als ze wegloopt door de gang, kijk ik om me heen op zoek naar een tissue – er staat een doos op een bijzettafeltje – en snuit mijn neus. Op de salontafel staat een kommetje met rozenpotpourri, er ligt een nummer van het tijdschrift *People* en een pakje Meritsigaretten. In de keuken klinkt het geluid van stromend water, en onderweg terug naar de woonkamer zegt Dena iets tegen iemand in een van de kamers, maar haar stem komt niet boven het geluid van de televisie uit. Dat moet Pete zijn; ik weet via mijn agenten dat ik nu in hetzelfde appartement zit als Pete Imhof. Buiten, door het raam aan de voorkant, zie ik op de veranda José, een van de agenten, met zijn armen over elkaar staan uitkijken over de straat.

Dena brengt twee glazen binnen, een met donkere, bruisende vloeistof en een met water. Ze geeft me de cola light aan, zet de tv uit, neemt plaats op de stoel en gebaart dat ik op de bank moet gaan zitten. 'Eerlijk gezegd dacht ik toen dat meisje van je kantoor belde om te zeggen dat je naar me onderweg was, dat iemand een grap met me uithaalde.' Dena's stem klinkt niet kil, niet dweperig, maar normaal; voor de tweede keer vandaag ben ik niet Alice Blackwell maar Alice Lindgren. Of allebei, want ze zegt: 'En, hoe is het om getrouwd te zijn met de president?'

Op hopelijk luchtige toon zeg ik: 'Dat verschilt per dag.'

Dena slaat haar ene been over het andere. Ze draagt een spijkerbroek en een mouwloos zwart shirt met een V-hals dat zo'n flatteus zicht op haar decolleté biedt dat ik me mijns ondanks afvraag of ze een beha met pads draagt of haar borsten heeft laten vergroten. Ze heeft ook bungelende zilveren oorbellen in, een zilveren kettinkje om haar hals en twee zilveren ringen om, maar geen ervan aan de ringvinger van haar linkerhand: een, met een maansteen erop, zit om haar linkermiddelvinger, en de andere, een brede ring met minuscule vredestekentjes erin, zit om haar rechterduim. Die vredestekens geven extra gewicht aan wat ze nu zegt, of misschien beeld ik me dat maar in. Ze zegt: 'Ik wist niet dat je een republikein was.'

'Dat was ik ook niet.'

'O?' Ze glimlacht. 'Fijne combi.'

We zwijgen even, en dan zeg ik: 'Ik heb in de loop der jaren vaak aan je gedacht, Dena. Ik wou...' *Ik wou dat onze vriendschap niet was uitgeblust, ik wou dat het niet dertig jaar geleden was dat we elkaar voor het laatst hebben gesproken.*

Maar zij zegt: 'Ik weet het. Ik wou hetzelfde.' Ze lacht een beetje. 'Ik zou willen zeggen dat ik aan je heb gedacht, maar het is meer dat ik je heb gezíén. Die kasjmieren jas die je bij Charlies inhuldiging droeg, de tweede, die was schitterend. Ik dacht: toen ik met Alice omging was ze zo'n krent als het om kleren ging, maar dat ding moet een fortuin hebben gekost. Ik was blij te zien dat je wat kwistiger was geworden.' *Charlies inhuldiging* – zo praat het publiek over hem, als Charlie, of wat sarcastischer, als Chuck of Chuckie B. In Washington ben ik de enige van zijn intimi die met zo'n gebrek aan decorum zou kunnen wegkomen. 'Dat is ook een mooi pakje. Van welke ontwerper is het?' Dena knikt naar mijn steeds kreukeliger rood-linnen jasje en rok, mijn outfit voor het congres over borstkanker vanochtend – een eeuwigheid geleden. Als ik in de residentie ben draag ik vrijetijdskleding, zo'n beetje zoals Dena aanheeft, zij het met wat bescheidener shirtjes.

'De la Renta,' zeg ik.

Ze knikt goedkeurend.

'Ik had hem of Carolina Herrera gegokt.' Ze maakt een gebaar naar de agent voor het raam op de veranda. 'Staan die kerels te luisteren als je zit te plassen?'

Ik lach. 'Ze gaan niet mee naar de wc, hoor. Ze wachten buiten. Sommigen zijn vrouwen – niet de agenten die vandaag zijn meegegaan maar een paar van de anderen – dus als er een situatie is die minder geschikt is voor een man erbij, kan een vrouw invallen.'

Dena schudt haar hoofd. 'Jij liever dan ik.'

'Het is een eigenaardig leven.' Ik zwijg even. 'Dena, Pete is hier, toch?'

'En ik maar denken dat je voor mij kwam.'

'O, dat is ook zo, maar als het kan zou ik met jullie samen willen praten.'

Ze draait zich om naar de gang en roept: 'Schat, ze wil jou ook spreken!' Met een blik over haar schouder naar mij zegt ze: 'Hij denkt dat je hem niet mag. Ik zei al dat je niet speciaal hiernaartoe zou komen alleen maar om ons de huid vol te schelden, de first lady heeft wel wat anders te doen, maar je kent Pete.'

Niet echt, natuurlijk – ik ken Pete Imhof niet meer, als ik dat al ooit heb gedaan.

Opnieuw, ongeduldiger, roept ze: 'Schat!'

Na nog een minuut komt hij tevoorschijn: ook hij draagt een spijkerbroek met een grijs Badgers-T-shirt en bruinleren slippers. (De donkere haren op zijn tenen! Met een schok herinner ik ze me van toen ik zeventien was. Wat vreemd dat ik ooit, korte tijd, heel vertrouwd ben geweest met Pete Imhofs lichaam.) Toen ik hem de laatste keer zag, bij die ruzie over het piramidespel, was hij flink zwaarder geworden, en sindsdien is er nog aardig wat bij gekomen. Hij is niet kolossaal, maar hij is meer dan gezet en zowel zijn haar als zijn baard is zilvergrijs. Eigenlijk is hij een knappe man, op een aardse, seksuele manier. Ik sta op en we geven elkaar wat stuntelig een hand. Ik wil niet cru zijn, maar de stunteligheid komt van hem, zijn ongemak is duidelijk zichtbaar. God weet dat ik veel tekortkomingen heb, maar handenschudden is intussen geen probleem meer voor mij. 'Je hebt Dena echt verrast vandaag,' zegt hij terwijl hij een stap naar achteren doet zodat hij naast de stoel komt te staan. Hij gaat op een oncomfortabel uitziende manier op een van de armleuningen zitten, terwijl ik weer op de bank plaatsneem.

'Schat, haal even een stoel uit de keuken,' zegt Dena en dat doet hij, waarna hij hem naast de hare zet.

'Ik hoop dat ik jullie niet van andere verplichtingen afhoud,' zeg ik wanneer Pete is gaan zitten. Via Belinda die het Jessica heeft verteld, weet ik wat ze voor werk doen: Pete is beveiligingsmedewerker bij White River Dairy en Dena is parttime massagetherapeute in de praktijk van een chiropractor.

'We hebben wat tijd voor je kunnen vrijmaken,' zegt Dena droog.

'Jullie vragen je zeker af waarom ik zo onverwachts kom aanwaaien.'

Geen van hen geeft antwoord, en dan zegt Dena: 'Ja, zeg dat wel.'

'Nou, allereerst wilde ik jou zien, Dena, ik wilde weten wat er van je was geworden. Maar ook komt er heel binnenkort iets in het nieuws wat indirect verband houdt met jou, Pete. Ik weet niet of het als eerste in een tv-programma of in een krant komt, maar een dezer dagen wordt bekend dat ik... dat ik in 1963 een abortus heb gehad. En ik vertel het jullie omdat, alhoewel de media daar niets van weten, jij degene was van wie ik zwanger was. Ik weet niet of Dena je ooit heeft verteld...'

'Hij weet het.' Dena zegt dit heel laconiek, en als ik een blik op Pete werp, spreekt hij haar niet tegen; hij kijkt me zonder veel emotie aan. (Zou Andrew op latere leeftijd ook zo zwaar zijn geworden? Ik betwijfel het; ze waren anders gebouwd.)

'Als ik het nog eens over kon doen, zou ik natuurlijk zo respectvol zijn geweest het je te vertellen,' zeg ik.

'Wie heeft er uit de school geklapt?' zegt Dena. 'Iemand die je kent?'

'De...' Er zijn verschillende manieren om Gladys Wycomb te omschrijven, maar ik besluit mijn grootmoeder erbuiten te laten. 'De arts die de ingreep heeft uitgevoerd,' zeg ik. 'Ze is intussen stokoud, en ze doet het om te protesteren... ik weet niet of jullie de nominatie van Ingrid Sanchez voor het Hooggerechtshof hebben gevolgd, maar daar protesteert die arts tegen.' Ik kijk Pete aan. 'Ik hoop niet dat dit verhaal een staartje krijgt, maar het kan zijn dat sommige journalisten gaan proberen te achterhalen met wie ik indertijd omging, en ik denk niet dat ze daarachter komen, tenzij via een van ons. Maar ik wilde jullie waarschuwen. Ik zou liever willen dat jullie niet met journalisten praten als ze jullie benaderen, maar dat is jullie beslissing, en iemand van mijn kantoor kan jullie eventueel in contact brengen met een mediacoach.' Bang dat dat neerbuigend klinkt, voeg ik eraan toe: 'Al heb ik heel wat coaching gehad en breng ik er nog steeds niet veel van terecht.'

Dena en Pete wisselen een blik, en Dena zegt: 'Ja, we worden regelmatig benaderd door je vrienden van de roddelpers. Nou ja, niet alleen de roddelpers – schat, waar belde die vent een paar weken geleden vandaan, Kroatië? Het was een land dat ik op de kaart niet zou kunnen vinden, dat kan ik je wel zeggen.'

Ik had het kunnen weten – er worden wekelijks achtergronden en onthullingen gepubliceerd over Charlies regering, zijn familie of zijn jonge jaren, zowel in de vorm van artikelen als van boeken, in roddelbladen maar ook in gezaghebbende tijdschriften, en tijdens de campagne van 2000, toen de eerste journalist het ongeluk ontdekte waarbij Andrew Imhof om het leven kwam, was dat groot nieuws, dat ik tegemoet trad door een interview te geven aan een verslaggever van *USA Today*. Ik zei: 'Het was ongelooflijk verdrietig. Ik weet dat het heel moeilijk was voor zijn familie en onze klasgenoten en eigenlijk de hele gemeenschap, inclusief voor mij.' Telkens wanneer ik er sindsdien naar ben gevraagd heb ik dit commentaar zonder verdere uitweidingen herhaald. Zodoende moeten de schrijvers, om hun diverse boeken en artikelen vol te krijgen, op zoek naar spraakzamere personen, dus ze praten met iedereen die ons ook maar één keer op straat voorbij heeft zien komen. Ik weet van ten minste één biografie van mij waarin Dena wordt genoemd als mijn beste vriendin uit mijn jeugd, en dat zal wel de manier zijn geweest waarop andere journalisten haar op het spoor zijn gekomen. De bron die de biograaf gaf voor deze informatie was onze vroegere klasgenote Mary Petschel, geboren Hafliger, zij met die harige onderarmen, zij die me na Andrews dood uit het Promoteam gooide, en zij die Ella en ik tegen het lijf liepen toen ik in 1988 naar Riley was gevlucht; sinds die ontmoeting heb ik Mary niet meer gezien.

En op dat moment dringt tot me door dat Dena noch Pete ooit over mij heeft gesproken tegen de media. Al die tijd was ik er zo zeker van dat Dena dat zou doen, dat het voelde alsof ze het al hád gedaan. Eerder vandaag nog was zij de eerste die in me opkwam toen Hank me kwam vertellen dat het abortusverhaal uit dreigde te komen, maar ze had er niets mee te maken. Dat Dena en Pete hebben gezwegen terwijl ze al die jaren al bij elkaar zijn, zelfs al hadden ze allebei zo hun redenen om me een kwaad hart toe te dragen en zelfs al hadden ze elkaars antipathie best kunnen versterken en zich gerechtigd kunnen voelen om het me betaald te zetten – ik ben niet dankbaar genoeg geweest, realiseer ik me ineens, ik heb nooit mijn waardering laten blijken voor wat niet is gebeurd. Ik heb hen niet gezien als mensen die mogelijkheden hebben afgeslagen, terwijl dat toch duidelijk het geval is, de mogelijkheden zijn duidelijk legio geweest.

Ik zeg: 'Als die journalisten jullie bellen en jullie zeggen nee... waarom doen jullie dat?'

'Ben jij mal, dacht je dat we over jou gingen praten tegen de eerste de beste roddeljournalist?' zegt Dena schamper. 'Zo zijn we niet opgevoed, en dan hebben we nog niet eens op je man gestemd!' Ze buigt zich voorover en haalt een sigaret uit het pakje, en nadat ze die heeft opgestoken en een trekje heeft genomen zegt ze: 'Althans, ik zeker niet. Pete hier stemt gewoon helemaal niet.'

Pete glimlacht zoals Charlie wanneer hij een uitzonderlijk harde scheet heeft gelaten, alsof hij half verlegen is en half ingenomen met zichzelf. Vluchtig – ik wil dit niet denken – vraag ik me af of Pete een hersenbeschadiging heeft. Er hoeft hem niet per se iets vreselijks te zijn overkomen, het zou kunnen dat de alcohol en wellicht drugs een cumulatief effect hebben gehad.

'Hé, en waarom wil Charlie niet met die zwarte man praten?' zegt Dena. 'Zeg maar tegen hem dat die ouwe Dena vindt dat hij dat moet doen.' Ze doelt op Edgar Franklin, daar ben ik redelijk zeker van, maar anders dan Gladys Wycomb slaat Dena geen beschuldigende toon aan; ze klinkt juist bescheiden, alsof ze niet werkelijk gelooft dat haar mening er iets toe doet. Of misschien komt het doordat zij, omdat ze zelf getrouwd is geweest, weet dat het bijstellen van het gedrag van een echtgenoot geen peulenschil is, en houdt ze mij dus niet verantwoordelijk voor Charlies beslissingen. Ze pakt een asbak van doorschijnend glas van het plankje onder de salontafel en tikt haar as erin af. 'Zeg Alice, mag ik een foto maken of gaan die bullebakken van je dan flippen?'

'Natuurlijk,' zeg ik.

'Anders geloven mijn zussen nooit dat je hier bent geweest.' Ze staat op.

'Hoe gaat het met je zussen?'

'Ze ploeteren door. Marjories oudste zoon zit daarginds in het eerste bataljon van de 158ste infanterie, dus dat is zwaar.' Opnieuw is het gebrek aan verwijt in Dena's stem opvallend. Hoe kan het dat ze me heeft vergeven voor zowel het verleden als het heden? 'Peggy woont in ons ouderlijk huis, wat ik nog niet zou willen al kreeg ik geld toe. De boel stort in waar ze bij staat, en dan moet ze ook nog een heupoperatie ondergaan, dus ik weet niet hoe ze op de bovenverdieping wil komen.'

'Misschien kan ze zo'n stoellift laten plaatsen als mijn grootmoeder had,' zeg ik, en Dena gnuift hardop, al maakte ik geen grapje. Het is ontnuchterend aan Peggy Janaszewski te denken als iemand die een heupoperatie nodig heeft, terwijl in onze jeugd zij en Marjorie de leerlingen waren als Dena en ik schooltje speelden en ons voordeden als onderwijzeressen die Juffrouw Clougherty heetten.

Dena loopt weg door de gang, ik neem aan om haar camera te gaan halen, en Pete en ik blijven alleen achter. Op het gonzen van de airconditioner na is het stil in de kamer, en dan zegt Pete: 'Da's een tijd geleden, hè?'

'Nou en of.' We beginnen allebei op hetzelfde moment te praten, en ik zeg: 'Ga je gang.'

'Als ik terugkijk, ben ik niet echt trots op sommige dingen,' zegt hij. 'Het was een moeilijke tijd.'

Heeft hij het over Andrews dood of over het piramidespel?

'En de kranten kunnen het maar niet laten rusten. Telkens als het wegzakt, rakelt iemand het weer op, maar het kan ze niets schelen hoe hij was – ze doen alsof hij zijn hele leven niets gedaan heeft behalve in die auto stappen en naar dat kruispunt rijden.'

‘Ik hoop dat je weet dat ik nog steeds aan hem denk,’ zeg ik. ‘Ik wou nog steeds dat ik het gebeurde kon veranderen.’

Maar Pete lijkt niet boos. Hij zegt: ‘Ik heb altijd geweten dat je een aardig iemand was. Misschien heb ik het niet laten blijken, maar ik wist het wel.’

Onverwachts lopen mijn ogen vol met tranen; ze zitten kennelijk aan de oppervlakte, aangezien ik direct bij aankomst ook al moest huilen. Ik slik de tranen weg en zeg: ‘Ik had in die tijd geen idee wat ik moest, en jij waarschijnlijk ook niet.’

‘Hij was echt stapel op je,’ zegt Pete. ‘Dat had je zeker wel door. Ik weet nog dat we je in het centrum tegenkwamen en jullie twee als gekken stonden te flirten.’ (Die middag vlak voor mijn laatste jaar op high school, toen ik rundergehakt was gaan kopen voor mijn moeder – het zonlicht en Andrews wimpers en Pete achter het stuur van de mintgroene Thunderbird.) ‘Als ik geweten had dat je zwanger was,’ zegt Pete, ‘hoop ik dat ik genoeg mans zou zijn geweest om met je te trouwen, maar het is waarschijnlijk maar goed dat ik het niet wist. Ik was zo onvolwassen.’

Met me te tróúwen? Ik kan oprecht zeggen dat die gedachte nooit bij me was opgekomen; het is veel waarschijnlijker dat ik de baby na de geboorte zou hebben afgestaan – het kind houden zou niet hebben gekund, de schande voor mijn familie zou te groot zijn geweest – maar dat ik met Pete Imhof zou zijn getrouwd is onmogelijk voor te stellen.

Hij zegt: ‘Stel dat we Andrew als vader hadden opgegeven in plaats van mij? Dat klinkt meer als hoe het had moeten zijn – revisionistische geschiedenis, noemen ze dat niet zo?’

Alleen zou ik, als Andrew de vader was geweest, geen abortus hebben ondergaan, tenminste niet als ik na zijn dood had ontdekt dat ik zwanger was. En Andrew zou hoe dan ook niet de vader zijn geweest, want wij zouden niet zo’n overhaaste, impulsieve seks hebben gehad. Maar Pete Imhof probeert iets aardigs tegen me te zeggen, dus ik schenk hem alleen maar een droevig glimlachje.

Uit zijn broekzak haalt Pete zijn eigen pakje sigaretten; het zijn Camels. Hij neemt er een uit het pakje maar steekt hem niet op. Hij zegt: ‘Zonder Dena zou ik mijn leven nooit op de rails hebben gekregen. Weet je, ik ging steeds weer naar het restaurant waar ze werkte, net zo lang tot ze me eindelijk mee naar haar huis nam en me redde van mezelf?’ Hij buigt zich voorover en voegt eraan toe: ‘Niet tegen haar zeggen, hoor, maar ik heb wel op je man gestemd. Ik weet dat hij de terreur stevig aanpakt.' Pete knipoogt. 'Dena heeft geen idee.' Terwijl hij zijn sigaret opsteekt (hij ziet er niet meer uit alsof hij hersenletsel heeft) zegt hij: 'Wil je wat eten? Heeft ze je wat aangeboden?'

'Nee, dank je,' zeg ik, en ik hoor Dena aankomen door de gang. Ze zegt: 'Hij gaat niet aan,' en als ze in de woonkamer is, reikt ze Pete een digitale camera aan. 'Wat doe ik verkeerd?' Hij friemelt ermee en de camera maakt een zoemgeluid, de lens komt tevoorschijn.

Pete zegt: 'Jullie twee naast elkaar,' en ik stel me naast Dena op voor de plank met sierborden. Buiten zou de belichting natuurlijk beter zijn, maar ik zeg niets. Dena slaat haar arm om me heen, een gebaar dat me ontroert, en ik doe hetzelfde bij haar.

Nadat Pete een paar foto's heeft genomen zegt Dena: 'Nu jullie.' Pete en ik staan zij aan zij, glimlachend zonder elkaar aan te raken; dit is geen foto waarvoor ik ooit had gedacht te poseren. Nadat de foto's genomen zijn, kijken ze naar het resultaat op het schermpje. 'Is die technologie vandaag de dag niet ongelooflijk?' zegt Dena.

'Sorry dat ik zo snel weer weg moet, maar ik heb een verplichting thuis in Washington,' zeg ik. 'Het was heel fijn jullie beiden te zien, en laten we contact houden over de komende ontwikkelingen. Hebben jullie Belinda's nummer nog?'

'Het ligt in de keuken,' zegt Dena.

'Bel me als er iets is, of als jullie vragen hebben.'

Dena geeft me een zachte por tegen mijn bovenarm. Ze zegt: 'Kijk niet zo somber, first lady. Wij redden ons wel, en jij ook.'

'Wacht even, Alice,' zegt Pete. 'Ik heb iets voor je.' Hij sjokt zwaar de gang in en als hij weg is zeg ik tegen Dena: 'Ik kom om de paar maanden hier om mijn moeder te bezoeken, misschien kunnen we de volgende keer ergens gaan lunchen.'

'Dat lijkt me te gek,' zegt ze. 'Je geeft maar een gil.' Dan zegt ze erachteraan: 'Je weet toch dat ik Ella die diadeem heb gegeven die ene keer? Ik hoopte dat je even gedag zou komen zeggen.'

'Ik wou dat ik dat had gedaan.' Charlie en ik laten op dit moment een huis bouwen in Maronee, waar we zullen gaan wonen als we weggaan uit Washington. Is het mogelijk dat, als Dena en ik weer relatief dicht bij elkaar wonen, zij en ik misschien weer vriendinnen worden, echte vriendinnen? Of zijn onze omstandigheden te verschillend? Het is zo'n troost om haar te zien, weer verbonden te zijn met een leven dat ik nu zo goed als kwijt ben.

Bij terugkomst overhandigt Pete me een envelop.

'Wat is dat?' vraagt Dena, maar hij schudt zijn hoofd. Niet helemaal voor de grap zegt ze: 'Als het maar geen liefdesbrief is.' Met een ondeugend gezicht wendt ze zich weer tot mij. 'Als iemand ooit naar jou en mij zou kijken, zou hij denken dat er in de hele wereld maar drie beschikbare mannen waren en wij ze almaar tussen ons twee heen en weer bleven schuiven.' Ik lach, en Dena haakt haar arm door die van Pete. Ze zegt: 'Maar het ziet ernaar uit dat we allebei zijn uitgekomen bij degene die altijd al de ware voor ons was.'

Tot de mensen van wie ik weet dat ze op televisie of in de bladen uitspraken hebben gedaan over Charlie en mij behoort ongeveer een derde van mijn klasgenoten van de lagere school, middenschool en high school, onder wie Mary Hafliger Petschel en Larry Nagel, de jongen met wie ik naar het eindbal van de middenschool ging; de dochter van de voormalige eigenaar van Tatty's (Tatty's zelf bestaat niet meer), Marvin Benheimer, met wie ik uitging op oudejaarsavond 1962, toen ik bij nadering van de gerechten als een speer weg moest uit het restaurant om te braken, een gegeven dat Marvin er niet van heeft weerhouden om herhaaldelijk op CNN te verschijnen, steevast aangeduid als 'jeugdvriend van Alice Blackwell'; verscheidene medeleden van Kappa Alpha Theta, enkele van mijn bejaarde professoren en allerlei studiegenoten die ik nooit heb ontmoet; mijn scriptiebegeleider van de bibliotheekschool; Lydia Bianchi, het hoofd van Liess Elementary en mijn collega Maggie Stenta, een lerares van groep een; Nadine Patora, de makelaar uit Madison van wie ik in 1977 geen huis kocht; Ja-hoon Choi, de student die onder me woonde in mijn appartement in Sproule Street; en twee mannen met wie ik blind dates had in respectievelijk 1969 en 1974 en die ik me werkelijk niet kan herinneren, al geloof ik wel dat die afspraakjes hebben plaatsgevonden. 'Ze was knap maar maakte een preutse indruk,' was de conclusie van een van die kerels, en de ander vond: 'Ze was niet geïnteresseerd in de actualiteit, ze wilde vooral over haar leerlingen praten.' Wat deze opmerkingen mee hadden was hun bondigheid, ze waren niets vergeleken bij de uitgebreide biografie van de hand van Simon Törnkvist, *Ik kende haar toen: mijn relatie met Alice Blackwell voor ze first lady werd.* Met de hulp van een ghostwriter deed Simon verslag van onze relatie van lang geleden: mijn zogenaamd wanhopige verlangen om te trouwen en kinderen te krijgen en zijn grote bedenkingen tegen mij die kennelijk voortkwamen uit de conservatieve neigingen die hij toen al in me bespeurde. *Je had haar moeten zien, ze woonde in een bruisende, liberale studentenstad, maar leidde een ongelooflijk saai, beschermd leventje*, schreef hij. *Ze was duidelijk bang om het met me over mijn ervaringen in Vietnam te hebben en ze ging elke confrontatie uit de weg. Ik wist van meet af aan dat haar levensdoel huisje-boompje-beestje en 2,5 kinderen was, en als dat met mij niet kon, zou ze een ander zoeken. Toen ik hoorde dat ze met een van die dienstontduikende zonen van gouverneur Blackwell was getrouwd, wist ik dat haar stoutste dromen moesten zijn uitgekomen.* Ook stond er, heel vernederend: *Wat seks betreft was ze erg doorsnee. Wat ik nooit van haar begreep was dat ze gemakkelijker klaarkwam als ze bovenop zat, maar de voorkeur gaf aan de missionarishouding.* Ik was het boek al een halfuur aan het doorbladeren toen ik bij die regels kwam; ik sloeg het dicht, gaf het aan mijn persoonlijk assistente Ashley en zei haar dat ze het naar eigen goeddunken moest wegdoen. Ik voelde me met name gekrenkt omdat ik nota bene indirect contact met Simon had gehouden sinds we elkaar in 1988 tijdens de wedstrijd van de Brewers tegen het lijf waren gelopen; in 1995 vroeg hij om zes vipkaartjes voor een rondleiding in de voor kerst versierde gouverneurswoning voor hemzelf, zijn vrouw, zijn twee kinderen en zijn ouders. Het verzoek was via mijn kantoor binnengekomen, en hoewel ik Simon niet had gesproken was ik degene geweest die de kaartjes voor hem had geregeld. Hij heeft mij noch een ander er ooit voor bedankt – ik had in die tijd maar twee assistentes en ik had het hun gevraagd – en het eerstvolgende dat ik van hem hoorde was toen mijn perschef in het Witte Huis me een paar maanden voor de publicatie opmerkzaam maakte op zijn boek. 'Ik had altijd al het idee dat die lulhans een waardeloze hippie was,' was Charlies reactie.

In het algemeen is er vaak een omgekeerd verband tussen hoe goed iemand je heeft gekend en zijn of haar bereidheid tot praten; ook lijkt er samenhang te zijn tussen discretie en klasse, tenminste, dat dacht ik altijd tot ik Dena en Pete ontmoette. De mensen die we kennen of kenden in Maronee, de mensen van de country club, zijn het zwijgzaamst. Opvallende uitzondering was Carolyn Thayer (ze is niet hertrouwd maar heeft Joe Thayers achternaam gehouden), die een interview gaf aan het programma *60 Minutes* voor een item over Charlies vroegere alcoholprobleem. 'We wisten het allemaal, iedereen had het erover,' zei ze. 'Toen hij werd betrapt op rijden onder invloed was dat algemeen bekend, en meer dan een jaar daarvoor zag ik hem op een kerstpartijtje plat op zijn gezicht gaan. Ik vroeg nog: "Heb je hulp nodig?" maar hij deed het af met een grapje.' Dat moet op het feestje bij de Hickens zijn geweest, dacht ik, want ik herinnerde me hoe Charlie vrolijk naar me toe kwam met tissues in zijn beide neusgaten, en toen ik ernaar vroeg zei dat hij een bloedneus had. Ik wilde de uitzending van *60 Minutes* niet zien, maar naderhand hoorde ik van verschillende oude vrienden van ons hoe ontzet ze waren, wat een inbreuk op de etiquette ze Carolyns gedrag vonden, dus ik liet mijn assistente een kopie ervan opvragen. Aangezien Carolyn tien jaar daarvoor van Maronee naar Chicago was verhuisd, was het niet zo dat ze uit de gemeenschap kon worden gestoten, en daar was ik blij om. Ik had liever gehad dat ze niet met de mensen van dat programma had gesproken, maar het feit was dat ze niets onwaars had gezegd. Hoe dan ook, Carolyn was de uitzondering die de regel bevestigt – zij is de enige uit Maronee die publiekelijk en zonder onze instemming met de media heeft gesproken, en maar heel weinig mensen hebben anoniem iets beweerd. Ik heb zo het vermoeden dat degenen die dat wel hebben gedaan personen zijn die we nauwelijks hebben gekend.

Simons biografie was niet de enige: er was ook nog het boek van de hand van mijn nichtje van moederskant, Patty Lazechko, de dochter van mijn oom Herman, en ik heb de indruk dat de hoofdgedachte van haar verhaal was dat 'omhoog trouwen' me in het bloed zit, dat mijn moeder, nadat ze mijn vader had ontmoet, haar eigen broers, zussen en ouders de rug toekeerde. Toen het boek twee jaar geleden uitkwam had ik Patty sinds mijn jeugd niet meer gezien, en ik geef toe dat ik dit werkje maar heb overgeslagen; er doen te veel verhalen de ronde, en ze zijn te demoraliserend om ze bij te houden. De laatste tijd zijn er een paar bijdragen aan de reeks onthullingen verschenen van mensen die voor Charlie en mij hebben gewerkt, campagneadviseurs en een jongen die in de eerste regering plaatsvervangend perschef van het Witte Huis was, en hoewel het altijd teleurstellend is te merken dat iemand die je vertrouwde dat vertrouwen heeft beschaamd, is dat soort schendingen in de politiek aan de orde van de dag; ze zijn onder Charlie minder frequent dan bij zijn voorganger.

Charlie is intussen gehard; het heeft hem nooit geïnteresseerd wat zijn critici te melden hebben, behalve voor zover Hank het op een strategische manier kan ombuigen. Natuurlijk ben ik kwetsbaarder, maar ik probeer bijna nooit iets gerectificeerd te krijgen en een citaat of opmerking in een krantenartikel dat me ooit dagenlang zou hebben dwarsgezeten stoort me nu gedurende tien minuten, of twee. De laatste keer dat ik me echt over iets heb opgewonden was meer dan een jaar geleden, toen ik op een ochtend in mei de *Times* opensloeg en op een opinieartikel van Thea Dengler stuitte, de eigenares van de boekhandel in Mequon waar ik altijd zo graag kwam. Thea's boekwinkel bestaat nog steeds, in een tijd waarin steeds minder zelfstandige ondernemers het kunnen rooien, en voor mensen die dat soort dingen volgen heeft Thea naam gemaakt; ze wordt regelmatig geciteerd in artikelen over de boekhandelbranche. Maar daar ging het dit keer niet over; het ging over mij, en de kop was DOE IETS, ALICE BLACKWELL! Het begon als volgt: *Degenen die Alice Blackwell in Wisconsin hebben gekend hebben zich de afgelopen vijf jaar keer op keer achter hun oren gekrabd. Als vaste klant in mijn boekwinkel in de jaren tachtig en begin jaren negentig was mevrouw Blackwell weetgierig, sociaal bewogen en ruimdenkend. Hoe kan ze dan – voor het oog, althans – gelukkig getrouwd zijn met een man die erop uit is de burgerlijke vrijheden te beteugelen? Hoewel mevrouw Blackwell soms wordt afgeschilderd als 'De lintjesknippende first lady', is ze een voormalige bibliothecaresse die weet hoe essentieel privacy en intellectuele vrijheid voor een democratie zijn.*

Terwijl ik dit artikel in bed zat te lezen, voelde ik het soort boosheid in me opkomen dat ik niet vaak ervaar. Het kwam niet door het standpunt waar Thea lucht aan gaf en dat ik vaak genoeg had gehoord, maar door de bron: anders dan Carolyn Thayer, mijn nichtje Patty of zelfs Simon Törnkvist, was Thea iemand met wie ik me ooit sterk verwant had gevoeld. En waarom kon ze me niet het voordeel van de twijfel geven, waarom kon ze er niet van uitgaan dat ik in de gegeven omstandigheden deed wat ik kon? Wie was Thea om te bepalen hoeveel of wat ik moest zeggen, en tegen wie, en hoe? Ik herinnerde mezelf aan het besluit dat ik jaren geleden had genomen toen ik in mijn eentje over Maronee Drive liep na het belachelijke artikel in *The Milwaukee Sentinel* over mijn stroopkoekjes: dat ik niet door anderen van buitenaf kon worden gedefinieerd, en dat het feit dat iets gedrukt stond het nog niet waar maakte. Maar toch, dit was Thea en de *Times*.

Ze denken dat ze je tot andere gedachten brengen, maar ze doen het omgekeerde: hoe meer mensen druk uitoefenen, hoe meer ze deel uitmaken van een patroon. Daar komt bij dat iedere persoon die je probeert te bewerken zijn eigen stokpaardje heeft – Thea's doelwit was de verlenging van de Patriot Act – en hoe mensen zelfs in hun zorgen op nationaal niveau gedreven worden door een soort altruïstisch eigenbelang. Dít is wat ik het ergste fout heb gedaan, dít is waar ik tekort ben geschoten. Hoewel de kritiek die ik krijg ontmoedigend kan zijn, doen de verschillende varianten elkaar teniet. Wat ik ook aan positiefs heb bereikt, het was niet genoeg. Wat van belang is, is datgene wat ik over het hoofd heb gezien of genegeerd. (En, nogmaals: ik ben geliefd, mijn populariteitscijfers zijn twee keer zo hoog als die van Charlie. Het verbaast me niets dat hij zijn critici totaal negeert.)

Dit zijn 'mijn' onderwerpen: bewustzijn en vroegtijdige ontdekking van borstkanker; behoud van historische kunst en gebouwen; aidspreventie bij kinderen hier en in het buitenland, met name in Afrika, en alfabetisering. De onderwerpen waarop ik me richt mogen dan niet-controversieel zijn, ik geloof dat ze werkelijk de aandacht waard zijn. Wat me echter het meest steekt in mijn positie van first lady, is dat het oude gevoel van verplichting, schuld en verdriet dat me altijd beving als ik in Milwaukee de krant las, enorm veel groter is geworden. Hoewel ik me verzet tegen de opvatting die wordt onderschreven door Gladys Wycomb, Thea Dengler en vele anderen, dat ik mijn man zou moeten proberen te bewerken, is het zo dat als ik een organisatie bezoek of de leden ervan uitnodig op het Witte Huis – een dierenkliniek die huisdieren steriliseert voor mensen die het niet kunnen betalen, een project tegen bendegeweld, een weeshuis voor thuisloze kinderen in Addis Abeba – die organisatie daarna een stroom donaties, een stortvloed van publiciteit ontvangt. Ik kán het leven veranderen voor andere mensen, en al is het laf, ik heb vaak gewenst dat ik dat vermogen niet had. De druk is te groot, en het moeilijkste is niet dat wat ik doe tekortschiet in de ogen van een ander, maar dat het tekortschiet in mijn eigen ogen. Ik blijf bezig, ik reis, ik probeer met mijn bezoeken – liever met daden dan met woorden – het goede werk van anderen te steunen, maar ik zou ongetwijfeld een beter gevoel hebben over mijn bijdragen aan de wereld als mijn macht wat beperkter was. Als ik vrijgezel was gebleven, en lerares, zou ik vermoedelijk rond mijn veertigste of zo zijn begonnen om pleegkinderen in huis te nemen, en niet noodzakelijkerwijs blanke; ik zou mijn gft-afval composteren en misschien zou ik tegen deze tijd een Prius hebben gekocht, al denk ik niet dat ik er een antioorlogbumpersticker op zou hebben geplakt. Hoe je dat soort dingen ook moet meten, ik zou minder hebben gedaan, maar ik zou niet zijn geconfronteerd met het feit dat ik veel meer had kunnen doen.

Wat betreft degenen die een hekel aan me hebben omdat ze een hekel aan Charlie hebben, in het verlengde van hem dus, ben ik hiernaar benieuwd: op welk moment had ik naar hun mening iets moeten doen, en wat voor 'iets' had dat geweest moeten zijn? Had ik niet met hem moeten trouwen? Had ik niet tegen zijn drankprobleem moeten ingaan? ('Jim Beam en ik, we delen je wel' – had ik dat moeten zeggen?) Toen hij me vertelde dat hij zich kandidaat wilde stellen voor het gouverneurschap en ik zei dat ik dat liever niet wilde (al dacht ik dom genoeg dat het in elk geval beter was dan een post als Congreslid of senator; we zouden in elk geval in Wisconsin blijven) – toen hij besloot ondanks mijn uitgesproken mening toch mee te doen aan de verkiezingen, had ik toen bij hem moeten weggaan? Had ik bij hem moeten blijven maar geen campagne voor hem moeten voeren? Had ik het publiek expliciet moeten vertellen waar mijn mening van de zijne afweek? Had ik bij hem moeten weggaan toen hij, ook tegen mijn zin, besloot zich kandidaat te stellen voor de presidentsverkiezingen? Iedereen die wel eens getrouwd is geweest, en met name iedereen die tientallen jaren getrouwd is geweest, weet dat het huwelijk uit een reeks compromissen bestaat; een oordeel vellen over de compromissen die ik heb gesloten is wat mij betreft nogal gemakkelijk van een afstand.

Als ik terughoudend ben, dan komt dat gedeeltelijk doordat ik niet van overhaaste beslissingen hou. Tijdens de aanloop naar de oorlog wist ik echt niet wat de juiste handelwijze zou zijn; ik las artikelen over beide standpunten en zag in elk overtuigende argumenten. Omdat er zoveel op het spel stond had ik in de eerste maanden van 2003 wel een onbehaaglijk gevoel, maar Charlie en ik hadden het er niet zo vaak over als je zou verwachten, of misschien moet ik zeggen dat we het er meer in logistieke zin over hadden dan dat we de filosofische of historische implicaties ervan bespraken. Dan belde hij bijvoorbeeld vanuit het Oval Office en zei: 'Ik moet naar een overleg in de Crisiskamer, dus zullen we die film maar naar morgenavond verzetten?' Of, zoals hij ooit opmerkte over de minister van Buitenlandse Zaken: 'We hebben Stanley flink opgepompt voor zijn gesprek woensdag met de Veiligheidsraad, en ik denk dat dit een homerun wordt.'

Tegenwoordig is het voor mensen in beide politieke partijen en voor personen die geen enkele partij aanhangen gewoon om te zeggen dat Charlies regering de oorlog heeft verprutst en dat we onze soldaten terug moeten halen. En Charlies regering hééft inderdaad onderschat hoe verwaarloosd de infrastructuur van het land was, hoe waarschijnlijk een opstand zou zijn en hoeveel wapens de opstandelingen hadden. Dat alles is nu duidelijk, de vraag is: hoe nu verder? Voor Amerika zou het voordelig zijn om weg te gaan, maar hoe zit het met hén, de inwoners van het land dat we zijn binnengevallen?

Toen Ella op de montessorischool van Biddle Academy zat, waren er onder de spelactiviteiten in de klas bouwblokken, houten legpuzzels en, tot Charlies grote vermaak, een minikeukentje vol plastic kopjes en borden ('dan kan ze leren voor keukenhulp,' grapte hij altijd). Regel in de klas was: maak de ene taak af voor je met de volgende begint, en ruim je spullen op. Te midden van onze oorlog in een heet, zanderig land bijna tienduizend kilometer van ons vandaan, een land waarvan de kunst, cultuur en taal teruggaan tot het begin van de menselijke beschaving, blijf ik terugvallen op deze ideeën, dat het onze verantwoordelijkheid is de rommel die we hebben gemaakt op te ruimen. De afgelopen vier jaar heb ik me afgevraagd of we de zaak niet erger maken door ons terug te trekken, en ik weet nog steeds niet zeker of de invasie überhaupt goed is geweest. Als we zijn binnengevallen als een democratie die een dictator ten val komt brengen, betekent het feit dat er meer doden zijn gevallen dan de Amerikanen verwacht hadden dan dat de invasie verkeerd was? Als we gelijk hadden met het binnenvallen van het land maar de uitvoering onzorgvuldig was, maakt dát het dan verkeerd?

Als ik politiek commentatoren op tv zie of de republikeinse experts ontmoet bij evenementen in of buiten het Witte Huis, is hetgeen me het meest treft hun zelfverzekerdheid. Wordt die voor de camera's uitvergroot en trekken ze die aan het eind van de dag, in de privésfeer van hun huis, tegelijk met hun sokken of panty's uit? Of zijn ze altijd zo pompeus en stellig? Ik benijd hen zoals ik de diep gelovigen benijd, onder wie mijn man, maar voel me niet in staat me in hun gelederen te scharen. Ik heb nooit geprobeerd mijn ideeën op de voorgrond te brengen, behalve wanneer die vanzelfsprekend zijn en niet afhangen van een argument mijnerzijds om ze te bewijzen of ontzenuwen: de bewustwording rond borstkanker en aidspreventie zijn goed. Analfabetisme is slecht. Cultuurbehoud geeft toekomstige generaties de mogelijkheid om inzicht te verkrijgen in hoe het leven ooit was en helpt Amerikanen op die manier hun koers te bepalen. De kwesties en beslissingen die ingewikkelder zijn heb ik overgelaten aan anderen, aan hen die vertrouwen op hun eigen gelijk. Ik denk wel eens dat ik pas zal weten wat ik van deze oorlog vind wanneer Charlie allang geen president meer is, maar dat ik het nu niet weet – het is een roman die ik nog niet uit heb.

Tenminste, dat hou ik mezelf vaak voor.

En toch, als Andrew Imhofs dood de grote tragedie van mijn leven was, als ik in bepaalde opzichten sindsdien heb geleefd in een poging mijn fout te compenseren, in een poging het waard te zijn dat ik het heb overleefd – als zijn dood het ergste was wat ik me had kunnen voorstellen, wat voor woorden zijn er dan, wat voor ruimte is er in mijn verbeelding voor de dood van duizenden Amerikaanse soldaten en buitenlandse burgers? Als mijn critici er gelijk in hebben dat ik medeverantwoordelijk ben voor Charlies regeringsbesluiten, inclusief voor de beslissing de oorlog te beginnen, dan is Andrew Imhofs dood nog het minste wat ik heb veroorzaakt; het stelt totaal niets voor. Stel dat ik zou geloven dat de consequenties van de oorlog ook mijn schuld zijn? De negenentwintigjarige voormalige highschoolatleet uit Hot Springs, Arkansas, gedood door kleine vuurwapens toen hij een huis doorzocht in een zuidelijke wijk van de hoofdstad; de vijfentwintigjarige sergeant uit Ogden, Utah, een maand na de geboorte van zijn dochter gedood tijdens zijn derde uitzending, die niet opnieuw weg wilde maar de bonus van vierentwintigduizend dollar nodig had voor een aanbetaling op een huis; de negentienjarige uit Cape Girardeau, Missouri, die op zijn achttiende verjaardag bij het leger ging en omkwam bij een explosie op een markt; en de tienduizenden, of waarschijnlijker honderdduizenden burgers, een lid van een lokale gemeenteraad, een winkelier en zijn vrouw en drie dochters, journalisten en cameramannen en tolken die voor het Amerikaanse leger of de media werkten, een bruid en haar kersverse schoonmoeder en twaalf van de gasten op een huwelijksfeest dat werd bijgewoond door een zelfmoordterrorist – gedood, gedood, gedood en gedood. Als het bloed van deze mensen aan mijn handen zou kleven, als er iets was wat ik persoonlijk had kunnen doen om dat bloedvergieten te voorkomen, het verlies van zoveel volwassenen, tieners en kinderen die vermoedelijk net als ik een gewoon leven wilden leiden – als ik zou geloven dat ik er iets tegen had kunnen doen maar in plaats daarvan mijn mond heb gehouden, hoe zou ik daar dan mee kunnen leven?

'Die derdegroepers zijn echt gruwelijk,' zegt Ella. 'Kunnen we even vaststellen dat je voor eeuwig bij me in het krijt staat?'

'Belinda zegt dat je het fantastisch hebt gedaan,' zeg ik. 'Ze had tegen Jessica gezegd dat ze aan je lippen hingen.'

'Serieus, die ene jongen probeerde over het koord te klimmen in de Rode Kamer, en wat later duwde een ander joch een meisje tegen de muur in de Vermeil Kamer. Je zou toch denken dat ze een beetje eerbied hebben voor deze plaats, maar ze gingen als beesten tekeer. Het zal mij benieuwen wat ze vanavond op het toneel gaan doen.'

Het is kort na zessen aan de oostkust en ik zit weer in de jet, boven het wolkendek. We bevinden ons op een halfuur van Washington, wat inhoudt dat ik na de rit in colonne terug naar de residentie een uur heb om me om te kleden voor het gala. 'Bedankt dat je voor me bent ingevallen,' zeg ik. 'Jij hebt je goede daad voor vandaag weer verricht. Popje, er is iets waarover ik vanavond met je wil praten.'

Onmiddellijk zegt ze op beschuldigende toon: 'Heb je borstkanker?'

'Wat een... nee, lieverd, ik heb geen kanker.'

'Je klonk zo serieus. Nou oké, ik heb je schoenen uitgezocht voor vanavond – ben je er klaar voor?'

Jessica geeft me een briefje: *Hank in de wacht, zegt urgent.*

'Mam?' zegt Ella.

'Mag ik je over een minuutje terugbellen?' Als ik op de rode knop van de ene telefoon heb gedrukt geeft Jessica me een andere aan, en ik leg mijn hand op de microfoon. 'Wil hij niet zeggen waar het over gaat?'

'Hij wil je rechtstreeks spreken,' zegt Jessica.

Ik hou de telefoon aan mijn oor. 'Met Alice.'

'Ding-dong, de heks is dood.' Hanks stem is onmiskenbaar vrolijk. 'Gladys Wycomb heeft een uur geleden de grote reis aanvaard.'

'Waar heb je het over?'

Jessica mimet: 'Wát?' Ik steek een vinger op.

Hank zegt: 'De rikketik van het oudje heeft het begeven, en nee, ik heb haar niet uit de weg laten ruimen, als je je dat afvraagt.'

'Heb je dat gedaan?' Een golf van afgrijzen overspoelt me. Ik ben geen complotdenker, maar ik ben er redelijk zeker van dat in elk presidentschap dingen gebeuren die de meeste kiezers zouden schokken; ik heb er nooit lang bij stilgestaan wat die dingen in Charlies geval zouden kunnen zijn, omdat ik al genoeg in strijd verkeer over de algemeen bekende en legale twistpunten.

'Alice, ik zweer je dat ik er niets mee te maken heb gehad, en verder ook niemand behalve Moeder Natuur. Nou, vertel me nu maar eens dat dit niet het beste nieuws is dat je hebt gehoord sinds Van Halen zijn reünietournee aankondigde.'

'Maar haar hulp, Norene...'

'Kansloos. Het blijkt dat ze midden jaren negentig hét adres voor tiendollarzakjes weed was in Cicero in Illinois, haar strafblad is langer dan jouw arm. Die wraakzuchtige ouwe feministe had niets te verliezen, maar Norene wel degelijk.'

'Wil je zeggen dat dokter Wycomb een volkomen natuurlijke dood is gestorven?'

Jessica staat nog steeds voor me en haar mond valt open. 'Is Gladys Wycomb dood?' fluistert ze, en ik knik.

'Ze was honderdvier, Alice,' zegt Hank. 'Er hoeft geen sprake te zijn van vals spel – tenzij jij stiekem een klein vingerhoedje arsenicum in haar thee hebt gedaan.'

'Ik vind dat niet grappig.'

'Alle gekheid op een stokje, jou chanteren was waarschijnlijk fysiek slopend. Ik moet haar nageven dat ze deze wereld met een vloek heeft verlaten en niet met een zucht, maar het goede nieuws voor ons is dat het voorbij is – het abortusverhaal is van tafel. Ben je klaar om naar huis te komen en te worden onthaald door leerlingen en leraren?'

'Hoe kun je er zeker van zijn dat ze het behalve Norene aan verder niemand heeft verteld?'

'En wat dan nog? Dat is informatie uit de tweede hand, niets meer dan het zoveelste broodje aap. Als je een voormalige arts hebt die beweert dat zíj de abortus heeft uitgevoerd, dan spitsen de media hun oren. Maar heb je een vriend van een vriend van een hulp van een oude dame, en denk je serieus dat die vlieger opgaat, dan heb je die over Richard Gere en de woestijnrat zeker nog niet gehoord.'

'Ik neem aan dat je het Charlie hebt verteld?'
'Ik moest je van hem feliciteren.'
Als ik heb opgehangen zegt Jessica grappend: 'Heeft hij haar soms te grazen genomen?'
'Ja, zeg. Misschien voelde ze dat het einde nabij was en heeft ze het daarom gedaan, maar het is akelig bizar. Hank springt een gat in de lucht, want hij denkt dat ik er zo mee wegkom.'
Jessica is stil, peinzend, en ze zegt: 'Dat is waarschijnlijk ook zo.'

Als ik het verloop van Charlies presidentschap overdenk, als ik probeer de vinger te leggen op het moment waarop de toon en richting ervan onherroepelijk kwamen vast te liggen, kom ik steeds weer uit bij de keuze van zijn vicepresident. In de zomer van 2000 moest de beslissing op tijd worden genomen voor de Republikeinse Nationale Conventie, en het ging om twee kandidaten: Arnold Prouhet en Frank Logan. Frank was twee jaar jonger dan Charlie, een senator uit Colorado die in zijn derde ambtstermijn zat, uit een rijke baptistenfamilie kwam, vader van acht kinderen was en een uitgesproken tegenstander van homoseksualiteit en abortus. (Ik heb het altijd op z'n zachtst gezegd eigenaardig gevonden wanneer conservatieven, met name conservatieve mannen, deze specifieke onderwerpen tot hun ideologisch speerpunt maken; er zit voor mij iets verdachts aan mensen die zeeën van tijd en aandacht besteden aan onderwerpen die ze beweren walgelijk te vinden.) Ik was ertegen dat Charlie Frank als zijn vicekandidaat koos, en ik zag er ook niet echt naar uit om veel tijd door te brengen met Franks echtgenote, Donna Sue, die in eigen beheer verschillende boeken had uitgegeven met tips over het stichten van een traditioneel christelijk gezin.

Arnold Prouhet daarentegen was in de jaren zeventig en begin jaren tachtig Congreslid geweest voor Nevada en had achtereenvolgens voor twee presidenten als veiligheidsadviseur gediend. Voor zover ik wist was Arnold meer fiscaal dan sociaal conservatief, hij was elf jaar ouder dan Charlie en bij de zeldzame gelegenheden dat ik hem was tegengekomen, kwam hij serieus en laconiek over; mij leken dat eigenschappen die misschien een goed tegenwicht konden bieden voor Charlies spontaniteit. (Hoewel Charlie zich onder Hanks hoede gedisciplineerd op de bestudering van beleid en bestuur had gestort wist ik, en ik denk iedereen, dat het hem om de macht, het avontuur en het intermenselijk contact ging, en niet om de een of andere vakidioterige toewijding of interesse in de ingewikkelde vraagstukken. Het probleem dat hieruit voortvloeide is dat vakidioterige toewijding niet geïmiteerd kan worden. Het heilige vuur zit niet in Charlies bloed zoals in dat van Hank – Charlie zou nooit voor zijn plezier een boek over het eerste amendement lezen – en dat is de reden waarom Charlie in de jaren die volgden telkens wanneer er van het script werd afgeweken of wanneer er, zoals bij een debat of een persconferentie, geen script ís, de mist in ging. President zijn is voor hem als het maken van een Engels proefwerk in groep negen over *De Odyssee*, waarbij hij die jongen is die het grotendeels heeft gelezen, de avond ervoor een uur lang heeft gestudeerd, maar niet een van degenen is die het boek mooi vonden. Daarbij maakt hij altijd liever een goeie grap in de klas dan dat hij iets werkelijk zinnigs zegt.)

Hank maakte bezwaar tegen de keuze van Arnold Prouhet, hij zei dat Arnold vergeleken bij Frank, die dezelfde jeugdige energie had als Charlie, oud en star leek. Naast Arnold zou Charlie ook onzeker kunnen overkomen, alsof hij op zoek was naar een vaderfiguur. Maar Arnold bezat een aanmerkelijke expertise op het gebied van internationaal beleid, wierp ik tegen wanneer naar mijn mening werd gevraagd (nooit door Hank maar af en toe door Charlie, al wilde die gewoonlijk eerder uitrazen dan luisteren naar mijn inbreng). Ik was ook bang dat Frank Logans eigen ambities zijn werk voor Charlie in de weg zouden kunnen zitten; als hij vicepresident werd, zou hij zich waarschijnlijk nadien zelf kandidaat stellen, terwijl Arnold Prouhet, als Charlie twee termijnen volmaakte, drieënzeventig zou zijn wanneer hij het ambt verliet en het niet waarschijnlijk was dat hij nog aan een presidentiële campagne zou beginnen. Charlies adviseurs naast Hank – onder wie Debbie Bell, een adviseur met de naam Bruce Kettman en een schrikbarend slimme zesentwintigjarige beschermeling van Hank die Scott Taico heette en die door Charlie 'Taco' werd genoemd – hadden uiteenlopende meningen, en ik was er redelijk zeker van dat Charlie Frank Logan zou kiezen, maar dat deed hij niet. Hij koos Arnold. De avond voor hij het bekendmaakte in juli 2000, zei hij tegen mij: 'Ik denk dat je wel eens gelijk zou kunnen hebben wat betreft Logan, dat hij te zeer gericht is op het gluren in andermans slaapkamer en niet genoeg visie heeft.'

Opnieuw vraag ik me dan ook af of ik medeschuldig ben aan wat er sindsdien is gebeurd. Zou Frank Logan in feite een betere vicepresident zijn geweest, zou er onder zijn toeziend oog minder bloed zijn vergoten? Meer homofobie, een sterkere beknotting van het recht op vrije voortplanting, maar geen eenzijdige inzet van militaire middelen, geen uitdagend enthousiasme voor een preventieve oorlog? Het lijdt geen twijfel dat Charlie enorm is beïnvloed door Arnold Prouhet, en het lijkt er zelfs op dat omdát Arnold zoveel invloed heeft, Charlie zo stug volhoudt dat hij in de oorlog gelooft, dat hij niet opgeeft. Wat gênant zou het zijn niet alleen te vertrouwen op het advies van iemand die hiërarchisch onder je staat, maar daarbij te vertrouwen op het verkéérde advies – hoe naïef zou Charlie overkomen in zijn eigen ogen en die van iedereen. Liever dan hierover nadenken, maakt hij het door zijn eigen toedoen onwaar en dendert hij door over het pad dat hij heeft gekozen.

Jaren geleden, kort nadat Charlie en ik in de jaren zeventig naar Milwaukee verhuisden en lid werden van de country club, gingen we daar op een avond naartoe om in de grote eetzaal op de begane grond te dineren, en ik excuseerde me om naar het toilet te gaan. Er was een loungeachtige antichambre, een ruimte met sofa's en een kaptafel en inloopkasten waar je je jas op kon hangen, een fraaie ruimte waar je soms, bij grote feesten, vrouwen zag zitten kletsen of hun make-up bijwerken. Dit was de eerste keer dat ik er kwam, en als je eenmaal in die antichambre was, zag je nog twee deuren met gouden klinken: een recht tegenover de deur waardoor je naar binnen was gekomen en een aan je linkerhand. Ik was op zoek naar de wc's en in plaats van het aan een van de drie oudere dames te vragen die daar op de sofa's zaten – ik zeg ouder, maar ze waren ongetwijfeld jonger dan ik nu ben, en stijlvol gekleed – gokte ik en liep door naar de achterste deur. Toen ik hem openmaakte en door de deuropening stapte, stond ik tot mijn verbazing weer in de eetzaal waar Charlie en ik hadden zitten dineren. Ik besefte toen dat de antichambre twee afzonderlijke ingangen had; de wc's waren kennelijk achter de deur die ik niet had uitgeprobeerd. Op dat moment zou het logisch zijn geweest als ik rechtsomkeert had gemaakt, maar ik voelde me opgelaten. Ik was niet gewend aan country clubs, ik stelde me voor dat de vrouwen in de antichambre het zouden opmerken en me dom zouden vinden, dus met een volle blaas ging ik weer naar Charlie toe en ik plaste pas een uur later toen we thuiskwamen. Wat ik bedoel is dat ik ergens wel begrip heb voor Charlies gedrag. Ik begrijp het omdat ik van hem hou, omdat ik geneigd ben met hem te sympathiseren, maar ik denk ook dat ik, anders dan veel mensen in regerings- of mediakringen, er niet van uitga dat mensen verhevener motieven hebben omdat ze een verhevener positie bekleden.

Ik heb de indruk dat Charlie na de terroristische aanslagen in 2001 in paniek is geraakt. En Arnold, die beroepsmatig al eerder met deze landen te maken heeft gehad, die tien jaar geleden al verbaal overhoop lag met de dictator van een van die landen, kwam snel met aanbevelingen. Hij was strijdvaardig, hij geloofde dat Amerika zijn positie als supermacht moest beschermen, en hij was zeker van de overwinning. Hij overtuigde Charlie ervan, of Charlie overtuigde zichzelf – democratie vestigen in het Midden-Oosten, wat een nalatenschap zou dát wel niet zijn – en de rest volgde. Wat me hierin verrast heeft was hoe het Amerikaanse volk en de Amerikaanse media hem aanspoorden, hoe medeplichtig ze waren in Charlies cultivering van een imago als oorlogspresident. *De terroristische aanslagen hebben president Blackwell een vastberadenheid gegeven die hij tot nog toe niet had vertoond*, verzekerde de *Time*. Of zoals *The Washington Post* het stelde: *Als er aan deze tragische gebeurtenissen een positief neveneffect valt op te merken, dan is het wel dat president Blackwell zich een leider heeft betoond...* In de *Times* stond een redactioneel stuk zonder naam eronder, met de kop 'Blackwell in zijn finest hour'. Had geen van deze mensen ooit psychologie les één gevolgd? Geloofden ze werkelijk dat Charlie, of wie dan ook, in een paar dagen kon veranderen? Dachten ze dat hij, omdat hij te midden van de puinhopen in zuidelijk Manhattan boven op een brandweerwagen klom en resoluut en vol medeleven in een megafoon sprak, een andere man was? Charlie had altíjd al het vermogen tot vastberadenheid en medeleven gehad, maar dat had niets te maken met de vraag of het binnenvallen van andere landen een goed idee was.

Ik wil niet bagatelliseren hoe angstaanjagend de terroristische aanslagen waren, hoe verward alles leek in de nasleep ervan. We dachten natuurlijk allemaal dat het vierde vliegtuig die dag op weg was naar het Witte Huis, dus ze brachten Arnold Prouhet en mij haastig met helikopters naar Camp David (Charlie hield op dat moment een toespraak in Ohio voor een onroerendgoedmaatschappij, die hij, zoals nu algemeen bekend is, weigerde te onderbreken, en ik zag hem pas die avond weer; toen we elkaar omhelsden, toen ik hem in mijn armen had, was het de eerste keer sinds ik van de aanslagen hoorde dat ik huilde). Zelfs na onze terugkeer naar het Witte Huis werden we in de loop van de volgende dagen nog verschillende malen geëvacueerd, en één keer werden we midden in de nacht door agenten haastig vanuit onze slaapkamer naar het Emergency Operations Center overgebracht, een ondergrondse bunker onder het Witte Huis. Toen kwamen er per post verstuurde antraxsporen en bedreigingen met bommen met het pokkenvirus. Charlie en ik bezochten slachtoffers van de Pentagonbrand, en later ontmoetten we familieleden van mannen en vrouwen die in New York waren omgekomen, onder hen jonge kinderen, en elke ochtend las ik de 'Portretten van verdriet' in de *Times* – ik las ze allemaal, en ze waren verpletterend. Dus het was een vreemde, moeilijke tijd, en we zaten er middenin. Ik twijfel er niet aan dat zowel Arnold als Charlie in zekere zin gehard moest zijn in die periode, dat hun krachtige opstelling niet alleen maar machismo was; het kwam ook van binnenuit, en voor de bestwil van anderen.

Niettemin bekruipt me meer en meer het vermoeden dat Charlie met deze oorlog doorgaat om net zo'n reden als waarom ik me er in de Maronee Country Club niet toe kon brengen de damestoiletten weer binnen te gaan, en ik voel zelfs met hem mee, met dit verschil: die avond in de club, toen ik moest plassen maar niet ging, was de enige die van mijn dwaasheid te lijden had ikzelf.

Vlak voordat ons vliegtuig op Andrews Air Force Base landde, zei ik tegen Jessica: 'Ik wil nog één tussenstop voor we naar huis gaan. Ik zou graag met Edgar Franklin willen gaan praten.'

Jessica zette grote ogen op. 'Nu?'

'Ik beloof je dat dit het laatste is.'

'Bedenk wel, ik weet niet hoe lang je met hem wilt praten, maar het gala begint over precies anderhalf uur. Je zult je sowieso al razendsnel moeten omkleden.'

'Bedoel je dat je het een slecht idee vindt dat ik naar hem toe ga?'

'Nee, nee, ik...' Ze maakte haar zin niet af. We zaten allebei met onze veiligheidsriemen om voor de landing. 'Hank vermoordt me als hij dit hoort, maar ik vind het een fantastisch idee. Ik denk alleen dat morgen beter is dan vandaag.'

'Hij zit daar al vijf nachten. Dat is lang genoeg.'

Jessica keek me een paar seconden aan en zei toen: 'Oké.'

'Zeg het alleen tegen de agenten. Ik wil niet Charlies goedkeuring vragen, of die van Hank, want we weten allebei dat ze het me uit mijn hoofd zullen proberen te praten.'

En zo kwam het dat we Suitland Parkway in scheurden met onze karavaan van geblindeerde limousines. (Hoewel ik de SUV's prettiger vind dan de limo's, omdat ze er net een tikkeltje minder opzichtig uitzien, heeft het Witte Huis nu eenmaal limo's gestuurd; dat ik naar Edgar Franklin toe zou kunnen gaan in een personenwagen was, dat wist ik, uitgesloten – veel te groot veiligheidsrisico.) De zwaailichten en loeiende sirenes zorgen voor het gebruikelijke gênante theater, maar ik zie geen andere optie. Ik zou geen toestemming krijgen om op eigen houtje Edgar Franklin in het Witte Huis uit te nodigen, en als ik het zou voorstellen zou er, zelfs al kon ik Charlie en zijn adviseurs overreden dat het een juiste stap was, een uitgebreid plan voor moeten worden uitgewerkt.

Ik ben met de schrik vrijgekomen – zo voelt het. Nu Gladys Wycombs dreigement vals alarm was ben ik opgelucht, maar ook teleurgesteld. Ik zou niet zeggen dat ik tot een bezoekje aan kolonel Franklin word aangezet uit een behoefte om de ene onthulling voor de andere in te ruilen – zodat het Amerikaanse publiek vandaag niet over mijn abortus, maar in plaats daarvan over mijn sympathie voor een antioorlogsactivist kan horen – maar doordat ik gedwongen was na te denken over Gladys Wycombs dreigement, werd dit minder omineus dan het in abstracto zou hebben geleken; het werd bijna aanlokkelijk. Sinds Charlie in overheidsdienst trad heb ik zo sterk het gevoel gehad dat het mijn voornaamste plicht was om voor hem te zorgen, die ene persoon in zijn dagelijkse omgeving te zijn die niet wordt betaald om het eens of oneens met hem te zijn, die werkelijk gewoon een vriendin is. Is het dan zo vreemd dat ik niet helemaal onaangenaam verrast was door een gebeurtenis die de aandacht zou vestigen op mijn afwijkende mening over een specifiek onderwerp zonder dat ik degene was die dat verschil in mening aan het licht bracht? Had dat niet het beste van twee werelden kunnen zijn, dat ik publiekelijk en zelfs privé dokter Wycombs indiscretie kon betreuren terwijl ik heimelijk dankbaarheid voelde?

Wat een kronkelige speculaties! Als Ella bijvoorbeeld naar me toe kwam met zo'n verklaring, zou ik dan niet zeggen: 'Hou op zeg, je mag er heus wel een eigen mening op na houden.' Zou ik niet zeggen: 'Een relatie waarvoor je je overtuiging wegdrukt en censureert is helemaal geen relatie.' Zou ik niet zeggen: 'Er bestaan elegante en respectabele manieren om je te uiten ongeacht het onderwerp, ongeacht de context, en al is in sommige gevallen het puntje van je tong afbijten de waardigste weg, als het om een gewetenskwestie gaat, dan is je mening verkondigen niet slechts een optie, maar een noodzaak' – zou ik er niet zo over denken als de persoon in kwestie iemand anders dan ikzelf was?

De stoet auto's staat even stil als we nog meer dan twee huizenblokken van het terrein aan de zuidoostelijke kant van Fourth Street verwijderd zijn, en via oortelefoons wordt er druk overlegd tussen de agenten in onze limousine, de agenten in de andere auto's en de politie-escorte; ik vang het woord 'Banjo' op, wat hun codenaam voor mij is (Charlie is 'Brons' en Ella is 'Ballet' – de geheime dienst gaf ons de letter en wij kozen onze eigen naam uit, al liet ik Ella de mijne kiezen). In onze auto zitten Cal en Walter nog steeds achterin bij ons, plus José en een andere agent voorin. Jessica's beide mobiele telefoons rinkelen tegelijkertijd – ze heeft haar assistente Belinda al gebeld om door te geven dat we weliswaar laat, maar onderweg zijn – en dan vang ik, zelfs van deze afstand, een glimp op van de busjes van het televisiejournaal, hun zendapparatuur die hoog boven de daken van de rijtjeshuizen uit komt. De straat staat aan beide kanten volgepakt met auto's, en verderop zie ik dat het op de trottoirs wemelt van de mensen, van wie sommigen protestborden omhoog houden.

Cal zegt: 'Mevrouw, het is niet verstandig om verder te gaan. Het zit te zeer verstopt. Als u het goedvindt keren we terug naar de residentie.'

Jessica en ik kijken elkaar aan.

'Is er niet een manier...' begin ik, en Jessica zegt tegen Cal: 'En als we Edgar Franklin nu eens in de auto laten stappen?'

Cal smoest met zachte stem in zijn revers: 'We slaan af naar D Street.'

'En Jessica's idee dan?' vraag ik.

'Het risico van een oploop is te groot,' zegt Cal, en we zijn al op D Street, nog steeds met loeiende sirenes.

Ik zeg: 'Nee, stop. Cal, ik sta erop. We kunnen een straat verder parkeren, en jullie mogen de hele straat afzetten, maar als hij bereid is om naar de auto te komen, wil ik dat proberen.'

Ik had me op de een of andere manier niet gerealiseerd wat een circus het zou zijn – op tv ziet het er niet zo druk uit, of misschien zijn er vandaag meer betogers gekomen. In mijn fantasie liepen Edgar Franklin en ik met zijn tweeën over het trottoir, wat hoe dan ook een waanidee is, want ik loop al jarenlang zelden over een trottoir tenzij het is afgezet en door Duitse herders op bommen is nagesnuffeld.

Jessica is degene die uit de limousine stapt om de uitnodiging over te brengen; agenten uit de andere auto's lopen naast haar terwijl ze naar het terrein twee zijstraten verderop loopt waar Edgar Franklin zijn tentje heeft opgezet. De dappere Jessica Sutton, het meisje dat met barbies speelde op de keukenvloer van het huis van Harold en Priscilla, dat in groep zes harlequinromannetjes las, vervolgens als op een na beste van haar klas afstudeerde aan Biddle Academy en als Phi Beta Kappa aan Yale, dat met mij naar Israël en Zuid-Afrika is gereisd, mijn standvastigste collega en trouwste vriendin. Ze haalt Edgar Franklin en brengt hem naar me toe; dan, terwijl hij door Walter wordt gefouilleerd voor hij in de limo stapt, zegt Jessica: 'Ik ben daar,' en ze gebaart naar de limousine achter de mijne.

Hij gaat tegenover me zitten, onze knieën een decimeter van elkaar af, de klamme hitte van buiten wasemt van zijn lichaam. Aan de andere kant van de limousine, met zijn gezicht naar ons toe en zijn rug naar de bestuurdersstoel, zit Cal en kijkt toe. Het zou zeker te ver gaan te verwachten dat dit gesprek helemaal zonder toezicht zou kunnen plaatsvinden.

Ik zeg: 'Kolonel Franklin, ik ben Alice Blackwell.'

'Edgar Franklin.'

We geven elkaar een hand.

'Ik wilde naar buiten komen om met u te praten, maar dat kon helaas niet,' zeg ik.

Met een vaag geamuseerde blik neemt hij het interieur van de limousine op en zegt: 'Dit is ook wel oké.' (Opnieuw wilde ik dat het een SUV was.)

'Wilt u wat water?' Ik haal een ongeopende fles uit de houder naast me en hij neemt hem aan. 'Kolonel Franklin, ik heb geen toestemming om namens de regering van president Blackwell te spreken, dat moet ik benadrukken. Ik spreek op eigen titel. Maar ik wil u laten weten dat uw verlies me aan het hart gaat. Ik ben me ervan bewust dat uw zoon – dat Nate enig kind was. Ik ben ook de ouder van een enig kind, en ik kan me niet eens voorstellen hóé moeilijk het voor u moet zijn.'

Zakelijk, zonder sarcasme zegt hij: 'Nee, mevrouw, dat denk ik ook niet.'

'Hij was eenentwintig?'

Edgar Franklin knikt. 'Hij wilde na deze uitzending apothekersassistent worden.'

'Mijn grootvader werkte in een apotheek,' zeg ik. 'Ik heb hem helaas nooit gekend, maar dat was in Milwaukee, Wisconsin. Ik heb begrepen dat u uit Georgia komt?'

'We hebben op allerlei plaatsen gewoond toen Nate nog klein was, onder andere een paar jaar in Duitsland en in Panama, maar hij heeft op high school gezeten in Columbus, Georgia. Ik ben nu gepensioneerd en woon in Decatur.' Edgar Franklin schraapt zijn keel. 'Mevrouw Blackwell, ik ben een rustige persoon. Het is nooit mijn bedoeling geweest om de aandacht op mezelf te richten, maar deze oorlog is de ergste vergissing van de Verenigde Staten die ik in mijn leven heb meegemaakt.'

'Er bestaat uiteraard veel onenigheid over.'

'Waarom vechten we daar, mevrouw Blackwell? Waarvoor vechten we?'

'Nogmaals, ik spreek niet namens de regering, maar als u het mijn man zou vragen, denk ik dat hij zou zeggen: voor de democratie.'

'Is dat wat u zou zeggen?'

Ik slik. 'Ik ben geen militair analist, maar... ja, ik zou hetzelfde zeggen.'

'Zij willen ons evenmin in hun land als wij daar willen zijn.' Hij spreekt bedaard. 'Zij vinden niet dat we hun meer veiligheid bieden, ze zeggen niet dat we hun levensomstandigheden hebben verbeterd. Ze zien ons als bezetters. Ik heb als soldaat gevochten, mevrouw Blackwell, en ik weet dat je dan vuile handen krijgt, maar dat is hier niet het probleem. Onze troepen zitten klem tussen tribale facties, op een plek waar ze niets te zoeken hebben. De president zegt dat we de herinnering aan de gesneuvelden eren door de missie te voltooien, maar als de oorlog van meet af aan fout is geweest, wordt hij niet ineens goed door op dezelfde manier door te gaan.'

Wat kan ik antwoorden, wat moet ik tegen hem zeggen? Ik kan oogcontact houden; ik kan hem laten zien dat ik luister.

Hij zegt: 'President Blackwell blijft nog negentien maanden aan' – *Dat wéét ik*, wil ik hem vertellen. *Geloof me, ik weet het precies* – 'en hoeveel soldaten zullen in die tijd nog omkomen? Tweeduizend, drieduizend? Ik denk dat we de herinnering aan de gesneuvelden eren door te voorkomen dat er nog meer zinloze doden vallen.'

Ik zeg: 'Ons land is zoveel verschuldigd aan u en families zoals de uwe, en ik weet dat Nate's dood op geen enkele manier goedgemaakt kan worden. Maar de situatie is extreem ingewikkeld, en als de Verenigde Staten zou...'

'Mevrouw Blackwell!' Zijn onderbreking verrast ons allebei, lijkt het. Hij maakt de indruk van een zeer beleefde persoon die worstelt met de begrenzingen, het keurslijf van zijn beleefdheid; hij zegt meer dan hij vindt dat hij zou mogen zeggen, op scherpere toon (ik ben tenslotte de first lady, en hij zit tenslotte in mijn geblindeerde limousine), maar minder scherp dan hij eigenlijk voelt. Hij zegt: 'Neemt u me niet kwalijk, maar u kúnt mijn offer goedmaken. U kunt Nate inderdaad niet terugbrengen, maar er zijn nog 145.000 Amerikaanse soldaten daar, en die hebben allemaal familie en vrienden die van hen houden, die zich elke dag zorgen maken en bidden voor hun veiligheid. U kunt tegen uw echtgenoot zeggen: "Die mensen hebben familieleden."'

Wat zei ik eerder vandaag ook alweer tegen Gladys Wycomb? Iets in de trant van: *Mijn mans regering staat los van mij als persoon.* En: *Hij is degene die is gekozen door het Amerikaanse volk.*

'Een paar maanden geleden zag ik een interview met u,' zegt Edgar Franklin. 'De dame met wie u sprak, vroeg: "Hoe brengen u en uw man uw vrije tijd door?" En u zei: "We lezen, we scrabbelen, de president kijkt naar sport." Mevrouw Blackwell, meer willen we allemaal niet.'

'Het spijt me,' zeg ik. 'Het spijt me heel erg.'

'Nate's moeder is in 1996 overleden,' zegt Edgar Franklin. 'Ze kon heerlijk koken, en een recept had ze niet nodig. Gehaktbrood, ogenboontjes, macaroni met kaas, alles wat ze kookte was verrukkelijk. Toen ze wegviel waren Nate en ik met z'n tweeën, en hij was nog maar een jongen. Ik nam een mevrouw in dienst om te helpen voor hem te zorgen en doordeweeks voor ons te koken, en in het weekend aten Nate en ik spaghetti met tomatensaus, dat noemden we een vrijgezellenmaal. Wat ons betrof gold het fornuis aanmaken al als koken.' We wisselden een wrang glimlachje; Edgar Franklin heeft geen hekel aan me, althans niet zoals Gladys Wycomb.

'Nu, sinds mijn pensioen,' vervolgt hij, 'zijn er een paar jaar verstreken, en ik dacht: het is hoog tijd dat ik leer koken. Ik kocht kookboeken en las ze door, en eerst waren er maar een paar recepten waar ik me aan durfde te wagen – er stonden woorden in waarvan ik de betekenis niet eens wist, blancheren en smoren en ga zo maar door. Maar ik ging vooruit. Er waren een paar gruwelijke missers waar niemand behalve ik van hoeft te weten, maar ik ging vooruit. Ik had het plan om, wanneer Nate terugkwam, een volledig diner voor hem te bereiden. Wat zou hij opgekeken hebben: varkenshaas met paddenstoelen en olijven, een frisse salade, zelfgebakken brood. Ik had een broodmachine besteld via internet – men is erg onder de indruk van zelfgebakken brood zolang men niet weet dat het een kwestie is van de ingrediënten erin doen en op een knop drukken. Ik probeerde de verschillende soorten brood uit om de beste te vinden, want Nate hield niet van rozijnen, maar je kon ook brood met kruiden maken, of met zuurdesem, of een combinatie ervan.' Ik weet wat Edgar Franklin nu gaat zeggen, en ik heb het niet mis, maar de manier waarop hij het zegt is ingetogener, minder melodramatisch dan het had kunnen zijn. Hij zegt: 'Dat diner heb ik nooit gemaakt voor mijn zoon.'

In de limousine is het stil – buiten staan agenten rondom de wagen – en na een minuut zeg ik: 'Ik heb dicht bij mensen gestaan die jong zijn gestorven, en ik weet dat het verschrikkelijk is, op een andere manier dan bij andere sterfgevallen. Het voelt als iets onverdraaglijks, maar je verdraagt het omdat je geen keuze hebt.' Ik zwijg even. 'Als ik iets zou kunnen doen om uw zoon terug te brengen en de gebeurtenissen terug te draaien, dan zou ik dat doen.'

'Het zou moeilijk zijn ongeacht de manier waarop hij was weggenomen, dat weet ik wel,' zegt Edgar Franklin. 'Maar het was geen zaak die het waard was om voor te sterven. Massavernietigingswapens die nooit zijn gevonden? Toegang tot olievelden? Politici die cowboytje-en-indiaantje spelen? Misschien klinkt dat allemaal als een goede reden als het niet om je eigen zoon gaat.'

Edgar Franklin draagt een kaki broek en een wit overhemd met korte mouwen waaronder een mouwloos onderhemd doorschemert. Hij heeft ook een horloge om met een zwartleren bandje, een eenvoudige gouden trouwring aan zijn linkerhand en bruinleren instappers met kwastjes. Die kwastjes doen 't hem; ze raken me diep. Ik kijk hem recht aan en zeg: 'Ik denk dat u gelijk hebt. Het is tijd dat we een eind maken aan de oorlog en de soldaten naar huis laten komen.'

Op 7 november 2000, de dag van de verkiezingen, gingen we stemmen zodra de stembureaus in Madison open waren; Charlie en ik stemden tegelijkertijd, en buiten de met een gordijn afgeschermde hokjes in de lagere school vlak bij de gouverneurswoning grepen we elkaars hand en zwaaiden met onze vrije hand naar de verzamelde journalisten, fotografen, cameramannen en publiek. Daarna stapten we op het vliegtuig naar de laatste pleisterplaatsen van onze campagne, een verkiezingsbijeenkomst in Portland, Oregon – van Oregon was bekend dat het erom zou spannen – en een stop in Minneapolis voor we terugvlogen naar Wisconsin en per auto naar het hotel reden, waar we in een suite met verschillende stafleden en familie, onder wie Arnold Prouhet met zijn vrouw en kinderen en alle Blackwells, naar de verkiezingsuitslagen wilden gaan kijken. Onze neefjes Harry en Drew hadden vanaf het begin fulltime meegewerkt aan Charlies campagne, en Harold en Ella hadden ook uitgebreid fondsen geworven. Die avond waren naast Ella, Harold en Priscilla al Charlies broers, hun echtgenotes en hun kinderen, van wie de meesten getrouwd waren en zelf kinderen hadden, naar de stad gekomen, en deze alle-hens-aan-dekopkomst ontroerde zowel Charlie als mij. Iemand had tientallen pizza's besteld en de suite was een chaos van nervositeit en opwinding; het enige moment van rust, dat ik zeer waardeerde, was toen pastor Randy ons voor het eten in gebed voorging. Dat de verkiezingsstrijd spannend zou worden was geen geheim, maar Hank vertrouwde erop dat Charlie zou winnen, en Charlie had er ook vertrouwen in. Niet om iets wat we ooit tegen elkaar zeiden maar meer door de blikken die we elkaar toewierpen, door wat we níét zeiden, was ik er redelijk zeker van dat mijn schoonvader en ik de enigen waren die ernstig twijfelden aan Charlies overwinning. Harold was met pensioen gegaan, of 'met actief pensioen' zoals hij het graag noemde, maar hij had nog steeds veel goede connecties in het Republican National Committee, en zijn kennelijke scepsis kwam op mij welingelicht over, terwijl de mijne meer gebaseerd was op intuïtie. Of ik wilde dat Charlie won deed er naar mijn gevoel op dat moment niet meer toe. Zeker wilde ik dat, en natuurlijk wilde ik het niet. Ik wilde dat hij won zoals je wilt dat het honkbalteam uit jouw stad wint, of het voetbalteam van je dochters high school. Ik wilde de triomf van dat moment, ik had liever dat onze emoties culmineerden in feestvreugde dan dat ze verzonken in teleurstelling, wat niet hetzelfde was als het willen van de langetermijngevolgen van de overwinning. Ik wilde dat Charlie de verkiezingen won, maar ik wilde niet dat hij president werd. Achttien maanden lang waren we allebei helemaal opgegaan in een geweldig tumult van scanderende menigten met rood-met-blauwe borden, van strategieën uitzettende adviseurs en opiniepeilers en verslaggevers, van zwaaiende vlaggen, fanfares, vliegtuigen en vliegvelden en hotels, scholen en kermisterreinen en verzorgingstehuizen. Het was soms leuk geweest, vaker uitputtend, en nu was het bijna afgelopen. De balzaal van het hotel was gereserveerd voor het overwinningsfeest, en een van de dingen die me nogmaals duidelijk maakten dat ik niet geschikt was voor de politiek, was mijn ingebouwde angst voor een overwinningsfeest wanneer er een gerede kans bestond dat het geen overwinning zou zijn.

Naarmate de uren verstreken werd het duidelijk dat de verkiezingen uiteindelijk afhingen van de staat Florida – het deed me denken aan een honkbalpartij, waarin alle negen innings op de een of andere manier konden ineenkrimpen tot één definitieve pitch – en vlak voor zeven uur onze tijd, acht uur aan de oostkust, kondigden de nieuwszenders aan dat Florida's vijfentwintig kiesmannen naar Charlies opponent gingen. De suite viel stil, op Parker, het drie maanden oude zoontje van onze nicht Liza na, die ontroostbaar huilde. Iedereen keek naar Charlie of probeerde niet naar hem te kijken – hij zat op een bank vlak bij de grote televisie, Ella aan de ene kant en Hank aan de andere – en ik was niet verbaasd toen Ella me binnen een paar minuten in mijn oor fluisterde: 'Pap wil gaan.'

Harold, Priscilla, Hank en Debbie Bell gingen met ons mee terug naar de gouverneurswoning, maar alle anderen bleven achter. Terwijl we door de lobby liepen en in de SUV's stapten die ons naar huis zouden brengen, sprak niemand tegen de horden journalisten die ons toeriepen, al glimlachte ik naar enkele van hen; er waren er intussen heel wat bij die we goed kenden. Ze behoefden heus geen aanmoediging: ze volgden ons hoe dan ook terug naar de ambtswoning, en de realiteit was dat we ze zouden moeten binnenlaten, Charlie zou hen te woord moeten staan voor de avond ten einde was.

In de ambtswoning kwamen we bijeen in de woonkamer op de eerste verdieping, ik had de neiging om een spelletje scrabble of euchre voor te stellen, maar ik denk niet dat ook maar iets voor afleiding had kunnen zorgen. Ieders persoonlijkheid scheen op dit moment zowel gereduceerd als uitvergroot, gedistilleerd tot één essentiële eigenschap: Debbie Bell was kwaad, Hank hield vol dat Florida niet naar Charlies opponent kon zijn gegaan en er een vergissing in het spel moest zijn, Harold was stoicijns, Priscilla smaalde over Charlies opponent en de gekken die voor hem kozen, Ella was lief en beschermend voor haar vader, ik was stil en Charlie was gegriefd – op een jongensachtige manier, zo te zien. Hij zei minder dan alle anderen, en Priscilla was het spraakzaamst. 'Die zelfingenomen, hypocriete boomknuffelaar,' zei ze telkens wanneer beelden van Charlies opponent over het scherm flitsten. 'Als dat de man is die de Amerikanen als president willen, dan is het hun verdiende loon.' Ik denk dat de verkiezingsavonden met name voor Priscilla en Harold beladen waren en herinneringen opriepen – we zaten natuurlijk in de gouverneurswoning waar zij acht jaar hadden gewoond, waar Charlie zelf het grootste deel van zijn puberteit had doorgebracht.

Ik liet een dienstmeisje wat pinda's en popcorn brengen, en er stonden twee televisies aan – de ene in het houten kastje, en een andere die we in de kamer hadden neergezet om meer dan één zender tegelijk te kunnen volgen, al zetten we op beide toestellen het geluid uit – en Charlie bereidde zich erop voor zijn opponent te bellen en hem te feliciteren, toen op hetzelfde moment zijn mobieltje, dat van Hank en dat van Debbie overgingen, en de nieuwszenders nog geen drie minuten later berichtten dat ze Florida terugplaatsten in de categorie 'onbeslist'. Tegen halftwee 's nachts stond Charlie in Florida voor met honderdduizend stemmen, en twee uur later stond hij voor met minder dan tweeduizend, waarbij men verwachtte dat de meeste stemmen in de nog niet getelde districten naar zijn opponent zouden gaan. Toen we iets na vieren naar bed gingen, wisten we absoluut niet wat we ervan moesten denken; het enige waar men het op dat moment over eens was, was dat de uitslagen zo dicht bij elkaar zouden liggen dat er opnieuw geteld moest worden, en het zou nog een paar dagen kunnen duren voor de uitslag bekend was. Ik zou niet hebben geloofd dat ik zo ontzaglijk moe zou kunnen zijn tijdens zo'n zenuwslopende nacht, maar de laatste paar dagen van de campagne waren bijzonder afmattend geweest en ik had het gevoel dat mijn lichaam me smeekte te gaan liggen. Al even verbazend was dat Charlie hetzelfde gevoel leek te hebben. Naarmate de nacht was gevorderd hadden verschillende familieleden zich bij ons gevoegd en kregen we bezoek van een groep televisie- en krantenjournalisten en hun bijbehorende cameramannen en fotografen, en ik had gemerkt dat Charlie steeds dichter bij me in de buurt bleef. Eén keer, toen ik opstond om naar het toilet te gaan, vroeg hij waar ik naartoe ging. 'En kom je meteen terug?' zei hij. Ik knikte. Vlak voor vieren, toen ik zei: 'Vind je het erg als ik naar bed ga?' zei hij: 'Nee, sterker nog, ik ga met je mee.' De mensen in de kamer, rond de dertig, applaudisseerden terwijl Charlie wegliep, en hij zag er onbeholpen uit toen hij even stilstond, zich omdraaide en grijnsde.

In bed, nadat we onze tanden hadden gepoetst en het licht hadden uitgedaan, legde hij zijn hoofd zijdelings op mijn borst en ik liet mijn vingers door zijn haar glijden. Hij zei: 'Wat wordt het?'

'O, lieverd, ik weet niet meer dan ieder ander.'

'Maar wat is je voorgevoel?'

'Eerlijk waar, schat, ik heb...'

Hij viel me in de rede. Hij zei: 'Ik denk wel eens dat ik voorzitter van het bestuur van de Brewers zou moeten worden. Daar zou ik geknipt voor zijn, vind je niet?'

Dit idee had ik nog niet eerder gehoord, maar het klonk plausibel genoeg. Ik zei: 'Oké.'

'Dat zou leuk zijn: een uitdaging maar geen hoofdpijnbaan, en een goede manier om alle vaardigheden te gebruiken die ik heb opgedaan. Maar dit gouverneursgekloot, drie uur lang vergaderen over grondwater of arbeidsverhoudingen of de een of andere zuivelwet uit 1850, daar heb ik mijn buik van vol.'

'Komt het voorzitterschap van de Brewers binnenkort vrij? Wynne Smith zit daar nu, of niet?'

'Ik zal mijn licht eens opsteken bij een paar mensen. Smith loopt al tegen de zeventig, dus ik wed dat ze wel wat vers bloed kunnen gebruiken.'

'Vergeet alleen niet dat je nog twee jaar te gaan hebt als gouverneur.'

Charlie was even stil, en toen zei hij: 'Als ik aftrad, zou je dat dan erg vinden? Monty kan het wel aan, geen twijfel over.' Monty was Ralph Montanetti, de vicegouverneur.

'Wil je deze termijn niet afmaken?' zei ik.

'De campagne is slopend geweest, dat hoef ik jou niet te vertellen, maar tussen jou en mij, ik begin het gevoel te krijgen dat de kick ervanaf is. Ik weet nu al dat Hank gaat mikken op '04, maar ik ben er niet zeker van dat het 't waard is. Het idee een presidentsverkiezing te winnen doet me de laatste tijd denken aan... wat is die uitspraak ook weer over partner worden bij een advocatenkantoor? Je hebt een wedstrijd taart eten gewonnen, en je prijs is weer taart.'

'Wil je me een groot plezier doen?' zei ik. 'Wil je proberen niet te vergeten dat wat er ook gebeurt, wij het wel redden? Of je nu in de politiek wilt blijven of eruit wilt stappen en terug wilt naar het honkbal, of als je gewoon tot rust wilt komen...' Charlie was intussen vierenvijftig, en het zou niet vreemd zijn als hij stopte met werken; hij kon met vervroegd pensioen gaan, we konden gaan reizen, we konden zelfs een tweede huis kopen ergens anders dan in Halcyon, in Minnesota of Michigan, en dan kon hij gaan vissen en ik lezen. 'Je hebt maar geluk dat je zoveel keuzemogelijkheden hebt, en zoveel aanhangers en bewonderaars,' zei ik. 'Dat is waar het om gaat.'

Charlie tilde zijn hoofd op en draaide het zo dat we elkaar in het donker aankeken. Aan het uiteinde van de eerste verdieping hoorden we de televisies en de mensen die nog op waren in de woonkamer. Hij zei: 'Toen ze bekendmaakten dat ik Florida niet had, was ik woest. We zijn daar in het afgelopen jaar, hoeveel, vijftien keer geweest? En ik durf te wedden dat de volledige liberale pers het op dit moment in zijn broek doet van opwinding – ze mogen aankondigen dat ik verloren heb, dan zeggen ze: "Nee, wacht even, toch niet," en dan is het: "O ja, toch wel." Dubbele pret, nietwaar? Daar in het hotel, dat was niet echt mijn idee van een leuke avond, als een goede verliezer te moeten glimlachen terwijl alle mensen die ik ken om me heen naar me zitten te staren. Maar toen dacht ik: als alles een reden heeft, moet God weten wat Hij doet. Wat voor een gelovige zou ik zijn als ik alleen op Hem vertrouwde als het in het leven meezit?'

'Het is nog steeds mogelijk dat je hebt gewonnen,' zei ik. 'De verkiezingen zijn nog niet voorbij.'

Hij schudde zijn hoofd. 'Je weet dat ik heb verloren, en ik weet het ook. Ik voel het aan mijn water. Maar Lindy, ik heb er vrede mee.' Hij kuste me op mijn mond en zei: 'Het klinkt misschien gek, maar ik begin nu al het gevoel te krijgen dat ik de dans ben ontsprongen.'

Ik dacht dat we naar het Witte Huis zouden terugrijden in de auto's waar we in zaten – ik zag uit naar een moment alleen, of alleen met drie agenten, om te verwerken wat er zojuist was voorgevallen – maar nog geen minuut nadat Edgar Franklin mijn auto heeft verlaten, verschijnt Jessica weer, die instapt terwijl ze me een telefoon aanreikt. 'Het is de president.'

Als het iemand anders was geweest dan Charlie, wie dan ook, zelfs Ella, zelfs mijn moeder, zou ik niet aannemen. Maar ik breng de telefoon naar mijn oor, en als ik 'hallo' zeg, zegt Charlie: 'Wanneer hebben buitenaardse wezens mijn vrouw gekidnapt en jou in haar plaats gezet?'

Hij klinkt uitbundig, en hij klinkt ook alsof hij ergens naartoe loopt – mogelijk naar de lift van de residentie om zich te gaan omkleden voor het gala, dat alarmerend genoeg al over twintig minuten begint.

'Charlie, het was niet mijn bedoeling je hiermee te overvallen, maar ik kon niet nog een...'

'Nee, het was briljant. Hank baalt alleen dat hij er zelf niet op was gekomen. Van ouder tot ouder, dat was absoluut de juiste weg.'

'Ben je niet boos?'

'Ik hoop alleen maar dat meneer de publiekslieveling zich realiseert hoe aardig het van je was om tijd voor hem te maken, vooral omdat het gerucht de ronde doet dat je nu geen tijd zult hebben om je op te frissen. Maar maak je geen zorgen, ik beloof je dat ik de leerlingen en leraren die je gaan huldigen niet vertel dat je een vieze onderbroek aanhebt.'

Tot mijn ongemak begrijp ik dat hij denkt dat ik Edgar Franklin in zijn plaats heb toegesproken, minder als mezelf dan als een presidentieel surrogaat, de manier waarop ik soms begrafenissen van buitenlandse staatshoofden bijwoon. Ik zeg: 'Charlie, ik heb Edgar Franklin gezegd dat ik voor het beëindigen van de oorlog en het terugtrekken van de troepen ben.'

Gedurende tien seconden is Charlie stil, en dan zegt hij op verbijsterde toon: 'Dat je voor het beëindigen van de oorlog en het terugtrekken van de troepen bent?'

'Ik heb hem duidelijk gemaakt dat ik niet namens de regering spreek, niet namens jou, en het is ook weer niet zo dat hij en ik een uitgebreide discussie over internationaal beleid hebben gevoerd. Het was vooral zo dat hij zijn standpunten verkondigde en ik luisterde.'

'Sorry, maar ik denk dat de verbinding niet in orde is. Het klonk alsof je zonet zei dat je een antioorlogsactivist omringd door tv-camera's hebt verteld dat je aan zijn kant staat en niet aan de mijne.' Ik ben stil en Charlie zegt: 'Goeie god, Lindy.'

'Lieverd, jij en ik kunnen toch van mening verschillen? De abortuskwestie...'

'Is dat het? Wilde je vandaag per se een enorme polemiek creëren en heb je daarom, nadat de heksendokter de pijp uit ging, een andere uit je hoge hoed gehaald?'

Ik voel een sterk verlangen om vlak naast hem te zijn, mijn hand tegen zijn wang te leggen, hem te omhelzen – te laten zien dat ik, al heb ik iets gedaan wat ik anders nooit zou doen, nog steeds zijn trouwe echtgenote ben.

'Ik loop nu naar een tv toe,' zegt hij, en dan zegt hij, tegen iemand anders: 'Ja, terwijl ze daarnet met hem sprak.' Tegen mij zegt hij: 'Ja hoor, het is op alle zenders. Goed werk, schat. Wil je ook nog even mijn wetsontwerp over immigratie torpederen nu je toch bezig bent? De hervorming van de sociale zekerheid ondermijnen?'

Is het al op alle zenders? Het is pas een paar minuten geleden dat Edgar Franklin uit mijn auto stapte. Maar de verslaggevers zullen wel hun vermoedens hebben gehad toen hij nog in de limousine zat, ze zullen wel live rapporteren op hun overhaast-speculatieve manier.

'Ik ben binnen vijf minuten thuis,' zeg ik. 'Wacht je tot ik daar ben voor je door het lint gaat?'

'Kijk, dat vergeet ik nou altijd over jou,' zegt hij, en zelfs nu, zo lang nadat we onze privacy hebben verloren, vraag ik me ondanks mezelf af wie het allemaal nog meer hoort. 'Zo eens in de tien jaar vind je het leuk om me onderuit te halen, mijn mond open te trekken en recht naar binnen te schijten.'

Ik heb ooit gedacht, toen ik eenendertig was en Charlie meedeed aan de Congresverkiezingen, dat het me met een beetje oefening wel zou lukken om een roman in mijn handtas te stoppen en daar tijdens zijn speeches in te lezen, maar ik had het mis; verslaggevers en mensen in het publiek houden de vrouw van een kandidaat vaak in de gaten terwijl hij spreekt, om haar reactie te peilen. In die tijd, toen Charlie en ik pas verliefd waren, dacht ik ook dat ik hem niet als politicus maar als mens zou kunnen steunen, en dat vertelde ik hem, en hij dacht het ook. 'Ik kan je verzekeren dat ik het nooit tegen iemand zal zéggen als ik het niet met je eens ben,' zei ik. 'Dat gaat geen mens aan behalve ons.'

Het gala ter ere van mij, bijgewoond door meer dan driehonderd gasten, is leuk en druk en een beetje over-de-top. Charlie en ik zitten naast elkaar op de voorste rij, en nadat de kinderen van groep drie 'God Bless America' hebben gezongen en een jongetje van twaalf in een rolstoel door zijn moeder het podium op is geduwd om ons voor te gaan in de Pledge of Allegiance, worden er toespraken gehouden door het hoofd van een openbare high school in Anacostia, een vijfdegroeper uit een school in Bethesda in Maryland en een democratische senator die bekendstaat om het indienen van wetsvoorstellen op het gebied van onderwijs (al heb ik het in de loop der jaren altijd goed met hem kunnen vinden, het is geen geheim dat hij Charlie veracht; hij hoopt echter op steun voor zijn plan voor woonsubsidies. Dan komt er een twirloptreden op de muziek van 'I Believe I Can Fly' van R. Kelly, uitgevoerd door een trio van negenjarige meisjes in gympakjes, een scène uit het toneelstuk *The Miracle Worker* waarin twee gewaardeerde Broadwayactrices de rol van Helen Keller en Annie Sullivan spelen en een voordracht van het gedicht 'Theme for English B' van Langston Hughes door een highschoolleerlinge uit het examenjaar, een zwart meisje dat zeker twintig kilo te zwaar is, maar er best knap uitziet en onmiskenbaar podiumtalent heeft.

Dan ontvangen drie docenten een onderscheiding, een chromen appel op een houten plaquette, die elk worden uitgereikt door de leerling die de docent heeft voorgedragen. De avond bereikt zijn hoogtepunt wanneer alle eerdere artiesten terugkomen op het podium en twee van hen een spandoek ontrollen dat wel zo'n twaalf meter lang is en waarop staat: DANK U DAT U VOOR ONS OPKOMT MEVROUW BLACKWELL. Tijdens de huldiging van de docenten was ik achter de coulissen geglipt, en nu kom ik op zoals gepland, lachend en zwaaiend. Op het podium overhandigen twee kinderen uit groep negen me mijn eigen chromen appel van dertig centimeter doorsnede (als mijn appel van ware grootte was, zoals de appeltjes voor de docenten, zou dat niet het vereiste plaatje opleveren, en de flitsers lichten inderdaad op dit moment op). Ik hou geen echte toespraak maar zeg simpelweg: 'Hartelijk bedankt, en u allen bedankt voor uw komst. Het was een bijzondere avond en ik voel me vereerd, omringd door zo veel talent. Ik hoop dat iedereen goed onthoudt dat wat je ook in het leven wilt bereiken, onderwijs het middel is. En aangezien het een doordeweekse avond is, raad ik jullie aan om allemaal naar huis te gaan, je huiswerk af te maken en lekker te gaan slapen.' (Geen speech, maar toch: zelfs dit zijn geen woorden die ik heb geschreven.) Hoewel ik het normaal gesproken gênant zou vinden om zo in het middelpunt te staan, vormt dit hele gebeuren na alle dramatiek van vandaag een welkome afleiding. Ik poseer op het podium voor foto's met de leerlingen en docenten; verschillende leerlingen die niet in de rij staan hebben een kring gevormd rondom een van de kinderen van 'God Bless America', die energiek staat te breakdancen. Charlie is weg, merk ik. We hebben vanavond onze rol gespeeld door met een vriendelijk gezicht naast elkaar te zitten, Charlie glimlachte gewillig wanneer iemand op het podium iets aardigs over me zei, maar buiten de voorgeschreven aandacht negeerde hij me, hij fluisterde me niets toe, gaf me geen kneepje in mijn hand of klopje op mijn knie.

Toen ik terugkwam in het Witte Huis na mijn gesprek met Edgar Franklin, was er geen tijd meer om Charlie op te zoeken – zoals hij had voorspeld was er niet eens tijd om me om te kleden, maar ik haastte me wel naar de residentie om naar mijn eigen wc te gaan, en daar zag ik Ella. We omhelsden elkaar en ik zei: 'We moeten gaan,' en zij zei: 'Moet je je make-up niet bijwerken?'

'Liefje, we zijn laat.'

Ze meesmuilde. 'Denk je dat ze zonder jou zullen beginnen?' Hoewel Mirel, een knappe jonge vrouw die als mijn visagiste fungeert, en Kim, die mijn haar doet, in de schoonheidssalon (een door Pat Nixon geïnstalleerde ruimte) zaten te wachten, was Ella degene die, gebruikmakend van Mirels spulletjes, gloss op mijn lippen aanbracht en de poederkwast over mijn wangen haalde, 'omhoog kijken' zei en met het mascaraborsteltje langs mijn wimpers streek. 'Nu naar beneden kijken.' Ik gehoorzaamde, en ze zei: 'Nu knipperen.' Toen zei ze: 'Mam, ik ben blij dat je met die Franklin-gast bent gaan praten, maar als de troepen onmiddellijk werden teruggetrokken, zou er een domino-effect van wetteloosheid door het Midden-Oosten gaan.'

Haar toon deed denken aan hoe ze me als tiener iets uitlegde waarvan ze vond dat ik het allang zou moeten weten – diplomatiek genoeg om me niet te beledigen, maar vol vertrouwen dat ze de logica aan haar zijde had. (Uiteráárd moest ze tot twee uur in de ochtend kunnen uitgaan, omdat ze extreem verstandig was, omdat geen van haar klasgenoten om middernacht thuis hoefde te zijn en omdat ze heus geen alcohol dronk.) Ik werd op een vreemde manier overvallen en ontroerd door Ella's directheid, haar bereidheid om over de oorlog zelf te praten in plaats van over de vraag hoe mijn vermeende verspreking kon worden rechtgebreid. Dat zou de benadering van alle anderen zijn, dat wist ik bij voorbaat.

Alleen al in de tijd die het Jessica en mij had gekost om naar het Witte Huis terug te keren waren Jessica's beide telefoons zesmaal gegaan (en dat waren alleen de oproepen die ik had gehoord – waarschijnlijk waren er nog veel meer bliepjes tijdens de telefoontjes die ze voerde), en Hank had kennelijk met verschillende verslaggevers gesproken. Ik weet niet zeker of hij sowieso niet naar het gala zou zijn gekomen, maar in elk geval kwam hij niet, ongetwijfeld om door te gaan met het rechtzetten van het een en ander. Toen Jessica, Ella en ik Charlie in de privé-eetkamer zagen, waren Debbie Bell en Hank bij hem, misschien om een buffer te vormen tussen Charlie en mij, misschien op Charlies verzoek, en ook Charlies persoonlijk assistent Michael en mijn persoonlijk assistente Ashley, en Charlie begroette me niet met een kus maar omhelsde in plaats daarvan Ella en negeerde mij min of meer; ook merkte ik dat Debbie ziedend was. We liepen met zijn achten door Cross Hall, en net voordat we de East Room in zouden gaan, bleef Hank achter, en Charlie nam mijn hand en forceerde een grijns op zijn gezicht. Onderschrift: Er is niets aan de hand, en niemand in het Witte Huis maakt zich zorgen om de afwijkende boodschap van de first lady.

Nadat ik iedereen die op het podium in de rij staat een hand heb gegeven en me met hen heb laten fotograferen, worden Ella, Jessica en ik naar buiten geleid door Cal – Ashley spuit wat antiseptische spray in mijn handen – en we gaan naar de residentie zonder een woord te zeggen tegen enkele tientallen journalisten die het gala hebben bijgewoond; ze worden op afstand gehouden door de perschefs. 'Hanks plan is het volgende,' zegt Jessica met zachte stem terwijl we naar de lift lopen. 'Een paar weken geen interviews, en je beantwoordt geen vragen van de media tijdens publieksevenementen. Dan kijken we hoe het ervoor staat en gaan we voorzichtig weer terug naar normaal.'

Ik knik. Dat klinkt niet eens zo slecht; stilte van mijn kant is veel beter dan een soort verbale spagaat die ik zou moeten uitvoeren om niet te versterken maar ook niet te ondergraven wat ik tegen Edgar Franklin heb gezegd. Niet dat ik er helemaal vanaf ben, natuurlijk – bij het eerstvolgende interview zal ik vragen krijgen over mijn uitlatingen (die Edgar onmiddellijk tegenover de verzamelde pers heeft herhaald, zoals ik bij voorbaat wist), maar ik ben van plan het kort te houden.

Hoewel Jessica meegaat in de lift naar boven, stapt ze niet uit; in plaats daarvan houdt de liftbediende, een kwieke bejaarde die Nicholas heet, de deur open terwijl Jessica afscheid neemt van Ella en mij. Ze doet alsof ze zelf ook naar huis gaat, maar ik weet bijna zeker dat ze terugkeert naar de oostvleugel om door te werken. 'Bedankt voor alles,' zeg ik tegen Jessica. 'Je verdient een medaille voor vandaag.'

'Je verdient een gigantische appelplaque,' zegt Ella. Ze maakt maar een grapje; zij denkt dat ik vanmiddag naar mijn moeder ben geweest en weet niets over Gladys Wycombs dreigement, ze heeft geen idee wat een lange dag het is geweest. In elk geval ben ik de chromen appel al uit het oog verloren. Volgens mij liep Jessica's assistente Belinda ermee weg.

Jessica zegt tegen mij: 'Doe rustig aan vanavond, oké?' Ze kijkt naar Ella. 'Zorg dat ze zich ontspant.'

'Jij ook,' zeg ik.

'Ik zit niet in het oog van de storm,' zegt Jessica. Plotseling springt ze de lift uit en drukt me tegen zich aan, en terwijl ze dat doet, fluistert ze in mijn oor zodat Ella het niet hoort: 'Je hebt het goed gedaan.'

Ella en ik zitten in de familiekeuken, en Ella haalt kaas, hummus en babyworteltjes uit de koelkast. Ze is geen fan van het eten hier – al bereiden de chefs beneden alles wat we willen, precies zoals we het graag hebben – dus ik zorg altijd dat we genoeg voorraad in huis hebben als ze komt. Ik bel naar beneden en bestel voor mezelf een salade met kalkoen en rochefort, en Ella en ik zitten een poosje over de avond na te kletsen; we hebben het over het indrukwekkende optreden van het meisje dat 'Theme for English B' voordroeg en de onprettige, vaag erotische ondertoon van het optreden van de twirlende meisjes uit groep vier, en Ella zegt: 'Heb je vanavond nog met senator Zimon gesproken? Volgens mij had hij een haarimplantaat.' Ze zegt erachteraan: 'Irriteert die Jessica jou nooit omdat ze zo perfect is?'

Ik glimlach. 'Bedoel je dat Jessica jóú irriteert omdat ze perfect is?'

'Helemaal niet!' Ella laat haar vaders grijnslachje zien. 'Ben je mal, ik voel me totaal niet bedreigd door die vrouw die ongeveer van mijn leeftijd is, met wie je al je tijd doorbrengt en die je aardiger vindt dan mij. Totaal niet!'

'Ik vind Jessica fantastisch, maar ik heb maar één dochter, en er is niemand van wie ik meer hou. Wil je op schoot?' Het is meer een plagerijtje, net als wat Ella zei, maar ze staat op, draait zich om en gaat eventjes met haar achterste op mijn dijen zitten. Ik laat mijn hand over haar rug glijden, over haar nog steeds lange karamelkleurige haar. Dan staat ze weer op en steekt haar hand uit naar een worteltje, dat ze in de hummus doopt. Ze bijt erin en zegt met volle mond, half over haar schouder: 'Waar ik nou echt trek in heb, is een broodje poep.'

'Jij bent me er een,' zeg ik. Dit is een oud grapje tussen ons, een verplicht nummer als we samen eten nadat we elkaar een tijdje niet hebben gezien. (Het behoeft geen betoog dat ík het grapje nooit maak.)

'Liggen pap en jij erg met elkaar overhoop?' zegt Ella.

'Hoe kom je daarbij?'

'Het is logisch dat er iets rommelt na jouw onderonsje met die Franklin.'

'Maak je geen zorgen over je vader en mij. Dat komt wel weer goed.'

'Wat was er dan dat je me wilde vertellen?'

'O...' Moet ik het doen? Het hoeft niet meer, nu ik ervan ben ontslagen dankzij de dood van Gladys Wycomb, maar ik zou het toch kunnen zeggen. Wat is het verschil tussen een oudbakken waarheid opbiechten en een ouder zijn die al te lichtvaardig haar hart lucht? Ik besef dat het niet eerlijk tegenover Ella zou zijn als ik het haar vertelde, ze zou er van slag door raken – niet alleen vanwege haar religieuze overtuiging maar ook omdat (ik ken Ella, en ik was ook enig kind) ze zal denken dat ze een broertje of zusje gehad had kunnen hebben. Ik zeg: 'O, niets.'

Ella buigt zich naar me toe en geeft me een kus op mijn wang. 'Dan ga ik Wyatt even bellen. Zeg tegen pap als hij hierheen komt dat ik hem iets heel grappigs wil laten zien op YouTube.'

Ik geef haar een tikje op haar achterste. 'Zet je bord in de gootsteen.'

Als Ella weg is ga ik naar de westelijke zitkamer, waar een prachtig lunetvenster uitzicht biedt op het oude kantoorgebouw, de rozentuin en de westvleugel. Ik neem plaats op een sofa en blijf daar anderhalf uur zitten lezen. Het boek dat ik hier gisteren had achtergelaten, *Stop-Time* van Frank Conroy, heeft vierentwintig uur op me liggen wachten – gisteren de hele avond en vandaag de hele dag, terwijl ik van Arlington naar Chicago naar Riley ben gereisd. Ik verdiep me erin, en het verwelkomt me.

Vlak voor elf uur leg ik het boek neer en sta op, en terwijl ik dat doe herinner ik me de envelop van Pete Imhof die dubbelgevouwen in de zak van mijn linnen jasje zit. Ik haal hem eruit, en voor ik voel wat erin zit – de envelop is niet dichtgeplakt maar al opengescheurd – zie ik dat op de achterkant in mijn eigen handschrift van toen ik zeventien was, staat: 'Meneer en mevrouw Imhof'. Meteen weet ik wat het is, en met de top van mijn duim druk ik tegen de ongelijkmatige bult in de envelop en voel de omtrek ervan. (Hij is zo klein! Niet veel meer dan een centimeter op het breedste punt.) Ik haal het briefje eruit.

Ik zal u nooit kunnen zeggen hoe het me spijt, legt mijn zeventienjarige zelf in blauwe inkt uit. *Ik weet dat ik u heel veel verdriet heb gedaan. Als er iets op de wereld bestond waarmee ik het gebeurde ongedaan kon maken, zou ik dat doen. Van deze hanger heeft Andrew ooit gezegd dat hij hem mooi vond, dus ik dacht dat hij u misschien tot troost zou kunnen zijn.* Mijn hart bonkt als een razende terwijl ik de hanger eruit haal, en hij is heel vlekkerig – ik zal hem nooit oppoetsen – en ik bekijk hem in de palm van mijn hand: mijn zilveren hartje. Hiernaar boog Andrew zich voorover om hem aan te raken, die middag voor hij naar footballtraining ging, het cadeau van mijn grootmoeder voor mijn zestiende verjaardag. (O, het verleden, het verleden... Wat schrijnt de herinnering aan de mensen van wie ik heb gehouden.)

Ik weet niet wat ik met de hanger moet doen; het is natuurlijk een goedkoop sieraad, niet bepaald geschikt voor een eenenzestigjarige vrouw en nog minder voor de first lady, maar misschien kan ik hem aan zo'n lang koord hangen dat het niet te zien is onder mijn blouse. Geen enkel voorwerp ter wereld zou me dierbaarder kunnen zijn, en ik verbaas me over de vreemde manier waarop het tot me is gekomen. Misschien is het dit, hoewel ik nog niet wist dat ik het had, wat me ertoe heeft aangezet om met Edgar Franklin te gaan praten – dat Pete Imhof me mijn hart heeft teruggegeven.

Ik tref Charlie in de hal voor onze slaapkamer. Hij komt uit de tegengestelde richting, en ik merk dat hij probeert te besluiten hoe vriendelijk of onvriendelijk hij zal zijn – als we oogcontact maken, kijkt hij meteen daarop van me weg; daarna lijkt hij zich te realiseren hoe absurd het zou zijn te doen alsof hij me niet ziet terwijl hier alleen wij tweeën zijn, of alleen wij twee en Snowflake, die wegrent zodra hij mij ziet. Een bediende drentelt rond voor onze slaapkamerdeur en maakt die open als we naderbij komen, met een knikje naar Charlie. 'Goedenacht, meneer de president,' en dan tegen mij: 'Goedenacht, mevrouw.'

'Goeienacht, Roger,' zegt Charlie als we langs hem heen lopen, en ik glimlach zwijgend.

Als de deur achter ons dichtvalt zeg ik: 'Ga alsjeblieft geen stommetje spelen. Als je boos bent, laten we er dan over praten.'

'Áls ik boos ben? Lindy, hoe kon je me godverdomme zo belazeren? Weet je wel hoe het overkomt als er niet eens in mijn eigen huwelijk unanieme steun is voor de oorlog? Ik ben vanavond de risee van de wereld, en dan moet ik daar gaan zitten klappen voor stokjesgooiende kinderen...'

'Lieverd, ik denk dat je een beetje overdrijft. Wat ik tegen Edgar Franklin heb gezegd was geen politiek statement.'

'Op welke planeet woon jij? Als de first lady van de Verenigde Staten iets zegt is het per definitie politiek!' Tussen ons bed en de flatscreentelevisie is een zitje: twee oorfauteuils, een bank en een houten tafeltje waar Charlie de afstandsbediening vanaf grijpt. 'Hm, het zal me benieuwen wat ze op tv zeggen. Dit komt vast niet in geuren en kleuren op alle zenders, want het was natuurlijk alleen maar iets wat jij als privépersoon zei, het was geen politiek statement en de media voelen die subtiele verschilletjes haarfijn aan.' Als het scherm tot leven komt – het is Fox News – verschijnt er een fragment met Charlies perschef Maggie Carpeni die zegt: 'Hoor eens, we willen allemáál de troepen terughalen, iedereen in Amerika wil dat. De kwestie is niet óf, maar wanneer, maar de first lady weet net als iedereen dat een overhaaste terugtrekking rampzalige gevolgen zou hebben. Zij en de president zijn er beiden vast van overtuigd dat de overwinning komt zodra stabiliteit en vrijheid zijn bereikt.'

'Ik denk helemaal niet dat je hiermee belachelijk overkomt,' zeg ik. Dat Maggie mijn uitlatingen verdraait vind ik niet zo erg – allereerst vanwege mijn overtuiging dat het feit dat iemand iets over me zegt, zelfs wanneer die iemand zich in het kringetje van ingewijden rond mijn man bevindt, het nog niet waar of onwaar maakt, maar ook omdat ik niet de illusie had dat het Witte Huis mijn uitlatingen tegenover Edgar Franklin intact zou laten. Dat ik ze eenmaal heb gedaan, binnen gehoorsafstand van alleen kolonel Franklin en mijn agent Cal, moet voldoende zijn, tenminste voor dit moment – als ik ze ooit opnieuw wil bevestigen of erop in wil gaan, of mijn standpunt voor vrije abortus wil herhalen, zal ik dat met grote behoedzaamheid moeten doen. En Maggie of Hank kan bagatelliseren wat ik heb gezegd, maar ze kunnen het niet uitwissen. Het bestaat. Hoewel de goedgelovige aard van het Amerikaanse publiek mij vaak heeft verbaasd, zijn de mensen tijdens Charlies presidentschap duidelijk meer op hun hoede geworden, dus ik mag hopen dat althans sommigen van hen een vermoeden van de waarheid zullen hebben: dat Edgar Franklin me juist citeerde, en dat ik precies meende wat ik zei. Of mijn woorden enig positief effect zullen hebben, inclusief op mijn man, valt te bezien.

Charlie zapt door naar CNN, waar onder op het scherm een tekst langsrolt met: ANTIOORLOGVADER KEERT TERUG NAAR GEORGIA. Edgar Franklin staat voor een elektronisch boeket van niet minder dan tien microfoons, met naast hem een gezette vrouw die wordt aangekondigd als zijn zus Cheryl. Het is nog licht buiten, wat betekent dat de persconferentie een paar uur geleden moet zijn opgenomen. 'Ik denk dat ik zo dicht bij de president ben gekomen als ik wilde,' zegt hij. 'Vandaag heb ik een openhartig gesprek met mevrouw Blackwell gehad, en ik wil graag geloven dat ze me heeft begrepen en aan haar man zal doorgeven wat we hebben besproken. Of hij luistert, is aan hem. Al ga ik vanavond naar huis, ik weet dat zolang de oorlog doorgaat, het mijn verantwoordelijkheid is daartegen te protesteren.'

Dan wordt er van Edgar Franklin doorgeschakeld naar de commentatoren in de studio – nu rolt de tekst ET TU, ALICE? over het scherm – en een van de experts, een man met een vlinderdas, zegt: 'Onze kijkers herinneren zich vast nog wel president Blackwells uitspraak dat hij de troepen zelfs niet zou terugtrekken als Alice en Snowflake de enigen waren die nog achter hem stonden – nou, meneer de president, hou een oogje op uw *first cat*!' (Dat is nog zoiets vreemds als je een beroemde persoon bent: dat men je soms, op televisie, op een website of in een artikel, direct aanspreekt, maar op een retorische manier, schijnbaar zonder er enig idee van te hebben dat je misschien leest of hoort wat ze zeggen.)

De vier commentatoren zitten aan een lange, smalle driehoekige tafel en ze grinniken allemaal om de schimpscheut van de vent met de vlinderdas. De gastheer van de show zegt: 'De grote vraag is nu of de democraten dit aangrijpen om Blackwell nog verder de grond in te boren na de kwestie rond zijn kandidate voor het Hooggerechtshof, Ingrid Sanchez.'

'Wil je dit echt zien?' vraag ik. Gewoonlijk houdt Charlie zich verre van het televisienieuws, omdat hij gelooft dat de grote meerderheid van producenten en verslaggevers een linkse inslag hebben. Fox geeft hem natuurlijk de gunstigste pers, maar zelfs van hen wordt hij na een paar minuten onrustig.

'Doe dus maar niet alsof jouw verraad niet het gesprek van de avond is.' Charlie houdt de afstandsbediening omhoog en klikt de tv uit. 'Als je dat denkt, hou je jezelf voor de gek.'

'Ben je in elk geval niet blij dat Edgar Franklin naar huis is gegaan?'

'Bedoel je omdat jij met hem onder één hoedje bent gaan spelen en hem hebt gegeven wat hij wilde?'

Ik zit op het met brokaat beklede bankje aan het voeteneind van ons bed (het ledikant is van Frans notenhout, een aankoop van Theodore en Edith Roosevelt; de matras is een op bestelling gemaakte Simmons Beautyrest World Class met vormvast schuimrubber en verhoogd hoofdeind). Charlie staat nog achter een van de oorfauteuils, zo'n tweeënhalve meter bij me vandaan.

'Ik hou van je,' zeg ik.

'Misschien moet je maar in de andere kamer gaan slapen.'

'Hoorde je wat ik zei?'

'Je wilt dat we het weer bijleggen, en dan, wat ga je morgen doen, lid worden van Greenpeace? Ik heb nog steeds geen idee wat er in godsnaam in je gevaren is.'

'Charlie, met kolonel Franklin gaan praten was niet een heel rare stap vanuit mijn perspectief. Hij is een vader en zijn zoon is gesneuveld, en het feit dat het Witte Huis hem negeerde gaf me een heel ongemakkelijk gevoel.'

'Dan had je iets tegen me moeten zeggen, of tegen Hank, of tegen...'

'Dat héb ik ook gedaan! Of althans geprobeerd te doen, maar je herinnert je misschien nog wel dat je me vanochtend nog alleen de kranten wilde geven als ik niet over hem zou beginnen.'

'Dus ik heb je geen andere keus gelaten dan de vloer aan te vegen met mijn internationaal beleid?' Hij kijkt sceptisch. Hij draagt nog het antracietkleurige pak, het witte overhemd en de rode stropdas van eerder vandaag – blijkbaar hebben we ons geen van beiden omgekleed voor het gala, al heeft hij intussen het bovenste knoopje van zijn overhemd losgemaakt en de das losser getrokken. Misschien ben ik een watje, maar ik heb dat altijd een vertederend gezicht gevonden bij een man, en vooral bij mijn man. Hij zegt: 'Denk je ooit dat het zover komt dat je me kunt vergeven dat ik tot president ben gekozen?'

We kijken elkaar aan en ik zeg niets. Dan – er zit nu een brok in mijn keel – zeg ik: 'De reden waarom ik niet wilde dat je president werd, is dat ik bang was dat het zo zou worden.'

'Hoe, zo? Je bedoelt tussen jou en mij?'

Ik schud mijn hoofd. 'Niet tussen ons. Alleen de... de verantwoordelijkheid. Hoeveel er op het spel staat als je iets besluit.' Zo praten we nooit, Charlie en ik. We hebben het erover wanneer hij waar een toespraak moet houden, wanneer hij waarnaartoe moet, of ik. We bespreken in het klein, op korte termijn, hoe de State of the Union is verlopen, of een vlucht turbulent is geweest, of zijn verkoudheid al beter is. Het zou denk ik verpletterend zijn als we de enormiteit van ons leven nu zouden moeten bespreken, de betekenis en de repercussies ervan, maar toch komt het waarschijnlijk juist door deze terughoudendheid, onze alledaagse manier van communiceren, dat we stapje voor stapje ergens zijn beland waar we niet bewust voor gekozen zouden hebben. Dit is Charlies presidentschap tot nog toe: opgedane ervaringen, keuzes die hij maakt op basis van de inbreng van adviseurs die hem liever geen dingen vertellen die hij niet wil horen; hij bidt, maar ik heb me vaak bezorgd afgevraagd of de stem die hem leidt misschien niet die van God is, maar die van Hank, of Charlies eigen stem die naar hem terugkaatst.

Maar hij ziet het niet zo. Hij kijkt ongelovig als hij zegt: 'Denk je dat ik me niet bewust ben van de verantwoordelijkheid als leider van de vrije wereld, elke minuut van elke dag? Lindy, als het op dit punt nog nieuw voor je is dat de president onder enorme druk staat, dan weet ik niet waar jij de afgelopen zesenhalf jaar gezeten hebt.'

'Maar ben jij...' Ik zwijg, begin opnieuw. 'Voel jij je niet schuldig?'

Hij staart me aan. 'Waarvoor?'

'Veel van de soldaten die daar omkomen zijn nog jonger dan Ella. Ze zijn jonger, maar sommigen van hen zijn getrouwd en hebben zelf kinderen. Of ze komen terug, en wat dan, als je zesentwintig jaar bent en je beide benen zijn eraf en je bent nooit naar de universiteit geweest? Zo'n jongen hebben we ontmoet in het Walter Reed-ziekenhuis, weet je nog? Wat moet hij nu?'

Charlie spert zijn neusgaten nog verder open. Hij is – het is onmiskenbaar – vervuld van afkeer. 'Ben jij vandaag naar de een of andere pacifistische zweefworkshop geweest in Chicago? Word eens volwassen, Lindy. Vrijheid heeft een prijs, en zal ik jou eens wat vertellen? Een heleboel mensen vinden het een eer om die te betalen.'

'Lieverd, ik probeer je niet te provoceren, ik ben geen journalist op een persconferentie. Kunnen we niet in alle eerlijkheid praten?'

'Waarover?' Zijn gezicht is verwrongen in een sarcastische grijns, zijn ogen zijn samengeknepen. 'Ik weet niet hoe je hierbij komt, maar eerlijk gezegd heb ik hier weinig behoefte aan, uitgerekend uit jouw mond.'

Heeft hij ergens geen gelijk, dat het veel te laat is om de regels van het spel te veranderen? Onze voorgangers, democraten, stonden erom bekend een soort team te vormen. 'Twee voor de prijs van een' was een campagneleus, en de first lady had een juridische carrière achter zich. Maar hij was overspelig, en zij was uiteindelijk iemand over wie noch mannen, noch vrouwen het eens konden worden (Jadey beweerde dat ze de pest aan haar had, maar ik heb haar heimelijk altijd bewonderd), en toen Charlie zich tijdens de verkiezingscampagne sterk afzette tegen die regering, waren de verschillen tussen haar en mij geen politieke creatie; die waren echt. Ik verplaatste het bureau van de first lady van de westelijke vleugel terug naar de oostelijke, ik heb tot op vandaag alle controverses gemeden, ik heb niet geprobeerd mijn man van veel dingen te overtuigen. Is het dan inderdaad niet oneerlijk om Charlie nu te confronteren met mijn meningen en kritiek? Maar is het niet laf, en zijn de gevolgen niet te ernstig, om dat níét te doen?

Ik zeg: 'Een keer, dit is waarschijnlijk twintig jaar geleden, was ik met Jadey in de country club, en ik zat een artikel in de krant te lezen over een man die hepatitis C en levercirrose had en zijn medicijnen niet kon betalen. Het was een ontzettend treurig artikel. Ik keek op van mijn krant en de mensen waren, je weet wel, lekker in het zwembad aan het spatteren, Jadey en ik lagen op die ligstoelen, en ik vroeg haar of ze nooit het gevoel had dat ze een totaal ander leven zou moeten leiden.'

Haast onmerkbaar worden Charlies gelaatstrekken zachter; zijn neusgaten krimpen, ze staan niet langer wijdopen.

'Ik geloof dat ik me afvraag of ik niet een totaal andere first lady had moeten zijn,' zeg ik. 'Ja, ik realiseer me dat er al dik zes jaar voorbij zijn, maar ik heb nu eindelijk het gevoel van: o, werkt het zó. Als ik in mijn bibliothecaressetijd de kinderen een nieuw boek voorlas, wist ik altijd pas na afloop van de les hoe ik de discussie had moeten leiden, wat voor activiteiten ik met ze had moeten doen. Het was alsof ik voortaan wist hoe het moest omdat ik het fout had gedaan.'

'Lindy...' Hij slaat zijn armen over elkaar. 'Je bent een fantastische first lady. Je populariteitscijfers zijn hemelhoog.'

'Die cijfers zeggen niets.'

Hij haalt zijn schouders op. 'Op dat punt preek je voor eigen parochie, maar schei toch uit – Amerika houdt van je. Dat applaus dat je vanavond kreeg...'

'Je hoeft me niet te vertellen hoe fantastisch ik ben,' zeg ik.

'Echt niet? Want ik zou het super vinden als je dat bij mij deed.' Voor het eerst sinds we onze slaapkamer zijn binnen gekomen, grijnst hij; niet een grijns van duizend watt, maar toch een echte.

Ik werp een blik op de haard, waar aan weerszijden van de tv porseleinen vazen staan die ooit aan Dolly Madison hebben toebehoord; dan kijk ik weer naar mijn man. 'Vandaag in het vliegtuig zat ik eraan te denken hoe na Andrew Imhofs dood alles in mijn leven dat niet slecht was voelde als vergiffenis. Vooral toen ik jou ontmoette, met je trouwde... ik was er niet zeker van of ik zoveel geluk wel verdiende. En toen je je verkiesbaar stelde als gouverneur en als president heb ik er, ook al had ik nog zo mijn twijfels, geen stokje voor gestoken, omdat ik dacht dat ik daar het recht niet toe had. Wie ben ik om andere mensen, jou incluis, te vertellen hoe ze moeten leven? Alsof ik zo'n toonbeeld van perfectie ben.' Ik zwijg even; ik ben aangekomen bij het gedeelte dat moeilijker te zeggen is, waar ik niet alleen mezelf beschuldig, maar ook hem. Langzaam zeg ik: 'Maar als jij bepaalde keuzes hebt gemaakt en ik niet heb ingegrepen, ben ik dan ook niet indirect verantwoordelijk? Als je het zo bekijkt, stelt het auto-ongeluk niets voor in vergelijking met de doden die zijn gevallen sinds het begin van de oorlog. Ik overleefde mijn schuldgevoel om het doden van één persoon al bijna niet, en nu, hoeveel duizenden... en niet alleen Amerikanen, maar...'

'Dit is gekkenpraat!' Charlie komt op me af gebeend, hij trekt me overeind van het bankje, legt zijn vlakke handen aan weerszijden van mijn hoofd en kijkt me diep in de ogen. Hij lijkt fel, fel en resoluut, maar niet vijandig. 'Je bent niet wijs, hoor je? Er sneuvelen mensen onder iedere president, íédere, zonder uitzondering. Jij bent zo goedhartig dat je je persoonlijk verantwoordelijk voelt, maar Lindy, het heeft niets met jou te maken. Bij het verspreiden van democratie heb je altijd onbedoelde nevenschade, ja, en dat klinkt misschien harteloos, maar tot nog toe is het aantal oorlogsslachtoffers, hoe je ze ook telt, absoluut niet te vergelijken met dat van Vietnam of de Tweede Wereldoorlog – dit verbleekt erbij. En geloof me, die oorlogen waren ook omstreden, maar niemand kijkt erop terug en denkt, ja ach, we hadden Hitler gewoon zijn gang moeten laten gaan en hem Europa moeten laten onderwerpen. Je zit er middenin, en daardoor is het moeilijk alles in perspectief te zien – mij kost het ook moeite – maar toekomstige generaties zullen ons er dankbaar om zijn. Echt, Lindy. Daar twijfel ik niet aan.'

Legde ik mijn ziel uitgerekend voor hém bloot – niet voor Jessica of Jadey, of zelfs mijn schoonvader – juist omdat ik hoopte dat hij me zou geruststellen door het hartstochtelijk met me oneens te zijn? Wie zou overtuigder zijn van, betrokkener zijn bij mijn schuldeloosheid dan Charlie? Op vergelijkbare wijze liet ik me ooit door hem ervan overtuigen dat tegen Dena's wil een relatie met hem beginnen niets onoverkomelijks was.

Hij zegt: 'Ze hebben je vandaag flink te grazen gehad, hè? Die heksendokter en meneer de publiekslieveling, ze hebben je ervan langs gegeven omdat je te aardig bent om ze op hun plaats te zetten. Maar dat ze goed kunnen kletsen wil nog niet zeggen dat ze gelijk hebben.'

O, Charlie. O, mijn lieve, dierbare echtgenoot in je witte overhemd met je loshangende rode stropdas, die warm en vurig en vertrouwd voor me staat, mijn echtgenoot van wie elke gelaatsuitdrukking en elk gebaar en elke centimeter huid me bekend zijn, mijn partner in de vreemde omstandigheden van ons leven, de man die ik eindeloos gelukkig heb willen maken, die me eindeloos heeft geamuseerd, van wie ik eindeloos heb gehouden – denk je niet dat ik bij uitstek weet dat iemand, alleen maar omdat hij goed kan praten, nog niet altijd gelijk heeft?

Vaak heb ik me, als ik naar de wereld keek, gevoeld als een eenzame persoon in een klein huisje, die vanuit het raam naar een enorm, donker bos kijkt. Sinds ik een klein meisje was, woon ik in dat huisje, beschut door het dak en de muren ervan. Ik weet dat er mensen zijn die lijden – ik ben niet blind voor ze geweest zoals mijn bevoorrechte positie dat mogelijk maakt, zoals mijn eigen man en nu mijn dochter er blind voor zijn. Het is een vaststelling, geen oordeel als ik zeg dat Charlie en Ella daar geestelijk niet toe geneigd zijn; in zekere zin pleit dat hen vrij, terwijl de ongelukkigen aan de deur van mijn geweten kloppen, ze zijn vele malen in de loop van mijn leven uit het bos gekomen en hebben aangeklopt, en ik heb hen maar af en toe binnengelaten. Ik heb meer dan niets gedaan, maar veel minder dan ik had kunnen doen. Ik heb binnen gelegen onder een warme deken op een comfortabele bank, opgaand in een soort dagdroom, en als ik de ongelukkigen buiten mijn huisje hoorde, gaf ik hun soms munten of restjes eten, en soms negeerde ik hen volkomen; als ik hen negeerde, hadden ze geen andere keus dan terug het bos in te gaan, en als ze verzwakten of verdwaalden of door wolven werden omringd, deed ik alsof ik niet hoorde dat ze mijn naam riepen. Toen ik in de twintig was en als lerares en bibliothecaresse met kinderen uit arme gezinnen werkte, dacht ik dat dat het begin was, dat mijn bijdragen aan de samenleving zouden toenemen en doorgaan, maar in feite was dat mijn meest directe betrokkenheid; in de jaren sindsdien heb ik me alleen maar vanaf hogere en hogere posities uitgestrekt, steeds plichtmatiger en met steeds meer camera's om mijn rechtschapenheid vast te leggen.

Ik had een ander leven kunnen leiden, maar ik heb het op deze manier gedaan. En misschien is het geen toeval dat ik ben getrouwd met een man die me niet zou bekritiseren of zich zelfs maar bewust zou zijn van mijn tekortkomingen. Ik ben getrouwd met een man bij wie ik gunstig zou afsteken, want al heb ik weinig gedaan, hij nog minder, of misschien meer: al heb ik per ongeluk en indirect schade berokkend, hij heeft het zonder scrupules en totaal overtuigd van zichzelf gedaan.

De tranen die in de loop van ons gesprek steeds weer opwelden rollen nu eindelijk over mijn wangen, en Charlie veegt ze weg met de toppen van zijn duimen. Hij buigt zich voorover en kust me op mijn rechterwenkbrauw. Hij zegt zachtjes: 'Kom op, liefje.' Als hij me nog niet helemaal vergeven heeft, dan is het een kwestie van tijd; hij zal me vergeven zolang mijn gedrag van vandaag een uitzondering blijft. Hij zegt: 'Lindy, wij allebei... we zijn instrumenten van Gods wil.'

Heb ik verschrikkelijke fouten gemaakt?

Naast me in bed ligt mijn man te slapen, hij ademt zwaar en regelmatig. Voor ik wakker werd, droomde ik over Andrew Imhof, de oude droom: wij tweeën op verschillende plaatsen, met verschillende groepjes mensen, in een grote, schaars verlichte kamer, mijn voortdurende bewustzijn van hem. Maar in de droom van vannacht was er een verbijsterende verandering: na tientallen jaren waarin de een de ander misliep, vinden we elkaar. Wat een geluk! We zijn allebei verlegen, we zijn allebei jong, we banen ons onhandig maar met een wederzijds begrip, vol zekerheid, een weg naar elkaar toe. Hij is sterk en lief en goudkleurig, en ik draag een rode jurk die ik in werkelijkheid nooit heb gehad. We zeggen niet veel, omdat dat niet nodig is. En dan – een wonder – kussen we elkaar, we zijn verwikkeld in een kus. Dit is alles wat ik ooit heb gewild, terugkomen bij jou, vastgehouden worden door jou, dat wat er tussen ons bestond niet ineens werd afgekapt, en vooral niet door mijn toedoen. Je lippen zijn zacht en verleidelijk, zonder de opdringerige zekerheid van de tong van een echtgenoot. Het is genoeg, alleen maar dit – jouw hand tegen mijn onderrug, de hitte van je borst onder je hemd, onze gezichten dicht bij elkaar en een mantel van privacy om ons heen. Had ik eigenlijk toch jouw vrouw kunnen zijn, hadden we samen een leven kunnen opbouwen op de boerderij van je ouders of een van onszelf? Ooit, tijdens dat langdurige bezoek aan Riley, besloot ik van niet, maar nu we samen zijn geeft de manier waarop we bij elkaar passen me het idee dat we dat uiteraard hadden gekund. We kunnen met elkaar praten, we maken elkaar aan het lachen, er is tussen ons een gemeenschappelijke gevoeligheid, een woordeloze genegenheid met maar één onderliggende vraag: *Waarom heeft het zo lang geduurd?*

Toen werd ik wakker, een eenenzestigjarige vrouw in een grote, majestueuze, schemerige slaapkamer in Washington D.C., de echtgenote van de president van de Verenigde Staten. Kunnen Charlie en ik niet ook met elkaar praten, maken wij elkaar niet aan het lachen, is er tussen ons niet een gemeenschappelijke gevoeligheid? Ik hoef voor mezelf niet te benadrukken dat ik van Charlie hou; ik weet dat dat zo is. Maar die dauwachtige zekerheid die ik voor Andrew voelde, de lichtheid van ons leven toen – die is allang vervlogen. Ik heb die nooit met een ander ervaren.

Ik heb niet gestemd voor Charlie als president. Ik heb beide keren op hem gestemd bij de gouverneursverkiezingen, maar toen hij aan de race om het presidentschap meedeed, wilde ik niet de ophef of de lasten ervan, en ook geloofde ik oprecht dat zijn opponent het beter zou doen. Hij had meer ervaring, een genuanceerder kijk op de vraagstukken; hij bekleedde al zijn leven lang overheidsposities en was niet iemand die af en toe aan politiek deed. Toen ik in 2000 en later in 2004 het stemhokje uit kwam, vroeg ik me af of je aan mijn gezicht kon zien wat ik gedaan had, maar mijn keuze was kennelijk zo vanzelfsprekend dat niemand me er ooit naar vroeg, geen journalist of campagnemedewerker. Ik denk dat dat inderdaad respectloos zou zijn geweest. Op de foto die die ochtend in 2000 van ons genomen werd, staan Charlie en ik even stil voor de met een gordijn afgeschermde hokjes in de basisschool in Madison. We pakken elkaars hand en zwaaien. Wat laat die foto zien, vraag ik me sindsdien af: mijn verraad of het zijne? In de perioden waarin ik het zwaarst gefrustreerd was over ons leven, of over wat er in dit land gebeurt, keek ik naar buiten naar de auto's en voetgangers waar onze autocolonne langs reed, en dan dacht ik: *Het enige wat ik heb gedaan is met hem trouwen. Jullie zijn degenen die hem macht hebben gegeven.* Op andere momenten had ik zowel een gevoel van spijt dat ik hem had bedrogen als een drukkend besef van mijn medeplichtigheid bij zijn verkiezing.

Heb ik Charlie verraden, of heb ik gehandeld naar mijn principes? Heeft hij het Amerikaanse volk verraden, of heeft hij gehandeld naar zijn principes? Misschien is het antwoord heel het voorgaande. Als de vele romans die ik heb gelezen een goede indicatie geven, moet ik wel aannemen dat er in de meeste huwelijken gevallen van verraad voorkomen. Het doel is, neem ik aan, er geen toe te laten die de sterkte van het partnerschap te boven gaan.

Hoewel ik me niet kan voorstellen dat ik ooit in staat zal zijn Charlie dit specifieke verraad te onthullen, valt de toekomst moeilijk te voorspellen, en misschien komt er een tijd waarin zelfs het feit dat ik op zijn tegenstander heb gestemd voor een amusante anekdote kan doorgaan. Ik betwijfel het, maar het is mogelijk. Voorlopig zeg ik niets; in de felle schijnwerpers moeten er geheimen blijven die van mij alleen zijn.

WOORD VAN DANK

Bij mijn onderzoek naar het leven van een first lady heb ik me verlaten op vele boeken, artikelen en websites. Ik heb me in het bijzonder laten inspireren door de feiten en inzichten in *The Perfect Wife: The Life and Choices of Laura Bush* van Ann Gerhart. Ook moet ik mijn schatplichtigheid aan andere boeken erkennen: *Laura Bush: An Intimate Portrait of the First Lady* van Ronald Kessler; *Ambling into History: The Unlikely Odyssey of George W. Bush* van Frank Bruni; *Living History* van Hillary Rodham Clinton en *For Love of Politics: Inside the Clinton White House* door Sally Bedell Smith. Ik ben al deze auteurs dankbaar en moedig iedereen die geïnteresseerd is in non-fictieverhalen over het leven tijdens een verkiezingscampagne of in het Witte Huis, aan om hun werk te lezen.

Hiernaast gaan mijn dankbaarheid en genegenheid uit naar mijn redacteur, Laura Ford, mijn pr-agente Jynne Martin en mijn agent Jennifer Rudolph Walsh. Ik heb het geluk veel andere pleitbezorgers en medestanders te hebben in de uitgeverswereld, onder wie Gina Centrello, Jennifer Hershey, Tom Perry, Sanyu Dillon, Sally Marvin, Avideh Bashirrad, Janet Wygal, Victoria Wong, Robbin Schiff, Amanda Ice, Suzanne Gluck, Tracy Fisher, Raffaella DeAngelis, Michelle Feehan, Lisa Grubka en Alicia Gordon. Vanwege haar jarenlange niet-aflatende steun zal er altijd een plekje in mijn hart zijn voor Shana Kelly.

Mijn proeflezers dank ik voor hun scherpzinnigheid en steun: Susanna Daniel, Cammie McGovern, Samuel Park, Brian Weinberg, Shauna Seliy, Emily Miller, Jennifer Weiner, Lewis Robinson, Katie Brandi en Susan Marrs.

Voor hun hulp bij het uitwerken van bepaalde details bedank ik James R. Ketchum, Marisa Luzzatto, Katie Riley, Jo Sittenfeld, Ellen Battistelli, Darren Speece, Jennie Cole, Joe Litvin, Marc Miller, Chris Thomforde, Susan Brown, Marcie Roahen, Susan Schultz, Jeanne Stewart, John Stewart sr., John Stewart jr., Mikey Stewart, Nick Stanton en, nogmaals,

Susanna Daniel. Eventuele feitelijke of beoordelingsfouten in dit boek zijn aan mij te wijten.

Zoals altijd gaat mijn dank uit naar mijn ouders, broer en zussen voor het feit dat ze mijn ouders, broer en zussen zijn, en ik ben met name mijn vader erkentelijk voor zijn hulp en feedback. Ten slotte wil ik Matt Carlson bedanken, die elk deel las zodra ik het af had en die me heeft aangemoedigd om door te schrijven uit nieuwsgierigheid naar wat er zou volgen.